rororo aktuell – Herausgegeben von Freimut Duve

Die englische Originalausgabe erschien 1982 unter dem Titel «Atlas of the Holocaust» im Verlag Michael Joseph, London, in Zusammenarbeit mit der Rainbird Publishing Group Limited, London

Redaktion der deutschen Ausgabe Klaus Humann
Umschlagentwurf Werner Rebhuhn

«Die 316 Karten in ‹Endlösung› zeigen den millionenfachen Mord an Juden und die Zerstörung sämtlicher wichtiger jüdischer Gemeinden in Europa, die Widerstandsaktionen und Aufstände einzelner, ihre Flucht- und Rettungswege. Mein Ziel war es, jede Phase von Hitlers Krieg gegen das jüdische Volk zu rekonstruieren. ‹Endlösung› zeigt in Karten und Fotos und mit einer Vielzahl von Dokumenten die Eroberung von Gebieten, in denen seit Jahrhunderten Juden gelebt haben, er zeigt die ersten willkürlichen Tötungen, die Zwangsvertreibungen alter Gemeinden, die Errichtung von Gettos, den beabsichtigten Hungertod von Zehntausenden – allein in Warschau verhungerten jeden Monat mindestens 4000 Menschen –, die Festnahmen und Deportationen, das Planen und Funktionieren der Todeslager, das System der Zwangsarbeit und die Exekutionen noch im Augenblick der Befreiung.

Dieser politische Atlas, der erste seiner Art, beschreibt aber nicht nur die Morde an den Juden, sondern ebenso das Leid polnischer Zivilisten und Opfer der Euthanasieprogramme, das Schicksal von Serben und Tschechen, von Zigeunern, Italienern, Griechen, die Exekution aller Bewohner des französischen Dorfes Oradour-sur-Glane und das planmäßige Töten von Kommunisten und Homosexuellen, von russischen Kriegsgefangenen, spanischen Republikanern und Zeugen Jehovas. Sie alle sollen nicht vergessen werden.»

Martin Gilbert ist Fellow am Merton College in Oxford und Autor von «Jewish History Atlas» (1968), «Final Journey. The Fate of the Jews of Nazi Europe» (1979) und «Auschwitz and the Allies» (1981).

Veröffentlicht im Rowohlt Taschenbuch Verlag,
Reinbek bei Hamburg, Oktober 1982

Deutsche Erstausgabe

Umschlagentwurf Werner Rebhuhn
Satz Times (Linotron 404)
Gesamtherstellung Clausen & Bosse, Leck
Printed in Germany
2500-ISBN 3 499 5031 x

Martin Gilbert

Endlösung

Die Vertreibung und Vernichtung der Juden

Ein Atlas

Aus dem Englischen
von Nikolaus Hansen

rororo
Rowohlt

Karte 1

Bergen
Oslo
Narwa
Peipus-See
östlichste deutsche Frontlinie
Nordsee
Ostsee
Kowno
Wilna
Grodno
Białystok
Wolkowysk
Płońsk
Pružana
Hamburg
Sachsenhausen
Amsterdam
Westerbork
Berlin
Łódź
Radom
Leipzig
Breslau
Lublin
Mecheln
Vught
Buchenwald
Theresienstadt
Auschwitz
Der Kanal
Lille
Brüssel
Munkács
Rouen
Košice
Beregszasz
Caen
Nancy
Wien
Paris
Eger (Erlau)
Debrecen
Mármaros Sziget (Sighet)
Angers
München
Beszterce (Bistritz)
Orléans
Budapest
Cluj (Klausenburg)
Szászrégen
Nantes
Tours
Dijon
Meran
Makó
Szeged
Sepsiszengyörgy
Zagreb
Pécs
Lyon
Mailand
Triest
Bordeaux
Turin
Venedig
Padua
Rab
Genua
Avignon
Florenz
Marseille
Pisa
Gurs
Toulouse
Rivesaltes
Pyrenäen
Adriatisches Meer
Schwarzes Meer
Priština
Skopje
Orestias
Xanthi
Rom
Titov Veles
Saloniki
Florina
Ägäisches Meer
Korfu
Arta
Athen
Patras
Kos
Rhodos
Mittelmeer
0 Kilometer 400
© Martin Gilbert 1982

Diese Karte zeigt die wichtigsten Schienenstränge, auf denen Deportationen zum verheerendsten aller Konzentrationslager, nach Auschwitz, durchgeführt wurden. Aus jeder der auf dieser Karte verzeichneten Städte sowie aus vielen hundert weiteren Städten und Dörfern wurden zwischen März 1942 und November 1944 Juden nach Auschwitz deportiert und dort vergast.

Wie die Karten in diesem Atlas zeigen, wurden außer in Auschwitz auch noch in zahlreichen anderen Konzentrationslagern Juden getötet: in Todeslagern und Zwangsarbeitslagern an anderen Orten sowie durch die Hand mobiler Mordkommandos.

Inhaltsverzeichnis

Vorbemerkung 10
Danksagungen 12
Zeichenerklärung 13
Bibliographie 246
Index 254

Liste der Karten

1 Deportationen nach Auschwitz, 1942–1944 Titelseite
2 Geburtsorte von 17 Juden, die von den Nazis ermordet wurden Seite 10
3 Gewalt gegen Juden, 1880–1914 14
4 Gewalt gegen Juden in Europa, 1918–1932 15
5 1933: Zweitausend Jahre jüdischen Lebens in Europa 16
6 Die deutschen Juden und der Triumph der Nazis, 1933–1938 17
7 Die Juden des Saargebiets, 1. März 1935 18
8 Die Juden Oberschlesiens, 15. Juli 1937 19
9 Das Deutsche Reich, 1935–1937 19
10 Gewaltaktionen gegen Juden in Rumänien, 1935 20
11 Maßnahmen gegen Juden, 1935–1939 20
12 Gewalt gegen Juden und jüdische Selbstverteidigung in Polen, 1935–1937 21
13 Juden in Ostösterreich, 13. März 1938 22
14 Ausschreitungen gegen Juden in Polen, April–Juni 1938 22
15 Jüdische Flüchtlinge finden Asyl in Europa, 1933–1938 23
16 Weltweite Aufnahme von jüdischen Flüchtlingen aus Deutschland, 1933–1938 23
17 Juden im westlichen Sudetenland 24
18 Die Juden des Sudetenlandes, Oktober 1938 25
19 Vertreibung von Juden polnischer Herkunft aus Deutschland, 28. Oktober 1938 26
20 Zerstörung der Synagogen («Kristallnacht»), 9. November 1938 27
21 Juden in der Gegend um Darmstadt 27
22 Die Verschleppung von Juden in Konzentrationslager, 10. November 1938 28
23 Die Juden in der Region um Prag 29
24 Annexion von Böhmen und Mähren, 15. März 1939 29
25 Die Juden im Memelgebiet, 21. März 1939 29
26 Der deutsche Einmarsch in Polen, 1. September –5. Oktober 1939 30
27 Die Juden in den ländlichen Gebieten Polens am Vorabend des Krieges: ein Beispiel 31
28 Die größten jüdischen Gemeinden in Polen am Vorabend des Krieges 32
29 Greueltaten Deutscher an Juden, 2. September –13. November 1939 33
30 Die Juden von Danzig, 1.–17. September 1939 34
31 Die Gelsenkirchener Deportation, 9. September 1939 35
32 Jüdische Kriegsgefangene in Deutschland, 1939–1940 35
33 Die Teilung Polens zwischen dem Deutschen Reich und der Sowjetunion, 28. September 1939 36
34 Ermordete oder nach Osten vertriebene Juden im Oktober 1939 37
35 Die Ermordung jüdischer Kriegsgefangener und nichtjüdischer Zivilisten, 1939–1940 38
36 Arbeitslager im Osten, Januar 1940 39
37 Deportationen ins «Lublinland», Oktober 1939 –April 1940 40
38 Juden westlich von Ozorków 41
39 Vertreibung jüdischer Landbevölkerung, Oktober 1939 41
40 Aus Westpolen vertriebene polnische Juden, September–November 1939 42
41 Nach Warschau verschleppte Juden, Dezember 1939 42

42 Deportationsgebiete 43
43 Erste Vertreibungen im Gau Wartheland, 7. November 1939 43
44 Die ersten Vertreibungen aus Kalisz (Kalisch), 12. Dezember 1939 44
45 Deutschland breitet sich nach Norden aus, April 1940 44
46 Die norwegischen Juden zum Zeitpunkt der deutschen Invasion 45
47 Die erste Deportation nach Auschwitz, 14. Juni 1940 46
48 Zwangsarbeit an der deutschen Grenze, Mai–Dezember 1940 47
49 Aus Deutschland in die Pyrenäen deportierte Juden, 22. Oktober 1940 48
50 Nach Gurs deportierte Juden, 22. Oktober 1940 48
51 Zwanzig Juden mit dem Familiennamen Mayer, die in Gurs starben 49
52 Zwangsgettoisierung von Juden, Oktober 1939 –Dezember 1940 50
53 Euthanasiezentren in Deutschland, 1940 51
54 Die Reise nach «Padernice», 27. Oktober 1940 51
55 Verschleppung von Warschauer Juden ins Warschauer Getto, November 1940 52
56 Juden-Deportationen ins Warschauer Getto, Februar–März 1941 53
57 Die Ausbreitung von Terror und Tod, Januar–Juni 1941 54
58 Geburtsorte von Juden, die in Frankreich als Widerstandskämpfer hingerichtet wurden, 1941 55
59 Zwangsarbeitslager in der Sahara, 1941–1942 56
60 Zwangsarbeitslager am Bug, Februar 1941 57
61 Mobile Zwangsarbeitskommandos, März 1941 57
62 Der Einmarsch deutscher Truppen in Jugoslawien und Griechenland, April 1941 58
63 Die Juden des Banat 59
64 Die Juden im westlichen Kroatien am Vorabend des Krieges 60
65 Rabbis und Kantoren, ermordet von der kroatischen «Ustascha» 60
66 Die Juden im östlichen Kroatien und im Srem (Sirmien) am Vorabend des Krieges 61
67 Deutschland und Kroatien 61
68 Die jüdischen Gemeinden Serbiens 62
69 Fluchtwege polnischer Juden nach Osten, Mai 1940–Mai 1941 63
70 Juden in Rußland: ein Beispiel 64
71 Der deutsche Überfall auf Rußland und Pläne für Massenmorde, 22. Juni 1941 65
72 Einige jüdische Gemeinden in Wolhynien am Vorabend des Krieges 66
73 Ermordung von Juden zwischen dem 22. Juni und dem 16. Juli 1941 67
74 Ermordung von Juden zwischen dem 17. Juli und dem 31. August 1941 68
75 Weitere Morde an Juden zwischen dem 17. Juli und dem 31. August 1941 69
76 Morde in Ostgalizien, Sommer 1941 69
77 Die Juden Bessarabiens am Vorabend des Krieges 70
78 Massaker, Deportationen und Todesmärsche in Bessarabien, ab Juli 1941 71
79 Die Juden der Bukowina am Vorabend des Krieges 72
80 Deportationen und Todesmärsche aus der Bukowina, Juni–November 1941 73
81 Die Bukowina 73
82 Die Juden Estlands am Vorabend des Krieges 74
83 Die Eroberung Estlands, 3. September 1941 74
84 Jüdische Gemeinden in Bosnien am Vorabend des Krieges 75
85 Die Ermordung der Juden Bosniens 75
86 Massaker und Aufstände im September und Oktober 1941 76
87 Ermordungen in den Regionen um Kowno und Wilna, September–Oktober 1941 77
88 Weitere Ermordungen, September–Oktober 1941 77
89 Die Ausrottung der Juden Kroatiens, 1941–1944 78
90 Die Deportation holländischer Juden von Holland nach Mauthausen 79
91 Mauthausen und seine Nebenlager 79
92 Zwölf Deportationen nach Osten, 16. Oktober–29. November 1941 80
93 Zwangsgettoisierung böhmischer, mährischer und slowakischer Juden, 10. Oktober 1941 81
94 Massaker und Deportationen, November 1941 81
95 Todeslager Chełmno, die ersten Opfer, 8.–14. Dezember 1941 82
96 Deportationen, Massaker und das erste Todeslager, Dezember 1941 83
97 Weltkrieg: die USA, die Achsenmächte und Japan 84
98 Die Ermordung von Juden geht weiter: die Baltischen Länder 84
99 Zum Sterben ausersehene Juden, 20. Januar 1942 85
100 Zum Sterben ausersehene Juden außerhalb des Machtbereiches der Nazis, Januar 1942 86
101 Deportationen und Massaker, Januar 1942 87
102 Massaker an den Juden auf der Krim, Januar–April 1942 87
103 Morde im Osten und die «Struma» 88
104 Deportationen, Massaker und Aufstände, Februar 1942 89
105 Flucht, Verrat, Massaker und Überleben westlich von Włodawa 89
106 Vier Todeslager und die zunehmende Geschwindigkeit des Mordgeschäftes 90
107 Erste Deportationen nach Bełżec, 17. März 1942 91
108 Deutsche Juden, ausgewählt für die Deportation nach Bełżec, 24. März 1942 91
109 Die Juden aus der Gegend von Würzburg, die deportiert wurden 92
110 Drei Deportationen aus Deutschland nach Bełżec, 24. März 1942 92
111 Massenmorde, Deportationen und Aufstände, März 1942 93
112 Erste Deportationen nach Auschwitz, 26.–27. März 1942 94

113 Geburtsorte einiger der ersten Deportierten aus Paris 94
114 Geburtsorte polnischer Juden, die unter den ersten Deportierten aus Paris waren 95
115 Massenmorde und Deportationen in Todeslager, April 1942 96
116 Weitere Deportationen, nach Izbica und Bełżec, April 1942 96
117 Zehn Deportationen nach Chełmno, April 1942 97
118 Vorherrschaft der Nazis in Europa, April–Mai 1942 97
119 Deportationen, Massaker und Aufstände, Mai 1942 98
120 Informationen über Massenmorde gelangen in den Westen, Mai 1942 98
121 Neunzehn Deportationen nach Sobibór, Mai 1942 99
122 Zehn weitere Deportationen, Mai 1942 100
123 Jüdische Dorfbewohner widersetzen sich der Deportation, 9. Mai 1942 101
124 Deportationen über weite Entfernungen und ein Akt der Auflehnung, Mai 1942 101
125 Flucht, Widerstand, Zerstörung, Mai–Oktober 1942 102
126 Deportationen über weite Entfernungen und Massaker, Juni 1942 104
127 Ein Gaswagen wird in den Norden beordert, 9. Juni 1942 104
128 Deportationen, Massenmorde und Aufstände, Juni 1942 105
129 Die Juden Hollands am Vorabend der Deportation 106
130 Deportationen über weite Entfernungen, Juli 1942 107
131 Deportationen, Massaker und Aufstände, Juli 1942 108
132 Die Deportationen aus dem Warschauer Getto, ab dem 22. Juli 1942 109
133 Deportationen über weite Entfernungen, August 1942 109
134 Die Juden Belgiens und Luxemburgs 110
135 Die Schweiz verweigert Aufnahme jüdischer Flüchtlinge, 13. August 1942 111
136 Kinder im Alter unter vier Jahren, deportiert nach Auschwitz, 17. August 1942 111
137 Deportationen, Massaker und Aufstände, 1.–13. August 1942 112
138 Juden werden zur Deportation nach Chełmno zusammengezogen, 1.–21. August 1942 113
139 Zwanzig Deportationen aus Ostgalizien, August 1942 113
140 Deportationen, Massaker und Aufstände, 14.–31. August 1942 114
141 Deportationen aus Westgalizien nach Bełżec, August 1942 114
142 Massaker, Widerstand und Flucht in Wolhynien, August 1942 115
143 Deportationen und Massenmorde, 1.–5. September 1942 116
144 Deportationen in zwei Todeslager, 1. und 6.–16. September 1942 117
145 Neun Deportationen nach Bełżec, 7. September 1942 118
146 Ermordung von Juden im Kaukasus, 9. September 1942 119
147 Deportationen über weite Entfernungen, Massaker und Aufstände, September 1942 119
148 Die Deportation der Familie Hirschsprung, 15. September 1942 120
149 Geburtsorte polnischstämmiger Juden, die aus Lille deportiert wurden, 15. September 1942 121
150 In Bulgarien geborene Juden, die von Paris nach Auschwitz deportiert wurden, 16. September 1942 121
151 Deportationen und Aufstände, 17.–20. September 1942 122
152 Die «Familienlager» im Wald von Parczew, 1942–1943 123
153 Deportationen, Massaker und Aufstände, 12.–22. September 1942 124
154 Deportationen, Massaker und Aufstände, 23.–30. September 1942 125
155 In Rumänien geborene Juden, die aus Paris deportiert wurden, 25. September 1942 125
156 Deportationen nach Chełmno und Treblinka, 23. September–5. Oktober 1942 126
157 Weitere sieben Deportationen nach Treblinka 126
158 In Afrika und Asien gebürtige Juden, die von Paris nach Auschwitz deportiert wurden 127
159 In Nordafrika gebürtige Juden, die von Paris nach Auschwitz deportiert wurden 127
160 Deportationen und Aufstände, 1.–14. Oktober 1942 128
161 Weitere Ermordungen, September–Oktober 1942 128
162 Deportationen, Massaker und Aufstände, 1.–31. Oktober 1942 129
163 Dreißig Deportationen nach Treblinka, 15.–31. Oktober 1942 129
164 Deportationen nach Auschwitz, 15.–31. Oktober 1942 130
165 Weitere Deportationen, Massaker und Aufstände, 15.–31. Oktober 1942 131
166 Deportationen und Widerstand, 1.–6. November 1942 132
167 Deportationen über weite Entfernungen und Massenmorde, November 1942 133
168 Fünfundsechzig Deportationen aus dem Bezirk Białystok, 2. November 1942 133
169 Aus der französischen Provinz deportierte Juden, 3. November 1942 134
170 Geburtsorte einiger der aus Paris Deportierten, 3. November 1942 135
171 Nach Auschwitz deportierte Juden amerikanischer Herkunft 135
172 Geburtsorte weiterer Deportierter amerikanischer Herkunft 135
173 Deportationen, Massaker und Aufstände, 7.–30. November 1942 136
174 Die Juden Algeriens und die «Operation Torch», 8. November 1942 137
175 Stalingrad, El Alamein, «Torch» 137
176 Geburtsorte einiger der aus Paris Deportierten, 9. November 1942 138
177 Aus Paris Deportierte, geboren in Griechenland 138

178 Flucht, Täuschung und Deportation, 10. November 1942 139
179 Vertriebene und ermordete Polen, 27. November–31. Dezember 1942 139
180 Deportationen, Massaker und Aufstände, Dezember 1942 140
181 Drei Deportationen, drei Massaker 140
182 Zigeuner: Deportationen, Massaker und Aufstände, 1939–1945 141
183 Deportationen, Massaker und Aufstände, Januar 1943 142
184 Deportationen über weite Entfernungen nach Auschwitz, Januar 1943 143
185 Die letzten siebzehn Handwerker von Dzisna (Disna) - ermordet 143
186 Geburtsorte einiger derer, die 1943 in Drancy starben 144
187 Acht gebürtige Schweizer, die von Paris nach Auschwitz deportiert wurden, 1942–1944 144
188 Die bedrohten Juden Tunesiens, Januar 1943 145
189 Der Vormarsch der Alliierten, Januar–Mai 1943 145
190 Deportation von Kindern nach Auschwitz, 11. Februar 1943 146
191 Deportation alter Menschen nach Auschwitz, 11. Februar 1943 147
192 Deportationen über weite Entfernungen und die «Fabrik-Aktion», Februar 1943 148
193 Deportationen, Massenmorde und Aufstände, Februar 1943 149
194 Die deportierten Juden Makedoniens und Thrakiens, 3.–22. März 1943 150
195 Zwanzig Züge vom Balkan, März 1943 151
196 Die Deportationen von Saloniki, 15. März 1943 152
197 Die Rettung der bulgarischen Juden, 17. März 1943 153
198 Deportationen über weite Entfernungen, Massaker und Aufstände, März 1943 154
199 Deportationen, Massaker und Aufstände, März 1943 154
200 Die Juden von Marseille und Aix 155
201 Deportationen, Massaker und Aufstände, April 1943 156
202 Deportationen über weite Entfernungen, Massaker und Aufstände, April 1943 157
203 Die Vernichtung von sechs Gemeinden, 18. April 1943 157
204 Der Warschauer Gettoaufstand, 19. April–8. Mai 1943 158
205 Sieben Deportationen sowie weitere Massaker und Aufstände, 4.–25. Mai 1943 160
206 Neun Deportationen in den Osten, Juni 1943 161
207 Deportationen, Massaker und Aufstände, Juni 1943 161
208 Deportationen, Massaker und Aufstände, Juli 1943 162
209 Flucht, Hinterhalt und Widerstand, 24. Juli 1943 163
210 Deportationen, Massaker und Aufstände, August 1943 164
211 Aktivitäten jüdischer Partisanen im Bezirk Białystok, 1943 165
212 Die Ermordung von 1260 Kindern aus Białystok 165
213 Die geretteten Juden Dänemarks, September 1943 166
214 Schweden und die Juden, 1939–1945 167
215 Ein Zwangsarbeitslager wird eingerichtet, September 1943 168
216 Zwangsarbeitslager, 1943–1944 168
217 Himmler ordnet an, alle Spuren von Massenmorden zu verwischen 169
218 Juden an der Südküste Dalmatiens 170
219 Deportationen über weite Entfernungen, Flucht und Aufstände, September 1943 171
220 Fünf Deportationen nach Auschwitz, 2.–8. September 1943 171
221 Die Deportation der italienischen Juden, 9. Oktober–21. November 1943 172
222 Deportationen, Massaker und Aufstände, Oktober 1943 173
223 Deportationen, Massaker und Aufstände, November–Dezember 1943 174
224 Flucht und Widerstand, Juli–Dezember 1943 175
225 Juden, die nach Auschwitz deportiert und dort vergast wurden, Januar–Februar 1944 176
226 Geburtsorte von vierundzwanzig nach Auschwitz deportierten Juden, 22. Januar 1944 177
227 In der Türkei geborene Juden, die aus Paris deportiert wurden 177
228 Geburtsorte von dreißig nach Auschwitz deportierten Juden, 3. Februar 1944 178
229 Die Juden im Norden Dalmatiens 178
230 Die Internierung der Juden Albaniens 179
231 Drei Deportationen, März–April 1944 179
232 Die Deportation griechischer Juden nach Auschwitz, 23. März–2. April 1944 180
233 Deportationen, Massaker und Aufstände, März–April 1944 181
234 Evakuierung von Zwangsarbeitslagern, März 1944 182
235 Fünf Deportationen aus Holland 183
236 Drei weitere Deportationen 183
237 Gebürtige Elsässer, die nach Auschwitz deportiert wurden, 13. April 1944 183
238 Die Juden in Ungarn und die deutsche Besatzung, 19. März 1944 184
239 Jüdische Gemeinden in der Bácska (Batschka), deren Mitglieder interniert wurden 185
240 Zur Deportation versammelte Juden, 16. April–23. Mai 1944 186
241 Deportationen aus dem östlichen Ungarn, 15. Mai–7. Juni 1944 187
242 Die Vernichtung einiger jüdischer Gemeinden in Ungarn, 15. Mai–7. Juni 1944 187
243 Die Paris-Deportationen vom 15. Mai 1944 188
244 Geburtsorte einiger der am 15. Mai 1944 aus Paris Deportierten 188
245 Geburtsorte einiger der von Paris nach Auschwitz Deportierten, 20. Mai 1944 189
246 In Frankreich wegen Widerstandsaktivitäten hingerichtete Juden, 1. Januar–5. Juni 1944 190
247 Einige Geburtsorte 191
248 Juden, Griechen und Italiener ertrinken vor Pholegandros, 6. Juni 1944 192

249 Die Geretteten Juden von Zakynthos (Zante) 193
250 Die Deportation der Juden von Korfu, 14. Juni 1944 193
251 Deportationen über weite Entfernungen, Juni 1944 194
252 Stutthof und die dazugehörigen Zwangsarbeitslager 195
253 Sieben Juden, die in Oradour getötet wurden, 10. Juni 1944 195
254 Deportationen aus Zentralungarn, 15. Mai–8. Juli 1944 196
255 Deportationen aus der Karpatenukraine und aus Nord-Siebenbürgen, 15. Mai–8. Juli 1944 197
256 Die Deportationen aus Ungarn gehen weiter: das Gebiet um den Balaton (Plattensee) 198
257 Deportationen aus der Umgebung von Budapest 198
258 Die Juden aus der Gegend von Pápa werden nach Auschwitz deportiert, 4. Juli 1944 199
259 Deportationen aus den Vororten von Budapest 199
260 Deportationen, Massenmord und Aufstände, Juli 1944 200
261 Deportationen über weite Entfernungen, Juli 1944 201
262 Weitere Deportationen aus Ungarn, 1.–8. Juli 1944 201
263 Jüdische Waisenkinder werden zwischen dem 20. und 24. Juli 1944 festgenommen und nach Auschwitz deportiert 202
264 Geburtsorte von einunddreißig der am 31. Juli 1944 deportierten Kinder 202
265 Geburtsorte von dreiundzwanzig der am 31. Juli 1944 deportierten Kinder 203
266 Geburtsorte von weiteren dreizehn Deportierten, 31. Juli 1944 203
267 Der Vormarsch der Alliierten, 23. Juni–25. August 1944 204
268 Die Evakuierung eines Arbeitslagers nach Auschwitz, 22. Juli 1944 204
269 Eine Evakuierung per «Todesmarsch» von Warschau, 29. Juli 1944 205
270 Eine Evakuierung per «Todeszug» nach Dachau, 4. August 1944 205
271 Deportationen, Todesmärsche und Aufstände, August 1944 206
272 Evakuierung von Zwangsarbeitslagern, 28. August 1944 207
273 Massaker, Deportationen und Evakuierungen, September 1944 208
274 Evakuierung von Zwangsarbeitslagern, 25. September 1944 209
275 Deportationen und Aufstände, Oktober 1944 210
276 Evakuierungen und Todesmärsche, November 1944 211
277 Ein Todesmarsch von Lieberose, Dezember 1944 212
278 Die Rote Armee bereitet den Vormarsch vor, 12. Januar 1945 213
279 Evakuierung von Zwangsarbeitslagern, Aufstände, 17. Januar 1945 213
280 Zwangsarbeit in Auschwitz und Umgebung am 17. Januar 1945 214
281 Evakuierungen in Form von Todesmärschen aus der Gegend von Auschwitz, 18. Januar 1945 215
282 Der Vormarsch der Roten Armee und die Evakuierungen in der Gegend von Auschwitz 215
283 Ein weiterer Todesmarsch, von Birkenau, Januar–März 1945 216
284 Evakuierung, Massaker und Rettung, 20.–27. Januar 1945 217
285 Ein Todesmarsch von zweiundvierzig Tagen Dauer, 26. Januar–11. März 1945 218
286 Vom Todesmarsch zum Todeszug 218
287 Die Deportationen gehen weiter, 18. Februar 1945 219
288 Evakuierung und Aufstand, März–April 1945 220
289 Ein Todesmarsch durch Österreich, März–April 1945 221
290 Fünf Evakuierungen, 1.–3. April 1945 222
291 Drei Evakuierungen, 3.–4. April 1945 223
292 Amerikanische Truppen erreichen Ohrdruf, 4. April 1945 224
293 Vier weitere Evakuierungen, 8.–16. April 1945 225
294 Britische Truppen erreichen Bergen-Belsen, 15. April 1945 226
295 Todesmärsche von Ravensbrück und Sachsenhausen, 19.–25. April 1945 227
296 Französische Truppen erreichen vier Stätten des Massenmordes, 25. April 1945 228
297 Die Toten von Tuttlingen und ihre Geburtsorte in Europa 229
298 Die Evakuierung von Stutthof auf dem Seewege, 26. April 1945 229
299 Drei Evakuierungen, April–Mai 1945 230
300 In Mauthausen ermordete Juden, Januar–Mai 1945 232
301 Fünfzehntausend Zigeuner, ermordet in Mauthausen, Januar–Mai 1945 232
302 Ermordung von Homosexuellen, Januar–Mai 1945 233
303 Ermordung von Zeugen Jehovas 233
304 Ermordung von spanischen Internierten und russischen Kriegsgefangenen 233
305 Ein letzter Todesmarsch, 1.–5. Mai 1945 234
306 Der Tod des Geza Havas, 5. Mai 1945 234
307 Die letzten Befreiungen, 4.–8. Mai 1945 235
308 Weibliche Überlebende der Lager, die in Schweden starben, Mai–November 1945 236
309 Drei junge Überlebende gelangen nach Ulm 237
310 Geburtsorte einiger Überlebender von Dachau 238
311 Weitere Überlebende von Dachau 238
312 Überlebende der Lager verlassen Kontinentaleuropa, 1945–1950 239
313 Die Reise eines Mannes, 17. Januar–24. Oktober 1945 240
314 Tötungen in der Nachkriegszeit und die Flucht der Überlebenden, 1944–1948 241
315 Überlebende sowie jene, die zurückkehrten, 1945 242
316 Die zwischen dem 1. September 1939 und dem 8. Mai 1945 ermordeten Juden: eine Schätzung 244

Vorbemerkung

Die Karte unten zeigt den Ort der Geburt, der Arbeit und der Ermordung von 17 Juden, die in den Kriegsjahren getötet wurden. Der folgende Text auf diesen beiden Seiten erzählt ein wenig von ihrer persönlichen Geschichte. Wenn man über jeden Juden, der zwischen 1939 und 1945 ermordet wurde, auf ähnliche Weise berichten würde, wären 353000 derartige Karten nötig. Um sie zu zeichnen, würden Autor und Kartograph bei ihrem höchsten Arbeitstempo – eine Karte pro Tag – 967 Jahre brauchen.

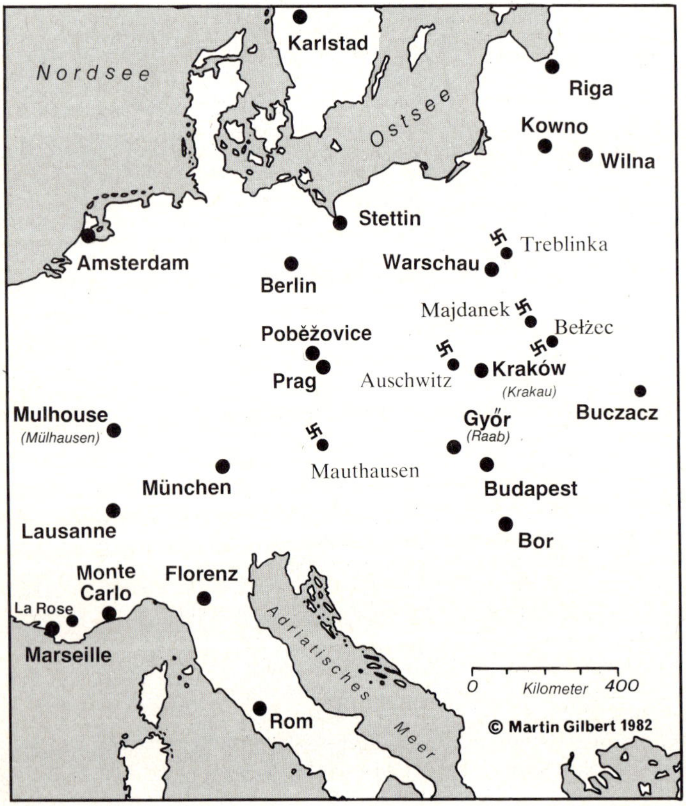
Karlstad
Nordsee
Ostsee
Riga
Kowno
Wilna
Stettin
Treblinka
Amsterdam
Warschau
Berlin
Majdanek
Bełżec
Poběžovice
Prag
Auschwitz
Kraków
(Krakau)
Buczacz
Mulhouse
(Mülhausen)
Győr
(Raab)
Mauthausen
München
Budapest
Lausanne
Bor
Monte Carlo
Florenz
La Rose
Marseille
Adriatisches Meer
0 Kilometer 400
Rom
© Martin Gilbert 1982

Unter den 17 Personen, die ich für diese Karte ausgewählt habe, war der Historiker Simon Dubnow, der in Wilna, Kowno und Berlin gelehrt hat und der am 8. Dezember 1941 im Alter von 81 Jahren in Riga ermordet wurde. Zu den jüdischen Historikern, die von den Nazis ermordet wurden, zählt auch Emanuel Ringelblum, geboren in Buczacz; er überlebte den Aufstand im Warschauer Getto, wurde jedoch später von der Gestapo festgenommen und im Alter von 44 Jahren zusammen mit seiner Frau und seinen Kindern umgebracht *(S. 179)*.

Auch viele tausend Ärzte, Heilpraktiker und Wissenschaftler wurden getötet, unter ihnen der Pharmakologe Emil Starckenstein, geboren in der böhmischen Stadt Poběžovice, der zunächst als Professor in Prag und nach 1938 als Flüchtling in Amsterdam wichtige Beiträge zur vorbeugenden Medizin geleistet hat. 1941, im Alter von 58 Jahren, wurde er nach Mauthausen deportiert und dort getötet *(S. 79)*.

Charlotte Salomon war Malerin. Sie wurde in Berlin geboren und floh 1939 im Alter von 22 Jahren nach Frankreich. Später wurde sie nach Auschwitz deportiert und dort vergast. Eines ihrer Bilder trug den Titel, «Ich kann dieses Leben nicht ertragen, ich kann diese Zeiten nicht ertragen». Rudolf Levy, ebenfalls Maler, wurde 1875 in Stettin geboren und arbeitete mit Matisse. Im Ersten Weltkrieg erhielt er als deutscher Soldat das Eiserne Kreuz. 1933 floh er von Berlin nach Paris, 1940 von Paris nach Florenz, und 1943 wurde er von Italien nach Auschwitz deportiert. Im selben Jahr wurde der in München geborene Maler Hermann Lismann, der in Lausanne und Rom studiert hatte, von Frankreich nach Majdanek deportiert *(S. 155)*.

Harry Baur, ein Werftarbeiter aus Marseille, der in ganz Frankreich als «König der Charakterschauspieler» bekannt war, starb 1943 in Berlin, nachdem er von der Gestapo gefoltert worden war. Ein weiterer französischer Jude, René Blum, Nachfolger von Diaghilew als Direktor des Balletts von Monte Carlo, starb 1944 in Auschwitz.

Auch viele Dichter wurden ermordet, unter ihnen Mordechai Gebirtig, getötet in Kraków (Krakau) *(S. 104)*; Samuel Jacob Imber, deportiert nach Bełżec *(S. 132)*; Yitzhak Katznelson, zusammen mit einem seiner Söhne in Auschwitz umgebracht *(S. 183)*; und der 35jährige Ungar Miklos Radnoti, der nach mehr als dreijährigem Aufenthalt in verschiedenen Arbeitslagern im Oktober 1944 auf einem Todesmarsch von Bor in Jugoslawien nach Győr (Raab) in Ungarn starb *(S. 206)*.

Unter den Hunderttausenden von Jugendlichen, die getötet wurden, befanden sich der 15jährige Yitskhok Rudaschewsky, der in seinem Tagebuch das tägliche Leben und die Stimmungen im Getto von Wilna beschrieb *(S. 156)*, sowie Judit Sandor aus Budapest, die sowohl die Todeslager als auch den Krieg selbst überlebte, die jedoch zu schwach war, um den Frieden zu überleben – sie starb im September 1945, kurz nach ihrem 17. Geburtstag, im schwedischen Karlstad *(S. 236)*.

Janusz Korczak, Autor von Kindergeschichten,

Erzieher und Sozialarbeiter, wurde gemeinsam mit allen 200 Kindern seines Warschauer Waisenhauses in Treblinka ermordet. Er hatte darauf bestanden, sie in das Todeslager zu begleiten. Auch Alice Salomon, Leiterin eines Kinderheimes in La Rose bei Marseille, begleitete freiwillig ihre Kinder, als diese nach Auschwitz deportiert wurden *(S. 155)*.

Insgesamt wurden von den Nazis mehr als eine Million jüdischer Kinder ermordet, unter ihnen der dreijährige Pierre Roth, geboren in Mulhouse (Mülhausen) *(S. 146)*. Tausende von Kindern wurden auf offener Straße erschossen oder auf der Schreckensreise in die Todeslager von ihren Eltern getrennt. Selbst die winzigsten Kinder wurden brutal ermordet, viele entriß man den Armen ihrer Mütter, wenn beide erschossen, zu Tode geprügelt oder vergast wurden.

Mit dem Tod so vieler Kinder wurden auch zukünftige Generationen vernichtet und der natürliche Fortgang von Generation zu Generation auf unnatürliche Weise unterbrochen. Wir werden nie erfahren, was diese mehr als eine Million Kinder aus ihrem Leben gemacht hätten, wenn nicht grausame Menschen sie ausersehen hätten zu sterben.

Die folgenden 314 Karten zeigen in chronologischer Abfolge die Zerstörung sämtlicher wichtiger jüdischer Gemeinden in Europa sowie Widerstandsaktionen und Aufstände, Flucht- und Rettungswege sowie das Schicksal von Individuen.

Die Geschichte, die mit diesen Karten erzählt wird, ist nicht vollständig, und auch die statistischen Daten, wie sorgfältig auch immer sie recherchiert werden, können nicht wirklich jedes Detail erfassen. «Selbst unter Berücksichtigung sämtlicher Quellen, die auf der Welt zur Verfügung stehen», so hat Professor Yehuda Bauer einmal gesagt, «ist es unmöglich, alles darzustellen – oder auch nur zu wissen – was geschehen ist.»

Auf jede Gemeinde, deren Bevölkerungszahl vor dem Krieg oder deren Vernichtung während des Krieges ich auf einer dieser Karten festgehalten habe, kommen zwei oder drei weitere Gemeinden – vor allem kleinere – für die entweder kein Platz in diesem Atlas war oder über die, abgesehen von der Tatsache, daß sie zerstört worden sind, nichts bekannt ist. Das Ziel der Nazis war es, diese Gemeinden mit allem, was sie an Leben, Glauben und Kultur repräsentierten, auszulöschen. Zwar haben die Nazis keine besonderen Anstrengungen unternommen, jeden Mord dokumentarisch festzuhalten, doch ihre generelle Effizienz und ihr Ordnungssinn hatten letztendlich zur Folge, daß von der Durchführung der Morde viele Einzelheiten überliefert sind, die nicht selten zum jeweiligen Zeitpunkt von den Mördern selbst aufgezeichnet wurden.

Das Ziel dieses Atlasses ist es, jede Phase von Hitlers Krieg gegen das jüdische Volk zu rekonstruieren: seinen Krieg gegen alle Menschen jüdischen Blutes oder jüdischer Abstammung, wo immer er sie finden konnte. Insofern zeigt der Atlas die deutsche Eroberung von Gebieten, in denen seit Jahrhunderten Juden gelebt hatten, er zeigt die ersten willkürlichen aber brutalen Tötungen, die Zwangsvertreibung alter Gemeinden, die Errichtung von Gettos, den beabsichtigten Hungertod von Zehntausenden – allein in Warschau verhungerten mindestens 4000 Menschen pro Monat –, die Festnahmen und Deportationen, die Schaffung und das Funktionieren der Todeslager, das System der Zwangsarbeit und die Exekutionen bis zu dem Augenblick der Befreiung.

Auf den Fotos sind die betreffenden Orte sowie einige der Menschen zu sehen, gegen die dieser gewaltige Apparat und diese gewaltigen Anstrengungen zu töten, gerichtet waren. Es ist Teil ihres tragischen Schicksals, daß die meisten von ihnen anonym sind. Und doch waren die Menschen auf diesen Fotos wirkliche Menschen aus Fleisch und Blut. Ihre Gesichter haben für jene, die sie kannten, einst Kampf und Schmerz, Freude und Lachen bedeutet.

Zwar hat dieser Atlas das Leid der Juden zum Thema, doch kein Buch, kein Atlas, der irgendeinen Aspekt des Zweiten Weltkrieges aufgreift, kann umhin zu betonen, daß neben den sechs Millionen ermordeten jüdischen Männern, Frauen und Kindern eine mindestens ebenso große Zahl nichtjüdischer Menschen getötet wurde – und zwar nicht in der Hitze des Gefechts, nicht als Opfer von militärischen Angriffen, von Luftbombardements oder den grausamen Bedingungen des modernen Krieges, sondern auf Grund bewußter, geplanter Morde. So werden auch in diesem Atlas, der sich mit dem Los der Juden auseinandersetzt, an vielen Stellen – häufig als untrennbarer Bestandteil des jüdischen Schicksals – die Morde an Nichtjuden erwähnt. Dazu gehören polnische Zivilisten, die nach der Kapitulation Polens getötet wurden *(S. 38)*; die ersten, überwiegend nichtjüdischen Opfer von Auschwitz *(S. 46)*; die Zehntausende von Opfern des Euthanasieprogramms der Nazis *(S. 51)*; die Nichtjuden, die zusammen mit Juden in den Zwangsarbeitslagern in der Sahara den Tod fanden *(S. 56)*; die Serben, die im April 1941 und im Januar 1942 gemeinsam mit Juden getötet wurden *(S. 58 und 87)*; die tschechischen Dorfbewohner, die bei dem Massaker von Lidice ums Leben kamen *(S. 101)*; die Polen, die aus dem Bezirk Zamość vertrieben und getötet wurden *(S. 139)*; die Zigeuner, die in Todeslager deportiert wurden *(S. 141)*; die Nichtjuden, die gemeinsam mit Juden bei Vergeltungsaktionen in Rom ermordet wurden *(S. 181)*; Griechen und Italiener, die als Geiseln festgenommen und zusammen mit Juden in der Ägäis ertränkt wurden *(S. 192)*; die französischen Dorfbewohner, die beim Massaker von Oradour-sur-Glane den Tod fanden *(S. 195)*; und die Zehntausende von Zigeunern, russischen Kriegsgefangenen, spanischen Republikanern, Zeugen Jehovas und Homosexuellen, die in Mauthausen ermordet wurden *(S. 232/233)*.

Ich habe in diesem Atlas versucht, eine chronologische Darstellung von der Entwicklung des Holocaust zu geben und zu zeigen, wie diese Entwicklung mit den Änderungen im Verlauf des Zweiten Weltkrieges zusammenhing. Die hier zusammengetragenen Fakten werden, wie ich hoffe, unser Wissen davon erweitern, was den Juden angetan worden ist – in sämtlichen Gebieten, die unter die Herrschaft der Nazis fielen, und unter besonderer Berücksichtigung der Fragen, wo es geschehen ist, unter welchen Umständen, und mit welcher Intensität.

Danksagungen

Die Quellen für sämtliche Fakten, die in diesen Atlas Eingang gefunden haben, sind in der Bibliographie auf den Seiten 246–253 aufgeführt. Bei der Zusammenstellung dieses Materials und der eigentlichen Vorbereitung der Karten hat mir vor allem Rabbi Hugo Gryn, ein Überlebender von Auschwitz, mit zahlreichen Anregungen zur Seite gestanden; ich traf ihn zum erstenmal im Frühjahr 1974, als ich mit der Arbeit an diesem Atlas gerade begann. Sein Wunsch, daß die Geschichte so detailliert wie möglich erzählt werden möge, hat meine Arbeit wesentlich mit beeinflußt; das gleiche gilt für seinen persönlichen Zuspruch und seine spezifischen Ratschläge, mit denen er die vorbereitende Arbeit an Karten und Texten begleitet hat.

Für Hugo Gryn, wie für viele der Überlebenden, die mir beim Sammeln des Materials geholfen oder mich in der Absicht bestätigt haben, bestimmte Ereignisse auf Karten festzuhalten, ist allein der bloße Akt der Erinnerung häufig mit Schmerzen verbunden. Sie sind sich jedoch der Tatsache durchaus bewußt, daß wenn nicht die volle Bedeutung und das ganze Ausmaß des Gemetzels aufgezeichnet würde, viele Episoden nicht der Nachwelt überliefert werden könnten, so daß die ganze Ungeheuerlichkeit des Holocaust im Dunkeln bleiben und er auf nicht viel mehr als eine Fußnote zur Geschichte des Zweiten Weltkrieges reduziert werden würde.

Beim Fortgang meiner Arbeit erhielt ich auch zahlreiche Anregungen aus dem Werk des französischen Juristen und Historikers Serge Klarsfeld, dessen Vater von Paris nach Auschwitz deportiert wurde, wo er umkam, und dessen erstmals 1978 erschienene umfassende Ausgabe von Deportationslisten französischer Juden nicht nur ein Beispiel präziser historischer Forschungsarbeit ist, sondern auch das Grundlagenmaterial für 33 Karten in diesem Atlas lieferte.

Was die Karten selbst anbetrifft, bin ich vor allem Terry Bicknell für seine kartographische Arbeit zu Dank verpflichtet – er war es, der meine groben und provisorischen Skizzen in Karten bester Qualität umsetzte. Seinen Fähigkeiten und seiner Geduld hat dieser Atlas vieles zu verdanken.

Während der Arbeit an den Karten fand ich beträchtliche Unterstützung in der Freundlichkeit und Weisheit von Dr. Shmuel Krakowski, Direktor des Archivs des Yad Washem in Jerusalem und selbst ein Überlebender, der mir nicht nur wertvolles Material zur Verfügung stellte, sondern mich darüber hinaus bei meinen Untersuchungen bestärkte: Seine Kenntnis des Schicksals der polnischen Juden während der Kriegsjahre sowie der Ereignisse in vielen anderen Regionen ist eine unentbehrliche Hilfe gewesen, und das gleiche gilt für seine eigene bahnbrechende Arbeit über den jüdischen Widerstand in Polen zwischen 1942 und 1944.

Auch danke ich Professor Yehuda Bauer vom Institute of Contemporary Jewry an der Hebrew University in Jerusalem, der die Karten im Stadium des Entwurfes prüfte und der mir eine wichtige Hilfe dabei war, Zugang zu manchen Themen und Quellen zu finden. Teile der wichtigsten Forschungsarbeit über den Holocaust werden von seinen Studenten und unter seiner Leitung durchgeführt.

Als die Arbeit an den Karten in ein fortgeschrittenes Stadium gekommen war, wurde sie vor allem durch die kritische Überprüfung von Dr. Arthur Cygielman unterstützt.

Zwei Institutionen, nämlich das Yad Washem in Jerusalem und die Wiener Library in London, haben mir beträchtlich geholfen, indem sie sowohl Veröffentlichungen als auch Manuskriptmaterial aus ihren eigenen reichhaltigen Beständen zur Verfügung stellten. Bei meiner Suche nach Unterlagen und nach weiteren Nachschlagewerken war mir der inzwischen verstorbene Dr. Chaim Pazner behilflich, und zwar nicht nur, indem er mich immer wieder persönlich ermutigte, sondern auch, indem er mich mit den Experten vom Yad Washem bekannt machte, deren Unterstützung von erheblichem Wert gewesen ist.

Ich danke weiterhin Taffy Sassoon, der dabei half, das angesammelte Material zusammenzustellen, und der Dokumente und Artikel aus dem Hebräischen und Jiddischen übersetzte. Das Abschreiben der Texte übernahmen Esther Gerber – die zu diesem Zweck extra von Jerusalem nach Oxford kam – und Sue Rampton.

In der letzten Phase verdankt der Atlas vieles den kartographischen Korrekturen von Danuta Trebus, deren Tätigkeit zum Teil aus einem Stipendium der Memorial Foundation for Jewish Culture bezahlt werden konnte. Die Arbeit an Original-Karten wurde uns dank der Großzügigkeit von Rex und Deborah Harbour ermöglicht.

Meinen aufrichtigen Dank schulde ich außerdem Frederick A. Praeger von Westview Press in Boulder, Colorado, der mich im Anfangsstadium des Projektes sehr ermutigt hat; Max J. Holmes von Holmes and Meier; Martin Savitt und dem Board of Deputies of British Jews, das 1978 ein illustriertes Schulbuch mit 23 Karten herausgab; Arthur Wang von Hill and Wang, der selbiges Schulbuch in den Vereinigten Staaten verlegte; und Paul Shaw, seinerzeit zuständig für Bildungsfragen im Board of Deputies, der mir im frühen aber wichtigen Stadium der Planung hinsichtlich Form und Inhalt zahlreicher Karten wertvolle Ratschläge gab und der mich ermutigte, mit der dann folgenden weit umfangreicheren Arbeit fortzufahren.

In Dankbarkeit verbunden bin ich auch Michael O'Mara, Geschäftsführer von George Rainbird Ltd. – sowohl sein persönliches Interesse an dem Projekt als auch die von ihm vorgenommene Benennung von Erica Hunningher als Lektorin haben wesentlich zur Vollendung der Arbeit beigetragen. Mrs. Hunningher hat sich dauerhaft, nachhaltig und entscheidend für den Atlas eingesetzt.

Viele Menschen haben mir Briefe mit Vorschlägen für einzelne Karten geschrieben oder meine Fragen nach Informationen beantwortet. In diesem Zusammenhang danke ich: Chana Abells; Dr. Yitzhak Arad, Vorsitzender des Direktoriums des Yad Washem in Jerusalem; dem verstorbenen Ehud Avriel; Dr. Gershon Bacon; Dr. Konstantin Bazarov; Professor Shlomo Ben-Ami; Andras Bereznay; Professor Yehuda Blum; John A. Broadwin; Peter Brod; Hyam Corney; Dr. Szymon Datner; Professor Dr. L. de Jong, Direktor des Niederländischen Staatsinstituts für Kriegsdokumentation; Adina Drechsler; Melvin Durdan; Dr. Elizabeth Eppler, Stellvertretende Direktorin des Institute of Jewish Affairs in London; Henning Gehrs, Bibliothekar am Museet For Danmarks Frihedskamp 1940–1945 in Kopenhagen; Richard Grunberger; Clara Guini, Bibliothekarin der Handbibliothek des Yad Washem in Jerusalem; Professor Yisrael Gutman; Jerzy Herszberg; Alfred Herzka; Professor Daniel Ivin; Stanislaw Kania, Hauptausschuß zur Untersuchung von Nazi-Verbrechen in Polen; Hadass Kaufman, Archiv-Sekretär am Yad Washem in Jerusalem; Dr. Rivka Kauli; Donald Kenrick; Dr. J. Kermish, Archiv-Direktor am Yad Washem in Jerusalem; Warren Kimball; Yehudit Kleiman; Erich Kulka; Janet Langmaid; Naomi Laqueur; Curt Leviant; Dr. Dov Levin; Karin Levisen, Presse- und Kulturreferentin an der Königlich Dänischen Botschaft in London; Lawrence Litt; Fritz Majer-Leonhard; Hadassa Modlinger; Miriam Novitch; Thomas Orszag-Land; Professor Dr. Czeslaw Pilichowski, Direktor des Hauptausschusses zur Untersuchung von Nazi-Verbrechen in Polen; Hayim Pinner; Leon Pommers; Leslie Reggel; Matthew Rinaldi; Dr. S. J. Roth, Direktor des Institute of Jewish Affairs, London; Dr. Livia Rothkirchen, Herausgeberin der *Yad Vashem Studies*, Jerusalem; Michele Sarfatti, Centro Di Documentazione Ebraica Contemporanea, Mailand; Dr. Schulz, Landeshauptarchiv, Koblenz; A. E. Scopelitis, Griechische Botschaft in London; Mrs. M. Segall; Tovia Shahar; Dr. Shmuel Spector; Jennie Tarabulus; Michael Tregenza; Harold Werner; und K. Zailinger, Direktor des Service Social Juif in Brüssel.

Die Fotos in diesem Buch stammen größtenteils aus den Archiven des Yad Washem, Jerusalem. Weitere Fotos stammen von: Serge Klarsfeld *(Titelseite, S. 145)*; Hauptausschuß zur Untersuchung von Nazi-Verbrechen in Polen, Warschau *(S. 209)*; und vom Museet For Danmarks Frihedskamp 1940–1945, Kopenhagen *(S. 167)*; ich danke all denen, die mir den Zugang zu diesen Fotoarchiven ermöglicht haben; auch danke ich Tomasz Krasowski, der mich auf meiner Reise durch Polen begleitete, wo ich die Fotos auf den Seiten 16, 82, 103, 148 und 182 gemacht habe. Das Foto auf Seite 155 habe ich 1976 aufgenommen.

Wie bei all meinen Büchern waren Unterstützung und Ratschläge meiner Frau Susie von unschätzbarem Wert – das gilt sowohl für den Aufbau der Arbeit als auch für die kritische Überprüfung des Inhalts in jedem Stadium des langwierigen Entstehungsprozesses; ihr gebührt nicht nur mein Dank, sondern der Dank eines jeden Lesers, der den Atlas als nützlich erachtet.

Ich bin dankbar für jegliche Korrekturen wie auch für zusätzliches Material, das bei zukünftigen Auflagen die bestehenden Karten ergänzen oder als Grundlage für die Erstellung neuer Karten dienen kann.

12. März 1982

Martin Gilbert
Merton College
Oxford

In diesem Atlas verwendete Symbole

00.000	Anzahl von Juden in einzelnen Ländern, Städten oder Dörfern vor dem Holocaust.
11.111 (umrahmt)	Anzahl von Juden, die entweder flohen oder deportiert bzw. in Gettos gesperrt wurden.
22.222 (weiß auf schwarz)	Anzahl getöteter Juden.
	Die Grenzen des Großdeutschen Reiches zum Zeitpunkt der jeweiligen Karte.
	Frontverlauf zum Zeitpunkt der jeweiligen Karte.
	Widerstandsaktionen oder Aufstände von jüdischen Gruppen oder Einzelpersonen.

GEWALT GEGEN JUDEN VOR DEM ERSTEN WELTKRIEG
Ostsee
0 Kilometer 200
Dusjaty
RUSSISCHES REICH
Siemiatycze
1
Minsk
Białystok
80
Mogilew
Warschau
WEISSRUSSLAND
POLEN
Łódź
Siedlce
30
Brest-Litowsk
Gomel
12
Starodub
Pińsk
Częstochowa
(Tschenstochau)
Lublin
POLJESIEN
Konotop
WOLHYNIEN
Njeshin
Shitomir
Kiew
Perejaslaw
PODOLIEN
Smjela
Botosani
UKRAINE
Dorohoiu
Jelisawetgrad
Jekaterinoslaw
Burdujeni
Sulita
BESSARABIEN
Ananjew
Térgu-Frumos
Iaşi
(Jassy)
Kischinew
49
Nikolajew
Melitopol
Bacău
Odessa
300
Asowsches Meer
Akkerman
RUMÄNIEN
KRIM
Călărasi
60
Simferopol
Schwarzes Meer
© Martin Gilbert 1982

Seit mehr als tausend Jahren leben Juden in ganz Europa. Aber kein Jahrhundert ist vergangen, ohne daß sie angegriffen, vertrieben und getötet wurden.

Vor dem Ersten Weltkrieg waren bei gewaltsamen Überfällen oder «Pogromen» in allen oben verzeichneten Städten im westlichen Rußland und in Rumänien mehrere hundert Juden getötet worden. Wie auch bei allen folgenden Karten stehen die Zahlen der Getöteten in schwarzen Feldern. Die Ermordung von 49 Juden in Kischinew im Jahre 1903 führte zu Protesten in der ganzen christlichen West; doch die Pogrome gingen weiter.

Unmittelbar nach dem Ersten Weltkrieg wurden in der westlichen Ukraine Zehntausende von Juden umgebracht *(folgende Seite)*. Die Zahl der Getöteten in einer einzigen Stadt, in Proskurow, übertraf bei weitem die Gesamtzahl der Toten, die im Laufe von 40 Jahren unter zaristischer Herrschaft Opfer von Pogromen geworden waren.

GEWALT GEGEN JUDEN IN EUROPA, 1918–1932

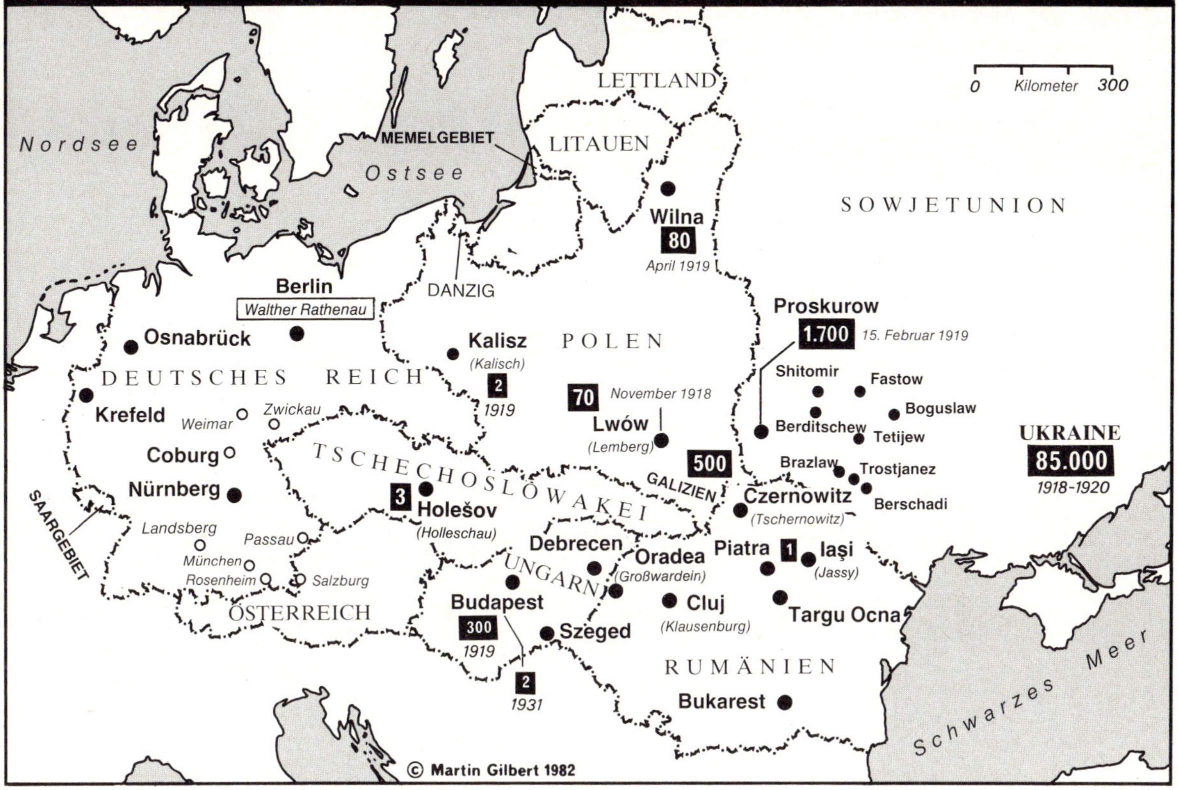
0 Kilometer 300
Nordsee
Ostsee
MEMELGEBIET
LETTLAND
LITAUEN
SOWJETUNION
Wilna
80
April 1919
Berlin
Walther Rathenau
DANZIG
Proskurow
1.700
15. Februar 1919
Osnabrück
Kalisz
(Kalisch)
2
1919
POLEN
DEUTSCHES REICH
Shitomir
Fastow
Boguslaw
70
November 1918
Krefeld
Weimar
Zwickau
Lwów
(Lemberg)
Berditschew
Tetijew
UKRAINE
85.000
1918-1920
Coburg
TSCHECHOSLOWAKEI
500
Brazlaw
Trostjanez
GALIZIEN
Nürnberg
3
Holešov
(Holleschau)
Czernowitz
(Tschernowitz)
Berschadi
SAARGEBIET
Landsberg
Passau
Debrecen
Oradea
(Großwardein)
Piatra
1
Iaşi
(Jassy)
München
Rosenheim
Salzburg
UNGARN
Budapest
300
1919
Cluj
(Klausenburg)
Targu Ocna
ÖSTERREICH
Szeged
2
1931
RUMÄNIEN
Bukarest
Schwarzes Meer
© Martin Gilbert 1982

Zu weiteren Tötungen kam es 1919 in Ungarn beim Sturz des kommunistischen Regimes, in dem eine Reihe von Juden eine wesentliche Rolle gespielt hatten. In Deutschland, in den Städten Nürnberg, München, Rosenheim, Zwickau, Coburg und Salzburg, predigte Hitler als Teil seiner nationalsozialistischen oder «Nazi»-Philosophie Haß gegen die Juden. *«Unsere Sorge muß es sein»*, so erklärte er 1920, *«das Instinktmäßige gegen das Judentum in unserem Volke zu wecken und aufzupeitschen und aufzuwiegeln*, solange bis es zum Entschluß kommt, der Bewegung sich anzuschließen, die bereit ist, die Konsequenzen daraus zu ziehen.»

In Berlin ermordeten 1922 Antisemiten den deutschen Außenminister Walter Rathenau, und 1923 wurden in Berlin jüdische Häuser überfallen.

1918 waren in der mährischen Stadt Holešov (Holleschau) drei Juden umgebracht worden. Im östlichen Polen wurden 1918 und 1919 in den Städten Wilna und Lwów (Lemberg) sowie in ganz Galizien Juden überfallen und ermordet. Allein in Galizien kamen mehr als 500 Juden ums Leben. In Rumänien wurde im Dezember 1922 für die Universität von Cluj (Klausenburg) eine Beschränkung des Prozentsatzes jüdischer Studenten festgesetzt; wenig später folgten die Universitäten in Iaşi (Jassy), Bukarest und Czernowitz (Tschernowitz), wo jüdische Studenten angegriffen wurden. Drei Jahre später wurden in Piatra Synagogen und Schulen geplündert und der jüdische Friedhof geschändet. 1926 wurde in Czernowitz (Tschernowitz) ein jüdischer Student ermordet – sein Mörder wurde freigesprochen. 1927 wurden bei antijüdischen Ausschreitungen in Oradea (Großwardein) vier Synagogen zerstört und in Iaşi (Jassy), Targu Ocna und Cluj (Klausenburg) Gebetshäuser geplündert.

Doch in Deutschland hatte der Antisemitismus den stärksten Rückhalt. Zwischen 1922 und 1933 gab es allein in Nürnberg 200 Fälle von Grabschändung jüdischer Gräber. Ebenfalls in Nürnberg erschien 1923 die erste Ausgabe der widerlichen antisemitischen Zeitung *Der Stürmer*. Der Wahlspruch des Blattes lautete, «Die Juden sind unser Unglück».

Nach seinem mißlungenen Versuch, im Jahre 1924 in München die Macht zu ergreifen, mußte Hitler eine Haftzeit auf der Festung Landsberg absitzen. Von dort aus veröffentlichte er am 18. Juli 1925 den ersten Teil von *Mein Kampf*, worin er voller Gehässigkeit über die Juden schrieb. Der zweite Teil wurde am 10. Dezember 1926 veröffentlicht.

Wieder auf freiem Fuß, baute Hitler seine nationalsozialistische Partei von neuem auf, und beim Parteitag in Weimar 1926 und wieder in Nürnberg 1927 sprachen sich zahlreiche Redner dafür aus, die Juden aus dem täglichen Leben in Deutschland zu entfernen. 1927 schändeten Nazi-Banden jüdische Friedhöfe: In Osnabrück und Krefeld wurden die Synagogen zerstört. In Berlin wurden am 12. September 1931, dem Vorabend des jüdischen Neujahrsfestes, Juden auf dem Heimweg von der Synagoge von Nazi-Banden überfallen.

Am 30. Januar 1933 wurde Adolf Hitler deutscher Reichskanzler. Er sollte das Deutsche Reich fast zwölf Jahre lang regieren, bis er am 30. April 1945 in Berlin Selbstmord beging.

1933: ZWEITAUSEND JAHRE JÜDISCHEN LEBENS IN EUROPA
NORWEGEN
82 Jahre
ESTLAND
600 Jahre
DÄNEMARK
311 Jahre
LETTLAND
400 Jahre
HOLLAND
800 Jahre
MEMELGEBIET
269 Jahre
LITAUEN
600 Jahre
BELGIEN
700 Jahre
WEISSRUSSLAND
550 Jahre
DANZIG
400 Jahre
DEUTSCHLAND
1612 Jahre
Wlodawa
UKRAINE
816 Jahre
POLEN
800 Jahre
LUXEMBURG
647 Jahre
TSCHECHOSLOWAKEI
1000 Jahre
KRIM
1900 Jahre
SAARGEBIET
312 Jahre
ÖSTERREICH
1030 Jahre
UNGARN
1900 Jahre
FRANKREICH
1930 Jahre
RUMÄNIEN
1800 Jahre
ITALIEN
2100 Jahre
JUGOSLAWIEN
1000 Jahre
Bulgarien
1900 Jahre
GRIECHENLAND
2233 Jahre
RHODOS
2000 Jahre
0 Kilometer 400
© Martin Gilbert 1982

Von dem Augenblick an, da Hitler deutscher Reichskanzler wurde, konzentrierte er sich darauf, einen der zivilisiertesten Staaten Europas in eine totalitäre Diktatur zu verwandeln und den 500000 Juden in Deutschland die elementaren Bürgerrechte zu versagen. Und das, obwohl seit den Zeiten des Römischen Reiches Juden auf deutschem Boden gelebt hatten. Ungeachtet der Tatsache, daß sie im Mittelalter häufig brutalen Verfolgungen ausgesetzt waren und von einer Stadt zur anderen gehetzt wur-

DIE DEUTSCHEN JUDEN UND DER TRIUMPH DER NAZIS, 1933–1938

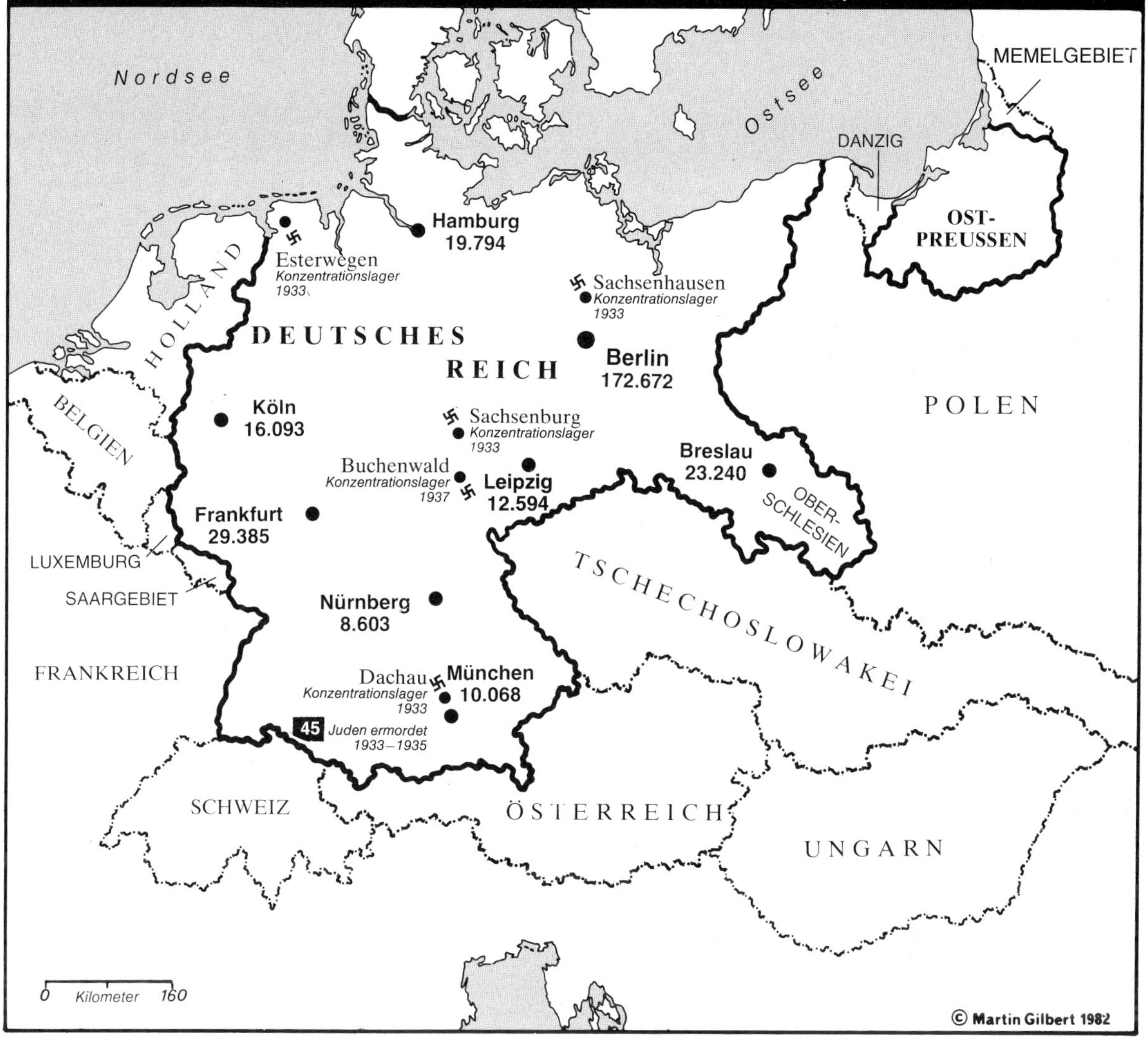
Nordsee
Ostsee
MEMELGEBIET
DANZIG
OST-PREUSSEN
Hamburg 19.794
Esterwegen Konzentrationslager 1933
Sachsenhausen Konzentrationslager 1933
DEUTSCHES REICH
Berlin 172.672
POLEN
HOLLAND
BELGIEN
Köln 16.093
Sachsenburg Konzentrationslager 1933
Buchenwald Konzentrationslager 1937
Leipzig 12.594
Breslau 23.240
OBER-SCHLESIEN
Frankfurt 29.385
LUXEMBURG
SAARGEBIET
TSCHECHOSLOWAKEI
Nürnberg 8.603
FRANKREICH
Dachau Konzentrationslager 1933
München 10.068
45 Juden ermordet 1933–1935
SCHWEIZ
ÖSTERREICH
UNGARN
0 Kilometer 160
© Martin Gilbert 1982

den, hatten sie 16 Jahrhunderte hindurch nicht aufgehört, ihre Beiträge zur Entwicklung eines modernen Deutschland zu leisten. In anderen Gebieten Europas gibt es sogar noch ältere jüdische Gemeinden: In der Karte auf der vorherigen Seite ist das Alter derartiger Gemeinden in jenen Ländern verzeichnet, die zwischen 1933 und 1945 zum deutschen Einflußbereich gehörten oder unter deutsche Herrschaft kamen.

Das Foto, aufgenommen 1980, zeigt eine Synagoge aus dem 17. Jahrhundert in der heute polnischen Stadt Włodawa.

Gleich mit Beginn der Nazi-Herrschaft in Deutschland wurden die ersten Konzentrationslager eingerichtet *(Karte oben)*. In diese Lager kamen Regimekritiker sowie Tausende von Menschen, gegen die sich der Haß der Nazis richtete – dazu gehörten Homosexuelle, gegen die besonders harte Gesetze galten, Sozialisten, andersdenkende Geistliche sowie Juden. Auf Grund der Brutalität der Aufseher kam es in diesen Lagern vom ersten Tag der Hitler-Herrschaft an zu zahlreichen Todesfällen.

Im Juli 1935 veröffentlichte der *Manchester Guardian* die folgende Beschreibung vom Verhör eines Gefangenen, der sich in den Händen der Gestapo befand: «Sein Kopf war in ein nasses Tuch gewickelt, das vor seinem Mund so fest verknotet war, daß seine Zähne in die Lippen einschnitten und er heftig aus dem Mund blutete. Er wurde von drei Helfern gehalten, während der Beamte und ein weiterer Helfer ihn abwechselnd mit einer flexiblen, lederüberzogenen Stahlrute schlugen. Als er vor Schmerz und wegen des hohen Blutverlustes ohnmächtig wurde, brachte man ihn mittels verschiedener anderer Foltermethoden wieder zu Bewußtsein ... Er wurde aufgefordert, einen Brief an seine Frau zu schreiben, da er sie nie wiedersehen würde. Die Helfer spielten mit ihren Pistolen und diskutierten darüber, wer von ihnen den Gefangenen erschießen sollte. Der aber blieb stumm. Einige Zeit später wurde er freigelassen.»

Ähnliche Presseberichte erschienen regelmäßig außerhalb Deutschlands: Bis 1935 waren allein in Dachau mindestens 45 Juden ermordet worden.

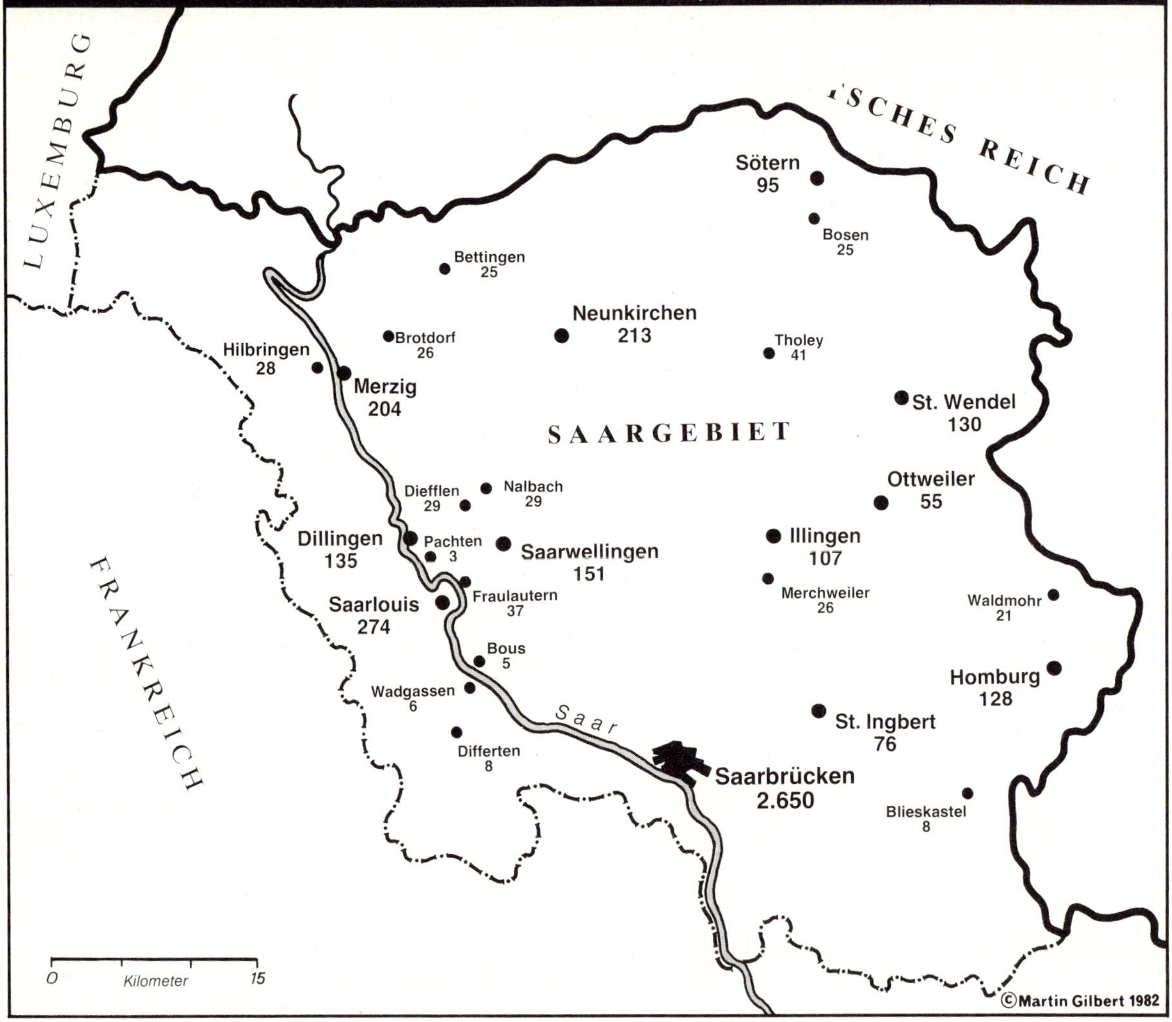
LUXEMBURG
SCHES REICH
Sötern
95
Bosen
25
Bettingen
25
Neunkirchen
213
Tholey
41
Brotdorf
26
Hilbringen
28
Merzig
204
St. Wendel
130
SAARGEBIET
Ottweiler
55
Dieffen
29
Nalbach
29
Dillingen
135
Pachten
3
Saarwellingen
151
Illingen
107
Merchweiler
26
Waldmohr
21
Saarlouis
274
Fraulautern
37
FRANKREICH
Bous
5
Wadgassen
6
Homburg
128
Saar
St. Ingbert
76
Differten
8
Saarbrücken
2.650
Blieskastel
8
0 Kilometer 15
©Martin Gilbert 1982

DIE JUDEN DES SAARGEBIETES, 1. MÄRZ 1935

Das erste Territorium außerhalb von Hitlers Machtbereich, das Nazi-Deutschland einverleibt wurde, war das Saargebiet. Diese kleine aber blühende Provinz war 1919 als Teil des Versailler Vertrages von Deutschland abgetrennt worden, fiel jedoch in Folge einer Volksabstimmung, die eine überwältigende Mehrheit für Deutschland ergab, ans Reich zurück. Die Volksabstimmung fand am 13. Januar 1935 unter Aufsicht des Völkerbundes statt. In der Stadt Saarbrücken hatten seit dem 14. Jahrhundert Juden gelebt. In der Zeit zwischen 1920 und 1935, als das Saargebiet der Verwaltung des Völkerbundes unterstand, waren ihre bürgerlichen, politischen und persönlichen Rechte auf Grund der Minderheitenstatuten des Bundes gesichert. Neben Saarbrücken gab es ungefähr 25 ländliche Gemeinden mit jüdischen Bewohnern – in Saarlouis lebten 274 Juden, andernorts nur einzelne jüdische Familien.

Am 1. März 1935, sechs Wochen nach der Volksabstimmung, wurde das Saargebiet zum integralen Bestandteil des Deutschen Reiches erklärt *(folgende Seite, unten)* und sah sich umgehend den unerbittlichen Regeln des Nazismus unterworfen – dazu gehörte die antijüdische Gesetzgebung, die Herrschaft der Gestapo sowie die Konzentrationslager. Fast alle Juden im Saargebiet wählten die französische oder belgische Staatsbürgerschaft. 1938, als in der «Reichskristallnacht» *(S. 26)* die Synagoge von Saarbrücken niedergebrannt wurde, lebten nur noch 177 Juden in der Stadt.

In Oberschlesien *(folgende Seite)* reichen die ersten Spuren einer jüdischen Gemeinde bis ins elfte Jahrhundert zurück, als 1060 eine Synagoge in der Nähe von Ratibor von den Stadtvätern konfisziert und in eine Kirche umgewandelt wurde. Auch gibt es Berichte von Judenverfolgungen in Leobschütz ein Jahrhundert später, im Jahre 1163. Viele der ersten jüdischen Siedler in diesem Gebiet waren arm; es handelte sich bei ihnen um Flüchtlinge, die den Kreuzzügen beziehungsweise den Verfolgungen im Osten entkommen waren.

DIE JUDEN OBERSCHLESIENS, 15. JULI 1937
0 Kilometer 20
DEUTSCHES REICH
POLEN
NIEDER-SCHLESIEN
Pitschen 31
Landsberg 20
Kreuzburg 160
Rosenberg 102
Jellowa
Guttentag 145
Königshuld
Hitler-See
Malapane
Grottkau 40
Falkenberg 51
Oppeln 607
OBERSCHLESIEN
Deutsches Reich
Tworog 5
Neisse 220
Gogolin
Gr. Strehlitz 145
Tost
Beuthen 3.500
Patschkau
Ottmachau
Peiskretscham 45
Neustadt 100
Oberglogau 50
Kosel 80
Ziegenhals
Gleiwitz 1.899
Hindenburg 1.200
Leobschütz 111
Stanitz
Bauerwitz 4
Ratibor 640
Katscher 42
OST-OBERSCHLESIEN
Polen
TSCHECHOSLOWAKEI
© Martin Gilbert 1982

Obwohl man sie mehr als sechs Jahrhunderte lang verfolgt hatte, waren die Juden Oberschlesiens im 19. Jahrhundert eine zwar kleine, aber fortschrittliche Gemeinde. Als das Gebiet nach dem Ersten Weltkrieg ans Deutsche Reich zurückfiel, wurden die Minderheitenrechte der dort ansässigen Juden gesichert. Dies war ein Ergebnis des deutsch-polnischen Abkommens vom 15. Mai 1922. Auch nach Hitlers Machtergreifung 1933 wurden diese Minderheitenrechte vom Völkerbund weiterhin garantiert, und durch eine jüdische Petition – die «Bernheim-Petition» – an den Völkerbund wurde verhindert, daß die Rassengesetze der Nazis in diesem Gebiet Anwendung fanden. Doch am 15. Juli 1937 endete das Abkommen, so daß die Juden Oberschlesiens – wie die des Saargebiets zwei Jahre vorher – die volle Härte der Nazi-Herrschaft zu spüren bekamen.

DAS DEUTSCHE REICH, 1935–1937
Nordsee
Ostsee
Sachsenhausen
Berlin
Warschau
DEUTSCHES REICH
OBER-SCHLESIEN
Kraków
(Krakau)
Prag
SAAR-GEBIET
Dachau
München
© Martin Gilbert 1982
0 Kilometer 400

GEWALTAKTIONEN GEGEN JUDEN IN RUMÄNIEN, 1935
POLEN
SOWJET-UNION
Humenné
TSCHECHOSLOWAKEI
Hotin (Chotin)
Czernowitz (Tschernowitz)
Siret (Sereth)
Belz
Budapest
Radăuti
Suceava
Kischinew
Tighina (Bender)
Piatra
UNGARN
Buhuși
Bacău
Alba Lulia (Karlsburg)
Panciu
RUMÄNIEN
Timișoara
2
BANAT
Sinaia
Petrovaradin
Bukarest
JUGOSLAWIEN
Schwarzes Meer
BULGARIEN
0 Kilometer 150
Sofia
© Martin Gilbert 1982

MASSNAHMEN GEGEN JUDEN, 1935–1939
Leningrad (St. Petersburg)
Tallin (Reval)
Stockholm
SCHWEDEN
ESTLAND
0 Kilometer 150
LETTLAND
Riga
Ostsee
LITAUEN
Memel
SOWJET-UNION
Danzig
Kowno
Wilna
Berlin
Warschau
DEUTSCHES REICH
POLEN (siehe Karte 12)
Kiew
Lwów (Lemberg)
Prag
TSCHECHOSLOWAKEI
BESSARABIEN
Wien
Budapest
1 3. Februar 1939
ÖSTERREICH
UNGARN
RUMÄNIEN
BANAT
JUGOSLAWIEN
Bukarest
Belgrad
Adriatisches Meer
Schwarzes Meer
BULGARIEN
Sofia
© Martin Gilbert 1982

In den 30er Jahren dieses Jahrhunderts kam es im ganzen osteuropäischen Raum zu Gewaltaktionen gegen Juden. Besonders ausgeprägt waren sie in Rumänien, wo in allen auf der Karte (*links*) genannten Städten Übergriffe auf Juden zu verzeichnen waren. An den Universitäten im ganzen Land hinderten studentische Mitglieder der einflußreichen antisemitischen Organisation «Eiserne Garde» jüdische Studenten daran, Vorlesungen und Seminare zu besuchen. Ab 1934 durften Juden nicht mehr den Beruf des Rechtsanwaltes ergreifen. 1936 zündete die Eiserne Garde eine Bombe in einem jüdischen Theater in Timișoara; bei der Explosion wurden zwei Juden getötet und zahlreiche weitere verletzt.

Im November 1936 wurde in der jugoslawischen Stadt Petrovaradin der Herausgeber einer antisemitischen Zeitung nach dem Vorbild des *Stürmer* vor Gericht gestellt und freigesprochen. Im August 1937 wurden in der tschechoslowakischen Stadt Humenné Juden angeklagt, weil sie Sakrilegien begangen haben sollten.

In Litauen *(links, unten)* kam es zu strikten Zulassungsbeschränkungen für Juden an den Universitäten; 1936 wurde für das Medizinstudium kein einziger jüdischer Student neu zugelassen.

In dieser Zeit tauchten in den Gesetzbüchern mehrerer Länder antijüdische Gesetze auf. Am 21. Januar 1938 hob Rumänien formell die Minderheitenrechte für Juden auf und erkannte zahlreichen Juden, die seit Ende des Krieges im Land gelebt hatten, die Staatsbürgerschaft wieder ab.

Am 29. Mai 1938 verabschiedete die ungarische Regierung das erste Gesetz, das ausdrücklich die Anzahl von Juden in freien Berufen, in Verwaltung, Handel und Industrie auf 20 Prozent beschränkte, und am 3. Mai 1939 trat ein zweites «Judengesetz» in Kraft, das sämtlichen ungarischen Juden untersagte, Richter, Rechtsanwalt, Lehrer oder Parlamentsabgeordneter zu werden.

Derartige Gesetze förderten den Antisemitismus und führten zu Gewalttaten. Am 3. Februar 1939 wurde in einer Synagoge in Budapest eine Bombe gezündet, die einen Teilnehmer des Gottesdienstes tötete und zahlreiche weitere verletzte.

In Polen jedoch waren zwischen 1935 und 1937 Gewalttaten am häufigsten. In jeder Stadt und in jedem Dorf, das in der Karte auf der folgenden Seite verzeichnet ist, wurden Juden auf offener Straße tätlich angegriffen, wurden jüdische Häuser und Geschäfte aufgebrochen und geplündert. Es sei notwendig, so betonte 1936 eine jesuitische Zeitschrift in Polen, «separate Schulen für Juden einzurichten, damit unsere Kinder nicht von ihrer niederen Moral infiziert werden.» Am 29. Februar 1936 erklärte Kardinal Hlond in einem offenen Brief, «Es ist wahr, daß die Juden betrügen, wuchern und im weißen Sklavenhandel tätig sind. Es ist wahr, daß in den Schulen der Einfluß der jüdischen Jugend auf die ka-

GEWALT GEGEN JUDEN UND JÜDISCHE SELBSTVERTEIDIGUNG IN POLEN, 1935–1937

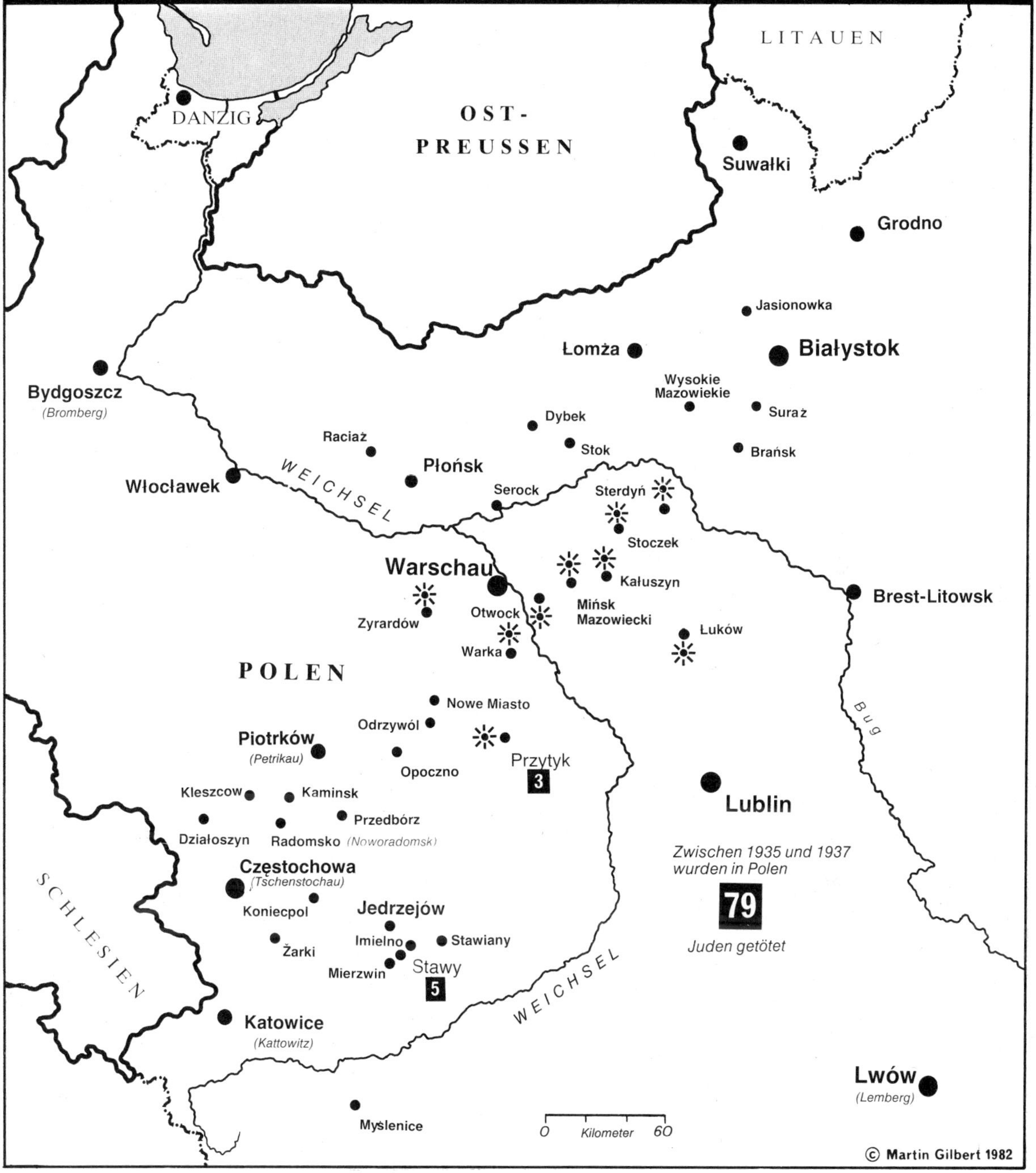
LITAUEN
DANZIG
OST-
PREUSSEN
Suwałki
Grodno
Jasionowka
Łomża
Białystok
Bydgoszcz
(Bromberg)
Wysokie
Mazowiekie
Dybek
Suraż
Raciaż
Stok
Brańsk
Płońsk
Włocławek
WEICHSEL
Serock
Sterdyń
Stoczek
Warschau
Kałuszyn
Brest-Litowsk
Zyrardów
Otwock
Mińsk
Mazowiecki
Łuków
Warka
POLEN
Bug
Nowe Miasto
Odrzywól
Piotrków
(Petrikau)
Przytyk
3
Opoczno
Kleszcow
Kaminsk
Lublin
Przedbórz
Działoszyn
Radomsko
(Noworadomsk)
Zwischen 1935 und 1937
wurden in Polen
79
Juden getötet
Częstochowa
(Tschenstochau)
SCHLESIEN
Koniecpol
Jedrzejów
Imielno
Stawiany
Żarki
Mierzwin
Stawy
5
WEICHSEL
Katowice
(Kattowitz)
Lwów
(Lemberg)
Myślenice
0 Kilometer 60
© Martin Gilbert 1982

tholische Jugend grundsätzlich von Übel ist, und zwar sowohl in religiöser als auch in ethischer Hinsicht. Aber seien wir gerecht. Nicht alle Juden sind so. Ein jeder tut gut daran, sich beim Geschäftemachen an seinesgleichen zu halten und jüdische Läden und jüdische Marktstände zu meiden, aber es ist in keiner Weise zulässig, daß jüdische Geschäfte demoliert, Fenster eingeschlagen, ihre Häuser beschädigt werden ...»

Am 9. März 1936 versetzte der Mord an drei Juden in dem Dorf Przytyk *(oben)* die drei Millionen polnischen Juden erneut in Angst und Schrecken. Einige Tage später wurden in dem Dorf Stawy fünf Juden umgebracht. Obwohl die Juden zu Maßnahmen der Selbstverteidigung griffen – wie auf dieser Karte in der Gegend von Warschau durch das entsprechende Symbol angedeutet –, wurden 79 Juden getötet und 500 verletzt.

1937 kam es in ganz Polen zu weiteren Überfällen auf Juden: Allein im August wurden 350 derartige Überfälle registriert, und in Katowice (Kattowitz) wurden Bomben in jüdische Geschäfte geworfen. Zehntausende polnischer Juden emigrierten: nach Frankreich, Belgien, Holland und Palästina.

JUDEN IN OSTÖSTERREICH, 13. MÄRZ 1938

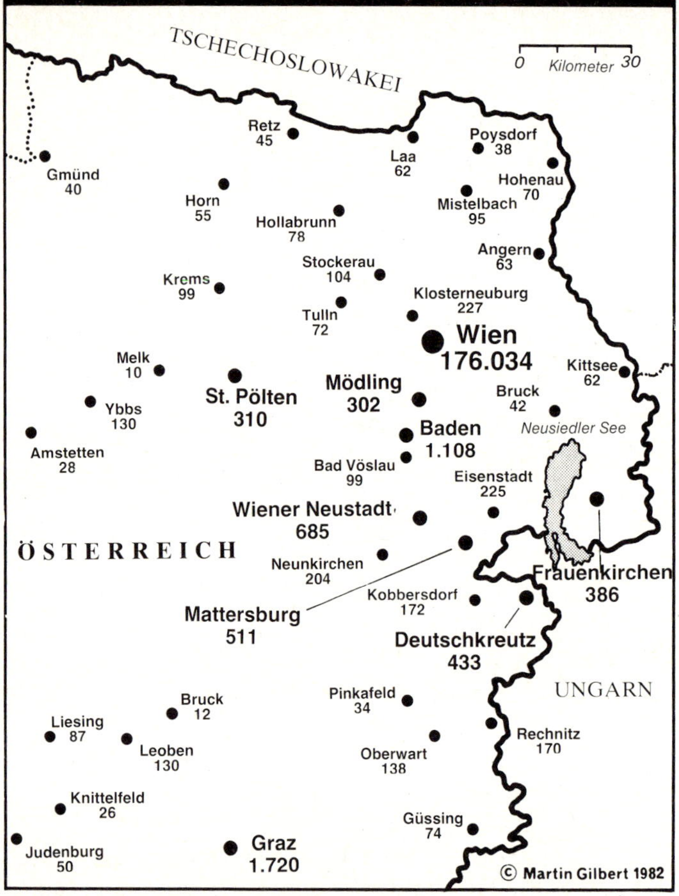
TSCHECHOSLOWAKEI
0 Kilometer 30
Retz 45
Laa 62
Poysdorf 38
Gmünd 40
Hohenau 70
Horn 55
Mistelbach 95
Hollabrunn 78
Angern 63
Stockerau 104
Krems 99
Klosterneuburg 227
Tulln 72
Wien 176.034
Melk 10
Kittsee 62
St. Pölten 310
Mödling 302
Bruck 42
Ybbs 130
Baden 1.108
Neusiedler See
Amstetten 28
Bad Vöslau 99
Eisenstadt 225
Wiener Neustadt 685
ÖSTERREICH
Neunkirchen 204
Frauenkirchen 386
Kobbersdorf 172
Mattersburg 511
Deutschkreutz 433
UNGARN
Bruck 12
Pinkafeld 34
Liesing 87
Rechnitz 170
Leoben 130
Oberwart 138
Knittelfeld 26
Güssing 74
Judenburg 50
Graz 1.720
© Martin Gilbert 1982

AUSSCHREITUNGEN GEGEN JUDEN IN POLEN, APRIL–JUNI 1938

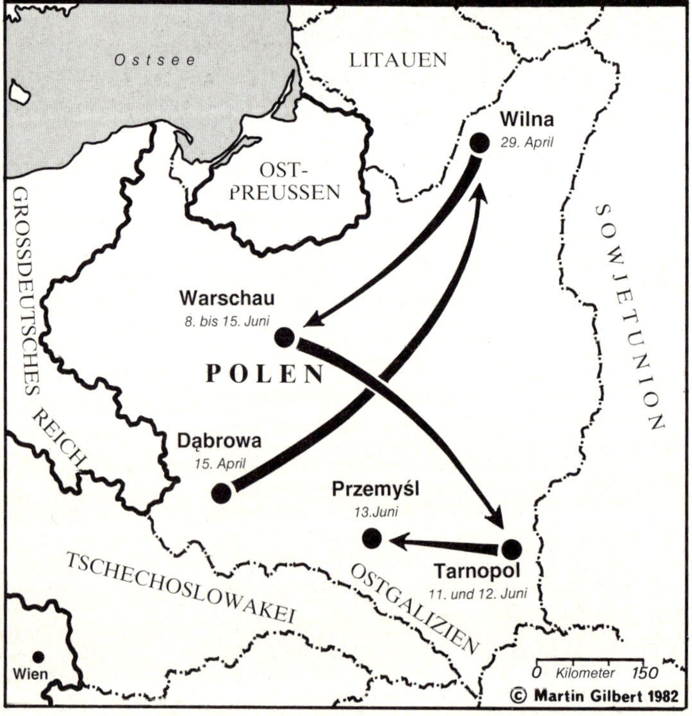
Ostsee
LITAUEN
Wilna 29. April
OST-PREUSSEN
GROSSDEUTSCHES REICH
SOWJETUNION
Warschau 8. bis 15. Juni
POLEN
Dąbrowa 15. April
Przemyśl 13.Juni
Tarnopol 11. und 12. Juni
TSCHECHOSLOWAKEI
OSTGALIZIEN
Wien
0 Kilometer 150
© Martin Gilbert 1982

In Österreich hatten seit den Tagen des Römischen Reiches Juden gelebt. Nachdem 1867 alle Gesetze zur religiösen Diskriminierung abgeschafft worden waren, nahmen die Juden im alltäglichen und kulturellen Leben Österreichs eine wichtige Stellung ein. Sie waren aus ganz Österreich-Ungarn, vor allem aus der verarmten Provinz Ostgalizien, nach Wien gekommen.

Der Friede von St. Germain-en-Laye im Jahre 1919 garantierte die Minderheitenrechte der österreichischen Juden. Die meisten von ihnen lebten in Wien *(links)*, doch waren sie, wie die Karte zeigt, auch in den Städten und Dörfern aller übrigen Regionen zu finden: Eine österreichische Volkszählung vom 22. März 1934 registrierte 769 Ortschaften mit jüdischen Bewohnern.

Infolge der gewaltsamen Unterdrückung der Sozialdemokratischen Parteien im Jahre 1934 nahm die Diskriminierung der Juden zu, und der österreichische Nazismus erhielt Auftrieb durch die regierenden deutschen Nazis jenseits der Grenze.

Am 13. März 1938 wurde Österreich von den Deutschen annektiert und weitere 183000 Juden kamen unter deutsche Herrschaft. Sofort wurden die Aktivitäten sämtlicher jüdischer Organisationen und Gemeinden verboten. Viele jüdische Führer kamen ins Gefängnis; einige wurden nach Dachau gebracht und ermordet. Die Große Synagoge in Wien wurde zunächst von organisierten Horden geschändet und dann von deutschen Truppen «besetzt». Zahlreiche Juden wurden gezwungen, ihr Eigentum der Gestapo zu übergeben. Einzelne Juden wurden auf der Straße festgenommen, verprügelt und sogar getötet. Mehr als 500 Juden begingen in ihrer Verzweiflung Selbstmord.

Drei Wochen nachdem die Nazis die Herrschaft in Österreich übernommen hatten, kam es in Polen zu einer weiteren Flut antijüdischer Aktivitäten *(links, unten)*. Ausgehend von Dąbrowa am 15. April, wurden Hunderte von Juden verletzt und viel jüdischer Besitz zerstört.

Zehntausende von Juden aus Polen und Großdeutschland – das mittlerweile Österreich mit umfaßte – suchten Sicherheit im Ausland *(folgende Seite, oben)*. Mehr als 85000 österreichische Juden fanden Zuflucht in England, in den Vereinigten Staaten und in Ländern, die später unter Nazi-Herrschaft fielen. Fast die Hälfte der 500000 in Deutschland lebenden Juden emigrierte oder floh ins Ausland *(folgende Seite, oben)*, davon mehr als 33000 nach Palästina, wo sie sich Zehntausenden gerade aus Polen immigrierten Juden anschlossen. Aber am 5. Juli 1938, der Eröffnung der Konferenz von Evian, wurde deutlich, daß immer mehr Länder die Zahl jüdischer Flüchtlinge beschränken wollten. So erklärte der australische Delegierte: «Da wir kein Rassenproblem haben, legen wir keinen Wert darauf, cines zu importieren.»

JÜDISCHE FLÜCHTLINGE FINDEN ASYL IN EUROPA, 1933–1938

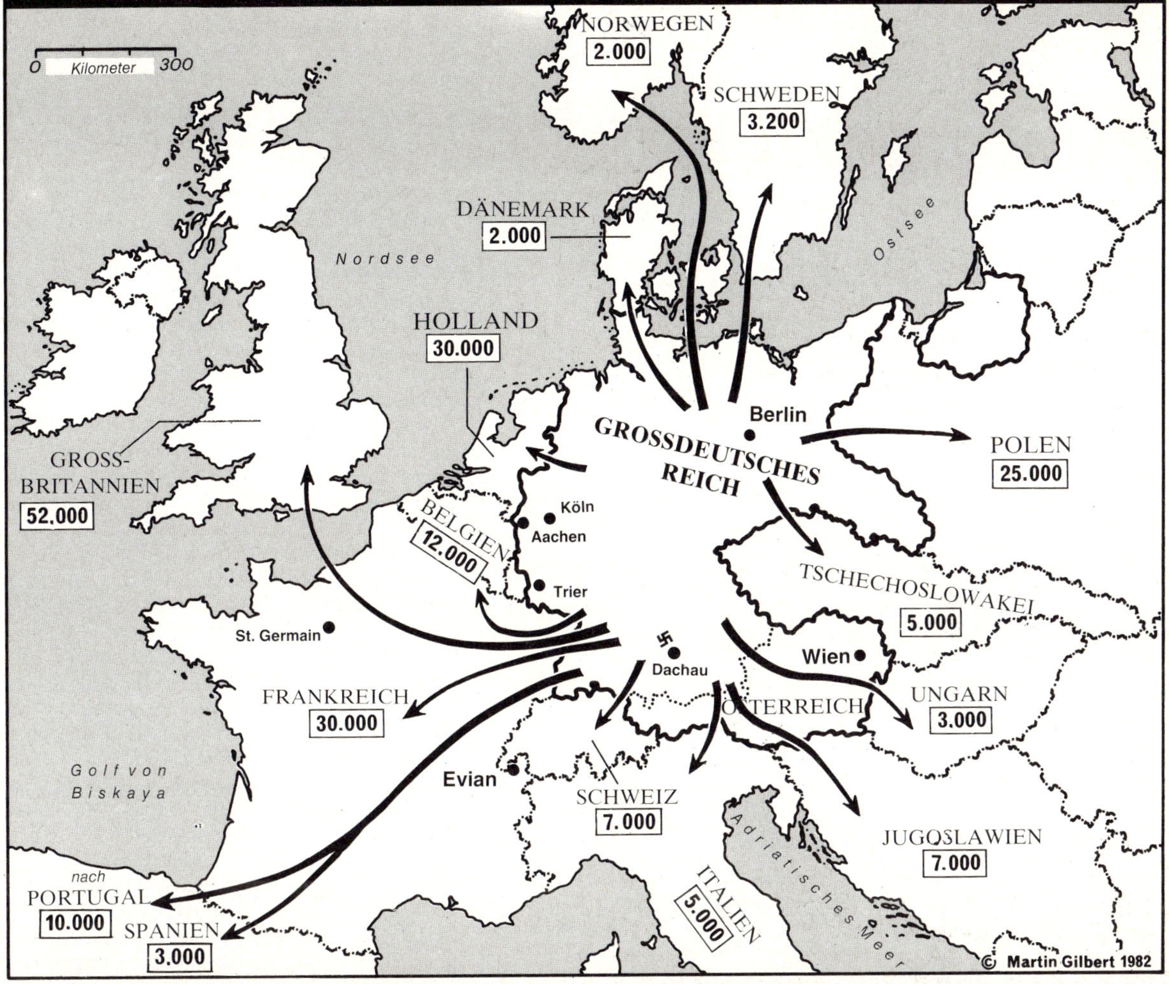
0 Kilometer 300
NORWEGEN
2.000
SCHWEDEN
3.200
DÄNEMARK
2.000
Nordsee
Ostsee
HOLLAND
30.000
GROSS-BRITANNIEN
52.000
Berlin
GROSSDEUTSCHES REICH
POLEN
25.000
BELGIEN
12.000
Köln
Aachen
Trier
TSCHECHOSLOWAKEI
5.000
St. Germain
Dachau
Wien
FRANKREICH
30.000
ÖSTERREICH
UNGARN
3.000
Golf von Biskaya
Evian
SCHWEIZ
7.000
JUGOSLAWIEN
7.000
Adriatisches Meer
ITALIEN
5.000
nach PORTUGAL
10.000
SPANIEN
3.000
© Martin Gilbert 1982

WELTWEITE AUFNAHME VON JÜDISCHEN FLÜCHTLINGEN AUS DEUTSCHLAND, 1933–1938

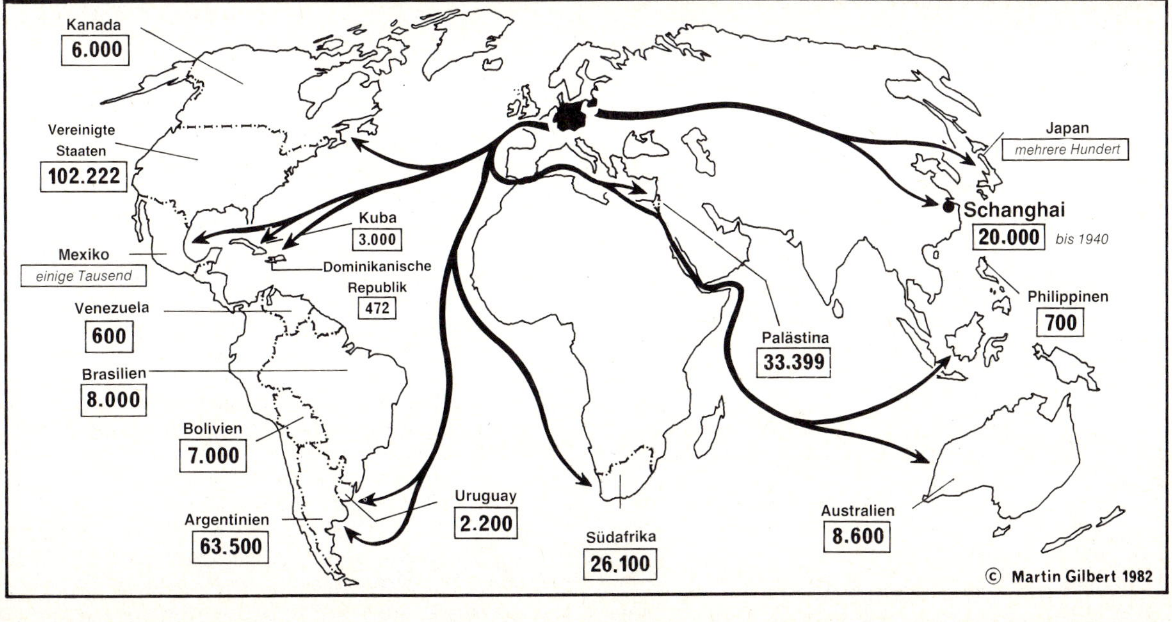
Kanada
6.000
Vereinigte Staaten
102.222
Kuba
3.000
Dominikanische Republik
472
Mexiko
einige Tausend
Venezuela
600
Brasilien
8.000
Bolivien
7.000
Argentinien
63.500
Uruguay
2.200
Südafrika
26.100
Japan
mehrere Hundert
Schanghai
20.000 bis 1940
Philippinen
700
Palästina
33.399
Australien
8.600
© Martin Gilbert 1982

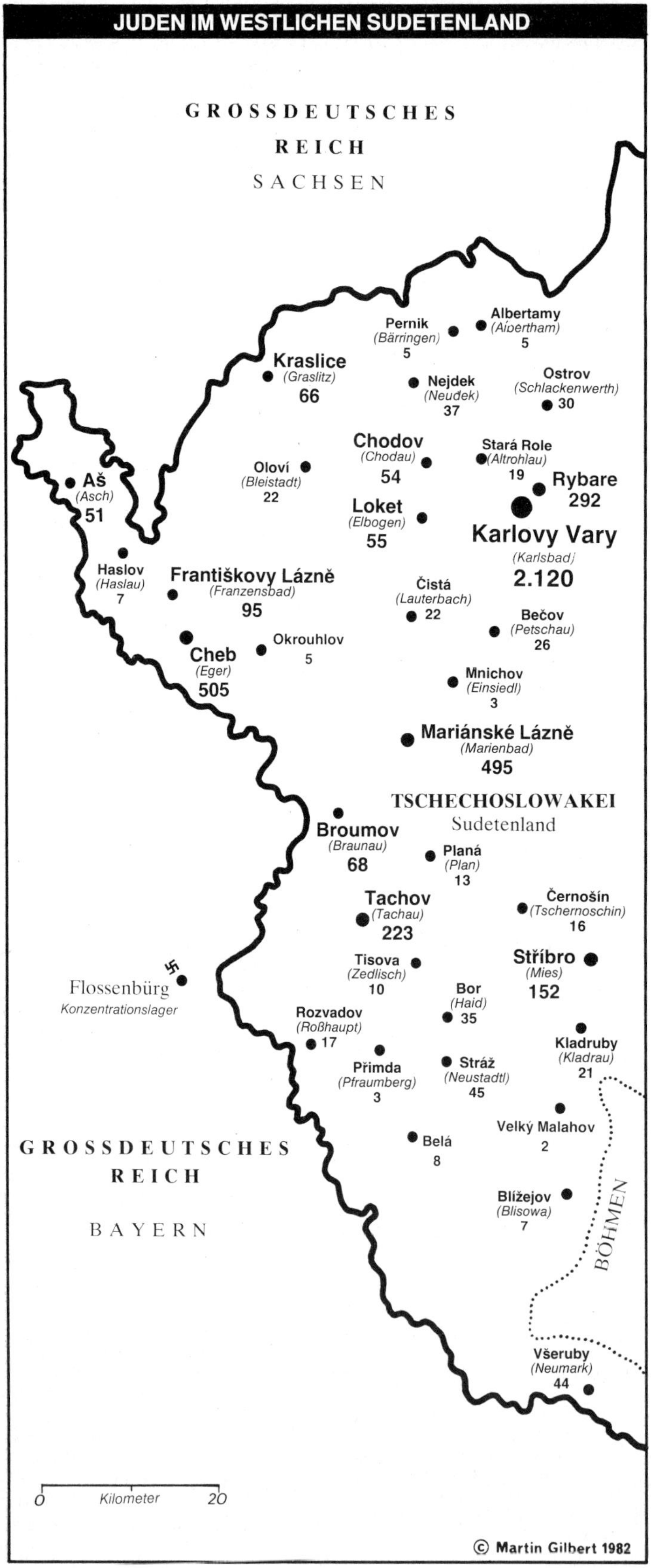
JUDEN IM WESTLICHEN SUDETENLAND
GROSSDEUTSCHES
REICH
SACHSEN
Pernik
(Bärringen)
5
Albertamy
(Albertham)
5
Kraslice
(Graslitz)
66
Nejdek
(Neudek)
37
Ostrov
(Schlackenwerth)
30
Chodov
(Chodau)
54
Stará Role
(Altrohlau)
19
Oloví
(Bleistadt)
22
Rybare
292
Aš
(Asch)
51
Loket
(Elbogen)
55
Karlovy Vary
(Karlsbad)
2.120
Haslov
(Haslau)
7
Františkovy Lázně
(Franzensbad)
95
Čistá
(Lauterbach)
22
Bečov
(Petschau)
26
Okrouhlov
5
Cheb
(Eger)
505
Mnichov
(Einsiedl)
3
Mariánské Lázně
(Marienbad)
495
TSCHECHOSLOWAKEI
Sudetenland
Broumov
(Braunau)
68
Planá
(Plan)
13
Tachov
(Tachau)
223
Černošín
(Tschernoschin)
16
Tisova
(Zedlisch)
10
Stříbro
(Mies)
152
Flossenbürg
Konzentrationslager
Bor
(Haid)
35
Rozvadov
(Roßhaupt)
17
Kladruby
(Kladrau)
21
Přimda
(Pfraumberg)
3
Stráž
(Neustadtl)
45
Velký Malahov
2
Belá
8
GROSSDEUTSCHES
REICH
BAYERN
Blížejov
(Blisowa)
7
BÖHMEN
Všeruby
(Neumark)
44
0 Kilometer 20
© Martin Gilbert 1982

Im Oktober 1938, nur sechs Monate nach dem Anschluß Österreichs an das Deutsche Reich, annektierten die Deutschen den sudetendeutschen Teil der Tschechoslowakei *(folgende Seite)*. Das Gebiet innerhalb des gestrichelten Rechtecks ist links als Kartenausschnitt vergrößert zu sehen. Auch hier gab es seit langem etablierte jüdische Gemeinden, die in ihren Ursprüngen beispielsweise in Cheb (Eger) bis ins 13. Jahrhundert zurückgingen.

Zwischen den Kriegen standen die Juden im Sudetenland unter dem Schutz der demokratischen und egalitären Gesetzgebung der Tschechoslowakei und lebten in Städten und Dörfern verteilt über das ganze Gebiet. Die Karte *(links)* zeigt die jüdischen Gemeinden im westlichen Teil, basierend auf der Volkszählung vom Jahre 1930. Die größte der dortigen Städte, Karlsbad – im Tschechischen Karlovy Vary –, war als Treffpunkt oder als Ort zum Siedeln bei Juden schon seit langem populär. 1921 und 1923 hatten dort zwei Zionistenkongresse stattgefunden. In Marienbad – im Tschechischen Mariánské Lázně – hatten jüdische Ärzte zur Entwicklung des Badekurortes beigetragen, der mit seinen Kuren im 19. Jahrhundert bei russischen Juden außerordentlich beliebt war. 1937 hatte dort der Verband Orthodoxer Juden seine Rabbinerkonferenz abgehalten.

Seit 1933 wurden Juden im Sudetenland zunehmend von ortsansässigen deutschsprachigen Nazis belästigt. Während der Sudetenkrise im Herbst 1938 wurden zahlreiche Synagogen niedergebrannt, darunter am 23. September die Synagogen von Cheb (Eger) und Marienbad (Mariánské Lázně). Als die Deutschen damit begannen, die Besetzung des Sudetenlandes vorzubereiten, flohen fast alle 20000 jüdischen Bewohner dieser Region in die noch unabhängigen tschechoslowakischen Provinzen Böhmen und Mähren. Wer zurückblieb, wurde von den Nazis festgenommen und in ein Konzentrationslager geschickt.

Mit der Besetzung des Sudetenlandes durch die Deutschen im Oktober 1938 wurden die Grenzen des Großdeutschen Reiches noch einmal vorgeschoben, wie aus der Karte auf der folgenden Seite ersichtlich ist. Mit der Errichtung eines neuen Lagers in Flossenbürg und der Vergrößerung von Dachau wurde auch das Konzentrationslager-System ausgeweitet. Am 19. Juli 1937 war in Buchenwald ein weiteres neues Lager in Betrieb genommen worden – für Berufsverbrecher. Im Juni 1938 wurden dorthin zahlreiche politische Gefangene geschickt, unter ihnen auch Juden; bald darauf folgten weitere 2200 Juden aus Österreich.

Das Foto zeigt einen Appell in Dachau im Jahre 1938. Häufig wurden bei solchen Appellen die jüdischen und nichtjüdischen Gefangenen gezwungen, viele Stunden lang hungrig und frierend so dazustehen. Wer zu Boden fiel, wurde heftig geschlagen.

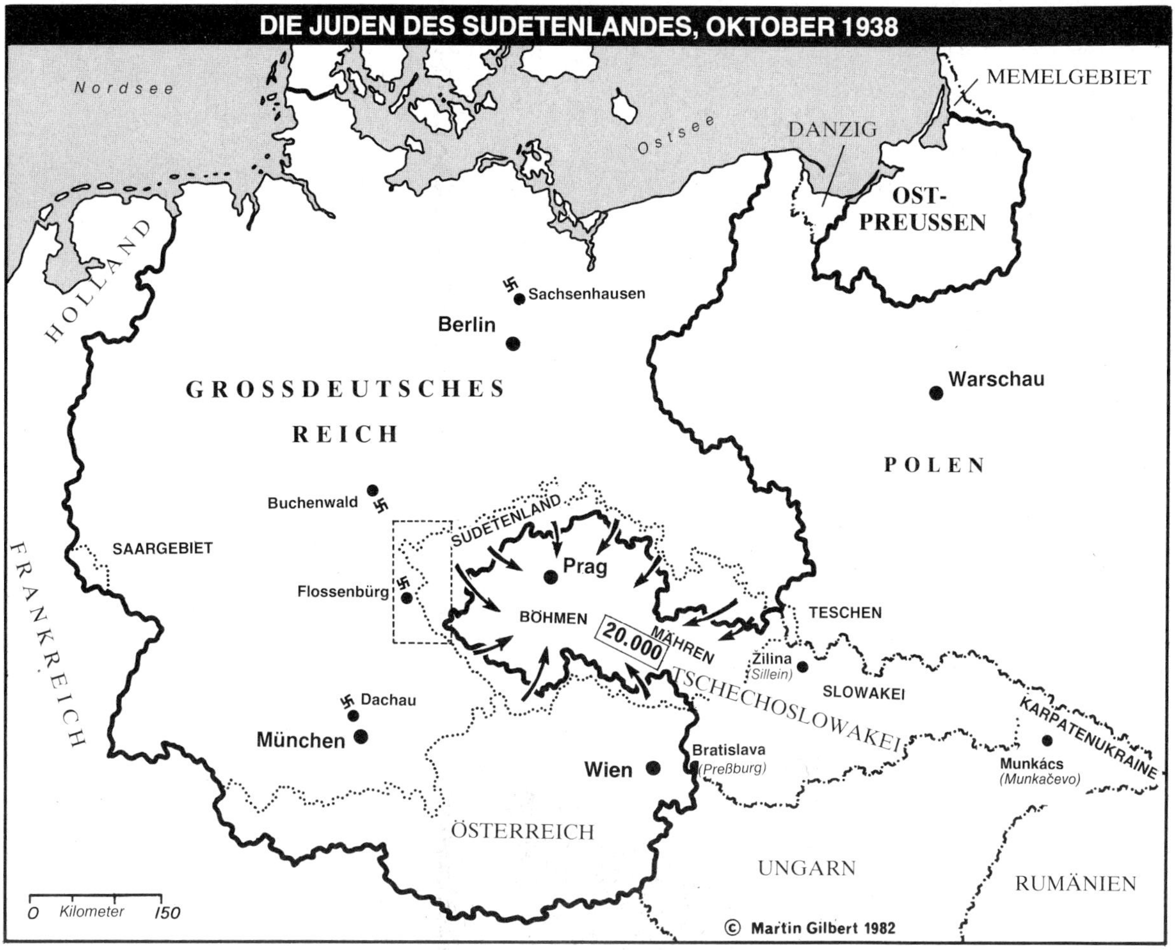
DIE JUDEN DES SUDETENLANDES, OKTOBER 1938
Nordsee
Ostsee
MEMELGEBIET
DANZIG
OST-PREUSSEN
HOLLAND
Sachsenhausen
Berlin
GROSSDEUTSCHES REICH
Warschau
POLEN
Buchenwald
SUDETENLAND
SAARGEBIET
Prag
Flossenbürg
BÖHMEN
20.000
MÄHREN
TESCHEN
Žilina
(Sillein)
SLOWAKEI
TSCHECHOSLOWAKEI
KARPATENUKRAINE
FRANKREICH
Dachau
München
Bratislava
(Preßburg)
Munkács
(Munkačevo)
Wien
ÖSTERREICH
UNGARN
RUMÄNIEN
0 Kilometer 150
© Martin Gilbert 1982

VERTREIBUNG VON JUDEN POLNISCHER HERKUNFT AUS DEUTSCHLAND, 28. OKTOBER 1938
Nordsee
Ostsee
OST-PREUSSEN
Danzig
Hamburg
Bremen
Berlin
Warschau
Hannover
Zbąszyń
(Bentschen)
Neu Bentschen
POLEN
HOLLAND
RUHRGEBIET
Bochum
Dortmund
Essen
Duisburg
Düsseldorf
Köln
15.000
vertrieben
Leipzig
SCHLESIEN
Chojnice
Konitz
Kraków
(Krakau)
BELGIEN
RHEINLAND
SUDETEN-LAND
GROSS-DEUTSCHES REICH
TSCHECHOSLOWAKEI
LUXEMBURG
SAARGEBIET
FRANKREICH
Stuttgart
Wien
BAYERN
ÖSTERREICH
UNGARN
SCHWEIZ
ITALIEN
0 Kilometer 150
© Martin Gilbert 1982

Die nächste Gruppe von Juden, die unter der deutschen Politik zu leiden hatte, waren 15000 in Polen gebürtige Juden, die seit zehn, zwanzig oder sogar dreißig Jahren in Deutschland lebten und arbeiteten. Anfang Oktober 1938 erklärte die polnische Regierung, daß alle polnischen Juden, die länger als fünf Jahre außerhalb Polens gelebt hatten, ihren Paß verlieren und damit «staatenlos» werden würden. Sofort ließen die Deutschen verlautbaren, daß in Deutschland nicht länger Platz für diese 15000 «staatenlosen» Juden sei.

Am 18. Oktober wurden diese 15000 Juden in ganz Deutschland gezwungen, ihre Wohnungen zu verlassen und sich – mit nur einem einzigen Koffer als Gepäck – zur nächsten Bahnstation zu begeben. Ihr übriges Hab und Gut mußten sie zurücklassen. In dunkler Nacht wurden sie an die deutsch-polnische Grenze gebracht und dann mit vorgehaltener Pistole über die Demarkationslinie geschickt.

Zunächst willigte die polnische Regierung nur zögernd ein, sie ins Land zu lassen. Die Bedingungen vor allem in der Grenzstadt Zbąszyń (Bentschen) *(oben)* waren entsetzlich. Als er davon erfuhr, erschoß ein in Frankreich lebender junger Mann aus einer der betroffenen Familien, Herszel Grynszpan, in Paris den deutschen Diplomaten vom Rath.

Die Nazis nahmen den Tod des Diplomaten zum Anlaß, um einen Terror-Feldzug gegen alle Juden im Großdeutschen Reich zu starten. In der Nacht des 9. November 1938, der sogenannten «Reichskristallnacht», wurden Hunderte von Synagogen angezündet, jüdische Geschäfte geplündert und Juden auf offener Straße zusammengeschlagen. Bis zum Morgen waren 91 Juden ums Leben gekommen. Sämtliche in der Karte auf der folgenden Seite *(oben)* verzeichneten Städte waren Schauplatz antijüdischer Gewaltaktionen, hinzu kamen jedoch noch Hunderte von kleineren Städten, Dörfern und Ansiedlungen im ganzen Großdeutschen Reich.

Die untere Karte zeigt einen kleinen Ausschnitt des Deutschen Reiches mit den dazugehörigen Städten und ihrer jüdischen Bevölkerung im Jahre 1932. In der «Reichskristallnacht» wurden all diese kleinen Gemeinden Opfer von Übergriffen.

Das Foto zeigt, wie in der Hauptsynagoge von Berlin das Feuer wütet.

ZERSTÖRUNG DER SYNAGOGEN («KRISTALLNACHT»), 9. NOVEMBER 1938

Nordsee
Ostsee
Danzig
Königsberg
Allenstein
Freie Stadt Danzig
Kiel
Lübeck
Hamburg
Emden
Bremen
Stettin
Hannover
Braunschweig
Berlin
Münster
Magdeburg
Essen
Düsseldorf
GROSSDEUTSCHES REICH
POLEN
Glogau
Köln
Leipzig
Liegnitz
Bonn
Dresden
Breslau
Oppeln
Koblenz
91
Juden ermordet
Chemnitz
Frankfurt
Hindenburg
Darmstadt
Plauen
Würzburg
Karlsbad
Gleiwitz
LUXEMBURG
Mannheim
Fürth
SUDETENLAND
Saarbrücken
Nürnberg
TSCHECHOSLOWAKEI
Karlsruhe
HOLLAND
BELGIEN
FRANKREICH
Ulm
Augsburg
Freiburg
Linz
Baden
Konstanz
München
Bad Vöslau
Salzburg
Wiener Neustadt
Eisenstadt
Innsbruck
ÖSTERREICH
0 Kilometer 160
SCHWEIZ
Graz
Klagenfurt
UNGARN
© Martin Gilbert 1982

JUDEN IN DER GEGEND UM DARMSTADT

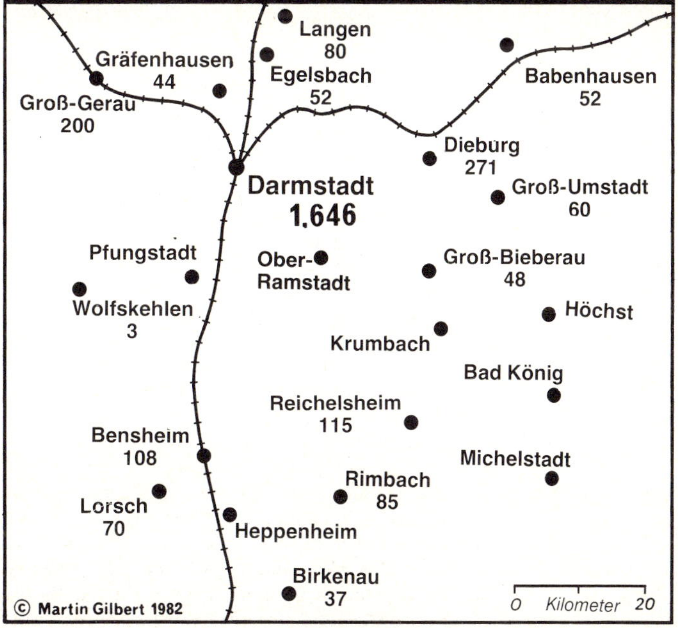
Langen 80
Gräfenhausen 44
Egelsbach 52
Babenhausen 52
Groß-Gerau 200
Dieburg 271
Darmstadt 1.646
Groß-Umstadt 60
Pfungstadt
Ober-Ramstadt
Groß-Bieberau 48
Wolfskehlen 3
Höchst
Krumbach
Bad König
Reichelsheim 115
Bensheim 108
Michelstadt
Rimbach 85
Lorsch 70
Heppenheim
Birkenau 37
© Martin Gilbert 1982
0 Kilometer 20

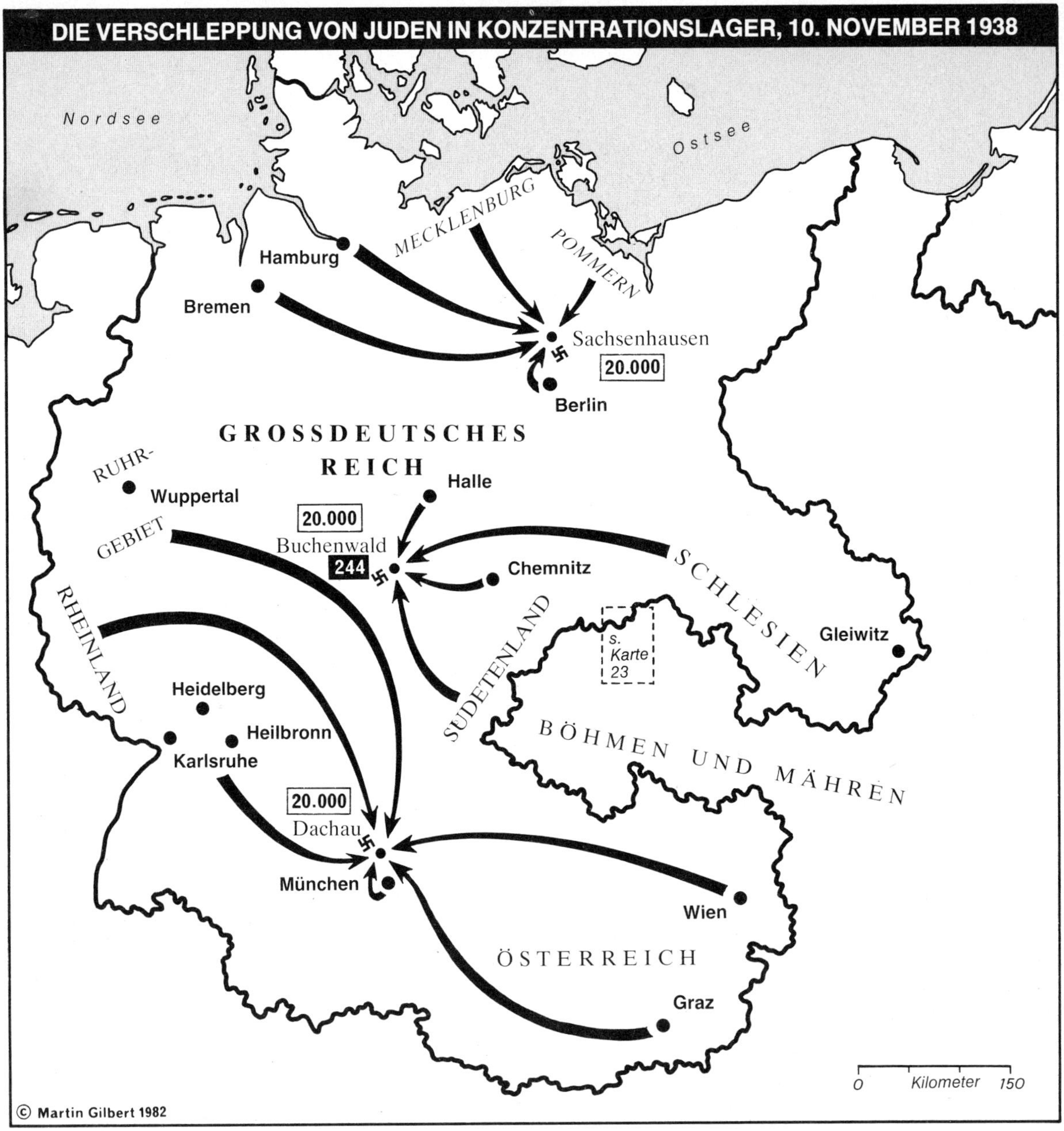
DIE VERSCHLEPPUNG VON JUDEN IN KONZENTRATIONSLAGER, 10. NOVEMBER 1938
Nordsee
Ostsee
MECKLENBURG
POMMERN
Hamburg
Bremen
Sachsenhausen
20.000
Berlin
GROSSDEUTSCHES REICH
RUHR-GEBIET
Wuppertal
Halle
20.000
Buchenwald
244
Chemnitz
SCHLESIEN
Gleiwitz
RHEINLAND
SUDETENLAND
s. Karte 23
BÖHMEN UND MÄHREN
Heidelberg
Heilbronn
Karlsruhe
20.000
Dachau
München
Wien
ÖSTERREICH
Graz
0 Kilometer 150
© Martin Gilbert 1982

Unmittelbar nach der «Reichskristallnacht» wurden in ganz Deutschland mehr als 35000 Juden festgenommen und in Konzentrationslager gebracht, wodurch die Gesamtzahl der Juden in den Lagern auf über 60000 stieg *(oben)*. Hunderte starben infolge von Mißhandlungen, 244 allein in Buchenwald im ersten Monat nach ihrer Verhaftung. Viele hundert mehr begingen wegen der schrecklichen Bedingungen und der Brutalität der Aufseher Selbstmord.

Im März 1939 gab Hitler seinen Truppen den Befehl, die tschechoslowakischen Provinzen Böhmen und Mähren zu besetzen *(folgende Seite, unten)*. Zehntausende von Juden saßen in der Falle, unter ihnen viele, die erst ein Jahr vorher aus Deutschland und Österreich nach Böhmen und Mähren geflohen waren. Andere Juden flüchteten aus der Slowakei nach Polen, als die Provinz Slowakei, in der antisemitische Aktivitäten spürbar zugenommen hatten, ihre Unabhängigkeit erklärte.

Die erste Erwähnung von Juden in Prag stammt aus dem Jahr 970, die erste feste Gemeinde gab es 1091. Im Laufe des 17. Jahrhunderts überstanden die Juden in der Tschechoslowakei wiederholte Ver-

JUDEN IN DER REGION UM PRAG

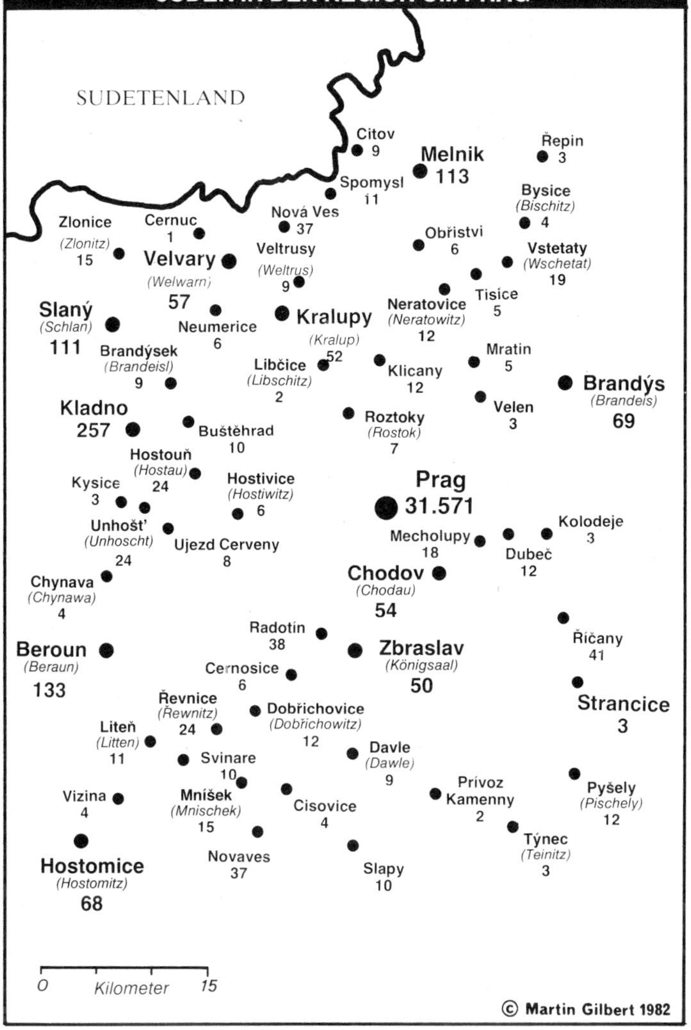
SUDETENLAND
Citov 9
Melnik 113
Řepin 3
Spomysl 11
Bysice (Bischitz) 4
Nová Ves 37
Zlonice (Zlonitz) 15
Cernuc 1
Velvary (Welwarn) 57
Veltrusy (Weltrus) 9
Obřistvi 6
Vstetaty (Wschetat) 19
Tisice 5
Slaný (Schlan) 111
Neumerice 6
Kralupy (Kralup) 52
Neratovice (Neratowitz) 12
Brandýsek (Brandeisl) 9
Libčice (Libschitz) 2
Klicany 12
Mratin 5
Brandýs (Brandeis) 69
Kladno 257
Buštěhrad 10
Roztoky (Rostok) 7
Velen 3
Hostouň (Hostau) 24
Kysice 3
Hostivice (Hostiwitz) 6
Prag 31.571
Unhošť (Unhoscht) 24
Ujezd Cerveny 8
Mecholupy 18
Dubeč 12
Kolodeje 3
Chynava (Chynawa) 4
Chodov (Chodau) 54
Radotín 38
Říčany 41
Beroun (Beraun) 133
Zbraslav (Königsaal) 50
Cernosice 6
Řevnice (Řewnitz) 24
Dobřichovice (Dobřichowitz) 12
Strancice 3
Liteň (Litten) 11
Svinare 10
Davle (Dawle) 9
Přivoz Kamenny 2
Pyšely (Pischely) 12
Vizina 4
Mníšek (Mnischek) 15
Cisovice 4
Týnec (Teinitz) 3
Hostomice (Hostomitz) 68
Novaves 37
Slapy 10
0 Kilometer 15
© Martin Gilbert 1982

DIE JUDEN IM MEMELGEBIET, 21. März 1939

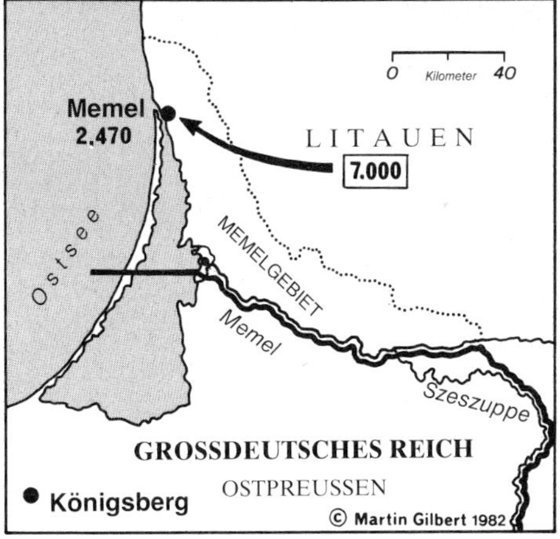
0 Kilometer 40
Memel 2.470
LITAUEN
7.000
Ostsee
MEMELGEBIET
Memel
Szeszuppe
GROSSDEUTSCHES REICH
Königsberg
OSTPREUSSEN
© Martin Gilbert 1982

treibungen, um schließlich 1700 die Religionsfreiheit und eine eigene bürgerliche Rechtsprechung zuerkannt zu bekommen. Da ihnen die Ausübung zahlreicher Berufe jener Zeit untersagt war, hatten sie sich als Schuhmacher, Schneider, Hutmacher, Kürschner und Goldschmiede hervorgetan. Bei den Banketten in adligen Häusern spielten häufig jüdische Musiker. Sie waren bekannt als hervorragende Bekämpfer von Feuersbrünsten, so daß bei sämtlichen festlichen Anlässen und Krönungsfeierlichkeiten eine Gruppe von 400 jüdischen Feuerwehrleuten zugegen war. Aber kein Jude hatte das Recht, sich als Bürger von Prag zu bezeichnen, und außerhalb des jüdischen Viertels mußten alle Juden gelbe Abzeichen und spitze gelbe Hüte tragen.

Nur allmählich verbesserte sich die Situation: 1677 trat ein königlicher Erlaß in Kraft, der es verbot, Juden mit Steinen zu bewerfen. Bis 1800 war Prag zu einem Zentrum hebräischen Schrifttums, hebräischer Lehre und hebräischer Forschung geworden, und in den hundert Jahren vor 1938 hatten die Juden in Prag Emanzipation, kulturelle Entfaltung, Wohlstand und Hoffnung kennengelernt.

Als am 15. März 1939 deutsche Truppen in Prag einmarschierten, waren zu den 31571 in der Stadt lebenden Juden – zehn Prozent der Gesamtbevölkerung – weitere 25000 Flüchtlinge aus den hier verzeichneten *(oben, links)* böhmischen Städten und Dörfern hinzugekommen, deren jüdische Bevölkerung gemäß der Volkszählung vom Jahre 1930 angegeben ist.

Tausende tschechischer Juden versuchten, auf legalem wie illegalem Wege zu entkommen. Ende 1939 hatten es insgesamt mehr als 19000 geschafft, Europa zu verlassen. Aber der Rest saß fest.

Sechs Tage nach dem Einmarsch der Deutschen in Prag schickte Hitler seine Truppen ins Memelgebiet *(oben, rechts)*. Die dortige jüdische Gemeinde konnte ihre Ursprünge bis ins 16. Jahrhundert zurückverfolgen. 1924 hatte das Memelgebiet einen autonomen Status unter litauischer Souveränität erhalten. Seine Minderheiten genossen den Schutz des Völkerbundes. Bis 1939 waren zu den 2470 Juden des Memelgebietes 7000 litauische Juden gestoßen.

Bei der Besetzung des Memelgebietes durch die Deutschen flohen die meisten Juden nach Litauen.

ANNEXION VON BÖHMEN UND MÄHREN, 15. März 1939

Nordsee
Ostsee
MEMELGEBIET
DANZIG
OST-PREUSSEN
Berlin
RUHRGEBIET
GROSSDEUTSCHES REICH
POLEN
SUDETENLAND
SAARGEBIET
Prag
BÖHMEN
KARPATEN-UKRAINE
MÄHREN
SUDETENLAND
SLOVAKEI
BAYERN
Wien
UNGARN
ÖSTERREICH
© Martin Gilbert 1982
0 Kilometer 200

DER DEUTSCHE EINMARSCH IN POLEN, 1. SEPTEMBER – 5. OKTOBER 1939

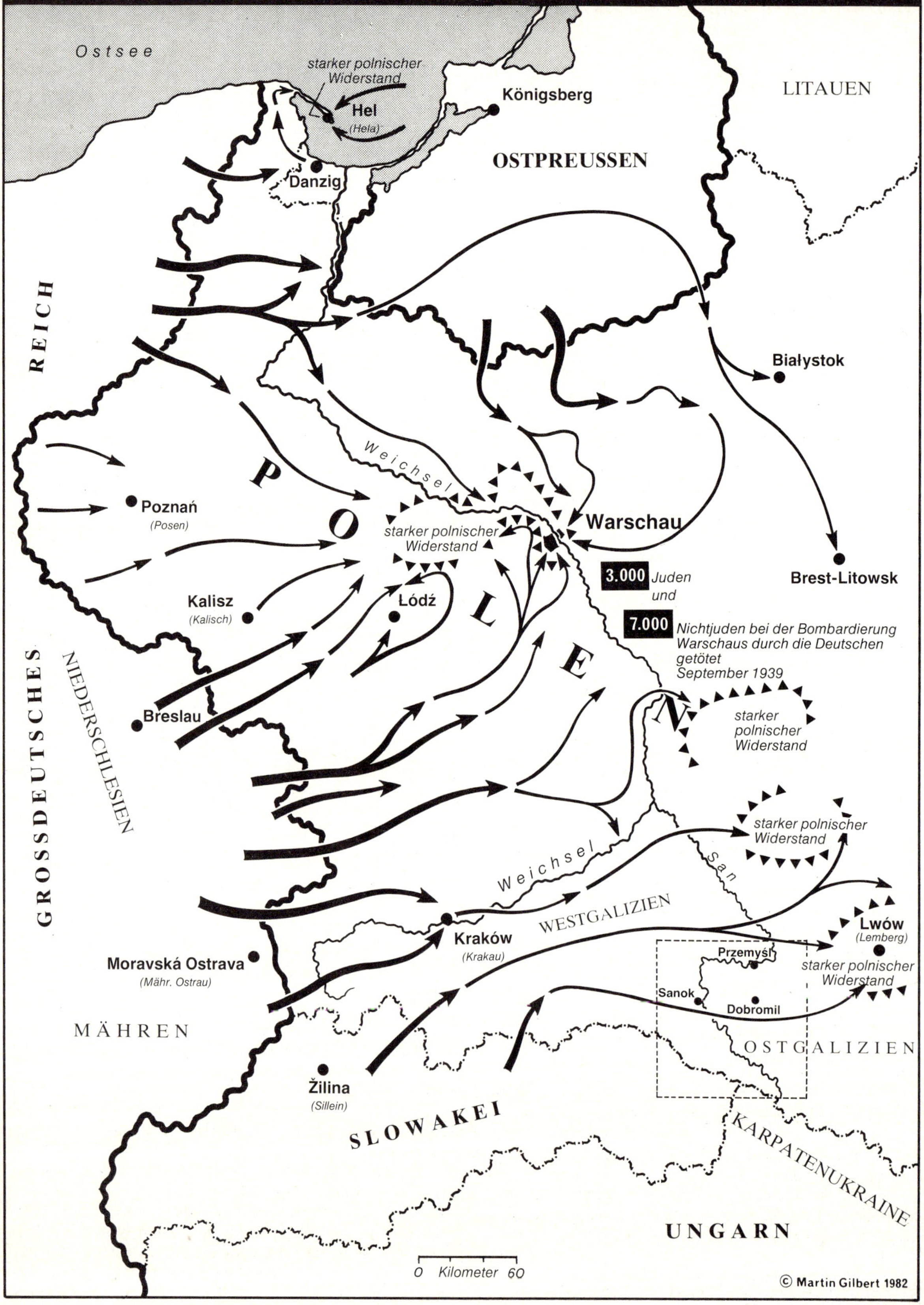
Ostsee
starker polnischer Widerstand
Hel
(Hela)
Königsberg
LITAUEN
OSTPREUSSEN
Danzig
REICH
Białystok
Weichsel
P O L E N
Poznań
(Posen)
starker polnischer Widerstand
Warschau
Brest-Litowsk
3.000 Juden und
7.000 Nichtjuden bei der Bombardierung Warschaus durch die Deutschen getötet September 1939
Kalisz
(Kalisch)
Łódź
GROSSDEUTSCHES
NIEDERSCHLESIEN
Breslau
starker polnischer Widerstand
starker polnischer Widerstand
Weichsel
San
WESTGALIZIEN
Kraków
(Krakau)
Lwów
(Lemberg)
starker polnischer Widerstand
Moravská Ostrava
(Mähr. Ostrau)
Przemyśl
Sanok
Dobromil
MÄHREN
OSTGALIZIEN
Žilina
(Sillein)
SLOWAKEI
KARPATENUKRAINE
UNGARN
0 Kilometer 60
© Martin Gilbert 1982

DIE JUDEN IN DEN LÄNDLICHEN GEBIETEN POLENS AM VORABEND DES KRIEGES: EIN BEISPIEL

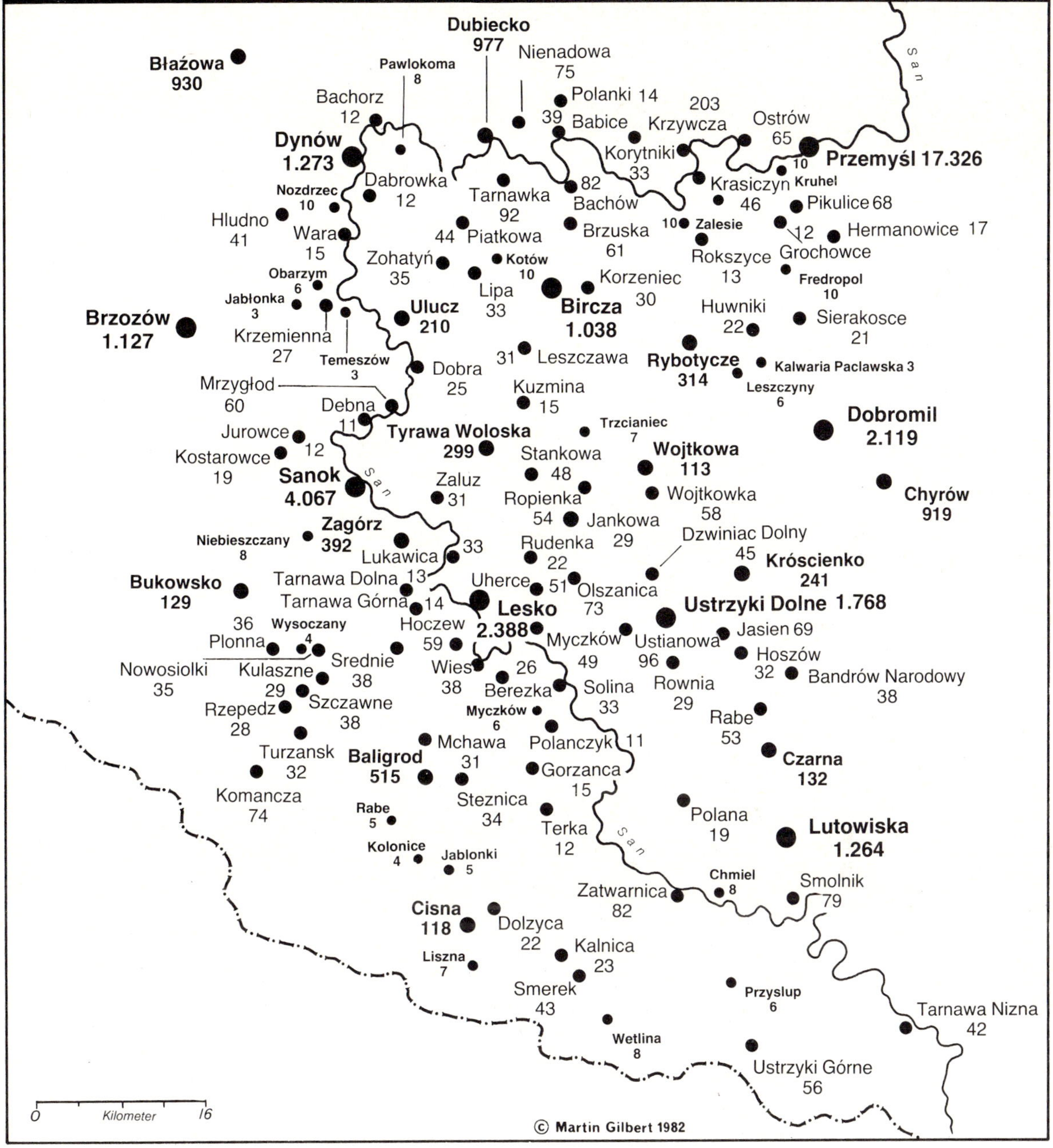
Dubiecko 977
Nienadowa 75
Błażowa 930
Pawlokoma 8
Bachorz 12
Polanki 14
203
39 Babice
Krzywcza
Ostrów 65
Dynów 1.273
Korytniki
33
Przemyśl 17.326
10
Kruhel
Dabrowka 12
Nozdrzec 10
Tarnawka 92
82 Bachów
Krasiczyn 46
Pikulice 68
Hludno 41
Wara 15
44 Piatkowa
Brzuska 61
10 Zalesie
12
Hermanowice 17
Zohatyń 35
Kotów 10
Rokszyce 13
Grochowce
Obarzym 6
Jabłonka 3
Lipa 33
Korzeniec 30
Fredropol 10
Brzozów 1.127
Krzemienna 27
Ulucz 210
Bircza 1.038
Huwniki 22
Sierakosce 21
Temeszów 3
31 Leszczawa
Rybotycze 314
Kalwaria Paclawska 3
Mrzygłod 60
Dobra 25
Kuzmina 15
Leszczyny 6
Debna 11
Dobromil 2.119
Jurowce 12
Tyrawa Woloska 299
Trzcianiec 7
Kostarowce 19
Stankowa 48
Wojtkowa 113
San
Sanok 4.067
Zaluz 31
Ropienka 54
Wojtkowka 58
Chyrów 919
Niebieszczany 8
Zagórz 392
Jankowa 29
Dzwiniac Dolny 45
Lukawica 13
33
Rudenka 22
Króscienko 241
Bukowsko 129
Tarnawa Dolna
Uherce 51
Olszanica 73
Tarnawa Górna 14
Lesko 2.388
Ustrzyki Dolne 1.768
36
Wysoczany 4
Plonna
Hoczew 59
Myczków 49
Ustianowa 96
Jasien 69
Nowosiolki 35
Kulaszne 29
Srednie 38
Wies 38
26 Berezka
Hoszów 32
Bandrów Narodowy 38
Rzepedz 28
Szczawne 38
Myczków 6
Solina 33
Rownia 29
Rabe 53
Turzansk 32
Mchawa 31
Polanczyk 11
Baligrod 515
Czarna 132
Komancza 74
Gorzanca 15
Rabe 5
Steznica 34
Polana 19
Lutowiska 1.264
Terka 12
Kolonice 4
Jablonki 5
San
Chmiel 8
Smolnik 79
Zatwarnica 82
Cisna 118
Dolzyca 22
Kalnica 23
Liszna 7
Przyslup 6
Smerek 43
Tarnawa Nizna 42
Wetlina 8
Ustrzyki Górne 56
0 Kilometer 16
© Martin Gilbert 1982

Am 1. September 1939 marschierten deutsche Truppen in Polen ein und drangen damit in ein Land vor, in dem seit dem Mittelalter Juden gelebt hatten. Die Karte oben zeigt die Anzahl von Juden, die in einem kleinen Gebiet Polens lebten, das im September 1939 auf einer der Vormarschlinien der deutschen Truppen lag, als diese sich ihren Weg durch Polen bahnten.

Die Karte links zeigt die wichtigsten Vormarschlinien der deutschen Truppen: Die dicken Pfeile stellen den Vorstoß innerhalb der ersten fünf Septembertage dar, die dünneren Pfeile den Vormarsch während der nächsten zwei Wochen.

Obwohl die Deutschen schnell vordrangen, kämpften die polnischen Soldaten an vielen Stellen mit großem Können und großer Tapferkeit, so daß es ihnen gelang, in einer Reihe wütender Schlachten die deutschen Truppen vorübergehend aufzuhalten. Bei den Kämpfen fielen mehr als 60000 polnische Soldaten, von denen ungefähr 6000 Juden waren. Außerdem befanden sich unter den Zivilisten, die bei der Bombardierung Warschaus ums Leben kamen, 3000 Juden.

DIE GRÖSSTEN JÜDISCHEN GEMEINDEN IN POLEN AM VORABEND DES KRIEGES

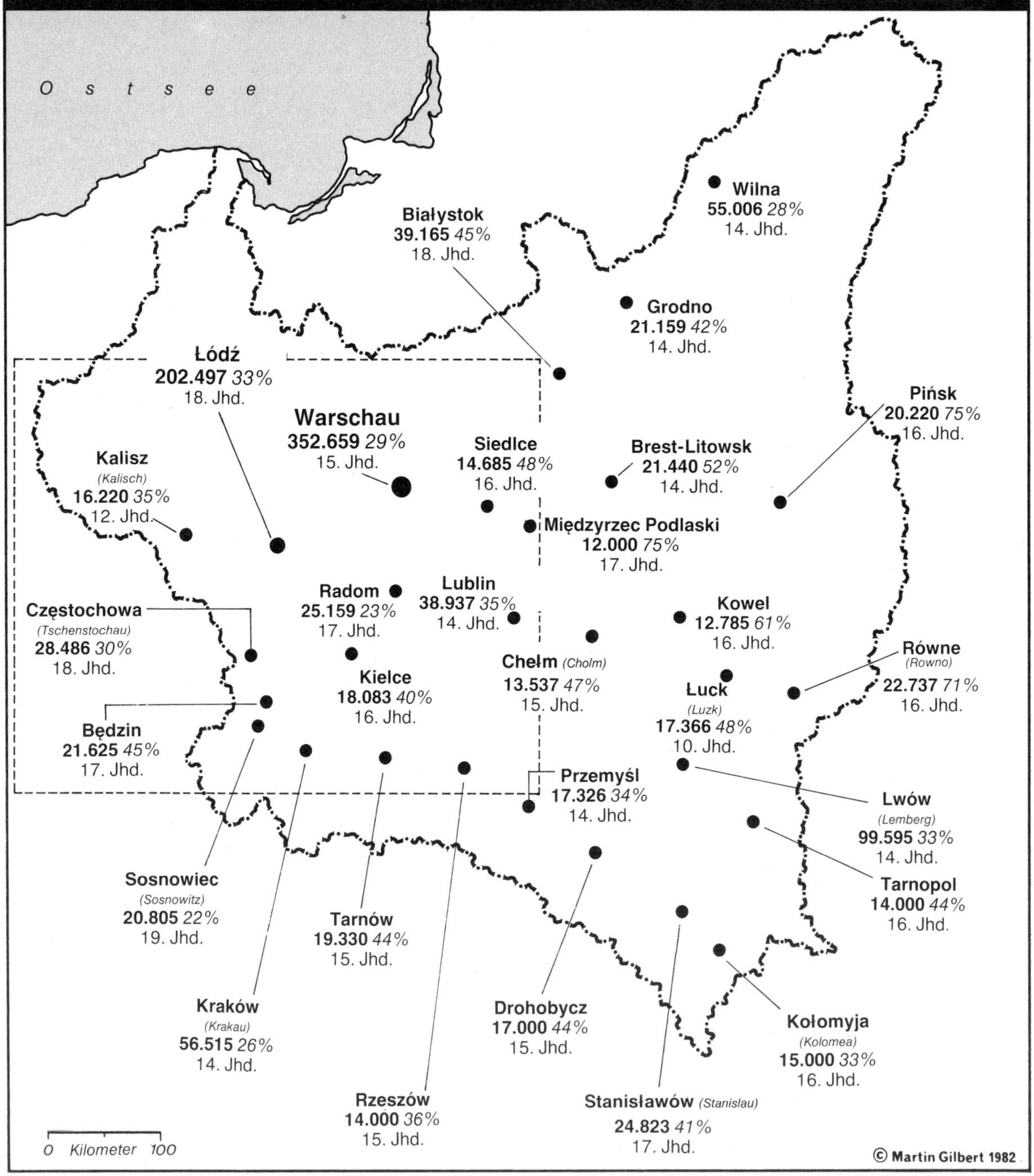
O s t s e e
Białystok
39.165 45%
18. Jhd.
Wilna
55.006 28%
14. Jhd.
Grodno
21.159 42%
14. Jhd.
Łódź
202.497 33%
18. Jhd.
Warschau
352.659 29%
15. Jhd.
Kalisz
(Kalisch)
16.220 35%
12. Jhd.
Siedlce
14.685 48%
16. Jhd.
Brest-Litowsk
21.440 52%
14. Jhd.
Pińsk
20.220 75%
16. Jhd.
Międzyrzec Podlaski
12.000 75%
17. Jhd.
Częstochowa
(Tschenstochau)
28.486 30%
18. Jhd.
Radom
25.159 23%
17. Jhd.
Lublin
38.937 35%
14. Jhd.
Kowel
12.785 61%
16. Jhd.
Równe
(Rowno)
22.737 71%
16. Jhd.
Kielce
18.083 40%
16. Jhd.
Chełm (Cholm)
13.537 47%
15. Jhd.
Łuck
(Luzk)
17.366 48%
10. Jhd.
Będzin
21.625 45%
17. Jhd.
Przemyśl
17.326 34%
14. Jhd.
Lwów
(Lemberg)
99.595 33%
14. Jhd.
Tarnopol
14.000 44%
16. Jhd.
Sosnowiec
(Sosnowitz)
20.805 22%
19. Jhd.
Tarnów
19.330 44%
15. Jhd.
Kraków
(Krakau)
56.515 26%
14. Jhd.
Drohobycz
17.000 44%
15. Jhd.
Kołomyja
(Kolomea)
15.000 33%
16. Jhd.
Rzeszów
14.000 36%
15. Jhd.
Stanisławów (Stanislau)
24.823 41%
17. Jhd.
0 Kilometer 100
© Martin Gilbert 1982

Die Karte oben zeigt jene polnischen Städte, in denen zur Zeit der Volkszählung 1931 mindestens 12000 jüdische Einwohner lebten. Ferner ist der Prozentsatz von Juden an der Gesamtbevölkerung der Städte angegeben.

Die Karte auf der folgenden Seite verzeichnet einige jener Städte, in denen von den ersten Tagen der deutschen Besatzung an Juden ausgesondert wurden, um dann mißhandelt, gefoltert und ermordet zu werden. Die Zahlen geben nur einen Teil der tatsächlich Getöteten wieder – die meisten Opfer gab es bei barbarischen Überfällen auf betende Juden oder bei willkürlichen Schießereien. Tausende von Juden und Tausende von Nichtjuden wurden in diesen frühen Tagen der deutschen Herrschaft getötet. Obwohl die Juden nur ein Zehntel der polnischen Bevölkerung ausmachten, waren von den Getöteten fast ein Drittel Juden. Das Foto, aufgenommen von einem deutschen Soldaten, zeigt eine typische Situation, «Verhöhnung eines Juden».

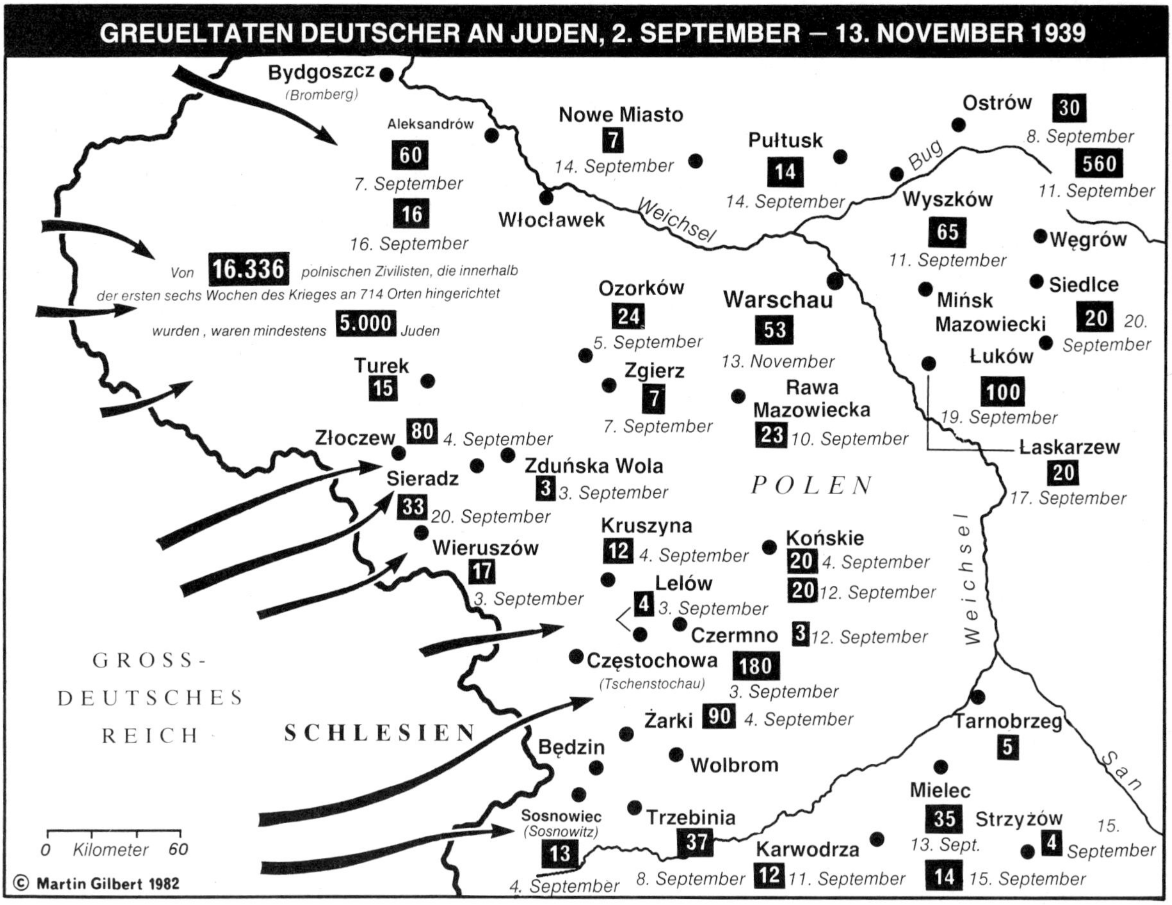
GREUELTATEN DEUTSCHER AN JUDEN, 2. SEPTEMBER – 13. NOVEMBER 1939
Von 16.336 polnischen Zivilisten, die innerhalb der ersten sechs Wochen des Krieges an 714 Orten hingerichtet wurden, waren mindestens 5.000 Juden
Bydgoszcz (Bromberg)
Aleksandrów 60 7. September 16 16. September
Nowe Miasto 7 14. September
Włocławek
Weichsel
Pułtusk 14 14. September
Bug
Ostrów 30 8. September 560 11. September
Wyszków 65 11. September
Węgrów
Siedlce
Mińsk Mazowiecki 20 20. September
Łuków 100 19. September
Ozorków 24 5. September
Warschau 53 13. November
Turek 15
Zgierz 7 7. September
Rawa Mazowiecka 23 10. September
Złoczew 80 4. September
Sieradz 33 20. September
Zduńska Wola 3 3. September
POLEN
Laskarzew 20 17. September
Wieruszów 17 3. September
Kruszyna 12 4. September
Końskie 20 4. September 20 12. September
Lelów 4 3. September
Czermno 3 12. September
Weichsel
GROSS-DEUTSCHES REICH
SCHLESIEN
Częstochowa (Tschenstochau) 180 3. September
Żarki 90 4. September
Tarnobrzeg 5
San
Będzin
Wolbrom
Mielec 35 13. Sept.
Strzyżów 4 15. September
Sosnowiec (Sosnowitz) 13 4. September
Trzebinia 37 8. September
Karwodrza 12 11. September
14 15. September
0 Kilometer 60
© Martin Gilbert 1982

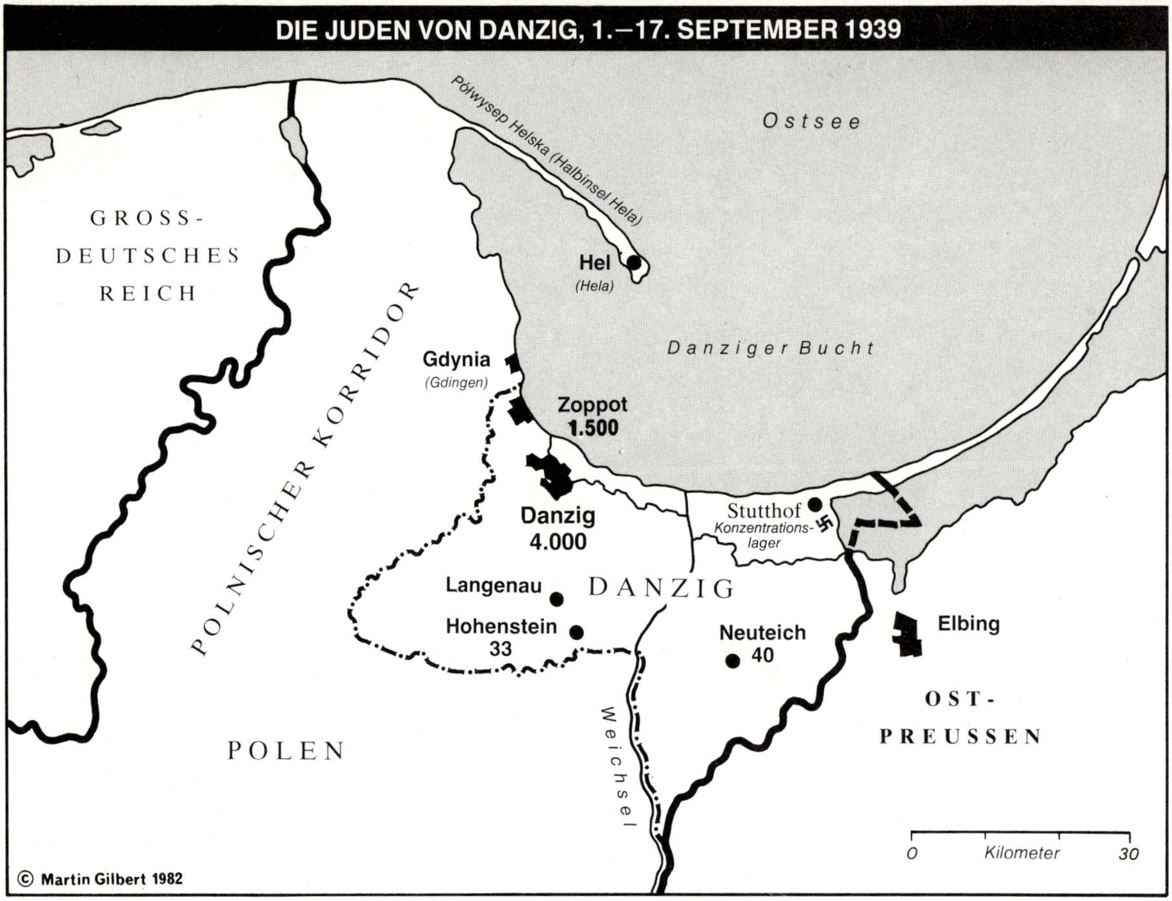
DIE JUDEN VON DANZIG, 1.–17. SEPTEMBER 1939
Półwysep Helska (Halbinsel Hela)
Ostsee
GROSS-
DEUTSCHES
REICH
Hel
(Hela)
POLNISCHER KORRIDOR
Danziger Bucht
Gdynia
(Gdingen)
Zoppot
1.500
Danzig
4.000
Stutthof
Konzentrations-
lager
Langenau
DANZIG
Hohenstein
33
Neuteich
40
Elbing
OST-
PREUSSEN
POLEN
Weichsel
0 Kilometer 30
© Martin Gilbert 1982

Nach dem deutschen Einmarsch in Polen, und sogar noch während dieser Einmarsch stattfand, drangen deutsche Truppen in die Freie Stadt Danzig vor, die sofort in das Deutsche Reich eingegliedert wurde. Obwohl seit 1937 in Danzig die dortige Nazi-Partei die Herrschaft ausübte, war es vielen der 9000 Danziger Juden gelungen, nach Westeuropa, England, in die Vereinigten Staaten und nach Palästina zu emigrieren. Doch mehr als 5000 Juden, unter ihnen viele alte Menschen, saßen in der Stadt fest, als am 1. September 1939 die deutschen Truppen einrückten *(oben)*.

Am 2. September, nachdem die Deutschen das ganze Gebiet von Danzig unter ihre Kontrolle gebracht hatten, richteten sie in Stutthof ein Konzentrationslager ein, und zwei Wochen darauf wurden mehrere hundert prominente Danziger Juden dorthin deportiert – unter ihnen der Schriftsteller und Journalist Jacob Lange und der Kantor der Synagoge von Danzig, Leopold Shufflan. Innerhalb einer Woche waren die meisten von ihnen infolge bewußter Gewaltanwendung gestorben.

Am 9. September, während sich die deutsche Wehrmacht nach wie vor im Kampf mit polnischen Truppen befand, wurden alle jüdischen Männer von Gelsenkirchen *(folgende Seite, oben)* in das Konzentrationslager Sachsenhausen nahe Berlin deportiert. Von der jüdischen Gemeinde, die 1933 noch aus 1400 Menschen bestand, hatten bis 1939 fast 700 emigrieren können. Nun, kaum eine Woche nach Kriegsausbruch, wurden die Männer gen Osten geschickt, und die Frauen und Kinder mußten allein durchkommen.

Bei Beendigung des Polenfeldzuges waren 6000 jüdische Soldaten gefallen und insgesamt 400000 polnische Soldaten waren in Kriegsgefangenschaft geraten, unter ihnen etwa 61000 Juden. Die Juden wurden sofort von den Polen getrennt: Tausende brachte man in Kriegsgefangenenlager innerhalb des Deutschen Reiches, wo ihnen die grundlegenden Rechte von Kriegsgefangenen verweigert und sie statt dessen wie Insassen eines Konzentrationslagers behandelt wurden – ihre Essensrationen waren kleiner als die anderer Gefangener, und sie mußten besonders schwere Arbeit leisten. In Lamsdorf wurden 5000 jüdische Gefangene in Scheunen untergebracht – 700 bis 800 Mann pro Scheune, wo es keine festen Fußböden gab –, und sechs bis acht Männer mußten sich einen Laib Brot teilen. In Rathorn bestand die zweitägige Ration für fünf Personen aus einem Laib Brot und einem halben Topf Suppe. In Stablack mußten die Juden alle möglichen Bauarbeiten verrichten und wurden dabei von den deutschen Aufse-

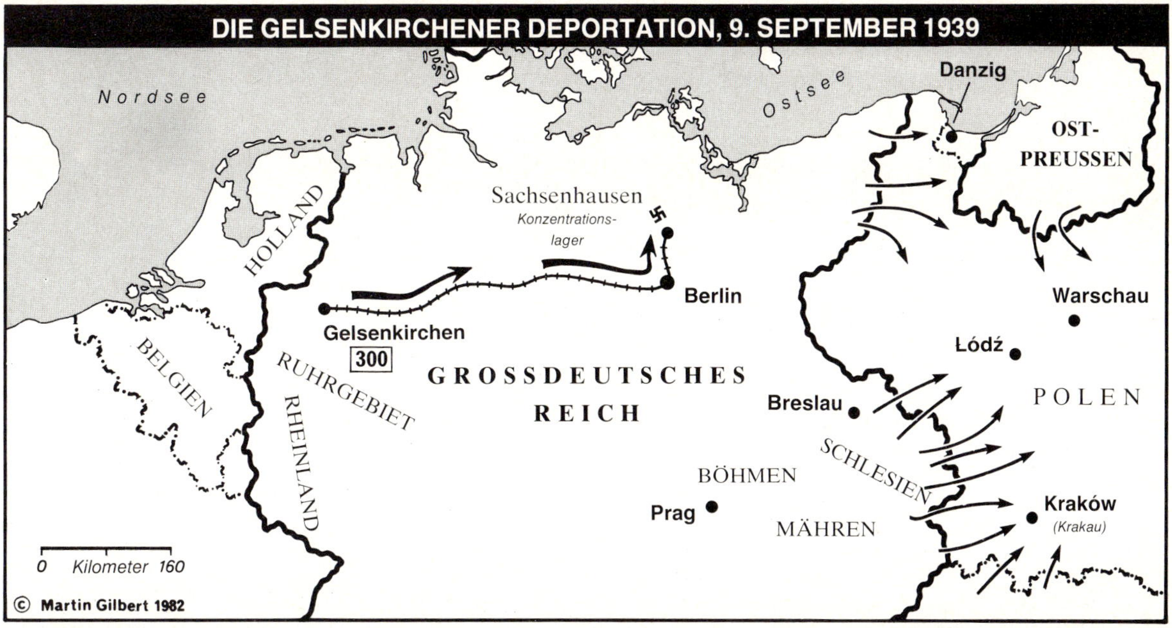
DIE GELSENKIRCHENER DEPORTATION, 9. SEPTEMBER 1939
Nordsee
Ostsee
Danzig
OST-PREUSSEN
Sachsenhausen
Konzentrations-lager
HOLLAND
Berlin
Warschau
Gelsenkirchen
300
Łódź
BELGIEN
RUHRGEBIET
GROSSDEUTSCHES REICH
POLEN
Breslau
RHEINLAND
SCHLESIEN
BÖHMEN
Prag
Kraków
(Krakau)
MÄHREN
0 Kilometer 160
© Martin Gilbert 1982

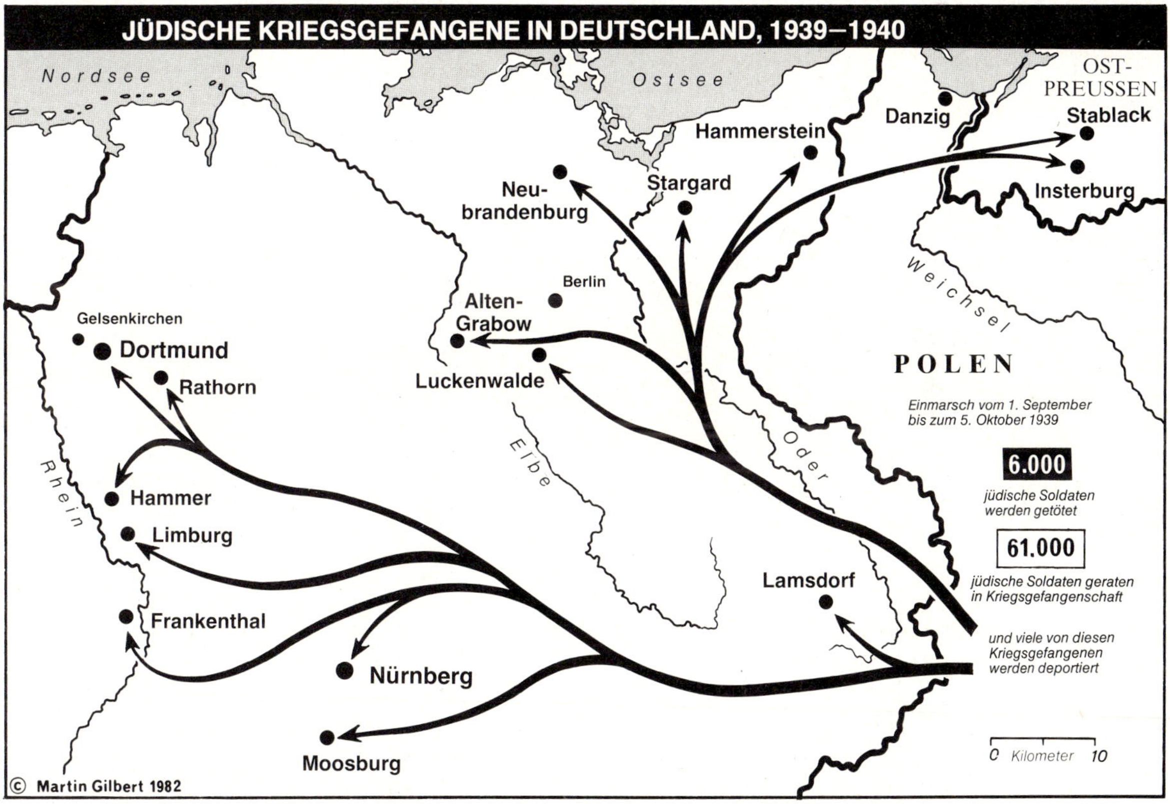
JÜDISCHE KRIEGSGEFANGENE IN DEUTSCHLAND, 1939–1940
Nordsee
Ostsee
OST-PREUSSEN
Hammerstein
Danzig
Stablack
Neu-brandenburg
Stargard
Insterburg
Weichsel
Berlin
Alten-Grabow
Gelsenkirchen
Dortmund
Luckenwalde
POLEN
Rathorn
Einmarsch vom 1. September bis zum 5. Oktober 1939
Elbe
Oder
Rhein
6.000
jüdische Soldaten werden getötet
Hammer
Limburg
61.000
Lamsdorf
jüdische Soldaten geraten in Kriegsgefangenschaft
Frankenthal
und viele von diesen Kriegsgefangenen werden deportiert
Nürnberg
Moosburg
0 Kilometer 10
© Martin Gilbert 1982

hern so schwer geprügelt, daß täglich zwischen zehn und fünfzehn Juden starben. In Neubrandenburg verfügte der deutsche Kommandant im Oktober 1939, daß alle «arischen» Kriegsgefangenen Anspruch auf die Uniformen und persönlichen Habseligkeiten ihrer jüdischen Mitgefangenen hätten. Die Folge war, daß die Juden halbnackt und barfuß zur Arbeit geschickt wurden und viele von ihnen erfroren.

Diese jüdischen Kriegsgefangenen gehörten zu den ersten Opfern einer Politik der Nazis, in deren Rahmen zwar mit allen beherrschten Völkern rüde verfahren wurde, die jedoch vorsah, daß die Juden für eine besonders brutale Behandlung ausgesondert wurden. Einzelheiten über das Schicksal einiger überlebender jüdischer Kriegsgefangener in den Jahren 1944 und 1945 finden sich auf den Seiten 204, 211 und 217.

DIE TEILUNG POLENS ZWISCHEN DEM DEUTSCHEN REICH UND DER SOWJETUNION, 28. SEPTEMBER 1939
SCHWEDEN
LETTLAND
Memel
Ostsee
LITAUEN
annektiert von Litauen
Święciany
Wilna
Königsberg
2.400
Danzig
OST-PREUSSEN
S
Lida
Grodno
SOWJETUNION
Łomża
Wołkowysk
Bydgoszcs
(Bromberg)
Białystok
Baranowicze
Poznań
(Posen)
Pułtusk
annektiert vom Deutschen Reich
678.000
Warschau
Brest-Litowsk
Pińsk
GROSS-DEUTSCHES REICH
Kalisz
(Kalisch)
Siedlce
Łódź
250.000
annektiert von der Sowjetunion
1.309.000
Wieluń
Radom
fliehen nach Osten
Lublin
WOLHYNIEN
GENERAL-GOUVERNEMENT
1.139.000
Chełm
(Cholm)
Łuck
(Luzk)
Równe
(Rowno)
Zamość
OBERSCHLESIEN
20.000
fliehen nach Süden
Lwów
(Lemberg)
Brody
PROTEKTORAT BÖHMEN u. MÄHREN
Bielsko
(Bielitz)
Kraków
(Krakau)
Tarnów
Dynów
Przemyśl
Tarnopol
OST-GALIZIEN
Stanisławów
(Stanislau)
ÖSTERREICH
SLOWAKEI
KARPATEN-UKRAINE
Kolomyja
(Kolomea)
S = Suwalkizipfel (zu Polen gehörig). 2.400 Juden wurden nach Litauen vertrieben
Die Grenzen Polens zwischen 1918 und 1939
Die Ostgrenze des Großdeutschen Reiches im Oktober 1939
UNGARN
RUMÄNIEN
0 Kilometer 75
© Martin Gilbert 1982

Am 28. September 1939 wurde Polen zwischen Nazi-Deutschland und der Sowjetunion aufgeteilt, während Litauen den Bezirk Wilna annektierte. In den kommenden zwei Monaten, ehe die Grenze geschlossen wurde, flüchteten mehr als eine Viertelmillion Juden vom deutschen in den sowjetischen Teil. Diese Juden bildeten den größten Teil der polnischen Juden, die am Ende des Krieges noch am Leben waren *(S. 242)*.

Die Karte oben zeigt die Anzahl der Juden, die zum Zeitpunkt des deutschen Einmarsches in den drei Hauptteilen Polens lebten. Indem das Großdeutsche Reich seine Grenzen nach Osten vorschob, kamen zusätzlich fast zwei Millionen Juden unter deutsche Herrschaft: viermal die Anzahl der Juden, die in Deutschland lebten, als Hitler im Januar 1933 an die Macht kam.

Die ersten Terrorakte der Deutschen in Polen waren die September-Morde *(S. 33)* gewesen. Jetzt wurde kurzerhand und erbarmungslos eine neue Politik verfolgt: Vertreibung. Die Zahlen in der Karte auf der folgenden Seite geben die wichtigsten Vertreibungen nach Osten wieder, soweit überhaupt Zahlenmaterial zugänglich war. Bis zum Ende des Jahres 1939 hatte man Zehntausende von Juden an die Grenzflüsse getrieben und sie gezwungen, sie zu durchschwimmen. Bei dem Versuch, die Flüsse schwimmend zu durchqueren, waren Hunderte ertrunken. Andere waren im Wasser beschossen und auf diese Weise getötet worden.

Von den 1800 aus Chełm (Cholm) vertriebenen Juden überlebten nur 400 die Gefahren der Vertreibung. Hunderten wiederum wurde im letzten Moment die Zuflucht versagt: Sowjetische Soldaten hinderten sie daran, sowjetisches Gebiet zu betreten.

ERMORDETE ODER NACH OSTEN VERTRIEBENE JUDEN IM OKTOBER 1939

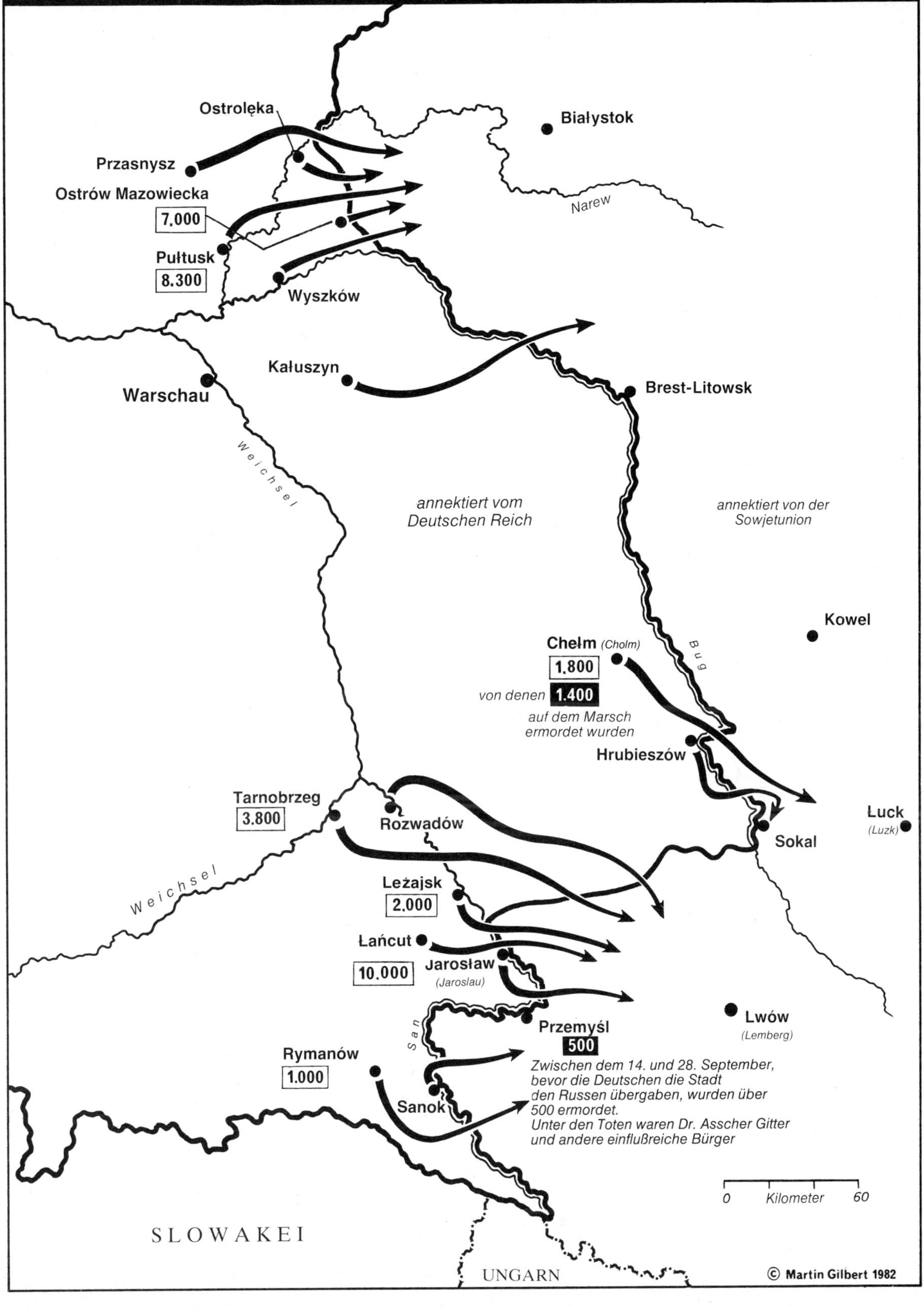
Ostrołęka
Białystok
Przasnysz
Ostrów Mazowiecka
7.000
Narew
Pułtusk
8.300
Wyszków
Kałuszyn
Warschau
Brest-Litowsk
Weichsel
annektiert vom
Deutschen Reich
annektiert von der
Sowjetunion
Kowel
Chełm (Cholm)
1.800
von denen 1.400
auf dem Marsch
ermordet wurden
Bug
Hrubieszów
Tarnobrzeg
3.800
Rozwadów
Łuck
(Luzk)
Sokal
Weichsel
Leżajsk
2.000
Łańcut
10.000
Jarosław
(Jaroslau)
Lwów
(Lemberg)
San
Przemyśl
500
Rymanów
1.000
Zwischen dem 14. und 28. September,
bevor die Deutschen die Stadt
den Russen übergaben, wurden über
500 ermordet.
Unter den Toten waren Dr. Asscher Gitter
und andere einflußreiche Bürger
Sanok
0
Kilometer
60
SLOWAKEI
UNGARN

JÜDISCHE KRIEGSGEFANGENE IN POLEN, 1939 – 1940

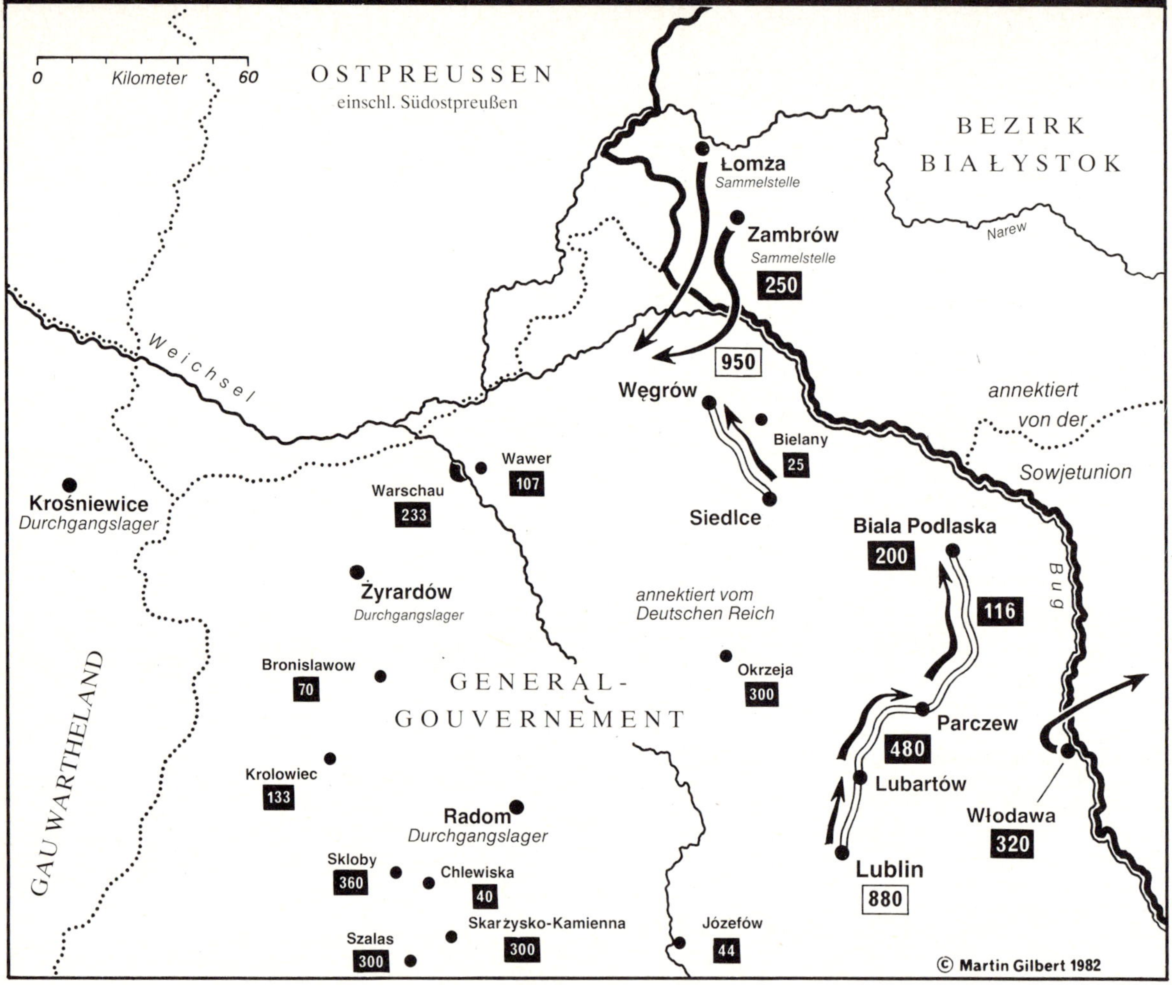
0 Kilometer 60
OSTPREUSSEN
einschl. Südostpreußen
BEZIRK
BIAŁYSTOK
Narew
Łomża
Sammelstelle
Zambrów
Sammelstelle
250
950
Weichsel
Węgrów
Bielany
25
annektiert
von der
Sowjetunion
Wawer
107
Warschau
233
Siedlce
Biala Podlaska
200
Krośniewice
Durchgangslager
Żyrardów
Durchgangslager
annektiert vom
Deutschen Reich
116
Bug
Bronislawow
70
GENERAL-
GOUVERNEMENT
Okrzeja
300
Parczew
480
Lubartów
Krolowiec
133
Radom
Durchgangslager
Włodawa
320
GAU WARTHELAND
Skloby
360
Chlewiska
40
Lublin
880
Szalas
300
Skarżysko-Kamienna
300
Józefów
44
© Martin Gilbert 1982

In den ersten Monaten des Zweiten Weltkrieges mißhandelten die Deutschen vor allem jüdische Soldaten, die als Mitglieder der polnischen Armee gefangengenommen wurden. Einige von ihnen brachte man nach Deutschland *(S. 35)*. Andere blieben in Polen und wurden dort ebenfalls vom ersten Tag ihrer Gefangenschaft an brutal behandelt. Diejenigen, die an den Sammelpunkten Łomża und Zambrów *(oben)* zusammengezogen wurden, sollten unter deutscher Bewachung auf die deutsche Seite jenseits der Grenze gebracht werden. Doch von den 1200 Menschen, die man in Zambrów versammelte, wurden 250 auf der Stelle ermordet.

Im Durchgangslager Żyrardów wurden jüdische Kriegsgefangene zehn Tage lang ohne Nahrung im dortigen Stadion eingesperrt – sie überlebten nur, weil es polnischen Bewohnern der Stadt gelang, Lebensmittel zu ihnen hineinzuwerfen. Am Jom Kippur (Versöhnungstag), dem 24. September 1939, wurden diese jüdischen Kriegsgefangenen gezwungen, mit bloßen Händen die Latrinen zu reinigen, und auch sonst wurden sie mit äußerster Brutalität behandelt.

Eine weitere Gruppe, die entsetzlich zu leiden hatte, waren jene von den Deutschen während des Polenfeldzuges festgenommenen Soldaten, deren Geburtsorte in den Teilen Ostpolens lagen, die gerade von der Sowjetunion annektiert worden waren. Ein Zug mit Menschen wurde nach Włodawa gebracht – sie sollten von dort weiter gen Osten über die Grenze geschickt werden; allein auf der Reise von Zentralpolen nach Włodawa waren 200 Menschen verhungert oder erfroren. In der Nähe von Włodawa wurden die Überlebenden gezwungen, die Leichen aus dem Zug zu tragen. Dann eröffneten die Wachen von der SS das Feuer und töteten weitere 120 Gefangene.

Eine andere Gruppe von Kriegsgefangenen, bestehend aus polnischen Juden, wurde nach Lublin gebracht. Es wurde ihnen gesagt, sie würden in die Sowjetunion geschickt werden. Auf dem Marsch nach Norden, angeblich zur Grenze, wurden sie fast alle getötet. Die Überlebenden kamen ins Kriegsgefangenenlager Biala Podlaska, wo weitere 200 an Typhus starben, weil ihnen die medizinische Behandlung versagt wurde. Ein extrem brutaler Umgang mit jüdischen Kriegsgefangenen wurde auch aus den in Krośniewice, Żyrardów und Radom geschaffenen Durchgangslagern berichtet.

Tausende von Nichtjuden und Juden hatten in diesen frühen Tagen der deutschen Besatzung Westpolens unter Grausamkeiten zu leiden. Zwischen September 1939 und Juni 1940 wurden in jeder Stadt und in jedem Dorf, das auf der Karte *(links)* mit kleiner Schrift eingezeichnet ist, polnische Zivilisten erschossen – zum Teil aus reiner Willkür, zum Teil, weil sie die politischen, religiösen oder intellektuellen Führer ihrer Gemeinden waren: in Skloby nicht weniger als 360 Menschen. Die Methoden, mit denen Juden getötet wurden, waren barbarisch. In Szalas beispielsweise wurden alle männlichen Juden im Alter von über 15 Jahren festgenommen, viele mit Maschinengewehren niedergeschossen und der Rest in eine Schule gesperrt, die dann angezündet wurde. Die Liste der Opfer ist – sogar für die hier dargestellte Region – unvollständig. In anderen Teilen der besetzten Gebiete war die Zahl der Morde an Nichtjuden ähnlich hoch: Mehr als 16000 waren es in den ersten anderthalb Monaten der Besatzung *(S. 33)*, und im Laufe des Jahres 1940 stieg diese Zahl ständig. In Toruń (Thorn) *(rechts)* wurden zwölf Jungen im Alter zwischen 11 und 16 erschossen – als Vergeltungsmaßnahme, weil sie in der örtlichen Polizeistation eine Fensterscheibe zerbrochen hatten.

Am 12. Dezember 1939 wurden für alle jüdischen Männer zwischen 14 und 60 zwei Jahre Zwangsarbeit eingeführt. Im ganzen Generalgouvernement und im Gau Wartheland *(rechts)* wurden Arbeitslager eingerichtet. Zunächst griff man Juden auf offener Straße auf, um die Lager zu füllen. Später wurden organisierte Zwangsaushebungen durchgeführt. In den Lagern starben viele wegen brutaler Behandlung oder aus Erschöpfung. Das Foto zeigt Teile der Baracken eines solchen Arbeitslagers in der Nähe von Dąbrowa.

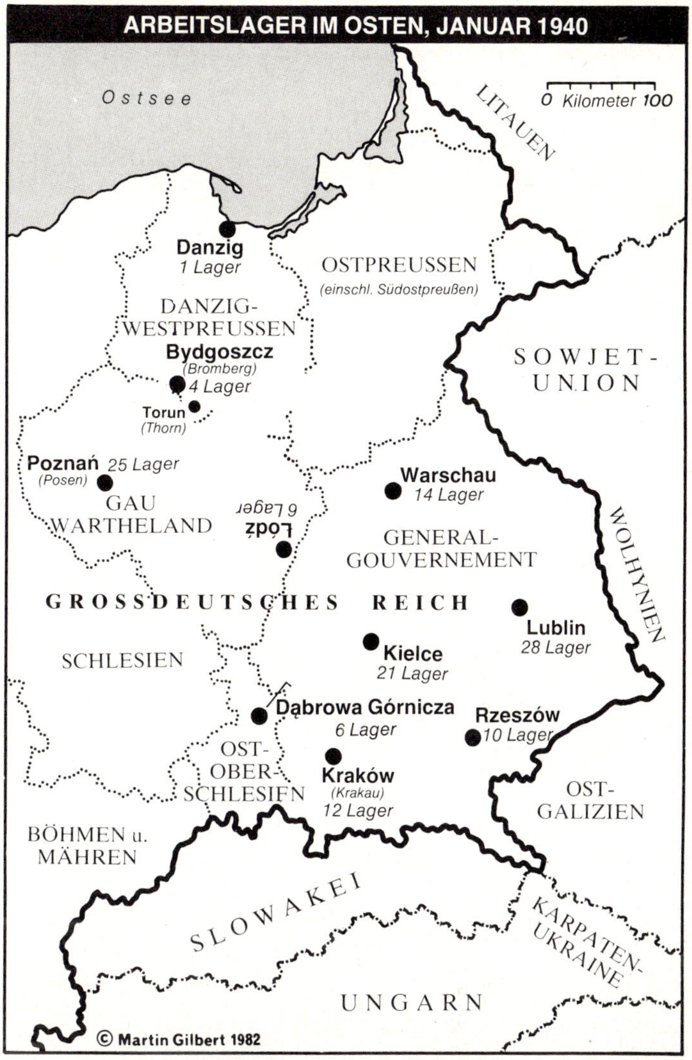
ARBEITSLAGER IM OSTEN, JANUAR 1940
Ostsee
0 Kilometer 100
LITAUEN
Danzig
1 Lager
OSTPREUSSEN
(einschl. Südostpreußen)
DANZIG-WESTPREUSSEN
Bydgoszcz
(Bromberg)
4 Lager
Torun
(Thorn)
SOWJET-UNION
Poznań 25 Lager
(Posen)
GAU WARTHELAND
Łódź
6 Lager
Warschau
14 Lager
GENERAL-GOUVERNEMENT
WOLHYNIEN
GROSSDEUTSCHES REICH
Lublin
28 Lager
Kielce
21 Lager
SCHLESIEN
Dąbrowa Górnicza
6 Lager
Rzeszów
10 Lager
OST-OBER-SCHLESIEN
Kraków
(Krakau)
12 Lager
OST-GALIZIEN
BÖHMEN u. MÄHREN
SLOWAKEI
KARPATEN-UKRAINE
UNGARN
© Martin Gilbert 1982

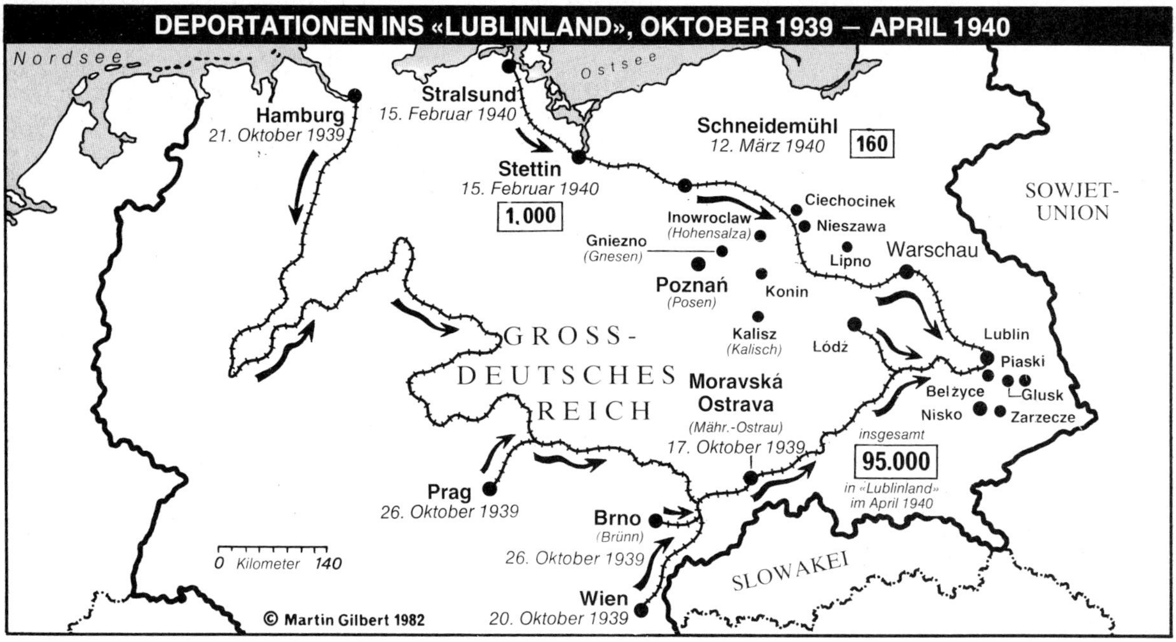
DEPORTATIONEN INS «LUBLINLAND», OKTOBER 1939 – APRIL 1940
Nordsee
Ostsee
Hamburg
21. Oktober 1939
Stralsund
15. Februar 1940
Stettin
15. Februar 1940
1.000
Schneidemühl
12. März 1940
160
Ciechocinek
Nieszawa
Inowroclaw
(Hohensalza)
Gniezno
(Gnesen)
Lipno
Warschau
Poznań
(Posen)
Konin
SOWJET-
UNION
GROSS-
DEUTSCHES
REICH
Kalisz
(Kalisch)
Łódź
Lublin
Piaski
Moravská
Ostrava
(Mähr.-Ostrau)
17. Oktober 1939
Bełżyce
Glusk
Nisko
Zarzecze
insgesamt
95.000
in «Lublinland»
im April 1940
Prag
26. Oktober 1939
Brno
(Brünn)
26. Oktober 1939
Wien
20. Oktober 1939
0 Kilometer 140
SLOWAKEI
© Martin Gilbert 1982

Noch bevor die neue deutsch-sowjetische Grenze fixiert war, planten die Deutschen bereits, die Juden aus Hunderten von Städten und Dörfern zu vertreiben und in die gerade erst annektierten Gebiete zu deportieren. Hitler selbst erklärte, «Hinaus mit ihnen aus allen Berufen und hinein mit ihnen ins Getto: Sperrt sie irgendwo ein, wo sie zugrunde gehen können, so wie sie es verdienen.»

Am 21. September 1939 wurde per Dekret verfügt, daß alle Gemeinden mit weniger als 500 Juden aufzulösen seien und daß dann die Juden innerhalb der Städte in bestimmten Sperrgebieten und ansonsten in einem extra für sie abgeteilten Gebiet in der ärmlichen Landregion zwischen Lublin und Nisko, dem sogenannten «Schutzgebiet Lublinland», siedeln müßten *(oben)*.

Sogar Juden, die in Hamburg auf das nächste Schiff in die damals noch neutralen Vereinigten Staaten warteten, wurden in den Osten deportiert, wie auf der Karte zu sehen ist. Auch Juden aus Wien, aus drei ehemals tschechoslowakischen Städten – Prag, Brno (Brünn), Moravská Ostrava (Mähr.-Ostrau) – sowie aus den Ostseehäfen Stralsund und Stettin wurden deportiert.

Auf Grund mangelnder Unterkünfte, mangelnder Ernährung oder mangelnder medizinischer Versorgung waren bis Ende des Winters Hunderte wenn nicht gar Tausende der Lublinland-Deportierten gestorben. Andere arbeiteten unter äußerst harten Bedingungen in einem Zwangsarbeitslager, das in der Nähe von Zarzecze eingerichtet wurde – sie wurden von den Aufsehern brutal geschlagen, und viele von ihnen starben. Einige, denen es gelang, nach Osten in die Sowjetunion zu entkommen, wurden umgehend in sibirische Arbeitslager deportiert, wo ebenfalls viele von ihnen umkamen.

JUDEN WESTLICH VON OZORKÓW

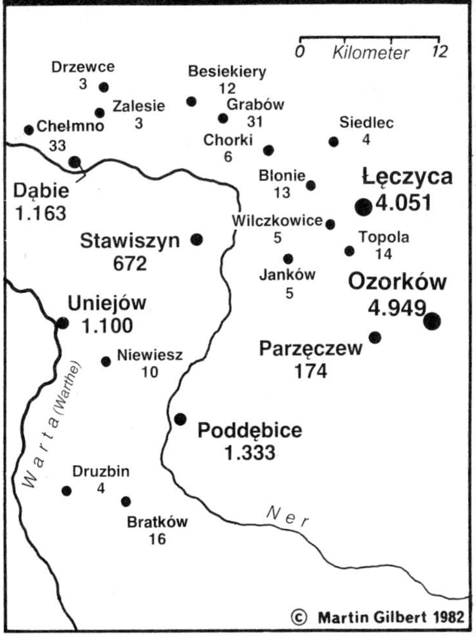
0 Kilometer 12
Drzewce 3
Besiekiery 12
Zalesie 3
Grabów 31
Chełmno 33
Siedlec 4
Chorki 6
Dąbie 1.163
Blonie 13
Łęczyca 4.051
Wilczkowice 5
Stawiszyn 672
Topola 14
Janków 5
Ozorków 4.949
Uniejów 1.100
Niewiesz 10
Parzęczew 174
Warta (Warthe)
Poddębice 1.333
Druzbin 4
Bratków 16
Ner
© Martin Gilbert 1982

VERTREIBUNG JÜDISCHER LANDBEVÖLKERUNG, OKTOBER 1939

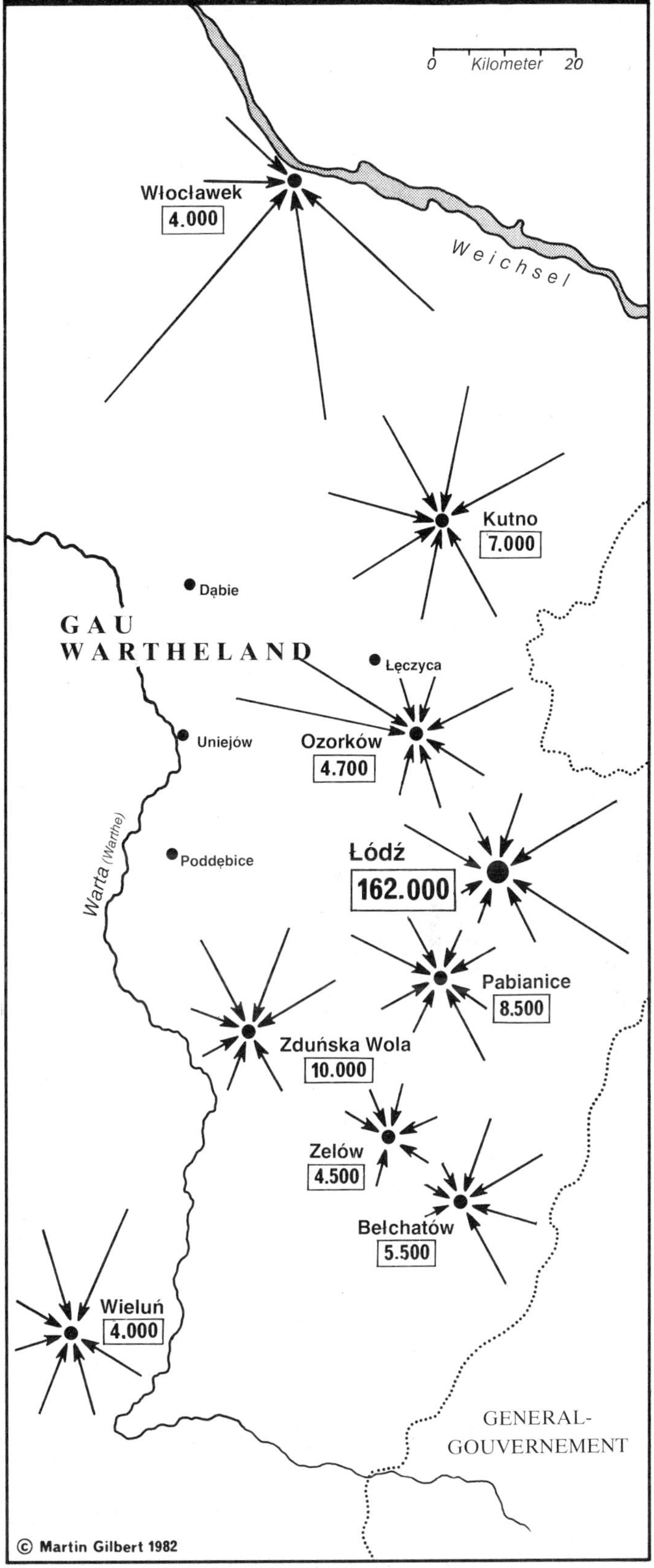
0 Kilometer 20
Włocławek 4.000
Weichsel
Kutno 7.000
Dąbie
GAU WARTHELAND
Łęczyca
Uniejów
Ozorków 4.700
Łódź 162.000
Poddębice
Warta (Warthe)
Pabianice 8.500
Zduńska Wola 10.000
Zelów 4.500
Bełchatów 5.500
Wieluń 4.000
GENERAL-GOUVERNEMENT
© Martin Gilbert 1982

Am 30. Oktober 1939 hatte der Reichsführer SS, Heinrich Himmler, die folgenden drei Monate als Zeitraum festgesetzt, in dem die ländlichen Gebiete Westpolens von Juden gereinigt werden sollten. Im Bezirk Poznań (Posen) wurden auf Anhieb 50 Gemeinden ausgelöscht: Sieben davon sind auf der Karte auf der vorherigen Seite verzeichnet.

Aus Łódź wurden Hunderte von Frauen, Kindern und alten Menschen mit der Bahn in versiegelten Güterwaggons nach Osten deportiert – vorwiegend in den Bezirk Lublin. Zur gleichen Zeit zwang man jene Juden, die in den ländlichen Gebieten Westpolens lebten, ihre Häuser zu verlassen und in jene Städte überzusiedeln, die auf der Karte rechts verzeichnet sind; sie durften nur das mitnehmen, was sie in Säcken oder Bündeln tragen konnten. Die Zahlen in den umrandeten Feldern geben einen Eindruck von der Menge der Vertriebenen: Zum Beispiel wurden 4700 Juden nach Ozorków umgesiedelt, so daß die dortige jüdische Bevölkerung auf über 9000 anstieg. Hunderte von Gemeinden waren betroffen: Jene, die im Gebiet westlich von Ozorków liegen, sind auf der Karte oben zu finden. In kleineren Orten, wie zum Beispiel in Drzewce, gab es zum Teil nur eine einzige jüdische Familie. Auch sie wurde vertrieben. In einer dieser Ortschaften, in Chełmno, lebten insgesamt 33 Juden, die samt und sonders die Stadt verlassen mußten. Gut ein Jahr später wurde in ihrem Heimatort das erste Todeslager eingerichtet *(S. 82)*.

In jenen Städten, in die man die Juden umsiedelte, wurde die Überbevölkerung zu einem ernsthaften Problem. Die baldige Folge war eine völlige Verarmung Zehntausender von Familien, denen man bereits ihr ganzes Eigentum genommen hatte und die nun auch noch ohne Lebensunterhalt waren. Das Foto auf der vorherigen Seite *(links)* zeigt einen der Deportierten, einen jüdischen Jungen in Lublin.

AUS WESTPOLEN VERTRIEBENE POLNISCHE JUDEN, SEPTEMBER – NOVEMBER 1939

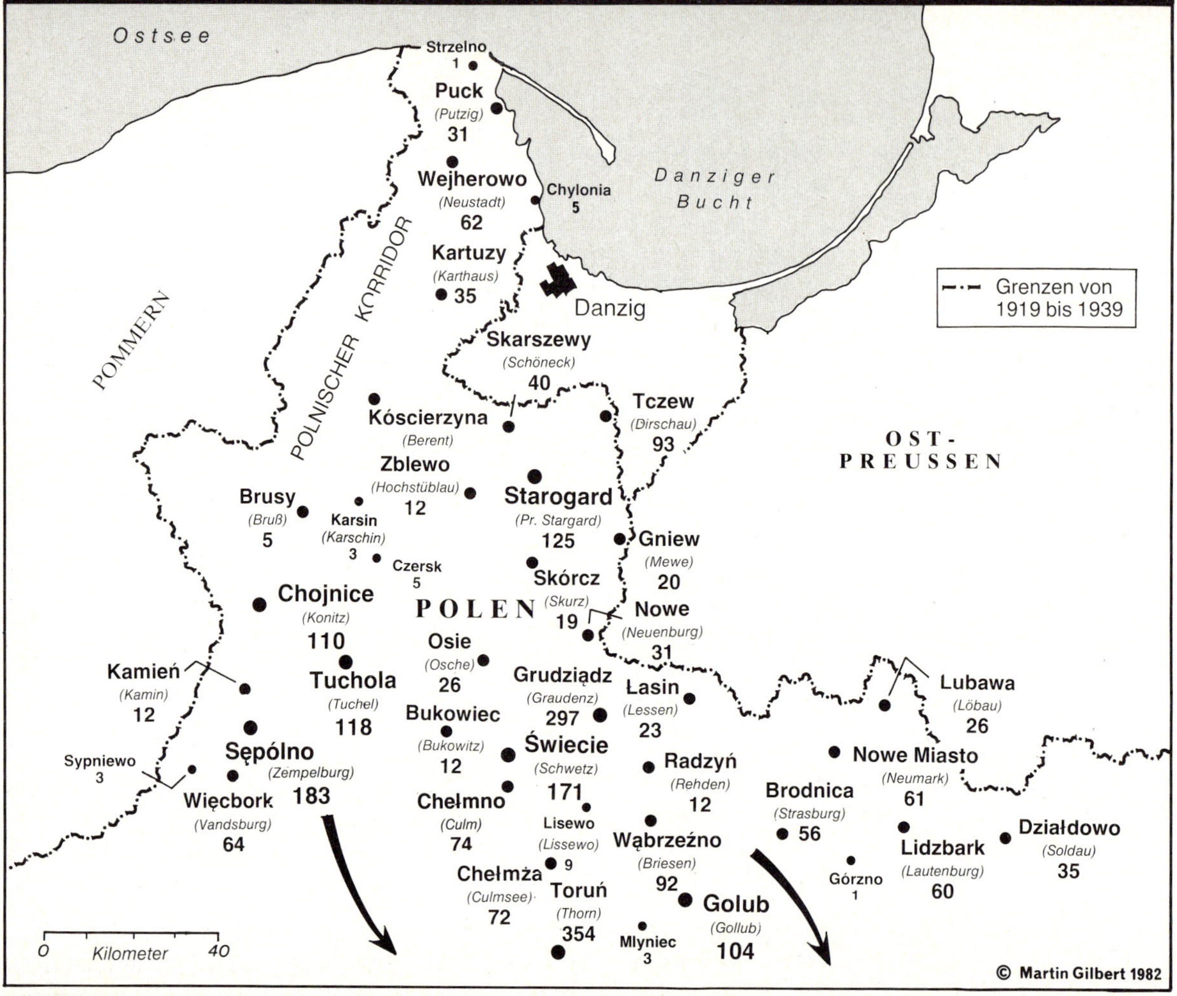
Ostsee
Strzelno 1
Puck (Putzig) 31
Wejherowo (Neustadt) 62
Chylonia 5
Danziger Bucht
Kartuzy (Karthaus) 35
Danzig
Grenzen von 1919 bis 1939
POMMERN
POLNISCHER KORRIDOR
Skarszewy (Schöneck) 40
Kościerzyna (Berent)
Tczew (Dirschau) 93
OST-PREUSSEN
Zblewo (Hochstüblau) 12
Brusy (Bruß) 5
Karsin (Karschin) 3
Starogard (Pr. Stargard) 125
Gniew (Mewe) 20
Czersk 5
Skórcz (Skurz) 19
Chojnice (Konitz) 110
POLEN
Nowe (Neuenburg) 31
Osie (Osche) 26
Kamień (Kamin) 12
Tuchola (Tuchel) 118
Grudziądz (Graudenz) 297
Łasin (Lessen) 23
Lubawa (Löbau) 26
Bukowiec (Bukowitz) 12
Świecie (Schwetz) 171
Sypniewo 3
Sępólno (Zempelburg) 183
Radzyń (Rehden) 12
Nowe Miasto (Neumark) 61
Brodnica (Strasburg) 56
Więcbork (Vandsburg) 64
Chełmno (Culm) 74
Lisewo (Lissewo) 9
Wąbrzeźno (Briesen) 92
Dzialdowo (Soldau) 35
Lidzbark (Lautenburg) 60
Górzno 1
Chełmża (Culmsee) 72
Toruń (Thorn) 354
Golub (Gollub) 104
Mlyniec 3
0 Kilometer 40
© Martin Gilbert 1982

NACH WARSCHAU VERSCHLEPPTE JUDEN, NOVEMBER – DEZEMBER 1939

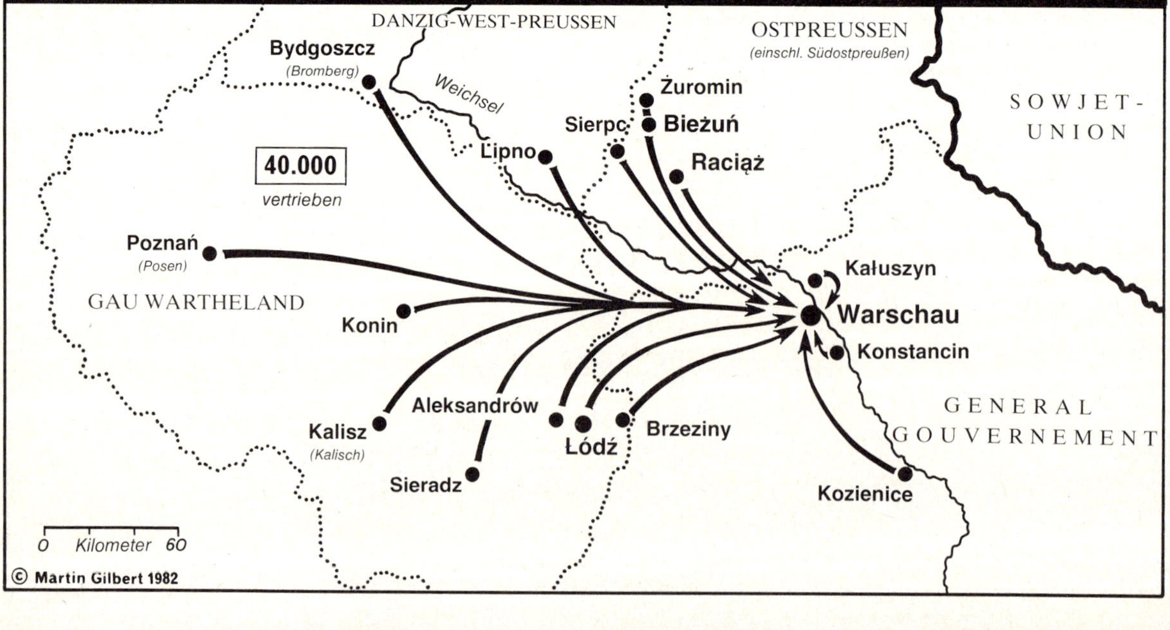
DANZIG-WEST-PREUSSEN
OSTPREUSSEN (einschl. Südostpreußen)
Bydgoszcz (Bromberg)
Weichsel
Żuromin
Sierpc
Bieżuń
Lipno
Raciąż
SOWJET-UNION
40.000 vertrieben
Poznań (Posen)
GAU WARTHELAND
Kałuszyn
Warschau
Konin
Konstancin
GENERAL GOUVERNEMENT
Aleksandrów
Kalisz (Kalisch)
Łódź
Brzeziny
Sieradz
Kozienice
0 Kilometer 60
© Martin Gilbert 1982

Der Fortgang der Vertreibungen von Juden nach Osten brachte entsetzliches Leid mit sich, und zwar sowohl durch die Entwurzelung etablierter Gemeinden als auch durch die Störung des Lebens in jenen Städten, in die sie geschickt wurden. Der Plan der Deutschen war sorgfältig vorbereitet und wurde erbarmungslos durchgeführt. Hitler hatte am 6. Oktober 1939 vor dem Reichstag erklärt, daß strikte Maßnahmen vonnöten seien hin zu einem, wie er es ausdrückte, «Versuch einer Ordnung und Regelung des jüdischen Problems». Bis Ende Januar 1940 waren etwa 78000 Polen aus ihren Häusern und Wohnungen verjagt worden.

Die Karte rechts zeigt die neue Aufteilung der Verwaltungsbezirke durch die Deutschen sowie die ersten drei Provinzen – Danzig-Westpreußen, Ostpreußen und das Wartheland –, aus denen während der ersten Monate der deutschen Besatzung Polens Juden vertrieben wurden. Die Karte unten – die Einwohnerzahlen beziehen sich auf den Zeitpunkt der Volkszählung 1931 – zeigt, wie die Juden aus Poznań (Posen) und einigen der umliegenden Dörfer zunächst nach Westen zu einer zentralen Sammelstelle und dann nach Osten ins Generalgouvernement getrieben wurden, um dort wieder verteilt zu werden. Auch die polnischen Juden aus der neuen Provinz Danzig-Westpreußen *(vorherige Seite, oben)* wurden auf verschiedene Regionen verteilt. Dieses Gebiet hatte vor 1914 zum Deutschen Kaiserreich gehört.

Das größte einzelne Ziel der Vertriebenen jedoch war Warschau *(vorherige Seite, unten)*, eine Stadt, in der bereits mehr als 350000 Juden lebten.

DEPORTATIONSGEBIETE

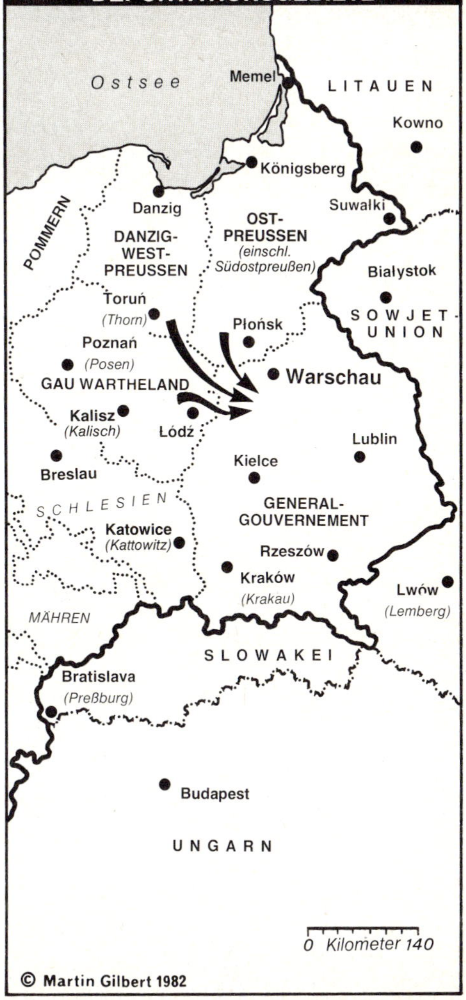
Ostsee
Memel
LITAUEN
Kowno
Königsberg
Suwalki
POMMERN
Danzig
DANZIG-
WEST-
PREUSSEN
OST-
PREUSSEN
(einschl.
Südostpreußen)
Bialystok
SOWJET-
UNION
Toruń
(Thorn)
Płońsk
Poznań
(Posen)
Warschau
GAU WARTHELAND
Kalisz
(Kalisch)
Łódź
Lublin
Kielce
Breslau
SCHLESIEN
GENERAL-
GOUVERNEMENT
Katowice
(Kattowitz)
Rzeszów
Kraków
(Krakau)
Lwów
(Lemberg)
MÄHREN
SLOWAKEI
Bratislava
(Preßburg)
Budapest
UNGARN
0 Kilometer 140
© Martin Gilbert 1982

ERSTE VERTREIBUNGEN IM GAU WARTHELAND, 7. NOVEMBER 1939

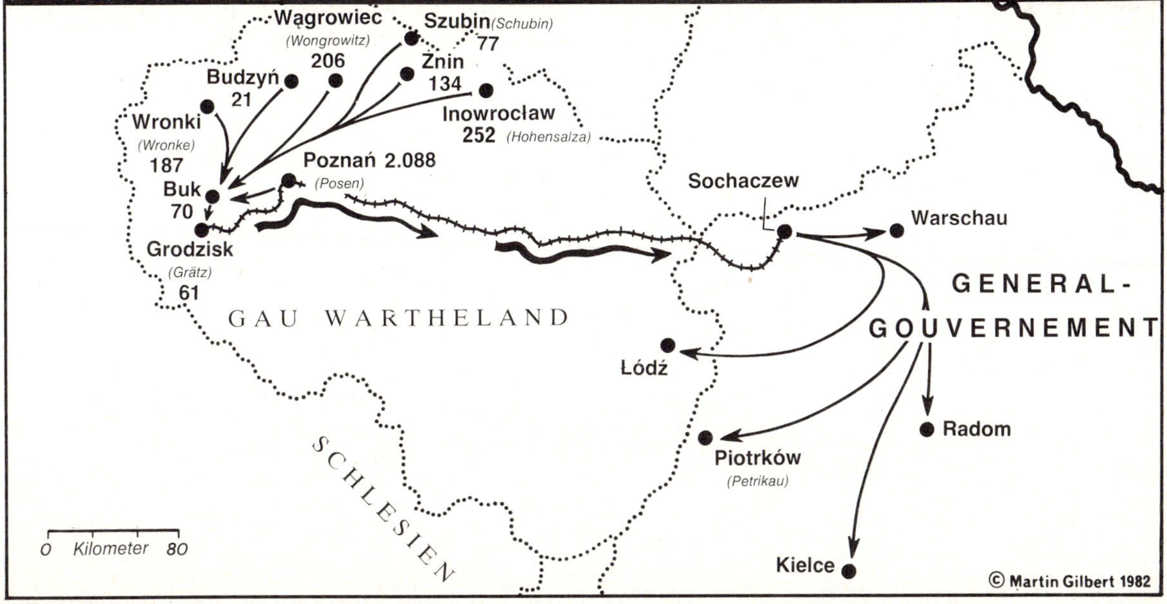
Wągrowiec
(Wongrowitz)
206
Szubin (Schubin)
77
Znin
134
Budzyń
21
Inowrocław
252 (Hohensalza)
Wronki
(Wronke)
187
Poznań 2.088
(Posen)
Buk
70
Grodzisk
(Grätz)
61
Sochaczew
Warschau
GAU WARTHELAND
GENERAL-
GOUVERNEMENT
Łódź
Radom
Piotrków
(Petrikau)
SCHLESIEN
0 Kilometer 80
Kielce
© Martin Gilbert 1982

ERSTE VERTREIBUNGEN AUS KALISZ (KALISCH), 12. DEZEMBER 1939

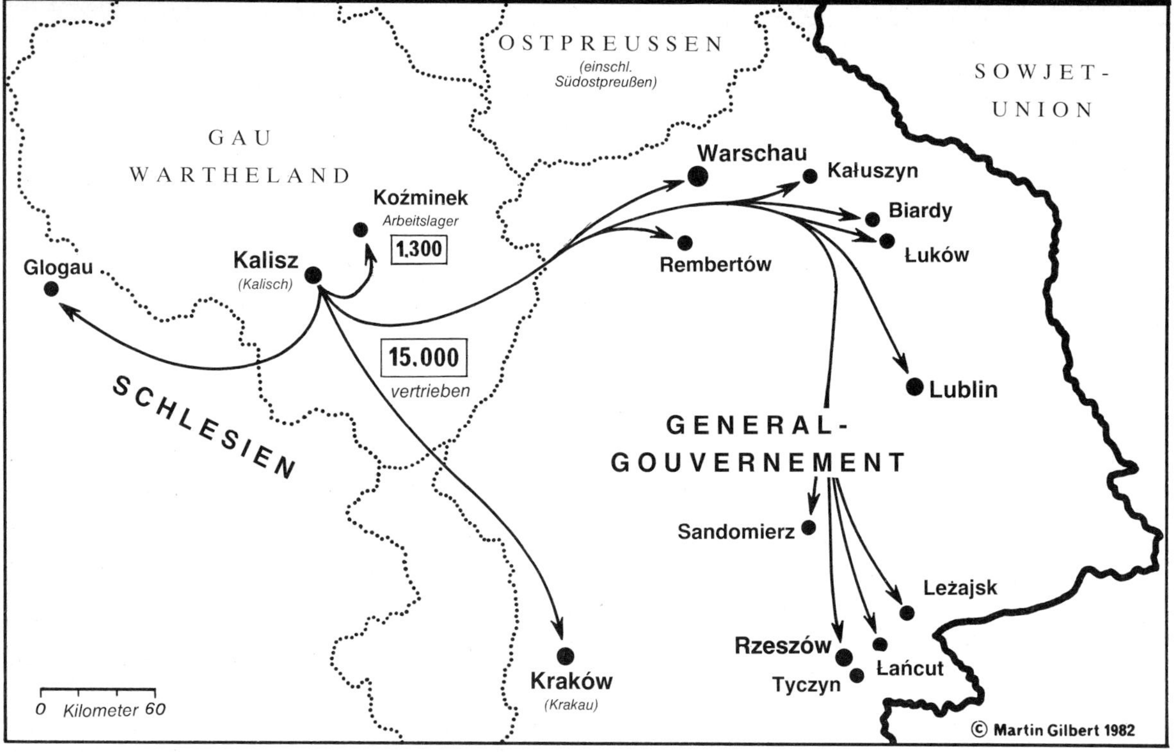
OSTPREUSSEN
(einschl. Südostpreußen)
SOWJET-UNION
GAU WARTHELAND
Warschau
Kałuszyn
Koźminek
Arbeitslager
1.300
Biardy
Łuków
Rembertów
Glogau
Kalisz
(Kalisch)
15.000
vertrieben
Lublin
SCHLESIEN
GENERAL-GOUVERNEMENT
Sandomierz
Leżajsk
Rzeszów
Łańcut
Tyczyn
Kraków
(Krakau)
0 Kilometer 60
© Martin Gilbert 1982

DEUTSCHLAND BREITET SICH NACH NORDEN AUS, APRIL 1940

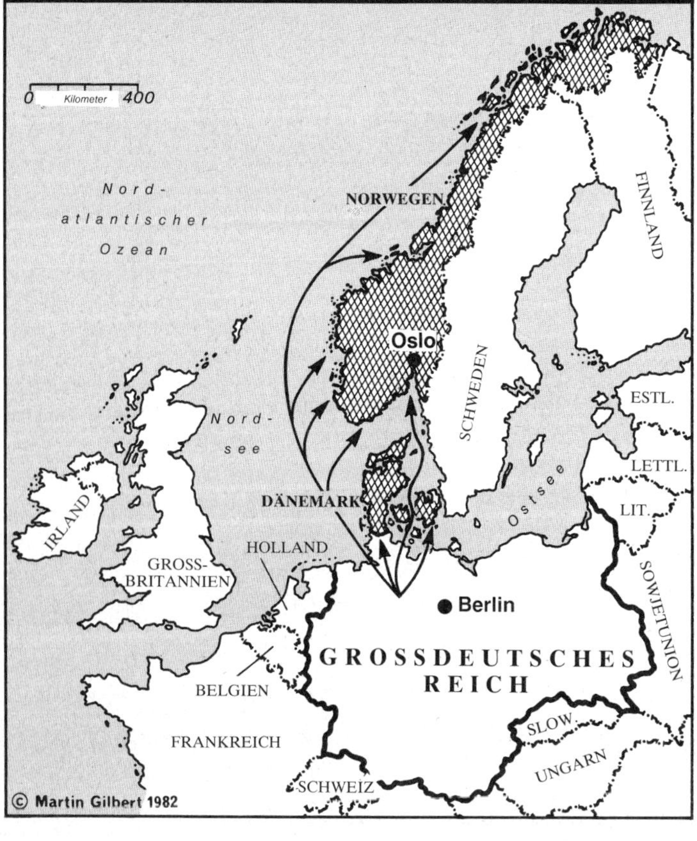
0 Kilometer 400
Nord-atlantischer Ozean
NORWEGEN
FINNLAND
Oslo
SCHWEDEN
ESTL.
Nord-see
LETTL.
Ostsee
DÄNEMARK
LIT.
IRLAND
HOLLAND
GROSS-BRITANNIEN
Berlin
SOWJETUNION
GROSSDEUTSCHES REICH
BELGIEN
FRANKREICH
SLOW.
UNGARN
SCHWEIZ
© Martin Gilbert 1982

Indem die polnischen Vertreibungen ihren Lauf nahmen, wurden alte Gemeinden aufgelöst. Die Karte oben zeigt die ersten Vertreibungen aus Kalisz (Kalisch), wo vor mehr als 700 Jahren die ersten Juden, kommend aus dem Rheinland, gesiedelt hatten. 1919, als die polnische Herrschaft in diesem Gebiet begann, wurden in Kalisz (Kalisch) zwei Juden von örtlichen Antisemiten getötet *(S. 15)*. Bei Ausbruch des Zweiten Weltkrieges stellten die 20000 Juden der Stadt fast die Hälfte der Bevölkerung. Von den Vertriebenen erreichten etwa 7000 Juden aus Kalisz (Kalisch) gegen Ende des Jahres Warschau. Doch mehr als 1000 körperlich kräftige Männer wurden in das nicht weit entfernte Arbeitslager Koźminek geschickt.

Im April 1940 machten sich die deutschen Truppen erneut auf den Weg, diesmal gen Norden nach Dänemark und Norwegen *(links)*. Die 6000 dänischen Juden sowie weitere 1400 Juden, die 1938 und 1939 aus Deutschland, Österreich und der Tschechoslowakei nach Dänemark geflohen waren, blieben auf Drängen der dänischen Behörden unbehelligt. Auch in Norwegen *(rechts)* blieben die etwa 1400 norwegischen Juden und ungefähr 300 Flüchtlinge zunächst verschont, allerdings nur ein halbes Jahr. Im Oktober wurde ihnen die Ausübung sämtlicher akademischer und sonstiger Berufe verboten. Es kam jedoch nicht zu Tötungen, Folterungen, Zwangsarbeit und Vertreibungen – alles Dinge, die im von den Deutschen besetzten Polen an der Tagesordnung waren.

DIE NORWEGISCHEN JUDEN ZUM ZEITPUNKT DER DEUTSCHEN INVASION

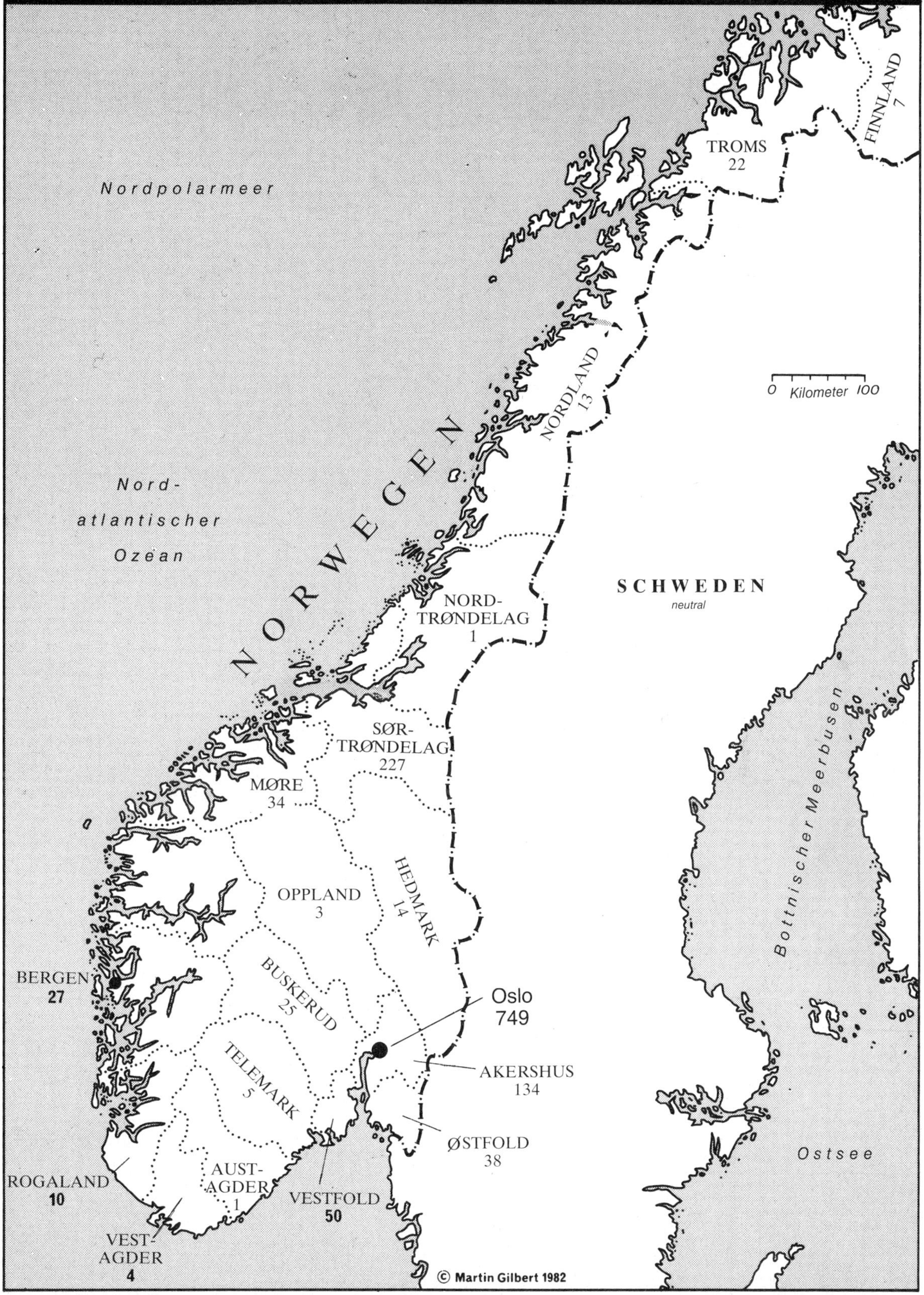
Nordpolarmeer
Nord-
atlantischer
Ozean
NORWEGEN
TROMS
22
FINNLAND
7
NORDLAND
13
0 Kilometer 100
SCHWEDEN
neutral
NORD-
TRØNDELAG
1
SØR-
TRØNDELAG
227
MØRE
34
OPPLAND
3
HEDMARK
14
Bottnischer Meerbusen
BERGEN
27
BUSKERUD
25
Oslo
749
TELEMARK
5
AKERSHUS
134
ØSTFOLD
38
Ostsee
ROGALAND
10
AUST-
AGDER
1
VESTFOLD
50
VEST-
AGDER
4
© Martin Gilbert 1982

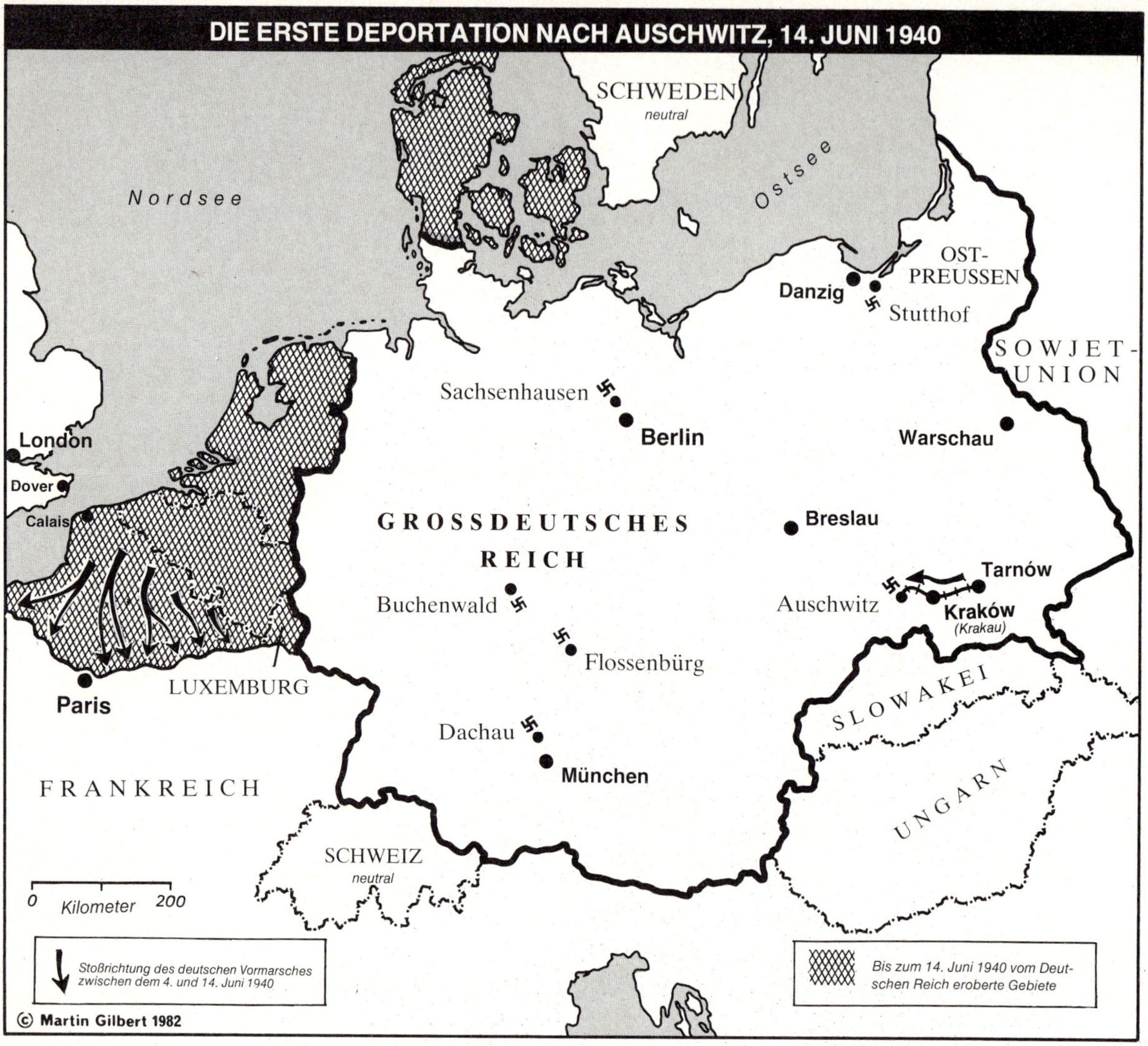
DIE ERSTE DEPORTATION NACH AUSCHWITZ, 14. JUNI 1940
SCHWEDEN
neutral
Ostsee
Nordsee
OST-PREUSSEN
Danzig
Stutthof
SOWJET-UNION
Sachsenhausen
Berlin
Warschau
London
Dover
Calais
GROSSDEUTSCHES REICH
Breslau
Tarnów
Buchenwald
Auschwitz
Kraków
(Krakau)
Flossenbürg
Paris
LUXEMBURG
SLOWAKEI
Dachau
München
FRANKREICH
UNGARN
SCHWEIZ
neutral
0 Kilometer 200
Stoßrichtung des deutschen Vormarsches zwischen dem 4. und 14. Juni 1940
Bis zum 14. Juni 1940 vom Deutschen Reich eroberte Gebiete
© Martin Gilbert 1982

Am 10. Mai 1940 marschierte die deutsche Wehrmacht in Holland, Belgien, Luxemburg und Frankreich ein *(oben)*. Fünf Wochen später, am 14. Juni, als die deutschen Truppen vor Paris standen, wurde im von Deutschen besetzten Polen ein weiteres Konzentrationslager in Betrieb genommen. Es lag unmittelbar außerhalb der Stadt Auschwitz und war als Straflager für polnische politische Gefangene vorgesehen, nicht als Konzentrationslager für Juden. Man hatte allerdings 300 Juden aus der Stadt Auschwitz als Zwangsarbeiter geholt, die die alten Baracken wieder herrichten sollten.

Die ersten Insassen waren vorwiegend nichtjüdische Polen aus einem Gefängnis in Tarnów, alles in allem 728 Personen. Viele von ihnen waren an der Ostgrenze festgenommen worden, wo sie versucht hatten, über Ungarn nach Frankreich zu fliehen. Andere Polen, die in jenem ersten Zug nach Auschwitz saßen, waren Lehrer und Geistliche. Es befanden sich auch drei Juden unter den ersten Insassen: Emil Wieder und Isaac Holzer, beide Rechtsanwälte, sowie Maximilian Rosenbusch, Direktor der Hebräischen Schule in Tarnów. Als der Zug mit den Deportierten durch Kraków (Krakau) fuhr, hörten sie, wie über die Bahnsteig-Lautsprecher verkündet wurde, daß Paris gefallen sei.

Wie alle Insassen von Konzentrationslagern wurden auch diese ersten Gefangenen von Auschwitz zu schwerer, häufig sinnloser Zwangsarbeit herangezogen – so mußten sie zum Beispiel Gräben ausheben. Bisweilen quälte man sie, indem man sie zwang, auf Knien in einer langen Schlange zu warten, bis sie ihre tägliche Schüssel Suppe bekamen. Nach dem ersten erfolgreichen Fluchtversuch wurde am 6. Juli ein zwanzigstündiger Strafappell angeordnet. Nach einem zweiten Ausbruch am 28. Oktober wurde bei bitterer Kälte von 12 Uhr mittags bis 9 Uhr abends ein Appell abgehalten, bei dem 200 Gefangene starben.

Aus dem übrigen Polen wurden Tausende von Juden in Zwangsarbeitslager gesteckt, in erster Linie, um Befestigungsanlagen an der neuen sowjetischen Grenze zu bauen *(folgende Seite)*. Außerdem wurden Tausende von Juden aus der Slowakei in das Gebiet dieser Arbeitslager verschleppt.

ZWANGSARBEIT AN DER DEUTSCHEN GRENZE, MAI – DEZEMBER 1940

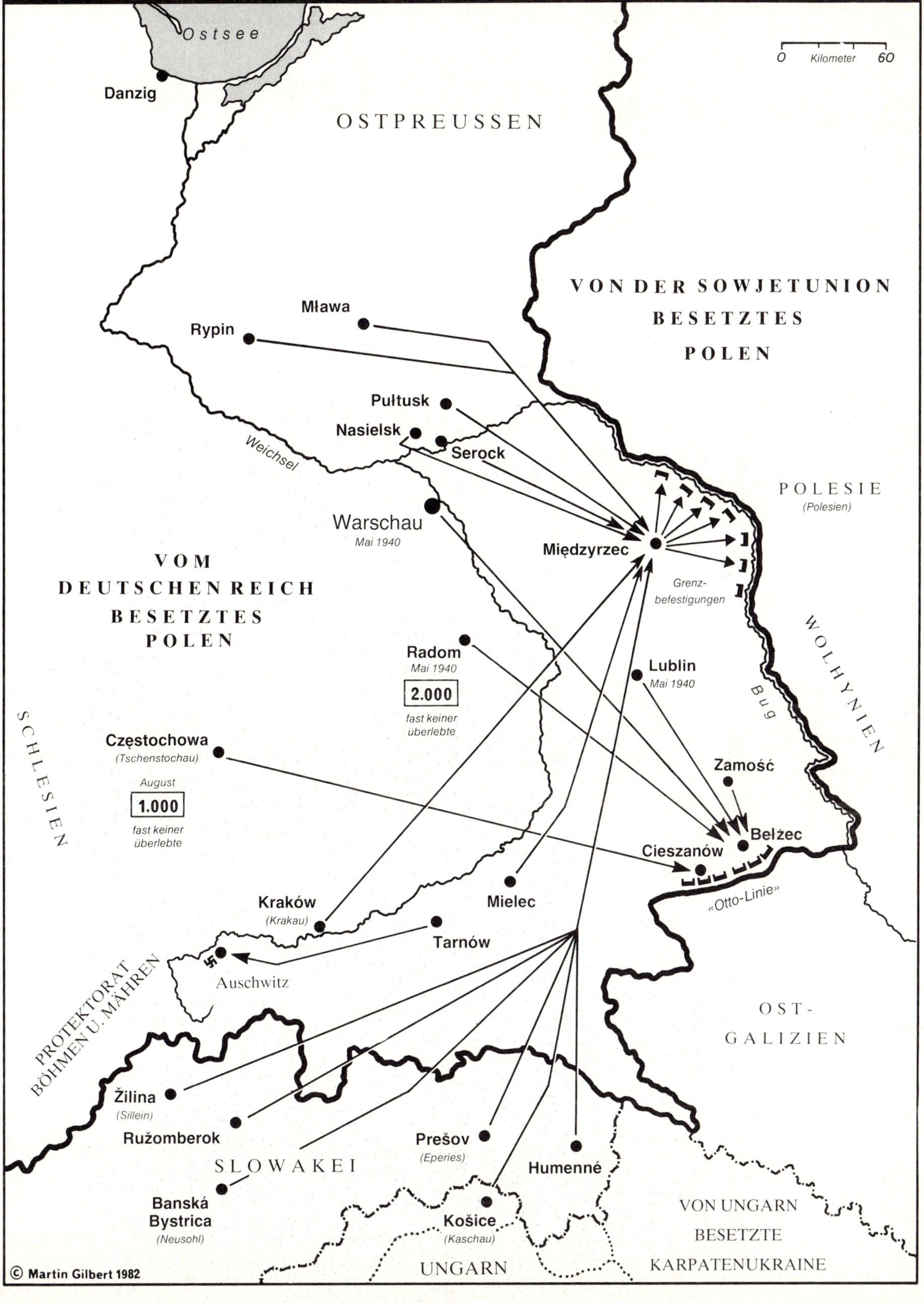

Ostsee
Danzig
0 Kilometer 60
OSTPREUSSEN
VON DER SOWJETUNION BESETZTES POLEN
Mława
Rypin
Pułtusk
Nasielsk
Serock
Weichsel
POLESIE
(Polesien)
Warschau
Mai 1940
Międzyrzec
Grenz-befestigungen
VOM DEUTSCHEN REICH BESETZTES POLEN
WOLHYNIEN
Radom
Mai 1940
2.000
fast keiner überlebte
Lublin
Mai 1940
Bug
SCHLESIEN
Częstochowa
(Tschenstochau)
August
1.000
fast keiner überlebte
Zamość
Bełżec
Cieszanów
«Otto-Linie»
Kraków
(Krakau)
Mielec
Tarnów
Auschwitz
PROTEKTORAT BÖHMEN U. MÄHREN
OST-GALIZIEN
Žilina
(Sillein)
Ružomberok
SLOWAKEI
Prešov
(Eperies)
Humenné
Banská Bystrica
(Neusohl)
Košice
(Kaschau)
VON UNGARN BESETZTE KARPATENUKRAINE
UNGARN

AUS DEUTSCHLAND IN DIE PYRENÄEN DEPORTIERTE JUDEN, 22. OKTOBER 1940
Nordsee
Ostsee
Hamburg
Stettin
Danzig
Toruń
(Thorn)
Berlin
Poznań
(Posen)
POLEN
Warschau
Köln
Aachen
RHEINLAND
Koblenz
Leipzig
Erfurt
GROSS-
DEUTSCHES
REICH
Chemnitz
Breslau
Kraków
(Krakau)
Auschwitz
Weichsel
Seine
15.000
Deportierte
Rhein
Nürnberg
BAYERN
VOM DEUTSCHEN REICH BESETZTES FRANKREICH
Lieba Lust
am 26. Dezember 1875 in Auschwitz geboren, starb am 3. Dezember 1940 in Gurs
Augsburg
München
Salzburg
Wien
ÖSTERREICH
Graz
Budapest
UNGARN
SCHWEIZ
VICHY-FRANKREICH
ITALIEN
JUGOSLAWIEN
Zagreb
(Agram)
Donau
Récébédou
Gurs
1.260
Noé
200
302
Rivesaltes
102
Pyrenäen
SPANIEN
neutral
0 Kilometer 200
© Martin Gilbert 1982

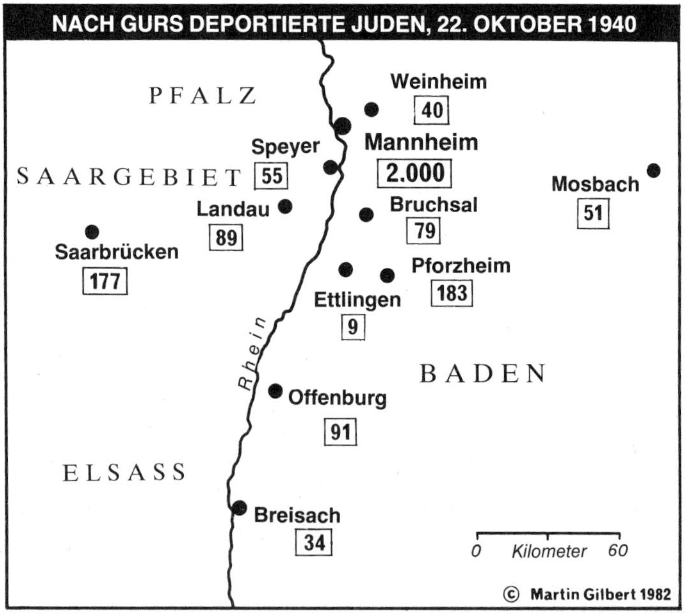
NACH GURS DEPORTIERTE JUDEN, 22. OKTOBER 1940
PFALZ
Weinheim
40
Speyer
Mannheim
SAARGEBIET
55
2.000
Mosbach
51
Landau
89
Bruchsal
79
Saarbrücken
177
Pforzheim
183
Ettlingen
9
Rhein
BADEN
Offenburg
91
ELSASS
Breisach
34
0 Kilometer 60
© Martin Gilbert 1982

Am 22. Oktober 1940 deportierte die deutsche Regierung mehr als 15000 deutsche Juden aus dem Rheinland in Internierungslager in Frankreich am Fuße der Pyrenäen. Auf Grund der Bedingungen in den Lagern starben fast 2000 der Deportierten. Die Städte auf der Karte oben sind die Geburtsorte einiger der Deportierten – auch Danzig, Warschau und sogar Auschwitz zählten dazu.

Die kleine Karte *(rechts)* zeigt die Anzahl der Juden, die aus einem Teil des Oberrheinischen Tieflandes nach Gurs deportiert worden waren. Diese Juden waren deutsche Patrioten gewesen. 126 Juden allein aus Mannheim hatten während des Ersten Weltkrieges im Kampf für Deutschland ihr Leben gelassen: unter ihnen fünf Soldaten mit dem gebräuchlichen jüdischen Familiennamen Mayer.

Die Karte auf der folgenden Seite gibt Vornamen und Alter von Deportierten mit dem Familiennamen Mayer an, die während ihres Aufenthaltes im Internicrungslager von Gurs starben.

ZWANZIG JUDEN MIT DEM FAMILIENNAMEN MAYER, DIE IN GURS STARBEN

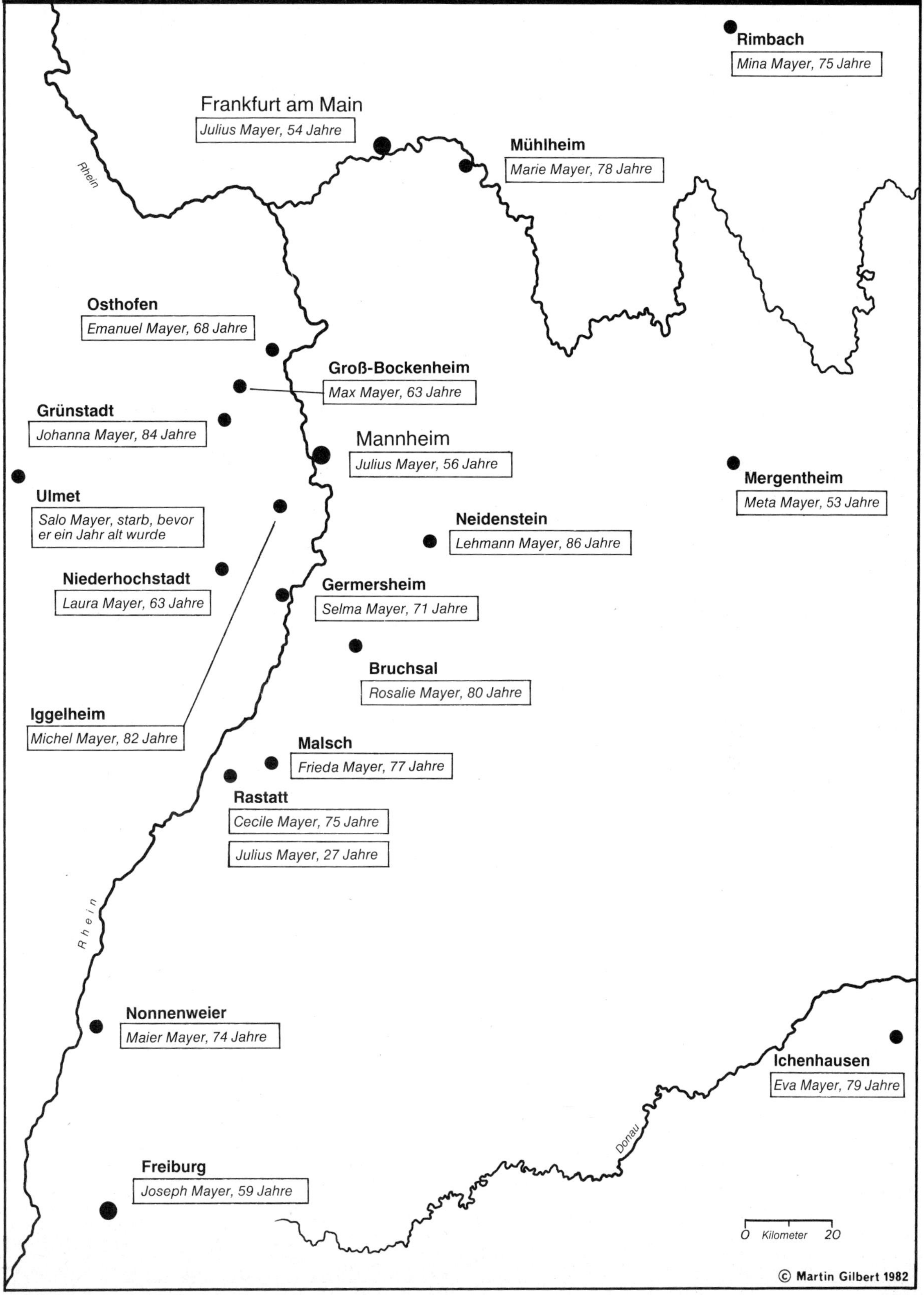
Rimbach
Mina Mayer, 75 Jahre
Frankfurt am Main
Julius Mayer, 54 Jahre
Mühlheim
Marie Mayer, 78 Jahre
Rhein
Osthofen
Emanuel Mayer, 68 Jahre
Groß-Bockenheim
Max Mayer, 63 Jahre
Grünstadt
Johanna Mayer, 84 Jahre
Mannheim
Julius Mayer, 56 Jahre
Mergentheim
Meta Mayer, 53 Jahre
Ulmet
Salo Mayer, starb, bevor er ein Jahr alt wurde
Neidenstein
Lehmann Mayer, 86 Jahre
Niederhochstadt
Laura Mayer, 63 Jahre
Germersheim
Selma Mayer, 71 Jahre
Bruchsal
Rosalie Mayer, 80 Jahre
Iggelheim
Michel Mayer, 82 Jahre
Malsch
Frieda Mayer, 77 Jahre
Rastatt
Cecile Mayer, 75 Jahre
Julius Mayer, 27 Jahre
Rhein
Nonnenweier
Maier Mayer, 74 Jahre
Ichenhausen
Eva Mayer, 79 Jahre
Donau
Freiburg
Joseph Mayer, 59 Jahre
0 Kilometer 20
© Martin Gilbert 1982

ZWANGSGETTOISIERUNG VON JUDEN, OKTOBER 1939 – DEZEMBER 1940

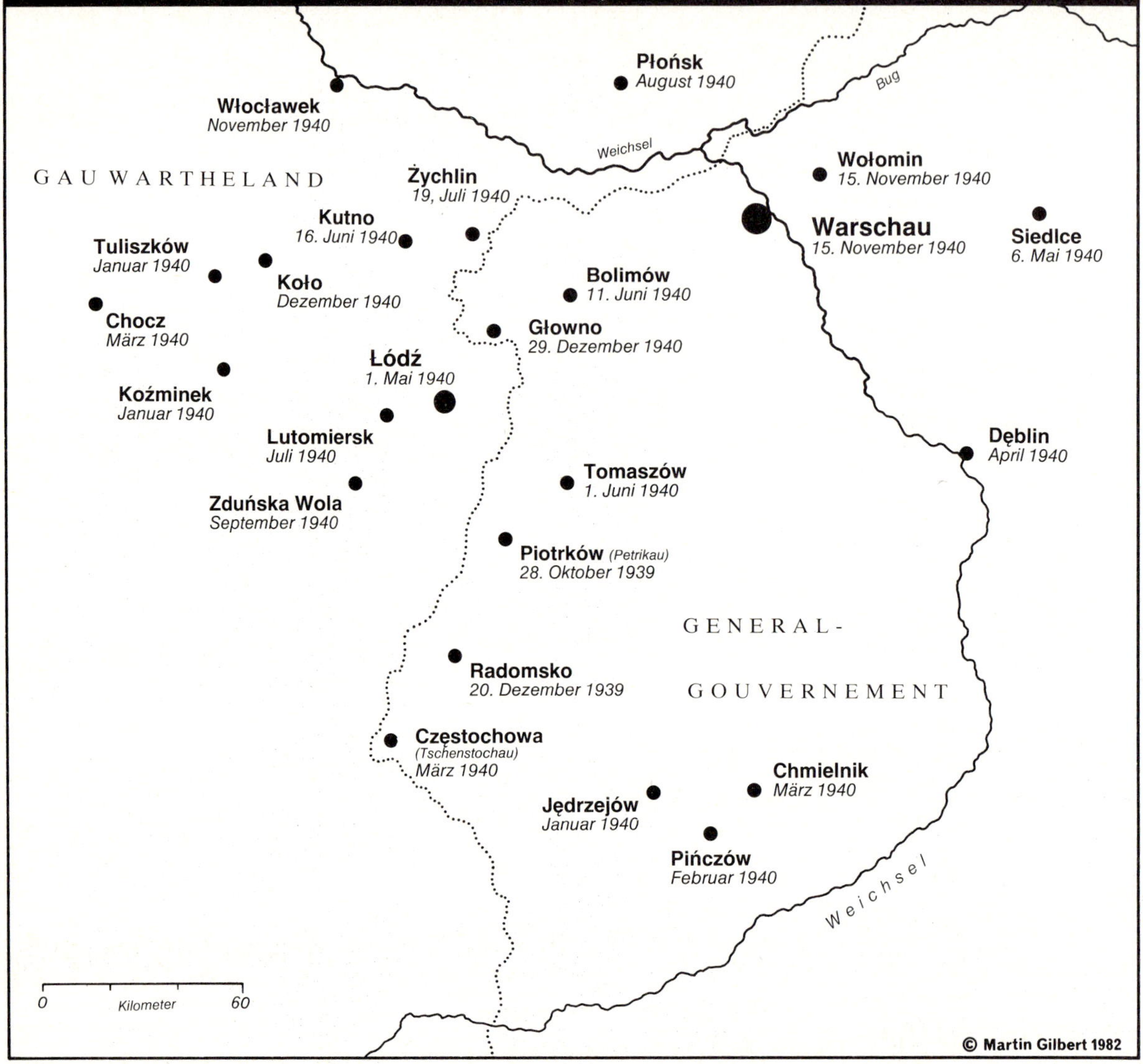
Płońsk
August 1940
Włocławek
November 1940
Bug
Weichsel
GAU WARTHELAND
Żychlin
19, Juli 1940
Wołomin
15. November 1940
Kutno
16. Juni 1940
Warschau
15. November 1940
Siedlce
6. Mai 1940
Tuliszków
Januar 1940
Koło
Dezember 1940
Bolimów
11. Juni 1940
Chocz
März 1940
Głowno
29. Dezember 1940
Łódź
1. Mai 1940
Koźminek
Januar 1940
Lutomiersk
Juli 1940
Dęblin
April 1940
Tomaszów
1. Juni 1940
Zduńska Wola
September 1940
Piotrków (Petrikau)
28. Oktober 1939
GENERAL-
GOUVERNEMENT
Radomsko
20. Dezember 1939
Częstochowa
(Tschenstochau)
März 1940
Chmielnik
März 1940
Jędrzejów
Januar 1940
Pińczów
Februar 1940
Weichsel
0 Kilometer 60

Beginnend mit der Stadt Piotrków (Petrikau) am 28. Oktober 1939 fingen die Deutschen damit an, die polnischen Juden in einem bestimmten Gebiet der jeweiligen Städte, in denen sie lebten, zusammenzufassen. In manchen Fällen war dieses Gebiet bereits das vorwiegend von Juden bewohnte Viertel. Häufig handelte es sich jedoch um einen armen und vernachlässigten Teil der Stadt, der vom Zentrum weit entfernt lag. Die Juden aus dem Rest der Stadt wurden dann gezwungen, ihre Häuser und Wohnungen zu verlassen und in diese anderen, oft wesentlich kleineren Stadtbezirke umzuziehen, wo selbst die grundlegendsten Annehmlichkeiten nicht vorhanden waren.

Nicht nur die Juden aus all jenen Städten, die in der Karte auf der vorherigen Seite verzeichnet sind, sondern auch Deportierte aus dem Gau Wartheland und aus den umliegenden ländlichen Gemeinden wurden in diese neuen Gettos zwangseingewiesen; in Piotrków (Petrikau) kamen zu den 8000 ortsansässigen Juden weitere 8000 Deportierte hinzu.

In sämtlichen Gettos waren Lebensmittel und Arzneimittel rationiert. Die extreme Überbevölkerung sowie Hunger und Krankheiten zogen überall entsetzliches Leid nach sich und führten in vielen Fällen zum Tode. Das Foto ist im Getto Łódź aufgenommen worden, wo in den ersten Monaten des Jahres 1941 5000 Menschen verhungerten *(S. 54)*.

Derweil hatten in Deutschland selbst Experimente mit nichtjüdischen und auch einigen jüdischen Patienten aus psychiatrischen Anstalten und Altersheimen begonnen. Ziel dieser Experimente war es, all jene zu töten, die die Nazis als des Lebens unwert erachteten. Die Opfer, unter denen auch Kinder waren, wurden in den Euthanasiezentren, die auf der Karte rechts verzeichnet sind, vergast.

Nach der Eroberung Polens durch die Deutschen wurden mehr als 1000 Polen aus umliegenden psychiatrischen Kliniken in einen Wald in der Nähe des Ortes Piasnica Wielki (Piasnitz) gebracht und dort erschossen.

Im Oktober 1940 lud man 290 Juden – alte Menschen, Krüppel und Geistesgestörte – aus dem Altersheim von Kalisz (Kalisch) auf einen Lastwagen, um sie in die Stadt «Padernice» *(unten)* zu bringen. Doch eine solche Stadt gab es nicht. Gleich außerhalb von Kalisz (Kalisch), im Wald von Winiary, wurden alle 290 mit Abgasen in dem Lastwagen erstickt und dann im Wald vergraben.

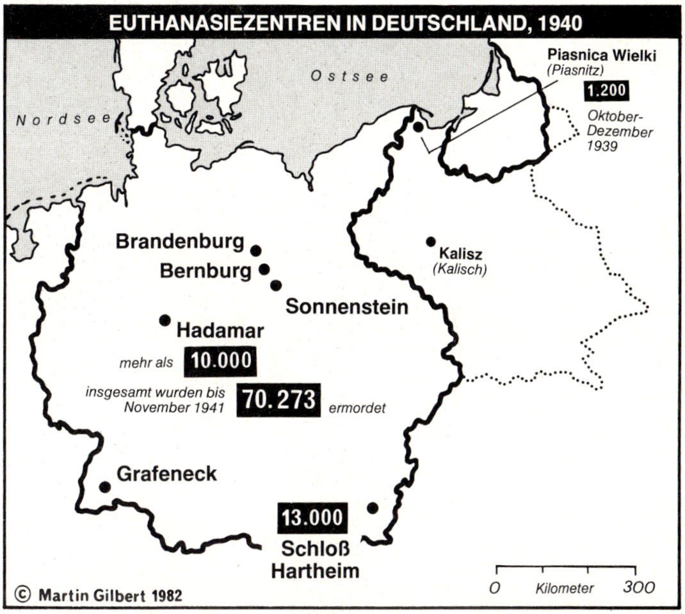
EUTHANASIEZENTREN IN DEUTSCHLAND, 1940
Ostsee
Nordsee
Piasnica Wielki
(Piasnitz)
1.200
Oktober-Dezember 1939
Brandenburg
Bernburg
Sonnenstein
Kalisz
(Kalisch)
Hadamar
mehr als
10.000
insgesamt wurden bis November 1941
70.273
ermordet
Grafeneck
13.000
Schloß Hartheim
0 Kilometer 300
© Martin Gilbert 1982

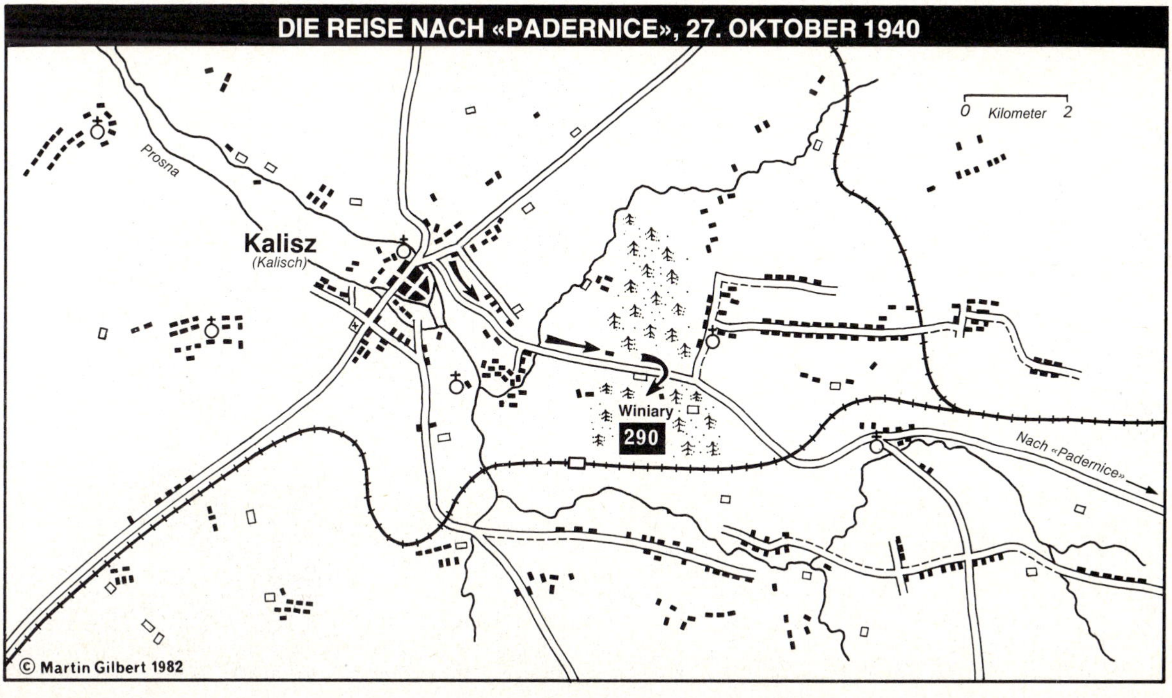
DIE REISE NACH «PADERNICE», 27. OKTOBER 1940
0 Kilometer 2
Prosna
Kalisz
(Kalisch)
Winiary
290
Nach «Padernice»
© Martin Gilbert 1982

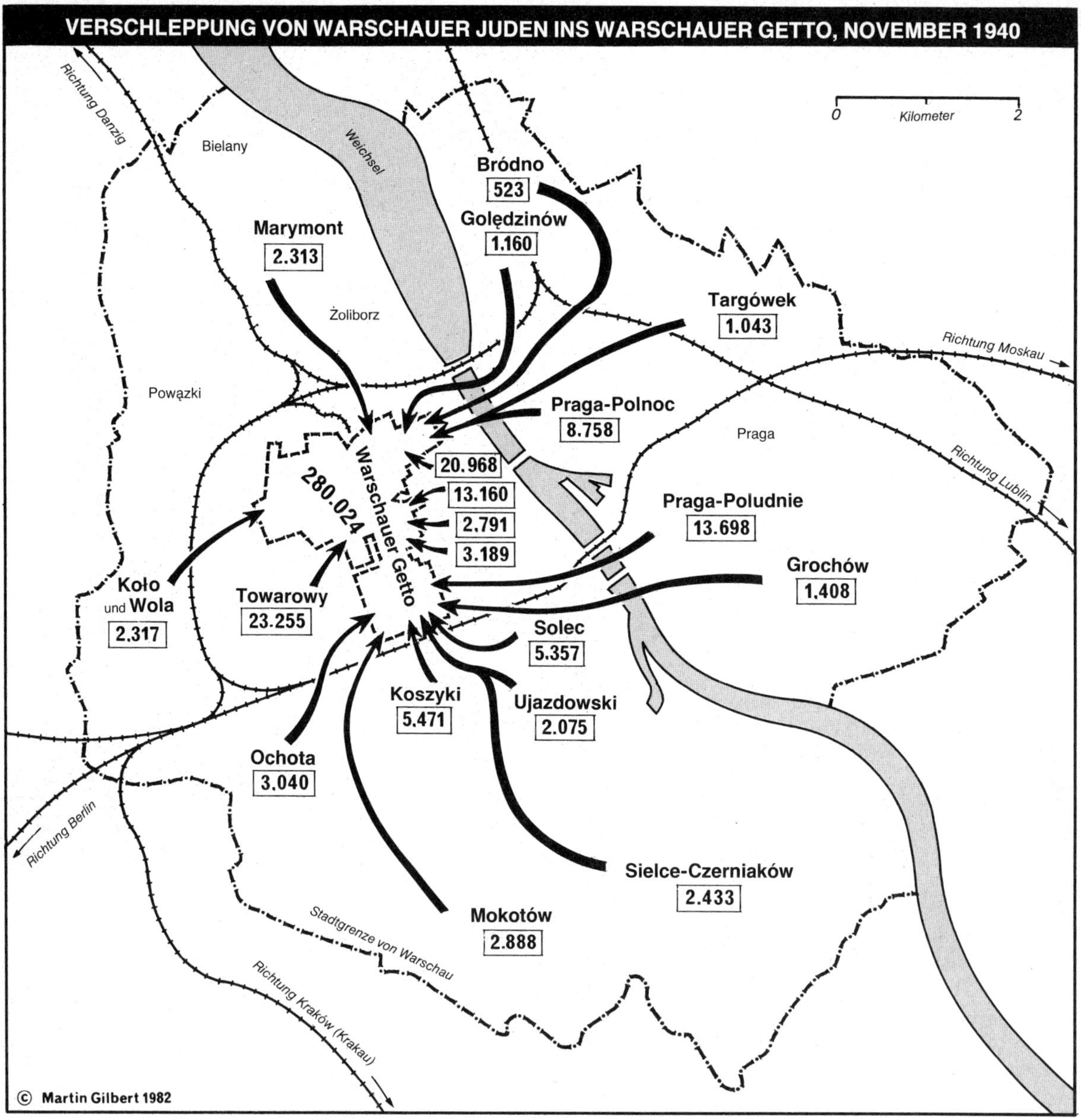
VERSCHLEPPUNG VON WARSCHAUER JUDEN INS WARSCHAUER GETTO, NOVEMBER 1940
Richtung Danzig
Bielany
Weichsel
Bródno
523
Golędzinów
1.160
Marymont
2.313
Żoliborz
Targówek
1.043
Richtung Moskau
0 Kilometer 2
Powązki
Praga-Polnoc
8.758
Praga
Warschauer Getto
280.024
20.968
13.160
2.791
3.189
Richtung Lublin
Praga-Poludnie
13.698
Grochów
1.408
Koło und Wola
2.317
Towarowy
23.255
Solec
5.357
Koszyki
5.471
Ujazdowski
2.075
Ochota
3.040
Richtung Berlin
Sielce-Czerniaków
2.433
Mokotów
2.888
Stadtgrenze von Warschau
Richtung Kraków (Krakau)
© Martin Gilbert 1982

Gut ein Jahr nach der Errichtung des ersten Gettos in Piotrków (Petrikau) *(S. 50)* wurde der Befehl erteilt, sämtliche Warschauer Juden sowie jene Juden, die bereits nach Warschau deportiert worden waren, in einem Teil der Stadt zusammenzufassen. Das Warschauer Getto wurde das größte aller Gettos, die die Deutschen in Polen einrichteten. In dem für diesen Zweck ausgewählten Teil der Stadt lebten bereits mehr als 280000 Juden.

Im Oktober 1940 wurde um das Gebiet des zukünftigen Gettos herum eine Mauer gezogen. Die Juden mußten die Mauer sowohl selbst bauen als auch für sie bezahlen. Sobald sie fertig war, wurden Tausende von Juden, die im übrigen Warschau verstreut lebten, gezwungen, ihre Häuser zu verlassen, den größten Teil ihres Besitzes zurückzulassen und in das neue Gettogebiet überzusiedeln. Der Warschauer Jude Chaim Kaplan schrieb über die Vertreibung aus dem Vorort Praga in sein Tagebuch: «Bis zum 31. Oktober muß Praga von sämtlichen jüdischen Bewohnern geräumt sein, die seit mehreren hundert Jahren in dem Boden dieses Stadtteils verwurzelt sind. Sie haben kein Geld, um ihr Eigentum transportieren zu lassen. Und wohin sollten sie es bringen lassen?» Viele Polen, so fügte Kaplan hinzu,

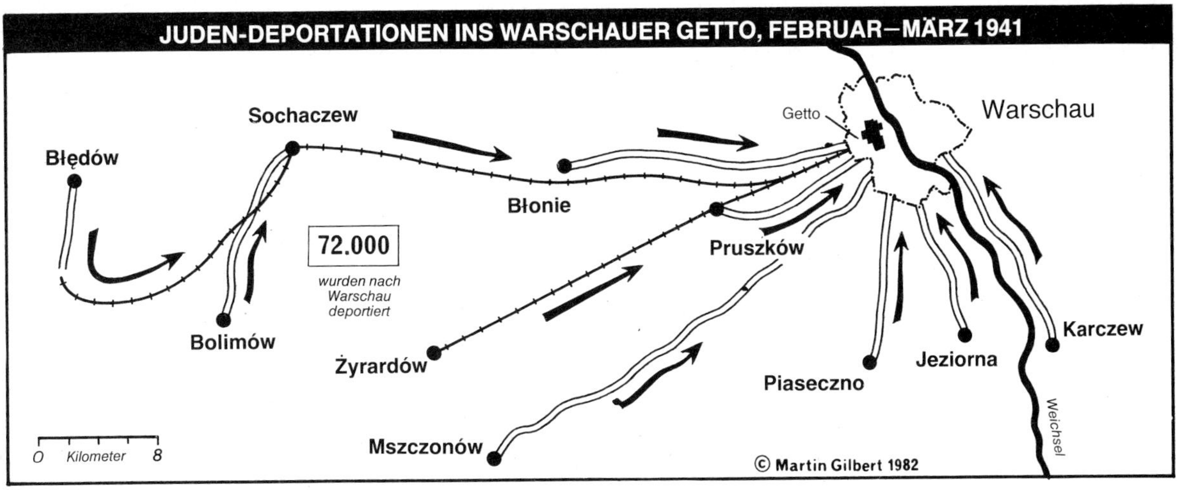
JUDEN-DEPORTATIONEN INS WARSCHAUER GETTO, FEBRUAR–MÄRZ 1941
Sochaczew
Getto
Warschau
Błędów
Błonie
72.000
wurden nach Warschau deportiert
Pruszków
Karczew
Bolimów
Jeziorna
Żyrardów
Piaseczno
Weichsel
0 Kilometer 8
Mszczonów
© Martin Gilbert 1982

«jagten die Juden von Praga schon vorher aus ihren Wohnungen, noch vor dem festgesetzten Datum.»

Anfang 1941 wurden 72000 Juden aus den Städten in der Umgebung von Warschau vertrieben *(oben)* und ins Getto geschickt, so daß dort nun die Gesamtzahl der Flüchtlinge auf 150000 stieg. Die Lebensbedingungen innerhalb des Gettos waren entsetzlich: Es war vollkommen überfüllt, die Lebensmittelrationen waren winzig, und die 400000 Menschen hatten fast keinen Kontakt zur Außenwelt.

Die von den Deutschen festgesetzten Rationszuteilungen betrugen für in Warschau lebende Deutsche 2310 Kalorien pro Tag, für Fremde 1790 Kalorien, für Polen 934 Kalorien und für Juden ganze 183 Kalorien. Allerdings mußten die Juden pro Kalorie doppelt soviel wie die Polen und fast zwanzigmal soviel wie die Deutschen bezahlen. Innerhalb des Gettos wurde die Verteilung von Lebensmitteln von den Juden selbst organisiert. Das Foto – eines von mehr als 300 Bildern, die Mitglieder des Warschauer Fotostudios Forbert aufgenommen hatten – trug den schlichten Titel «Essenszeit». Zwischen Januar und Juni 1941 starben in Warschau mehr als 13000 Juden den Hungertod *(S. 54)*.

Ein spezieller, von den Deutschen eingerichteter Jüdischer Rat versuchte, die Lebensbedingungen so erträglich wie möglich zu gestalten. Der Rat sorgte für Erleichterungen, wo er nur konnte, und organisierte kulturelle Aktivitäten, Konzerte und ein bescheidenes Bildungswesen. Im Getto gab es zahlreiche Waisenhäuser, deren schwierige Aufgabe mit Hilfe der von ihren Leitern ausgehenden Motivation bewältigt wurde – einer dieser Leiter war Janusz Korczak. Am 12. August 1942 bestand er darauf, bei einer der Deportationen aus Warschau seine Kinder zu begleiten *(S. 112)*.

DIE AUSBREITUNG VON TERROR UND TOD, JANUAR – JUNI 1941
Nordsee
Ostsee
Amsterdam
400
22. Februar 1941
Bremen
mehrere hundert
Anfang 1941
Kalisz (Kalisch)
439
vergast 1. Januar 1941
Warschau
13.000
durch Hunger und Krankheit umgekommen Januar – Juni 1941
Biala Podlaska
12
Kriegsgefangene 15. Mai 1941
Łódź
5.000
durch Hunger und Krankheit umgekommen Januar – Juni 1941
Lublin
Kielce
Opole
Łagów
Modliborzyce
Kraków (Krakau)
BELGIEN
Suresnes
Paris
3.600
interniert 14. Mai 1941
Frankreich unter deutscher Militärverwaltung
GROSSDEUTSCHES REICH
Mauthausen
Wien
5.004
15. Februar– 12. März 1941
RUMÄNIEN
Bukarest
120
auf offener Straße ermordet 22.–23. Januar 1941
Vichy-Frankreich
Noé
Le Vernet
Gurs
Rivesaltes
Les Milles
Argelès
Internierungslager
Zagreb (Agram)
6
April 1941
Schwarzes Meer
Adriatisches Meer
SPANIEN neutral
Türkei neutral
Mittelmeer
791
erreichten am 9. März an Bord der «Darien» auf dem Seewege Palästina
Mehrere tausend wurden als Zwangsarbeiter in die Sahara deportiert (s. S. 56)
0 Kilometer 300
© Martin Gilbert 1982

GEBURTSORTE VON JUDEN, DIE ALS WIDERSTANDSKÄMPFER IN FRANKREICH HINGERICHTET WURDEN, 1941

Nordsee
Ostsee
GROSSBRITANNIEN
GROSS-
DEUTSCHES
REICH
FRANKREICH
Paris
Suresnes
133
Darmstadt
Plungjany
(Plungė)
Polozk
Mogilew
Slonim
Warschau
Siedlce
Brest-Litowsk
Grodzisk
Łuków
Łódź
Lublin
Piaski
Działoszyn
Opole
Busk
Będzin
Przemyśl
Nikolajew
Kischinew
Schwarzes Meer
0
Kilometer
300
© Martin Gilbert 1982

Während der ersten Hälfte des Jahres 1941 blieb die Politik der Deutschen gegenüber den Juden konstant in ihrer Unerbittlichkeit und Härte. Am 1. Januar 1941 wurden weitere 439 alte und kranke Juden aus dem Altersheim in Kalisz (Kalisch) in einen nahegelegenen Wald gebracht und dort mit Auspuffgasen erstickt *(siehe auch S. 51)*. In Biala Podlaska wurden weitere zwölf wehrlose jüdische Kriegsgefangene barbarisch ermordet. In sämtlichen der auf Seite 50 erwähnten Gettos waren Tod infolge von Hunger und Krankheiten an der Tagesordnung; in Warschau und Łódź führten diese Ursachen zum Tod von mehr als 18000 Menschen. Ab dem 22. Februar 1941 wurde jeder Pole, der außerhalb des Warschauer Gettos Lebensmittel an einen Juden verkaufte, automatisch zu drei Monaten harter Zwangsarbeit verurteilt, und die Brotration im Getto wurde auf 85 Gramm täglich reduziert. «Obwohl das Getto von Łódź lediglich als Versuch gedacht war», so berichtete die *Kölnische Zeitung* am 5. April 1941, «als bloßes Vorspiel zur Lösung der Judenfrage, hat es sich als beste und perfekteste vorläufige Lösung des Judenproblems erwiesen.» Neun Tage später wurde ein Befehl erlassen, der vorsah, daß jeder Jude, der das Getto von Łódź verließ, auf der Stelle zu erschießen sei.

Über 40000 deutsche und belgische Juden wurden in das Warschauer Getto deportiert. Weitere Gettos wurden in Kraków (Krakau), Lublin und Kielce eingerichtet. Aus Wien wurden mehr als 5000 Juden in diese Gettos und Arbeitslager im Osten deportiert, während über 400 Juden aus Amsterdam als Geiseln festgenommen und in die Steinbrüche des Konzentrationslagers Mauthausen verschleppt wurden; die Umstände, die zu dieser Deportation führten, werden auf den Seiten 78/79 dargestellt.

In Paris wurden im Mai 1941 mehrere tausend im Ausland geborene Juden festgenommen und interniert. Gleichzeitig wurden Tausende von Juden polnischer und deutscher Herkunft, die 1940 in der französischen Fremdenlegion gegen Deutschland gekämpft hatten, in Zwangsarbeitslager in der Sahara deportiert. In Suresnes bei Paris wurden 133 Juden erschossen, die 1941 im Widerstand aktiv waren – die ersten Exekutionen fanden am 16. April 1941 statt. Die Karte oben zeigt die Geburtsorte einiger der Erschossenen, so, wie die Gestapo sie registriert hatte: Zehn von ihnen stammten gebürtig aus Warschau, und fast alle waren innerhalb der Grenzen des ehemaligen Russischen Reiches *(gepunktete Linie)* geboren. Viele von ihnen, wie Charles Weinberg aus Kischinew, waren über 50 Jahre alt. Einer der Erschossenen, Antoine Hajje, war in Zypern geboren; ein anderer, Elias Salomon, in Beirut.

Außerhalb des Großdeutschen Reiches kam es in Bukarest zu antisemitischen Gewalttaten, in deren Rahmen 120 Juden auf offener Straße ermordet wurden *(links)*: Männer, Frauen und Kinder, niedergehetzt von bewaffneten Banden. Einigen Überlebenden gelang es, auf dem Seeweg Palästina zu erreichen.

Das Foto zeigt die Arbeiten an der Sahara-Eisenbahn *(siehe auch Seite 56)*.

ZWANGSARBEITSLAGER IN DER SAHARA, 1941 – 1942
SPANIEN
neutral
Granada
Algier
Atlantischer
Ozean
Gibraltar
britisch
Mittelmeer
Oran
Boghari
Arbeitslager
Tanger
SPANISCH-MAROKKO
Djelfa
Arbeitslager
Berguent
Straflager
MAROKKO
Misur
Arbeitslager
Tendrara
Arbeitslager
Bouârfa
Arbeitslager
Hadjerat-M'Guil
Straf- und
Isolationslager
Kenadsa
Arbeitslager
Aïn-el-Ourak
Arbeitslager
Meridja
Arbeitslager
Bechar
Arbeitslager
Ks.-el-Abadla
Arbeitslager
ALGERIEN
Beni-Abbès
Arbeitslager
Die Trans-Sahara-Eisenbahnlinie,
die in den Jahren 1941 und 1942
von Zwangsarbeitern gebaut wurde.
Adrar
Arbeitslager
0 Kilometer 100
© Martin Gilbert 1982

Im April 1940 dienten mehr als 1500 Juden in der französischen Fremdenlegion, getragen von der Hoffnung, gegen Nazi-Deutschland kämpfen zu können. Doch nach der Eroberung Frankreichs durch die Deutschen im Juni 1940 wurden sie zunächst «demobilisiert», dann interniert und schließlich in Französisch-Nordafrika in Arbeitslager geschickt *(oben)*. Bei vielen dieser Juden handelte es sich um Flüchtlinge aus Deutschland und Österreich, die sich bei Kriegsausbruch in Frankreich aufhielten.

Ein Gesetz vom 4. Oktober 1940 gab Vichy-Frankreich das Recht, sogar innerhalb des nicht besetzten Gebietes Juden zu internieren, und am 22. März 1941 unterzeichnete Marschall Pétain ein Gesetz, das den Bau einer Trans-Sahara-Eisenbahnlinie vorsah. Die Arbeiten wurden unter grauenvollen Bedingungen durchgeführt, und zwar von allen Internierten: ehemalige Soldaten der republikanischen Truppen in Spanien wie auch Polen, Tschechen, Griechen und Juden.

Am 1. November 1941 wurde das Lager von Hadjerat-M'Guil als Straf- und Isolationslager in Betrieb genommen. Es lebten dort 170 Gefangene, von denen neun auf bestialische Weise gefoltert und getötet

ZWANGSARBEITSLAGER AM BUG, FEBRUAR 1941

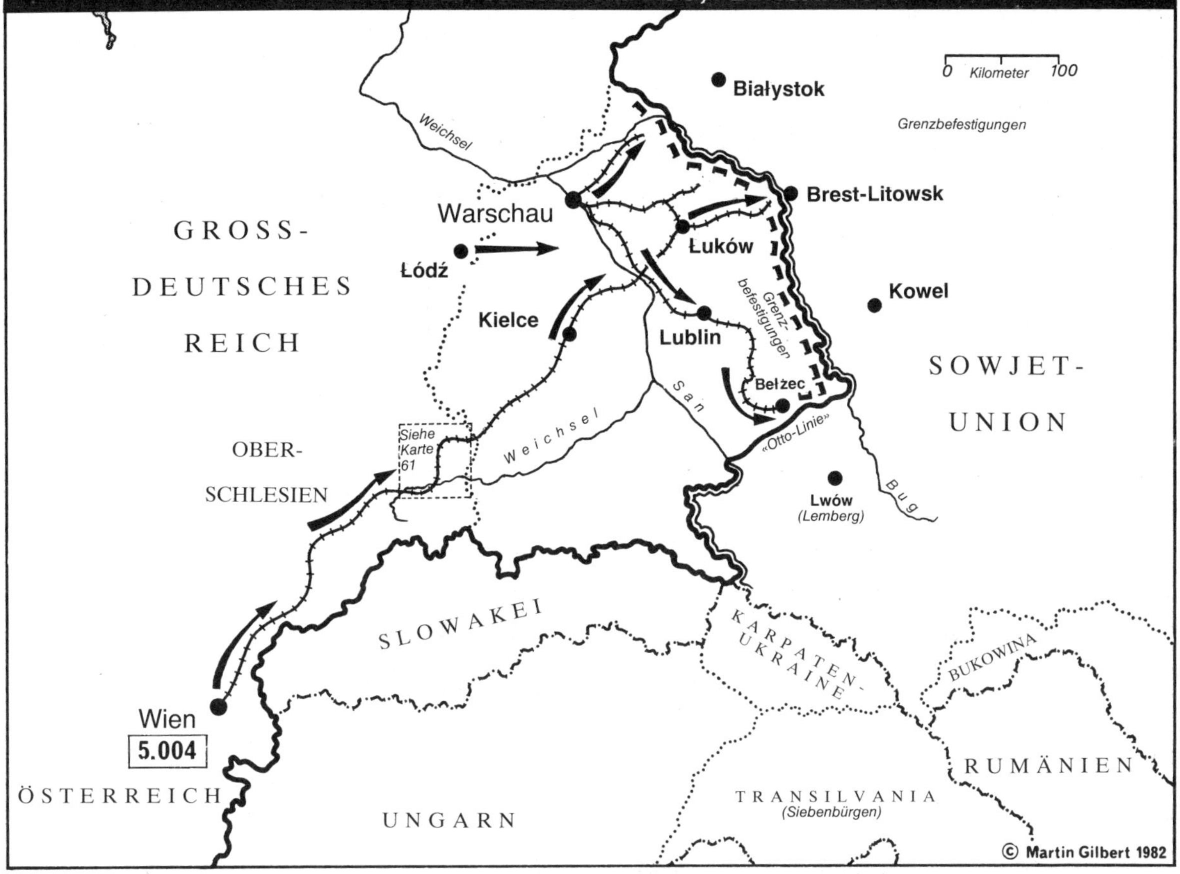
0 Kilometer 100
Grenzbefestigungen
Białystok
Weichsel
Warschau
Brest-Litowsk
GROSS-
DEUTSCHES
REICH
Łódź
Łuków
Kowel
Grenz-
befestigungen
Kielce
Lublin
SOWJET-
UNION
Bełżec
San
Siehe
Karte
61
«Otto-Linie»
OBER-
SCHLESIEN
Weichsel
Lwów
(Lemberg)
Bug
SLOWAKEI
KARPATEN-
UKRAINE
BUKOWINA
Wien
5.004
RUMÄNIEN
ÖSTERREICH
UNGARN
TRANSILVANIA
(Siebenbürgen)
© Martin Gilbert 1982

wurden. Zwei der Ermordeten waren Juden, von denen einer vorher in einem Konzentrationslager in Deutschland gewesen war, dort jedoch 1939 entlassen wurde und daraufhin nach Frankreich floh. Die Eltern dieses jungen Mannes hatten Zuflucht in London gefunden. Als sie von der Ermordung ihres Sohnes in der Sahara erfuhren, nahmen sie sich das Leben.

Auf der Karte oben ist die Deportation von mehr als 5000 Wiener Juden in die Gettos von Kielce und Lublin sowie in die Arbeitslager entlang des Bug verzeichnet. Dort zwang man sie, zusammen mit deportierten Juden aus Warschau und Łódź Sümpfe trokkenzulegen und die sogenannte «Otto-Linie» – Befestigungsanlagen an der sowjetischen Grenze – zu bauen, die als Panzersperre für sowjetische Panzer dienen sollte. Eines der größten Arbeitslager, das Lager in Bełżec, wurde später in eines der vier Todeslager im Osten umgewandelt *(S. 90)*.

Eine weitere Gruppe von Juden, die zu Zwangsarbeiten herangezogen wurden, waren Facharbeiter aus dem Oberschlesischen Kohlerevier. In jenem Gebiet lebten 93628 Juden in 32 Gemeinden, von denen die sechs größten – darunter die Stadt Auschwitz – hier verzeichnet sind *(rechts)*. Tausende von kräftigen und gesunden Juden wurden in diesen Städten rekrutiert und als Arbeiter in deutsche Bergwerke, Eisenhütten und Textilfabriken in jener Region geschickt – 5000 allein aus Będzin.

MOBILE ZWANGSARBEITSKOMMANDOS, MÄRZ 1941

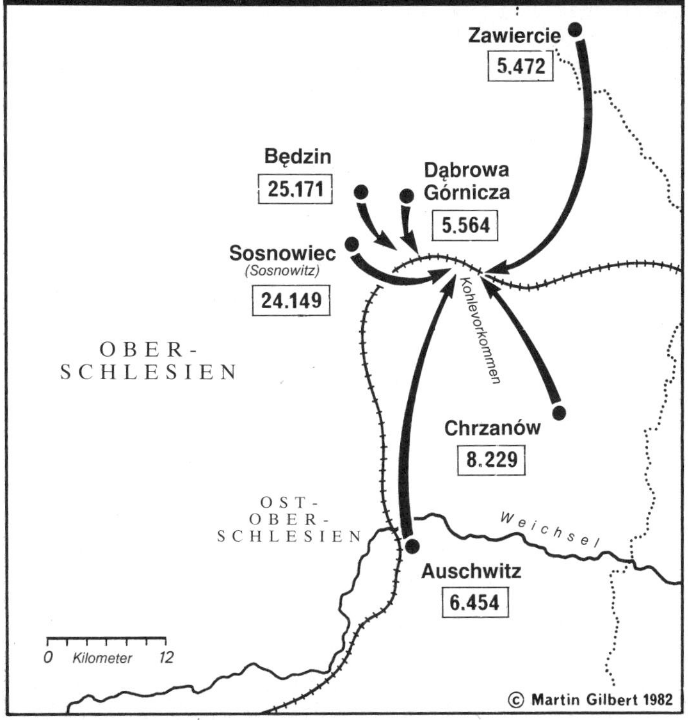
Zawiercie
5.472
Będzin
25.171
Dąbrowa
Górnicza
5.564
Sosnowiec
(Sosnowitz)
24.149
Kohlevorkommen
OBER-
SCHLESIEN
Chrzanów
8.229
OST-
OBER-
SCHLESIEN
Weichsel
Auschwitz
6.454
0 Kilometer 12
© Martin Gilbert 1982

DER EINMARSCH DEUTSCHER TRUPPEN IN JUGOSLAWIEN UND GRIECHENLAND, APRIL 1941

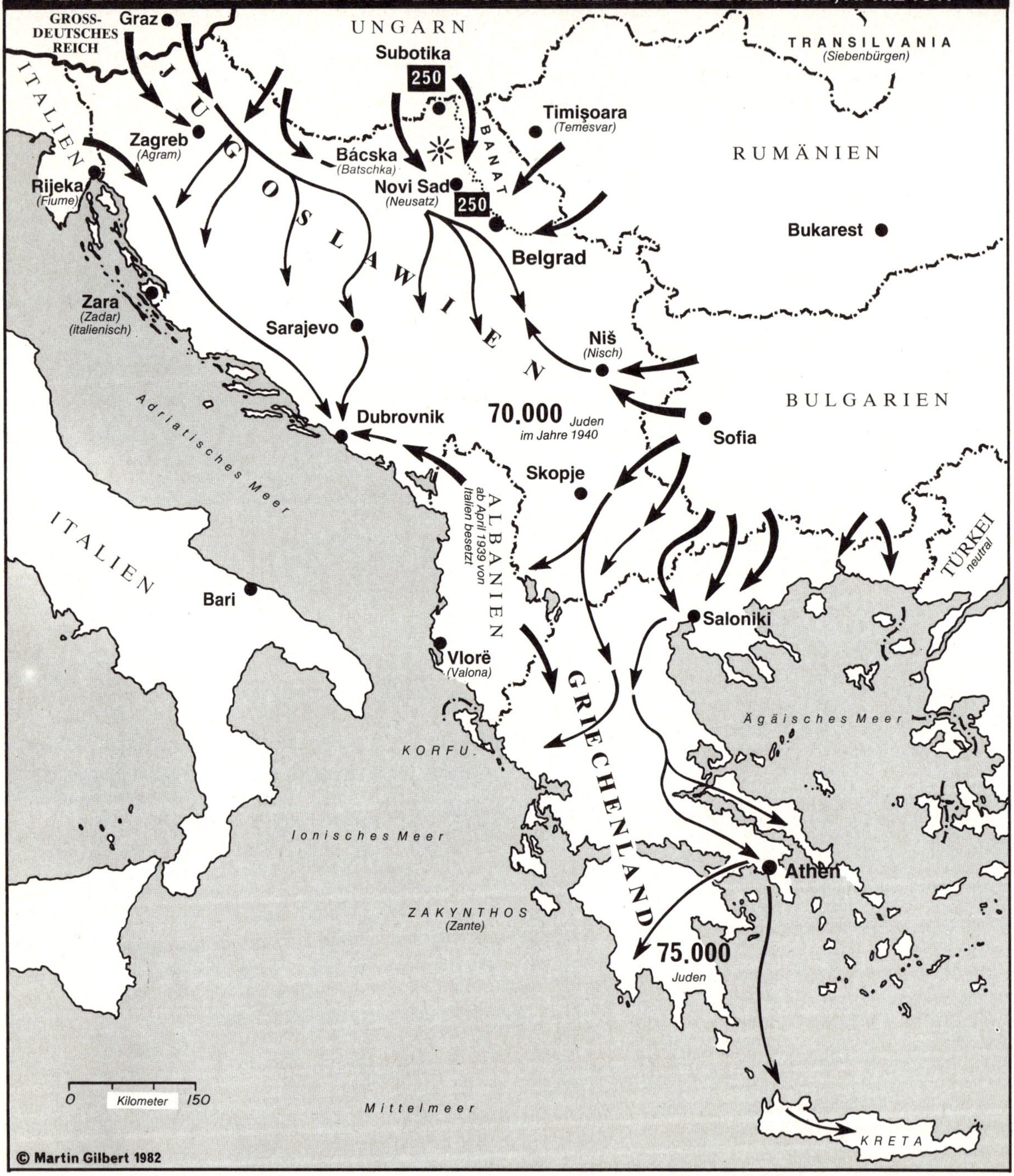
GROSS-DEUTSCHES REICH
Graz
UNGARN
Subotika
250
TRANSILVANIA
(Siebenbürgen)
ITALIEN
JUGOSLAWIEN
Zagreb
(Agram)
Bácska
(Batschka)
BANAT
Timişoara
(Temesvar)
RUMÄNIEN
Rijeka
(Fiume)
Novi Sad
(Neusatz)
250
Belgrad
Bukarest
Zara
(Zadar)
(italienisch)
Sarajevo
Niš
(Nisch)
Adriatisches Meer
Dubrovnik
70.000 Juden im Jahre 1940
BULGARIEN
Sofia
Skopje
ALBANIEN
ab April 1939 von Italien besetzt
ITALIEN
TÜRKEI
neutral
Bari
Saloniki
Vlorë
(Valona)
GRIECHENLAND
Ägäisches Meer
KORFU
Ionisches Meer
Athen
ZAKYNTHOS
(Zante)
75.000
Juden
0 Kilometer 150
Mittelmeer
KRETA
© Martin Gilbert 1982

Am 6. April 1941 marschierten deutsche Truppen in Jugoslawien und Griechenland ein, so daß am Ende des Monats weitere 145 000 Juden unter der Nazi-Tyrannei lebten *(oben)*. Die Juden im Banat – ihre Anzahl auf der folgenden Seite ist gemäß der jugoslawischen Volkszählung vom 31. März 1931 angegeben – lebten in kleinen, verstreuten Gemeinden nördlich von Belgrad, zwischen der Tisa (Theiß) und der rumänischen Grenze. Es handelte sich um mehr als 3000 Menschen, die im August 1941, kaum vier Monate nach dem deutschen Einmarsch in Jugoslawien, samt und sonders von den Deutschen aus ihren Häusern verjagt wurden. Man brachte sie in das Lager Tasmajdan in der Nähe von Belgrad; dort oder am Ufer der Donau wurden täglich welche von ihnen erschossen – am 20. August 1941 konnte das gesamte Banat für «judenrein» erklärt werden.

DIE JUDEN DES BANAT

UNGARN
Kilometer
0
20
Krstur
11
Arandjelovo
39
Nova
Kanjiža
(Neukanischa)
46
Čoka
49
Mokrin
38
Kikinda
100
Sajan
9
Padej
28
RUMÄNIEN
Novi Bečej
(Neubetsche)
167
Torda
10
Melenci
32
Kumane
14
Jaša Tomic
56
Veliki
Beckerek
(Großbetschkerek)
1.352
Boka
3
Aradac
4
Ečka
33
Jarkovac
5
Tisa (Theiß)
BÁCSKA
(Batschka)
BANAT
Vršac
(Werschetz)
404
Seleus
5
Perlez
18
Alibunar
31
Donau
Kovačica
37
Padina
33
Novo Selo
1
Bela Crkva
(Weißkirchen)
67
JUGOSLAWIEN
Deliblato
10
Pančevo
(Pantschowa)
507
Gaj
6
SREM
(Sirmien)
Kovin
75
Donau
Tasmajdan
Konzentrationslager
3.000
Belgrad
Sajmiste
Konzentrationslager
SERBIEN
© Martin Gilbert 1982

Ende Oktober 1941 war in Tasmajdan kaum noch ein Jude aus dem Banat am Leben: Menschen, Kultur und Werk von mehr als 30 Gemeinden waren für alle Zeiten ausgelöscht.

Die Städte Subotica und Novi Sad (Neusatz) westlich vom Banat wurden am 11. April 1941 von ungarischen Truppen besetzt.

In Subotica erschossen die Deutschen 250 Mitglieder einer jüdischen Jugendorganisation, die die ersten Sabotageakte gegen die Besatzungstruppen durchgeführt hatte. In Novi Sad (Neusatz) ermordeten ungarische Soldaten und ortsansässige Deutsche vollkommen willkürlich 250 Juden und 250 Serben.

Von Anbeginn des Krieges waren Juden im jugoslawischen Widerstand aktiv. Der erste Geheimsender in Zagreb (Agram) wurde von zwei jüdischen Brüdern betrieben. Mehr als 2000 jugoslawische Juden kämpften später bei Titos Partisanen, und 1943 wurde eine spezielle Einheit, bestehend aus 250 Juden, gebildet, die in Kämpfen gegen die Deutschen mehr als 200 Männer verlor. Ein führender Widerstandskämpfer, der Jude Moša Pijade, wurde später Vizepräsident von Jugoslawien.

DIE JUDEN IM WESTLICHEN KROATIEN AM VORABEND DES KRIEGES

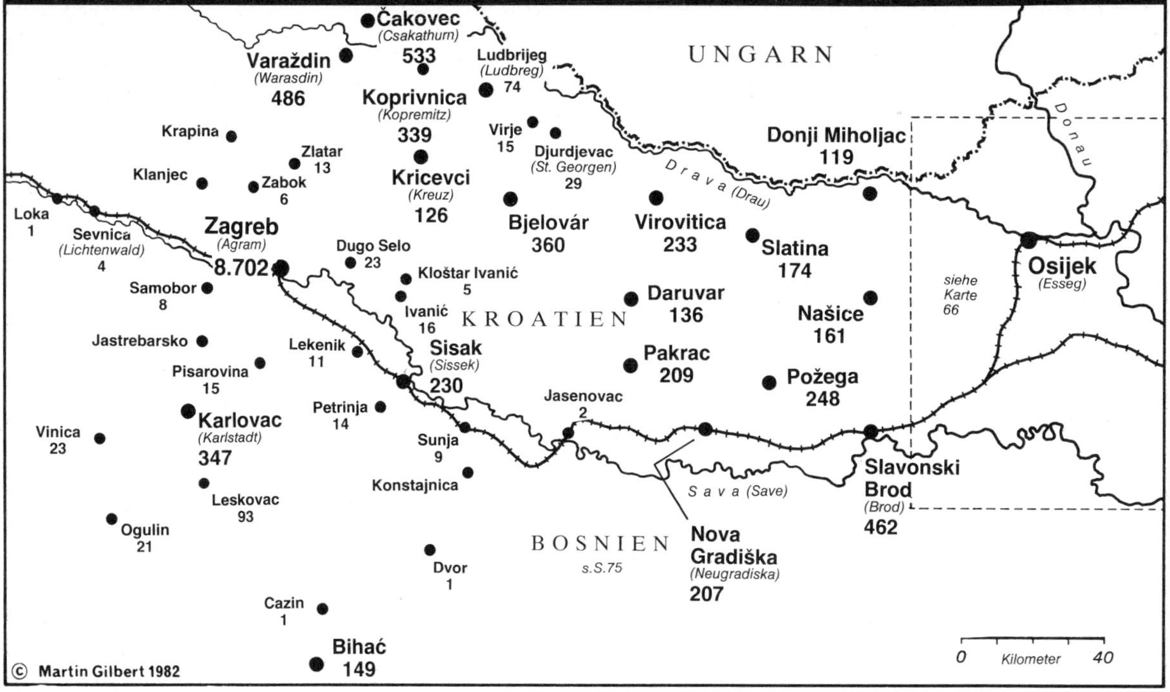
Čakovec
(Csakathurn)
533
Varaždin
(Warasdin)
486
Ludbrijeg
(Ludbreg)
74
UNGARN
Koprivnica
(Kopremitz)
339
Krapina
Virje
15
Djurdjevac
(St. Georgen)
29
Donji Miholjac
119
Donau
Zlatar
13
Klanjec
Zabok
6
Kricevci
(Kreuz)
126
Drava (Drau)
Loka
1
Sevnica
(Lichtenwald)
4
Zagreb
(Agram)
8.702
Bjelovár
360
Virovitica
233
Slatina
174
Osijek
(Esseg)
Dugo Selo
23
Kloštar Ivanić
5
Samobor
8
Daruvar
136
Našice
161
siehe
Karte
66
Ivanić
16
KROATIEN
Jastrebarsko
Lekenik
11
Sisak
(Sissek)
230
Pisarovina
15
Pakrac
209
Požega
248
Jasenovac
2
Petrinja
14
Karlovac
(Karlstadt)
347
Vinica
23
Sunja
9
Slavonski
Brod
(Brod)
462
Konstajnica
Sava (Save)
Leskovac
93
Ogulin
21
Nova
Gradiška
(Neugradiska)
207
BOSNIEN
s.S.75
Dvor
1
Cazin
1
Bihać
149
0 Kilometer 40
© Martin Gilbert 1982

RABBIS UND KANTOREN, ERMORDET VON DER KROATISCHEN «USTASCHA»

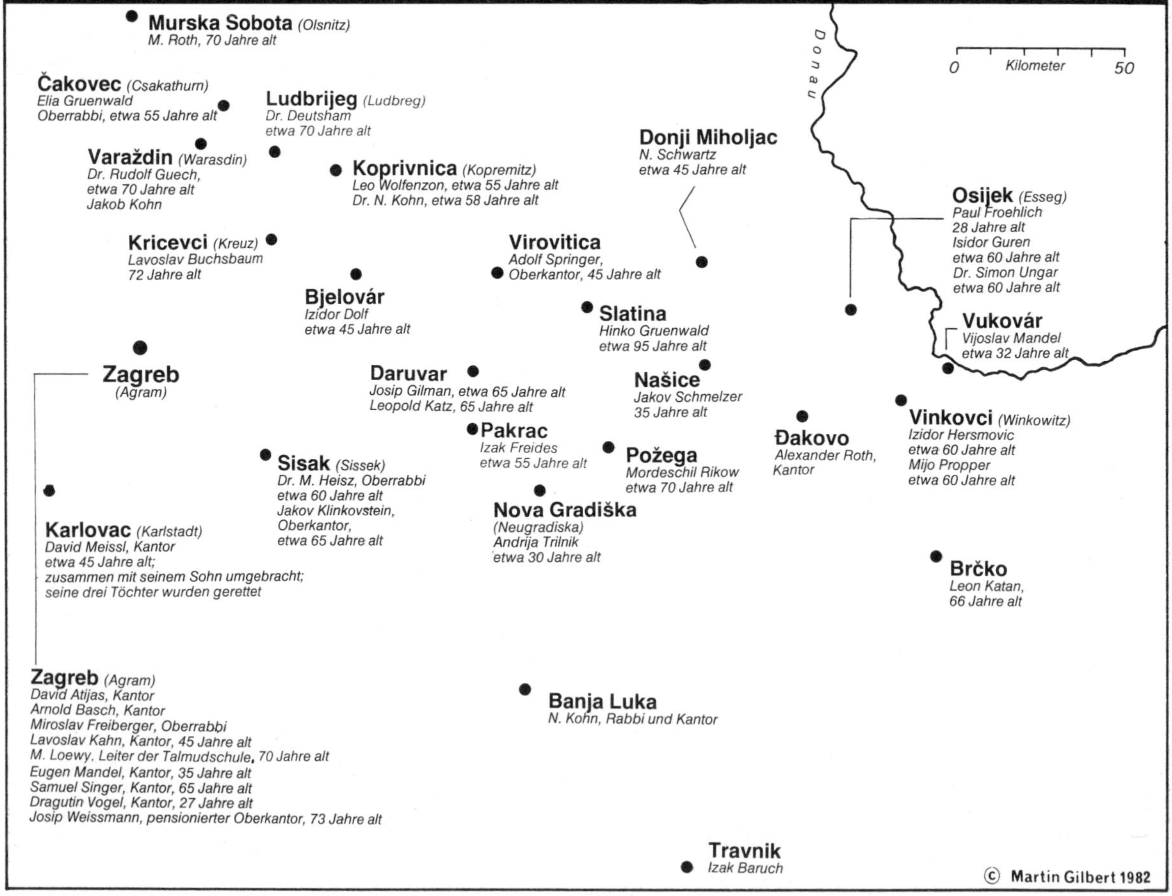
Murska Sobota (Olsnitz)
M. Roth, 70 Jahre alt
Donau
0 Kilometer 50
Čakovec (Csakathurn)
Elia Gruenwald
Oberrabbi, etwa 55 Jahre alt
Ludbrijeg (Ludbreg)
Dr. Deutsham
etwa 70 Jahre alt
Donji Miholjac
N. Schwartz
etwa 45 Jahre alt
Varaždin (Warasdin)
Dr. Rudolf Guech,
etwa 70 Jahre alt
Jakob Kohn
Koprivnica (Kopremitz)
Leo Wolfenzon, etwa 55 Jahre alt
Dr. N. Kohn, etwa 58 Jahre alt
Osijek (Esseg)
Paul Froehlich
28 Jahre alt
Isidor Guren
etwa 60 Jahre alt
Dr. Simon Ungar
etwa 60 Jahre alt
Kricevci (Kreuz)
Lavoslav Buchsbaum
72 Jahre alt
Virovitica
Adolf Springer,
Oberkantor, 45 Jahre alt
Bjelovár
Izidor Dolf
etwa 45 Jahre alt
Slatina
Hinko Gruenwald
etwa 95 Jahre alt
Vukovár
Vijoslav Mandel
etwa 32 Jahre alt
Zagreb
(Agram)
Daruvar
Josip Gilman, etwa 65 Jahre alt
Leopold Katz, 65 Jahre alt
Našice
Jakov Schmelzer
35 Jahre alt
Vinkovci (Winkowitz)
Izidor Hersmovic
etwa 60 Jahre alt
Mijo Propper
etwa 60 Jahre alt
Pakrac
Izak Freides
etwa 55 Jahre alt
Požega
Mordeschil Rikow
etwa 70 Jahre alt
Đakovo
Alexander Roth,
Kantor
Sisak (Sissek)
Dr. M. Heisz, Oberrabbi
etwa 60 Jahre alt
Jakov Klinkovstein,
Oberkantor,
etwa 65 Jahre alt
Nova Gradiška
(Neugradiska)
Andrija Trilnik
etwa 30 Jahre alt
Karlovac (Karlstadt)
David Meissl, Kantor
etwa 45 Jahre alt;
zusammen mit seinem Sohn umgebracht;
seine drei Töchter wurden gerettet
Brčko
Leon Katan,
66 Jahre alt
Zagreb (Agram)
David Atijas, Kantor
Arnold Basch, Kantor
Miroslav Freiberger, Oberrabbi
Lavoslav Kahn, Kantor, 45 Jahre alt
M. Loewy, Leiter der Talmudschule, 70 Jahre alt
Eugen Mandel, Kantor, 35 Jahre alt
Samuel Singer, Kantor, 65 Jahre alt
Dragutin Vogel, Kantor, 27 Jahre alt
Josip Weissmann, pensionierter Oberkantor, 73 Jahre alt
Banja Luka
N. Kohn, Rabbi und Kantor
Travnik
Izak Baruch
© Martin Gilbert 1982

DIE JUDEN IM ÖSTLICHEN KROATIEN UND IM SREM AM VORABEND DES KRIEGES

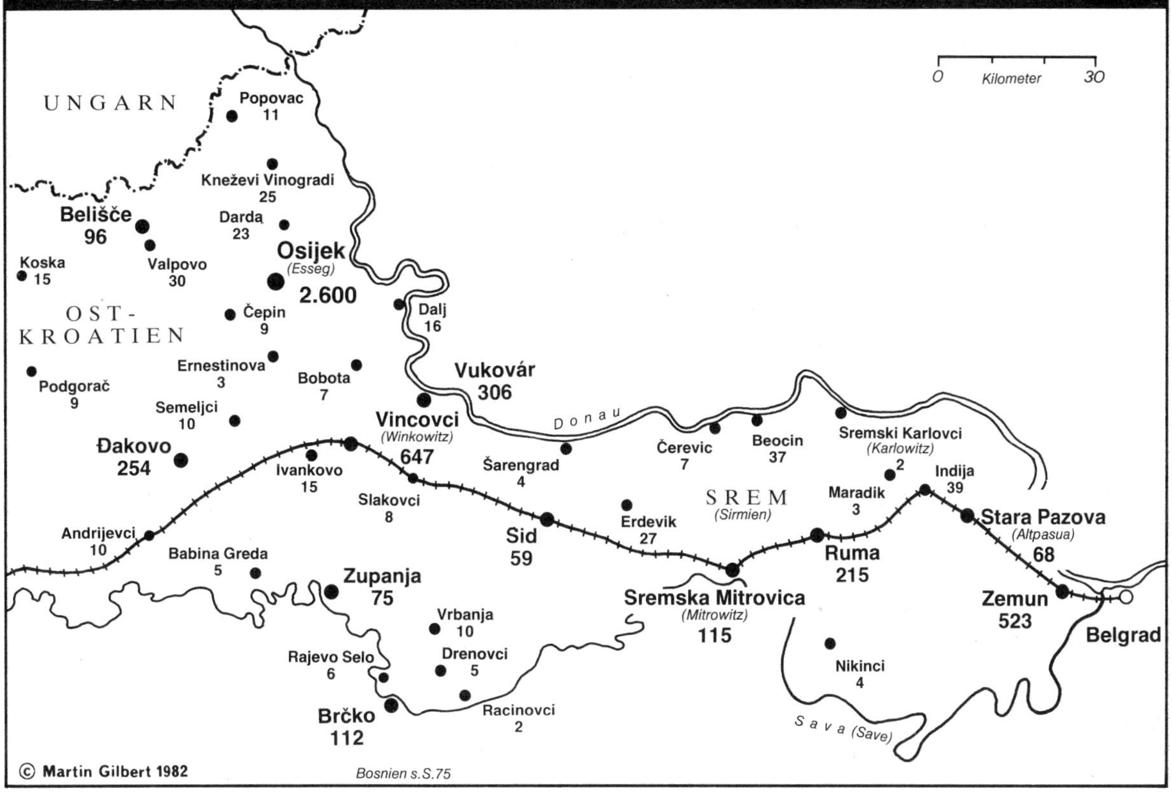
0 Kilometer 30
UNGARN
Popovac 11
Kneževi Vinogradi 25
Belišće 96
Darda 23
Koska 15
Valpovo 30
Osijek (Esseg) 2.600
OST-KROATIEN
Čepin 9
Dalj 16
Ernestinova 3
Bobota 7
Vukovár 306
Podgorač 9
Semeljci 10
Vincovci (Winkowitz) 647
Donau
Đakovo 254
Ivankovo 15
Šarengrad 4
Čerevic 7
Beocin 37
Sremski Karlovci (Karlowitz) 2
Indija 39
Slakovci 8
SREM (Sirmien)
Maradik 3
Erdevik 27
Stara Pazova (Altpasua) 68
Andrijevci 10
Sid 59
Ruma 215
Babina Greda 5
Zupanja 75
Sremska Mitrovica (Mitrowitz) 115
Zemun 523
Belgrad
Vrbanja 10
Rajevo Selo 6
Drenovci 5
Nikinci 4
Brčko 112
Racinovci 2
Sava (Save)
© Martin Gilbert 1982
Bosnien s.S.75

DEUTSCHLAND UND KROATIEN

Ostsee
0 Kilometer 300
Berlin
Warschau
GROSSDEUTSCHES REICH
Prag
Lwów (Lemberg)
SLOWAKEI
Wien
Budapest
UNGARN
KROATIEN
RUMÄNIEN
JUGOSLAWIEN
Banja Luka
Travnik
Belgrad
BOSNIEN
SERBIEN
DALMATIEN
Adriatisches Meer
ITALIEN
© Martin Gilbert 1982

Nach der endgültigen Eroberung Jugoslawiens durch deutsche Truppen am 17. April 1941 wurde Kroatien ein selbständiger Staat, regiert von der faschistischen «Ustascha»-Bewegung. Die beiden Karten oben zeigen die jüdischen Gemeinden in Kroatien und im Srem (Sirmien) gemäß der jugoslawischen Volkszählung von 1931. Die Lage der Kartenausschnitte ist auf der kleinen Karte *(rechts)* dargestellt.

Sofort setzte die Verfolgung der Juden ein. In Ruma wurde die Synagoge zerstört. In Vukovár wurden die Gemeindeführer festgenommen und dann der Gemeinde gegen ein «Lösegeld» zurückverkauft. In Osijek (Esseg) steckten deutsche Soldaten, ortsansässige Deutsche und kroatische «Ustaschas», die Hauptsynagoge in Brand, schändeten den jüdischen Friedhof, plünderten jüdisches Eigentum und belegten die jüdische Gemeinde mit einer ruinösen «Geldstrafe».

Die Karte auf der vorherigen Seite *(unten)* gibt die Namen einiger Rabbis und Kantoren wieder, die im Spätfrühling und Frühsommer ermordet wurden: Unter ihnen befanden sich ehrwürdige Rabbiner, Gelehrte und Lehrer; oder es handelte sich um junge Männer, die am Anfang ihres beruflichen Weges standen. Auch Ärzte, Krankenschwestern, Hebammen, Apotheker, Zahnärzte und Tierärzte, die mit ihrer Arbeit dem ganzen kroatischen Volk gedient hatten, wurden getötet. Viele junge kroatische Juden kämpften später bei Titos Partisanen.

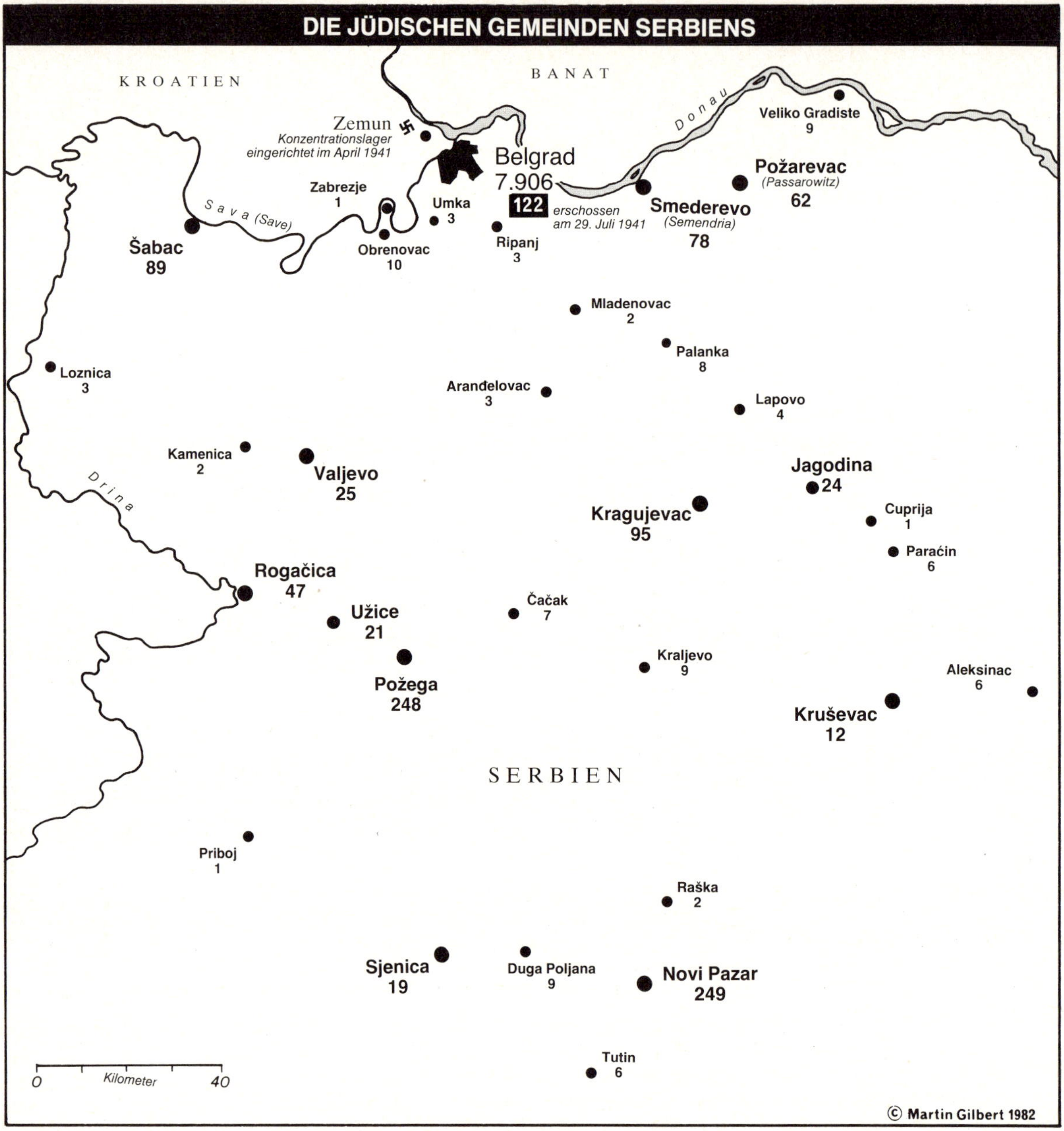
DIE JÜDISCHEN GEMEINDEN SERBIENS
KROATIEN
BANAT
Zemun
Konzentrationslager eingerichtet im April 1941
Belgrad
7.906
122
erschossen am 29. Juli 1941
Donau
Veliko Gradiste
9
Požarevac
(Passarowitz)
62
Smederevo
(Semendria)
78
Zabrezje
1
Umka
3
Ripanj
3
Obrenovac
10
Sava (Save)
Šabac
89
Mladenovac
2
Palanka
8
Loznica
3
Aranđelovac
3
Lapovo
4
Kamenica
2
Valjevo
25
Jagodina
24
Drina
Kragujevac
95
Cuprija
1
Paraćin
6
Rogačica
47
Užice
21
Čačak
7
Požega
248
Kraljevo
9
Aleksinac
6
Kruševac
12
SERBIEN
Priboj
1
Raška
2
Sjenica
19
Duga Poljana
9
Novi Pazar
249
Tutin
6
0 Kilometer 40
© Martin Gilbert 1982

Nach 500 Jahren des Kampfes, der Verfolgung und der Vertreibung erhielten die Belgrader Juden 1878 im neuen unabhängigen Serbien die vollen Bürgerrechte. Zwischen den Kriegen spielten sie im Berufs- und Geschäftsleben Serbiens eine aktive Rolle. In ganz Serbien wurden kleine jüdische Gemeinden gegründet, so zum Beispiel im Gebiet südlich von Belgrad *(oben)*.

Am 14. April 1941, wenige Stunden nach der Besetzung Belgrads durch deutsche Truppen, wurden jüdische Geschäfte geplündert, und schon wenige Wochen später waren jegliche Aktivitäten jüdischer Gemeinden untersagt.

Am 29. Juli 1941 erschossen die Deutschen 122 «Kommunisten und Juden», weil sie sich im Widerstand betätigt hatten. Juden aus der Jugendorganisation ließen sich dadurch jedoch nicht abschrecken und schlossen sich dem Widerstand an, wo sie Sabotageakte gegen deutsche Militäreinrichtungen durchführten.

Bis November 1941 waren mehr als 15000 Juden aus ganz Serbien in das Konzentrationslager von Zemun deportiert worden, wo man sie bis zum Juni 1942 in mobilen Gaskammern – die als Rot-Kreuz-Wagen getarnt waren – ermordete.

Am 29. August 1942 wurde Berlin offiziell davon in Kenntnis gesetzt, daß das Judenproblem in Serbien «endgültig gelöst» sei. Es handele sich hier, so hieß es prahlerisch in dem Bericht, «um das einzige Gebiet, wo dieses Ziel wirklich erreicht worden ist». Von Serbiens 23000 Juden waren 20000 umgebracht worden.

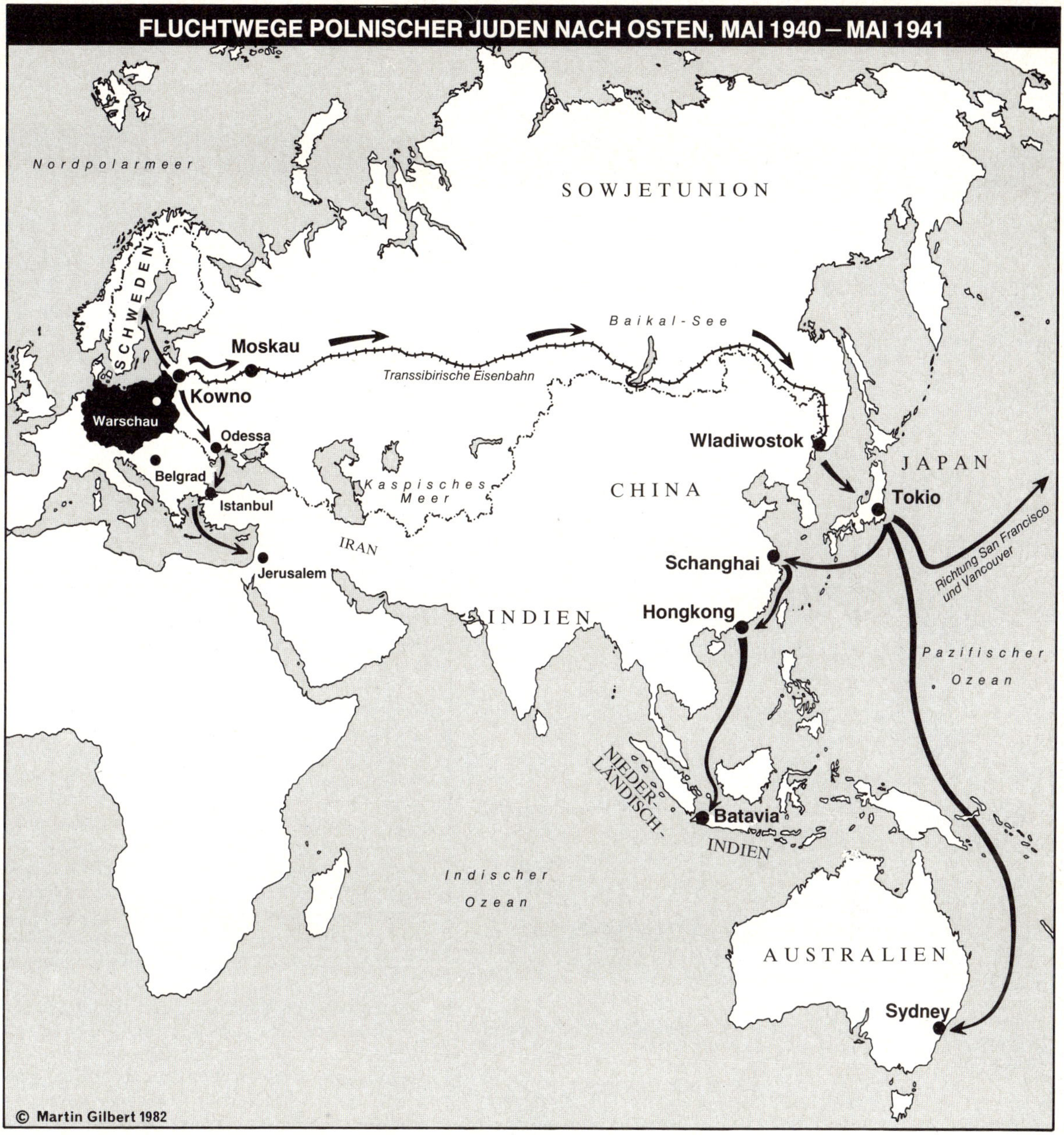
FLUCHTWEGE POLNISCHER JUDEN NACH OSTEN, MAI 1940 – MAI 1941
Nordpolarmeer
SOWJETUNION
SCHWEDEN
Baikal-See
Moskau
Transsibirische Eisenbahn
Kowno
Warschau
Odessa
Belgrad
Istanbul
Kaspisches Meer
CHINA
JAPAN
Wladiwostok
Tokio
Richtung San Francisco und Vancouver
IRAN
Jerusalem
Schanghai
Hongkong
INDIEN
Pazifischer Ozean
NIEDERLÄNDISCH-INDIEN
Batavia
Indischer Ozean
AUSTRALIEN
Sydney
© Martin Gilbert 1982

Im Jahr vor dem deutschen Einmarsch in die Sowjetunion versuchten Hunderte von Juden, die im von den Sowjets annektierten Teil Polens und in den Baltischen Ländern lebten – ebenso wie die Flüchtlinge aus dem von Deutschen besetzten Teil Polens –, in potentiell sichere Regionen zu entkommen. In der litauischen Stadt Kowno war der englische Konsul Thomas Preston dabei behilflich, 400 «illegale» «Palestine Certificates» (Einreisegenehmigungen für Juden nach Palästina) zu beschaffen, mit denen sich Juden über Istanbul auf den Weg nach Jerusalem machen konnten; weitere 800 erhielten legale Einreisegenehmigungen.

Ein paar hundert Juden schafften den Weg über die Ostsee nach Schweden. Die Führer einiger jüdischer Jugendorganisationen jedoch beschlossen, zurück nach Warschau zu gehen, um dabei zu helfen, dort den Widerstand zu organisieren.

Einigen hundert polnischen und litauischen Juden gelang es, Einreisegenehmigungen für Japan zu erhalten. Wieder andere bekamen Transit-Visa – ausgestellt zwischen dem 20. und 31. August 1940 von dem japanischen Konsul in Kowno, Sugehara –, die es ihnen erlaubten, mit der Trans-Sibirischen Eisenbahn nach Japan zu reisen; als ihr eigentliches Ziel gaben sie Niederländisch-Indien an. Auf diese Weise hatten sie die Möglichkeit, nach Australien, Kanada und in die Vereinigten Staaten zu fahren.

Doch jene, denen die Flucht gelang, bildeten nur einen Bruchteil all derer, die in Ostpolen, den Baltischen Ländern und Westrußland in der Falle saßen.

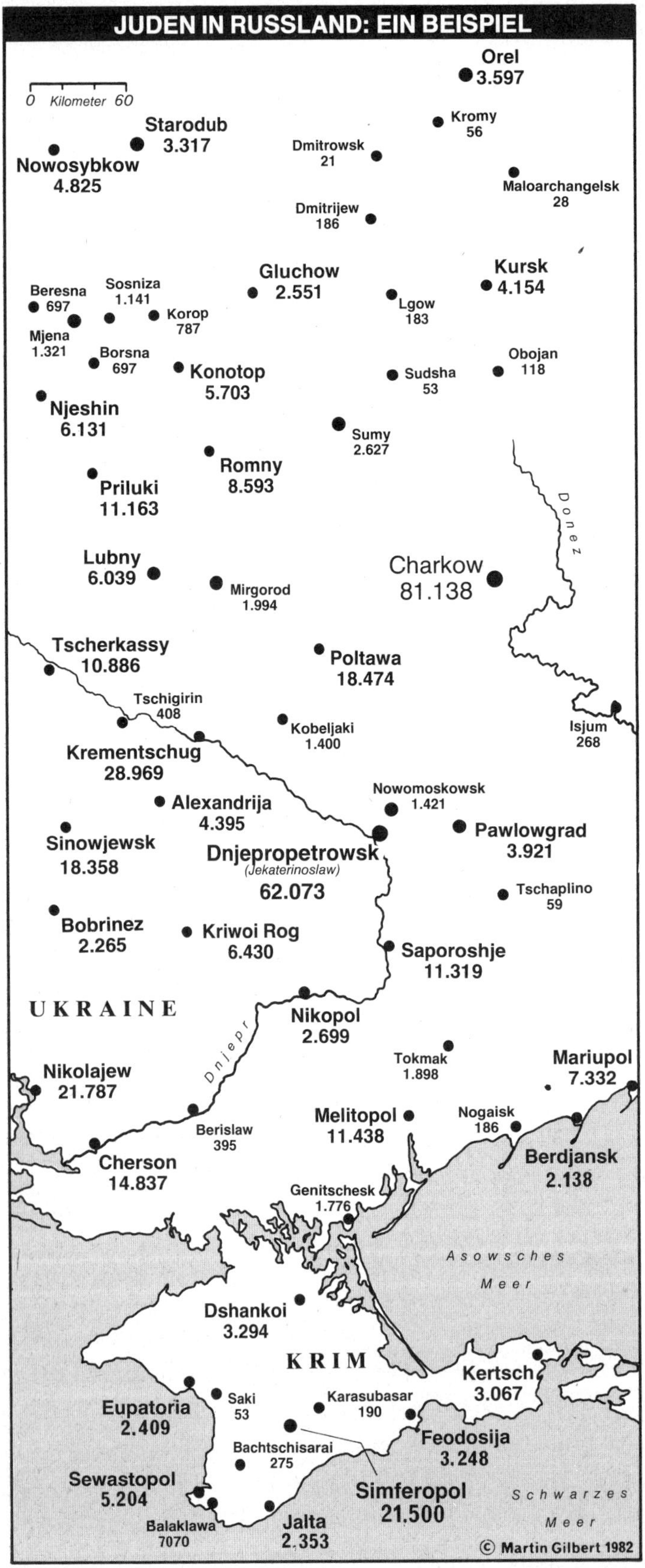
JUDEN IN RUSSLAND: EIN BEISPIEL
0 Kilometer 60
Orel 3.597
Kromy 56
Starodub 3.317
Nowosybkow 4.825
Dmitrowsk 21
Maloarchangelsk 28
Dmitrijew 186
Gluchow 2.551
Kursk 4.154
Beresna 697
Sosniza 1.141
Korop 787
Lgow 183
Mjena 1.321
Borsna 697
Konotop 5.703
Sudsha 53
Obojan 118
Njeshin 6.131
Sumy 2.627
Romny 8.593
Priluki 11.163
Donez
Lubny 6.039
Mirgorod 1.994
Charkow 81.138
Tscherkassy 10.886
Poltawa 18.474
Tschigirin 408
Kobeljaki 1.400
Isjum 268
Krementschug 28.969
Nowomoskowsk 1.421
Alexandrija 4.395
Pawlowgrad 3.921
Sinowjewsk 18.358
Dnjepropetrowsk (Jekaterinoslaw) 62.073
Tschaplino 59
Bobrinez 2.265
Kriwoi Rog 6.430
Saporoshje 11.319
UKRAINE
Nikopol 2.699
Dnjepr
Tokmak 1.898
Mariupol 7.332
Nikolajew 21.787
Melitopol 11.438
Nogaisk 186
Berislaw 395
Berdjansk 2.138
Cherson 14.837
Genitschesk 1.776
Asowsches Meer
Dshankoi 3.294
KRIM
Kertsch 3.067
Saki 53
Karasubasar 190
Eupatoria 2.409
Feodosija 3.248
Bachtschisarai 275
Sewastopol 5.204
Simferopol 21.500
Schwarzes Meer
Balaklawa 7070
Jalta 2.353
© Martin Gilbert 1982

Am 22. Juni 1941 überschritten deutsche Truppen die Grenzen der Sowjetunion. Bei ihrem Vormarsch kamen sie durch Gebiete mit zahlreichen jüdischen Siedlungen, wo insgesamt mehr als 2700000 Juden sowie mehrere hunderttausend jüdische Flüchtlinge aus Westpolen lebten.

Die Angaben in dieser Karte *(links)* hinsichtlich der Anzahl von Juden in einigen Städten und Dörfern Westrußlands gehen auf die sowjetische Volkszählung vom Jahre 1926 zurück. In Städten wie Charkow bildeten Juden mehr als 20 Prozent der Gesamtbevölkerung, und in den meisten der hier verzeichneten Städte war die jüdische Bevölkerung zwischen 1926 und dem Ausbruch des Krieges gewachsen. In manchen Fällen hatte sie sich annähernd verdoppelt: Am Vorabend des deutschen Einmarsches lebten in Charkow 150000 Juden. Auf der Krim gab es alte jüdische Gemeinden aus den Zeiten der Griechen und Römer, aber auch jüdische Kolchosen, die in den zwanziger Jahren gegründet worden waren.

In zahlreichen Städten, die auf der Karte links verzeichnet sind, hatten die Juden die Pogrome der Zarenzeit miterlebt *(S. 14)*. Andere waren wiederum in den Jahren 1918 und 1919 Opfer von Massakern geworden, die insgesamt 85000 Menschenleben forderten *(S. 15)*. Einige Städte, wie zum Beispiel Starodub, hatten in jener Zeit die Führungsrolle bei der Organisation der jüdischen Selbstverteidigung übernommen. Andere lagen einige Jahre später im Zentrum des Gebietes einer Hungersnot, bei der mehrere Millionen Sowjetbürger ums Leben kamen.

In den frühen zwanziger Jahren waren Zehntausende russischer Juden emigriert, zum Teil um der Verfolgung durch Kommunisten zu entgehen, zum Teil um der alles durchdringenden Armut zu entkommen. Aber die meisten hatten keine andere Wahl, als in ihren Häusern und bei ihren Familien zu bleiben, in Geschäften und Büros zu arbeiten, die Felder zu bestellen, kurz, zu versuchen, in der rauhen Welt des Stalinismus zu existieren.

Hitler hatte mit diesen Millionen von Juden anderes vor. Er wollte sie weder als Staatsbürger noch als Sklaven. Er hatte seine Pläne schon vor dem Einmarsch der deutschen Truppen gemacht: Im Mai 1941 nämlich, als bei Pretzsch in Sachsen spezielle mobile Mordkommandos, die sogenannten «Einsatzgruppen», aufgestellt wurden. Jedem Kommando war für seine künftigen Einsätze ein bestimmtes Gebiet der Sowjetunion zugewiesen worden. So war Einsatzgruppe A für die Vernichtung der Juden in den Baltischen Ländern zuständig, während Einsatzgruppe D in der Ukraine und auf der Krim tätig werden sollte.

So wie die deutsche Armee davon überzeugt war, daß sie die Sowjetunion besiegen und ganz Westrußland erobern könne, so war die SS davon überzeugt, daß sie durch Massenexekutionen an Ort und Stelle

DER DEUTSCHE ÜBERFALL AUF RUSSLAND UND PLÄNE FÜR MASSENMORDE, 22. JUNI 1941

NORWEGEN
Schweden
neutral
Nordsee
Ostsee
Leningrad
(St. Petersburg)
Narwa
Tallin
(Reval)
BALTISCHE LÄNDER
EINSATZGRUPPE A
Riga
Dwinsk
(Dünaburg)
Wjasma
Moskau
Wolga
Smolensk
Wilna
EINSATZGRUPPE B
Minsk
Mogilew
Orel
Lida
Gomel
Starodub
SOWJET-UNION
0 Kilometer 300
Berlin
Warschau
Pińsk
Tschernigow
EINSATZGRUPPE C
Stalingrad
Pretzsch
Równe
(Rowno)
Shitomir
Poltawa
Charkow
Lugansk
GROSSDEUTSCHES REICH
Lwów (Lemberg)
Dnjepropetrowsk
(Jekaterinoslaw)
Rostow
Prag
Drohobycz
EINSATZGRUPPE D
SLOWAKEI
Uman
Cherson
Krasnodar
Wien
UNGARN
Odessa
Kislowodsk
SCHWEIZ
RUMÄNIEN
Jalta
Kaukasus
Schwarzes Meer
ITALIEN
KROATIEN
SERBIEN
BULGARIEN
© Martin Gilbert 1982

die jüdische Frage in Rußland «lösen» könne – das heißt, es sollten alle Juden ermordet werden, derer man habhaft werden konnte. Keine Familie sollte verschont bleiben. Auch sollten keinerlei Energien darauf verschwendet werden, Gettos einzurichten oder Juden über weite Strecken in Lager oder zu Erschießungsplätzen zu transportieren. Die Ermordungen sollten in den jeweiligen Städten und Dörfern im Augenblick des militärischen Sieges durchgeführt werden.

Als die deutschen Truppen im Juni 1941 nach Rußland eindrangen, war ihr Vormarsch dermaßen schnell, daß es nicht einmal 300000 Juden gelang, nach Osten zu fliehen und sich jenseits der Wolga in Sicherheit zu bringen.

Das Foto stammt aus dem privaten Album eines der abgebildeten Offiziere und zeigt die Ankunft einer Truppenabteilung der Einsatzgruppe D in der Stadt Drohobycz in der polnischen Provinz Ostgalizien, die Rußland im September 1939 annektiert hatte. Ein Teil der Aufgabe dieser Mordkommandos bestand darin, ortsansässige Antisemiten – seien es Ukrainer, Litauer oder Letten – zu rekrutieren, die dabei behilflich sein konnten, jede jüdische Gemeinde, wie winzig auch immer sie sein mochte, aufzuspüren, zu terrorisieren und zu vernichten. Was die Arbeit dieser spezifischen Truppenabteilung in Drohobycz angeht, siehe Seite 67.

Die Karte oben zeigt die Gebiete, die den verschiedenen Mordkommandos zugewiesen wurden, sowie die ersten Angriffspunkte der deutschen Truppen und ihrer rumänischen Verbündeten am 22. Juni 1941.

EINIGE JÜDISCHE GEMEINDEN IN WOLHYNIEN AM VORABEND DES KRIEGES

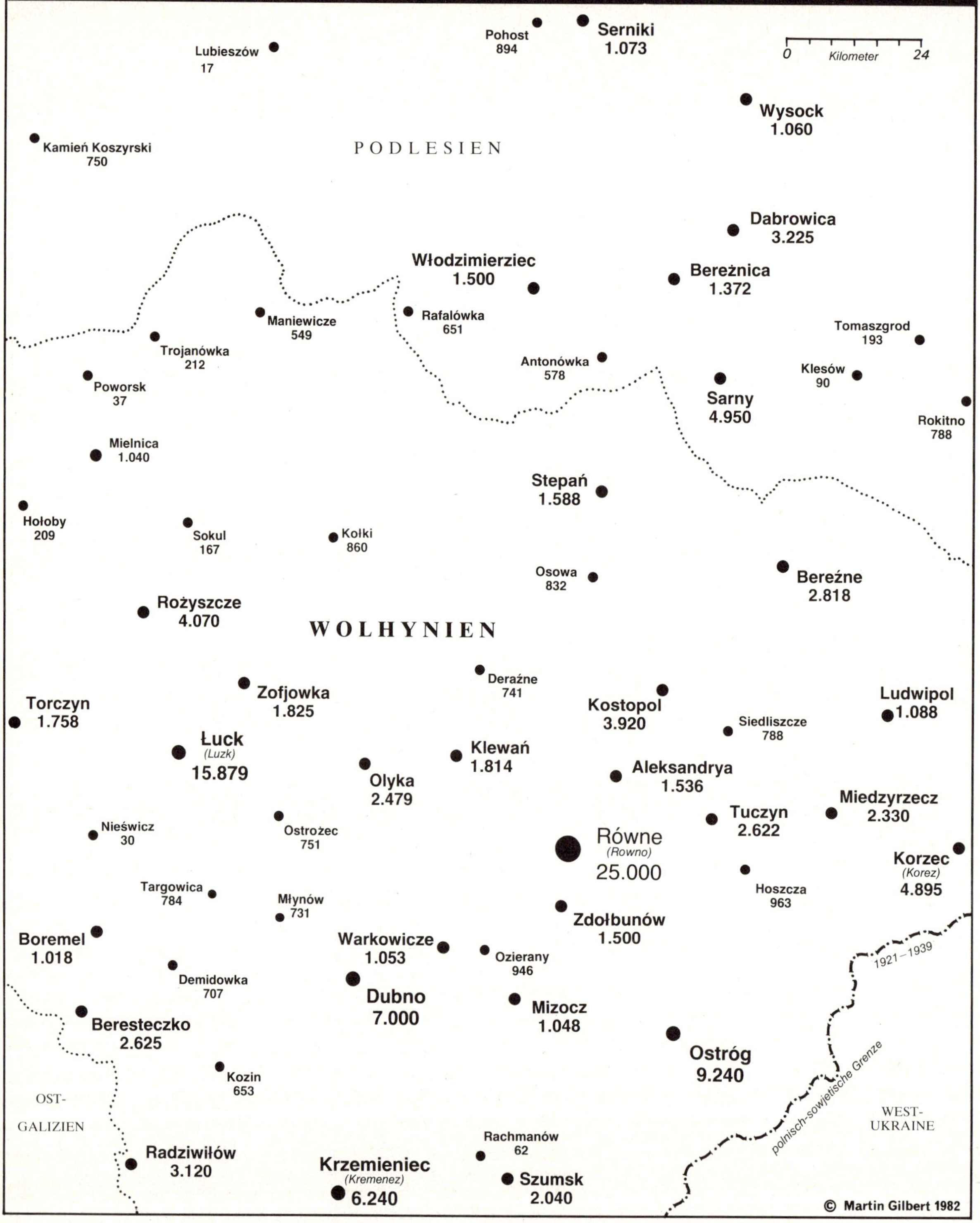
Pohost
894
Serniki
1.073
Lubieszów
17
0 Kilometer 24
Wysock
1.060
Kamień Koszyrski
750
PODLESIEN
Dabrowica
3.225
Włodzimierziec
1.500
Bereżnica
1.372
Maniewicze
549
Rafalówka
651
Trojanówka
212
Tomaszgrod
193
Antonówka
578
Klesów
90
Poworsk
37
Sarny
4.950
Rokitno
788
Mielnica
1.040
Stepań
1.588
Hołoby
209
Sokul
167
Kołki
860
Osowa
832
Bereźne
2.818
Rożyszcze
4.070
WOLHYNIEN
Derażne
741
Torczyn
1.758
Zofjowka
1.825
Kostopol
3.920
Ludwipol
1.088
Siedliszcze
788
Łuck
(Luzk)
15.879
Klewań
1.814
Olyka
2.479
Aleksandrya
1.536
Miedzyrzecz
2.330
Tuczyn
2.622
Nieświcz
30
Ostrożec
751
Równe
(Rowno)
25.000
Korzec
(Korez)
4.895
Hoszcza
963
Targowica
784
Młynów
731
Zdołbunów
1.500
Boremel
1.018
Warkowicze
1.053
Ozierany
946
1921–1939
Demidowka
707
Dubno
7.000
Mizocz
1.048
Beresteczko
2.625
Ostróg
9.240
polnisch-sowjetische Grenze
Kozin
653
OST-
GALIZIEN
WEST-
UKRAINE
Rachmanów
62
Radziwiłów
3.120
Krzemieniec
(Kremenez)
6.240
Szumsk
2.040
© Martin Gilbert 1982

Während der ersten drei Wochen ihres Einmarsches in die Sowjetunion kamen die deutschen Truppen zügig voran. In ihrem Gefolge begannen die speziell ausgebildeten, mobilen Mordkommandos mit der systematischen Ausrottung der Juden in sämtlichen Städten und Dörfern Westrußlands. Die Karte oben zeigt die Anzahl von Juden, die in den größeren Städten und Dörfern eines Teils von Wolhynien lebten – ein Gebiet, das bis 1914 zum Russischen Reich und zwischen den Weltkriegen zum unabhän-

ERMORDUNG VON JUDEN ZWISCHEN DEM 22. JUNI UND DEM 16. JULI 1941

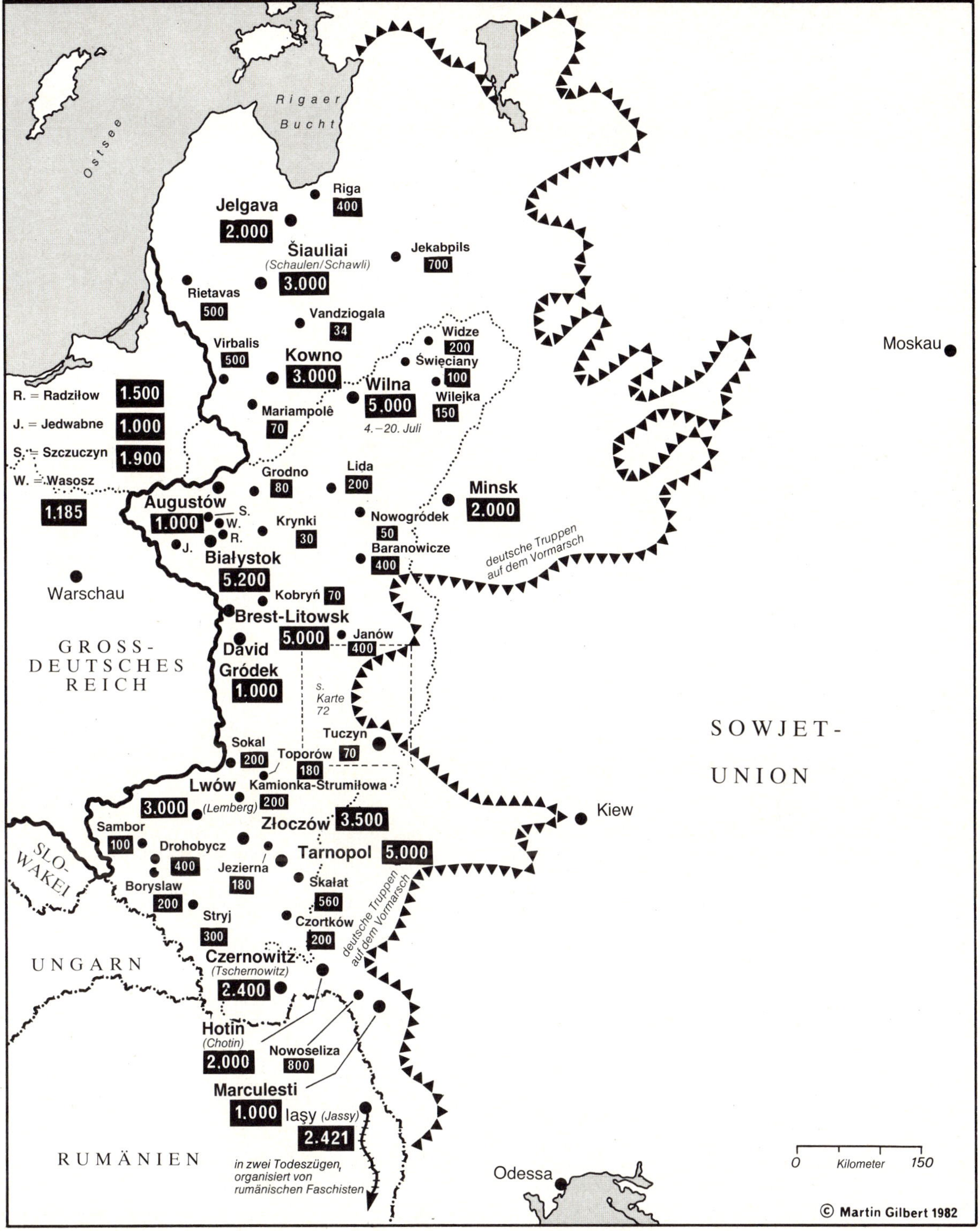
Ostsee
Rigaer Bucht
Riga 400
Jelgava 2.000
Šiauliai (Schaulen/Schawli) 3.000
Jekabpils 700
Rietavas 500
Vandziogala 34
Widze 200
Święciany 100
Virbalis 500
Kowno 3.000
Wilna 5.000
4.–20. Juli
Wilejka 150
Mariampolê 70
R. = Radziłow 1.500
J. = Jedwabne 1.000
S. = Szczuczyn 1.900
W. = Wasosz 1.185
Grodno 80
Lida 200
Minsk 2.000
Moskau
Augustów 1.000
S.
W.
R.
J.
Krynki 30
Nowogródek 50
Baranowicze 400
deutsche Truppen auf dem Vormarsch
Białystok 5.200
Warschau
Kobryń 70
Brest-Litowsk 5.000
Janów 400
David Gródek 1.000
GROSS-DEUTSCHES REICH
s. Karte 72
SOWJET-UNION
Tuczyn 70
Sokal 200
Toporów 180
Lwów (Lemberg) 3.000
Kamionka-Strumiłowa 200
Kiew
Złoczów 3.500
Sambor 100
Drohobycz 400
SLOWAKEI
Tarnopol 5.000
Jezierna 180
Skałat 560
Boryslaw 200
Stryj 300
Czortków 200
deutsche Truppen auf dem Vormarsch
UNGARN
Czernowitz (Tschernowitz) 2.400
Hotin (Chotin) 2.000
Nowoseliza 800
Marculesti 1.000
Iaşy (Jassy) 2.421
RUMÄNIEN
in zwei Todeszügen, organisiert von rumänischen Faschisten
Odessa
0 Kilometer 150
© Martin Gilbert 1982

gigen Polen gehört hatte. Wolhynien wurde bei der Teilung Polens zwischen den Nazis und den Sowjets im Oktober 1939 von der UdSSR annektiert. In dem Gebiet, das hier zu sehen ist, lagen zusätzlich noch mehr als hundert kleinere jüdische Gemeinden.

Insgesamt lebten 1939 in Wolhynien über eine Viertelmillion Juden. Die Zahlen in der Karte oben geben das Ausmaß einiger Massaker wieder, die die deutschen Mordkommandos während der ersten drei Wochen nach der Invasion anrichteten.

ERMORDUNG VON JUDEN ZWISCHEN DEM 17. JULI UND DEM 31. AUGUST 1941

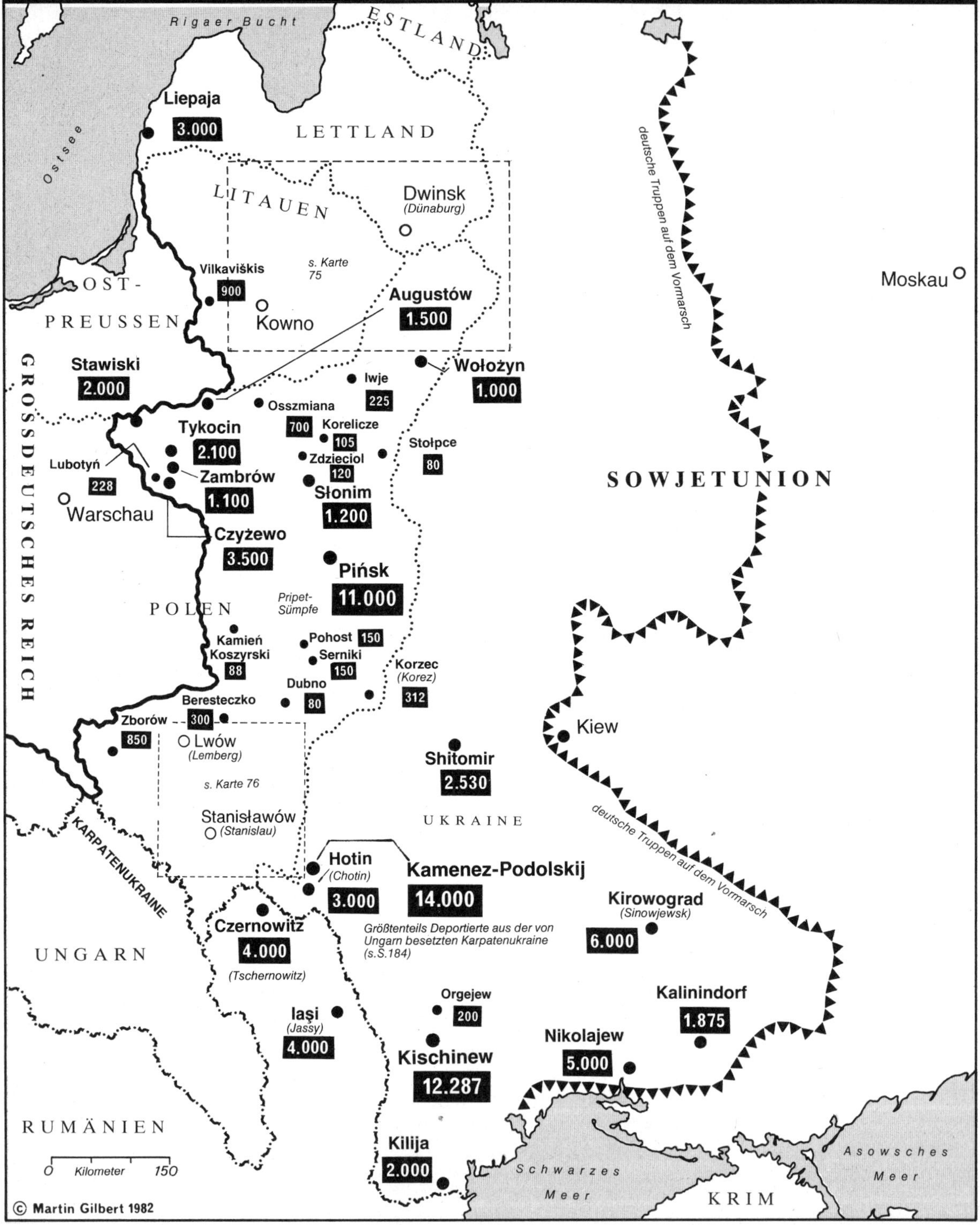
Rigaer Bucht
ESTLAND
Liepaja
3.000
LETTLAND
Ostsee
LITAUEN
Dwinsk
(Dünaburg)
s. Karte 75
Vilkaviškis
900
OST-
PREUSSEN
Kowno
Augustów
1.500
deutsche Truppen auf dem Vormarsch
Moskau
GROSSDEUTSCHES REICH
Stawiski
2.000
Iwje
225
Wołożyn
1.000
Osszmiana
700
Tykocin
2.100
Korelicze
105
Stołpce
80
Zdzieciol
120
Lubotyń
228
Zambrów
1.100
Słonim
1.200
SOWJETUNION
Warschau
Czyżewo
3.500
Pińsk
11.000
Pripet-Sümpfe
POLEN
Kamień Koszyrski
88
Pohost
150
Serniki
150
Korzec
(Korez)
312
Dubno
80
Beresteczko
300
Zborów
850
Lwów
(Lemberg)
s. Karte 76
Kiew
Shitomir
2.530
UKRAINE
Stanisławów
(Stanislau)
KARPATENUKRAINE
Hotin
(Chotin)
3.000
Kamenez-Podolskij
14.000
deutsche Truppen auf dem Vormarsch
Kirowograd
(Sinowjewsk)
6.000
Czernowitz
4.000
(Tschernowitz)
Größtenteils Deportierte aus der von Ungarn besetzten Karpatenukraine (s.S.184)
UNGARN
Orgejew
200
Iaşi
(Jassy)
4.000
Kalinindorf
1.875
Nikolajew
5.000
Kischinew
12.287
RUMÄNIEN
Kilija
2.000
0 Kilometer 150
Schwarzes Meer
Asowsches Meer
KRIM

Während der nächsten sechs Wochen des deutschen Einmarsches in Rußland liefen die Aktionen der Mordkommandos ohne Unterbrechung weiter. Diese Karte *(oben)* zeigt, ebenso wie die vorherige Karte und die Karten auf der folgenden Seite, nur einen kleinen Prozentsatz der gesamten Morde. Für viele Orte, vor allem die kleinen Dörfer, sind keine Zahlen überliefert. Auch wurden die Morde nicht nur von Einheiten der SS durchgeführt. In Litauen gehörten ortsansässige Nichtjuden zu den eifrigsten Mördern, während im Süden beim Vormarsch der rumänischen Truppen viele tausend Juden von ru-

WEITERE MORDE AN JUDEN ZWISCHEN DEM 17. JULI UND DEM 31. AUGUST 1941

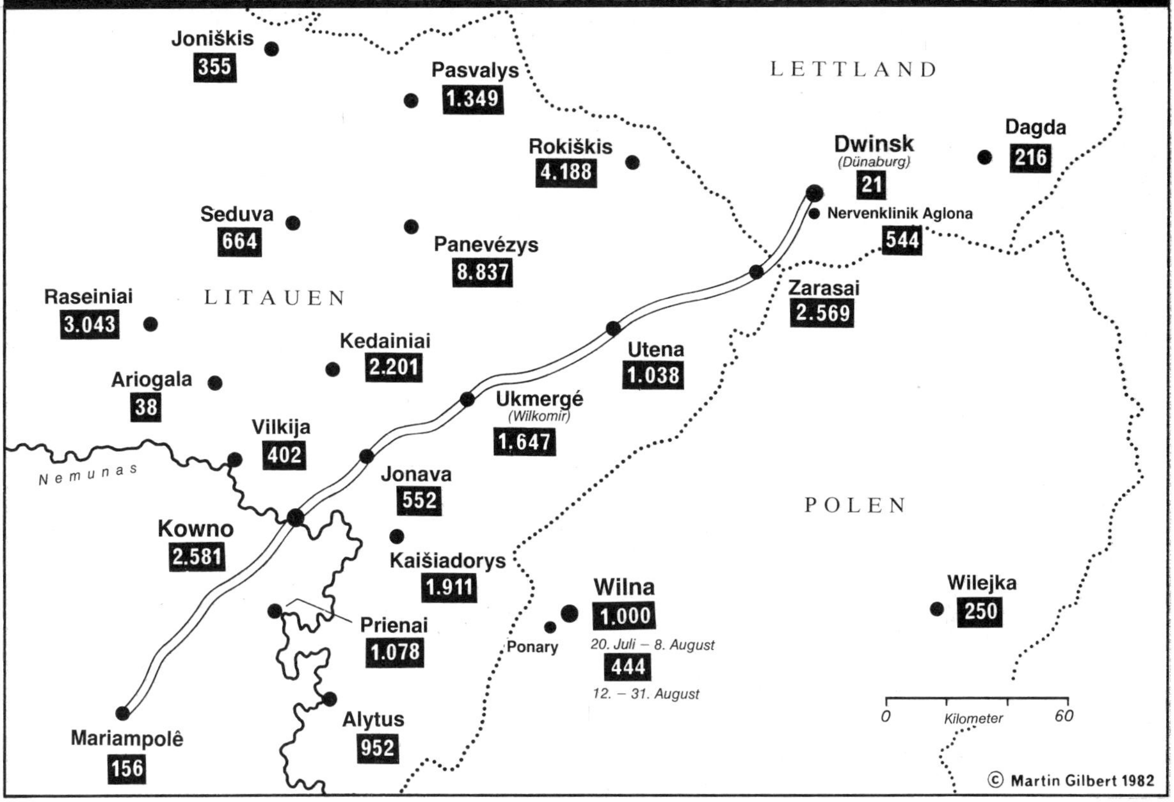
Joniškis
355
Pasvalys
1.349
LETTLAND
Dagda
216
Rokiškis
4.188
Dwinsk
(Dünaburg)
21
Nervenklinik Aglona
544
Seduva
664
Panevézys
8.837
Zarasai
2.569
Raseiniai
3.043
LITAUEN
Kedainiai
2.201
Utena
1.038
Ariogala
38
Ukmergé
(Wilkomir)
1.647
Vilkija
402
Nemunas
Jonava
552
POLEN
Kowno
2.581
Kaišiadorys
1.911
Wilna
1.000
20. Juli – 8. August
444
12. – 31. August
Ponary
Wilejka
250
Prienai
1.078
Alytus
952
Mariampolê
156
0 Kilometer 60
© Martin Gilbert 1982

MORDE IN OSTGALIZIEN, SOMMER 1941

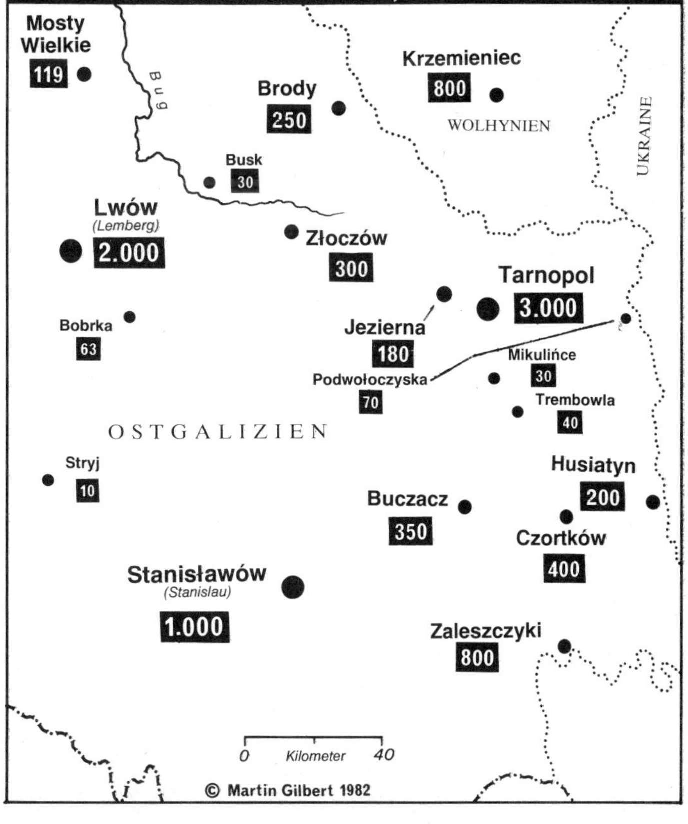
Mosty
Wielkie
119
Bug
Brody
250
Krzemieniec
800
WOLHYNIEN
UKRAINE
Busk
30
Lwów
(Lemberg)
2.000
Złoczów
300
Tarnopol
3.000
Bobrka
63
Jezierna
180
Mikulińce
30
Podwołoczyska
70
Trembowla
40
OSTGALIZIEN
Stryj
10
Husiatyn
200
Buczacz
350
Czortków
400
Stanisławów
(Stanislau)
1.000
Zaleszczyki
800
0 Kilometer 40
© Martin Gilbert 1982

mänischen Soldaten und Miliz-Einheiten getötet wurden. In Ostgalizien *(rechts)* machten sich häufig ukrainische Bauern über Juden her und ermordeten Hunderte von ihnen, ehe die deutschen Mordkommandos eintrafen. Aber es waren die deutschen Kommandos, die die Aufgabe in großem Stil erledigten – dazu gehörte das erste «fünfstellige» Massaker an Juden, durchgeführt von der Einsatzgruppe D in Kischinew zwischen dem 17. und dem 31. Juli 1941 *(S. 71)*. Ein zweites «fünfstelliges» Massaker fand am 27. und 28. August statt; ihm fielen Juden zum Opfer, die vorher aus Ungarn nach Kamenez-Podolskij deportiert worden waren. Es handelte sich jedoch nicht um ungarische Staatsbürger, sondern um jüdische Flüchtlinge, die 1938 und 1939 aus Deutschland, Österreich, der Slowakei und Polen nach Ungarn und in die Karpatenukraine geflohen waren. Einige hatten in Ungarn mit falschen Papieren als «Arier» gelebt. Andere hatten die Genehmigung erhalten, auf ihrem Weg nach Palästina als «Durchreisende» vorläufig in Ungarn zu bleiben. Insgesamt wurden im Juli mehr als 18000 Juden festgenommen und nach Osten deportiert, wo man sie in und um Kamenez-Podolskij in Lagern unterbrachte. Am 27. August 1941 marschierten 14000 dieser Flüchtlinge unter Bewachung schwerbewaffneter SS-Einheiten und ukrainischer Miliz etwa 20 Kilometer zu einer Reihe von Bombenkratern, wo sie den Befehl erhielten, sich zu entkleiden – dann wurde aus Maschinengewehren das Feuer auf sie eröffnet. Viele von ihnen wurden unter den Leichen lebendig begraben.

DIE JUDEN BESSARABIENS AM VORABEND DES KRIEGES

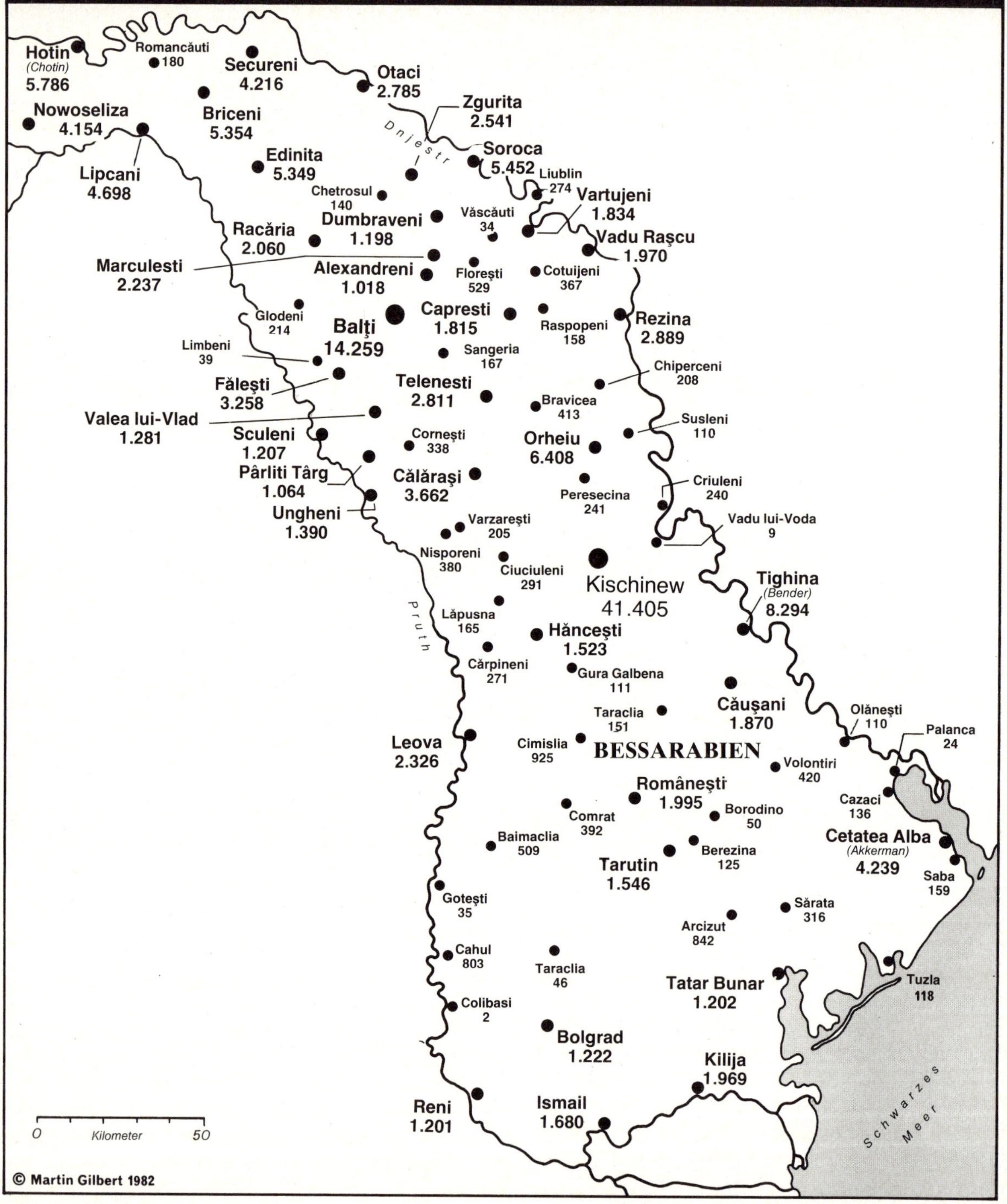
Hotin
(Chotin)
5.786
Romancăuti
180
Secureni
4.216
Otaci
2.785
Nowoseliza
4.154
Briceni
5.354
Zgurita
2.541
Dnjestr
Lipcani
4.698
Edinita
5.349
Soroca
5.452
Liublin
274
Vartujeni
1.834
Chetrosul
140
Dumbraveni
1.198
Văscăuti
34
Racăria
2.060
Vadu Raşcu
1.970
Marculesti
2.237
Alexandreni
1.018
Floreşti
529
Cotuijeni
367
Glodeni
214
Balţi
14.259
Capresti
1.815
Raspopeni
158
Rezina
2.889
Limbeni
39
Sangeria
167
Chiperceni
208
Fălești
3.258
Telenesti
2.811
Bravicea
413
Valea lui-Vlad
1.281
Sculeni
1.207
Corneşti
338
Orheiu
6.408
Susleni
110
Pârliti Târg
1.064
Călăraşi
3.662
Peresecina
241
Criuleni
240
Ungheni
1.390
Varzareşti
205
Vadu lui-Voda
9
Nisporeni
380
Ciuciuleni
291
Kischinew
41.405
Tighina
(Bender)
8.294
Pruth
Lăpusna
165
Hănceşti
1.523
Cărpineni
271
Gura Galbena
111
Căuşani
1.870
Taraclia
151
Olăneşti
110
Palanca
24
Leova
2.326
Cimislia
925
BESSARABIEN
Volontiri
420
Româneşti
1.995
Cazaci
136
Comrat
392
Borodino
50
Cetatea Alba
(Akkerman)
4.239
Baimaclia
509
Tarutin
1.546
Berezina
125
Saba
159
Goteşti
35
Sărata
316
Arcizut
842
Cahul
803
Taraclia
46
Tatar Bunar
1.202
Tuzla
118
Colibasi
2
Bolgrad
1.222
Kilija
1.969
Schwarzes Meer
Reni
1.201
Ismail
1.680
0 Kilometer 50
© Martin Gilbert 1982

Bis 1914 war Bessarabien Teil des Zarenreiches. Die Ermordung von 49 Juden während der Pogrome in Kischinew im Jahre 1903 *(S. 14)* hatte zu Protestdemonstrationen in London, Paris, und New York geführt und Theodore Roosevelt zu einem Protestbrief an den Zaren veranlaßt. 1918 kam das Gebiet zu Rumänien, blieb jedoch strikt antisemitisch. Die Stadt Kischinew bildete ein Zentrum der jüdischen Kultur und des politischen Lebens, während die ländlichen Gemeinden der Juden über die ganze Provinz verstreut lagen.

Mit der Rückkehr Bessarabiens unter sowjetische Herrschaft im Juni 1940 wurden alle jüdischen Insti-

MASSAKER, DEPORTATIONEN UND TODESMÄRSCHE IN BESSARABIEN, AB JULI 1941

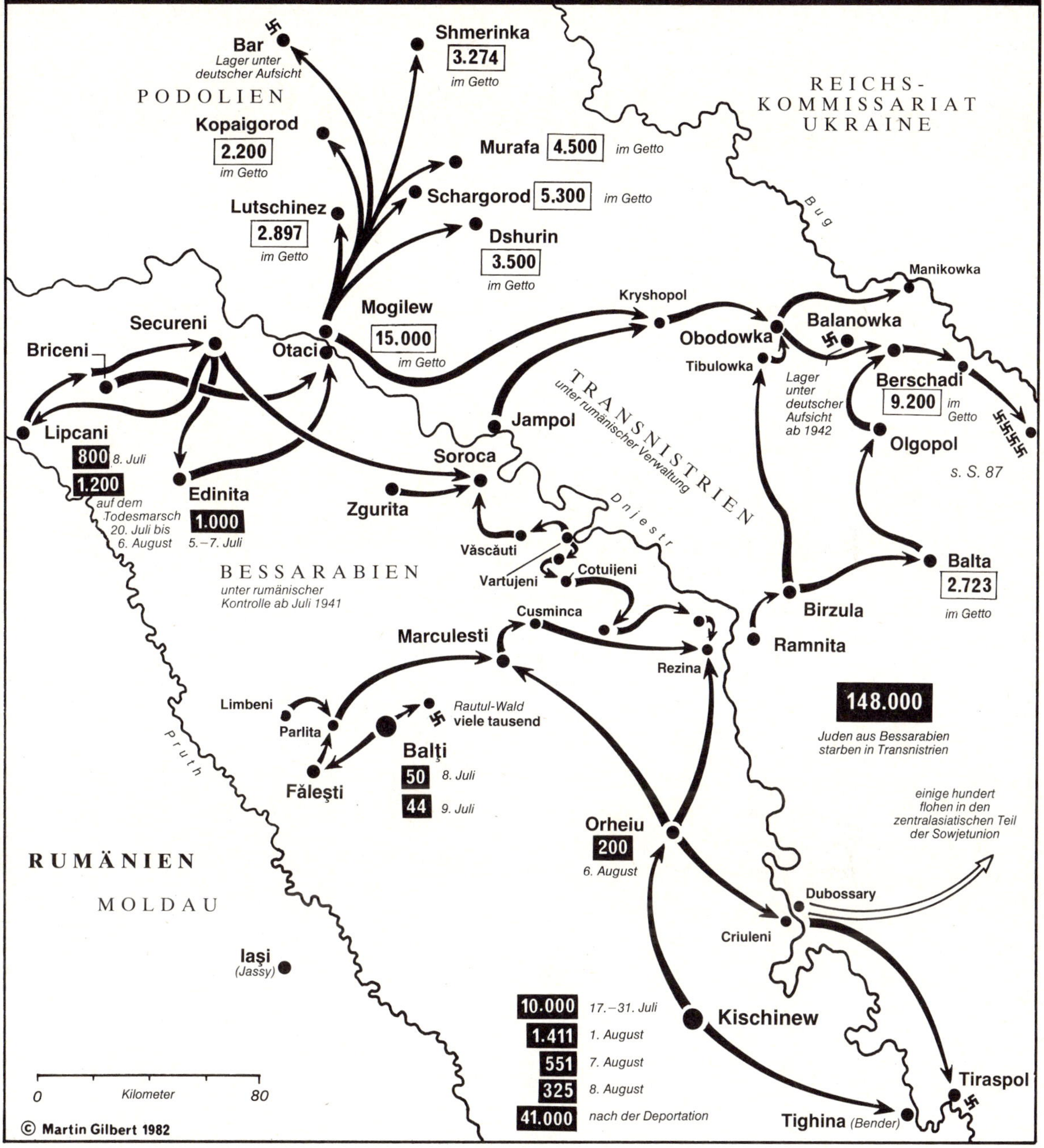

Bar
Lager unter deutscher Aufsicht
Shmerinka
3.274
im Getto
PODOLIEN
REICHSKOMMISSARIAT UKRAINE
Kopaigorod
2.200
im Getto
Murafa
4.500
im Getto
Schargorod
5.300
im Getto
Lutschinez
2.897
im Getto
Dshurin
3.500
im Getto
Bug
Manikowka
Kryshopol
Mogilew
15.000
im Getto
Secureni
Briceni
Otaci
Obodowka
Balanowka
Tibulowka
Lager unter deutscher Aufsicht ab 1942
Berschadi
9.200
im Getto
TRANSNISTRIEN
unter rumänischer Verwaltung
Jampol
Lipcani
800
8. Juli
1.200
auf dem Todesmarsch 20. Juli bis 6. August
Soroca
Olgopol
s. S. 87
Edinita
1.000
5.–7. Juli
Zgurita
Dnjestr
Văscăuti
Vartujeni
Cotuijeni
Balta
2.723
im Getto
BESSARABIEN
unter rumänischer Kontrolle ab Juli 1941
Cusminca
Birzula
Marculesti
Ramnita
Rezina
148.000
Juden aus Bessarabien starben in Transnistrien
Limbeni
Parlita
Rautul-Wald
viele tausend
Balţi
50
8. Juli
44
9. Juli
Pruth
Făleşti
einige hundert flohen in den zentralasiatischen Teil der Sowjetunion
Orheiu
200
6. August
RUMÄNIEN
MOLDAU
Dubossary
Criuleni
Iaşi
(Jassy)
10.000
17.–31. Juli
1.411
1. August
551
7. August
325
8. August
41.000
nach der Deportation
Kischinew
0
Kilometer
80
Tiraspol
Tighina (Bender)
© Martin Gilbert 1982

tutionen geschlossen, und am 13. Juni 1941 wurden viele der jüdischen Führer sowie besonders reiche Juden nach Sibirien ins Exil geschickt, wo viele von ihnen starben. Doch mit dem Eintreffen der faschistischen Mordkommandos im Juli 1941 nahmen die Morde – wie oben dargestellt – ein bis dahin nie gekanntes Ausmaß an.

Im Anschluß an die ersten Morde wurden in der ganzen Provinz Internierungslager eingerichtet. Nach dem anfänglichen Gemetzel starben in dem Lager von Edinita im Juli und August 1941 täglich zwischen 70 und 100 Menschen – die meisten von ihnen verhungerten.

Im September wurden dann die bessarabischen Juden in Hunderten von Todesmärschen, die zum Teil auf der Karte oben dargestellt sind, aus der Provinz verschleppt. Insgesamt wurden mehr als 148000 bessarabische Juden deportiert, die meisten von ihnen in Gettos in Transnistrien. Auf diesen Märschen kamen über die Hälfte der Opfer ums Leben: Die Ursachen waren Kälte, Krankheiten, Hunger, Durst und die grauenvollen Brutalitäten ihrer rumänischen und deutschen Bewacher, die sich oft vollkommen willkürlich eine Gruppe von Marschierern herausgriffen, sie abseits des Weges versammelten und dann erschossen.

DIE JUDEN DER BUKOWINA AM VORABEND DES KRIEGES

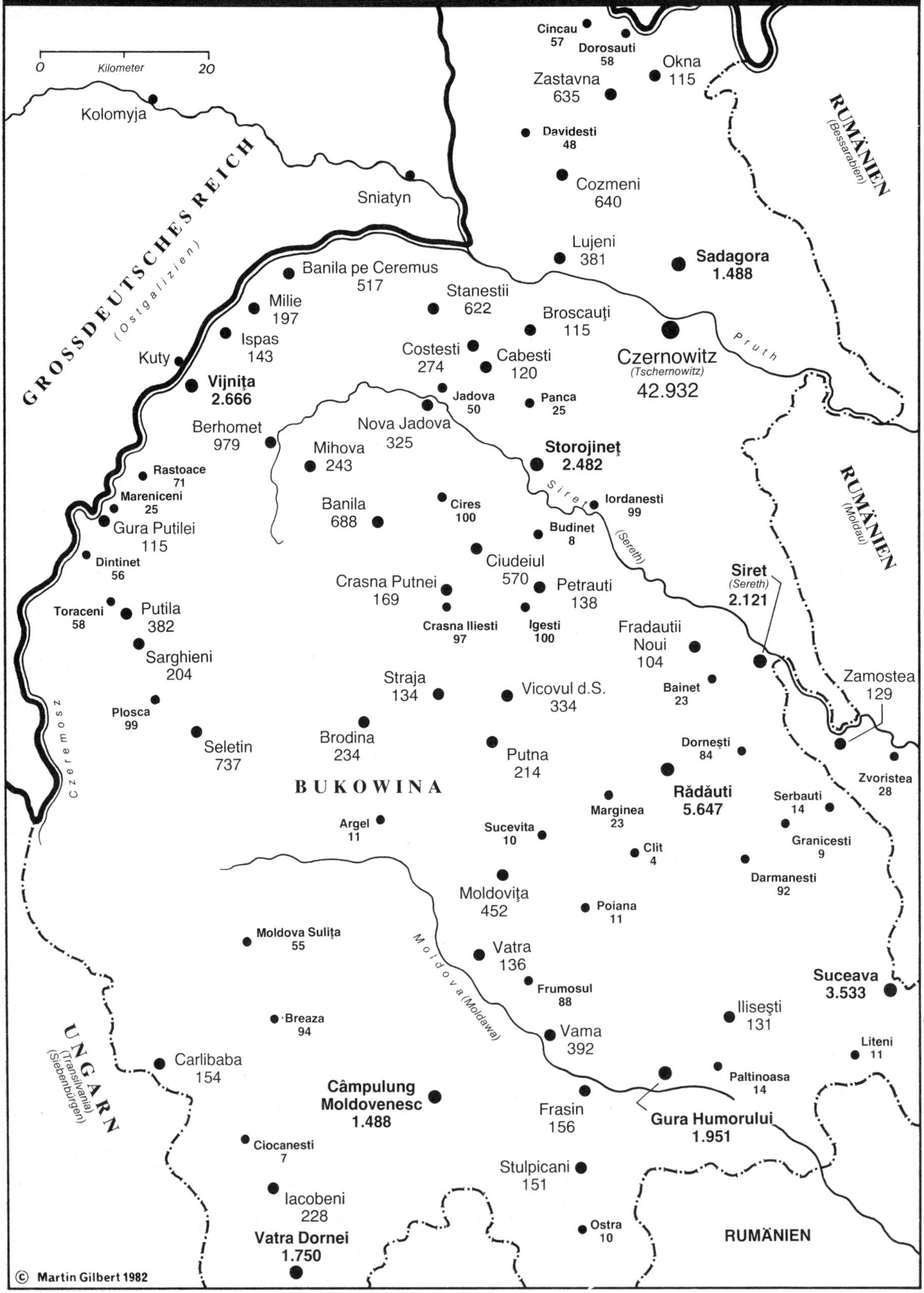
0 Kilometer 20
Kolomyja
Sniatyn
Kuty
GROSSDEUTSCHES REICH
(Ostgalizien)
RUMÄNIEN (Bessarabien)
RUMÄNIEN (Moldau)
UNGARN (Transilvania) (Siebenbürgen)
RUMÄNIEN
BUKOWINA
Pruth
Siret (Sereth)
Czeremosz
Moldova (Moldawa)
Cincau 57
Dorosauti 58
Okna 115
Zastavna 635
Davidesti 48
Cozmeni 640
Lujeni 381
Sadagora 1.488
Banila pe Ceremus 517
Milie 197
Ispas 143
Stanestii 622
Broscauţi 115
Czernowitz (Tschernowitz) 42.932
Costesti 274
Cabesti 120
Vijniţa 2.666
Jadova 50
Panca 25
Berhomet 979
Nova Jadova 325
Mihova 243
Storojineţ 2.482
Rastoace 71
Mareniceni 25
Gura Putilei 115
Banila 688
Cires 100
Iordanesti 99
Budinet 8
Dintinet 56
Ciudeiul 570
Crasna Putnei 169
Petrauti 138
Siret (Sereth) 2.121
Toraceni 58
Putila 382
Crasna Iliesti 97
Igesti 100
Fradautii Noui 104
Sarghieni 204
Straja 134
Vicovul d.S. 334
Bainet 23
Zamostea 129
Plosca 99
Seletin 737
Brodina 234
Putna 214
Dorneşti 84
Zvoristea 28
Rădăuti 5.647
Marginea 23
Serbauti 14
Argel 11
Sucevita 10
Granicesti 9
Clit 4
Darmanesti 92
Moldoviţa 452
Poiana 11
Moldova Suliţa 55
Vatra 136
Frumosul 88
Suceava 3.533
Breaza 94
Iliseşti 131
Vama 392
Liteni 11
Carlibaba 154
Paltinoasa 14
Câmpulung Moldovenesc 1.488
Frasin 156
Gura Humorului 1.951
Ciocanesti 7
Stulpicani 151
Iacobeni 228
Ostra 10
Vatra Dornei 1.750
© Martin Gilbert 1982

DEPORTATIONEN UND TODESMÄRSCHE AUS DER BUKOWINA, JUNI – NOVEMBER 1941

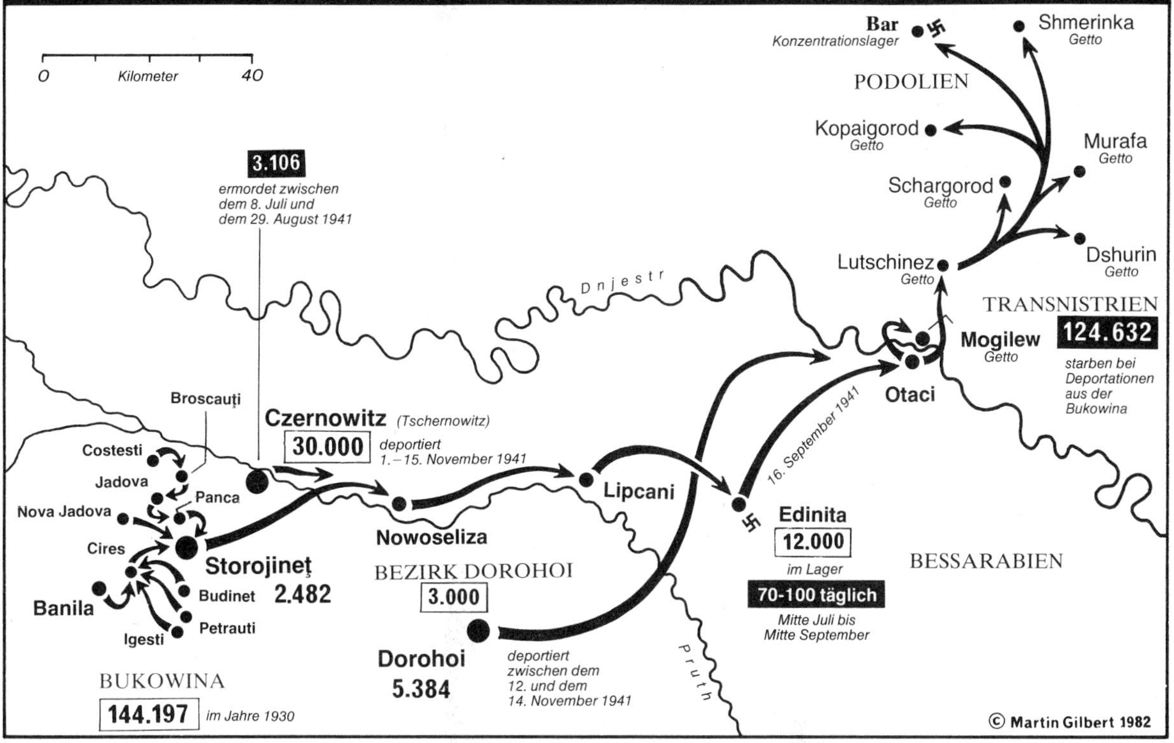
0 Kilometer 40
Bar Konzentrationslager
Shmerinka Getto
PODOLIEN
Kopaigorod Getto
Murafa Getto
Schargorod Getto
Lutschinez Getto
Dshurin Getto
TRANSNISTRIEN
124.632 starben bei Deportationen aus der Bukowina
Mogilew Getto
Otaci
3.106 ermordet zwischen dem 8. Juli und dem 29. August 1941
Dnjestr
16. September 1941
Broscauți
Czernowitz (Tschernowitz)
30.000 deportiert 1.–15. November 1941
Costesti
Jadova
Panca
Nova Jadova
Lipcani
Edinita
12.000 im Lager
70-100 täglich
Mitte Juli bis Mitte September
Nowoseliza
Cires
Storojineț
Banila
Budinet 2.482
BEZIRK DOROHOI
3.000
BESSARABIEN
Petrauti
Igesti
Dorohoi 5.384
deportiert zwischen dem 12. und dem 14. November 1941
Pruth
BUKOWINA
144.197 im Jahre 1930
© Martin Gilbert 1982

DIE BUKOWINA

Oslo
Stockholm
Leningrad (St. Petersburg)
Nordsee
Moskau
0 Kilometer 500
Warschau
Berlin
Kiew
GROSSDEUTSCHES REICH
Lwów (Lemberg)
Paris
BUKOWINA
Wien
UNGARN
RUMÄNIEN
Schwarzes Meer
Belgrad
Rom
Istanbul
Athen
© Martin Gilbert 1982
KRETA

Die Juden aus der Bukowina wurden wie die bessarabischen Juden nach Osten in Gettos in Transnistrien vertrieben. Auch sie wurden, nachdem man sie ihren mehr als 100 Gemeinden entrissen hatte, in Marsch gesetzt, interniert und wieder in Marsch gesetzt. Innerhalb eines Jahres waren mehr als 120000 von ihnen ums Leben gekommen *(S. 87)*. Das Foto wurde zu Beginn eines Todesmarsches in der Bukowina aufgenommen.

DIE JUDEN ESTLANDS AM VORABEND DES KRIEGES

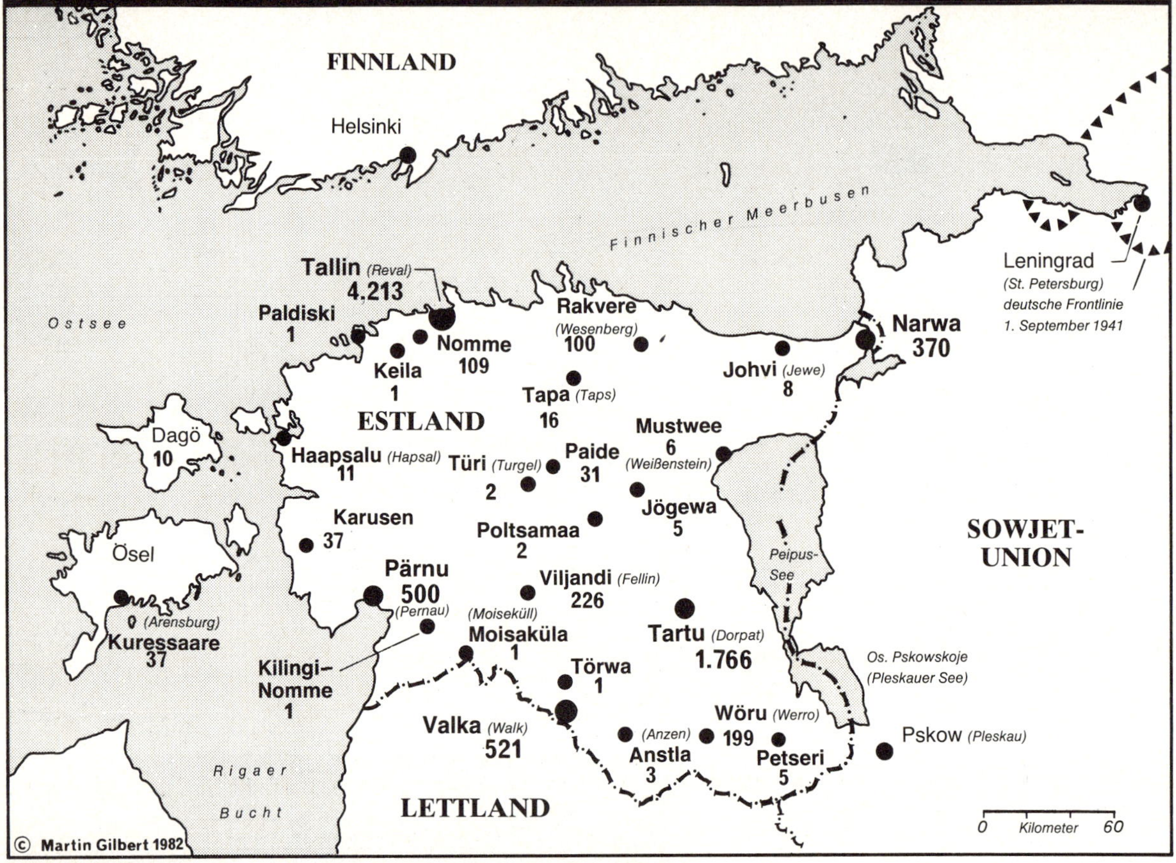
FINNLAND
Helsinki
Finnischer Meerbusen
Leningrad
(St. Petersburg)
deutsche Frontlinie
1. September 1941
Ostsee
Tallin (Reval)
4.213
Paldiski
1
Nomme
109
Keila
1
Rakvere
(Wesenberg)
100
Narwa
370
Johvi (Jewe)
8
Tapa (Taps)
16
ESTLAND
Dagö
10
Haapsalu (Hapsal)
11
Türi (Turgel)
2
Paide
31
Mustwee
6
(Weißenstein)
Jögewa
5
Karusen
37
Poltsamaa
2
SOWJET-
UNION
Ösel
Pärnu
500
(Pernau)
Viljandi (Fellin)
226
Peipus-
See
(Arensburg)
Kuressaare
37
(Moisekküll)
Moisaküla
1
Tartu (Dorpat)
1.766
Os. Pskowskoje
(Pleskauer See)
Kilingi-
Nomme
1
Törwa
1
Valka (Walk)
521
(Anzen)
Anstla
3
Wöru (Werro)
199
Petseri
5
Pskow (Pleskau)
Rigaer
Bucht
LETTLAND
0 Kilometer 60
© Martin Gilbert 1982

DIE EROBERUNG ESTLANDS, 3. SEPTEMBER 1941

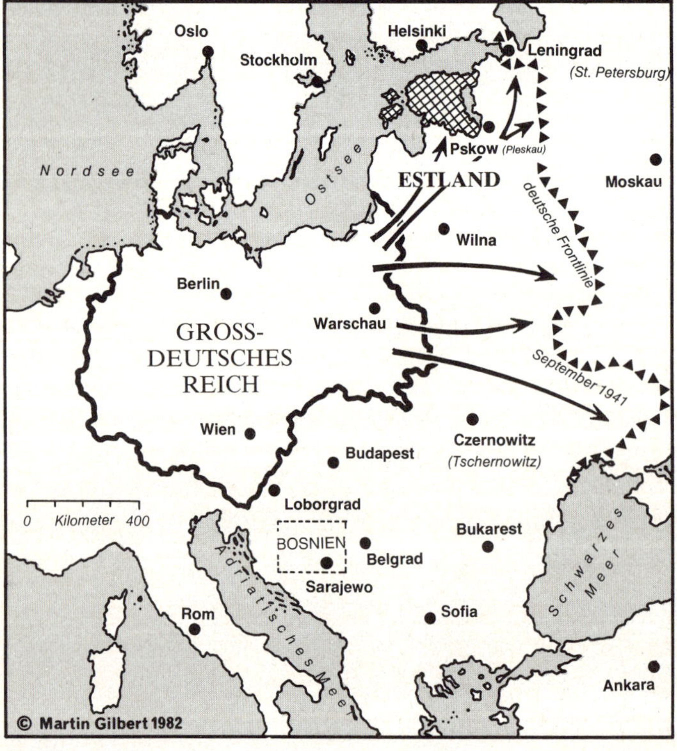
Oslo
Stockholm
Helsinki
Leningrad
(St. Petersburg)
Pskow (Pleskau)
Nordsee
Ostsee
ESTLAND
Moskau
Wilna
deutsche Frontlinie
Berlin
Warschau
GROSS-
DEUTSCHES
REICH
September 1941
Wien
Czernowitz
(Tschernowitz)
Budapest
Loborgrad
0 Kilometer 400
BOSNIEN
Belgrad
Sarajewo
Bukarest
Schwarzes Meer
Adriatisches Meer
Rom
Sofia
Ankara
© Martin Gilbert 1982

Die jüdische Gemeinde Estlands geht in ihrem Ursprung auf Kantonisten zurück: Jüdische Knaben wurden im Alter von zwölf, manchmal auch schon mit acht oder neun Jahren für die Armee von Zar Nikolaus I. zwangsverpflichtet. Die Wehrpflicht dieser Jungen dauerte 25 Jahre – eine Regelung, die 1827 eingeführt und über 20 Jahre lang praktiziert wurde. Nach ihrer Entlassung ließen sich viele Kantonisten in Tallin, russisch Reval, nieder. Weitere 2000 russische Juden siedelten während der Zarenzeit in der Universitätsstadt Tartu, den Juden unter dem deutschen Namen Dorpat bekannt.

In den Jahren zwischen den Kriegen war Estland das einzige Land Osteuropas, das die Minderheitenrechte des Völkerbundes einhielt. Unabhängige jüdische Institutionen, die 1926 gegründet worden waren, wurden von einem Jüdischen Kulturrat kontrolliert. Zehn Jahre lang blühte das jüdische Leben. Doch ab 1934 rief eine örtliche faschistische Bewegung zum Antisemitismus auf.

1940 wurde Estland von der Sowjetunion annek-

JÜDISCHE GEMEINDEN IN BOSNIEN AM VORABEND DES KRIEGES

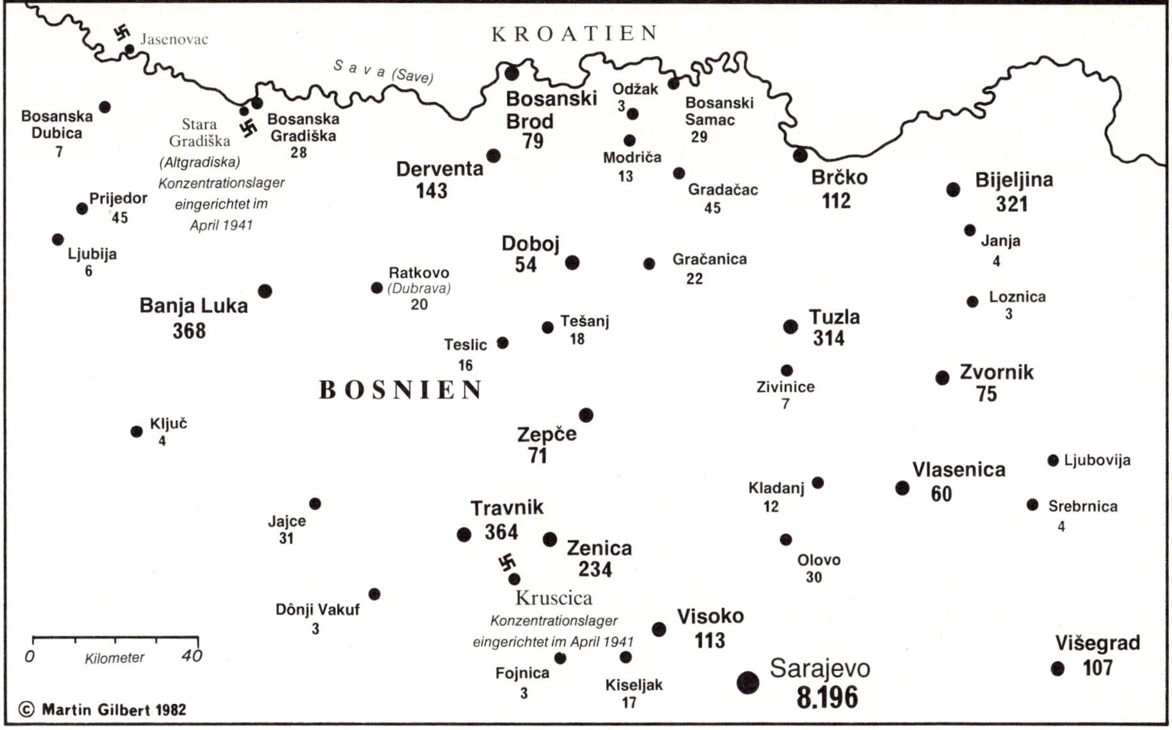

Jasenovac
KROATIEN
Sava (Save)
Bosanska Dubica 7
Stara Gradiška (Altgradiska) Konzentrationslager eingerichtet im April 1941
Bosanska Gradiška 28
Bosanski Brod 79
Odžak 3
Bosanski Samac 29
Modriča 13
Derventa 143
Gradačac 45
Brčko 112
Bijeljina 321
Prijedor 45
Ljubija 6
Doboj 54
Gračanica 22
Janja 4
Ratkovo (Dubrava) 20
Banja Luka 368
Loznica 3
Tešanj 18
Tuzla 314
Teslic 16
BOSNIEN
Zivinice 7
Zvornik 75
Ključ 4
Zepče 71
Vlasenica 60
Ljubovija
Kladanj 12
Srebrnica 4
Jajce 31
Travnik 364
Zenica 234
Olovo 30
Kruscica Konzentrationslager eingerichtet im April 1941
Dônji Vakuf 3
Visoko 113
Višegrad 107
0 Kilometer 40
Fojnica 3
Kiseljak 17
Sarajevo 8.196
© Martin Gilbert 1982

tiert. Damals wurden 500 jüdische Gemeindeführer sowie zahlreiche «kapitalistische » Juden nach Sibirien deportiert, wo viele von ihnen starben. Doch nach dem Einmarsch deutscher Truppen in Rußland im Juni 1941 fanden etwa 3000 estnische Juden Zuflucht in der Sowjetunion. Nach der deutschen Besetzung Tallins (Reval) im September wurden die verbliebenen 1000 Juden von den Mordkommandos der SS umgebracht.

Nach der deutschen Invasion in Bosnien gelang es einigen Juden, übers Gebirge in italienisch besetztes Gebiet zu fliehen, doch die Mehrzahl wurde in Konzentrationslager gebracht, die sich unter der Kontrolle der kroatischen Faschistenorganisation «Ustascha» befanden. Die meisten von ihnen starben in den Lagern.

Die jüdische Gemeinde in Sarajevo war im 16. Jahrhundert von jüdischen Flüchtlingen aus Spanien aufgebaut worden. Diese «Sepharden» hatten ihre eigene Sprache, Ladino, und schafften als Kaufleute und Händler Verbindungen zwischen Bosnien und der Außenwelt. Nach der Annexion Bosniens durch Österreich im Jahre 1878 schlossen sich zahlreiche «Aschkenasen» – Juden aus Wien, Prag und Budapest – den dortigen Gemeinden an. Zwischen den Kriegen, während der «jugoslawischen Ära», erfreuten sich die Juden Bosniens vollständiger bürgerlicher Freiheiten. Doch das Grauen begann mit den ersten Tagen der deutschen Besetzung, als von deutschen Soldaten und ortsansässigen Moslems die Synagoge niedergebrannt wurde.

Bis November 1941 waren insgesamt 14000 bosnische Juden in die hier *(rechts)* verzeichneten Lager deportiert worden. Nicht einmal 1000 von ihnen überlebten den Krieg.

DIE ERMORDUNG DER JUDEN BOSNIENS

Loborgrad 4.000 Frauen
0 Kilometer 60
KROATIEN
Jasenovac 4.000 Männer
Stara Gradiška 6.000 (Altgradiska) Kinder
Kinder
Männer
Frauen
Tuzla
BOSNIEN
Travnik
Kruscica
Sarajevo
italienisches Gebiet
DALMATIEN
Mostar 1,600
Adriatisches Meer
© Martin Gilbert 1982

MASSAKER UND AUFSTÄNDE IM SEPTEMBER UND OKTOBER 1941

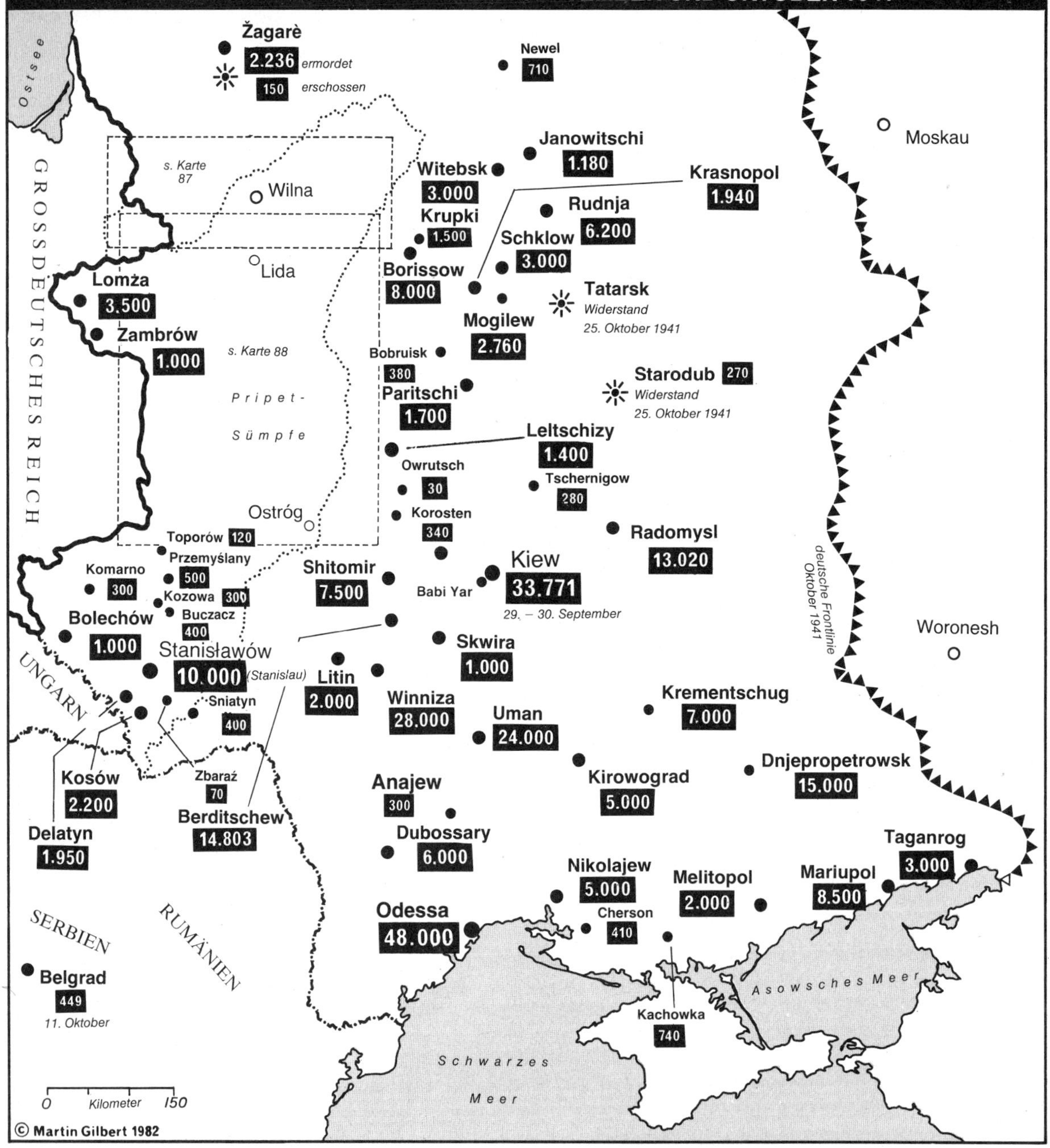
Ostsee
GROSSDEUTSCHES REICH
Žagarė
2.236 ermordet
150 erschossen
Newel 710
Moskau
Janowitschi 1.180
s. Karte 87
Wilna
Witebsk 3.000
Krasnopol 1.940
Krupki 1.500
Rudnja 6.200
Schklow 3.000
Lida
Borissow 8.000
Lomża 3.500
Tatarsk
Widerstand
25. Oktober 1941
Mogilew 2.760
Zambrów 1.000
s. Karte 88
Bobruisk 380
Starodub 270
Widerstand
25. Oktober 1941
Pripet-Sümpfe
Paritschi 1.700
Leltschizy 1.400
Owrutsch 30
Tschernigow 280
Korosten 340
Ostróg
Radomysl 13.020
Toporów 120
Przemyślany 500
Komarno 300
Kozowa 300
Shitomir 7.500
Kiew 33.771
Babi Yar
29. – 30. September
deutsche Frontlinie Oktober 1941
Bolechów 1.000
Buczacz 400
Skwira 1.000
Woronesh
Stanisławów 10.000 (Stanislau)
Litin 2.000
UNGARN
Sniatyn 400
Winniza 28.000
Uman 24.000
Krementschug 7.000
Kosów 2.200
Zbaraż 70
Anajew 300
Kirowograd 5.000
Dnjepropetrowsk 15.000
Berditschew 14.803
Delatyn 1.950
Dubossary 6.000
Taganrog 3.000
Nikolajew 5.000
Melitopol 2.000
Mariupol 8.500
Odessa 48.000
Cherson 410
SERBIEN
RUMÄNIEN
Asowsches Meer
Belgrad 449
11. Oktober
Kachowka 740
Schwarzes Meer
0 Kilometer 150
© Martin Gilbert 1982

Während sich die deutschen Truppen Moskau näherten, setzten die Mordkommandos hinter den Linien ihre Arbeit fort. Die Karte oben zeigt einige der umfangreichsten Mordaktionen. Die Karte auf der folgenden Seite *(oben)* gibt Einzelheiten in der Umgegend von Wilna (Litauen) wieder, wo ein deutscher Leutnant für seine Vorgesetzten sorgfältig notierte, wie viele Menschen auf Grund der Aktivitäten seines Kommandos täglich genau ums Leben kamen, wobei er seine Statistik nach Männern, Frauen und Kindern gliederte.

Die Mordkommandos waren schwer bewaffnet und bekamen wirksame Unterstützung vor Ort. Die Juden waren unbewaffnet und umgeben von einer extrem feindseligen Landbevölkerung, von der sie bisweilen schon angegriffen wurden, noch ehe die Mordkommandos eintrafen. In manchen Fällen führte dieses willkürliche Töten so vieler Juden dazu, daß die SS den Ortsansässigen befahl, mit den Tötungen aufzuhören, um sie auf einer «systematischen» Basis gemäß den Plänen der Mordkommandos durchführen zu können. Obwohl ihre Gegner eindeutig in der Übermacht waren, erhoben sich die Juden in Aufständen, wo immer sich die Möglichkeit

ERMORDUNGEN IN DEN REGIONEN UM KOWNO UND WILNA, SEPTEMBER – OKTOBER 1941

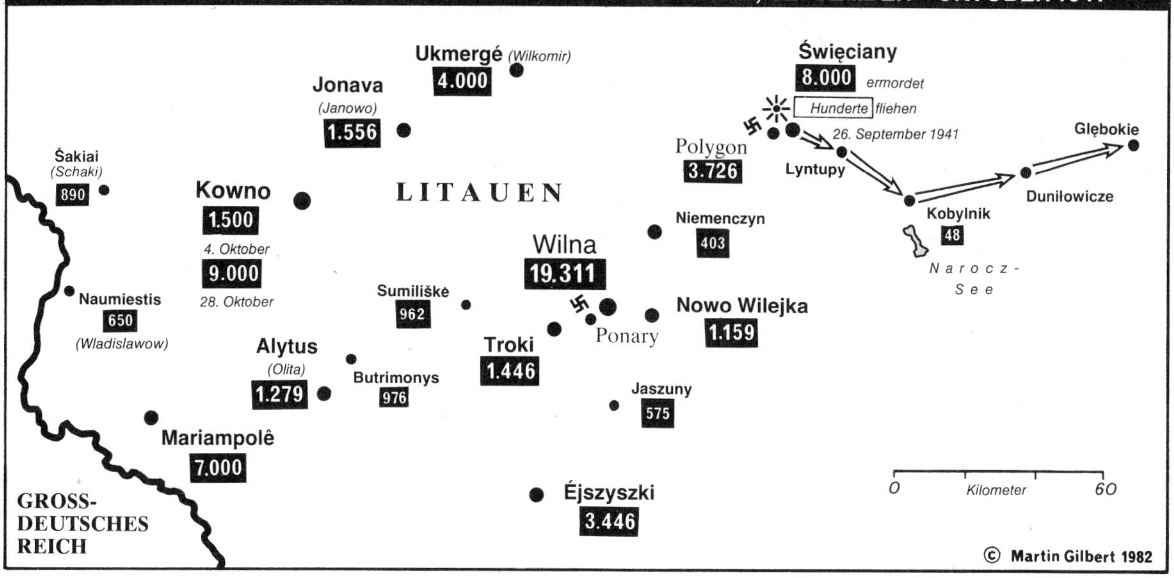
Ukmergé (Wilkomir)
4.000
Jonava
(Janowo)
1.556
Święciany
8.000 ermordet
Hunderte fliehen
26. September 1941
Polygon
3.726
Lyntupy
Głębokie
Duniłowicze
Kobylnik
48
Narocz-See
Šakiai
(Schaki)
890
Kowno
1.500
4. Oktober
9.000
28. Oktober
LITAUEN
Niemenczyn
403
Wilna
19.311
Naumiestis
650
(Wladislawow)
Sumiliškė
962
Nowo Wilejka
1.159
Ponary
Troki
1.446
Alytus
(Olita)
1.279
Butrimonys
976
Jaszuny
575
Mariampolê
7.000
Éjszyszki
3.446
0 Kilometer 60
GROSS-DEUTSCHES REICH
© Martin Gilbert 1982

dazu bot. Wie aus der Karte oben zu ersehen ist, fanden die ersten Aufstände in Tatarsk und Starodub statt. Um diesen Widerstand zu brechen, wurden reguläre deutsche-Armee-Einheiten hinzugezogen. Als sich der Widerstand weiter ausbreitete, setzten die Deutschen, wo es ihnen notwendig erschien, Artillerie und sogar die Luftwaffe ein.

Die Juden von Kiew wurden in die Babi-Yar-Schlucht vor der Stadt getrieben und dort von einem Mordkommando der SS, unterstützt von ukrainischen Miliz-Soldaten, mit Maschinengewehren niedergeschossen.

Die Juden von Wilna sperrte man in ein Getto innerhalb der Stadt, wo Hunderte von ihnen ermordet wurden. Andere wurden in Gruppen zu je tausend oder mehr in 15 Kilometer entfernte Gruben bei dem Dorf Ponary gebracht. Dort wurden auch sie erschossen.

Alle Juden, denen es gelang, ihren Mördern an den Gruben zu entfliehen, wurden von einer Spezialeinheit, bestehend aus Deutschen und Litauern, umgebracht. Außerdem wurden Hunderte von Juden in Wilna selbst und vor allem in dem berüchtigten Lukiszki-Gefängnis ermordet. Innerhalb von zwei Monaten verloren in den ehemaligen Ostprovinzen Polens *(rechts, unten)* mehr als 20000 Juden ihr Leben.

Am 26. September 1941 wurden die Juden von Święciany zusammengetrieben und in ein ehemaliges Armeelager in den nahegelegenen Wäldern von Polygon verschleppt, wo man sie umbrachte. Am Abend vorher war es einigen jungen Männern und Frauen gelungen, die litauischen Polizeisperren zu durchbrechen und nach Osten in jene Städte zu fliehen, die die Mordkommandos noch nicht erreicht hatten. Die dortigen jüdischen Gemeinden mußten jeden Moment damit rechnen, von den Mordkommandos heimgesucht zu werden, denn die Frontlinie mit all ihrem Durcheinander und ihrer Verwirrung hatte sich, wie die Karte auf der vorherigen Seite zeigt, schon längst erheblich nach Osten verlagert.

WEITERE ERMORDUNGEN, SEPTEMBER–OKTOBER 1941

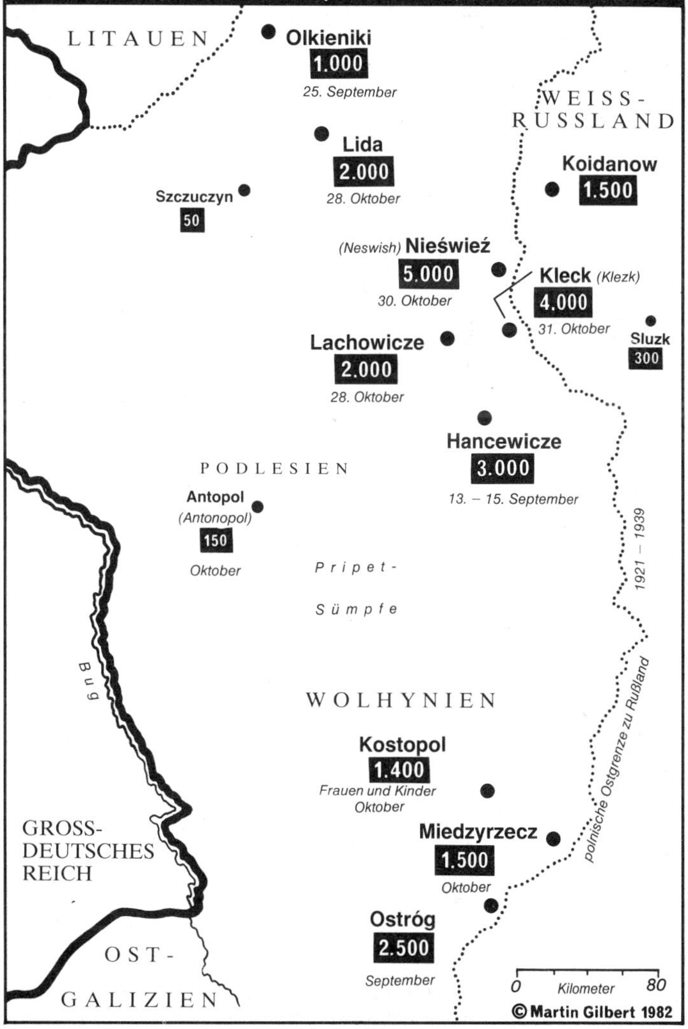
LITAUEN
Olkieniki
1.000
25. September
WEISS-RUSSLAND
Lida
2.000
28. Oktober
Koidanow
1.500
Szczuczyn
50
(Neswish) Nieśwież
5.000
30. Oktober
Kleck (Klezk)
4.000
31. Oktober
Sluzk
300
Lachowicze
2.000
28. Oktober
Hancewicze
3.000
13. – 15. September
PODLESIEN
Antopol
(Antonopol)
150
Oktober
Pripet-Sümpfe
1921 – 1939
polnische Ostgrenze zu Rußland
Bug
WOLHYNIEN
Kostopol
1.400
Frauen und Kinder
Oktober
GROSS-DEUTSCHES REICH
Miedzyrzecz
1.500
Oktober
Ostróg
2.500
September
OST-GALIZIEN
0 Kilometer 80
© Martin Gilbert 1982

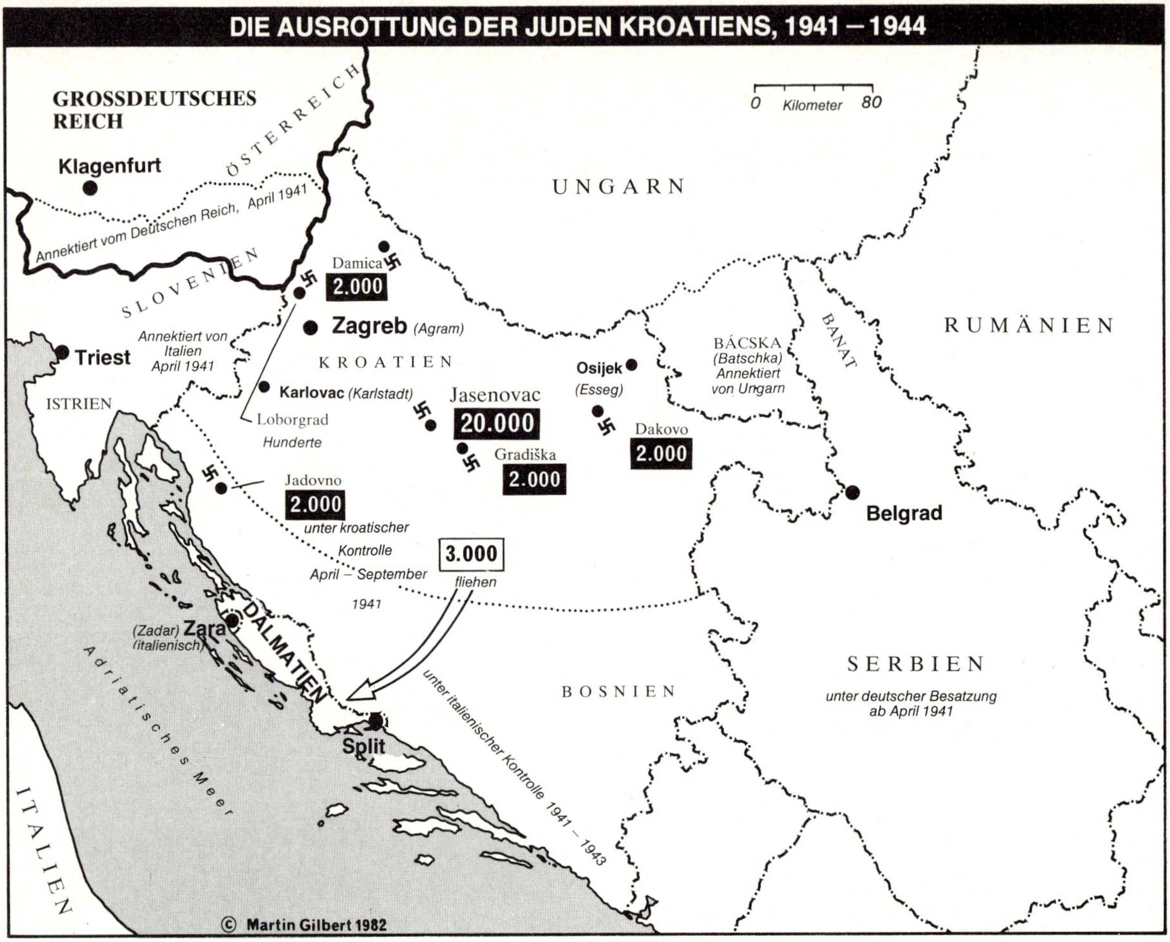
DIE AUSROTTUNG DER JUDEN KROATIENS, 1941 – 1944
GROSSDEUTSCHES REICH
ÖSTERREICH
Klagenfurt
Annektiert vom Deutschen Reich, April 1941
0 Kilometer 80
UNGARN
SLOVENIEN
Damica
2.000
Zagreb (Agram)
Annektiert von Italien April 1941
Triest
KROATIEN
ISTRIEN
Karlovac (Karlstadt)
Loborgrad
Hunderte
Jasenovac
20.000
Gradiška
2.000
Osijek (Esseg)
Dakovo
2.000
BÁCSKA (Batschka) Annektiert von Ungarn
BANAT
RUMÄNIEN
Belgrad
Jadovno
2.000
unter kroatischer Kontrolle April – September 1941
3.000
fliehen
(Zadar) Zara (italienisch)
DALMATIEN
SERBIEN
unter deutscher Besatzung ab April 1941
BOSNIEN
unter italienischer Kontrolle 1941 – 1943
Adriatisches Meer
Split
ITALIEN
© Martin Gilbert 1982

Nach der Eroberung Jugoslawiens durch die deutsche Armee, wurde in Kroatien eine prodeutsche Regierung mit Sitz in Zagreb (Agram) eingesetzt *(oben)*. Am 30. April 1941 erließ dieser neue kroatische Staat seine ersten Rassengesetze, die den Juden das Bekleiden öffentlicher Ämter verboten und das Tragen eines gelben Abzeichens vorschrieben. Einige Wochen später wurden in Zagreb (Agram) mehrere wohlhabende Juden festgenommen und als Geiseln gefangengehalten, bis die ortsansässigen Juden 100 Kilogramm Gold zu ihrer Freilassung aufbringen konnten, was die völlige Verarmung der jüdischen Gemeinde zur Folge hatte. Bis zum Mai waren alle kulturellen Einrichtungen der Juden geschlossen, alle Synagogen geplündert und alle Friedhöfe geschändet.

Im Mai 1941 wurde in Damica das erste kroatische Konzentrationslager errichtet. Bald darauf folgten vier weitere Lager: in Jadovno, Gradiška, Loborgrad und Đakovo. Über 6000 kroatische Juden wurden in diese Lager verschleppt und dort im Juli und August fast alle umgebracht. Am 1. Oktober 1941 wurde in Jasenovac ein weiteres Lager eingerichtet.

Bis zum Ende des Jahres 1942 waren die restlichen 20000 kroatischen Juden festgenommen und nach Jasenovac gebracht worden,wo die meisten von ihnen verhungerten beziehungsweise zu Tode geprügelt oder erschossen wurden. Als im Frühjahr 1945 sowjetische Truppen und jugoslawische Partisanenverbände das Lager erreichten, waren nur noch wenige hundert Menschen am Leben *(S. 220)*.

Zwischen April 1941 und April 1942 flohen mehr als 3000 kroatische Juden übers Gebirge nach Italien oder in den von Italienern besetzten Küstenstreifen. Und ein Gesetz vom 30. April 1941 sah vor, daß Personen mit nur einem jüdischen Elternteil vor Auslieferung «geschützt» seien.

Dank der erfolgreichen Intervention seitens der Katholischen Kirche und des päpstlichen Nuntius mit dem Ziel, die jüdischen Partner in gemischten Ehen zu retten, überlebten 1000 kroatische Juden den Krieg.

In Holland wurden die Juden in bestimmte Stadtviertel verbannt, es wurde ihnen das Recht abgesprochen, zu unterrichten oder im Staatsdienst zu ar-

DIE DEPORTATION HOLLÄNDISCHER JUDEN NACH MAUTHAUSEN
Amsterdam
Hamburg
HOLLAND
Hannover
Berlin
425
Deportierte
GROSS-
DEUTSCHES
REICH
Buchenwald
25
Brüssel
Köln
Prag
Nürnberg
FRANKREICH
München
Mauthausen
400
Innsbruck
Klagenfurt
SCHWEIZ
neutral
ITALIEN
Venedig
Triest
Turin
© Martin Gilbert 1982

beiten, und sie erhielten den Befehl, einen gelben Stern zu tragen. Nazi-Agitatoren überfielen wiederholt jüdische Viertel von Amsterdam, wo sie Juden auf offener Straße verprügelten. Anfang Februar 1941 wurde ein holländischer Nazi getötet, als die Juden bei einem erneuten Überfall Widerstand leisteten. Zur gleichen Zeit beschuldigten die Deutschen den jüdischen Kneipenbesitzer Ernst Cahn, er hätte es gewagt, sich einer deutschen Streife zu widersetzen. Cahn wurde erschossen und war damit der erste holländische Bürger, der unter den Kugeln eines deutschen Erschießungskommandos starb. Einige Tage später, am 22. Februar 1941, überfiel die SS als Vergeltungsmaßnahme für den zuvor geleisteten Widerstand erneut das jüdische Viertel von Amsterdam: 425 Juden wurden festgenommen, verprügelt und nach Buchenwald deportiert *(rechts, oben)*. Einige von ihnen starben dort. Die übrigen, unter ihnen der bedeutende tschechische Pharmakologe Emil Starckenstein, wurden kurz darauf nach Mauthausen überführt. Innerhalb von drei Tagen nach ihrer Ankunft hatte man sie in jenem Steinbruch getötet, der das Zentrum des Netzes von Zwangsarbeits-Einrichtungen in der Umgebung von Mauthausen bildete.

Das Foto zeigt den Galgen in Mauthausen; es wurde bei der Befreiung *(S. 234/235)* aufgenommen.

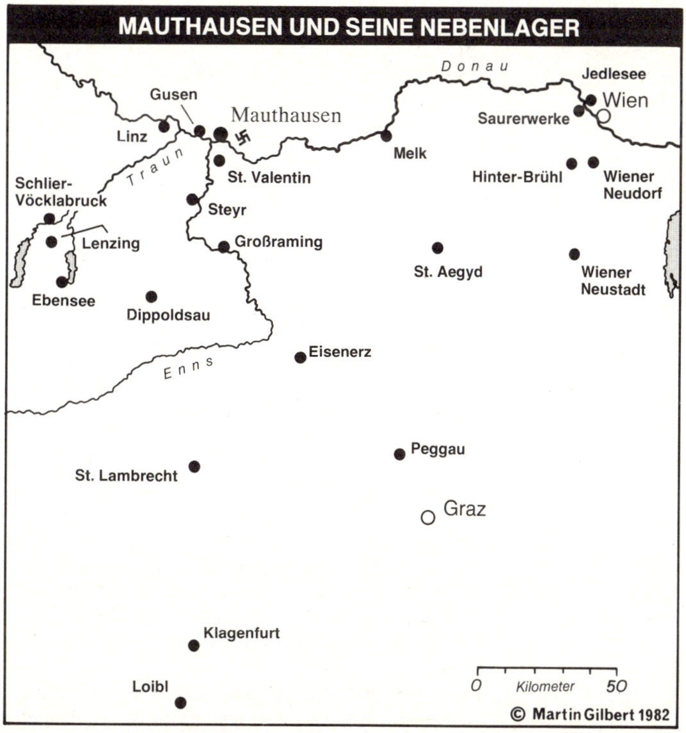
MAUTHAUSEN UND SEINE NEBENLAGER
Donau
Jedlesee
Gusen
Mauthausen
Wien
Saurerwerke
Linz
Melk
Traun
St. Valentin
Hinter-Brühl
Wiener
Neudorf
Schlier-
Vöcklabruck
Steyr
Lenzing
Großraming
St. Aegyd
Wiener
Neustadt
Ebensee
Dippoldsau
Eisenerz
Enns
Peggau
St. Lambrecht
Graz
Klagenfurt
Loibl
0
Kilometer
50
© Martin Gilbert 1982

ZWÖLF DEPORTATIONEN NACH OSTEN, 16. OKTOBER – 29. NOVEMBER 1941

Nordsee
Ostsee
Riga
LETTLAND
REICHSKOMMISSARIAT OSTLAND
Minsk
WEISSRUSSLAND
Hamburg
1.034
Emden
RUHRGEBIET
Düsseldorf
984
Berlin
4.187
Łódź
Warschau
Lublin
GROSSDEUTSCHES REICH
Köln
2.007
GENERAL-GOUVERNEMENT
BÖHMEN
Würzburg
202
Frankfurt
1.113
Prag
5.000
OST-GALIZIEN
(Brünn) Brno
3.000
Luxemburg
512
Nürnberg
618
Wien
5.000
München
1.000
ÖSTERREICH
0 Kilometer 200
© Martin Gilbert 1982

Im Herbst 1941 beschloß die SS, mehr als 22000 Juden in die Gettos von Łódź, Warschau und Lublin sowie in die ehemals sowjetischen Städte Riga und Minsk zu deportieren *(oben)*. Der erste dieser Deportationszüge wurde am 16. Oktober 1941 auf den Weg gebracht. Bei der Ankunft in den Gettos gab es für die Juden nicht ausreichend zu essen. Bei der Ankunft in Riga und Minsk wurden viele in umliegende Wälder gebracht und erschossen.

Parallel dazu wurden ab dem 10. Oktober 1941 Tausende von slowakischen Juden in Arbeitslager in Sered, Vyhne und Nováky verschleppt, während die verbliebenen Juden, die in der ehemaligen Tschechoslowakei lebten, gezwungen wurden, ihre Häuser zu verlassen und in speziell gekennzeichnete «Getto-Bezirke» in 14 ausgewählten Städten umzusiedeln *(folgende Seite, oben)*. Bereits am 1. September 1941 war diesen Juden das Tragen des gelben Sterns befohlen und jegliche geschäftliche Aktivität untersagt worden. Allein in der Slowakei hatten mehr als 10000 jüdische Geschäfte schließen müssen.

Das größte der neuen Gettos wurde am 24. November 1941 in dem kleinen Festungsort Theresienstadt – Tschechisch Terezín – eingerichtet. Bis zum Ende des Krieges wurden 73614 Juden aus Böhmen und Mähren sowie Tausende von Juden aus anderen Gebieten des Großdeutschen Reiches nach Theresienstadt deportiert.

Im November kam es wieder zu zahlreichen Deportationen in den Osten, und auch die Arbeit der mobilen Mordkommandos ging weiter *(folgende Seite, unten)*. Gleichzeitig wurden im Rahmen eines Experimentes 1200 Gefangene aus Buchenwald in das Euthanasie-Institut in Bernburg gebracht und dort vergast.

ZWANGSGETTOISIERUNG BÖHMISCHER, MÄHRISCHER UND SLOWAKISCHER JUDEN, 10. OKTOBER 1941
SUDETENLAND
REICH
Usti (Aussig)
Teplitzsch
Theresienstadt
Mladá Boleslav (Jungbunzlau)
Cheb (Eger)
Karlovy Vary (Karlsbad)
Mariánské Lazně (Marienbad)
Planá (Plan)
Prag
Brandys (Brandeis)
Hradec Králové (Königgrätz)
Pardubice (Pardubitz)
Kolín
Plzeň (Pilsen)
BÖHMEN
Uničov (Mährisch-Neustadt)
Moravská Ostrava (Mähr. Ostrau)
(Olmütz) Olomouc
Klatovy (Klattau)
MÄHREN
Boskovice (Boskowitz)
Lipník (Leipnik)
Třebíč (Trebitsch)
(Kremsir) Kroměříž
Holešov (Holleschau)
Brno (Brünn)
Žilina (Sillein)
Bardejov (Bartfeld)
Poprad (Deutschendorf)
Ružomberok (Rosenberg)
Prešov (Eperies)
Uherský Brod (Ung.-Brod)
(Eibenschitz) Ivančice
(Nikolsburg) Mikulov
Trenčín (Trentschin)
Břeclav (Lundenburg)
Nováky
SLOWAKEI
Košice (Kaschau)
Trnava (Tyrnau)
Sered
Vyhne
Nitra (Neutra)
GROSSDEUTSCHES
Bratislava Preßburg
Galanta
Levice (Lewenz)
FELVIDEK von Ungarn annektiert
Dunajská Streda
Komárno (Komorn)
0 Kilometer 80
© Martin Gilbert 1982

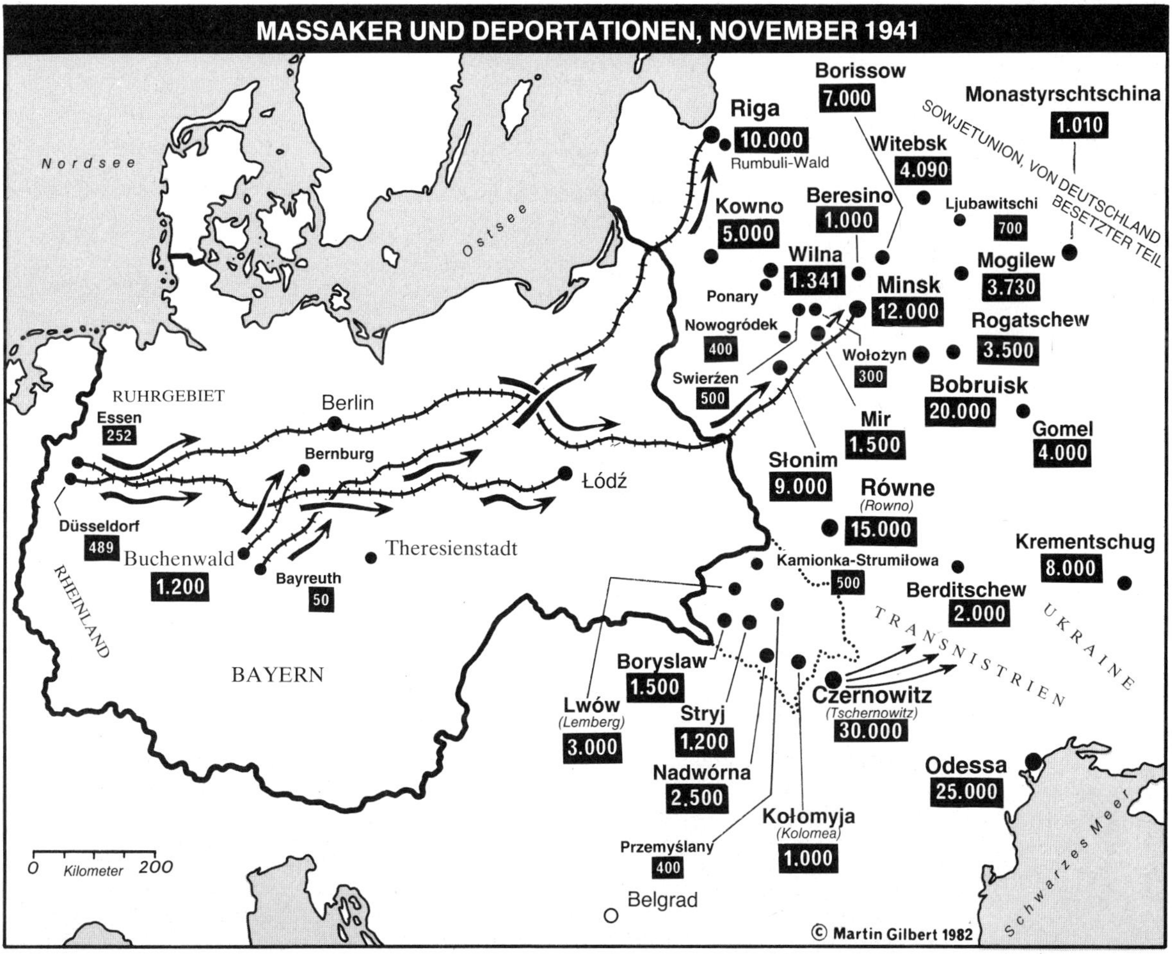
MASSAKER UND DEPORTATIONEN, NOVEMBER 1941
Nordsee
Ostsee
Borissow 7.000
Monastyrschtschina 1.010
Riga 10.000
Rumbuli-Wald
SOWJETUNION, VON DEUTSCHLAND BESETZTER TEIL
Witebsk 4.090
Kowno 5.000
Beresino 1.000
Ljubawitschi 700
Wilna 1.341
Ponary
Minsk 12.000
Mogilew 3.730
Nowogródek 400
Rogatschew 3.500
Wołożyn 300
Swierżen 500
Bobruisk 20.000
RUHRGEBIET
Essen 252
Berlin
Mir 1.500
Gomel 4.000
Bernburg
Słonim 9.000
Łódź
Równe (Rowno) 15.000
Düsseldorf 489
Buchenwald 1.200
Theresienstadt
Bayreuth 50
Krementschug 8.000
Kamionka-Strumiłowa 500
Berditschew 2.000
RHEINLAND
TRANSNISTRIEN
UKRAINE
BAYERN
Boryslaw 1.500
Czernowitz (Tschernowitz) 30.000
Lwów (Lemberg) 3.000
Stryj 1.200
Nadwórna 2.500
Odessa 25.000
Kołomyja (Kolomea) 1.000
Przemyślany 400
Schwarzes Meer
0 Kilometer 200
Belgrad
© Martin Gilbert 1982

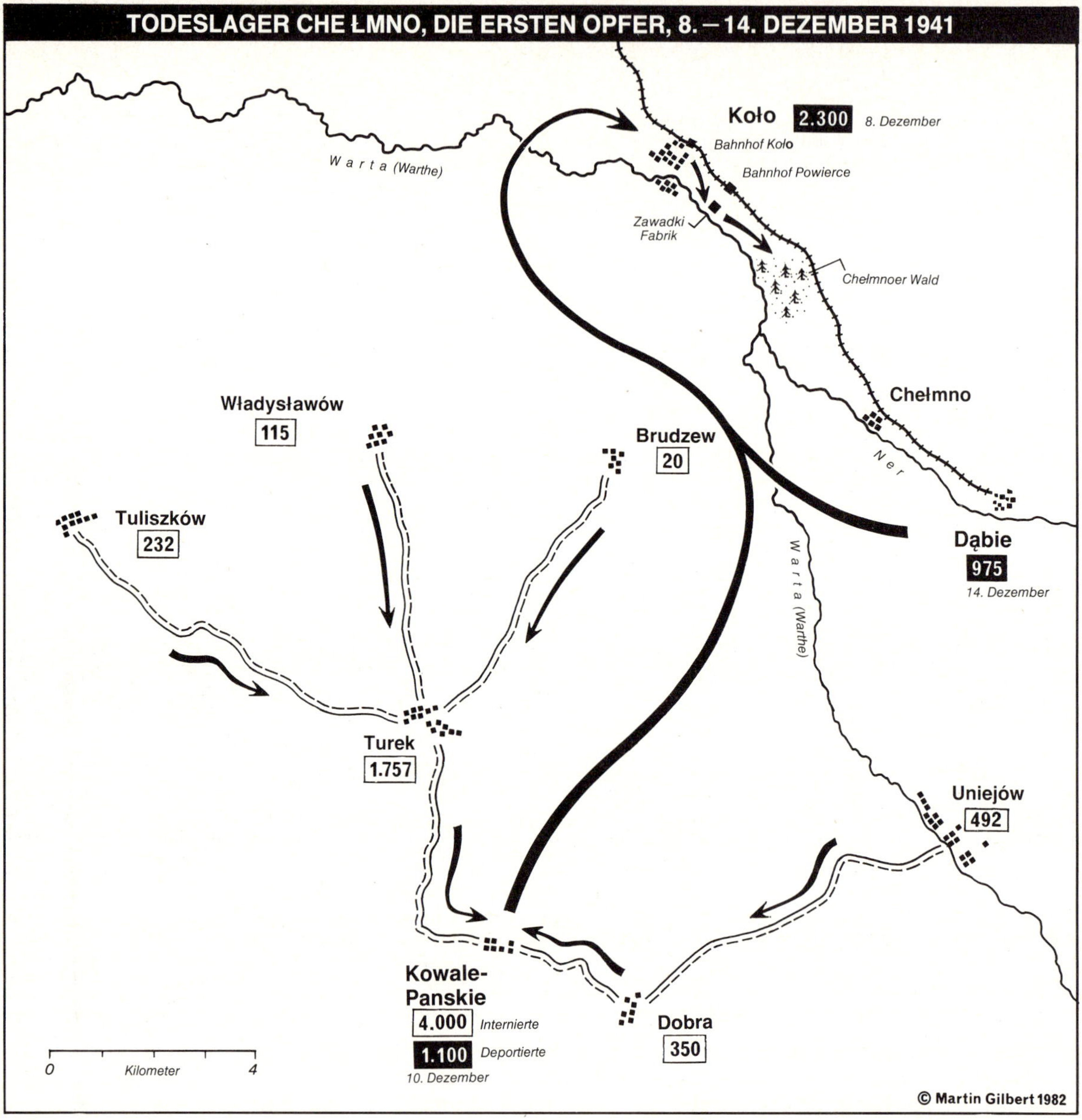
TODESLAGER CHEŁMNO, DIE ERSTEN OPFER, 8. – 14. DEZEMBER 1941
Koło
2.300
8. Dezember
Bahnhof Koło
Bahnhof Powierce
Zawadki Fabrik
Chełmnoer Wald
Warta (Warthe)
Chełmno
Ner
Dąbie
975
14. Dezember
Władysławów
115
Brudzew
20
Tuliszków
232
Turek
1.757
Uniejów
492
Kowale-Panskie
4.000
Internierte
1.100
Deportierte
10. Dezember
Dobra
350
0
Kilometer
4
© Martin Gilbert 1982

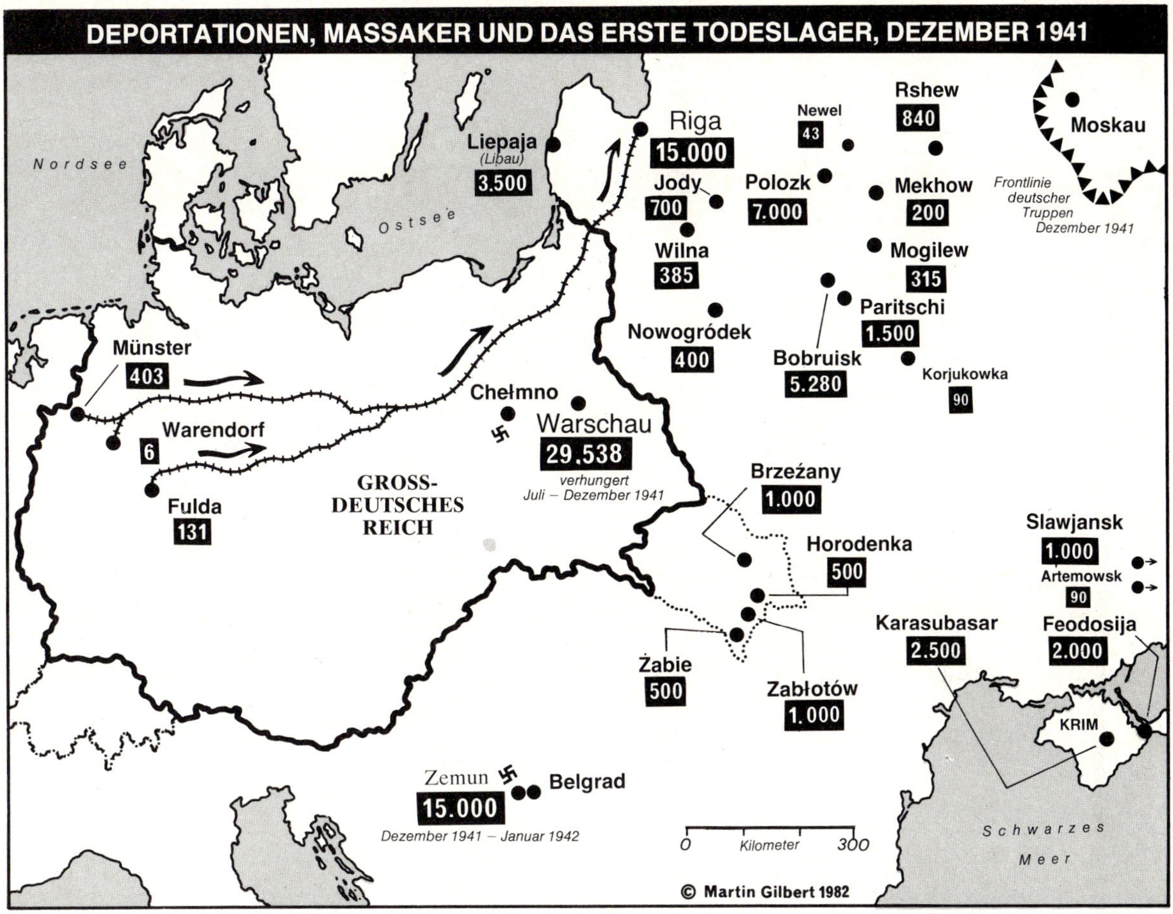
DEPORTATIONEN, MASSAKER UND DAS ERSTE TODESLAGER, DEZEMBER 1941
Nordsee
Ostsee
Liepaja
(Libau)
3.500
Riga
15.000
Jody
700
Wilna
385
Polozk
7.000
Newel
43
Rshew
840
Mekhow
200
Mogilew
315
Moskau
Frontlinie deutscher Truppen Dezember 1941
Paritschi
1.500
Nowogródek
400
Bobruisk
5.280
Korjukowka
90
Münster
403
Warendorf
6
Fulda
131
Chełmno
Warschau
29.538
verhungert
Juli – Dezember 1941
GROSS-
DEUTSCHES
REICH
Brzeżany
1.000
Horodenka
500
Slawjansk
1.000
Artemowsk
90
Karasubasar
2.500
Feodosija
2.000
Żabie
500
Zabłotów
1.000
KRIM
Zemun
15.000
Dezember 1941 – Januar 1942
Belgrad
0
Kilometer
300
Schwarzes
Meer
© Martin Gilbert 1982

Nach der erfolgreichen Vergasung von 1200 Juden aus Buchenwald im November 1941 folgte zwei Wochen später ein weiteres Vergasungsexperiment. Der für diesen Zweck ausgewählte Ort war ein Wald in der Nähe der polnischen Stadt Chełmno. Die Opfer waren jüdische Dorfbewohner aus mehreren Gemeinden in der Umgegend *(vorherige Seite)*. Die Aktion lief folgendermaßen ab: Die Juden wurden mit einer schmalspurigen Eisenbahn von Koło nach Powierce gebracht,dann mit Peitschen an den Fluß getrieben, dort in der Fabrik des Dörfchens Zawadki (hier zu sehen auf einer Aufnahme aus dem Jahre 1980) ohne Essen und Wasser über Nacht eingesperrt, am Morgen mit Lastwagen in den Chełmnoer Wald gebracht und während der Fahrt mit Auspuffgasen erstickt. Die Leichen wurden dann in tiefe Gruben geworfen, während die Lastwagen zur Fabrik zurückfuhren, um weitere Opfer zu holen. Insgesamt kamen fünf Lastwagen zum Einsatz, von denen drei bis zu 150 und zwei bis zu 100 Menschen aufnehmen konnten. Bis mittags war gewöhnlich die ganze Zugladung vernichtet.

Die erste Vergasung bei Chełmno fand am 8. Dezember 1941 statt. Sie wurde als gelungen betrachtet und die Aktion in immer größerem Rahmen wiederholt. Die nächsten 1000 Opfer waren bereits per Lastwagen aus sechs Dörfern nach Kowale-Panskie gebracht worden, wo man sie bis zu ihrer Fahrt nach Chełmno am 10. Dezember 1941 festhielt.

Auch nachdem man mit den Vergasungen in Chełmno begonnen hatte, wurden weiterhin Deportationen von Deutschland nach Riga durchgeführt, und auch weiterhin wurden an den Deportierten fast unmittelbar nach ihrer Ankunft Massenmorde begangen *(oben)*. So wurden am 13. Dezember 1941 die letzten sechs Juden, die in Warendorf lebten, nach Riga deportiert und dort ermordet: Ihre kleine Gemeinde ging in ihren Ursprüngen auf das Jahr 1387 zurück und hatte 1933 aus 41 Menschen bestanden. Den meisten von ihnen war es bis 1939 gelungen zu emigrieren.

Im Südosten hatten deutsche Truppen die Krim besetzt. Auch hier wurde von den Mordkommandos eine Gemeinde nach der anderen ausgelöscht.

Nicht nur in Chełmno wurden mobile Gaswagen eingesetzt. Im Konzentrationslager von Zemun unmittelbar außerhalb von Belgrad wurden sukzessiv, aber äußerst systematisch etwa 15000 Juden aus ganz Serbien in Lastwagen vergast, die als Fahrzeuge des Roten Kreuzes getarnt waren. Bis zum Juni 1942 hatte man alle ermordet: durchschnittlich 120 pro Tag. Kaum hatten die Wagen in Zemun ihre Aufgabe erfüllt, wurden sie nach Riga überführt *(S. 104)*.

WELTKRIEG: DIE USA, DIE ACHSENMÄCHTE UND JAPAN

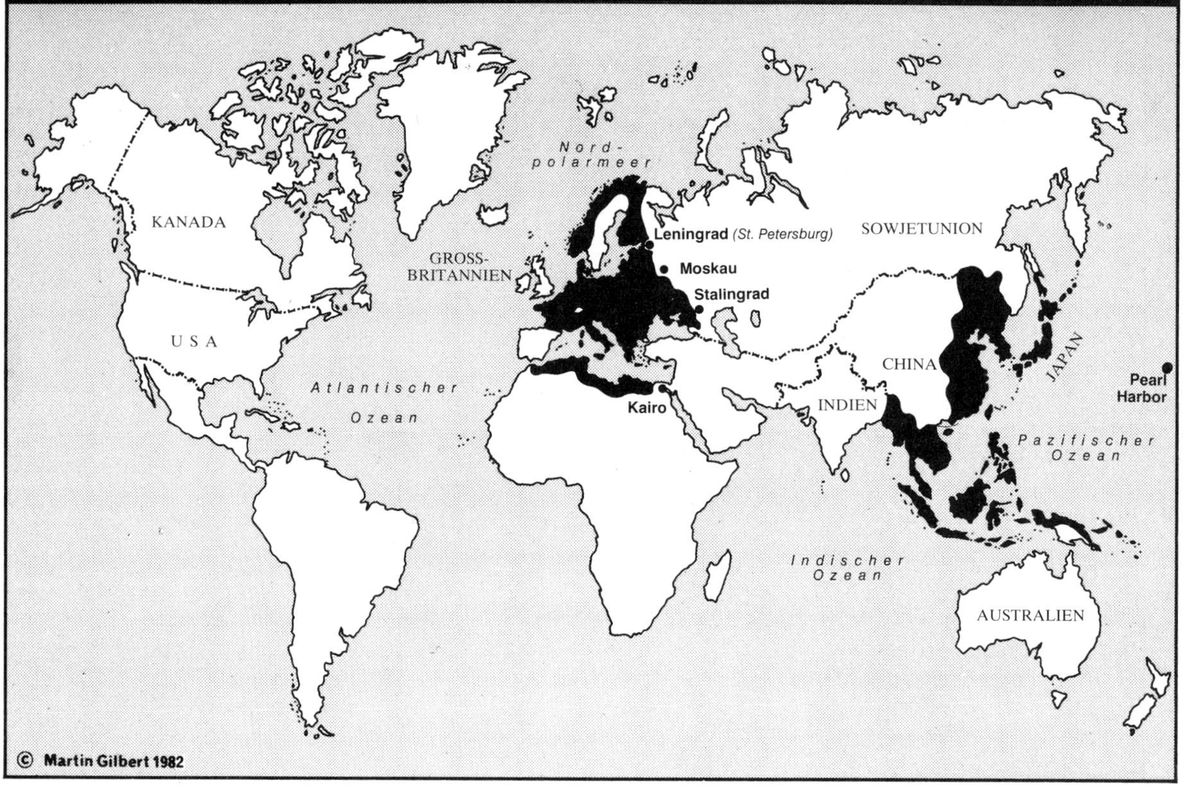

Nord-
polarmeer
KANADA
GROSS-
BRITANNIEN
Leningrad (St. Petersburg)
Moskau
Stalingrad
SOWJETUNION
USA
CHINA
JAPAN
Pearl
Harbor
Atlantischer
Ozean
Kairo
INDIEN
Pazifischer
Ozean
Indischer
Ozean
AUSTRALIEN
© Martin Gilbert 1982

DIE ERMORDUNG DER JUDEN GEHT WEITER: DIE BALTISCHEN LÄNDER

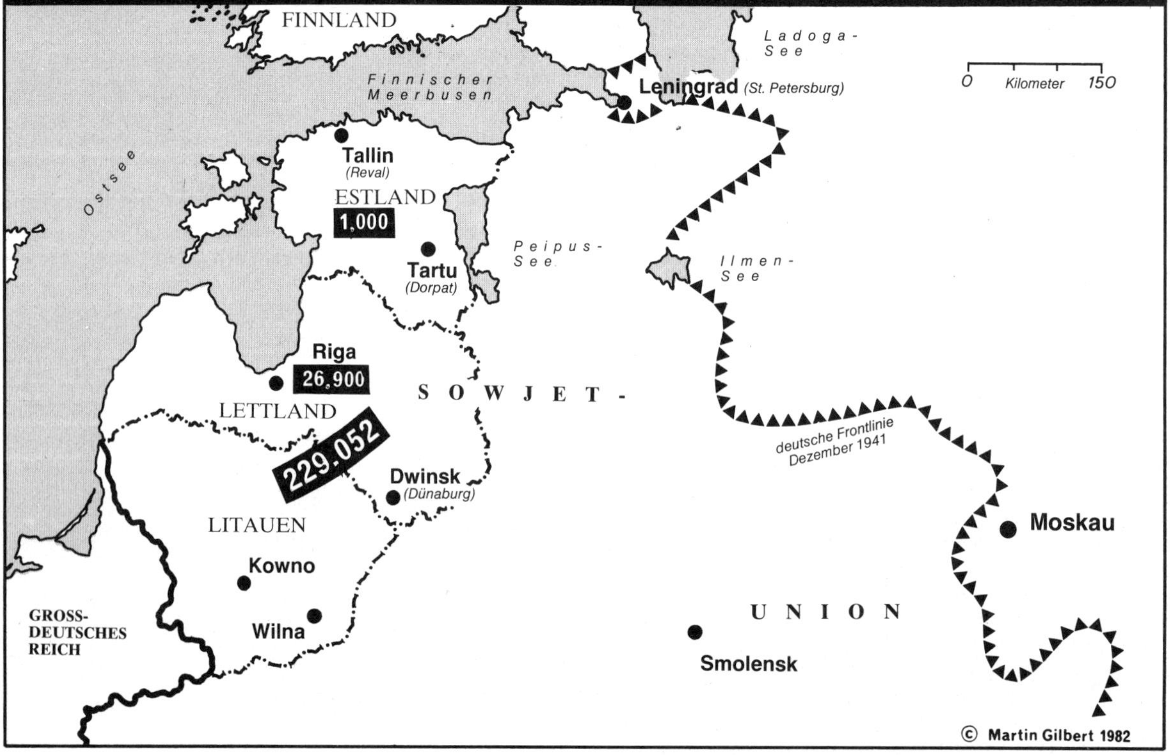

FINNLAND
Ladoga-
See
Finnischer
Meerbusen
Leningrad (St. Petersburg)
0 Kilometer 150
Tallin
(Reval)
Ostsee
ESTLAND
1,000
Tartu
(Dorpat)
Peipus-
See
Ilmen-
See
Riga
26,900
SOWJET-
LETTLAND
229,052
deutsche Frontlinie
Dezember 1941
Dwinsk
(Dünaburg)
LITAUEN
Moskau
Kowno
GROSS-
DEUTSCHES
REICH
Wilna
UNION
Smolensk
© Martin Gilbert 1982

ZUM STERBEN AUSERSEHENE JUDEN, 20. JANUAR 1942

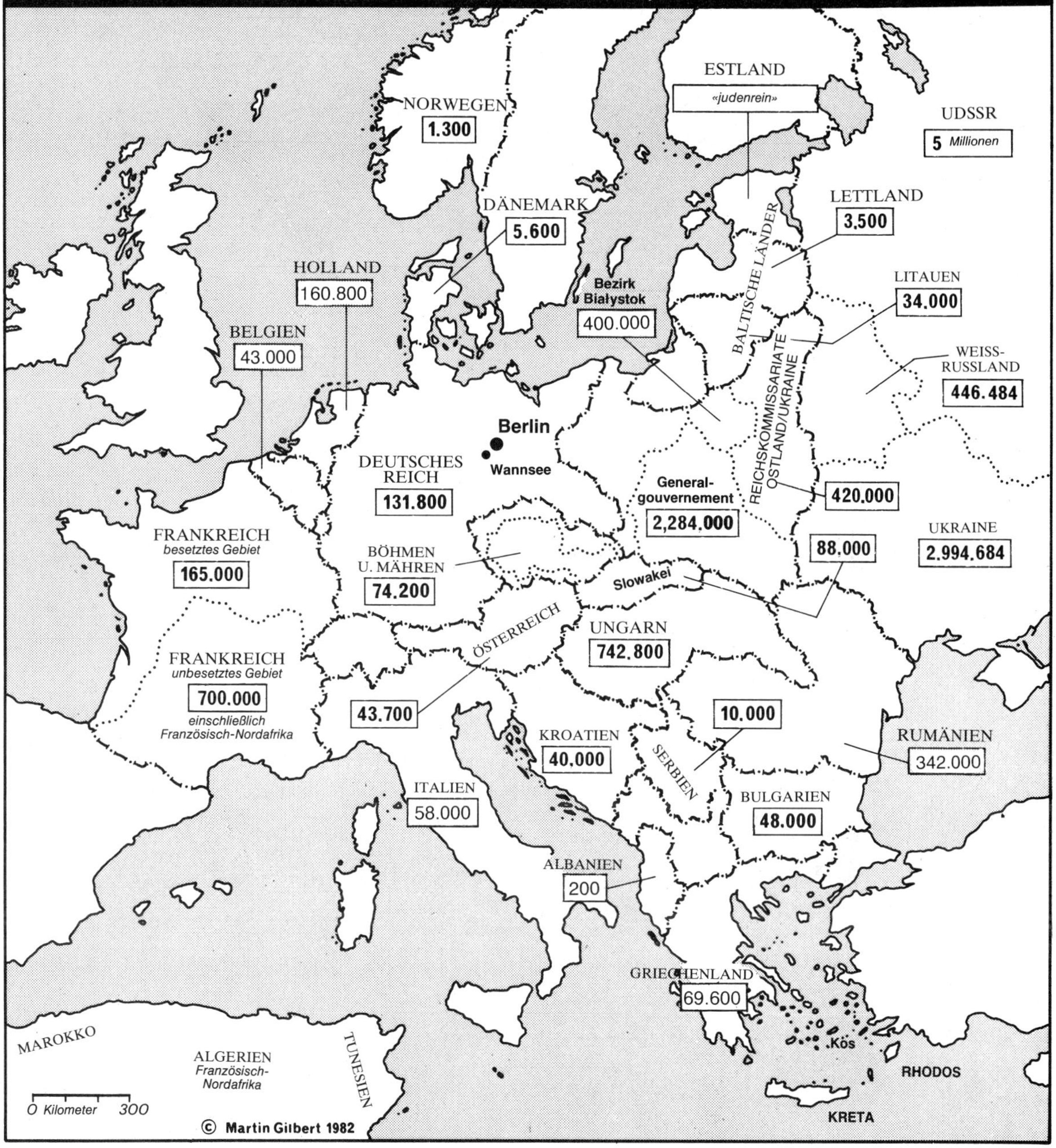
NORWEGEN
1.300
ESTLAND
«judenrein»
UDSSR
5 Millionen
DÄNEMARK
5.600
LETTLAND
3.500
HOLLAND
160.800
Bezirk Białystok
400.000
BALTISCHE LÄNDER
LITAUEN
34.000
BELGIEN
43.000
REICHSKOMMISSARIATE OSTLAND/UKRAINE
WEISS-RUSSLAND
446.484
Berlin
Wannsee
DEUTSCHES REICH
131.800
General-gouvernement
2,284.000
420.000
FRANKREICH
besetztes Gebiet
165.000
BÖHMEN U. MÄHREN
74.200
UKRAINE
2.994.684
88.000
Slowakei
ÖSTERREICH
UNGARN
742.800
FRANKREICH
unbesetztes Gebiet
700.000
einschließlich Französisch-Nordafrika
43.700
10.000
KROATIEN
40.000
SERBIEN
RUMÄNIEN
342.000
ITALIEN
58.000
BULGARIEN
48.000
ALBANIEN
200
GRIECHENLAND
69.600
Kos
RHODOS
KRETA
MAROKKO
ALGERIEN
Französisch-Nordafrika
TUNESIEN
0 Kilometer 300
© Martin Gilbert 1982

Im Dezember 1941 hatten es die deutschen Truppen soweit gebracht, daß sie die Herren in Europa waren; und am 7. Dezember 1941 traten die Japaner in den Krieg gegen die Vereinigten Staaten und England ein *(vorherige Seite, oben)*.

Aus Estland meldeten die Mordkommandos mit der ihnen eigenen Präzision nach Berlin, daß in den vorangegangenen sechs Monaten in Lettland und Litauen 229052 Juden ermordet worden seien *(vorherige Seite, unten)*. Alle 1000 in Estland festgenommenen Juden hatte man ebenfalls getötet.

In Wannsee, einem Vorort von Berlin, versammelten sich am 20. Januar 1942 deutsche Regierungsbeamte, um über die endgültige Vernichtung des europäischen Judentums zu diskutieren. Auch legten sie, wie in der Karte oben dargestellt, die ihrer Meinung nach genauen Zahlen der noch zu tötenden Juden fest. Die «niedrigen» Zahlen für die Baltischen Länder deuten darauf hin, daß ihnen bekannt war, daß etliche tausend bereits getötet worden waren. Bei der Wannsee-Konferenz wurde die sogenannte «Endlösung» konzipiert, die mittels Zwangsarbeit für körperlich kräftige Juden, mittels Trennung von Männern und Frauen sowie mittels Massendeportationen in die Praxis umgesetzt werden sollte.

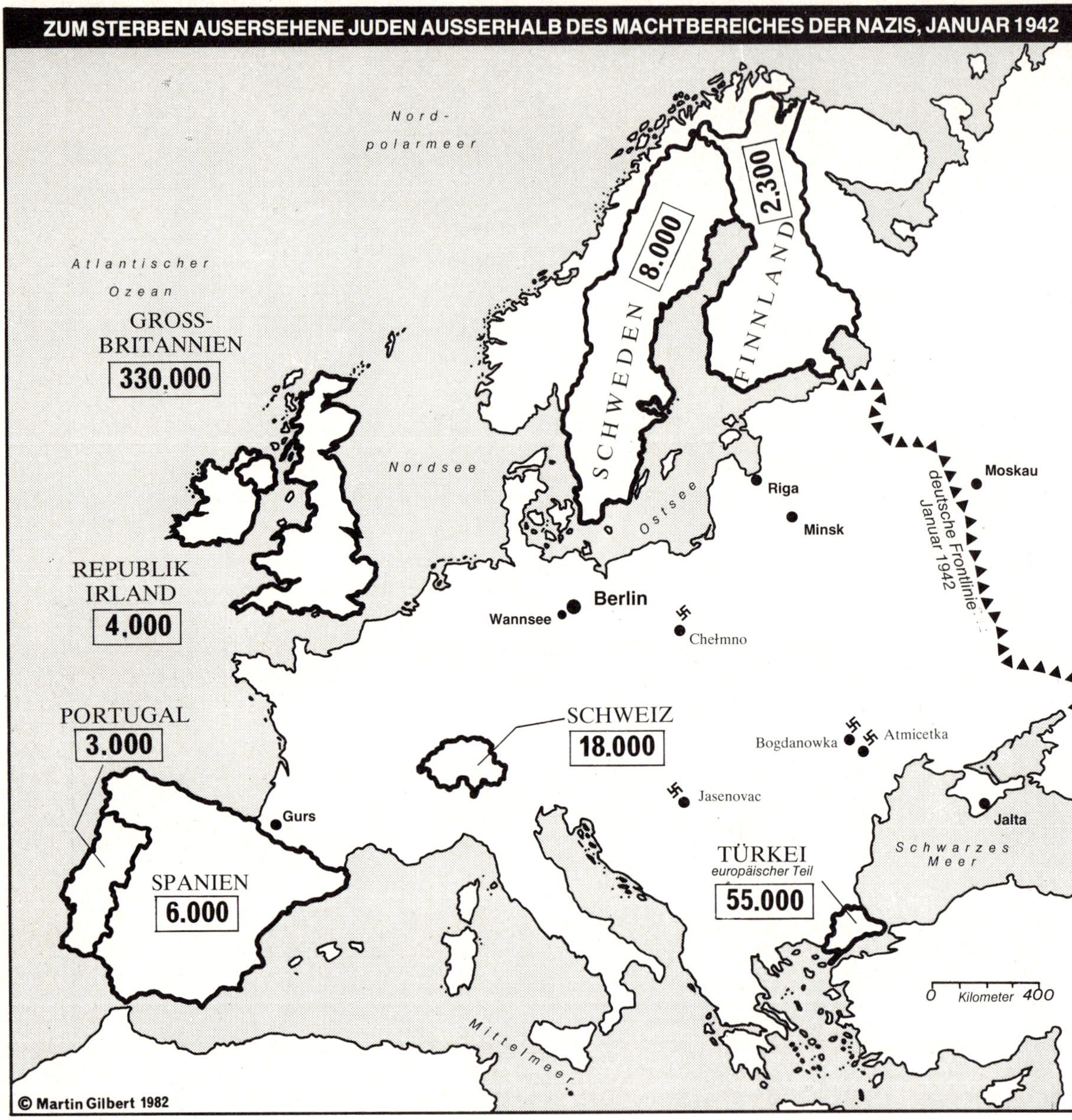
ZUM STERBEN AUSERSEHENE JUDEN AUSSERHALB DES MACHTBEREICHES DER NAZIS, JANUAR 1942
Nord-
polarmeer
Atlantischer
Ozean
GROSS-
BRITANNIEN
330.000
REPUBLIK
IRLAND
4.000
PORTUGAL
3.000
SPANIEN
6.000
SCHWEDEN
8.000
FINNLAND
2.300
Nordsee
Ostsee
Riga
Minsk
Moskau
deutsche Frontlinie
Januar 1942
Berlin
Wannsee
Chełmno
SCHWEIZ
18.000
Bogdanowka
Atmicetka
Jasenovac
Gurs
Jalta
TÜRKEI
europäischer Teil
55.000
Schwarzes
Meer
Mittelmeer
0 Kilometer 400
© Martin Gilbert 1982

Die Statistiken, die die SS der Wannsee-Konferenz vorlegte, enthielten auch Angaben über die Zahl der Juden in England und Finnland sowie in allen neutralen europäischen Ländern; die Gestapo hoffte, auch diese Juden schließlich noch in die «Endlösung» mit einbeziehen zu können.

1942 erklärten sich die Finnen bereit, elf jüdische Flüchtlinge auszuliefern. Als jedoch diese elf von der Gestapo ermordet wurden, weigerte sich die finnische Regierung, noch weiteren Auslieferungen zuzustimmen *(S. 244)*.

In Chełmno wurden die Vergasungen fortgesetzt, in Rußland veranstalteten die Mordkommandos weitere Massaker, im Warschauer Getto verhungerten weiterhin die Menschen, und ein Ende der Todesmärsche aus der Bukowina war noch nicht abzusehen *(folgende Seite, oben)*. Jene Juden Odessas, die noch am Leben waren, wurden in Konzentrationslager deportiert, wo Tausende von ihnen infolge von Gewalttaten, Hunger und Krankheiten starben. In Novi Sad (Neusatz) trieben am 23. Januar 1942 ungarische Faschisten 550 Juden und 292 Serben an den zugefrorenen Fluß und auf das Eis; sie feuerten auf die Eisdecke, um sie zu brechen, und erschossen dann all jene, die es schafften, sich über Wasser zu halten. In Titel wurden von den 36 in der Stadt lebenden Juden 35 erschossen.

Auf der Krim *(folgende Seite, unten)* wurden alte Gemeinden und moderne Kolchosen so sorgfältig ausgelöscht, daß die örtliche SS am 16. April 1942 offiziell nach Berlin melden konnte, «Die Krim ist judenrein.» *(S. 97)*.

DEPORTATIONEN UND MASSAKER, JANUAR 1942

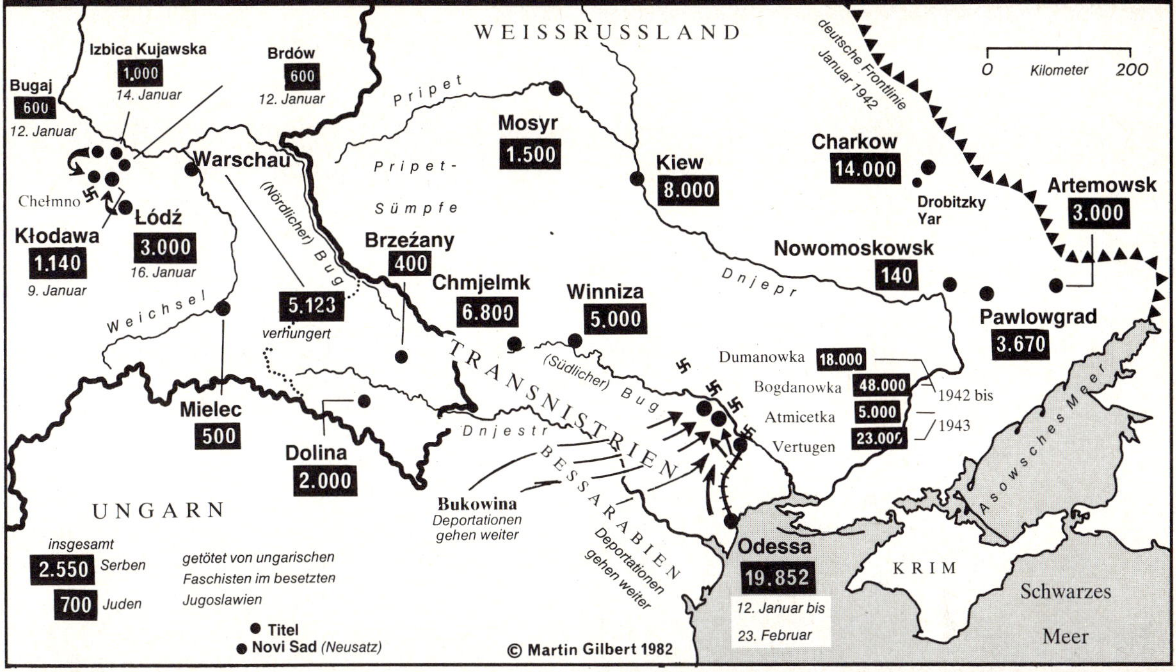
WEISSRUSSLAND
deutsche Frontlinie Januar 1942
0 Kilometer 200
Izbica Kujawska
1.000
14. Januar
Brdów
600
12. Januar
Bugaj
600
12. Januar
Chełmno
Kłodawa
1.140
9. Januar
Łódź
3.000
16. Januar
Warschau
(Nördlicher) Bug
Weichsel
5.123
verhungert
Pripet
Pripet-
Sümpfe
Mosyr
1.500
Kiew
8.000
Charkow
14.000
Drobitzky
Yar
Artemowsk
3.000
Nowomoskowsk
140
Pawlowgrad
3.670
Brzeżany
400
Chmjelmk
6.800
Winniza
5.000
Dnjepr
Mielec
500
Dolina
2.000
TRANSNISTRIEN
(Südlicher) Bug
Dnjestr
Dumanowka 18.000
Bogdanowka 48.000
Atmicetka 5.000
Vertugen 23.000
1942 bis 1943
BESSARABIEN
Deportationen gehen weiter
Bukowina
Deportationen gehen weiter
UNGARN
insgesamt
2.550 Serben
700 Juden
getötet von ungarischen Faschisten im besetzten Jugoslawien
Titel
Novi Sad (Neusatz)
Odessa
19.852
12. Januar bis 23. Februar
KRIM
Asowsches Meer
Schwarzes Meer
© Martin Gilbert 1982

MASSAKER AN DEN JUDEN AUF DER KRIM, JANUAR – APRIL 1942

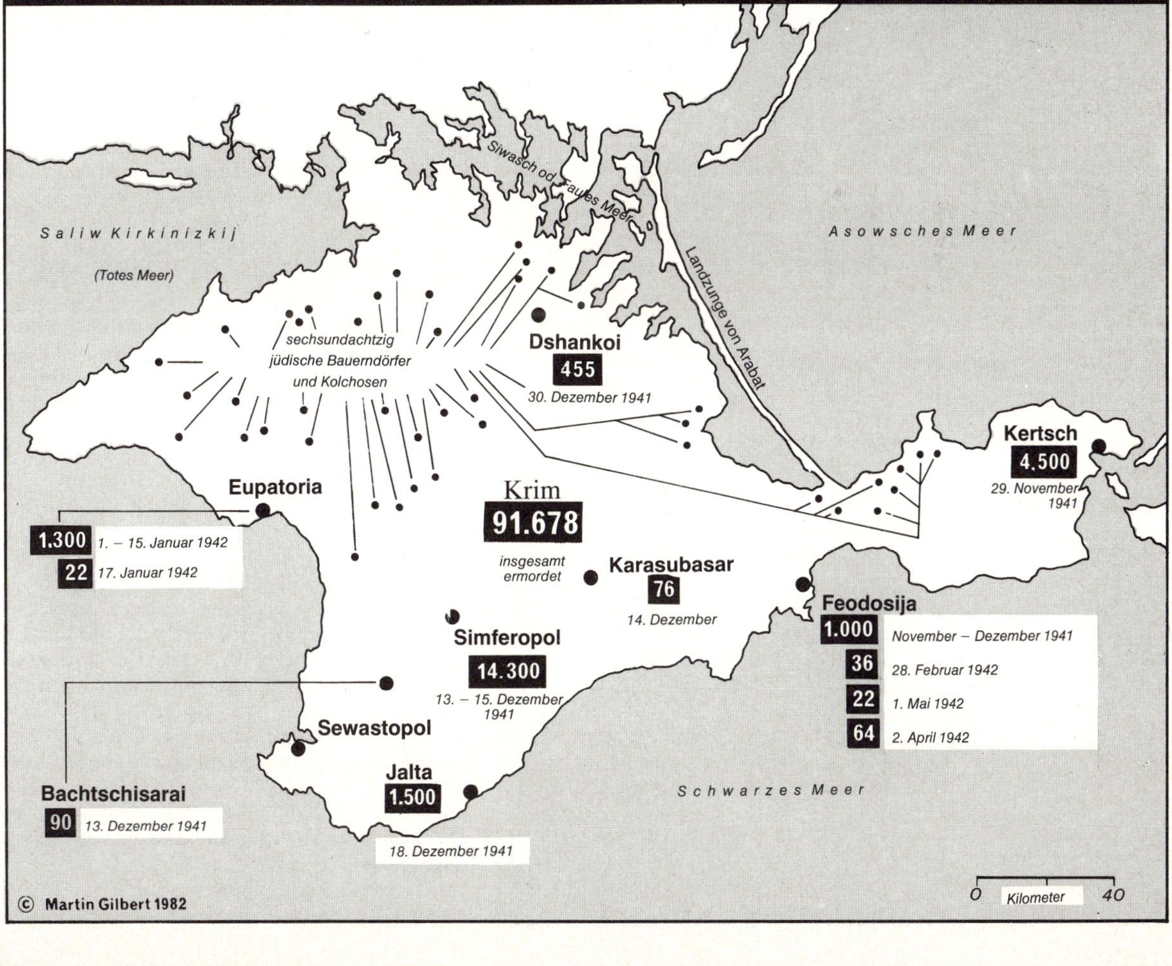
Saliw Kirkinizkij
(Totes Meer)
Siwasch od. Faules Meer
Landzunge von Arabat
Asowsches Meer
sechsundachtzig jüdische Bauerndörfer und Kolchosen
Dshankoi
455
30. Dezember 1941
Kertsch
4.500
29. November 1941
Eupatoria
1.300 1. – 15. Januar 1942
22 17. Januar 1942
Krim
91.678
insgesamt ermordet
Karasubasar
76
14. Dezember
Feodosija
1.000 November – Dezember 1941
36 28. Februar 1942
22 1. Mai 1942
64 2. April 1942
Simferopol
14.300
13. – 15. Dezember 1941
Sewastopol
Jalta
1.500
18. Dezember 1941
Bachtschisarai
90 13. Dezember 1941
Schwarzes Meer
0 Kilometer 40
© Martin Gilbert 1982

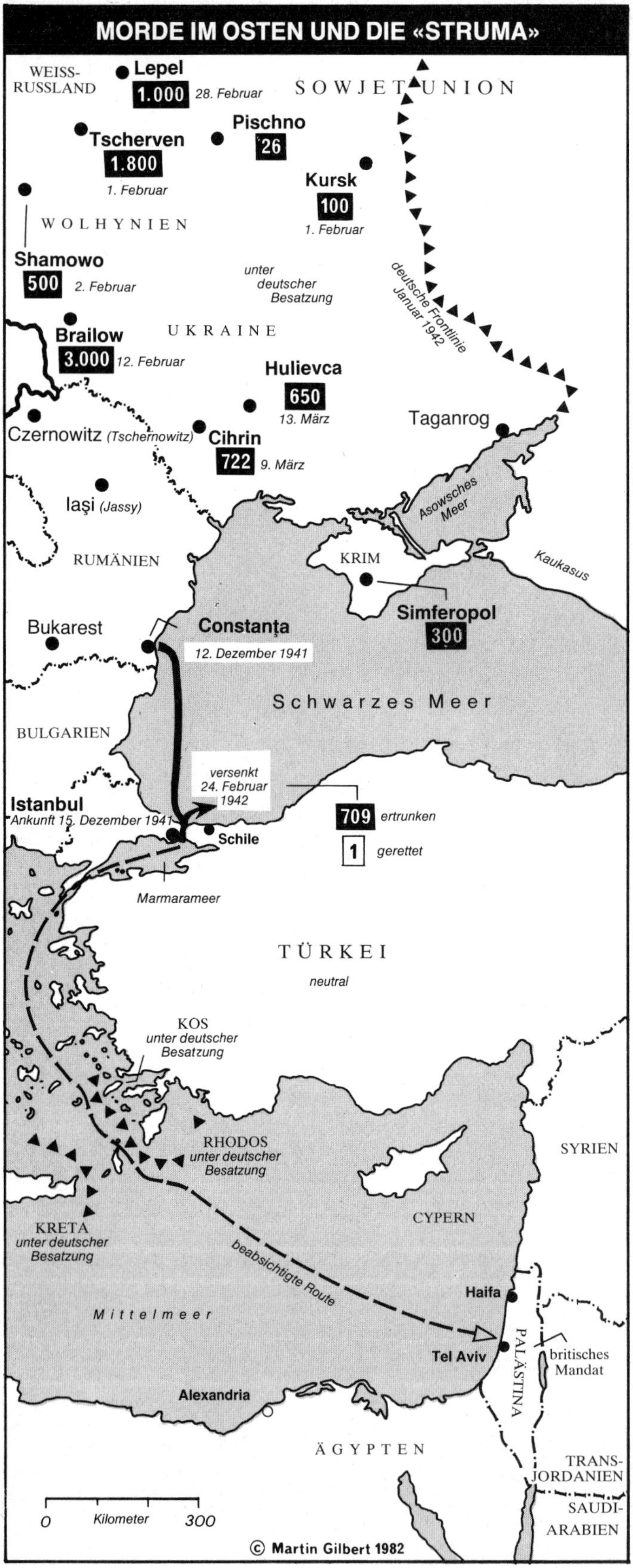
MORDE IM OSTEN UND DIE «STRUMA»
WEISS-RUSSLAND
Lepel
1.000
28. Februar
SOWJETUNION
Pischno
26
Tscherven
1.800
1. Februar
Kursk
100
1. Februar
WOLHYNIEN
Shamowo
500
2. Februar
unter deutscher Besatzung
deutsche Frontlinie Januar 1942
Brailow
3.000
12. Februar
UKRAINE
Hulievca
650
13. März
Taganrog
Czernowitz (Tschernowitz)
Cihrin
722
9. März
Iaşi (Jassy)
Asowsches Meer
RUMÄNIEN
KRIM
Kaukasus
Simferopol
300
Bukarest
Constanţa
12. Dezember 1941
Schwarzes Meer
BULGARIEN
versenkt 24. Februar 1942
Istanbul
Ankunft 15. Dezember 1941
Schile
709
ertrunken
1
gerettet
Marmarameer
TÜRKEI
neutral
KOS
unter deutscher Besatzung
RHODOS
unter deutscher Besatzung
SYRIEN
KRETA
unter deutscher Besatzung
CYPERN
beabsichtigte Route
Haifa
Mittelmeer
Tel Aviv
PALÄSTINA
britisches Mandat
Alexandria
ÄGYPTEN
TRANS-JORDANIEN
SAUDI-ARABIEN
0
Kilometer
300
© Martin Gilbert 1982

Die Morde im Osten dauerten im Februar 1942 unvermindert fort – mit Erschießungen wie denen in Radom und mit Deportationen per Lastwagen wie denen von Sierpc nach Mława, wo bereits während des eigentlichen Transportes Hunderte ermordet wurden.

Auch wurden Hunderte von Juden in Zwangsarbeitslager wie das Cieszanów deportiert *(folgende Seite, oben)*, wo die Bedingungen so grauenvoll waren, daß kaum jemand überlebte.

Auch der Widerstand der Juden wuchs. Eine Gruppe von Juden aus Tomaszów Lubelski *(folgende Seite, oben)* organisierte einen Partisanentrupp, der einige Monate gegen die Deutschen kämpfte, bis er von ortsansässigen Polen verraten wurde. Andernorts gelang es kleinen Gruppen von Juden nach wie vor, zu fliehen und sich in den Wäldern zu verstecken. So flohen zum Beispiel aus dem Dorf Hola *(folgende Seite, unten)* vier jüdische Familien, die gerade in das Getto von Włodawa deportiert werden sollten, in die Wälder östlich von Zamolodycze, wo sie auf eine Reihe weiterer Familien stießen, die sich dort ebenfalls versteckt hielten. Nach kurzer Zeit wurden die Familien von bewaffneten ukrainischen Bauern aus dem Wald getrieben, in eine Scheune gesperrt und dann an die Deutschen verraten. Nur vier der Juden gelang es, in den Wald von Skorodinica zu entkommen. Dort stießen sie auf weitere 100 Juden, die sich dort versteckt hielten, doch als die deutschen Truppen angriffen, wurden 75 von ihnen erschossen. Die Überlebenden flohen in die Wälder in der Nähe von Maryanka, und es gelang ihnen, aus dem Dorf Lubień ein Gewehr zu bekommen. Später halfen sie dabei, 75 Juden aus dem Getto von Włodawa sowie weitere 46 Männer, Frauen und Mädchen aus dem Dorf Adampol herauszuschmuggeln. Die Gruppe schlug ihr Hauptquartier tief im Wald von Skorodinica auf, schuf sich ein Waffenlager von 15 Gewehren und tötete zehn deutsche Soldaten bei einem Überfall aus dem Hinterhalt auf einen deutschen Lastwagen. Später schloß sich die Gruppe anderen jüdischen Partisanen im Wald von Parczew an *(S. 122/123)*.

Auch die Mordkommandos der SS waren weiterhin aktiv *(links)* – im Februar in Weißrußland und in der Ukraine und im März in den Deportationslagern Transnistriens. Derweil waren die Juden im angrenzenden Rumänien sowie Tausende jüdischer Flüchtlinge, denen die Flucht aus Polen und der Tschechoslowakei nach Rumänien gelungen war, auf der Suche nach Schiffen, mit denen sie über das Schwarze Meer und weiter nach Palästina entkommen konnten. Aber Schiffe waren knapp, deutsche U-Boote patroullierten im Schwarzen Meer, und englische Behörden setzten die türkische Regierung unter Druck, derartige Schiffe nicht durchs Marmarameer fahren zu lassen, in der Hoffnung, auf diese Weise die Haltung der Araber in Palästina nicht zusätzlich zu provozieren.

Eines dieser Schiffe war die «Struma», die Rumänien am 12. Dezember 1941 verließ. Das Schiff fuhr

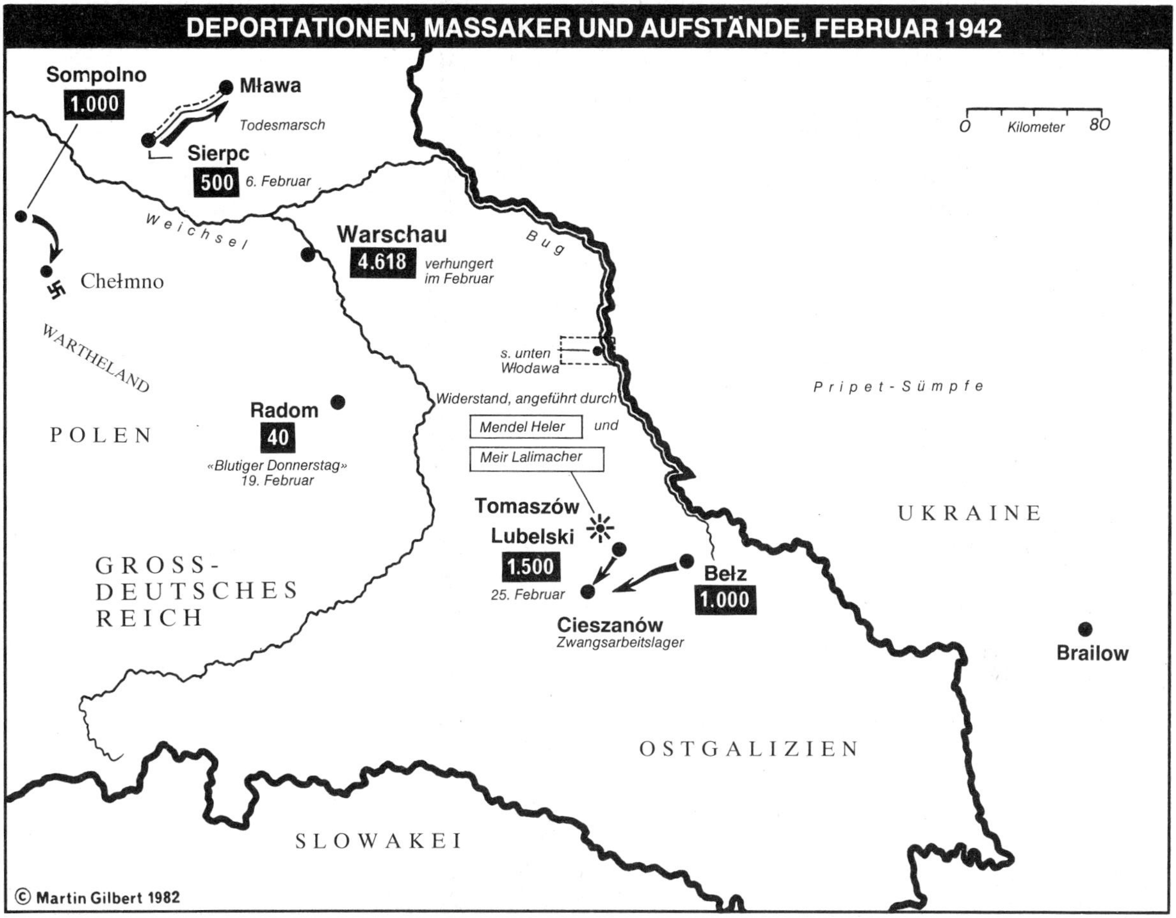
DEPORTATIONEN, MASSAKER UND AUFSTÄNDE, FEBRUAR 1942
Sompolno
1.000
Mława
Todesmarsch
Sierpc
500
6. Februar
Kilometer
0
80
Weichsel
Chełmno
Warschau
4.618
verhungert im Februar
Bug
WARTHELAND
s. unten Włodawa
Radom
40
«Blutiger Donnerstag» 19. Februar
POLEN
Widerstand, angeführt durch
Mendel Heler
und
Meir Lalimacher
Pripet-Sümpfe
Tomaszów Lubelski
1.500
25. Februar
UKRAINE
GROSS-DEUTSCHES REICH
Bełz
1.000
Cieszanów
Zwangsarbeitslager
Brailow
OSTGALIZIEN
SLOWAKEI
© Martin Gilbert 1982

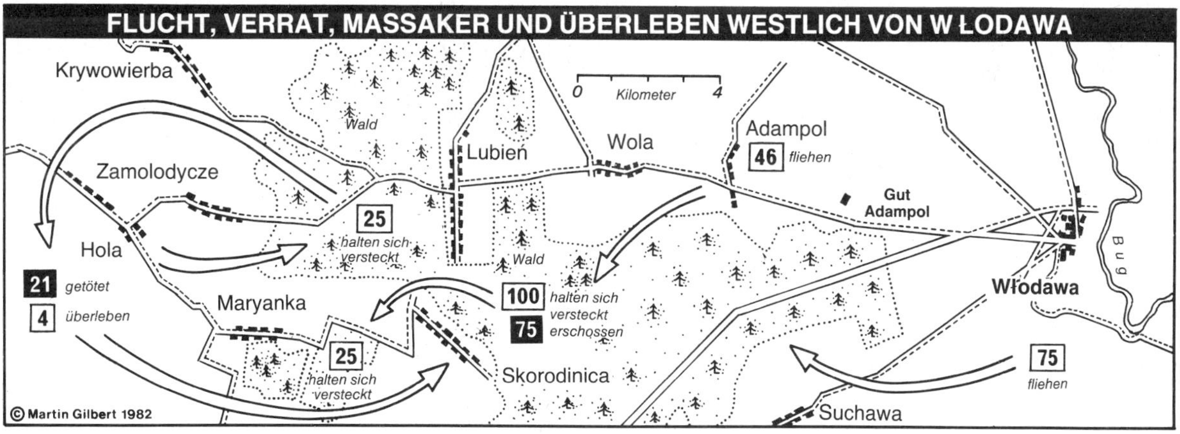
FLUCHT, VERRAT, MASSAKER UND ÜBERLEBEN WESTLICH VON WŁODAWA
Krywowierba
Wald
0
Kilometer
4
Adampol
46
fliehen
Lubień
Wola
Zamolodycze
Gut Adampol
25
halten sich versteckt
Wald
Hola
21
getötet
4
überleben
100
halten sich versteckt
75
erschossen
Włodawa
Bug
Maryanka
25
halten sich versteckt
Skorodinica
75
fliehen
Suchawa
© Martin Gilbert 1982

unter der neutralen Flagge Panamas, doch während es sich noch im Schwarzen Meer befand, erklärten Deutschland und Italien – als Reaktion auf den Eintritt der Vereinigten Staaten in den Krieg eine Woche vorher – Panama den Krieg. Die Folge war, daß das Schiff aus deutscher Sicht unter der Flagge eines «feindlichen» Landes fuhr. Nach vier Tagen im Schwarzen Meer erreichte die «Struma» Istanbul. Doch auf englischen Druck hin schickten die Türken das Schiff zurück ins Schwarze Meer, wo es am 24. Februar 1942 versenkt wurde – wahrscheinlich von den Deutschen. Alle Flüchtlinge bis auf einen ertranken. «Palästina», so erklärte der englische Regierungsbeauftragte in Jerusalem, «hat den Betreffenden gegenüber keinerlei Verpflichtungen gehabt»; und weiter betonte er, er handele in Übereinstimmung mit dem «grundlegenden Prinzip, daß während des Krieges Staatsangehörige feindlicher Länder oder vom Feind besetzter Länder keine Einreisegenehmigung für dieses Land erhalten» sollten – ein Prinzip, so unterstrich er, das auch für Flüchtlinge aus Feindesland gelte.

VIER TODESLAGER UND DIE ZUNEHMENDE GESCHWINDIGKEIT DES MORDGESCHÄFTES

0 Kilometer 300
Moskau
Rshew
840
Kurzeniec
500
Głębokie
110
Dołhinów
1.540
Wilejka
80
Minsk
5.000
Rogatschew
300
Osintorf
20
Klinzy
330
deutsche Frontlinie März 1942
Nordsee
Ostsee
HOLLAND
London
Paris
BELGIEN
LUXEMBURG
Berlin
Treblinka
Chełmno
Sobibór
POLEN
Bełżec
GROSSDEUTSCHES REICH
s. folgende Seite, unten
BÖHMEN U. MÄHREN
SLOWAKEI
ÖSTERREICH
UNGARN
TRANSNISTRIEN
BESSARABIEN
UKRAINE
Artemowsk
1.200
Nowomoskowsk
400
Shaumyan
114
FRANKREICH
RUMÄNIEN
SERBIEN
KROATIEN
Schwarzes Meer
© Martin Gilbert 1982

Als am 20. Januar 1942 die Wannsee-Konferenz stattfand *(S. 85)*, war das Todeslager in Chełmno bereits seit über sechs Wochen in Betrieb. Im März 1942 gingen im Osten die systematischen Judenermordungen Stadt für Stadt weiter *(oben)*, während gleichzeitig *(ebenfalls oben)* in Bełżec, Treblinka und Sobibór neue Todeslager eingerichtet wurden, in denen – wie in Chełmno – kein einziger Mensch zum Zwecke der Zwangsarbeit am Leben gelassen wurde. Diese vier Lager hatten nur eine Aufgabe: jeden Juden innerhalb weniger Stunden nach seinem Eintreffen zu töten.

Sobald diese vier Todeslager in Betrieb waren, wurden Tausende jüdischer Gemeinden zur Deportation ausgewählt – zunächst Gemeinden im von den Deutschen besetzten Teil Polens, dann Gemeinden in anderen Teilen des Großdeutschen Reiches und schließlich Gemeinden in West- und Südeuropa. Den Deportierten wurde mitgeteilt, sie führen nach Polen,um dort auf Bauernhöfe oder in Arbeitslager «umgesiedelt» zu werden. In Wirklichkeit war das einzige Ziel ihrer Reise ein Todeslager und der sofortige Tod.

Zwischen dem 8. Dezember 1941 und dem 28. Februar 1942 waren mehr als 13000 Juden nach Chełmno deportiert und dort vergast worden. Adolf Eichmann selbst hatte diese Aktivitäten beobachtet. Dann, am 17. März 1942, wurden die ersten Deportationen in das zweite Todeslager durchgeführt, das unmittelbar südlich des Städtchens Bełżec lag. Die Deportierten kamen aus der westlich von Bełżec gelegenen Stadt Mielec *(folgende Seite, oben)*, aber auch aus Lublin und aus der Stadt Bełżec selbst. Alles in allem wurden im Rahmen dieser ersten Deportationen 6786 Juden ermordet. Eine Gruppe von etwa zwölf Juden aus dem nahe gelegenen Ort Lubycza Krolewska, die über einen Monat an der Fertigstellung des Lagers mitgearbeitet hatten, wurden ebenfalls getötet.

Die Gaskammern in Bełżec waren mehr als neun Monate in Betrieb, und der Tötungsprozeß wurde von SS-Männern überwacht, denen ukrainische und estnische Aufseher als Hilfskräfte zur Seite standen. Ein spezielles Gleisstück, das von der Hauptlinie zur Laderampe führte, bot Platz für jeweils 20 Güterwaggons: Diese Waggons wurden abgekoppelt, und der Rest des Zuges wartete, bis er an der Reihe war.

Kaum daß in Bełżec die ersten Juden vergast worden waren, fingen die deutschen Behörden an, die westlichen Provinzen des Reiches nach jenen Juden zu durchkämmen, die – häufig nur als einzelne Familien – in entlegenen Gemeinden in einsamen Landstrichen lebten. In einem solchen Gebiet, in der Umgebung von Bad Kissingen *(folgende Seite, unten)*, wurden 83 Juden festgenommen; hinzu kamen 23 Juden in Bad Kissingen selbst. Sie wurden ostwärts quer durch Deutschland, Böhmen und Polen nach Bełżec gebracht, wo man sie zunächst in zwei nahe gelegenen Internierungslagern – Izbica und Piaski – festhielt, ehe man sie nach Bełżec selbst schickte, wo sie alle vergast wurden *(S. 92/93)*. Nicht einer dieser Deportierten überlebte.

ERSTE DEPORTATIONEN NACH BEŁŻEC, 17. MÄRZ 1942

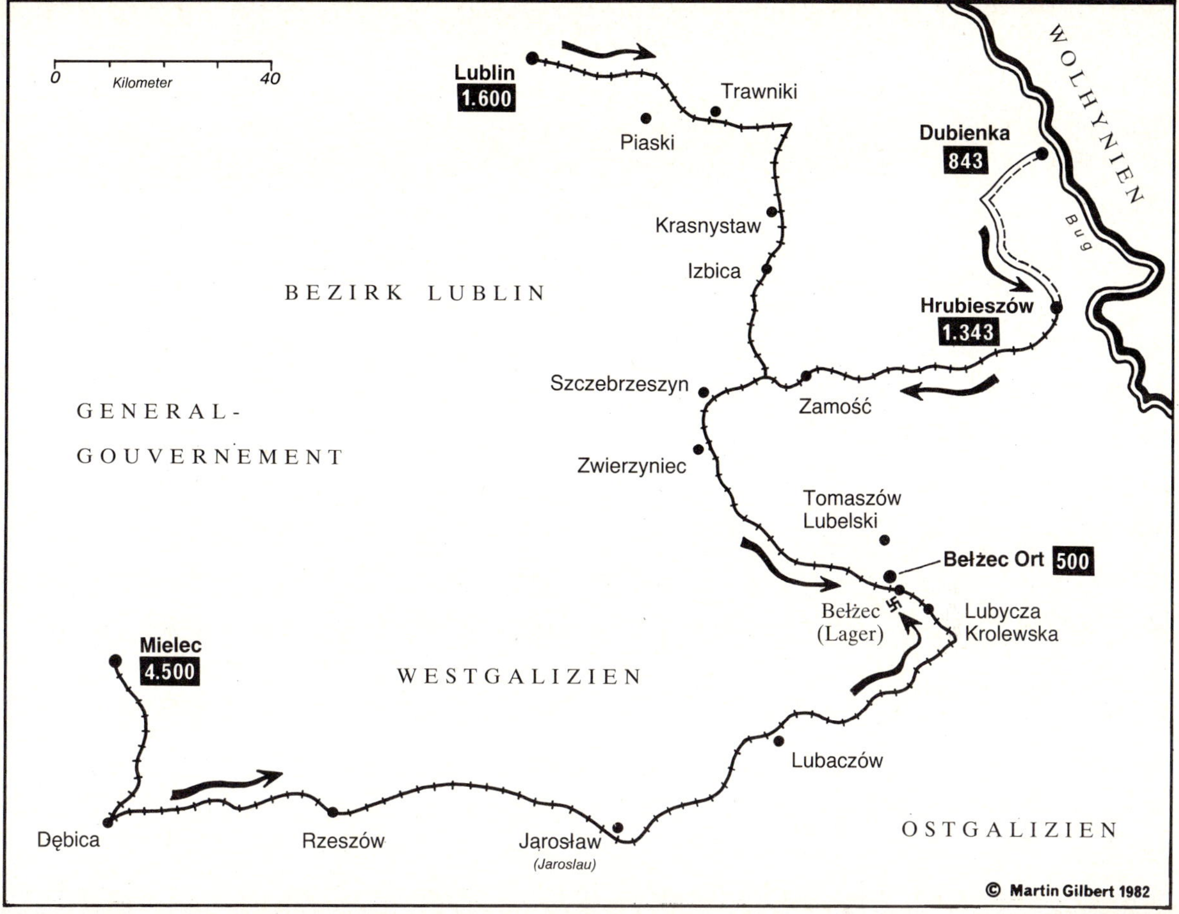
0 Kilometer 40
Lublin
1.600
Trawniki
Piaski
WOLHYNIEN
Dubienka
843
Bug
Krasnystaw
Izbica
BEZIRK LUBLIN
Hrubieszów
1.343
Szczebrzeszyn
Zamość
GENERAL-
GOUVERNEMENT
Zwierzyniec
Tomaszów
Lubelski
Bełżec Ort 500
Bełżec
(Lager)
Lubycza
Krolewska
Mielec
4.500
WESTGALIZIEN
Lubaczów
Dębica
Rzeszów
Jarosław
(Jaroslau)
OSTGALIZIEN
© Martin Gilbert 1982

DEUTSCHE JUDEN, AUSGEWÄHLT FÜR DIE DEPORTATION NACH BEŁŻEC, 24. MÄRZ 1942

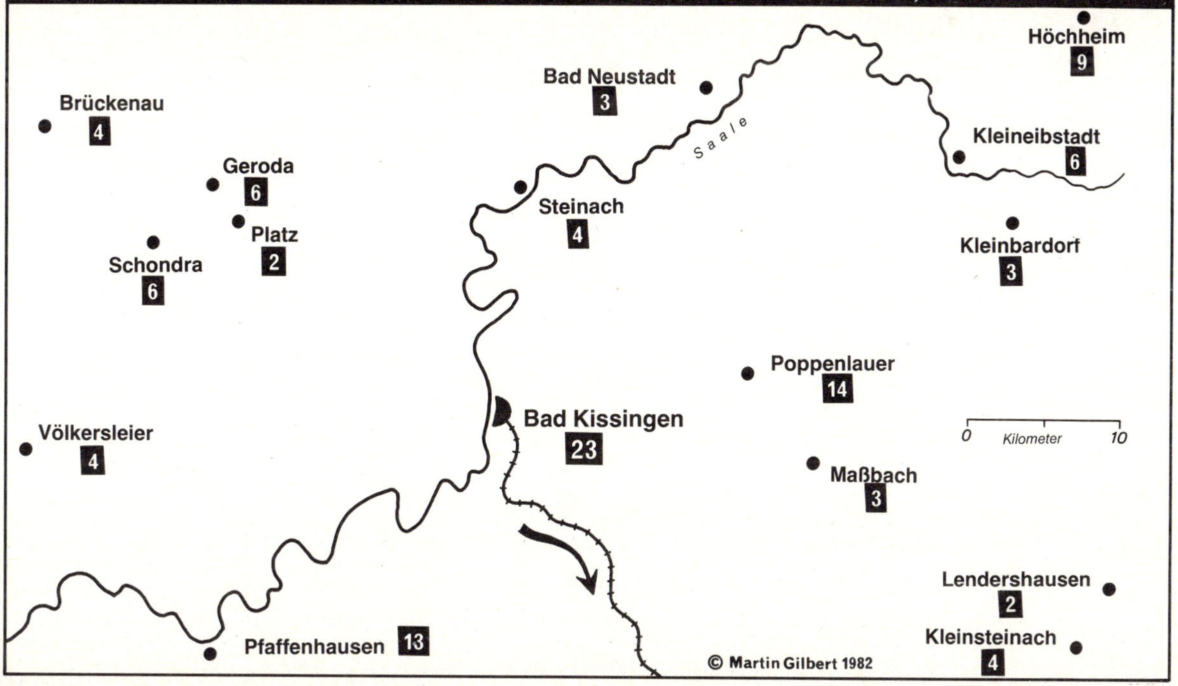
Höchheim
9
Bad Neustadt
3
Brückenau
4
Saale
Kleineibstadt
6
Geroda
6
Steinach
4
Platz
2
Kleinbardorf
3
Schondra
6
Poppenlauer
14
Bad Kissingen
23
Völkersleier
4
0 Kilometer 10
Maßbach
3
Lendershausen
2
Kleinsteinach
4
Pfaffenhausen
13
© Martin Gilbert 1982

DIE JUDEN AUS DER GEGEND VON WÜRZBURG, DIE DEPORTIERT WURDEN

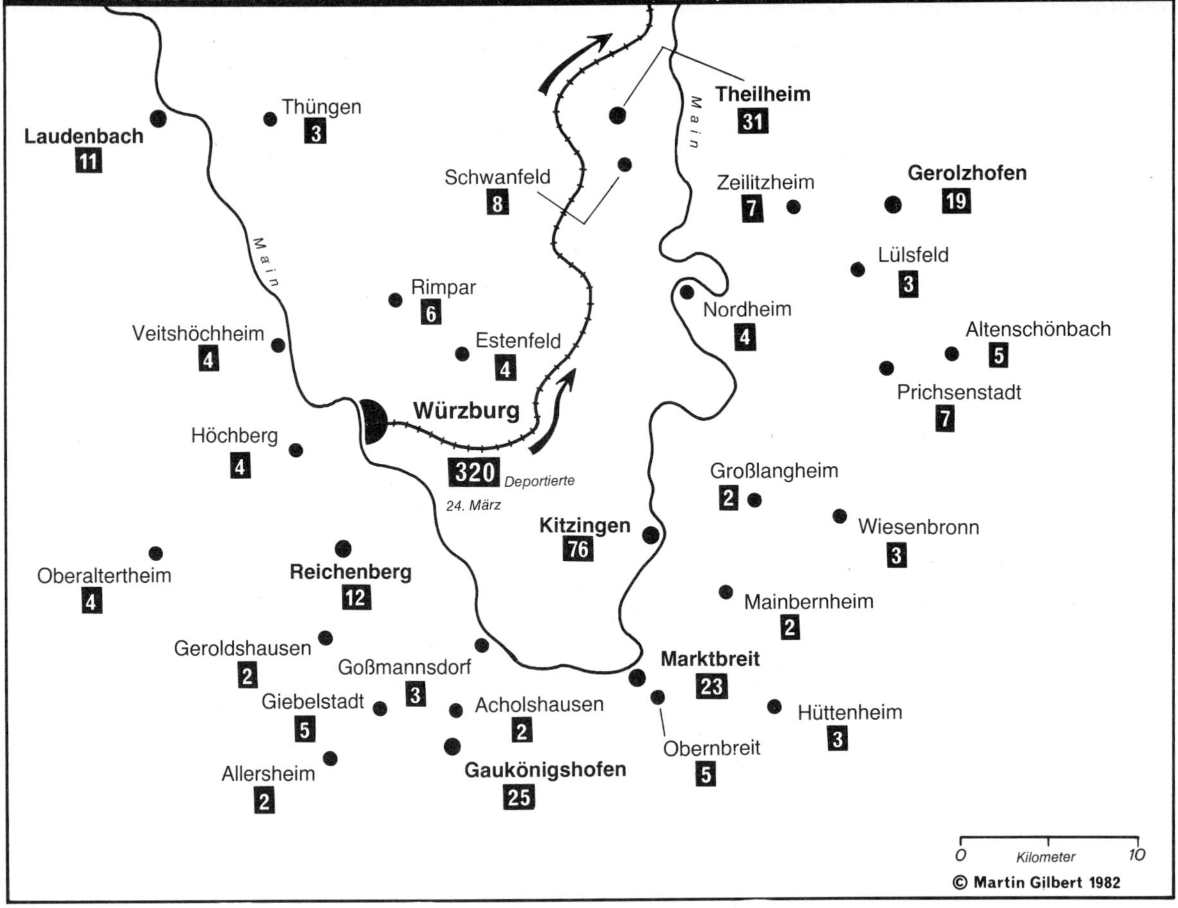
Laudenbach 11
Thüngen 3
Theilheim 31
Main
Schwanfeld 8
Zeilitzheim 7
Gerolzhofen 19
Lülsfeld 3
Rimpar 6
Nordheim 4
Veitshöchheim 4
Estenfeld 4
Altenschönbach 5
Prichsenstadt 7
Würzburg
320 Deportierte
24. März
Höchberg 4
Großlangheim 2
Kitzingen 76
Wiesenbronn 3
Oberaltertheim 4
Reichenberg 12
Mainbernheim 2
Geroldshausen 2
Goßmannsdorf 3
Marktbreit 23
Giebelstadt 5
Acholshausen 2
Hüttenheim 3
Obernbreit 5
Allersheim 2
Gaukönigshofen 25
0 Kilometer 10
© Martin Gilbert 1982

DREI DEPORTATIONEN AUS DEUTSCHLAND NACH BEŁŻEC, 24. MÄRZ 1942

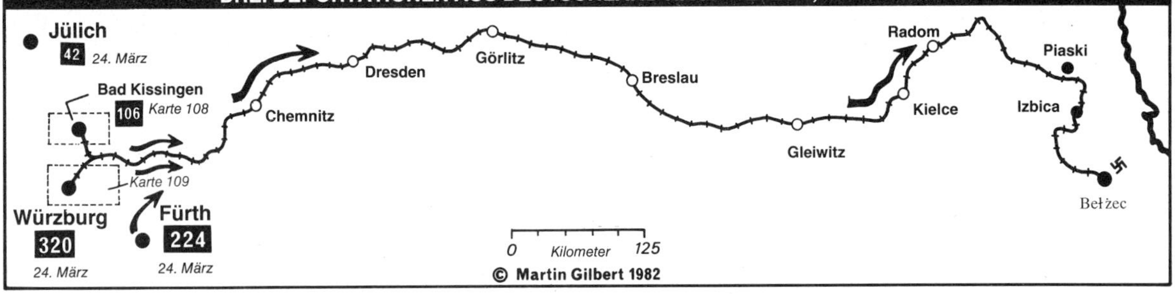
Jülich 42 24. März
Bad Kissingen 106 Karte 108
Karte 109
Würzburg 320 24. März
Fürth 224 24. März
Chemnitz
Dresden
Görlitz
Breslau
Gleiwitz
Kielce
Radom
Piaski
Izbica
Bełżec
0 Kilometer 125
© Martin Gilbert 1982

Die Suche nach den restlichen Juden in Deutschland zog sich über die letzte Märzwoche und die ersten drei Aprilwochen des Jahres 1942 hin. In der Umgebung von Würzburg *(ganz oben)* wurden einzelne Familien und die Mitglieder kleiner Gemeinden festgenommen und nach Würzburg gebracht, wo am 24. März 1942 mit 320 Gefangenen die erste von drei Deportationen losging. Gemeinsam mit den Juden, die in Bad Kissingen, Jülich und Fürth zusammengezogen worden waren, bewegte sich der Transport nach Osten *(oben)*; in der Ortschaft Piaski wurde ein paar Tage Zwischenstation gemacht, ehe es weiterging nach Bełżec *(folgende Seite)*; niemand überlebte.

Im Laufe des März wurden auch Juden aus Ostgalizien und aus der Umgebung von Lublin nach Bełżec deportiert. Aus Lublin selbst wurde innerhalb von zwei Wochen fast die gesamte – sehr große – jüdische Gemeinde der Stadt deportiert.

Auch die Deportationen von Juden nach Chełmno gingen weiter *(folgende Seite)*. Unter den Deportierten aus Opole befanden sich zahlreiche in Österreich geborene Juden, die zwei Jahre vorher aus Wien deportiert worden waren *(S. 40)*.

In Warschau starben nach wie vor Tausende von Juden den Hungertod. In anderen Städten wie Rohatyn und Tarnopol wurden die Juden in nahe gelegene Wälder getrieben und ermordet. In der Nähe von Ilja schlossen sich Juden, die man zum Arbeiten auf einen Bauernhof geschickt hatte, am 14. März

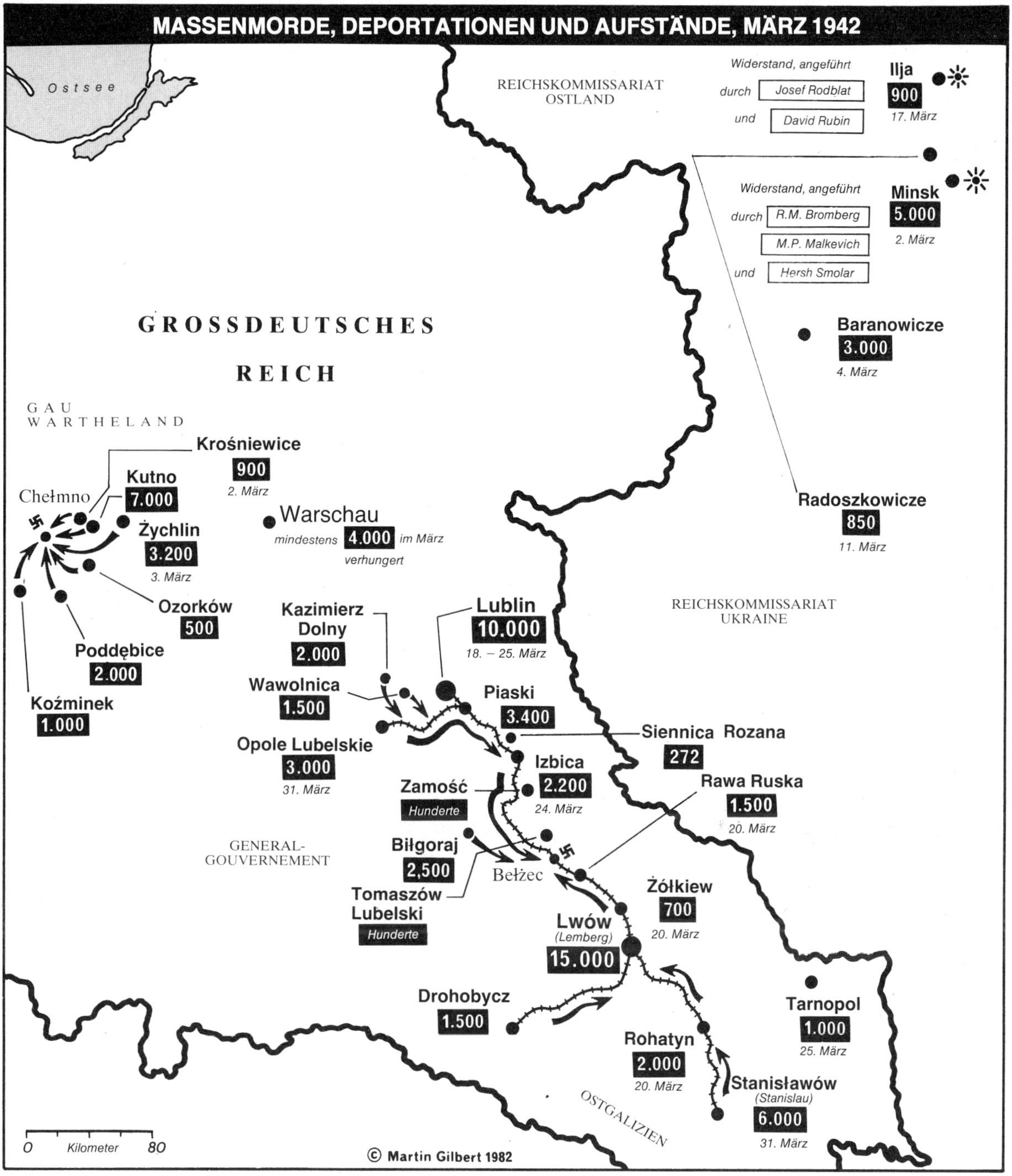
MASSENMORDE, DEPORTATIONEN UND AUFSTÄNDE, MÄRZ 1942
Ostsee
REICHSKOMMISSARIAT OSTLAND
Widerstand, angeführt
durch Josef Rodblat
und David Rubin
Ilja
900
17. März
Widerstand, angeführt
durch R.M. Bromberg
M.P. Malkevich
und Hersh Smolar
Minsk
5.000
2. März
Baranowicze
3.000
4. März
GROSSDEUTSCHES REICH
GAU WARTHELAND
Krośniewice
900
2. März
Kutno
7.000
Chełmno
Żychlin
3.200
3. März
Warschau
mindestens 4.000 im März verhungert
Radoszkowicze
850
11. März
Ozorków
500
Poddębice
2.000
Koźminek
1.000
Kazimierz Dolny
2.000
Lublin
10.000
18. – 25. März
REICHSKOMMISSARIAT UKRAINE
Wawolnica
1.500
Piaski
3.400
Opole Lubelskie
3.000
31. März
Siennica Rozana
272
Izbica
2.200
24. März
Zamość
Hunderte
Rawa Ruska
1.500
20. März
GENERAL-GOUVERNEMENT
Biłgoraj
2,500
Bełżec
Tomaszów Lubelski
Hunderte
Żółkiew
700
20. März
Lwów
(Lemberg)
15.000
Drohobycz
1.500
Tarnopol
1.000
25. März
Rohatyn
2.000
20. März
Stanisławów
(Stanislau)
6.000
31. März
OSTGALIZIEN
0 Kilometer 80
© Martin Gilbert 1982

einer Gruppe sowjetischer Partisanen an und versteckten sich im Wald. Drei Tage später flohen zwei jüdische Führer aus Ilja, die sich geweigert hatten, Sympathisanten der Partisanen an die SS auszuliefern, ebenfalls in den Wald, um sich den Partisanen anzuschließen.

Als Vergeltungsaktion erschossen die Deutschen alle alten und kranken Juden auf offener Straße; dann trieben sie weitere 900 Juden in ein Gebäude, schlossen es zu und zündeten es an. Alle 900 kamen ums Leben.

In Minsk wurden 5000 Juden aus dem Getto zu einer frisch ausgehobenen Grube am Rande der Stadt gebracht und dort mit Maschinengewehren erschossen. Für die mehreren hundert jüdischen Kinder, die sich an jenem Tage unter den Opfern befanden,wurde kein Schuß Munition verschwendet: Sie wurden lebendig in die Grube geworfen, wo sie erstickten. Die Juden von Minsk versuchten, eine Widerstandsguppe aufzubauen. Doch am 31. März 1942 durchsuchte die Gestapo das Getto und nahm mehrere der führenden Widerstandskämpfer fest.

ERSTE DEPORTATIONEN NACH AUSCHWITZ, 26. – 27. MÄRZ 1942

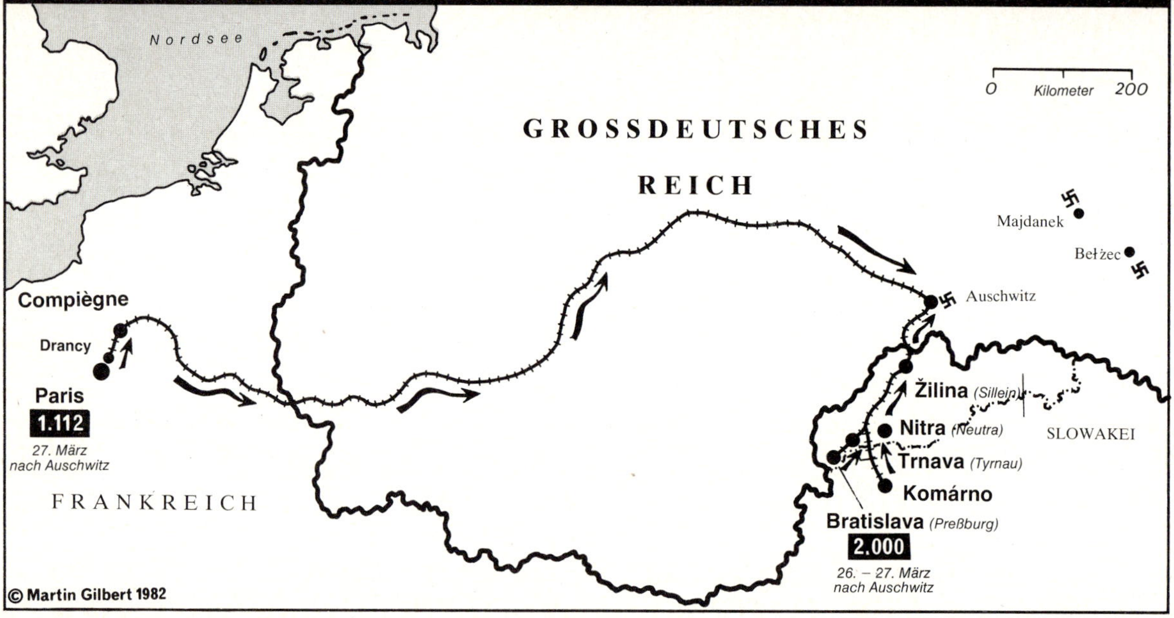
Nordsee
0 Kilometer 200
GROSSDEUTSCHES
REICH
Majdanek
Bełżec
Auschwitz
Compiègne
Drancy
Paris
1.112
27. März nach Auschwitz
FRANKREICH
Žilina (Sillein)
Nitra (Neutra)
SLOWAKEI
Trnava (Tyrnau)
Komárno
Bratislava (Preßburg)
2.000
26. – 27. März nach Auschwitz
© Martin Gilbert 1982

GEBURTSORTE EINIGER DER ERSTEN DEPORTIERTEN AUS PARIS

Nordsee
Kopenhagen
Dwinsk (Dünaburg)
Kowno
Smolensk
Minsk
Grodno
London
Berlin
Atlantischer Ozean
Saarbrücken
Leipzig
Rouen
Drancy
Paris
Nancy
Nürnberg
Prag
Warschau
Lwów (Lemberg)
Auschwitz
Tatarsk
Shitomir
Złoczów
Kiew
Zabłotów
deutsche Truppen auf dem Vormarsch
Skole
Nikolajew
Kischinew
Budapest
Odessa
Ismail
Simferopol
Perpignan
Schwarzes Meer
Konstantinopel
Saloniki
Brussa (Bursa)
Salomon Benatore 39 Jahre alt
Bergama (Pergamon)
Izmir (Smyrna)
Moreno Cohen 41 Jahre alt
Biserta
Algier
Oran
Robert Cohen 21 Jahre alt
Bône
Jacob Aziz 32 Jahre alt
Tunis
Marrakesch
Aron Cohen 46 Jahre alt
Mittelmeer
Mardoche Douani 40 Jahre alt
Haifa
Ignatz Baum 41 Jahre alt
0 Kilometer 400
deutsche Truppen
Alexandria
© Martin Gilbert 1982

GEBURTSORTE POLNISCHER JUDEN, DIE UNTER DEN ERSTEN DEPORTIERTEN AUS PARIS WAREN

Szczuczyn
Łomża
Białystok
Ciechanów
Ostrów
Włocławek
Płock
Weichsel
Wyszogród
Węgrów
Warschau
Bug
Konin
Kutno
Żychlin
Pruszków
Grodzisk
Kałuszyn
Siedlce
Brest-Litowsk
0 Kilometer 60
Latowicz
Zgierz
Konstantynów
Łódź
Garwolin
Pabianice
Zduńska Wola
Lubartów
Piotrków (Petrikau)
Radom
Przytyk
Bełchatów
Puławy
Lublin
Włodzimierziec
Chełm (Cholm)
Krasnystaw
Kielce
Częstochowa (Tschenstochau)
Kraśnik
Hrubieszów
Rożyszcze
Opatów
Zaklików
Zamość
Jędrzejów
Rozwadów
Weichsel
Pińczów
Tomaszów Lubelski
Będzin
San
Sosnowiec (Sosnowitz)
Kraków (Krakau)
Chrzanów
Radomyśl Wielki
Auschwitz
Kazimierz
Tarnów
Przemyśl
Gorlice
© Martin Gilbert 1982

Die ersten Deportationen aus Westeuropa nach Bełżec hatten am 24. März 1942 stattgefunden *(S. 91)*. Zwei Tage später begannen die ersten Deportationen von Juden nach Auschwitz – zunächst aus der Slowakei und am folgenden Tag aus Frankreich *(folgende Seite, oben)*. In Auschwitz wurden alle Deportierten in Baracken untergebracht. Bis zum 4. Mai 1942 fanden dort keine Vergasungen statt *(S. 100)*.

Die ersten Juden, die am 27. März 1942 von Frankreich nach Auschwitz deportiert wurden, stammten alle von Geburt her nicht aus Frankreich und waren sieben Monate vorher in Paris festgenommen und interniert worden. Ihre Geburtsorte reichten von Marrakesch bis Haifa, von London bis Simferopol *(vorherige Seite, unten)*. Viele hatten ihre Heimatstädte zwischen den Kriegen verlassen, um in Frankreich ein neues Auskommen zu finden. Andere waren als Flüchtlinge nach Frankreich gekommen. Die Mehrzahl von ihnen stammte aus Polen *(oben)*, und zwar aus jenem Gebiet, das inzwischen Teil des Großdeutschen Reiches geworden war. Einer dieser ersten Deportierten aus Paris war Israel Chlebowski, geboren in der Stadt Przytyk, wo es 1936 zu einem Pogrom gekommen war, dem drei Juden zum Opfer fielen *(S. 21)*.

Ein anderer Deportierter, Henry Eckstein, war 26 Jahre zuvor in London geboren worden. Lazare Mnouchine war in Tatarsk zur Welt gekommen, einer der ersten Städte, in denen – im Herbst 1941 – Juden den Mordkommandos der SS Widerstand geleistet hatten *(S. 76)*. Der 41jährige Moses Schneider war in Auschwitz selbst geboren worden, damals eine Marktstadt im Österreich-Ungarischen Reich.

Die Deportation vom 27. März 1942 ist von der SS in ihrem Zeitablauf präzise festgehalten worden. Der Zug verließ Paris um 17.00 Uhr, erreichte die Grenze des Großdeutschen Reiches um 13.59 Uhr des folgenden Tages und kam am Morgen des 31. März um 05.33 Uhr in Auschwitz an.

Von diesem Zeitpunkt an galten auch für in Frankreich geborene Juden die antijüdischen Gesetze in ihrer vollen Härte. Am 29. Mai 1942 wurde allen Juden der Zugang zu öffentlichen Einrichtungen, Plätzen, Restaurants, Cafés, Bibliotheken, Badeanstalten, Parks und Sportplätzen untersagt.

MASSENMORDE UND DEPORTATIONEN IN TODESLAGER, APRIL 1942

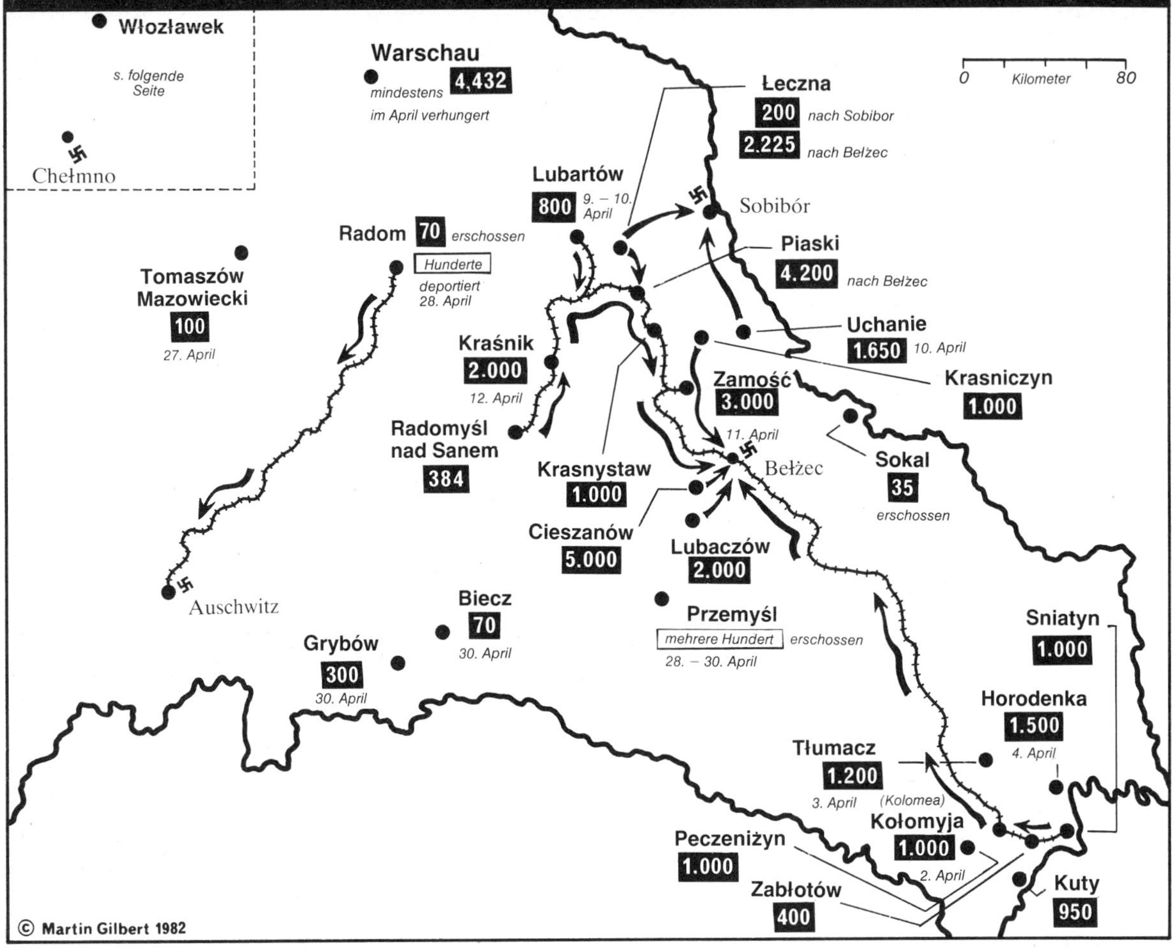
Włozławek
s. folgende Seite
Chełmno
Warschau
4,432
mindestens im April verhungert
Łeczna
200 nach Sobibor
2.225 nach Bełżec
0 Kilometer 80
Lubartów
800 9. – 10. April
Sobibór
Radom 70 erschossen
Hunderte deportiert 28. April
Piaski
4.200 nach Bełżec
Tomaszów Mazowiecki
100
27. April
Uchanie
1.650 10. April
Kraśnik
2.000
12. April
Krasniczyn
1.000
Zamość
3.000
11. April
Radomyśl nad Sanem
384
Bełżec
Sokal
35
erschossen
Krasnystaw
1.000
Cieszanów
5.000
Lubaczów
2.000
Auschwitz
Biecz
70
30. April
Przemyśl
mehrere Hundert erschossen
28. – 30. April
Sniatyn
1.000
Grybów
300
30. April
Horodenka
1.500
4. April
Tłumacz
1.200
3. April
(Kolomea)
Kołomyja
1.000
2. April
Peczeniżyn
1.000
Zabłotów
400
Kuty
950
© Martin Gilbert 1982

WEITERE DEPORTATIONEN NACH IZBICA UND BEŁŻEC, APRIL 1942

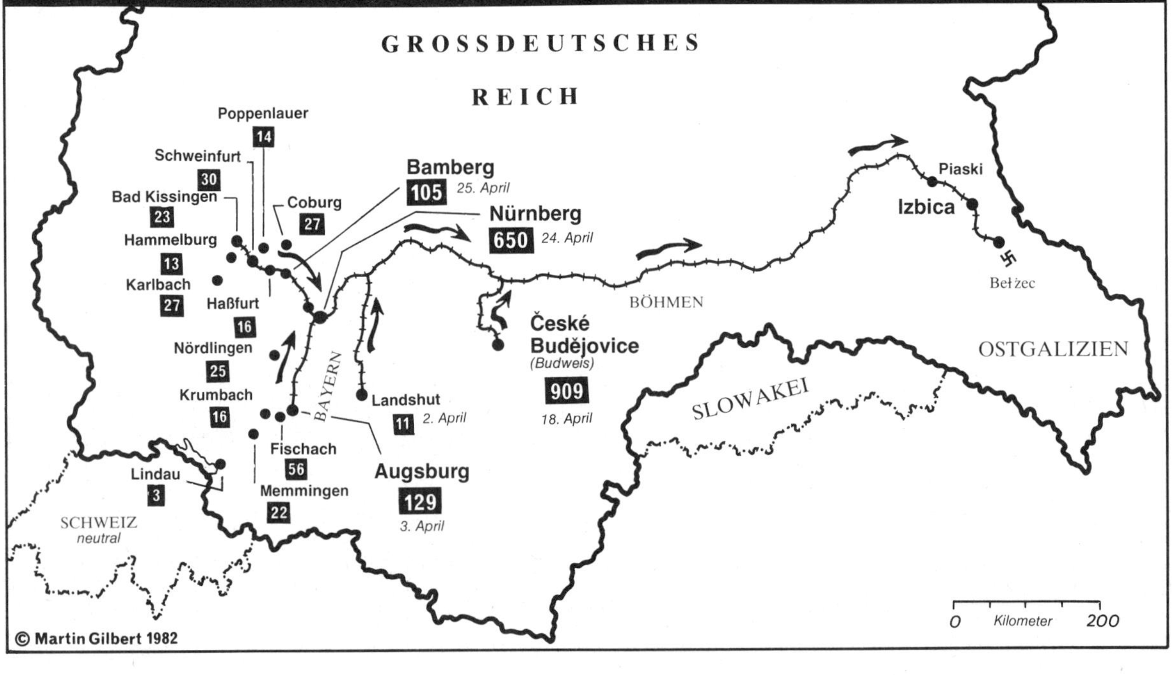
GROSSDEUTSCHES
REICH
Poppenlauer
14
Schweinfurt
30
Bad Kissingen
23
Coburg
27
Bamberg
105 25. April
Nürnberg
650 24. April
Piaski
Izbica
Bełżec
Hammelburg
13
Karlbach
27
Haßfurt
16
Nördlingen
25
Krumbach
16
BÖHMEN
České Budějovice
(Budweis)
909
18. April
OSTGALIZIEN
BAYERN
Landshut
11 2. April
SLOWAKEI
Fischach
56
Lindau
3
Augsburg
129
3. April
Memmingen
22
SCHWEIZ
neutral
0 Kilometer 200
© Martin Gilbert 1982

ZEHN DEPORTATIONEN NACH CHEŁMNO, APRIL 1942

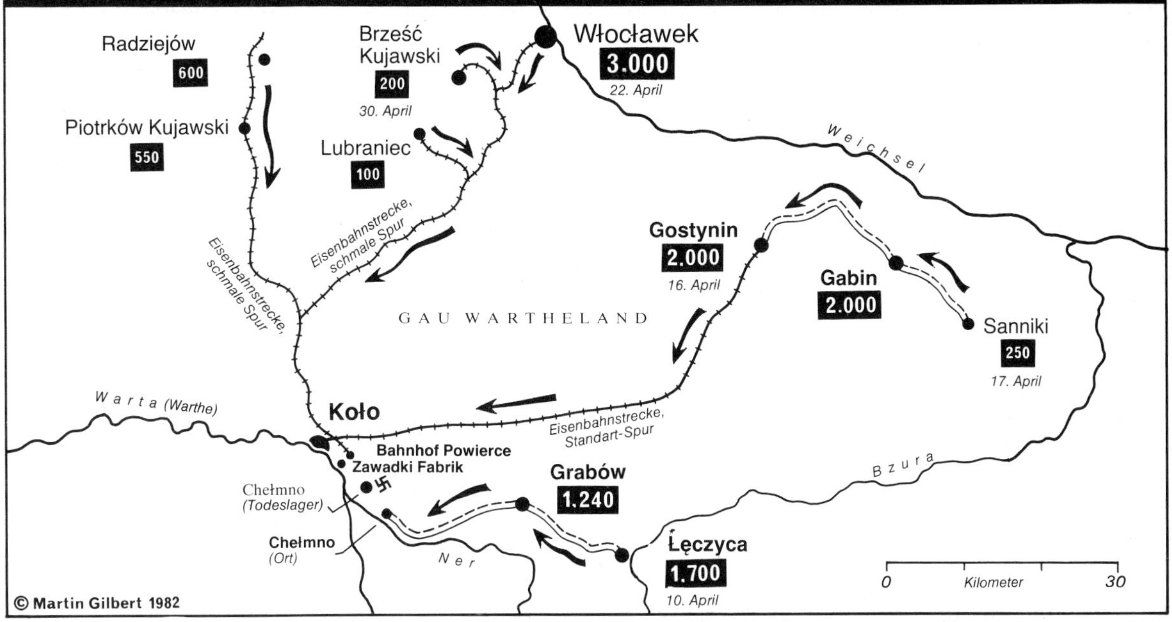
Radziejów
600
Piotrków Kujawski
550
Brześć Kujawski
200
30. April
Lubraniec
100
Włocławek
3.000
22. April
Weichsel
Eisenbahnstrecke, schmale Spur
Eisenbahnstrecke, schmale Spur
Gostynin
2.000
16. April
Gabin
2.000
Sanniki
250
17. April
GAU WARTHELAND
Warta (Warthe)
Koło
Eisenbahnstrecke, Standart-Spur
Bahnhof Powierce
Zawadki Fabrik
Chełmno (Todeslager)
Chełmno (Ort)
Grabów
1.240
Bzura
Łęczyca
1.700
10. April
Ner
0 Kilometer 30
© Martin Gilbert 1982

VORHERRSCHAFT DER NAZIS IN EUROPA, APRIL – MAI 1942

Nordsee
Ostsee
Parafianowo
600
Krzywicze
350
Dokszyce
600
Dołhinów 1.000
deutsche Frontlinie
Danzig
Berlin
Warschau
Zdzieciol 1.200
Dobrush
70
Slawuta
12.000
Chełmno
Brailow
300
Auschwitz
Bełżec
Kuty
Piryatin
1.530
Augsburg
SCHWEIZ
Budapest
Berditschew
70
Frauen und Kinder aus gemischten Ehen
27. April
Adriatisches Meer
Bukarest
Schwarzes Meer
Rom
Saloniki
Krim
am 16. April als «judenrein» gemeldet
Athen
Tunis
Malta
RHODOS
Mittelmeer
KRETA
Derna
Tripolis
Homs
Bengasi
Tobruk
Giado
562
LIBYEN
El Alamein
Kairo
5.000
Zwangsarbeiter
ÄGYPTEN
0 Kilometer 400
© Martin Gilbert 1982

Den ganzen April 1942 hindurch gingen die Ermordungen im Osten ebenso weiter *(rechts)* wie die Deportationen in die Todeslager Bełżec *(vorherige Seite, oben)*, Chełmno *(oben)* und Auschwitz.

Die kläglichen Überreste einst blühender Gemeinden in Bayern und Böhmen wurden zwecks «Umsiedlung» in den Osten geschickt *(vorherige Seite, unten)*. Ziel ihrer Reise war jedoch weder ein Arbeitslager noch ein Getto im Osten, sondern die beiden Durchgangslager Izbica und Piaski, von wo aus sie ein paar Kilometer weiter nach Bełżec und dort in die Gaskammer gebracht wurden. Mit der Deportation vom 3. April 1942 hörte die einst 1000 Menschen starke jüdische Gemeinde von Augsburg auf zu existieren. Seit 1212 hatten Juden in der Stadt gelebt, und im 15. Jahrhundert war sie ein Zentrum jüdischer Kultur gewesen.

In Warschau verhungerten im April wieder Tausende von Juden *(vorherige Seite, oben)*.

2800 Kilometer weiter südlich *(rechts)* kamen die 38000 libyschen Juden, die Ende 1941 vorübergehend unter britischer Oberhoheit gelebt hatten, im Februar 1942 wieder unter die Herrschaft der Italiener. Sofort wurden jüdische Geschäfte geplündert und 2600 Juden in ein Lager bei Giado deportiert, wo sie als Zwangsarbeiter Militärstraßen bauen mußten. Die Todesopfer waren zahlreich: In 14 Monaten starben 562 Menschen an Hunger und Typhus.

Im April 1942 wurden weitere 1750 Juden von Tripolis zur Zwangsarbeit nach Homs, Bengasi und Derna gebracht. Hunderte starben infolge von Hunger oder Hitze. Andere wurden bei Bombenangriffen der Alliierten getötet, weil ihnen der Zutritt zu Luftschutzräumen verboten war.

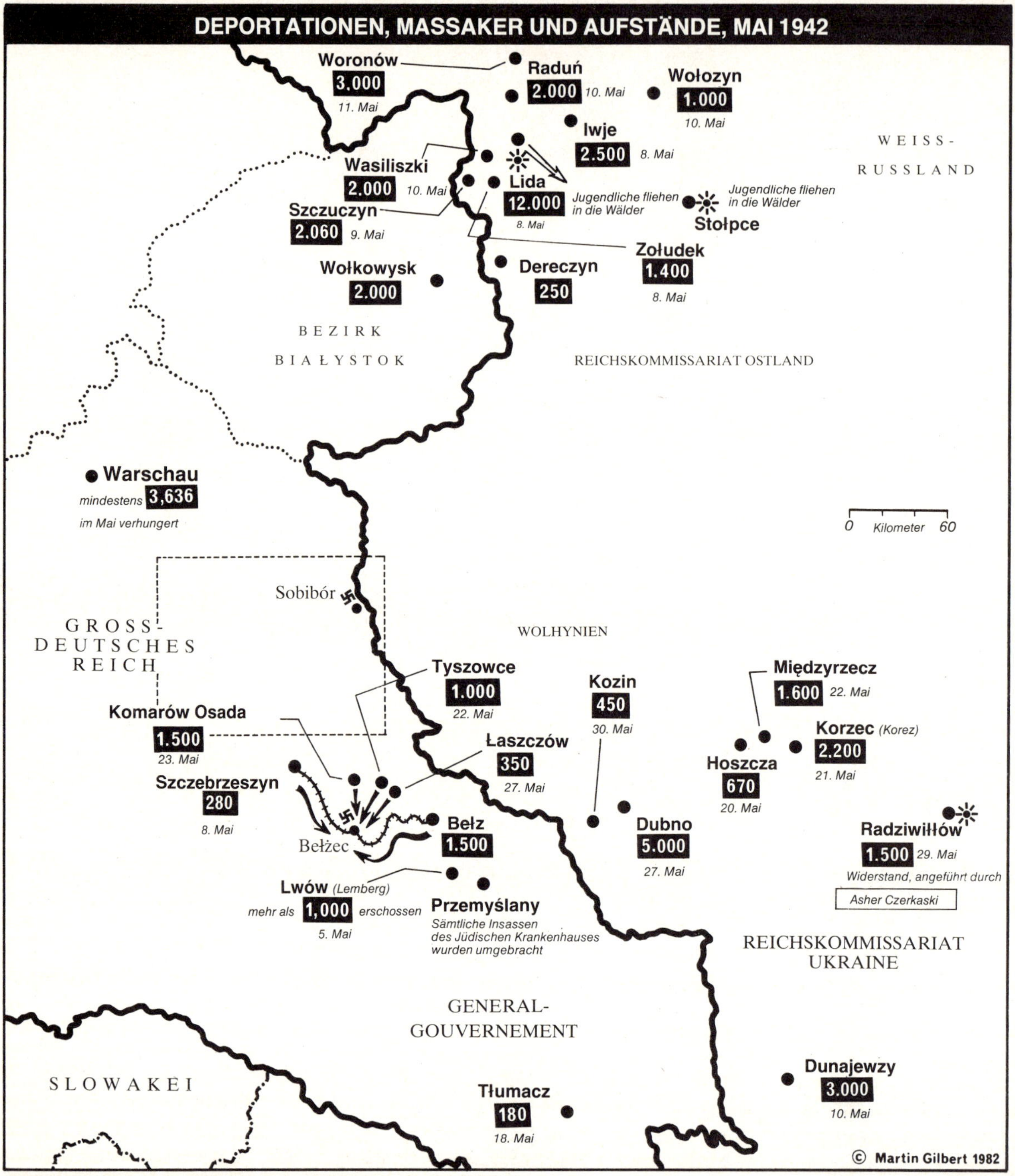
DEPORTATIONEN, MASSAKER UND AUFSTÄNDE, MAI 1942
Woronów 3.000 11. Mai
Raduń 2.000 10. Mai
Wołozyn 1.000 10. Mai
Iwje 2.500 8. Mai
WEISS-RUSSLAND
Wasiliszki 2.000 10. Mai
Lida 12.000 8. Mai
Jugendliche fliehen in die Wälder
Jugendliche fliehen in die Wälder
Stołpce
Szczuczyn 2.060 9. Mai
Żołudek 1.400 8. Mai
Wołkowysk 2.000
Dereczyn 250
BEZIRK BIAŁYSTOK
REICHSKOMMISSARIAT OSTLAND
Warschau mindestens 3,636 im Mai verhungert
0 Kilometer 60
Sobibór
GROSS-DEUTSCHES REICH
WOLHYNIEN
Tyszowce 1.000 22. Mai
Kozin 450 30. Mai
Międzyrzecz 1.600 22. Mai
Komarów Osada 1.500 23. Mai
Łaszczów 350 27. Mai
Korzec (Korez) 2.200 21. Mai
Hoszcza 670 20. Mai
Szczebrzeszyn 280 8. Mai
Bełz 1.500
Bełżec
Dubno 5.000 27. Mai
Radziwiłłów 1.500 29. Mai
Widerstand, angeführt durch
Asher Czerkaski
Lwów (Lemberg) mehr als 1,000 erschossen 5. Mai
Przemyślany
Sämtliche Insassen des Jüdischen Krankenhauses wurden umgebracht
REICHSKOMMISSARIAT UKRAINE
GENERAL-GOUVERNEMENT
SLOWAKEI
Dunajewzy 3.000 10. Mai
Tłumacz 180 18. Mai
© Martin Gilbert 1982

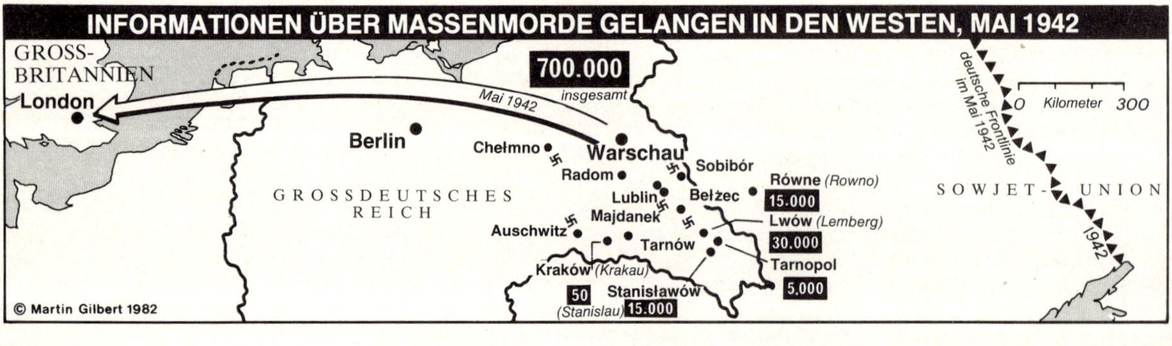
INFORMATIONEN ÜBER MASSENMORDE GELANGEN IN DEN WESTEN, MAI 1942
GROSS-BRITANNIEN
London
700.000 insgesamt
Mai 1942
deutsche Frontlinie im Mai 1942
0 Kilometer 300
Berlin
Chełmno
Warschau
Radom
Sobibór
Równe (Rowno) 15.000
SOWJET-UNION
GROSSDEUTSCHES REICH
Lublin
Bełżec
Majdanek
Lwów (Lemberg) 30.000
Auschwitz
Tarnów
Tarnopol 5.000
Kraków (Krakau) 50
Stanisławów (Stanislau) 15.000
1942
© Martin Gilbert 1982

NEUNZEHN DEPORTATIONEN NACH SOBIBÓR, MAI 1942

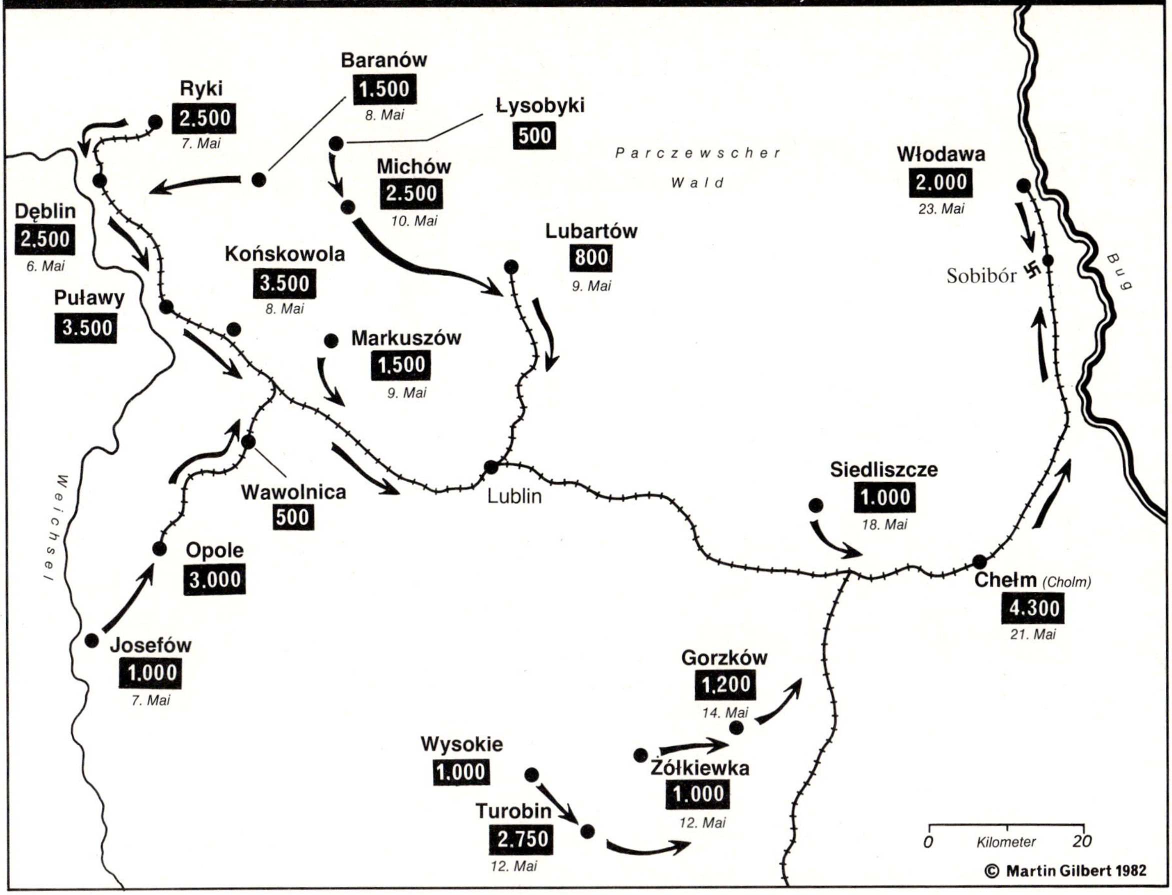
Baranów
1.500
8. Mai
Ryki
2.500
7. Mai
Łysobyki
500
Michów
2.500
10. Mai
Parczewscher
Wald
Włodawa
2.000
23. Mai
Dęblin
2.500
6. Mai
Lubartów
800
9. Mai
Końskowola
3.500
8. Mai
Sobibór
Bug
Puławy
3.500
Markuszów
1.500
9. Mai
Weichsel
Wawolnica
500
Lublin
Siedliszcze
1.000
18. Mai
Opole
3.000
Chełm (Cholm)
4.300
21. Mai
Josefów
1.000
7. Mai
Gorzków
1.200
14. Mai
Wysokie
1.000
Żółkiewka
1.000
12. Mai
Turobin
2.750
12. Mai
0 Kilometer 20
© Martin Gilbert 1982

Im Laufe des Mai 1942 kam es jenseits der Ostgrenze des Generalgouvernements zu weiteren Tötungen *(vorherige Seite, oben)*. Auch wurden weitere Deportationen nach Sobibór *(oben)*, Bełżec, Chełmno und Auschwitz *(S.100/101)* durchgeführt. In Przemyślany wurden alle Patienten eines jüdischen Krankenhauses aus ihren Betten gezerrt und erschossen. In Dubno wurden 5000 Juden als «nicht produktiv» für die deutschen Kriegsanstrengungen erachtet, vor die Stadt gebracht und ermordet. Von Chełm (Cholm) aus wurden ortsansässige Juden sowie slowakische Juden, die zwei Jahre zuvor dorthin deportiert worden waren, nach Sobibór gebracht und dort vergast.

Genau zur gleichen Zeit gelangten die ersten Nachrichten über den Massenmord an 700000 Juden in Ostgalizien und im Osten nach London *(vorherige Seite, unten)* – sie waren von der im Untergrund arbeitenden Jüdischen Sozialistischen Partei in Warschau aus Polen herausgeschmuggelt worden. Sie enthielten genaue Zahlenangaben über Massenmorde in vier Städten sowie über weitere Morde in Radom, Lublin, Kraków (Krakau) und Tarnów. In ganz Ostgalizien, so hieß es in dem Bericht, «wurden Männer zwischen 14 und 60 auf einem bestimmten Platz, an einer Ecke oder auf einem Friedhof zusammengetrieben und dort niedergemetzelt, mit Maschinengewehren erschossen oder mit Handgranaten getötet. Sie mußten ihre eigenen Gräber ausheben. Kinder in Waisenhäusern, Insassen von Altersheimen, Patienten in Krankenhäusern wurden erschossen, Frauen wurden auf offener Straße ermordet. Aus zahlreichen Städten wurden die Juden ‹mit unbekanntem Ziel› verschleppt und dann in umliegenden Wäldern getötet.»

Nur ein Todeslager wurde in dem Bericht genannt, und zwar Bełżec. Allerdings warnte der Bericht, daß die Massenmorde noch zunähmen.

Obwohl die Opfer durch Hunger und Entbehrungen geschwächt waren, obwohl sie Maschinenpistolen und Granaten stets unbewaffnet gegenüberstanden, obwohl sie, umgeben von einer feindseligen örtlichen Bevölkerung, ganz auf sich selbst gestellt waren und grauenhafte Folter zu erwarten hatten, wenn sie die Macht der Nazis herausforderten, versuchten trotzdem viele Juden, die Sperrketten von SS und örtlicher Polizei zu durchbrechen. Auf der vorherigen Seite *(oben)* zeigen drei Beispiele, wo es einigen jungen Männern und Frauen gelang, die Wälder zu erreichen und sich dort Partisanentrupps anzuschließen oder selbst welche zu bilden. Von diesen speziellen Widerstandsaktionen sind Berichte überliefert. Von vielen anderen derartigen Aktionen gibt es keinerlei Unterlagen.

ZEHN WEITERE DEPORTATIONEN, MAI 1942

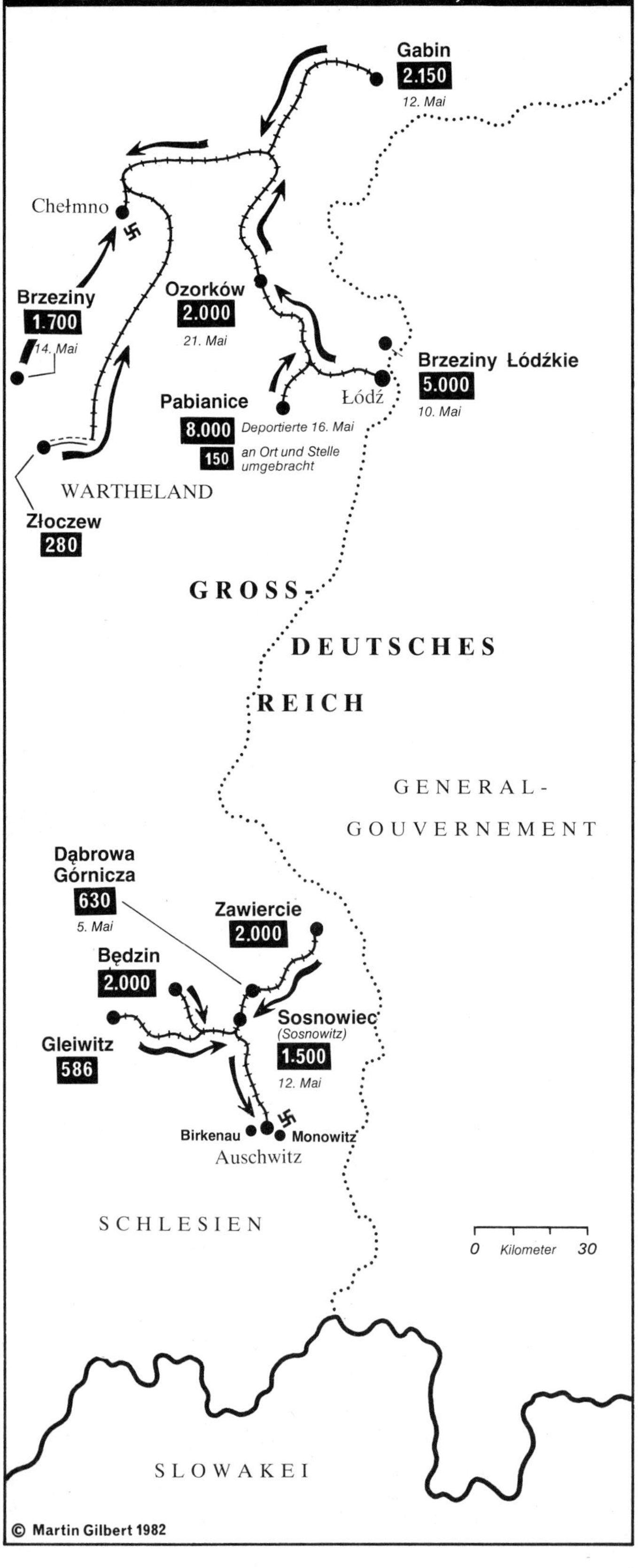
Gabin
2.150
12. Mai
Chełmno
Brzeziny
1.700
14. Mai
Ozorków
2.000
21. Mai
Brzeziny Łódźkie
5.000
10. Mai
Łódź
Pabianice
8.000
Deportierte 16. Mai
150
an Ort und Stelle umgebracht
WARTHELAND
Złoczew
280
GROSS-
DEUTSCHES
REICH
GENERAL-
GOUVERNEMENT
Dąbrowa Górnicza
630
5. Mai
Zawiercie
2.000
Będzin
2.000
Sosnowiec
(Sosnowitz)
1.500
12. Mai
Gleiwitz
586
Birkenau
Monowitz
Auschwitz
SCHLESIEN
0 Kilometer 30
SLOWAKEI
© Martin Gilbert 1982

Die Vergasung von mehr als zwei Millionen Juden in Auschwitz begann am 4. Mai 1942 – zunächst in Auschwitz selbst und später in dem nahe gelegenen Lager Birkenau, wo im Laufe des Jahres 1942 und des Frühjahres 1943 vier Gaskammern und Krematorien für den Massenmord gebaut wurden. Einige Juden von jeder Deportation wurden «auserwählt», am Leben zu bleiben und Zwangsarbeit zu verrichten – zum Teil in den Baracken in Birkenau selbst, zum Teil in Fabriken in der Umgegend, unter anderem in einer Fabrik für synthetisches Öl und Gummi, die später bei Monowitz gebaut wurde. Während ihres Aufenthaltes in Birkenau wurden viele Juden und vor allem jüdische Frauen von SS-Ärzten für medizinische Versuche ausgewählt.

Da während des Krieges Birkenau als Auschwitz II und das Zwangsarbeitslager in Monowitz als Auschwitz III bekannt wurde, nennen viele Berichte über Deportationen von Juden nach Birkenau «Auschwitz» als Zielort und nicht Birkenau, wohin die Deportation in Wirklichkeit ging. Fast zwei Jahre lang wurden alle Deportierten nach Birkenau an einem Nebengleis eben außerhalb des Bahnhofs von Auschwitz ausgeladen und von dort per Lastwagen oder zu Fuß nach Birkenau gebracht. Im April 1944 wurde ein direktes Eisenbahngleis nach Birkenau gebaut, das fast unmittelbar vor den Toren von zwei der vier dortigen Gaskammern endete.

Im Mai wurden Deportationen nach Chełmno mit unverminderter Intensität durchgeführt. Die Karte links zeigt sechs Gemeinden in der Umgebung des Lagers, die innerhalb eines Monats vernichtet wurden. Von den Juden aus Ozorków wurden 2000 vergast, während man 800 der kräftigsten Männer und Frauen in Fabriken im Getto von Łódź schickte. In Pabianice wurden alle 150 Patienten des jüdischen Krankenhauses an Ort und Stelle erschossen, ehe man den Rest der Gemeinde nach Chełmno in den Tod schickte.

Auch der jüdische Widerstand ging weiter. Die Aussichten auf Erfolg jedoch waren gering, da schwerbewaffnete SS-Einheiten von Stadt zu Stadt zogen. Alle jüdischen Gemeinden waren unbewaffnet und isoliert: Der Kontakt zu allen Nachbargemeinden war ihnen untersagt, sie waren von sämtlichen normalen Kommunikationsmitteln abgeschnitten, und Gerüchte über Massaker hatten sie in Angst und Schrecken versetzt, obwohl sie über keinerlei konkrete Informationen hinsichtlich des Schicksals der Juden andernorts verfügten.

Manchmal gelang es der Bevölkerung ganzer Dörfer zu entkommen *(folgende Seite, oben)*. Doch hatten sie sich erst einmal in den umliegenden Wäldern notdürftig in Sicherheit gebracht, begann für die Familien und deren Oberhäupter die verzweifelte Suche nach Nahrung. Von Dorfbewohnern, die selbst hungrig oder ihnen sogar feindlich gesonnen waren, wurden ihnen Lebensmittel oft versagt. Die Deutschen ihrerseits waren in der Lage, schwere militärische Angriffe durchzuführen *(hier dargestellt durch dicke schwarze Pfeile)*: Sie fanden – der erste im Ok-

JÜDISCHE DORFBEWOHNER WIDERSETZEN SICH DER DEPORTATION, 9. MAI 1942

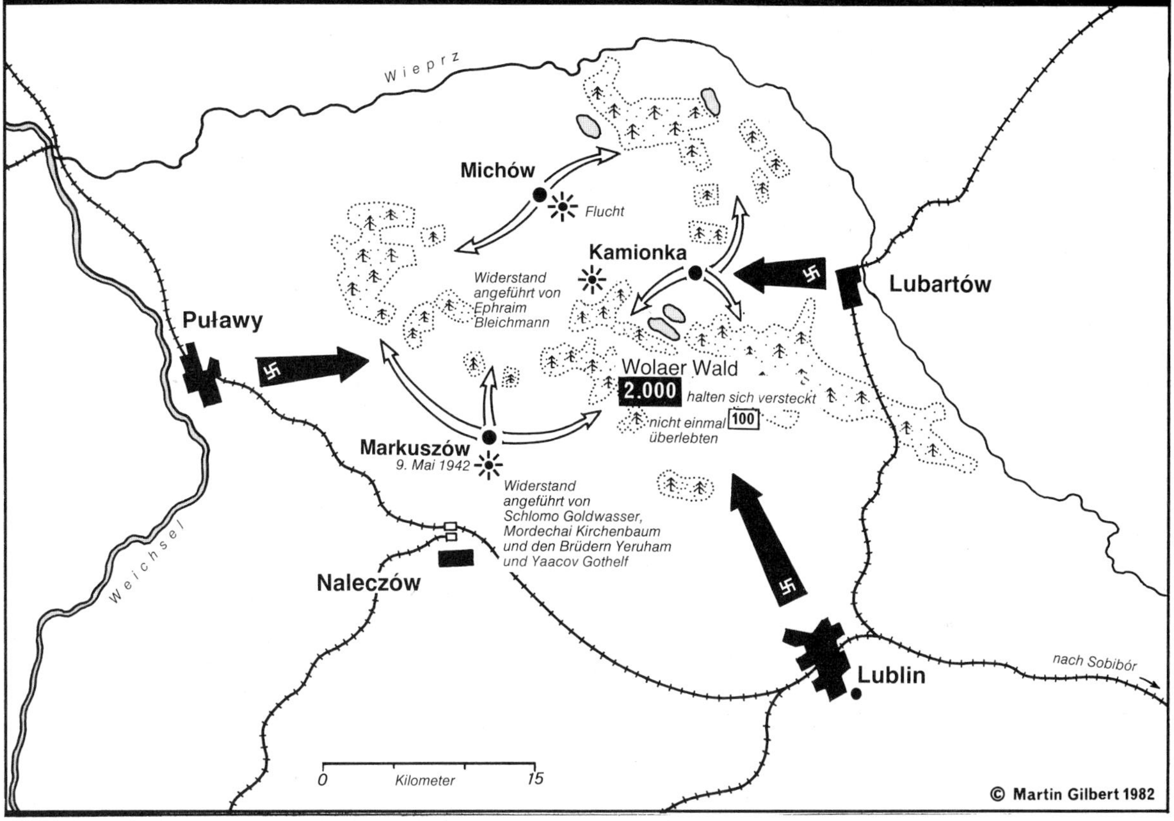
Wieprz
Michów
Flucht
Kamionka
Widerstand angeführt von Ephraim Bleichmann
Puławy
Lubartów
Wolaer Wald
2.000 halten sich versteckt
nicht einmal 100 überlebten
Markuszów
9. Mai 1942
Widerstand angeführt von Schlomo Goldwasser, Mordechai Kirchenbaum und den Brüdern Yeruham und Yaacov Gothelf
Weichsel
Naleczów
Lublin
nach Sobibór
0 Kilometer 15
© Martin Gilbert 1982

DEPORTATIONEN ÜBER WEITE ENTFERNUNGEN UND EIN AKT DER AUFLAHNUNG, MAI 1942

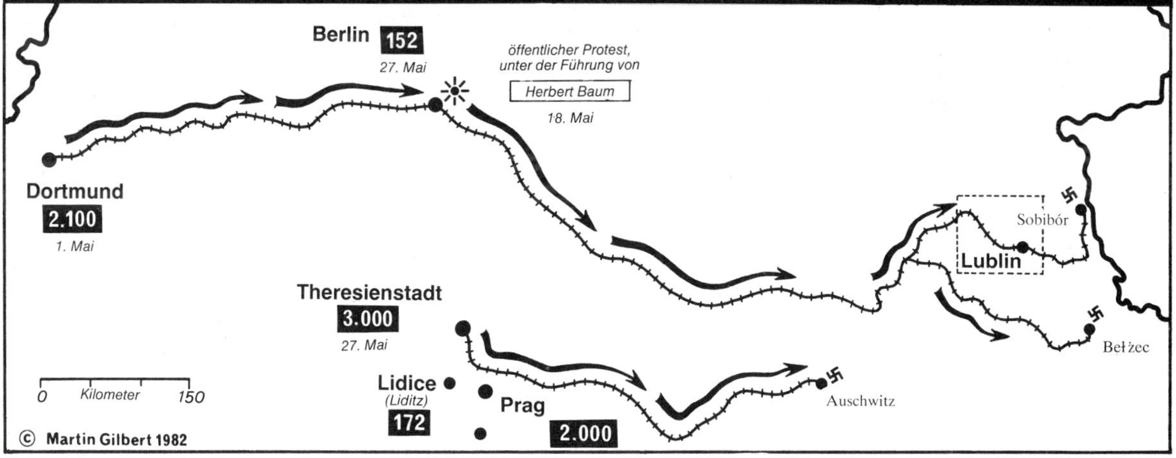
Berlin 152
27. Mai
öffentlicher Protest, unter der Führung von
Herbert Baum
18. Mai
Dortmund
2.100
1. Mai
Sobibór
Lublin
Theresienstadt
3.000
27. Mai
Bełżec
Lidice
(Liditz)
172
Prag
2.000
Auschwitz
0 Kilometer 150
© Martin Gilbert 1982

tober 1942, der zweite im Dezember 1942 – an drei verschiedenen Fronten gleichzeitig statt und wurden, unterstützt durch Artillerie, gepanzerte Fahrzeuge, Granaten und Maschinengewehre, ausgeführt von bewaffneten Männern, die für den militärischen Kampf ausgebildet waren und nun auszogen, um kleine Gruppen isolierter jüdischer Familien zu vernichten, die ohnehin am Verhungern waren.

Auch in Berlin kam es zum Widerstand seitens der Juden *(oben)*. Die öffentliche Zurschaustellung von Antinazi-Plakaten durch Studentengruppen führte zur Festnahme einer der Gruppen – alle 152 Personen wurden erschossen.

Als Vergeltungsmaßnahme für die Erschießung des SS-Obergruppenführers Reinhard Heydrich in Prag am 27. Mai, startete die SS die «Operation Reinhard», die sich sowohl gegen Tschechen als auch gegen Juden richtete. In Prag und in dem Dorf Lidice (Liditz) wurden insgesamt etwa 2000 Tschechen getötet. Aus dem Getto von Theresienstadt wurden 3000 Juden nach Auschwitz deportiert und dort vergast.

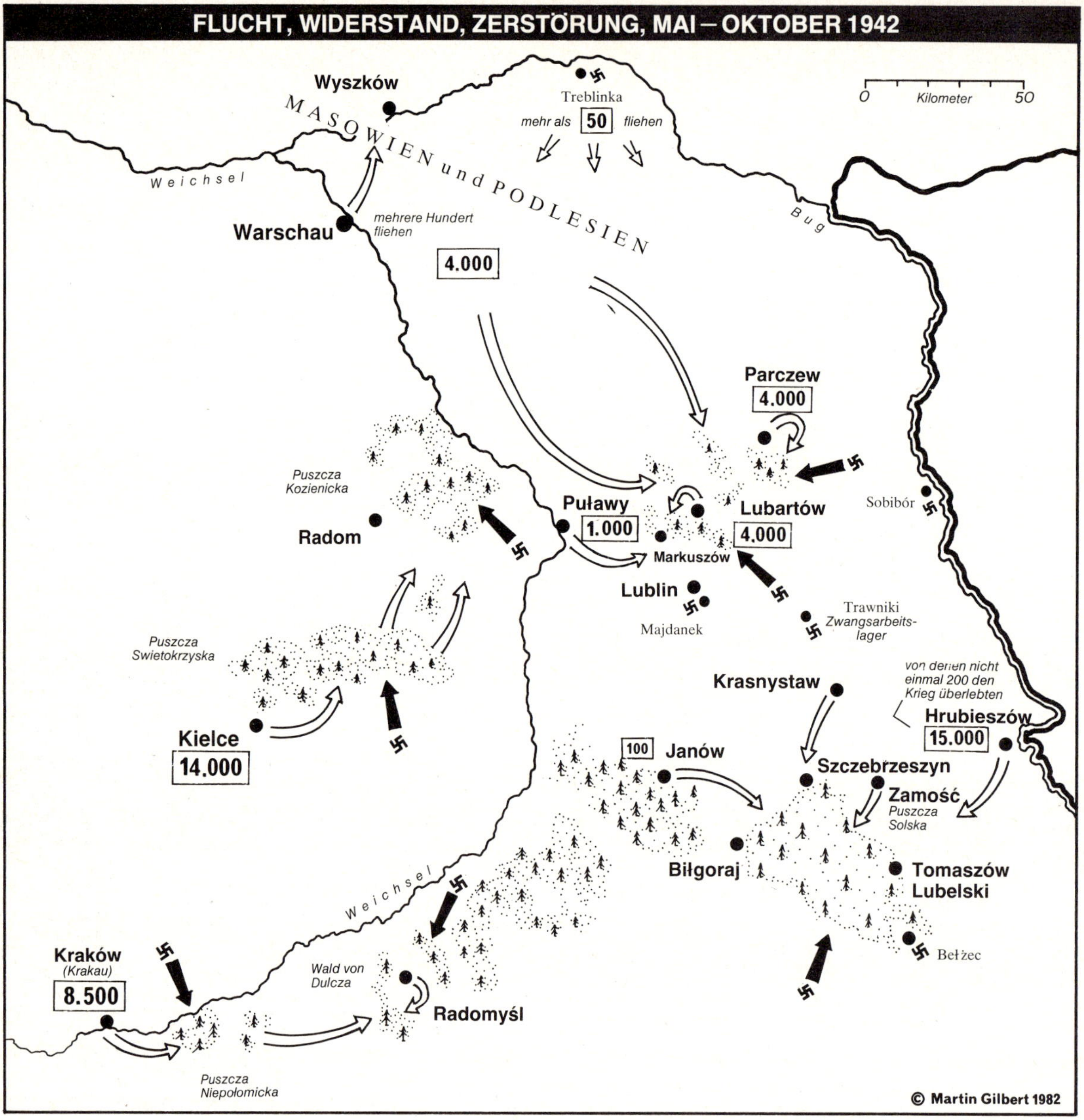
FLUCHT, WIDERSTAND, ZERSTÖRUNG, MAI – OKTOBER 1942
Wyszków
Treblinka
mehr als 50 fliehen
0 Kilometer 50
MASOWIEN und PODLESIEN
Weichsel
Bug
Warschau
mehrere Hundert fliehen
4.000
Parczew
4.000
Puszcza Kozienicka
Radom
Puławy
1.000
Lubartów
4.000
Markuszów
Sobibór
Lublin
Majdanek
Trawniki Zwangsarbeitslager
Puszcza Swietokrzyska
Krasnystaw
von denen nicht einmal 200 den Krieg überlebten
Hrubieszów
15.000
Kielce
14.000
100
Janów
Szczebrzeszyn
Zamość
Puszcza Solska
Biłgoraj
Tomaszów Lubelski
Bełżec
Weichsel
Kraków (Krakau)
8.500
Wald von Dulcza
Radomyśl
Puszcza Niepołomicka
© Martin Gilbert 1982

Während die SS damit fortfuhr, Juden in Todes- und Arbeitslager zu deportieren, setzten die Juden selbst ihre Versuche fort, in Wälder und Gehölze zu fliehen *(oben)*. Es handelte sich hier nicht um die Flucht der Jungen und Kräftigen, die Frauen und Kinder, Alte und Kranke zurückließen. Vielmehr bemühten sich zahlreiche der Führer solcher Fluchtaktionen, ganze Familien zu retten. War man erst einmal in den Wäldern, war es dort praktisch unmöglich, länger als ein paar Monate zu überleben. Wem die Flucht gelang, der sah sich großangelegten Militäreinsätzen der Deutschen, feindlich gesinnten örtlichen Bauern und Verrat ausgesetzt. Die schrecklichen Entbehrungen, die das Leben im Wald mit sich brachte, forderten ihren Preis: keine medizinische Versorgung, kaum Nahrungsmittel, unreines Wasser und die Auswirkungen des extremen Klimas – Hitze und Insekten im Sommer, gefolgt von Herbststürmen und Temperaturen unter dem Gefrierpunkt im Winter. Von mehr als 100 Juden beispielsweise, die aus Janów in die Puszcza Solska flohen, überlebten ganze zehn den Krieg.

Trotzdem gab es einen stark ausgeprägten Widerstandsgeist. Es handelte sich dabei nicht um «Schlachtvieh», sondern um tapfere Männer und Frauen, die entschlossen waren, wehrlos die bewaffnete Streitmacht einer siegreichen Armee herauszufordern. Sie erhielten keinerlei Unterstützung aus dem Ausland, und nur wenige örtliche Dorfbewohner waren bereit, ihnen Schutz zu gewähren.

Die Fotos auf der folgenden Seite, vom Autor 1980 aufgenommen, zeigen ein solches Waldgebiet: den Parczewschen Wald, dessen Geschichte auf den Seiten 122/123 erzählt wird.

DEPORTATIONEN ÜBER WEITE ENTFERNUNGEN UND MASSAKER, JUNI 1942

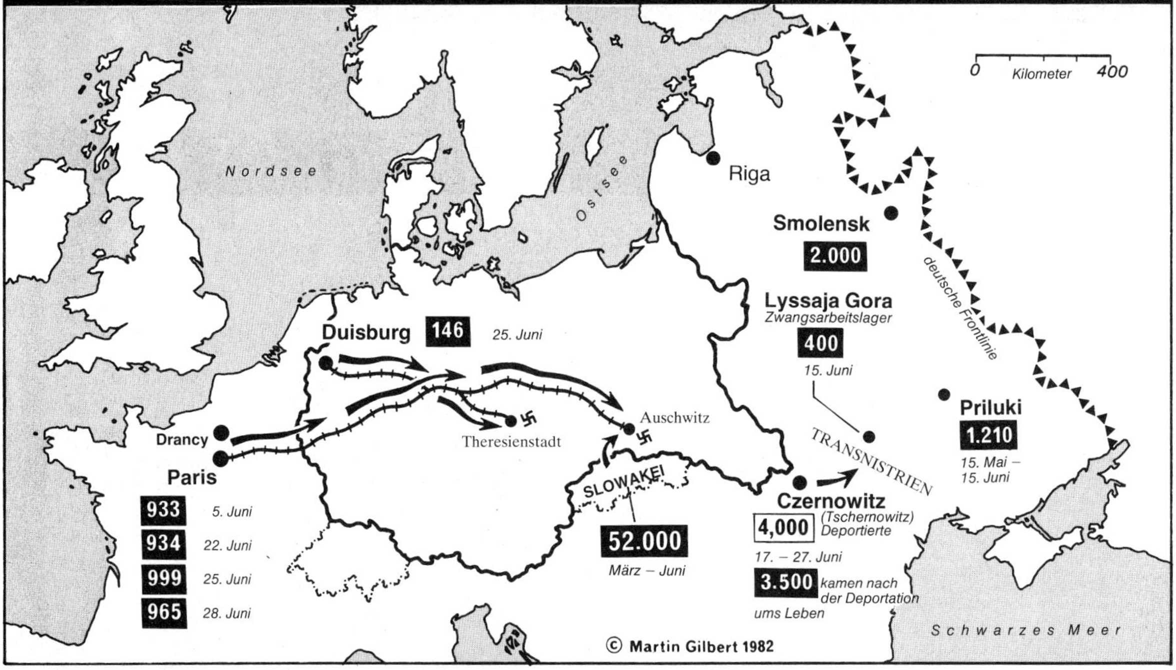
0 Kilometer 400
Nordsee
Ostsee
Riga
Smolensk
2.000
Lyssaja Gora
Zwangsarbeitslager
400
15. Juni
deutsche Frontlinie
Duisburg
146
25. Juni
Priluki
1.210
15. Mai – 15. Juni
Auschwitz
Theresienstadt
Drancy
Paris
TRANSNISTRIEN
SLOWAKEI
Czernowitz
(Tschernowitz)
4,000
Deportierte
17. – 27. Juni
3.500
kamen nach der Deportation ums Leben
52.000
März – Juni
933
5. Juni
934
22. Juni
999
25. Juni
965
28. Juni
Schwarzes Meer
© Martin Gilbert 1982

EIN GASWAGEN WIRD IN DEN NORDEN BEORDERT, 9. JUNI 1942

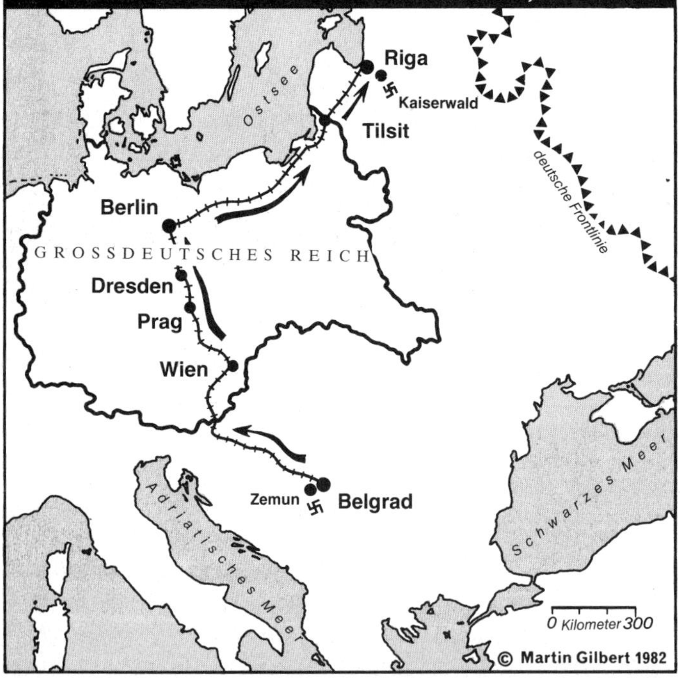
Riga
Kaiserwald
Tilsit
Ostsee
deutsche Frontlinie
Berlin
GROSSDEUTSCHES REICH
Dresden
Prag
Wien
Zemun
Belgrad
Adriatisches Meer
Schwarzes Meer
0 Kilometer 300
© Martin Gilbert 1982

Die Deportationspläne der SS und die Exekutionen im Osten wurden im Juni mit unverminderter Intensität ausgeführt. Kaum hatten deutsche Truppen die russischen Städte Smolensk und Priluki erreicht, wurden bereits mehr als 3000 Juden ermordet. Aus Czernowitz (Tschernowitz) in der Bukowina *(S. 72/73)* wurden weitere 4000 Juden ostwärts nach Transnistrien deportiert *(ganz oben)*, von denen nicht einmal die Hälfte den Krieg überlebten.

Die Deportationen nach Auschwitz gingen ohne Pause weiter: vier Deportationen aus Paris, 50 Deportationen aus der Slowakei innerhalb von vier Monaten und fünf Deportationen aus der Gegend von Auschwitz selbst *(folgende Seite)*. In Warschau fanden im Juni weitere 4000 Juden den Hungertod. In Bełżec und Sobibór wurden mehr als 23000 Juden vergast.

Unter den Juden, die von Kraków (Krakau) nach Bełżec deportiert wurden, befand sich der 65jährige Tischler Mordechai Gebirtig, dessen jiddische Lieder und Melodien in ganz Polen gesungen wurden. Sein bekanntestes Lied, «Unsere Stadt brennt», schrieb er nach dem Pogrom von Przytyk *(S. 21)*. Gebirtig wurde zusammen mit seiner Frau und seinen beiden Töchtern deportiert und ermordet. Ein weiterer bekannter Jude aus Kraków (Krakau), der Schriftsteller Abraham Naumann, wurde im Alter von 70 Jahren bei der Festnahme auf offener Straße erschossen.

Am 9. Juni 1942 wurde ein Speziallastwagen für Vergasungen, der ursprünglich der Ermordung serbischer Juden bei Zemun gedient hatte *(S. 83)*, nach Riga geschickt *(links)*, um dort bei der fortgesetzten Tötung nicht nur der Juden von Riga, sondern Zehntausender Juden, die ein halbes Jahr vorher aus dem Großdeutschen Reich nach Riga deportiert worden waren, zum Einsatz zu kommen. Die Aufgabe war so umfangreich, daß die SS in Riga am 15. Juni 1942 einen zweiten Wagen verlangte.

Wie die Tötungen so wurden auch die Bemühungen fortgesetzt, Widerstand zu leisten: In Dzisna (Disna) *(folgende Seite)* gelang 2000 Juden der Ausbruch aus dem Getto. Viele wurden wieder eingefangen, doch einige schlugen sich zu russischen Partisaneneinheiten durch und kämpften mit der Roten Armee gegen die Deutschen.

DEPORTATIONEN, MASSENMORDE UND AUFSTÄNDE, JUNI 1942

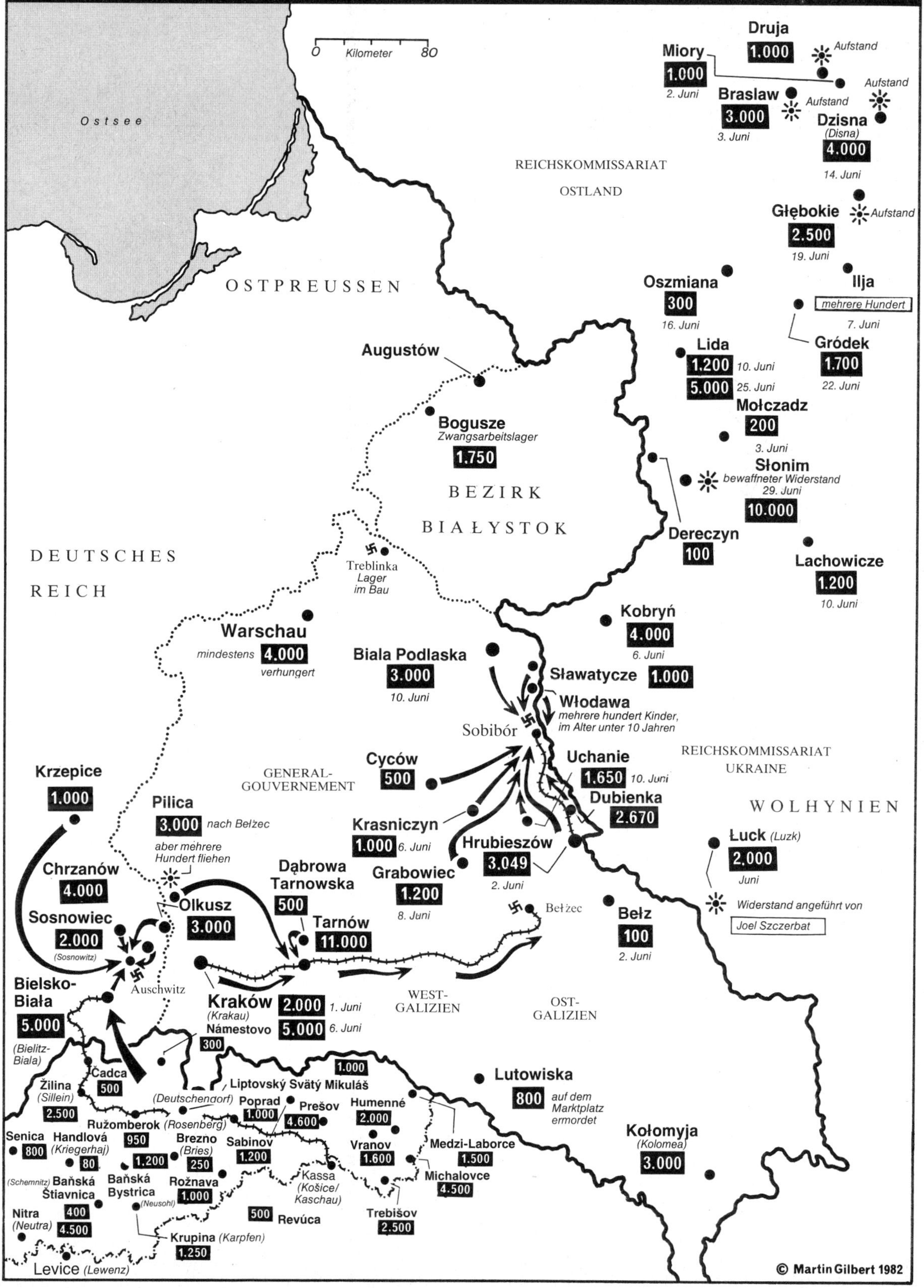
0 Kilometer 80
Ostsee
OSTPREUSSEN
REICHSKOMMISSARIAT
OSTLAND
DEUTSCHES
REICH
BEZIRK
BIAŁYSTOK
GENERAL-
GOUVERNEMENT
REICHSKOMMISSARIAT
UKRAINE
WOLHYNIEN
WEST-
GALIZIEN
OST-
GALIZIEN
Druja 1.000
Aufstand
Miory 1.000 2. Juni
Aufstand
Braslaw 3.000 3. Juni
Aufstand
Dzisna (Disna) 4.000 14. Juni
Głębokie 2.500 19. Juni
Aufstand
Oszmiana 300 16. Juni
Ilja mehrere Hundert 7. Juni
Gródek 1.700 22. Juni
Lida 1.200 10. Juni 5.000 25. Juni
Mołczadz 200 3. Juni
Słonim bewaffneter Widerstand 29. Juni 10.000
Dereczyn 100
Lachowicze 1.200 10. Juni
Augustów
Bogusze Zwangsarbeitslager 1.750
Treblinka Lager im Bau
Warschau mindestens 4.000 verhungert
Biala Podlaska 3.000 10. Juni
Kobryń 4.000 6. Juni
Sławatycze 1.000
Włodawa mehrere hundert Kinder, im Alter unter 10 Jahren
Sobibór
Cyców 500
Uchanie 1.650 10. Juni
Dubienka 2.670
Krasniczyn 1.000 6. Juni
Hrubieszów 3.049 2. Juni
Grabowiec 1.200 8. Juni
Łuck (Luzk) 2.000 Juni
Widerstand angeführt von Joel Szczerbat
Bełżec
Bełz 100 2. Juni
Krzepice 1.000
Pilica 3.000 nach Bełżec aber mehrere Hundert fliehen
Chrzanów 4.000
Sosnowiec 2.000 (Sosnowitz)
Olkusz 3.000
Dąbrowa Tarnowska 500
Tarnów 11.000
Auschwitz
Bielsko-Biała 5.000 (Bielitz-Biala)
Kraków (Krakau) 2.000 1. Juni 5.000 6. Juni
Námestovo 300
Čadca 500
Žilina (Sillein) 2.500
Liptovský Svätý Mikuláš 1.000
(Deutschendorf) Poprad 1.000
Prešov 4.600
Humenné 2.000
Ružomberok (Rosenberg) 950
Senica 800
Handlová (Kriegerhaj) 80
Brezno (Bries) 250
1.200
Sabinov 1.200
Vranov 1.600
Medzi-Laborce 1.500
Michalovce 4.500
(Schemnitz) Banská Štiavnica 400
Banská Bystrica (Neusohl)
Rožnava 1.000
Kassa (Košice/ Kaschau)
Trebišov 2.500
Nitra (Neutra) 4.500
Revúca 500
Krupina (Karpfen) 1.250
Levice (Lewenz)
Lutowiska 800 auf dem Marktplatz ermordet
Kołomyja (Kolomea) 3.000
© Martin Gilbert 1982

DIE JUDEN HOLLANDS AM VORABEND DER DEPORTATION

Nordsee
GRONINGEN
4.708
Groningen
Leeuwarden
Winschoten
FRIESLAND
852
Assen
Westerbork
DRENTE
2.498
Meppel
Hoogeveen
NORD-
HOLLAND
87.566
Alkmaar
Zwolle
Zaandam
Overijssel
4.385
Bloemendaal
Amsterdam
Zandvoort
Almelo
Haarlem
Naarden
Heemstede
Hengelo
Apeldoorn
Deventer
Bussum
Laren
Enschede
Hilversum
Voorburg
Leiden
Amersfoort
Zutphen
De Bilt
Den Haag
SÜD-
HOLLAND
GELDERLAND
Lochem
Rijswijk
25.648
Utrecht
Zeist
6.642
Gouda
Arnhem
Winterswijk
UTRECHT
3.802
Schiedam
Rotterdam
Nijmegen
Dordrecht
Oss
's-Hertogenbosch
(Herzogenbusch)
NORDBRABANT
2.281
Tilburg
ZEELAND
174
Eindhoven
LIMBURG
1.441
GROSSDEUTSCHES REICH
BELGIEN
0 Kilometer 50
Städte mit 300 bis 700 jüdischen Einwohnern
Städte mit 1.000 bis 3.000 jüdischen Einwohnern
Städte mit 8.000 bis 14.000 jüdischen Einwohnern
Amsterdam: 30.000 jüdische Einwohner
Maastricht
Die Zahlen geben die Anzahl der Juden in den holländischen Provinzen im Jahre 1941 wieder.
© Martin Gilbert 1982

Ab Mai 1940 wurden die 140000 in Holland lebenden Juden *(oben)* gezielt von den Menschen in ihrer Umgebung abgeschnitten. Am 9. Mai 1942 wurde das Tragen des gelben Sternes zur Pflicht.

Am 14. Juli 1942 wurden in Amsterdam Tausende niederländischer Juden festgenommen, und am folgenden Tag verließ der erste Zug mit 1135 niederländischen Juden Holland mit «unbekanntem Ziel» *(folgende Seite)*. Bis Ende des Monats waren fast 6000 von ihnen in Auschwitz eingetroffen, wo sie größtenteils vergast wurden.

Das Foto zeigt den speziellen Gleisanschluß, der gebaut wurde, um das Internierungslager Westerbork mit der Hauptstrecke zu verbinden.

Aus Deutschland wurden Hunderte von Juden in das Getto von Theresienstadt deportiert, wo sie hungerten und in Isolation lebten.

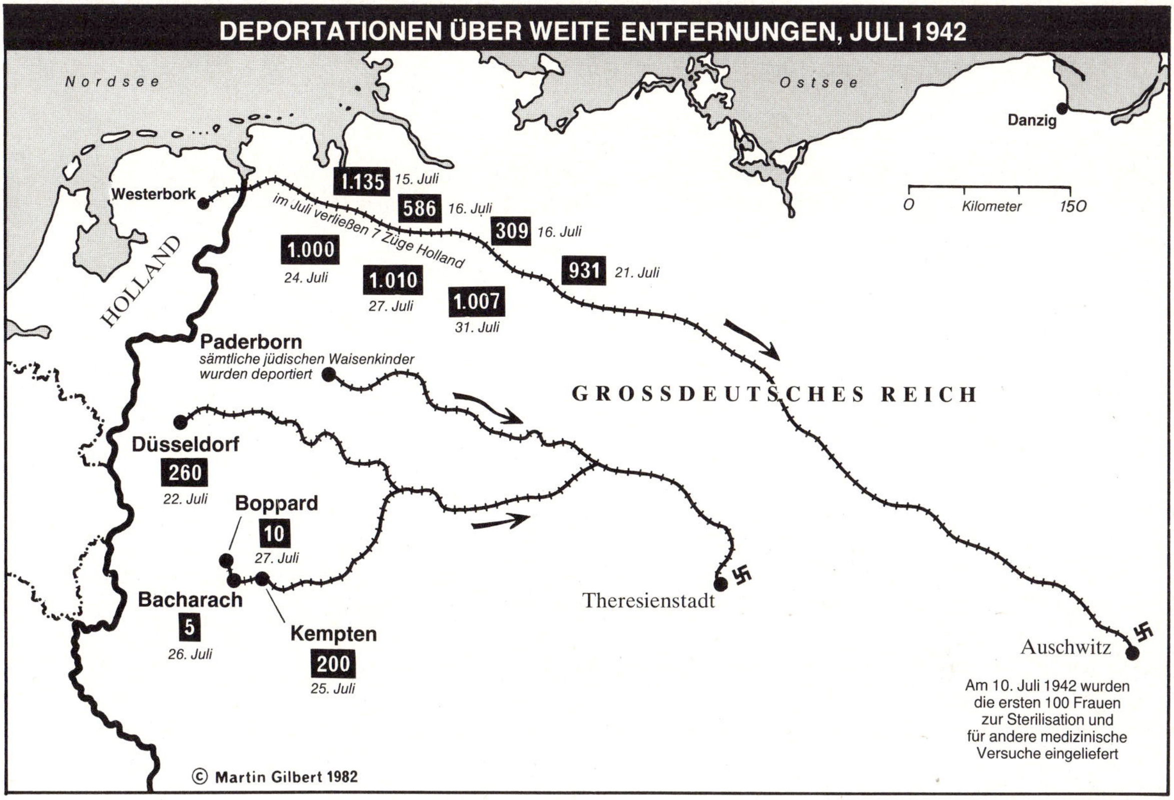
DEPORTATIONEN ÜBER WEITE ENTFERNUNGEN, JULI 1942
Nordsee
Ostsee
Danzig
Westerbork
HOLLAND
im Juli verließen 7 Züge Holland
1.135 15. Juli
586 16. Juli
309 16. Juli
931 21. Juli
1.000 24. Juli
1.010 27. Juli
1.007 31. Juli
0 Kilometer 150
Paderborn
sämtliche jüdischen Waisenkinder wurden deportiert
GROSSDEUTSCHES REICH
Düsseldorf
260 22. Juli
Boppard
10 27. Juli
Bacharach
5 26. Juli
Kempten
200 25. Juli
Theresienstadt
Auschwitz
Am 10. Juli 1942 wurden die ersten 100 Frauen zur Sterilisation und für andere medizinische Versuche eingeliefert
© Martin Gilbert 1982

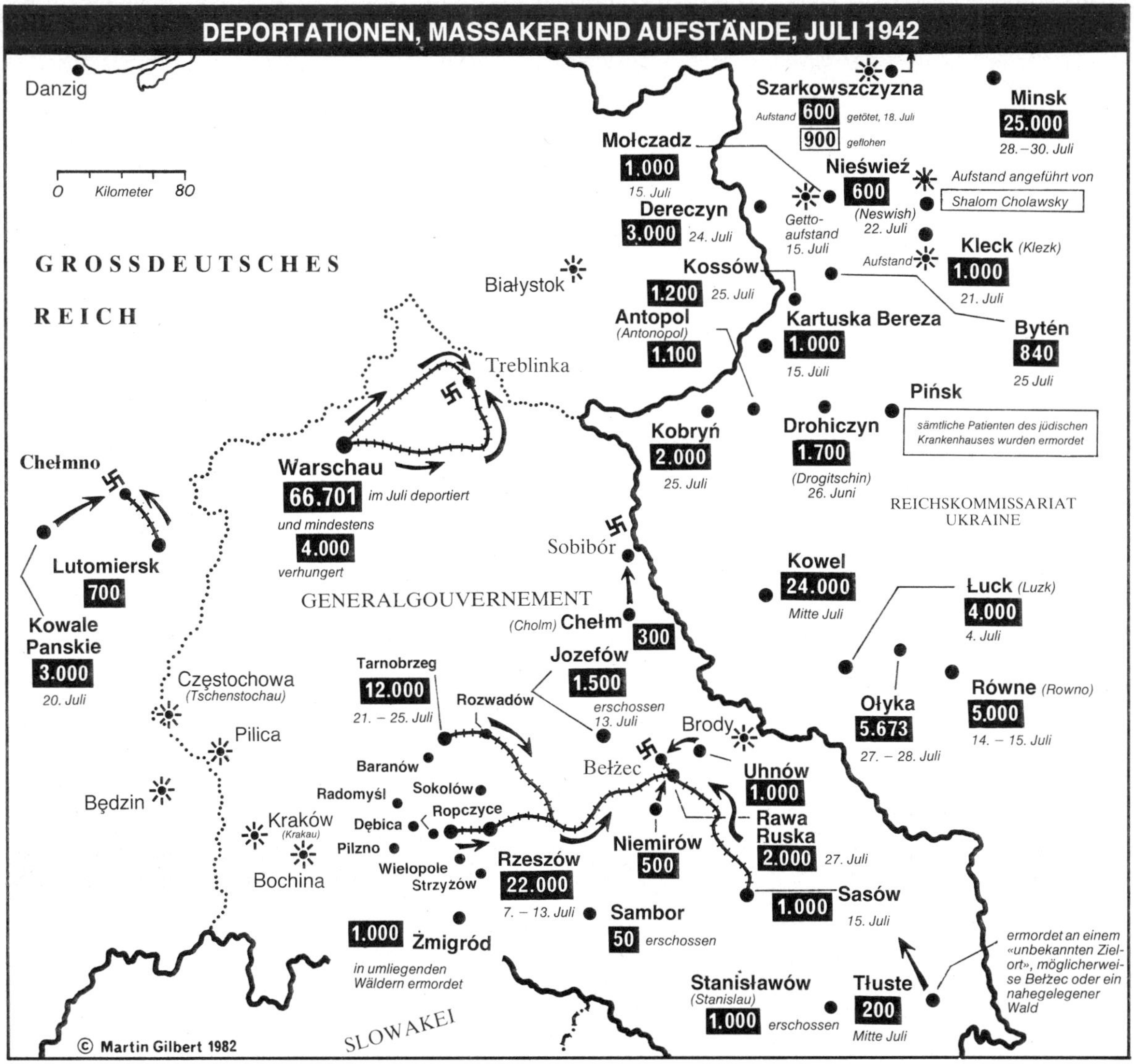
DEPORTATIONEN, MASSAKER UND AUFSTÄNDE, JULI 1942
Danzig
0 Kilometer 80
GROSSDEUTSCHES REICH
Szarkowszczyzna
Aufstand 600 getötet, 18. Juli
900 geflohen
Minsk
25.000
28.–30. Juli
Mołczadz
1.000
15. Juli
Nieśwież
600
(Neswish)
22. Juli
Aufstand angeführt von
Shalom Cholawsky
Dereczyn
3.000
24. Juli
Getto-aufstand
15. Juli
Kleck (Klezk)
Aufstand
1.000
21. Juli
Białystok
Kossów
1.200
25. Juli
Antopol
(Antonopol)
1.100
Kartuska Bereza
1.000
15. Juli
Bytén
840
25 Juli
Treblinka
Pińsk
sämtliche Patienten des jüdischen Krankenhauses wurden ermordet
Chełmno
Warschau
66.701
im Juli deportiert
und mindestens
4.000
verhungert
Kobryń
2.000
25. Juli
Drohiczyn
1.700
(Drogitschin)
26. Juni
REICHSKOMMISSARIAT UKRAINE
Lutomiersk
700
Kowale Panskie
3.000
20. Juli
Sobibór
GENERALGOUVERNEMENT
Kowel
24.000
Mitte Juli
Łuck (Luzk)
4.000
4. Juli
(Cholm) Chełm
300
Jozefów
1.500
erschossen
13. Juli
Tarnobrzeg
12.000
21. – 25. Juli
Rozwadów
Częstochowa
(Tschenstochau)
Pilica
Olyka
5.673
27. – 28. Juli
Równe (Rowno)
5.000
14. – 15. Juli
Brody
Bełżec
Uhnów
1.000
Baranów
Radomyśl
Sokolów
Będzin
Kraków
(Krakau)
Ropczyce
Dębica
Pilzno
Wielopole
Strzyżów
Bochina
Rzeszów
22.000
7. – 13. Juli
Niemirów
500
Rawa Ruska
2.000
27. Juli
Sasów
1.000
15. Juli
Sambor
50
erschossen
1.000
Żmigród
in umliegenden Wäldern ermordet
ermordet an einem «unbekannten Zielort», möglicherweise Bełżec oder ein nahegelegener Wald
Stanisławów
(Stanislau)
1.000
erschossen
Tłuste
200
Mitte Juli
SLOWAKEI
© Martin Gilbert 1982

Am 22. Juli 1942 begannen die Deutschen mit ihrem ehrgeizigsten Projekt: mit der Deportation von mehr als einer halben Million Juden aus dem Warschauer Getto. Das Todeslager, das man für sie vorbereitet hatte, lag bei Treblinka, kaum 65 Kilometer von dem Getto entfernt. In einem einzigen Monat wurden 66701 Juden von Warschau nach Treblinka deportiert und dort bei ihrer Ankunft vergast.

Mit dem Ziel, vor den bevorstehenden Ereignissen zu warnen, einen bewaffneten Widerstand zu organisieren und eine Verbindung zwischen den verstreuten und isolierten Gettos herzustellen, bildete sich in Warschau, in Białystok, in Brody und in fünf weiteren Gettos südwestlich von Warschau eine Jüdische Kampforganisation, die unter ihren polnischen Initialen ZOB (Żydowska Organizacja Bojowa) bekannt wurde *(oben)*.

Weitere Deportationen nach Chełmno und Bełżec wurden durchgeführt *(oben)*. Weiter im Osten, wo die Mordkommandos mit ihren Exekutionen fortfuhren, kämpften die letzten noch lebenden Juden von Nieśwież (Neswish) mit Stöcken und Knüppeln, um sich ihren Mördern zu widersetzen. Die meisten von ihnen wurden getötet. In Kleck (Klezk) hatten ein paar Dutzend Juden das Glück, im Besitz von ein oder zwei Pistolen zu sein – sie brachen aus dem Getto aus und schafften es, sich zu den Partisanen in den Wäldern durchzuschlagen.

Im August 1942 gingen auch die Deportationen aus Holland und Frankreich weiter *(folgende Seite, unten)*. Es wurden auch zum erstenmal Juden aus Luxemburg und Belgien nach Auschwitz deportiert.

Um zu verhindern, daß die schwedische Regierung die holländischen Juden unter ihren Schutz stellte, hatten die Deutschen am 17. Juli 1942 beschlossen, allen Juden in Holland die Staatsbürgerschaft zu entziehen. Um einem weiteren Versuch der Schweden zuvorzukommen, den holländischen Juden zu helfen, entschieden die Deutschen zwei Wochen später, den Verbleib der Deportierten nicht bekanntzugeben. So blieb Auschwitz ein «unbekanntes Ziel», «irgendwo im Osten».

DEPORTATIONEN AUS DEM WARSCHAUER GETTO, AB DEM 22. JULI 1942

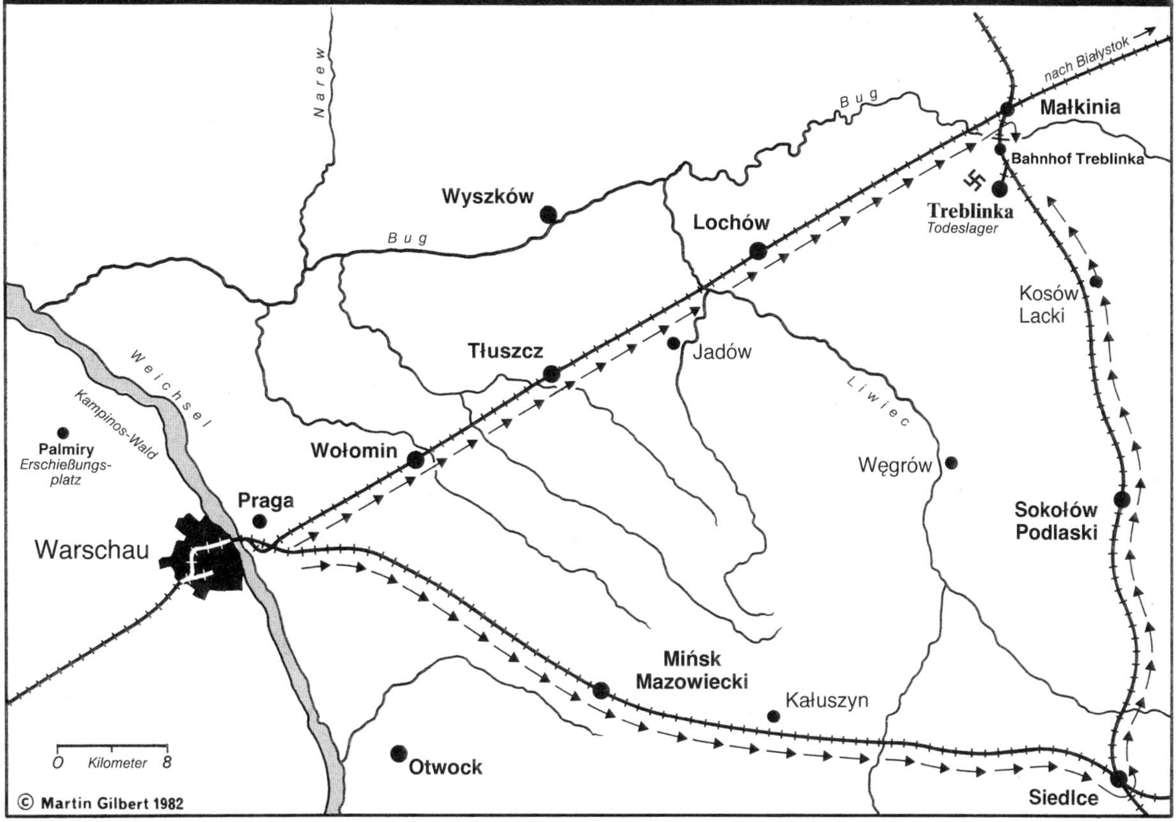
Narew
nach Białystok
Bug
Małkinia
Bahnhof Treblinka
Treblinka
Todeslager
Wyszków
Lochów
Kosów Lacki
Tłuszcz
Jadów
Weichsel
Kampinos-Wald
Liwiec
Palmiry
Erschießungsplatz
Wołomin
Węgrów
Praga
Warschau
Sokołów Podlaski
Mińsk Mazowiecki
Kałuszyn
0 Kilometer 8
Otwock
Siedlce
© Martin Gilbert 1982

DEPORTATIONEN ÜBER WEITE ENTFERNUNGEN, AUGUST 1942

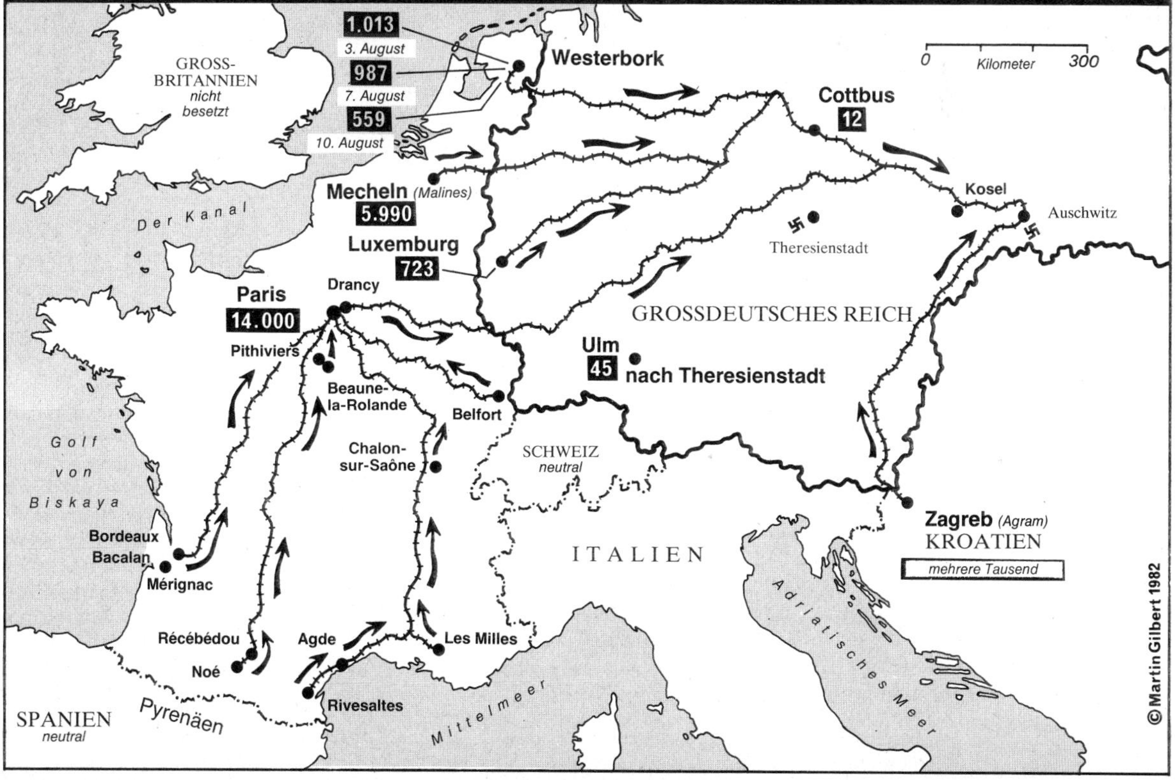
1.013
3. August
987
7. August
559
10. August
Westerbork
GROSSBRITANNIEN
nicht besetzt
0 Kilometer 300
Cottbus
12
Der Kanal
Mecheln (Malines)
5.990
Kosel
Auschwitz
Theresienstadt
Luxemburg
723
Drancy
Paris
14.000
GROSSDEUTSCHES REICH
Pithiviers
Ulm
45
nach Theresienstadt
Beaune-la-Rolande
Belfort
Golf von Biskaya
Chalon-sur-Saône
SCHWEIZ
neutral
Zagreb (Agram)
KROATIEN
mehrere Tausend
Bordeaux Bacalan
ITALIEN
Mérignac
Adriatisches Meer
Récébédou
Agde
Les Milles
Noé
Rivesaltes
SPANIEN
neutral
Pyrenäen
Mittelmeer
© Martin Gilbert 1982

DIE JUDEN BELGIENS UND LUXEMBURGS

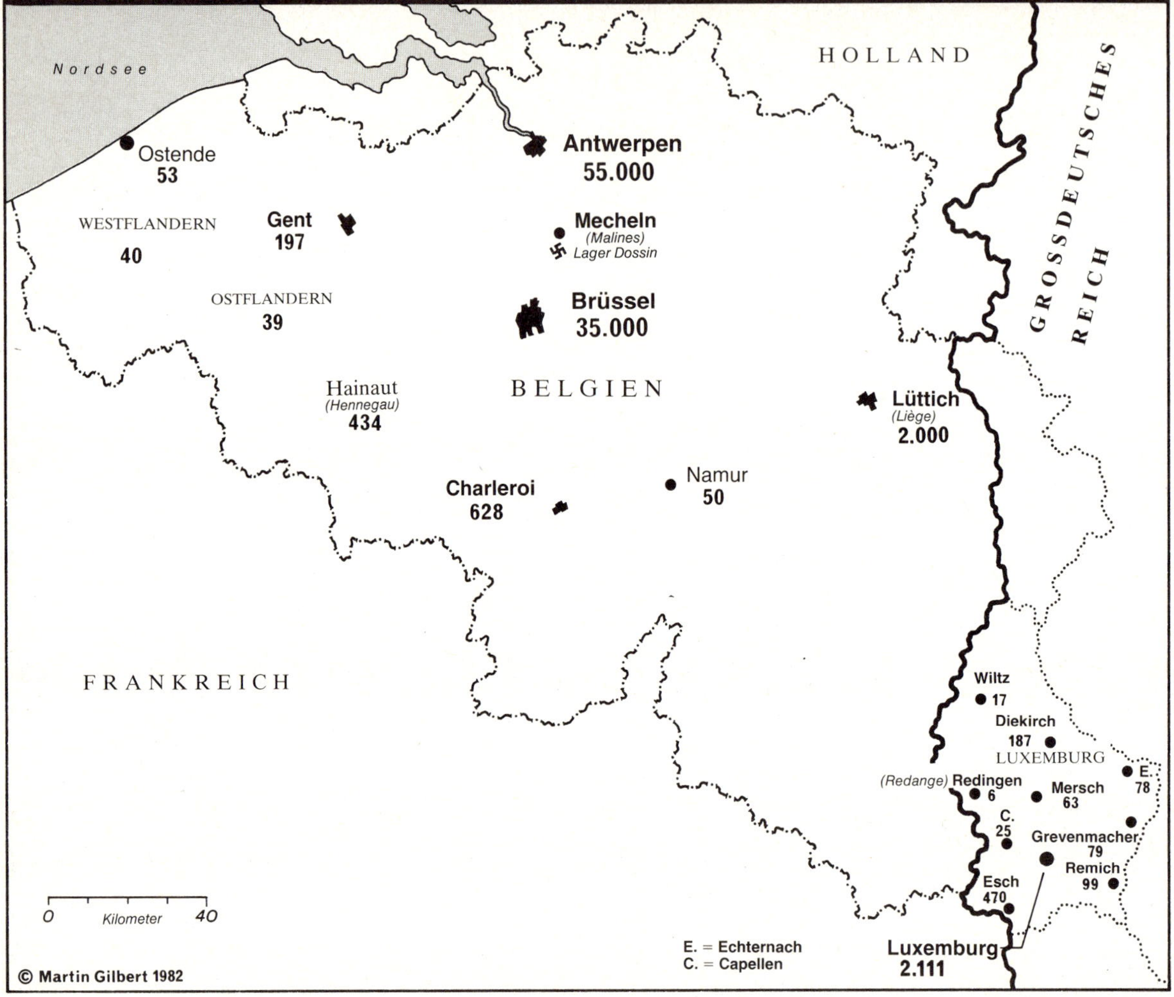
Nordsee
HOLLAND
GROSSDEUTSCHES REICH
Ostende 53
WESTFLANDERN 40
Gent 197
OSTFLANDERN 39
Antwerpen 55.000
Mecheln (Malines) Lager Dossin
Brüssel 35.000
Hainaut (Hennegau) 434
BELGIEN
Lüttich (Liège) 2.000
Charleroi 628
Namur 50
FRANKREICH
Wiltz 17
Diekirch 187
LUXEMBURG
(Redange) Redingen 6
Mersch 63
E. 78
C. 25
Grevenmacher 79
Remich 99
Esch 470
Luxemburg 2.111
0 Kilometer 40
E. = Echternach
C. = Capellen
© Martin Gilbert 1982

Die Juden in Belgien und Luxemburg, die zu dieser Zeit festgenommen und deportiert wurden, kamen aus vielen verschiedenen Städten und Dörfern *(oben)*. Die ersten Deportationen aus Belgien fanden am 4. August 1942 statt *(S. 109)*. Von jenem Zeitpunkt an machten sich während der nächsten zwei Jahre insgesamt 26 Züge mit «unbekanntem Ziel» vom Internierungslager Dossin in der Nähe von Mecheln (Malines) auf den Weg. In Wirklichkeit lautete das Ziel Auschwitz.

Die Deutschen ignorierten alle Proteste seitens der katholischen Kirche, auch solche des führenden rechtsgerichteten Katholiken Jean Hérinckx und des Erzbischofs von Mecheln (Malines), Kardinal van Roey.

Die örtliche belgische Bevölkerung war sehr bemüht, den Juden zu helfen, indem sie insgesamt mehr als 25000 von ihnen in Privatwohnungen und Waisenhäusern versteckte und ihnen damit das Leben rettete. Doch von den 25631 belgischen Juden, die deportiert wurden, überlebten nur 1244 den Krieg.

Mehr als 1000 belgische Juden schlossen sich den belgischen Partisanen an; 140 von ihnen fielen im Kampf. Andere Juden wurden durch Frankreich nach Spanien und in die Schweiz geschmuggelt. Doch ab dem 13. August 1942 fing die schweizerische Polizei damit an, jüdische Flüchtlinge zurückzuschicken, denen es gelungen war, über die Grenze in die Schweiz zu gelangen. «Nach allgemeinem Verständnis», so hieß es in einem Polizeibefehl vom 25. September 1942, «sind Personen, die allein auf Grund ihrer Rasse als Flüchtlinge ihr Land verlassen, keine politischen Flüchtlinge.»

Die Deportationen aus Frankreich gingen ohne Unterbrechnung weiter. Unter den 997 größtenteils aus Polen stammenden Juden, die am 17. August 1942 von Paris nach Auschwitz deportiert wurden, waren 27 Kinder im Alter unter vier Jahren, die fast alle in Frankreich zur Welt gekommen waren und von denen die meisten ohne ihre Eltern deportiert wurden. Marguerite Jakubovitch wurde zusammen mit ihren sechs Geschwistern deportiert, von denen das älteste erst zehn Jahre alt war: Sie alle waren in Paris geboren und wurden ohne ihre Eltern deportiert. Sämtliche 27 Kleinkinder, die hier *(rechts)* genannt sind, wurden vergast, wenige Stunden nachdem sie Auschwitz erreicht hatten.

DIE SCHWEIZ VERWEIGERT AUFNAHME JÜDISCHER FLÜCHTLINGE, 13. AUGUST 1942

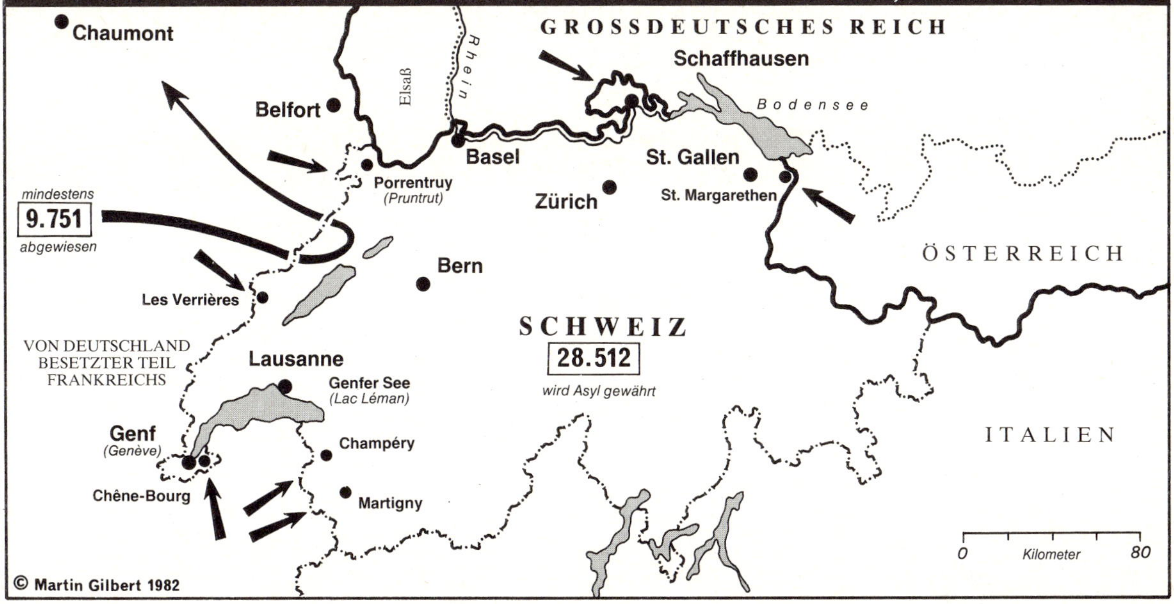
Chaumont
GROSSDEUTSCHES REICH
Rhein
Elsaß
Schaffhausen
Bodensee
Belfort
Basel
St. Gallen
mindestens
9.751
abgewiesen
Porrentruy
(Pruntrut)
Zürich
St. Margarethen
ÖSTERREICH
Bern
Les Verrières
SCHWEIZ
28.512
wird Asyl gewährt
VON DEUTSCHLAND
BESETZTER TEIL
FRANKREICHS
Lausanne
Genfer See
(Lac Léman)
Genf
(Genève)
Champéry
ITALIEN
Chêne-Bourg
Martigny
0
Kilometer
80
© Martin Gilbert 1982

KINDER IM ALTER UNTER VIER JAHREN, DEPORTIERT NACH AUSCHWITZ, 17. AUGUST 1942

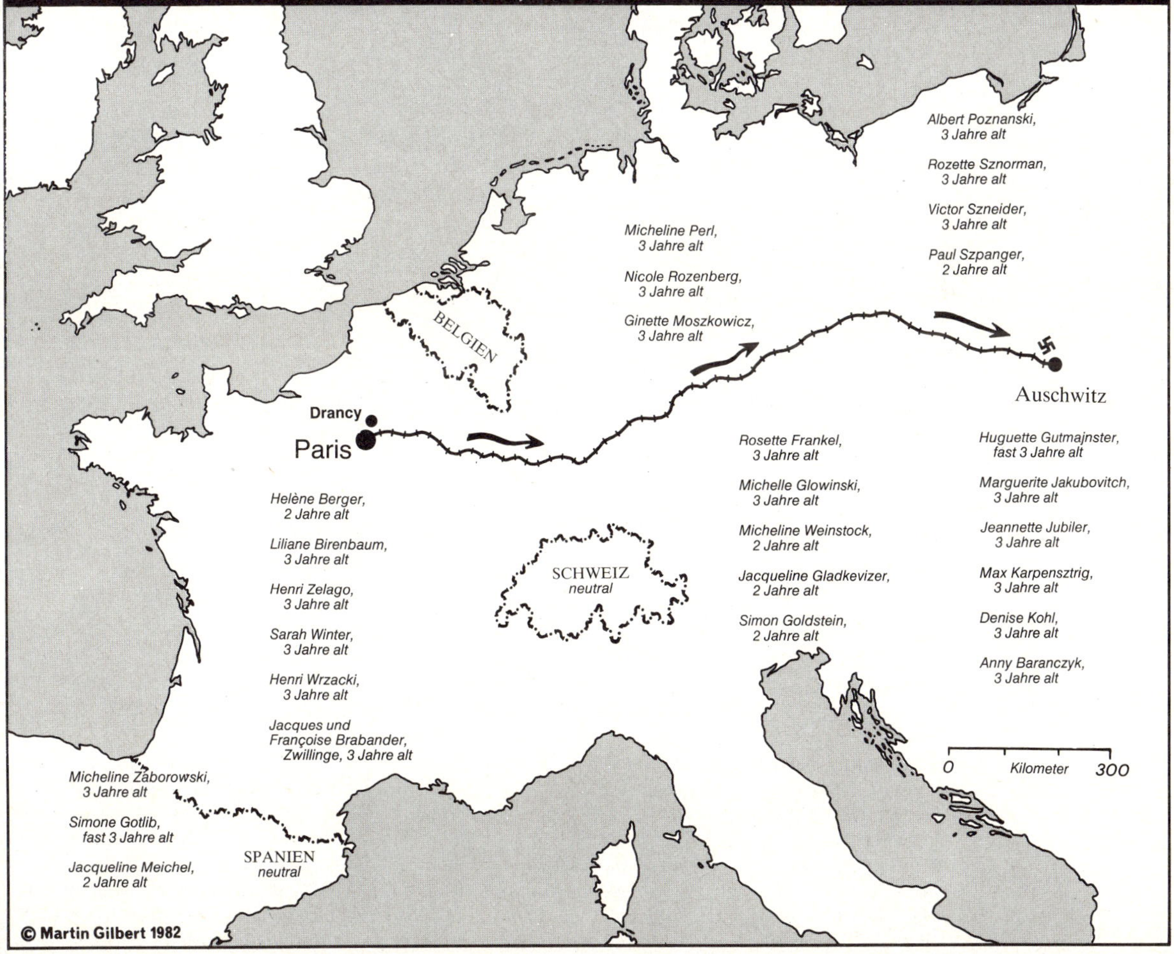
Albert Poznanski,
3 Jahre alt
Rozette Sznorman,
3 Jahre alt
Victor Szneider,
3 Jahre alt
Paul Szpanger,
2 Jahre alt
Micheline Perl,
3 Jahre alt
Nicole Rozenberg,
3 Jahre alt
Ginette Moszkowicz,
3 Jahre alt
BELGIEN
Auschwitz
Drancy
Paris
Rosette Frankel,
3 Jahre alt
Huguette Gutmajnster,
fast 3 Jahre alt
Michelle Glowinski,
3 Jahre alt
Marguerite Jakubovitch,
3 Jahre alt
Helène Berger,
2 Jahre alt
Micheline Weinstock,
2 Jahre alt
Jeannette Jubiler,
3 Jahre alt
Liliane Birenbaum,
3 Jahre alt
SCHWEIZ
neutral
Jacqueline Gladkevizer,
2 Jahre alt
Max Karpensztrig,
3 Jahre alt
Henri Zelago,
3 Jahre alt
Simon Goldstein,
2 Jahre alt
Denise Kohl,
3 Jahre alt
Sarah Winter,
3 Jahre alt
Anny Baranczyk,
3 Jahre alt
Henri Wrzacki,
3 Jahre alt
Jacques und
Françoise Brabander,
Zwillinge, 3 Jahre alt
0
Kilometer
300
Micheline Zaborowski,
3 Jahre alt
Simone Gotlib,
fast 3 Jahre alt
SPANIEN
neutral
Jacqueline Meichel,
2 Jahre alt
© Martin Gilbert 1982

DEPORTATIONEN, MASSAKER UND AUFSTÄNDE, 1. – 13. AUGUST 1942

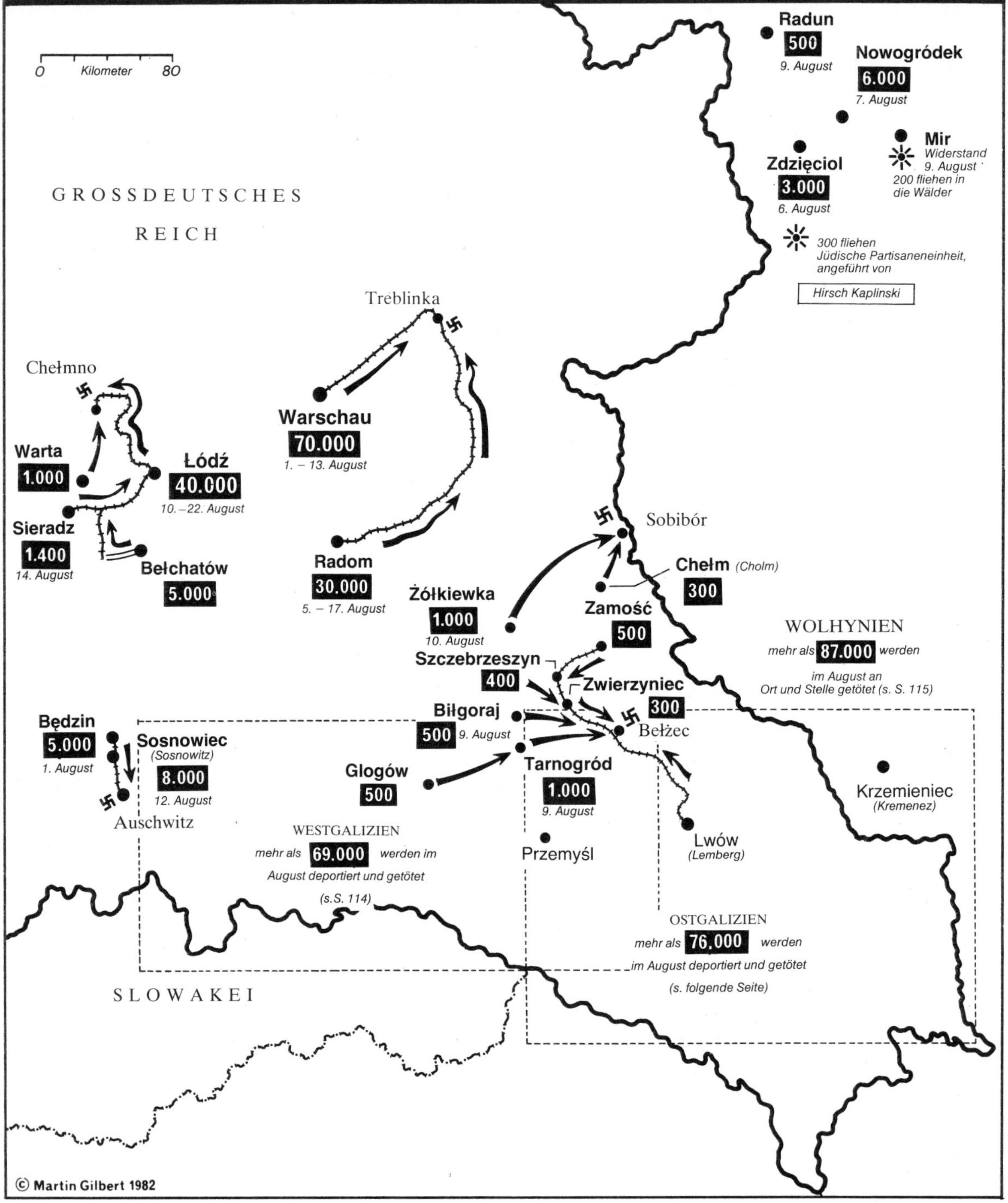
0 Kilometer 80
GROSSDEUTSCHES REICH
Radun
500
9. August
Nowogródek
6.000
7. August
Mir
Widerstand
9. August
200 fliehen in die Wälder
Zdzięciol
3.000
6. August
300 fliehen
Jüdische Partisaneneinheit, angeführt von
Hirsch Kaplinski
Treblinka
Chełmno
Warschau
70.000
1. – 13. August
Warta
1.000
Łódź
40.000
10.–22. August
Sieradz
1.400
14. August
Bełchatów
5.000
Radom
30.000
5. – 17. August
Sobibór
Chełm (Cholm)
300
Żółkiewka
1.000
10. August
Zamość
500
WOLHYNIEN
mehr als 87.000 werden im August an Ort und Stelle getötet (s. S. 115)
Szczebrzeszyn
400
Zwierzyniec
300
Bełżec
Biłgoraj
500 9. August
Będzin
5.000
1. August
Sosnowiec
(Sosnowitz)
8.000
12. August
Auschwitz
Glogów
500
Tarnogród
1.000
9. August
Krzemieniec
(Kremenez)
WESTGALIZIEN
mehr als 69.000 werden im August deportiert und getötet (s.S. 114)
Przemyśl
Lwów
(Lemberg)
OSTGALIZIEN
mehr als 76.000 werden im August deportiert und getötet (s. folgende Seite)
SLOWAKEI
© Martin Gilbert 1982

In den ersten beiden Augustwochen wurden in Chełmno, Auschwitz, Treblinka und Bełżec *(oben)* sowie von den Mordkommandos im Osten fast eine Viertelmillion Juden ermordet. In Vorbereitung einer einzigen Deportation nach Chełmno wurden in Wieluń Juden aus neun umliegenden Gemeinden zusammengezogen *(folgende Seite, oben)*.

Über 76000 Juden wurden aus Ostgalizien nach Bełżec deportiert *(folgende Seite, unten)*. Alle wurden innerhalb weniger Stunden getötet; das gleiche Schicksal erlitten weitere 74000 Juden aus Westgalizien *(S. 114)*. Östlich der Grenzen des Großdeutschen Reiches ging das Morden vor Ort weiter – in Wolhynien *(S. 115)* wurden 87000 Juden ermordet. Widerstandsaktionen führten sowohl in Mir als auch in Zdzięciol zu Massenausbrüchen.

JUDEN WERDEN ZUR DEPORTATION NACH CHEŁMNO ZUSAMMENGEZOGEN, 1. – 21. AUGUST 1942

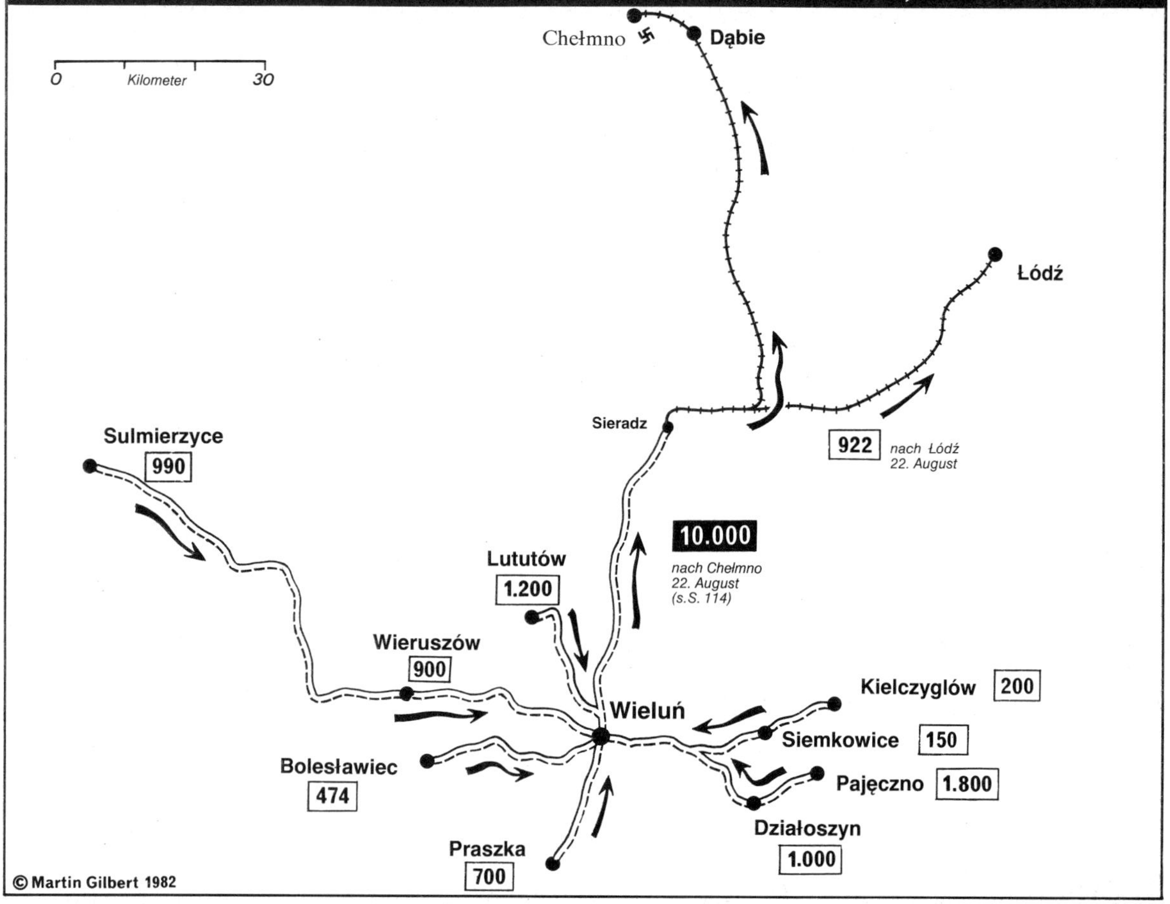
Chełmno
Dąbie
0 Kilometer 30
Łódź
Sieradz
922
nach Łódź
22. August
Sulmierzyce
990
10.000
nach Chełmno
22. August
(s.S. 114)
Lututów
1.200
Wieruszów
900
Kielczyglów
200
Wieluń
Siemkowice
150
Bolesławiec
474
Pajęczno
1.800
Działoszyn
1.000
Praszka
700
© Martin Gilbert 1982

ZWANZIG DEPORTATIONEN AUS OSTGALIZIEN, AUGUST 1942

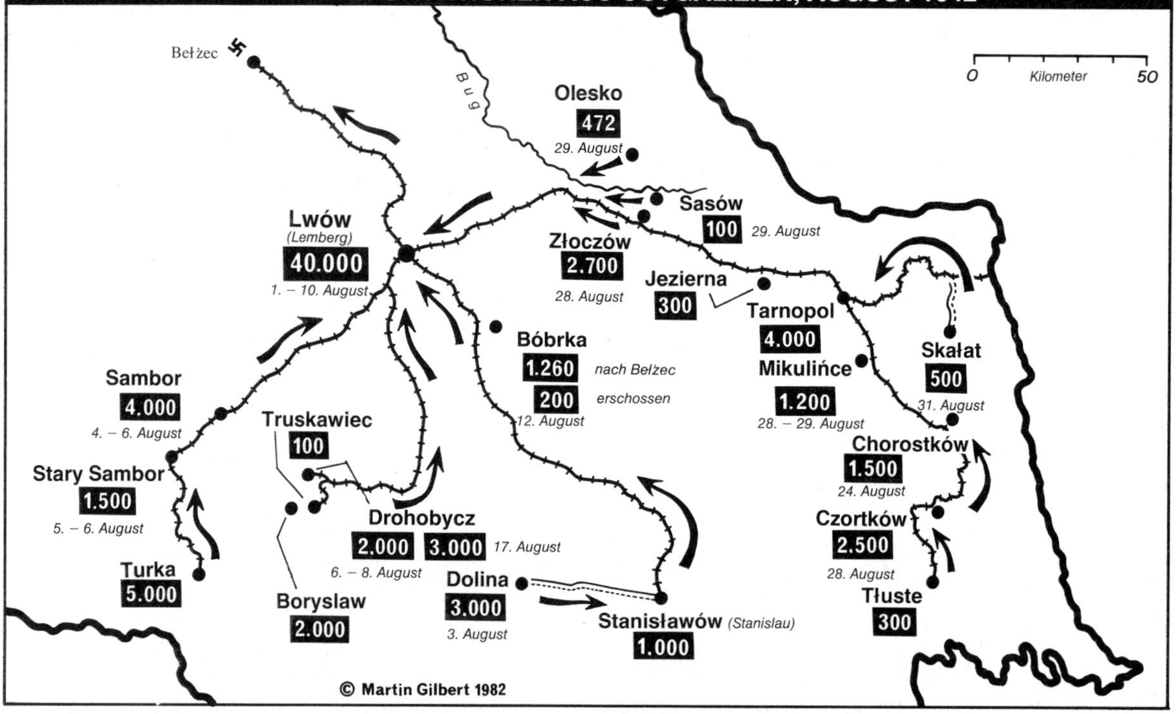
Bełżec
Bug
Olesko
472
29. August
0 Kilometer 50
Sasów
100
29. August
Lwów
(Lemberg)
40.000
1. – 10. August
Złoczów
2.700
28. August
Jezierna
300
Tarnopol
4.000
Skałat
500
31. August
Bóbrka
1.260
nach Bełżec
200
erschossen
12. August
Mikulińce
1.200
28. – 29. August
Sambor
4.000
4. – 6. August
Truskawiec
100
Chorostków
1.500
24. August
Stary Sambor
1.500
5. – 6. August
Drohobycz
2.000
3.000
17. August
6. – 8. August
Czortków
2.500
28. August
Turka
5.000
Dolina
3.000
3. August
Tłuste
300
Boryslaw
2.000
Stanisławów (Stanislau)
1.000
© Martin Gilbert 1982

DEPORTATIONEN, MASSAKER UND AUFSTÄNDE, 14. – 31. AUGUST 1942

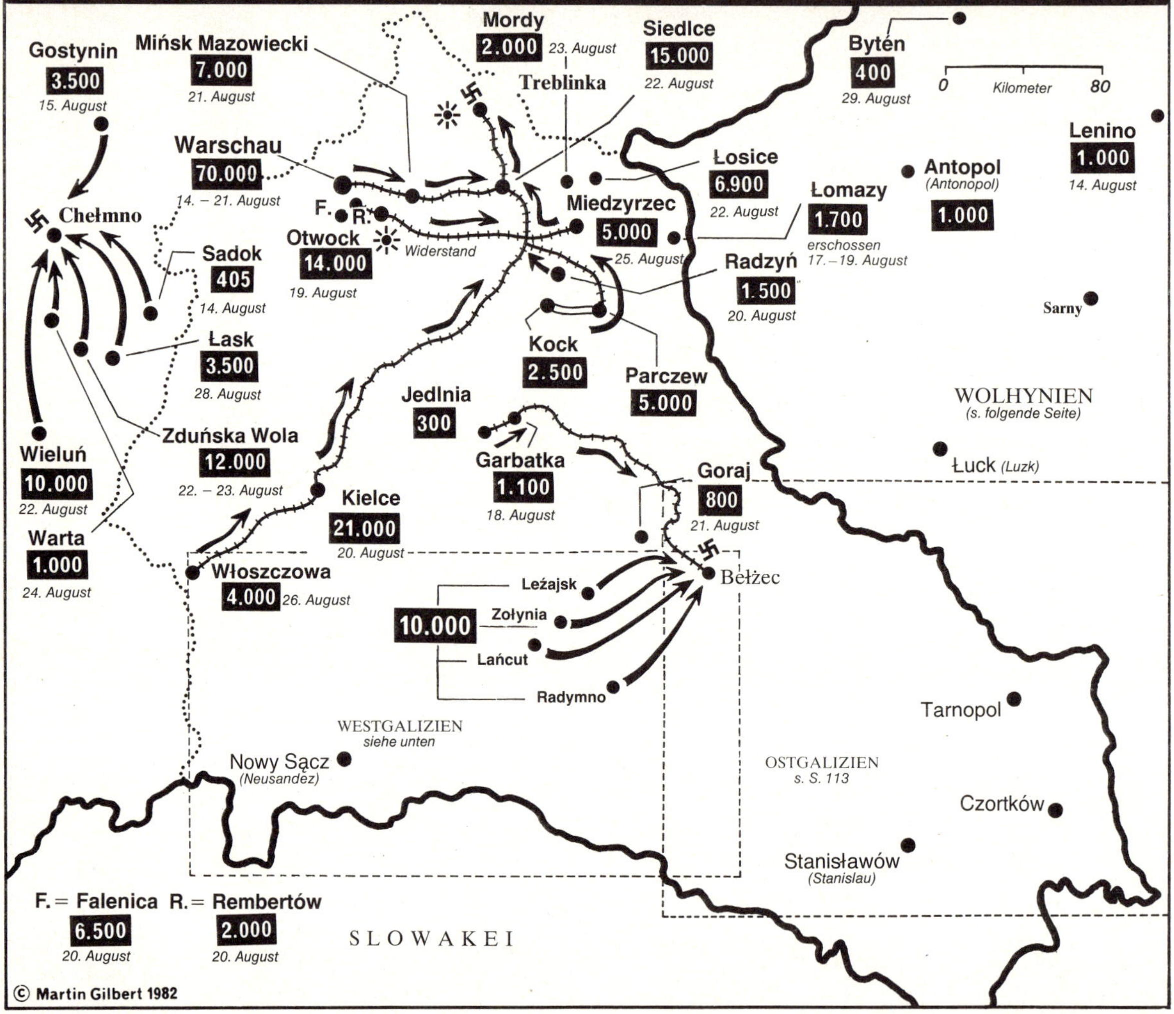
Mordy
2.000
23. August
Siedlce
15.000
22. August
Bytén
400
29. August
0 Kilometer 80
Gostynin
3.500
15. August
Mińsk Mazowiecki
7.000
21. August
Treblinka
Lenino
1.000
14. August
Warschau
70.000
14. – 21. August
Łosice
6.900
22. August
Antopol
(Antonopol)
1.000
Łomazy
1.700
erschossen
17. – 19. August
Chełmno
F.
R.
Miedzyrzec
5.000
25. August
Otwock
14.000
19. August
Widerstand
Sadok
405
14. August
Radzyń
1.500
20. August
Sarny
Łask
3.500
28. August
Kock
2.500
Parczew
5.000
Jedlnia
300
WOLHYNIEN
(s. folgende Seite)
Garbatka
1.100
18. August
Zduńska Wola
12.000
22. – 23. August
Wieluń
10.000
22. August
Łuck (Luzk)
Goraj
800
21. August
Kielce
21.000
20. August
Warta
1.000
24. August
Włoszczowa
4.000 26. August
Bełżec
Leżajsk
10.000
Zołynia
Łańcut
Radymno
Tarnopol
WESTGALIZIEN
siehe unten
Nowy Sącz
(Neusandez)
OSTGALIZIEN
s. S. 113
Czortków
Stanisławów
(Stanislau)
F. = Falenica
6.500
20. August
R. = Rembertów
2.000
20. August
SLOWAKEI
© Martin Gilbert 1982

DEPORTATIONEN AUS WESTGALIZIEN NACH BEŁŻEC, AUGUST 1942

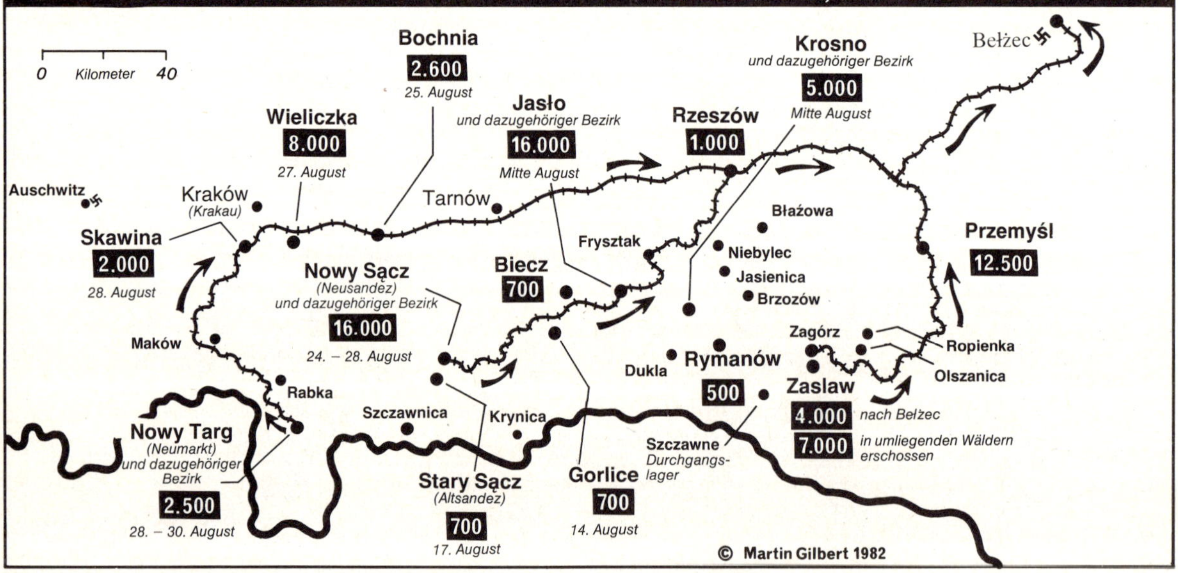
0 Kilometer 40
Bochnia
2.600
25. August
Krosno
und dazugehöriger Bezirk
5.000
Mitte August
Bełżec
Wieliczka
8.000
27. August
Jasło
und dazugehöriger Bezirk
16.000
Mitte August
Rzeszów
1.000
Auschwitz
Kraków
(Krakau)
Tarnów
Błażowa
Skawina
2.000
28. August
Frysztak
Przemyśl
12.500
Nowy Sącz
(Neusandez)
und dazugehöriger Bezirk
16.000
24. – 28. August
Biecz
700
Niebylec
Jasienica
Brzozów
Maków
Zagórz
Ropienka
Dukla
Rymanów
500
Olszanica
Rabka
Zaslaw
4.000 nach Bełżec
7.000 in umliegenden Wäldern erschossen
Szczawnica
Krynica
Nowy Targ
(Neumarkt)
und dazugehöriger Bezirk
2.500
28. – 30. August
Szczawne
Durchgangs-
lager
Stary Sącz
(Altsandez)
700
17. August
Gorlice
700
14. August
© Martin Gilbert 1982

MASSAKER, WIDERSTAND UND FLUCHT IN WOLHYNIEN, AUGUST 1942

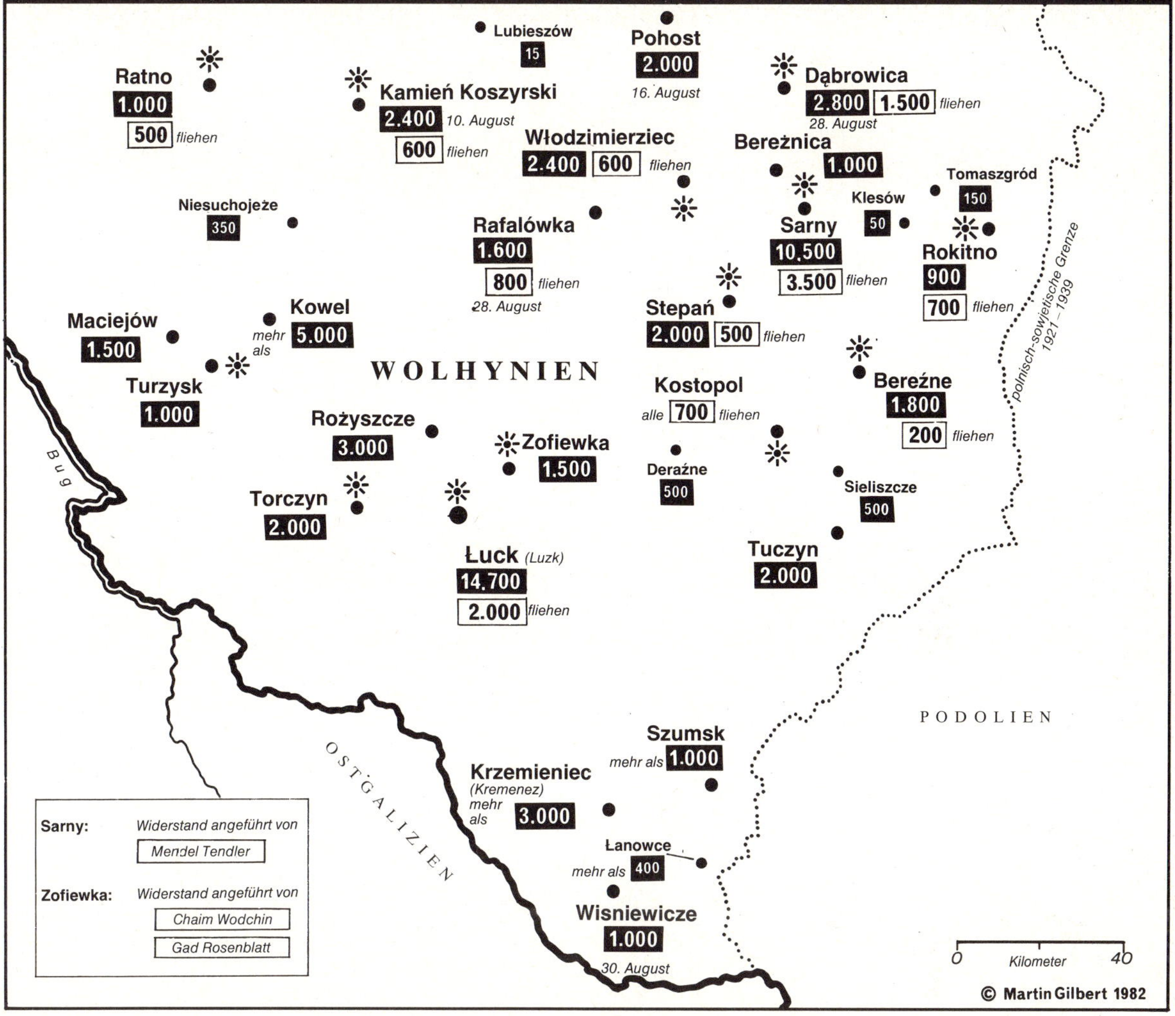
Lubieszów
15
Pohost
2.000
16. August
Ratno
1.000
500 fliehen
Kamień Koszyrski
2.400 10. August
600 fliehen
Dąbrowica
2.800 1.500 fliehen
28. August
Włodzimierziec
2.400 600 fliehen
Bereżnica
1.000
Tomaszgród
150
Klesów
50
Niesuchojeże
350
Rafalówka
1.600
800 fliehen
28. August
Sarny
10.500
3.500 fliehen
Rokitno
900
700 fliehen
Maciejów
1.500
Kowel
mehr als 5.000
Stepań
2.000 500 fliehen
polnisch-sowjetische Grenze 1921–1939
Turzysk
1.000
WOLHYNIEN
Kostopol
alle 700 fliehen
Bereźne
1.800
200 fliehen
Bug
Rożyszcze
3.000
Zofiewka
1.500
Deraźne
500
Sieliszcze
500
Torczyn
2.000
Łuck (Luzk)
14.700
2.000 fliehen
Tuczyn
2.000
PODOLIEN
Szumsk
mehr als 1.000
OSTGALIZIEN
Krzemieniec
(Kremenez)
mehr als 3.000
Łanowce
mehr als 400
Wisniewicze
1.000
30. August
Sarny: Widerstand angeführt von
Mendel Tendler
Zofiewka: Widerstand angeführt von
Chaim Wodchin
Gad Rosenblatt
0 Kilometer 40
© Martin Gilbert 1982

Während der letzten beiden Augustwochen wurden in dem von Deutschen besetzten Teil Polens mehr als 200 000 Juden ermordet, von denen die meisten vorher in eines der drei Todeslager Chełmno, Treblinka und Bełżec deportiert worden waren. Den größten Teil dieser Deportationen machten die erbarmungslosen Verhaftungen und Transporte Warschauer Juden nach Treblinka aus.

Für jede Deportation wurde ein genauer Zeitplan aufgestellt, von dem Kopien an alle auf der Strecke liegenden Stationen geschickt wurden. Nachdem die Deportierten den Zug verlassen hatten, wurde er gereinigt und leer auf dem gleichen Weg und mit der gleichen sorgfältigen Zeitplanung zurückgefahren.

Auch der Widerstand ging weiter: Als am 26. August 1942 in Treblinka einem jungen Deportierten aus der Stadt Kielce von einem der ukrainischen Aufseher verboten wurde, sich von seiner Mutter zu verabschieden, griff er ihn mit einem Messer an. Kaum daß er das getan hatte, wurde die gesamte Zugladung Deportierter mit Maschinenpistolen niedergemacht.

In Wolhynien *(oben)* wurden im August 1942 mehr als 87 000 Juden ermordet. Während die deutschen Einheiten anrückten, um sie zu töten, gelang immerhin 15 000 Menschen die Flucht. Aber nicht einmal 1000 der Geflohenen, unter denen neben Männern auch Frauen und Kinder waren, schafften es, zwei Jahre mit beißendem Hunger, bitterer winterlicher Kälte, mit Krankheiten und wiederholten Angriffen von Deutschen und Ukrainern zu überleben. Zum Teil schlossen sie sich den kleinen sowjetischen Partisanentrupps an, die später mit Fallschirmen über Wolhynien absprangen.

Zwischen Mai und Dezember 1942 wurden in Wolhynien mehr als 140 000 Juden ermordet. Einige hatten in Häusern von Polen Zuflucht gefunden und wurden dort im Frühjahr 1943 zusammen mit ihren polnischen Beschützern getötet – damals verloren von 300 000 in Wolhynien lebenden Polen 40 000 durch die Hand ukrainischer «Banditen» ihr Leben. In zahlreichen Städten und Dörfern kämpften Polen und Juden Seite an Seite gegen den gemeinsamen Feind.

DEPORTATIONEN UND MASSENMORDE, 1. – 5. SEPTEMBER 1942

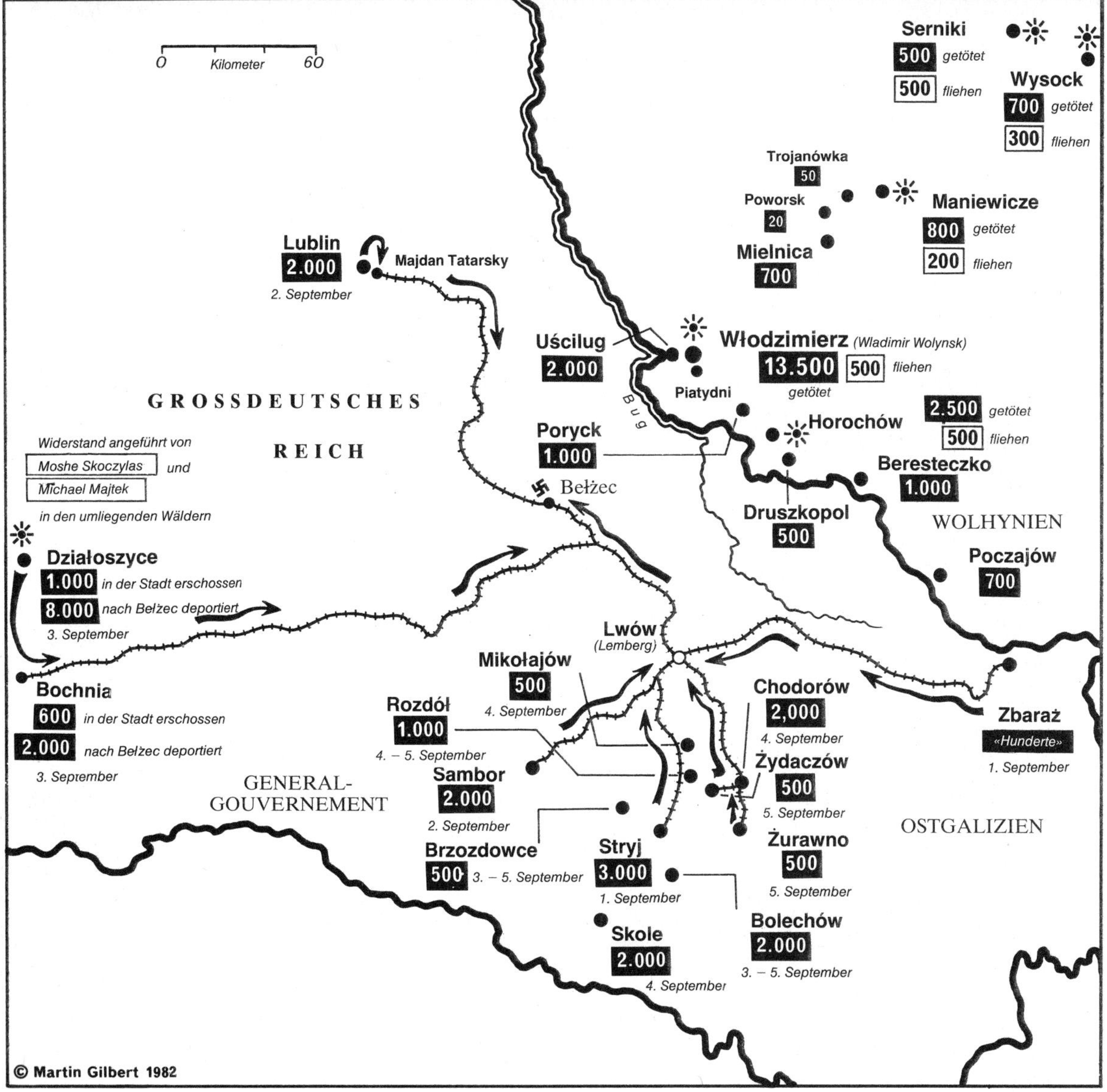
0 Kilometer 60
Serniki
500 getötet
500 fliehen
Wysock
700 getötet
300 fliehen
Trojanówka
50
Poworsk
20
Maniewicze
800 getötet
200 fliehen
Mielnica
700
Lublin
2.000
2. September
Majdan Tatarsky
Uścilug
2.000
Włodzimierz (Wladimir Wolynsk)
13.500 getötet
500 fliehen
Piatydni
Bug
GROSSDEUTSCHES
REICH
Poryck
1.000
Horochów
2.500 getötet
500 fliehen
Beresteczko
1.000
Bełżec
Druszkopol
500
WOLHYNIEN
Poczajów
700
Widerstand angeführt von
Moshe Skoczylas und
Michael Majtek
in den umliegenden Wäldern
Działoszyce
1.000 in der Stadt erschossen
8.000 nach Bełżec deportiert
3. September
Lwów
(Lemberg)
Bochnia
600 in der Stadt erschossen
2.000 nach Bełżec deportiert
3. September
Mikołajów
500
4. September
Rozdół
1.000
4. – 5. September
Chodorów
2,000
4. September
Zbaraż
«Hunderte»
1. September
Żydaczów
500
5. September
Sambor
2.000
2. September
GENERAL-
GOUVERNEMENT
OSTGALIZIEN
Brzozdowce
500 3. – 5. September
Stryj
3.000
1. September
Żurawno
500
5. September
Skole
2.000
4. September
Bolechów
2.000
3. – 5. September
© Martin Gilbert 1982

Im Laufe des September 1942 wurden weitere Deportationen in die Todeslager durchgeführt. Für die Deportation von Włoszczowa *(folgende Seite)* wurde ein komplizierter Zeitplan aufgestellt, wie er auch für Hunderte weiterer Deportationen typisch war:

Włoszczowa		Abfahrt 16.38 Uhr
Kielce	Ankunft 19.06 Uhr	Abfahrt 19.55Uhr
Skarżysko	Ankunft 21.41 Uhr	Abfahrt 22.43 Uhr
Radom	Ankunft 0.03 Uhr	Abfahrt 0.13 Uhr
Dęblin	Ankunft 2.00 Uhr	Abfahrt 3.10 Uhr
Łuków	Ankunft 5.17 Uhr	Abfahrt 6.08 Uhr
Siedlce	Ankunft 6.58 Uhr	Abfahrt 8.34 Uhr
Treblinka	Ankunft 11.24 Uhr	Abfahrt (leer) 15.59 Uhr

Nach der Abfahrt aus Treblinka folgte ein ähnlich komplizierter Zeitplan, um den leeren Zug zum nächsten Deportationspunkt zurückzuführen.

Östlich der Grenzen des Großdeutschen Reiches kam es, wie oben verzeichnet, zu weiteren Ermordungen, sei es direkt in den Städten selbst, sei es in ihrer unmittelbaren Umgebung: In Włozimierz (Wladimir Wolynsk) wurden 4000 Juden auf dem Gefängnishof erschossen; weitere 14000 wurden in die Kiesgruben bei Piatydni getrieben und dort mit Maschinengewehren niedergemäht. Sogar im Generalgouvernement wurden, wie zum Beispiel in Warschau *(folgende Seite)* und in Działoszyce *(oben)*, Tausende auf offener Straße erschossen, während die Deportationen durchgeführt wurden.

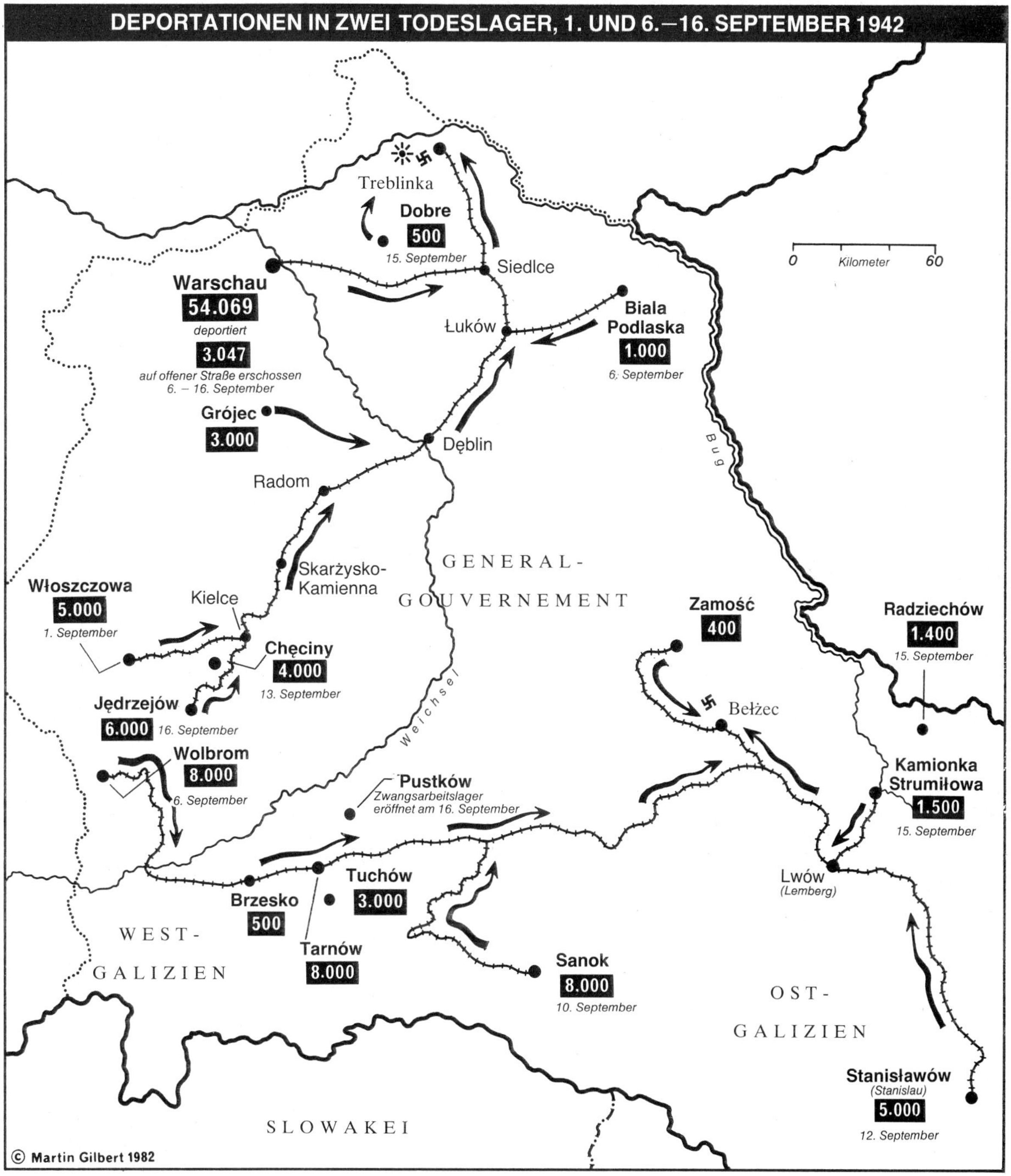
DEPORTATIONEN IN ZWEI TODESLAGER, 1. UND 6.–16. SEPTEMBER 1942
Treblinka
Dobre
500
15. September
Siedlce
Warschau
54.069
deportiert
3.047
auf offener Straße erschossen
6. – 16. September
Łuków
Biala
Podlaska
1.000
6. September
Kilometer
0
60
Grójec
3.000
Dęblin
Radom
Bug
Skarżysko-
Kamienna
GENERAL-
GOUVERNEMENT
Włoszczowa
5.000
1. September
Kielce
Chęciny
4.000
13. September
Zamość
400
Radziechów
1.400
15. September
Jędrzejów
6.000
16. September
Weichsel
Bełżec
Wolbrom
8.000
6. September
Pustków
Zwangsarbeitslager
eröffnet am 16. September
Kamionka
Strumiłowa
1.500
15. September
Tuchów
3.000
Brzesko
500
Lwów
(Lemberg)
WEST-
GALIZIEN
Tarnów
8.000
Sanok
8.000
10. September
OST-
GALIZIEN
Stanisławów
(Stanislau)
5.000
12. September
SLOWAKEI
© Martin Gilbert 1982

In Treblinka kam es am 11. September 1942 zu einem weiteren Akt des Widerstandes, und zwar durch einen Juden aus Argentinien, der bei Kriegsausbruch in Warschau festsaß. Der junge Mann namens Meir Berliner, der im September mit einem der täglich stattfindenden Transporte nach Treblinka deportiert worden war, erstach einen SS-Offizier mit seinem Taschenmesser.

Die Aktion des Meir Berliner rettete keine Menschenleben. Aber es war ein Akt, der beachtlichen Mut erforderte. Das gleiche gilt für den Entschluß einer Reihe von Juden aus Działoszyce *(vorherige Seite)*, am Vorabend ihrer Deportation nach Bełżec einen Ausbruchversuch zu wagen und sich in die Wälder durchzuschlagen. Einige von ihnen hatten Erfolg. Unter der Führung von Moshe Skoczylas und Michael Majtek bildeten sie zwei kleine aber schlagkräftige Partisanentrupps. Majtek half dabei, den Widerstand in Pińczów zu organisieren *(S. 131)*. Innerhalb von drei Monaten jedoch hatten deutsche Truppen sie beide bis zur Erschöpfung gehetzt und schließlich vernichtet.

NEUN DEPORTATIONEN NACH BEŁŻEC, 7. SEPTEMBER 1942

Bełżec
REICHSKOMMISSARIAT UKRAINE
GENERAL-GOUVERNEMENT
Lwów (Lemberg)
Janowska Zwangsarbeitslager
GROSSDEUTSCHES REICH
OST-GALIZIEN
Zabłotów 250
Kołomyja (Kolomea) 8.700
Śniatyn 2.000
Jabłonów 800
Rożnów 100
Kosów 600
Kuty 800
Pistyń 500
Żabie 200
KARPATENUKRAINE
UNGARN
BUKOWINA
TRANSILVANIA (Siebenbürgen)
0 Kilometer 40
© Martin Gilbert 1982

Die Karte oben zeigt neun Deportationen nach Bełżec, die an einem einzigen Tag durchgeführt wurden. Die einzigen Juden, denen der unmittelbare Tod erspart blieb, waren eine Reihe junger Leute aus Kuty. Während alle anderen aus ihrer Gemeinde nach Bełżec kamen, wurden sie in das Zwangsarbeitslager von Janowska bei Lwów (Lemberg) geschickt: Ein Lager, in dem mit so entsetzlicher Brutalität vorgegangen wurde, daß kaum jemand überlebte.

Im Osten *(folgende Seite, oben)* hatten die Deutschen den Kaukasus erreicht. Mordkommandos nahmen sofort die ortsansässigen Juden fest und ermordeten sie entweder an Ort und Stelle oder brachten sie zu nahe gelegenen Erschießungsplätzen.

Im Westen *(folgende Seite, unten)* kam es zu weiteren Deportationen nach Auschwitz – mit acht Zügen aus Holland, fünf aus Belgien und 13 aus Paris. Unter den aus Frankreich Deportierten waren zahlreiche deutsche Juden, die man zwei Jahre zuvor in die Pyrenäen gebracht hatte *(S. 48)*. Auch Deportationen nach Theresienstadt fanden weiterhin statt; dort starben, wie in den polnischen Gettos, Zehntausende infolge von Hunger und Krankheit. Von 533 Juden, die im September 1942 aus Nürnberg deportiert wurden, überlebten nur 27 den Krieg.

Auch der Widerstand ging weiter: In Lachwa widersetzten sich 820 Juden der «Liquidation» – die meisten von ihnen wurden zwar getötet, doch einigen wenigen gelang es, zu entfliehen und sich einer Gruppe sowjetischer Partisanen anzuschließen. In Stolin lieferten ortsansässige Ukrainer die beiden Führer der Revolte an die SS aus – sie wurden erschossen.

ERMORDUNG VON JUDEN IM KAUKASUS, 9. SEPTEMBER 1942

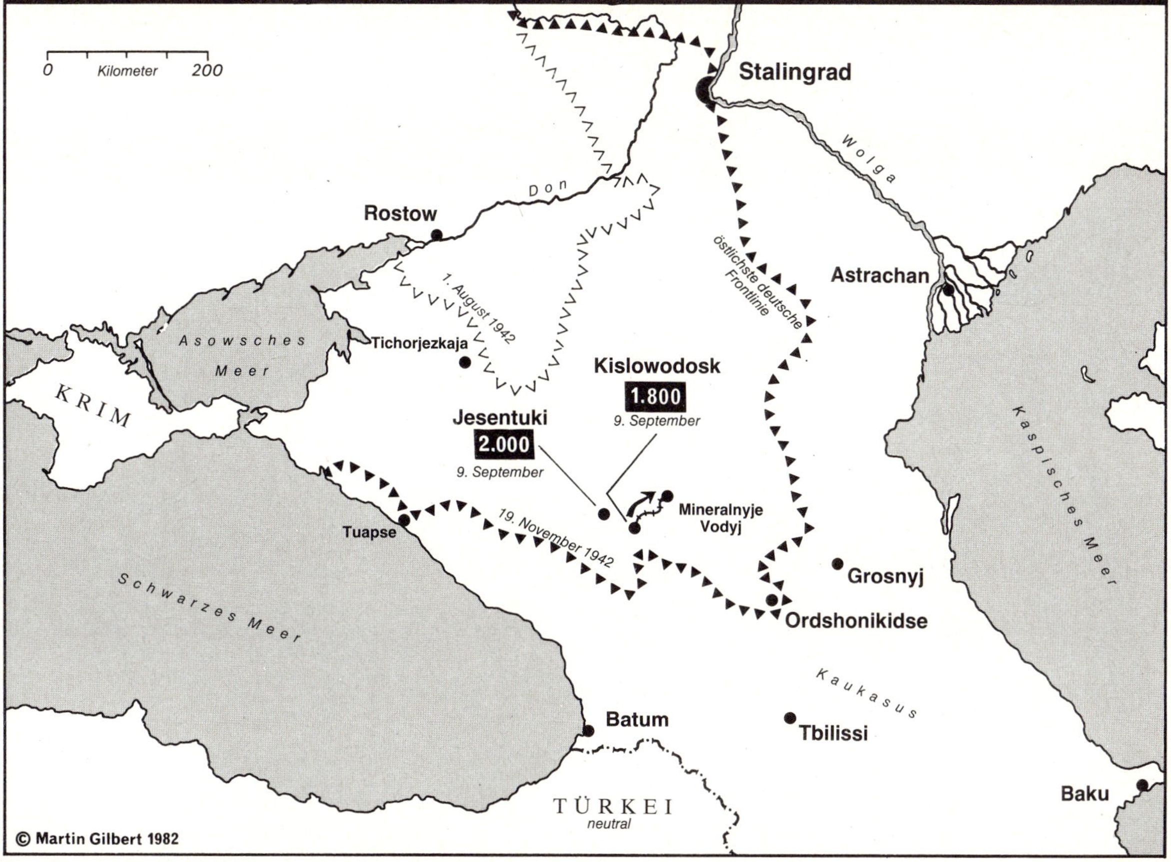
0 Kilometer 200
Stalingrad
Wolga
Don
Rostow
Astrachan
östlichste deutsche Frontlinie
1. August 1942
Asowsches Meer
Tichorjezkaja
Kislowodosk
1.800
9. September
KRIM
Jesentuki
2.000
9. September
Mineralnyje Vodyj
Kaspisches Meer
Tuapse
19. November 1942
Grosnyj
Schwarzes Meer
Ordshonikidse
Kaukasus
Batum
Tbilissi
Baku
TÜRKEI
neutral
© Martin Gilbert 1982

DEPORTATIONEN ÜBER WEITE ENTFERNUNGEN, MASSAKER UND AUFSTÄNDE, SEPTEMBER 1942

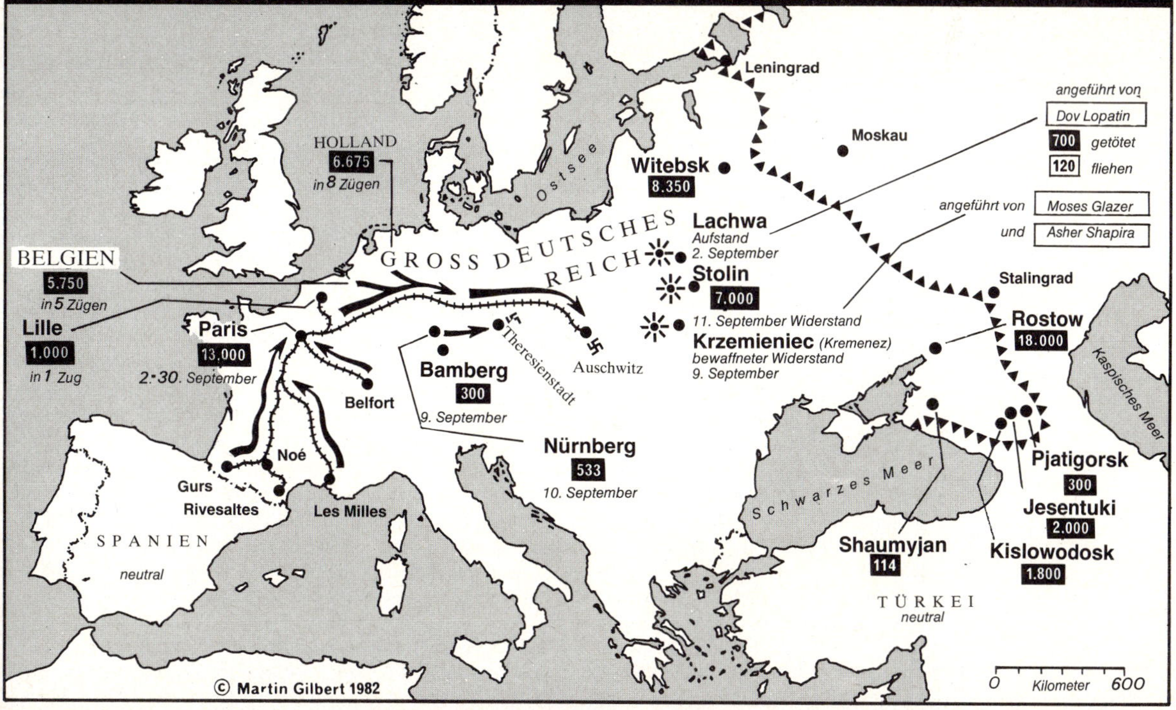
Leningrad
angeführt von
Dov Lopatin
700 getötet
120 fliehen
Moskau
HOLLAND
6.675
in 8 Zügen
Ostsee
Witebsk
8.350
angeführt von Moses Glazer
und Asher Shapira
Lachwa
Aufstand
2. September
GROSS DEUTSCHES REICH
BELGIEN
5.750
in 5 Zügen
Stolin
7.000
Stalingrad
Lille
1.000
in 1 Zug
Paris
13.000
2.-30. September
11. September Widerstand
Krzemieniec (Kremenez)
bewaffneter Widerstand
9. September
Rostow
18.000
Kaspisches Meer
Theresienstadt
Auschwitz
Bamberg
300
9. September
Belfort
Noé
Gurs
Rivesaltes
Les Milles
Nürnberg
533
10. September
Pjatigorsk
300
Jesentuki
2.000
Schwarzes Meer
Kislowodosk
1.800
Shaumyjan
114
SPANIEN
neutral
TÜRKEI
neutral
© Martin Gilbert 1982
0 Kilometer 600

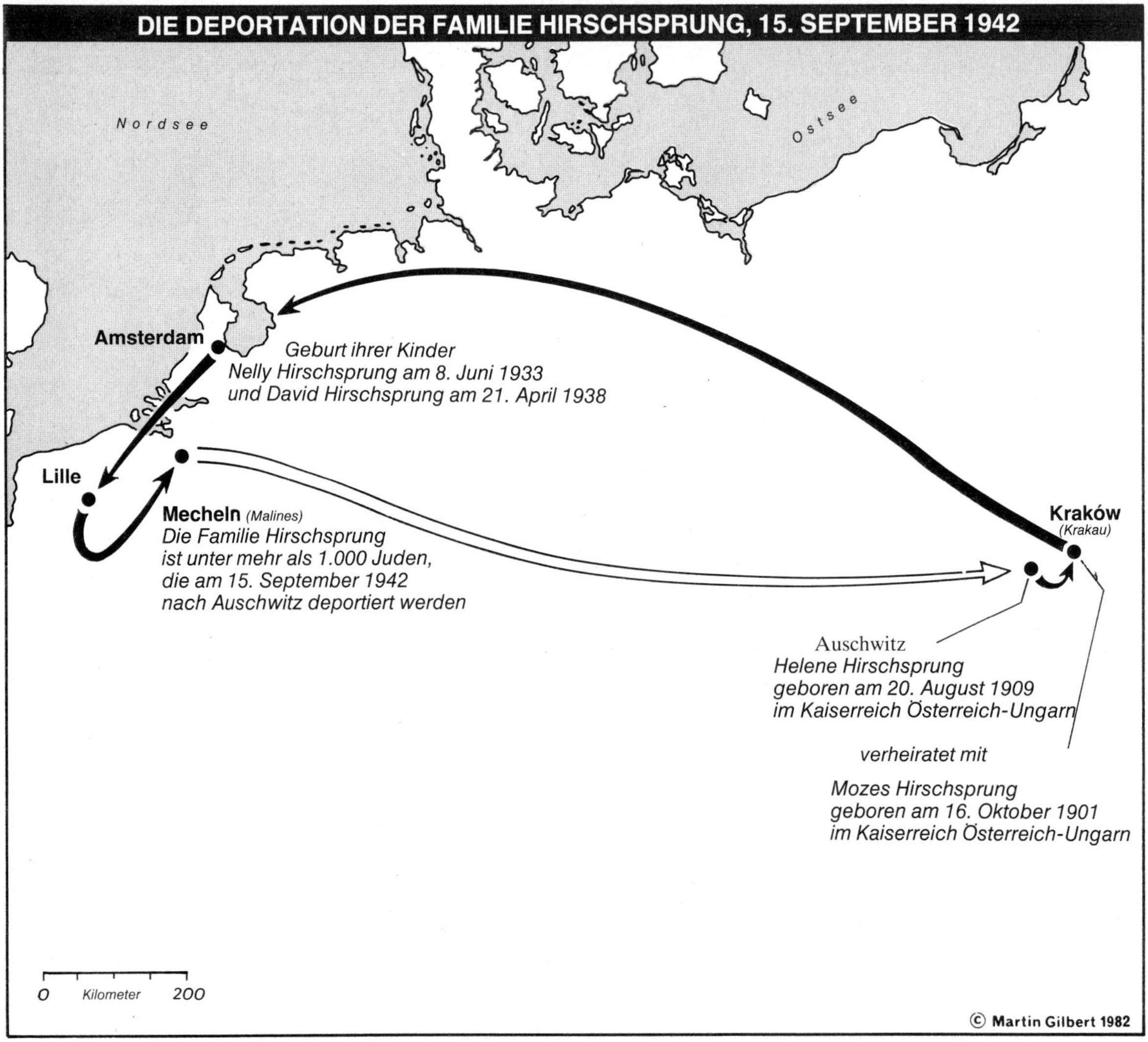
DIE DEPORTATION DER FAMILIE HIRSCHSPRUNG, 15. SEPTEMBER 1942
Nordsee
Ostsee
Amsterdam
Geburt ihrer Kinder
Nelly Hirschsprung am 8. Juni 1933
und David Hirschsprung am 21. April 1938
Lille
Mecheln (Malines)
Die Familie Hirschsprung
ist unter mehr als 1.000 Juden,
die am 15. September 1942
nach Auschwitz deportiert werden
Kraków
(Krakau)
Auschwitz
Helene Hirschsprung
geboren am 20. August 1909
im Kaiserreich Österreich-Ungarn
verheiratet mit
Mozes Hirschsprung
geboren am 16. Oktober 1901
im Kaiserreich Österreich-Ungarn
0 Kilometer 200
© Martin Gilbert 1982

Die Karte oben erzählt die Geschichte einer einzelnen Familie, die im September 1942 aus Belgien deportiert wurde. Hélène Hirschsprung war in Auschwitz selbst zur Welt gekommen und hatte einen Mann aus Kraków (Krakau) geheiratet; sie waren nach Holland emigriert, wo ihre beiden Kinder geboren wurden. Bei Ausbruch des Krieges hatten sie Zuflucht in Lille im Nordosten Frankreichs gesucht. Sie waren jedoch unter 1000 Juden, die am 15. September 1942 von der SS festgenommen, nach Mecheln (Malines) gebracht und dann nach Auschwitz deportiert wurden.

Zu den Juden, die am 15. September *(folgende Seite, oben)* deportiert wurden, gehörten viele, die in den polnischen Provinzen des zaristischen Rußland beziehungsweise in Österrreich-Ungarn geboren worden waren.

In den Listen der SS über Deportationen aus Paris finden sich insgesamt 25 in Auschwitz geborene Juden, die zwischen 1942 und 1944 zurück nach Auschwitz deportiert wurden. Unter ihnen war Frajdla Leiber, die im September 1932, kurz nach ihrer Geburt, mit ihren Eltern Auschwitz verlassen hatte, jedoch im Alter von nur elf Jahren zurück nach Auschwitz deportiert und dort vergast wurde.

Unter den Juden, die am 15. September aus Lille deportiert wurden, befand sich der 21jährige Bernice Winer, der in der neutralen Schweiz geboren war *(S. 144)*, sowie die 28jährige gebürtige Londonerin Fanny Yerkowski. Am folgenden Tag fand eine weitere Deportation von Paris nach Auschwitz statt, zu der 40 in Bulgarien gebürtige Juden gehörten, die in der französischen Hauptstadt festgenommen worden waren. Die Tatsache, daß bis zu jenem Zeitpunkt noch kein einziger Jude aus Bulgarien selbst nach Auschwitz deportiert worden war, konnte sie nicht retten. Name und Alter von 14 der Betroffenen finden sich auf der folgenden Seite *(unten)*. Zu den Deportierten gehörten außerdem die 42jährige gebürtige Engländerin Flora Landsman und die 28jährige Londonerin Lea Cohen sowie Juden mit holländischer, estnischer, litauischer, lettischer, jugoslawischer und sogar neutraler türkischer Staatsbürgerschaft.

GEBURTSORTE POLNISCHSTÄMMIGER JUDEN, DIE AUS LILLE DEPORTIERT WURDEN, 15. SEPTEMBER 1942

Ciechanów
0 Kilometer 80
Inowrocław (Hohensalza)
Weichsel
Węgrów
Bug
Kutno
Warschau
Kałuszyn
Siedlce
Ozorków
Żyrardów
Zgierz
Mszczonów
Kalisz (Kalisch)
Łódź
RUSSISCHES ZARENREICH bis 1914
DEUTSCHES REICH bis 1914
Warta
Pabianice
Zduńska Wola
Tomaszów Rawski
Lubartów
Radom
Piotrków (Petrikau)
Radomsko (Noworadomsk)
Końskie
Szydłowiec
Chełm (Cholm)
Krzepice
Gidle
Kielce
Izbica
Częstochowa (Tschenstochau)
Koniecpol
Daleszyce
Zamość
Szczekociny
Jędrzejów
Tyszowce
Wolbrom
Będzin
Stopnica
Baranów
Olkusz
Kolbuszowa
Rawa Ruska
Radomyśl
Rzeszów
Dębica
Auschwitz
Kraków (Krakau)
Tarnów
Tyczyn
Wielopole
Strzyżów
Biała
Przemyśl
Rymanów
Gorlice
Krynica
Dukla
San
KAISERREICH ÖSTERREICH-UNGARN bis 1914

IN BULGARIEN GEBORENE JUDEN, DIE VON PARIS NACH AUSCHWITZ DEPORTIERT WURDEN, 16. SEPT. 1942

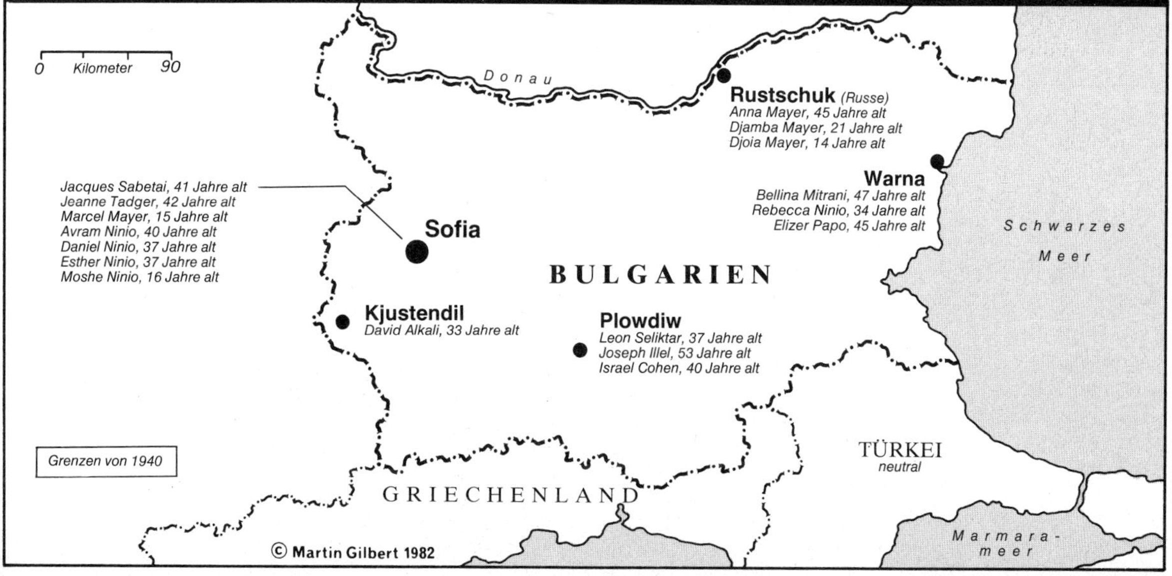

0 Kilometer 90
Donau
Rustschuk (Russe)
Anna Mayer, 45 Jahre alt
Djamba Mayer, 21 Jahre alt
Djoia Mayer, 14 Jahre alt
Warna
Bellina Mitrani, 47 Jahre alt
Rebecca Ninio, 34 Jahre alt
Elizer Papo, 45 Jahre alt
Jacques Sabetai, 41 Jahre alt
Jeanne Tadger, 42 Jahre alt
Marcel Mayer, 15 Jahre alt
Avram Ninio, 40 Jahre alt
Daniel Ninio, 37 Jahre alt
Esther Ninio, 37 Jahre alt
Moshe Ninio, 16 Jahre alt
Sofia
Schwarzes Meer
BULGARIEN
Kjustendil
David Alkali, 33 Jahre alt
Plowdiw
Leon Seliktar, 37 Jahre alt
Joseph Illel, 53 Jahre alt
Israel Cohen, 40 Jahre alt
Grenzen von 1940
TÜRKEI neutral
GRIECHENLAND
Marmarameer

DEPORTATIONEN UND AUFSTÄNDE, 17. – 20. SEPTEMBER 1942

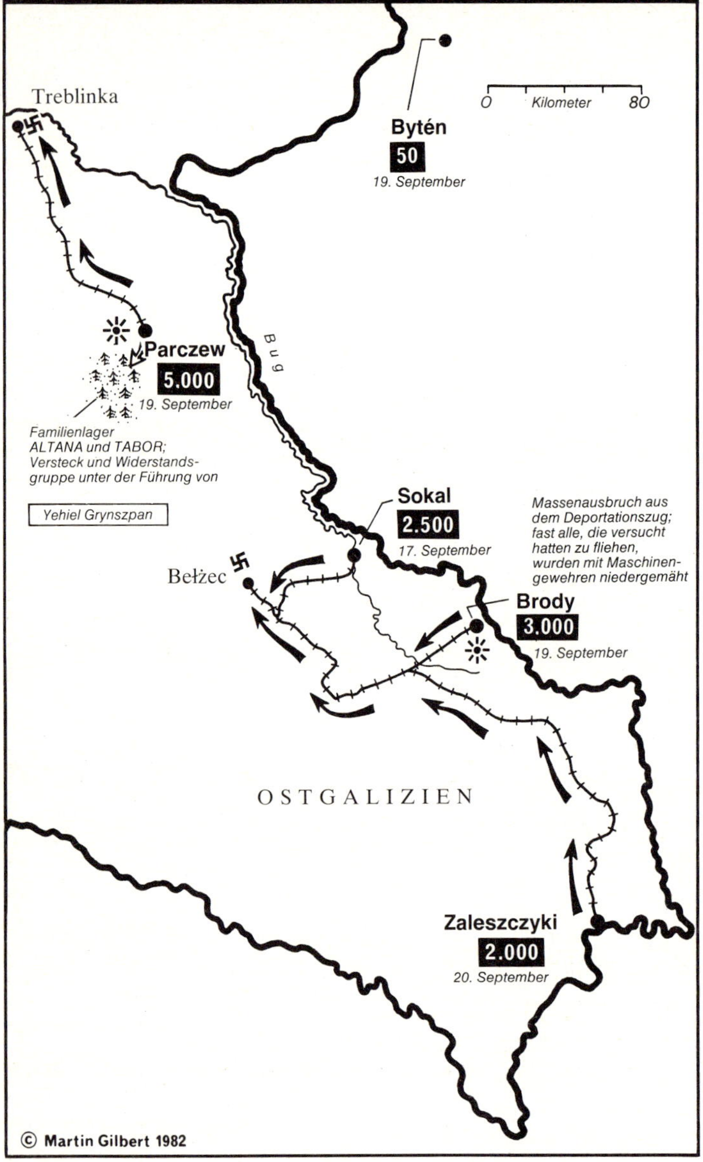
Treblinka
Bytén
50
19. September
0 Kilometer 80
Bug
Parczew
5.000
19. September
Familienlager
ALTANA und TABOR;
Versteck und Widerstands-
gruppe unter der Führung von
Yehiel Grynszpan
Sokal
2.500
17. September
Massenausbruch aus
dem Deportationszug;
fast alle, die versucht
hatten zu fliehen,
wurden mit Maschinen-
gewehren niedergemäht
Bełżec
Brody
3.000
19. September
OSTGALIZIEN
Zaleszczyki
2.000
20. September
© Martin Gilbert 1982

In nur drei Tagen wurden mehr als 10000 Juden nach Bełżec und Treblinka deportiert *(links)*. Alle wurden ermordet. Das Foto zeigt eine Gruppe von Juden, die aus Ostgalizien deportiert wurden; in ihren Bündeln befand sich alles, was man ihnen erlaubt hatte mitzunehmen. In Bełżec wurde ihnen dieses letzte Hab und Gut abgenommen, sortiert und nach Deutschland geschickt.

Während der Festnahmen von Parczew gelang es mehreren tausend Juden, die Sperrketten zu durchbrechen, nach Süden in den Ort Makoszka zu fliehen *(folgende Seite)* und sich von dort aus in das dichte Unterholz und zu den Sümpfen des Parczewschen Waldes durchzuschlagen *(Fotos auf S. 103)*. Die meisten von ihnen wurden von bewaffneten deutschen Einheiten aufgespürt und erschossen. Vor allem drei Streifzüge der Deutschen – einer im November und zwei im Dezember 1942 – führten direkt im Wald zu Massakern an Hunderten jüdischer Familien. Andere starben infolge von Hunger, Kälte oder Krankheit. Die wenigen hundert, die die wiederholten Streifzüge und die Härten des Winters überlebten, hielten sich im Wald in zwei Familienlagern versteckt.

Eine besonders unangenehme und unerwartete Gefahr bedeuteten für die jüdischen Familien, die sich im Parczewschen Wald versteckten, die Aktivitäten einer Gruppe ehemaliger Rotarmisten, die in Kriegsgefangenschaft geraten waren und anschließend ihre eigene Partisaneneinheit gebildet hatten. Diese Russen versprachen, den Juden für Geld und Schmuck Waffen zu geben, doch sie nahmen einfach nur das Geld und verschwanden. Andere vergewaltigten jüdische Frauen, von denen eine – Sarah aus Parczew – von einem russischen Partisanen umgebracht wurde, weil sie Widerstand leistete, als er versuchte, sie zu vergewaltigen. Ihr Mörder wurde später von einem jüdischen Partisanen getötet.

Nur 200 Juden aus den Familienlagern überlebten den Krieg im Parczewschen Wald – im Juli 1944, als die Rote Armee das Gebiet befreite, kamen sie aus ihren Verstecken hervor.

DIE «FAMILIENLAGER» IM WALD VON PARCZEW, 1942–1943

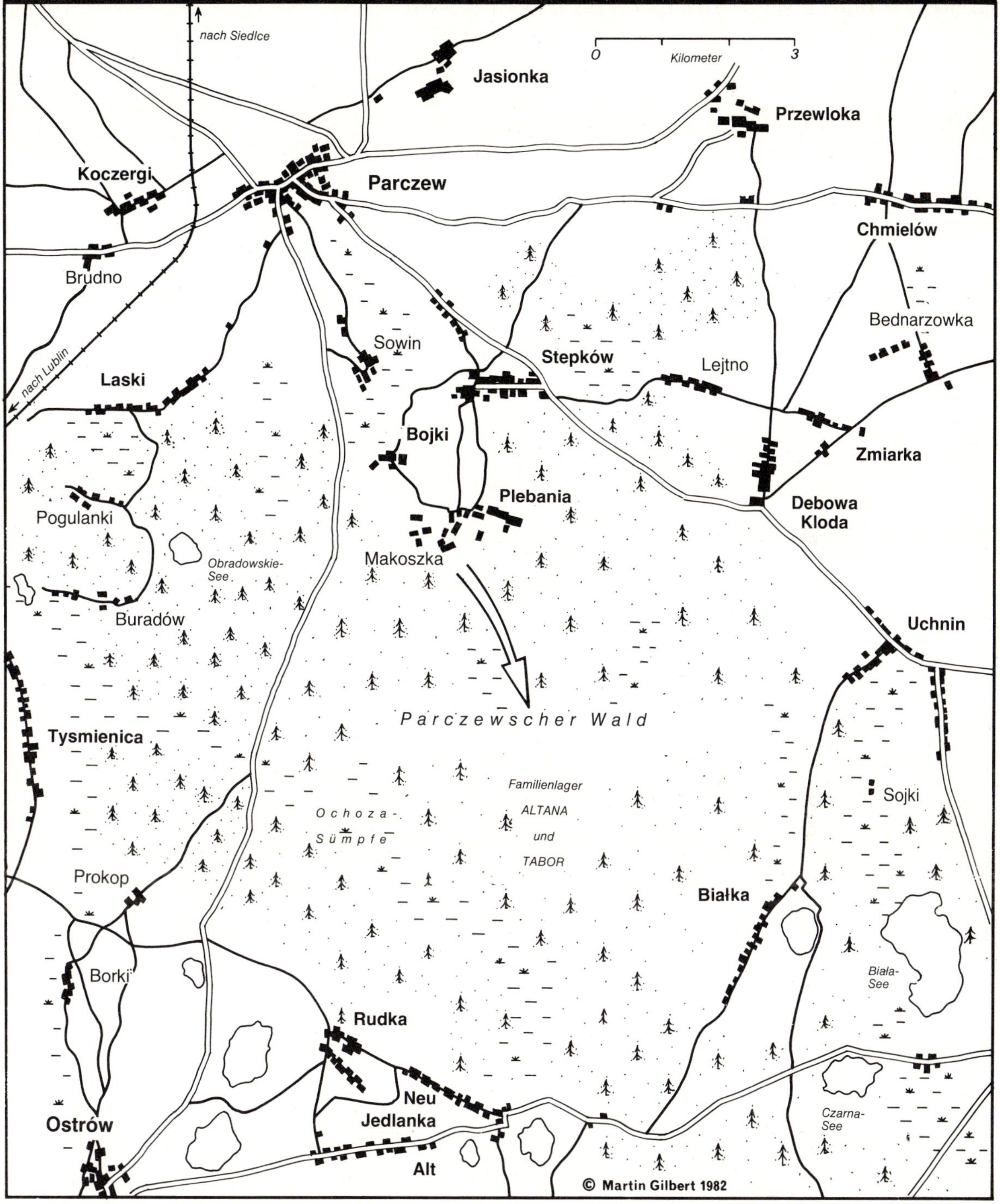
nach Siedlce
0
Kilometer
3
Jasionka
Przewloka
Koczergi
Parczew
Chmielów
Brudno
Bednarzowka
nach Lublin
Sowin
Stepków
Lejtno
Laski
Bojki
Zmiarka
Plebania
Debowa
Kloda
Pogulanki
Obradowskie-
See
Makoszka
Buradów
Uchnin
Tysmienica
Parczewscher Wald
Familienlager
ALTANA
und
TABOR
Sojki
Ochoza-
Sümpfe
Prokop
Białka
Borki
Biała-
See
Rudka
Neu
Jedlanka
Ostrów
Czarna-
See
Alt
© Martin Gilbert 1982

Im letzten Kriegsjahr sollte sich ein polnisches Partisanenbataillion unter der Führung des jüdischen Offiziers Alexander Skotnicki ebenfalls den Parczewschen Wald als Ausgangsbasis für seine Operationen aussuchen:

Überfälle auf deutsche Militärzüge,die auf der Strecke zwischen Lublin und Siedlce verkehrten. Unter Skotnickis Kommando befand sich unter anderem eine rein jüdische Kompanie, angeführt von Yehiel Grynszpan. Anfangs verfügte Grynszpans Kompanie lediglich über zwei Gewehre und eine Pistole – doch bei einer Reihe von Überfällen auf deutsche Militärposten konnte er sieben Gewehre, Munition und sogar eine Reihe von Granaten erbeuten. Von diesen jüdischen Partisanen überlebten etwa 150 den Krieg.

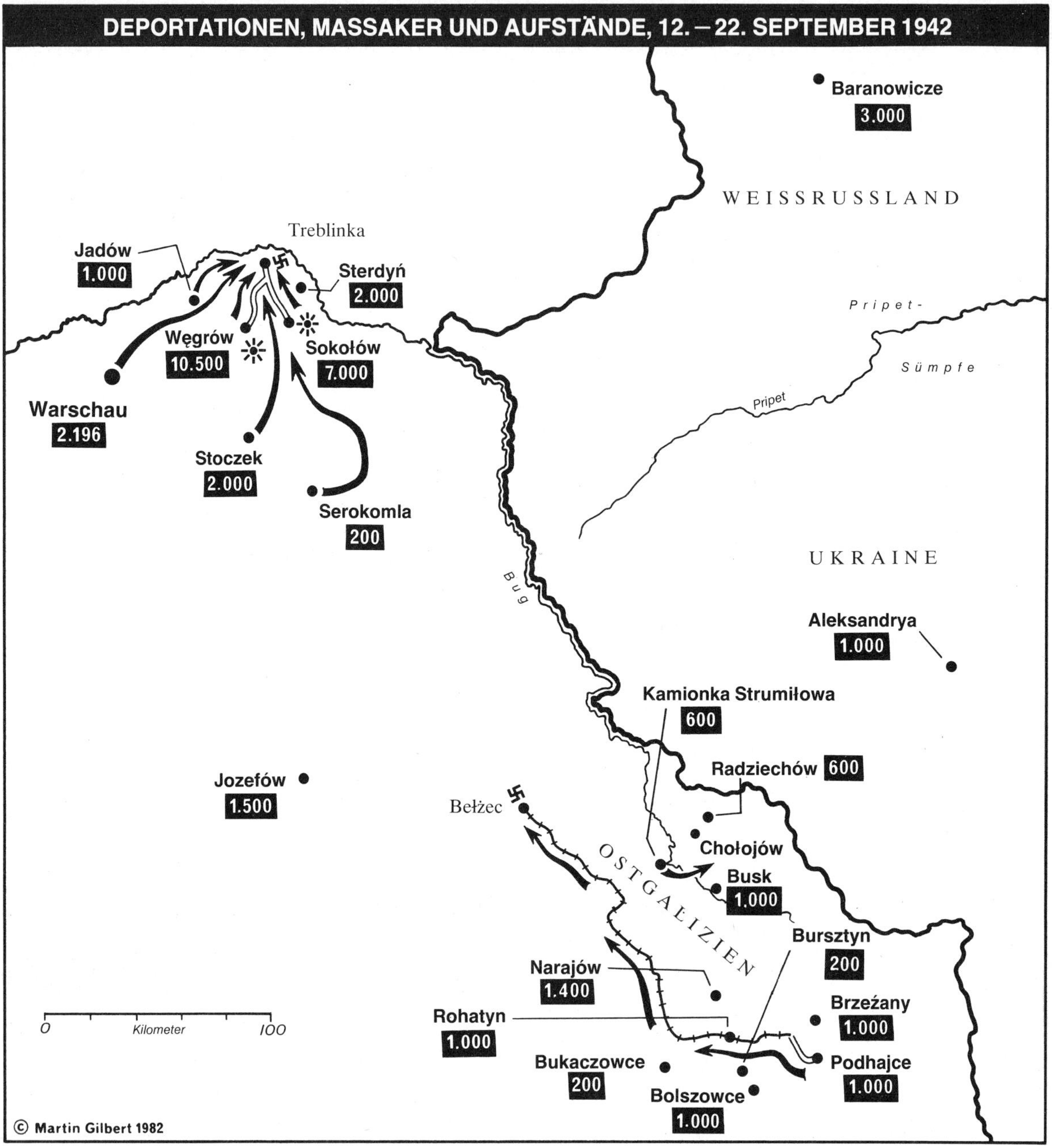
DEPORTATIONEN, MASSAKER UND AUFSTÄNDE, 12.–22. SEPTEMBER 1942
Baranowicze
3.000
WEISSRUSSLAND
Treblinka
Jadów
1.000
Sterdyń
2.000
Węgrów
10.500
Sokołów
7.000
Warschau
2.196
Stoczek
2.000
Serokomla
200
Pripet-
Sümpfe
Pripet
UKRAINE
Bug
Aleksandrya
1.000
Kamionka Strumiłowa
600
Radziechów 600
Jozefów
1.500
Bełżec
OSTGALIZIEN
Chołojów
Busk
1.000
Bursztyn
200
Narajów
1.400
Brzeżany
1.000
Rohatyn
1.000
Bukaczowce
200
Podhajce
1.000
Bolszowce
1.000
0 Kilometer 100
© Martin Gilbert 1982

Jom Kippur (Versöhnungstag), das höchste Fest des jüdischen Kalenders, fiel 1942 auf den 21. September. An jenem und dem darauffolgenden Tag wurden in Osteuropa mehr als 30000 Juden ermordet. Hunderten aus Wegrów und Sokołów gelang die Flucht in die umliegenden Wälder, doch die meisten wurden schnell aufgespürt und erschossen. In der darauffolgenden Woche *(folgende Seite, oben)* wurden wiederum Tausende getötet oder deportiert. In Tuczyn gelang 2000 Juden die Flucht. In Korzec (Korez) flohen 50 Juden und bauten eine kleine Partisaneneinheit auf.

Am 25. September nahm die SS in Paris mehr als 700 in Rumänien geborene Juden fest und deportierte sie nach Auschwitz. Die Geburtsorte der Deportierten lagen in ganz Rumänien verstreut *(folgende Seite, unten)*; unter ihnen befand sich die 46jährige Estera Bercovici mit ihren sechs Kindern. Zahlreiche Kinder wurden ohne Eltern oder Verwandte deportiert, unter anderem die beiden achtjährigen Suzanne Sloim und Raymond Toutman. Die 33jährige Sarah Sepolghi deportierte man zusammen mit ihrem zehn Monate alten Sohn Paul. Von den 1594 Deportierten in diesem einen einzigen Zug überlebten nur 15 kräftige Männer, die zu jenen gehörten, die für die Zwangsarbeit «ausgewählt» wurden, den Krieg.

DEPORTATIONEN, MASSAKER UND AUFSTÄNDE, 23. – 30. SEPTEMBER 1942

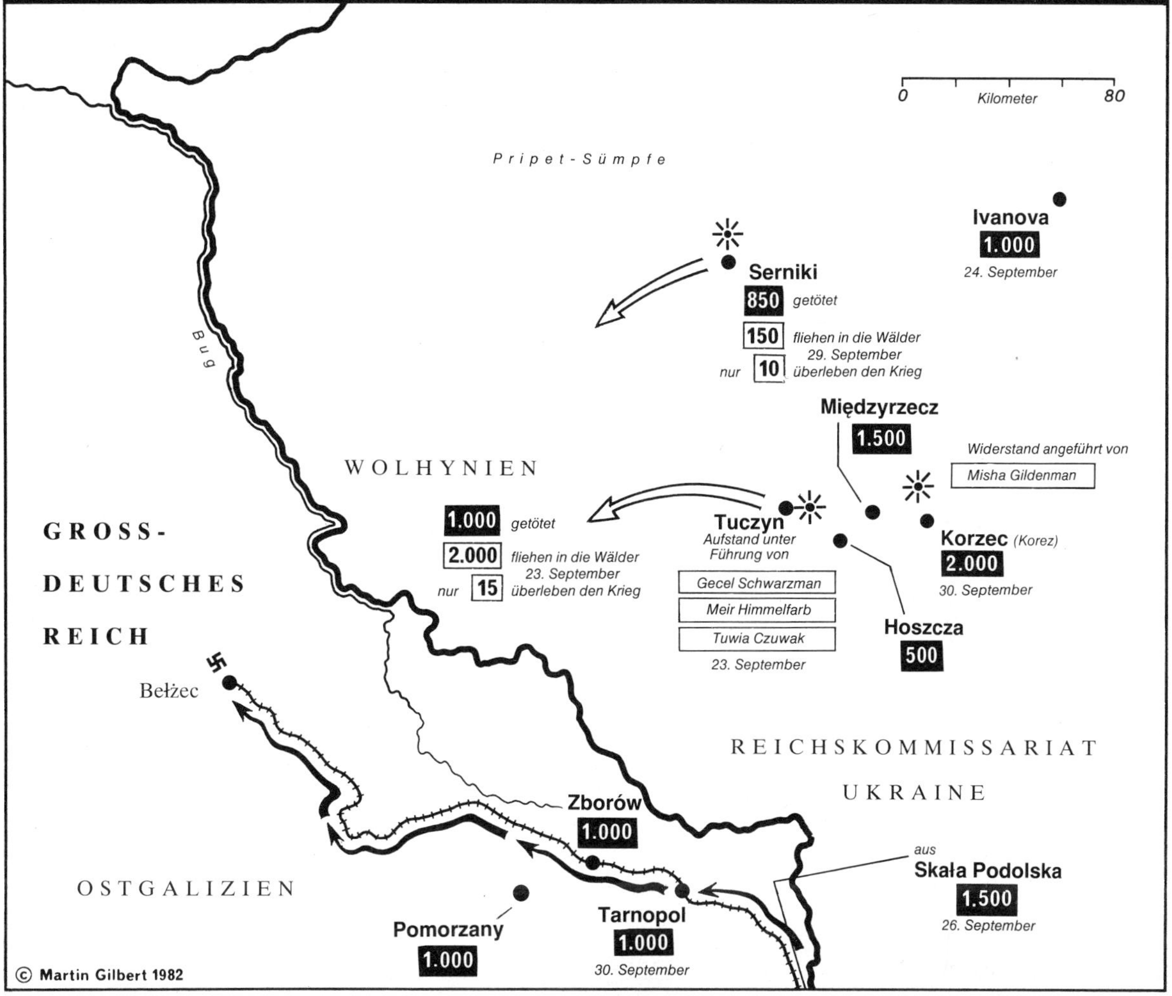
0 Kilometer 80
Pripet-Sümpfe
Ivanova
1.000
24. September
Serniki
850 getötet
150 fliehen in die Wälder
29. September
nur 10 überleben den Krieg
Międzyrzecz
1.500
Widerstand angeführt von
Misha Gildenman
Bug
WOLHYNIEN
GROSS-
DEUTSCHES
REICH
1.000 getötet
2.000 fliehen in die Wälder
23. September
nur 15 überleben den Krieg
Tuczyn
Aufstand unter
Führung von
Gecel Schwarzman
Meir Himmelfarb
Tuwia Czuwak
23. September
Korzec (Korez)
2.000
30. September
Hoszcza
500
Bełżec
REICHSKOMMISSARIAT
UKRAINE
Zborów
1.000
aus
Skała Podolska
1.500
26. September
OSTGALIZIEN
Pomorzany
1.000
Tarnopol
1.000
30. September
© Martin Gilbert 1982

IN RUMÄNIEN GEBORENE JUDEN, DIE AUS PARIS DEPORTIERT WURDEN, 25. SEPTEMBER 1942

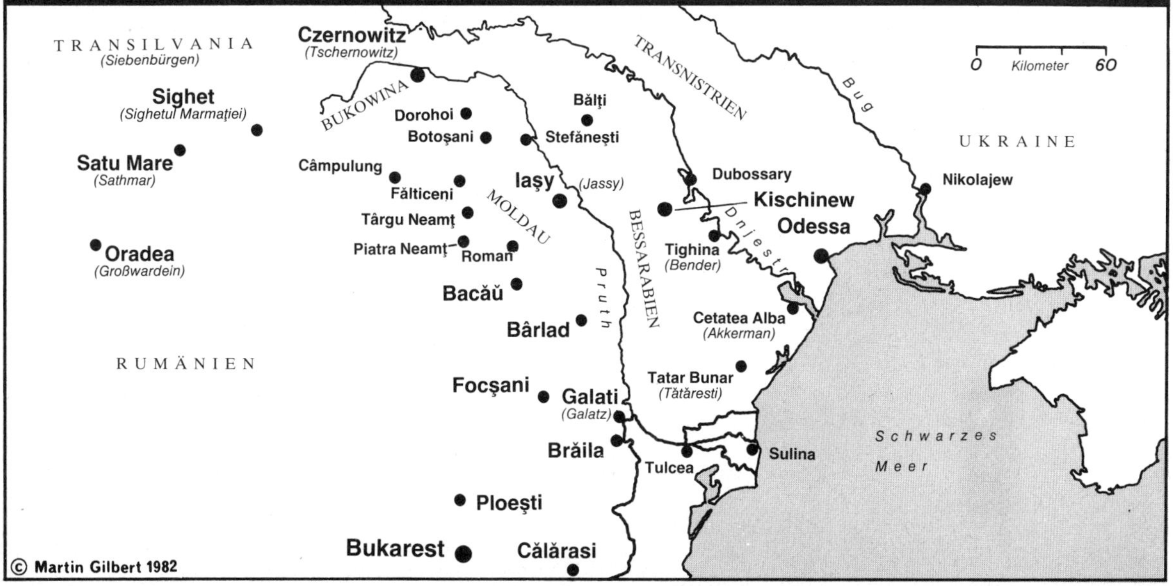
TRANSILVANIA
(Siebenbürgen)
Czernowitz
(Tschernowitz)
TRANSNISTRIEN
0 Kilometer 60
Bug
BUKOWINA
Sighet
(Sighetul Marmației)
Dorohoi
Bălți
Botoșani
Stefănești
UKRAINE
Satu Mare
(Sathmar)
Câmpulung
Iașy
(Jassy)
Dubossary
Nikolajew
Fălticeni
Kischinew
Odessa
Târgu Neamț
MOLDAU
Dnjestr
Oradea
(Großwardein)
Piatra Neamț
Roman
BESSARABIEN
Tighina
(Bender)
Bacău
Pruth
Bârlad
Cetatea Alba
(Akkerman)
RUMÄNIEN
Focșani
Galati
(Galatz)
Tatar Bunar
(Tătăresti)
Brăila
Tulcea
Sulina
Schwarzes
Meer
Ploești
Bukarest
Călărasi
© Martin Gilbert 1982

DEPORTATIONEN NACH CHEŁMNO UND TREBLINKA, 23. SEPTEMBER – 5. OKTOBER 1942

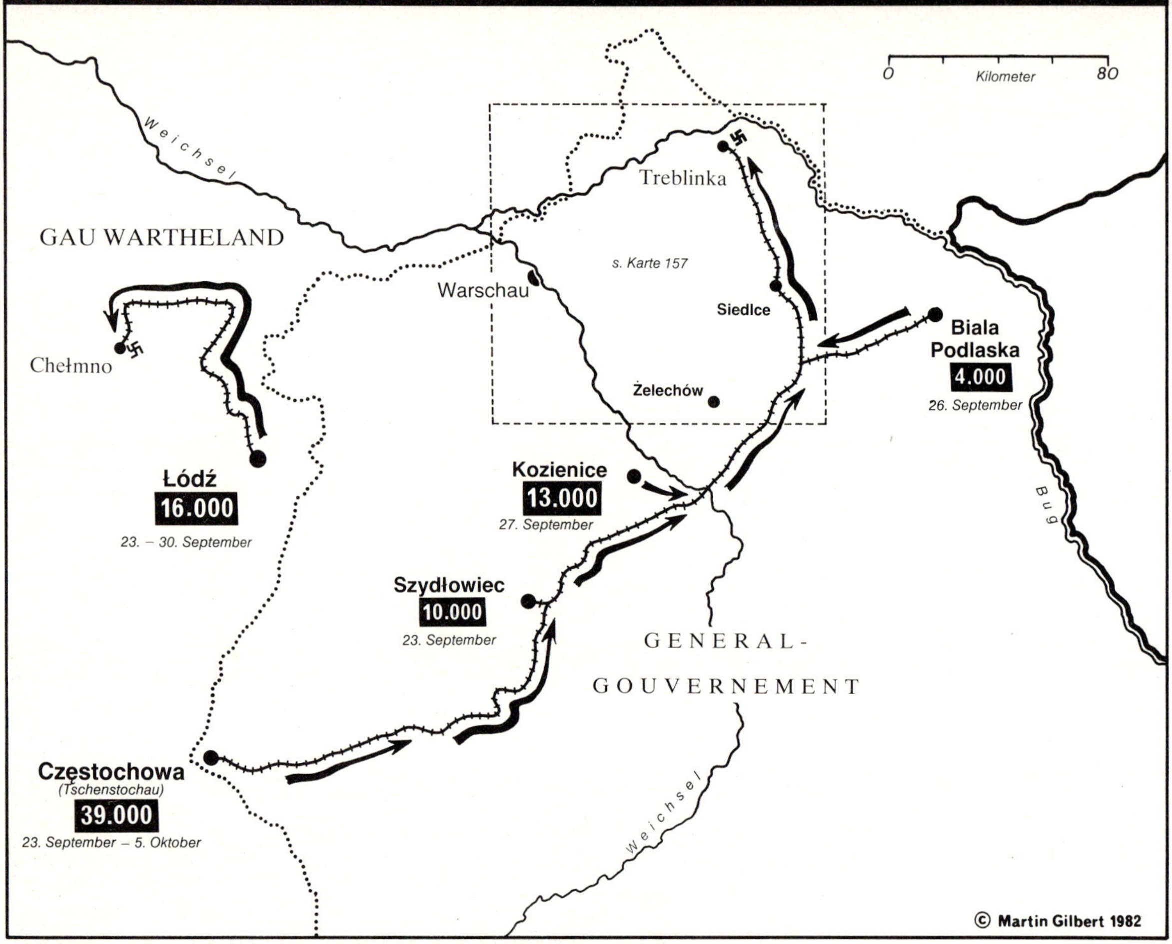
0 Kilometer 80
Weichsel
GAU WARTHELAND
Treblinka
s. Karte 157
Warschau
Siedlce
Biala Podlaska
4.000
26. September
Chełmno
Żelechów
Kozienice
13.000
27. September
Łódź
16.000
23. – 30. September
Bug
Szydłowiec
10.000
23. September
GENERAL-
GOUVERNEMENT
Częstochowa
(Tschenstochau)
39.000
23. September – 5. Oktober
Weichsel
© Martin Gilbert 1982

WEITERE SIEBEN DEPORTATIONEN NACH TREBLINKA

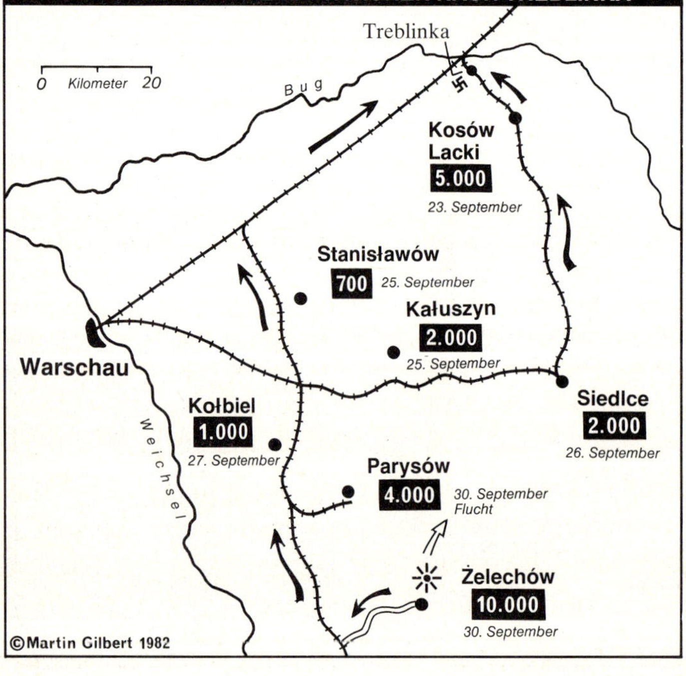
Treblinka
0 Kilometer 20
Bug
Kosów Lacki
5.000
23. September
Stanisławów
700
25. September
Kałuszyn
2.000
25. September
Warschau
Siedlce
2.000
26. September
Kołbiel
1.000
27. September
Weichsel
Parysów
4.000
30. September
Flucht
Żelechów
10.000
30. September
©Martin Gilbert 1982

Mitte September beschloß die SS, das Getto von Łódź in ein reines «Arbeits»-Getto umzuwandeln, und startete die «Aktion Gehsperre», in deren Rahmen alle Kinder unter zehn Jahren, alle Männer und Frauen über 60 sowie alle Kranken und Schwachen nach Chełmno deportiert werden sollten. Insgesamt wurden innerhalb von zwei Wochen 16000 Juden deportiert und vergast *(oben)*. Aus der Gegend östlich von Warschau *(links)* wurden mehr als 24000 Juden nach Treblinka deportiert und dort getötet.

Auch die Deportationen aus dem Generalgouvernement gingen in großem Rahmen weiter *(oben)*. In einer der Städte, Żelechów, gelang es mehreren hundert jungen Juden, in die Wälder zu fliehen und einen Partisanentrupp zu bilden. Doch für die meisten Juden gab es angesichts der überwältigenden Militärmacht der Deutschen kein Entrinnen.

Von Paris aus wurden weiterhin Deportationen nach Auschwitz durchgeführt, und auf diesem Wege gelangten nunmehr auch Juden in die dortigen Gaskammern, die in Asien, Niederländisch-Indien *(folgende Seite, oben)* und in Nordafrika *(folgende Seite, unten)* geboren waren – Männer und Frauen, die vor 1939 in Paris ein neues Leben hatten anfangen wollen.

IN AFRIKA UND ASIEN GEBÜRTIGE JUDEN, DIE VON PARIS NACH AUSCHWITZ DEPORTIERT WURDEN

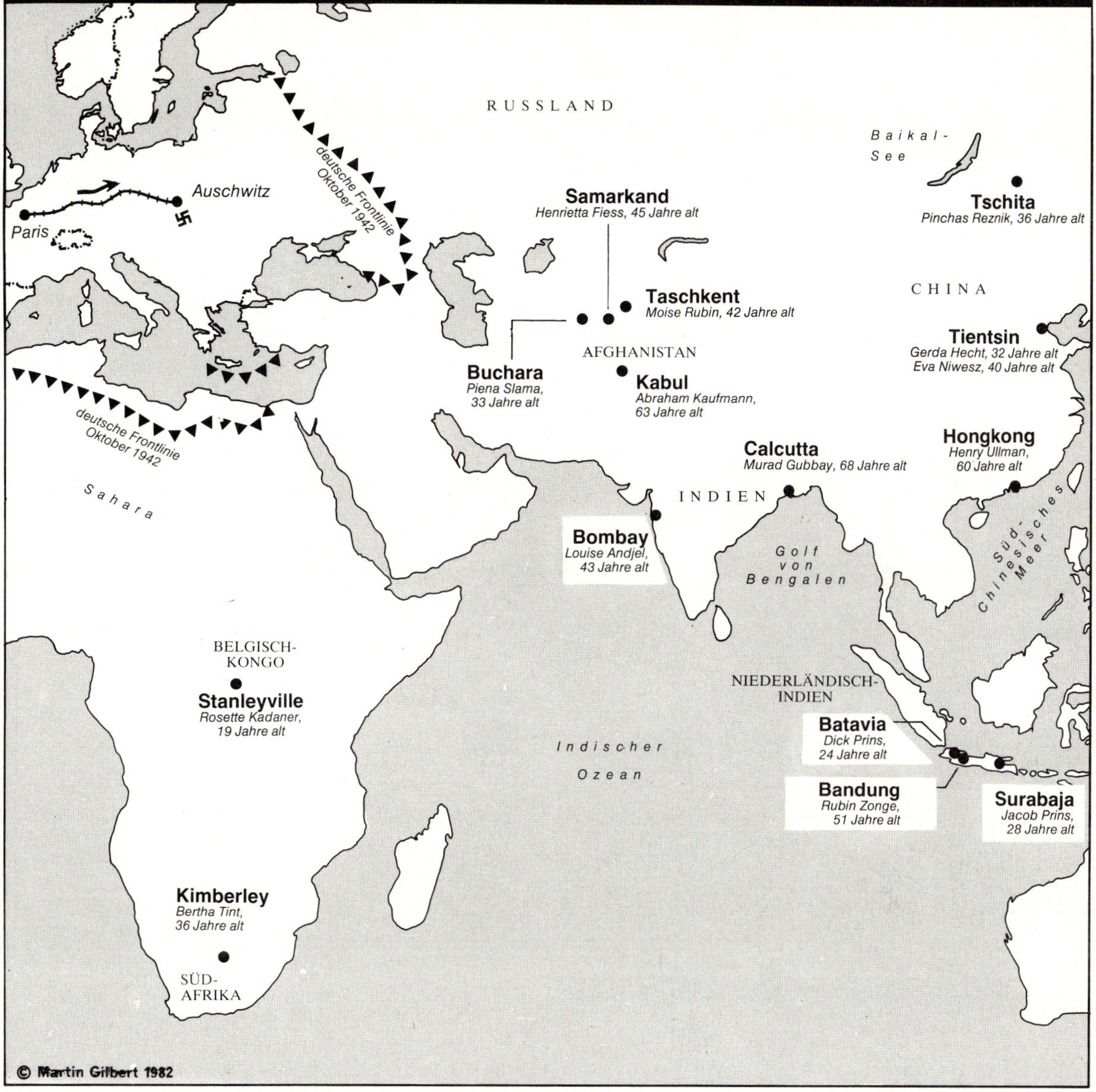
RUSSLAND
Baikal-See
Auschwitz
Paris
deutsche Frontlinie Oktober 1942
Samarkand
Henrietta Fiess, 45 Jahre alt
Tschita
Pinchas Reznik, 36 Jahre alt
Taschkent
Moise Rubin, 42 Jahre alt
CHINA
Tientsin
Gerda Hecht, 32 Jahre alt
Eva Niwesz, 40 Jahre alt
AFGHANISTAN
Buchara
Piena Slama,
33 Jahre alt
Kabul
Abraham Kaufmann,
63 Jahre alt
deutsche Frontlinie Oktober 1942
Calcutta
Murad Gubbay, 68 Jahre alt
Hongkong
Henry Ullman,
60 Jahre alt
Sahara
INDIEN
Bombay
Louise Andjel,
43 Jahre alt
Golf von Bengalen
Süd-Chinesisches Meer
BELGISCH-KONGO
Stanleyville
Rosette Kadaner,
19 Jahre alt
NIEDERLÄNDISCH-INDIEN
Batavia
Dick Prins,
24 Jahre alt
Indischer Ozean
Bandung
Rubin Zonge,
51 Jahre alt
Surabaja
Jacob Prins,
28 Jahre alt
Kimberley
Bertha Tint,
36 Jahre alt
SÜD-AFRIKA
© Martin Gilbert 1982

IN NORDAFRIKA GEBÜRTIGE JUDEN, DIE VON PARIS NACH AUSCHWITZ DEPORTIERT WURDEN, 1942–1944

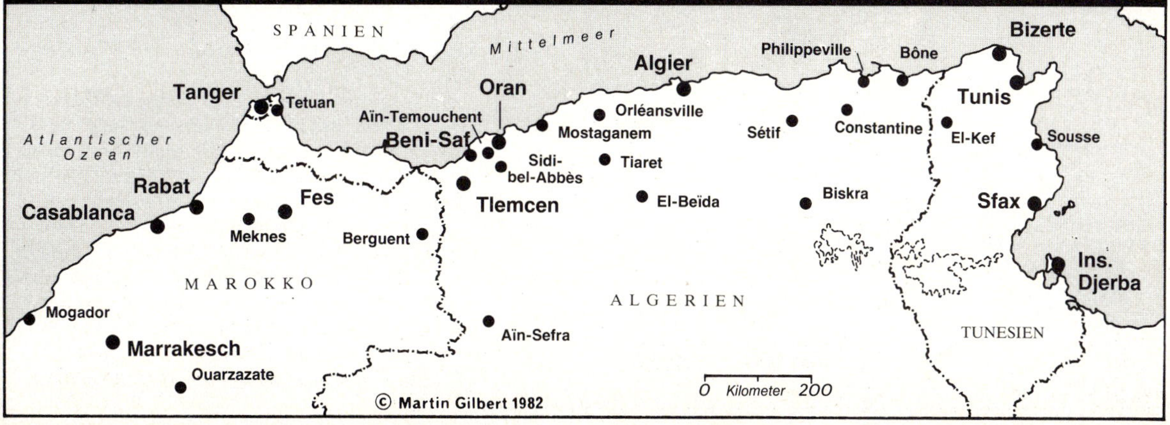
SPANIEN
Mittelmeer
Bizerte
Philippeville
Bône
Algier
Tanger
Tetuan
Oran
Tunis
Aïn-Temouchent
Orléansville
Atlantischer Ozean
Beni-Saf
Mostaganem
Sétif
Constantine
El-Kef
Sousse
Sidi-bel-Abbès
Tiaret
Rabat
Fes
Tlemcen
El-Beïda
Biskra
Sfax
Casablanca
Meknes
Berguent
Ins. Djerba
MAROKKO
ALGERIEN
Mogador
Marrakesch
Aïn-Sefra
TUNESIEN
Ouarzazate
0 Kilometer 200
© Martin Gilbert 1982

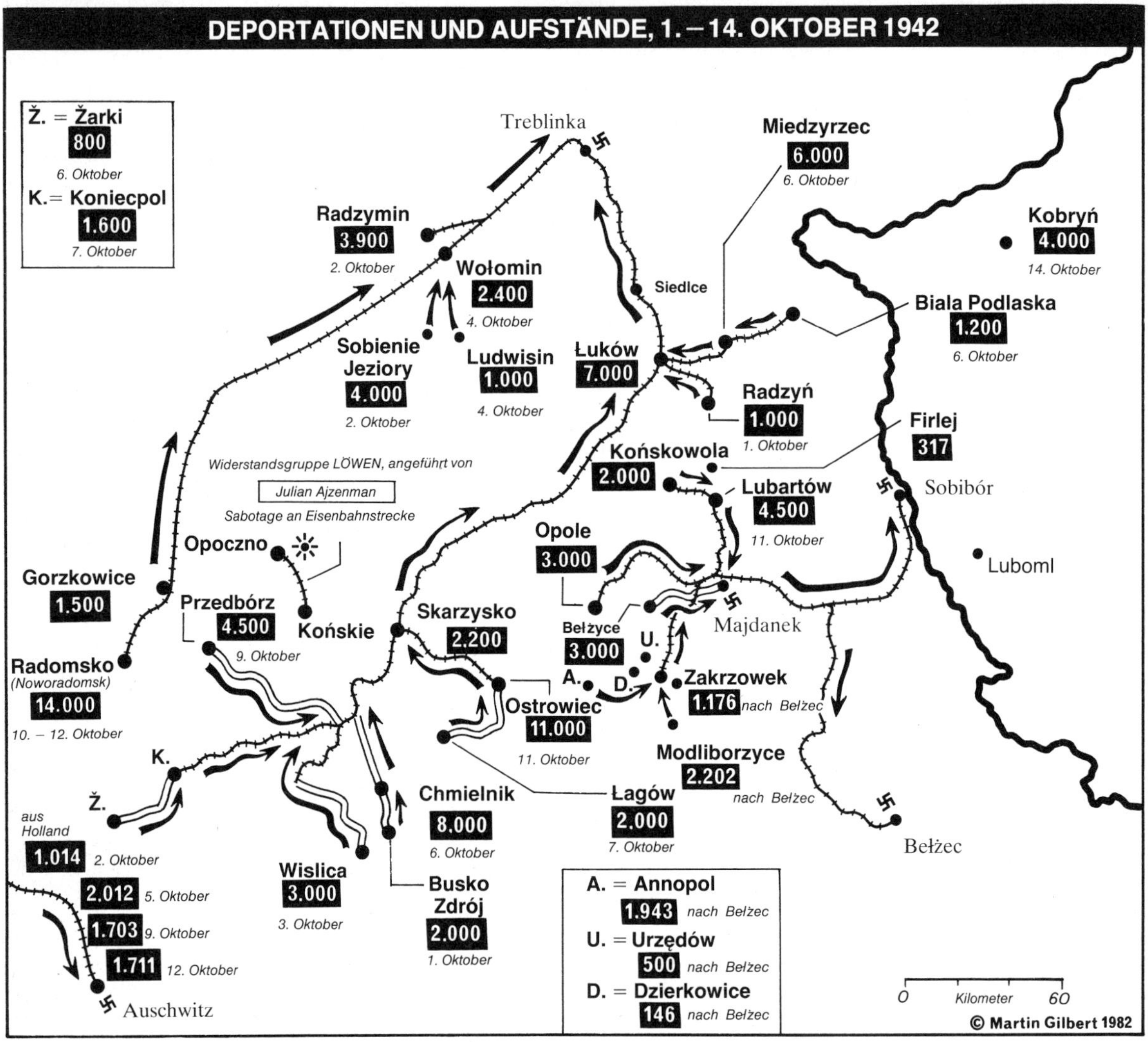
DEPORTATIONEN UND AUFSTÄNDE, 1. – 14. OKTOBER 1942
Ž. = Žarki
800
6. Oktober
K. = Koniecpol
1.600
7. Oktober
Treblinka
Miedzyrzec
6.000
6. Oktober
Kobryń
4.000
14. Oktober
Radzymin
3.900
2. Oktober
Wołomin
2.400
4. Oktober
Siedlce
Biala Podlaska
1.200
6. Oktober
Sobienie Jeziory
4.000
2. Oktober
Ludwisin
1.000
4. Oktober
Łuków
7.000
Radzyń
1.000
1. Oktober
Firlej
317
Końskowola
2.000
Lubartów
4.500
11. Oktober
Sobibór
Luboml
Widerstandsgruppe LÖWEN, angeführt von
Julian Ajzenman
Sabotage an Eisenbahnstrecke
Opoczno
Opole
3.000
Gorzkowice
1.500
Przedbórz
4.500
9. Oktober
Końskie
Skarzysko
2.200
Bełżyce
3.000
U.
Majdanek
Radomsko
(Noworadomsk)
14.000
10. – 12. Oktober
A.
D.
Zakrzowek
1.176 nach Bełżec
Ostrowiec
11.000
11. Oktober
K.
Modliborzyce
2.202
nach Bełżec
Ž.
Chmielnik
8.000
6. Oktober
Łagów
2.000
7. Oktober
Bełżec
aus Holland
1.014 2. Oktober
2.012 5. Oktober
1.703 9. Oktober
1.711 12. Oktober
Wislica
3.000
3. Oktober
Busko Zdrój
2.000
1. Oktober
A. = Annopol
1.943 nach Bełżec
U. = Urzędów
500 nach Bełżec
D. = Dzierkowice
146 nach Bełżec
Auschwitz
0 Kilometer 60
© Martin Gilbert 1982

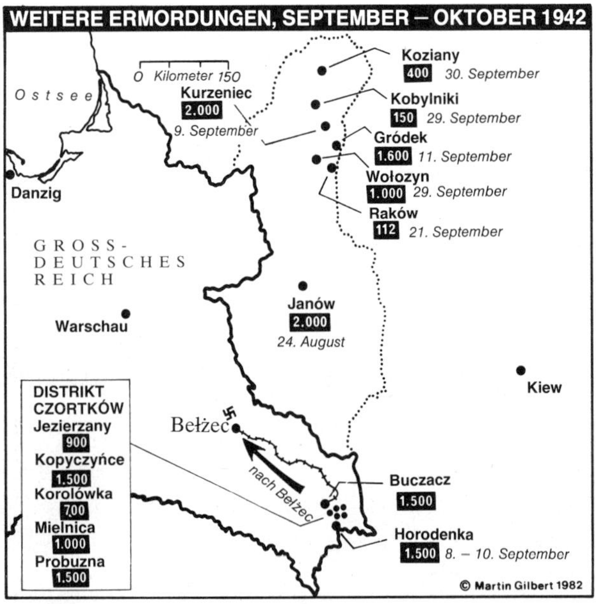
WEITERE ERMORDUNGEN, SEPTEMBER – OKTOBER 1942
0 Kilometer 150
Ostsee
Koziany
400 30. September
Kurzeniec
2.000
9. September
Kobylniki
150 29. September
Gródek
1.600 11. September
Wołozyn
1.000 29. September
Raków
112 21. September
Danzig
GROSS-DEUTSCHES REICH
Warschau
Janów
2.000
24. August
Kiew
DISTRIKT CZORTKÓW
Jezierzany
900
Kopyczyńce
1.500
Korolówka
700
Mielnica
1.000
Probuzna
1.500
Bełżec
nach Bełżec
Buczacz
1.500
Horodenka
1.500 8. – 10. September
© Martin Gilbert 1982

Von den im September 1942 *(links)* ermordeten Juden stammten 1000 aus der Stadt Wołozyn, ehemals ein Zentrum der jüdischen Glaubenslehre. In Ostgalizien waren Juden aus sieben Gemeinden nach Bełżec deportiert worden, bei denen es sich zum Teil um kleine Dörfer in der Umgegend von Czortków handelte.

Im Laufe des Oktober 1942 gingen die Deportationen weiter. Aus Holland *(oben)* und Belgien *(folgende Seite, oben)* wurden Juden nach Auschwitz gebracht *(siehe auch Seite 130)*. Aus Zentralpolen und Theresienstadt wurden sie – mit nicht weniger als 30 Deportationen in den letzten beiden Oktoberwochen – nach Treblinka geschafft *(folgende Seite, unten)*; und aus Ostgalizien nach Bełżec *(folgende Seite, oben)*. Östlich der Grenzen des Großdeutschen Reiches wurden die Juden auf offener Straße oder in umliegenden Wäldern und Steinbrüchen getötet, so zum Beispiel 10000 in der Stadt Luboml in Wolhynien.

DEPORTATIONEN, MASSAKER UND AUFSTÄNDE, 1. – 31. OKTOBER 1942

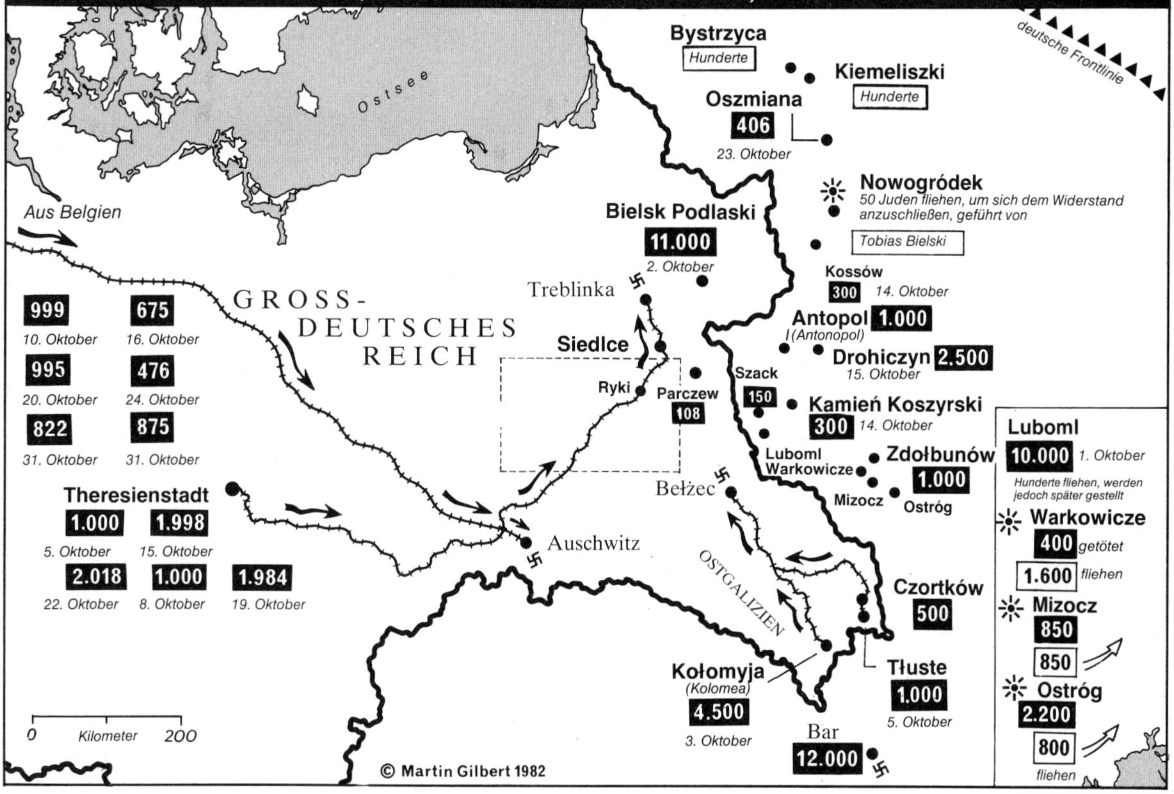
Ostsee
Aus Belgien
GROSS-DEUTSCHES REICH
999
10. Oktober
675
16. Oktober
995
20. Oktober
476
24. Oktober
822
31. Oktober
875
31. Oktober
Theresienstadt
1.000
5. Oktober
1.998
15. Oktober
2.018
22. Oktober
1.000
8. Oktober
1.984
19. Oktober
Bystrzyca
Hunderte
Kiemeliszki
Hunderte
Oszmiana
406
23. Oktober
deutsche Frontlinie
Nowogródek
50 Juden fliehen, um sich dem Widerstand anzuschließen, geführt von
Tobias Bielski
Bielsk Podlaski
11.000
2. Oktober
Treblinka
Kossów
300
14. Oktober
Antopol
1.000
(Antonopol)
Siedlce
Drohiczyn
2.500
15. Oktober
Ryki
Parczew
108
Szack
150
Kamień Koszyrski
300
14. Oktober
Luboml
Warkowicze
Zdołbunów
1.000
Mizocz
Ostróg
Bełżec
Auschwitz
OSTGALIZIEN
Czortków
500
Kołomyja
(Kolomea)
4.500
3. Oktober
Tłuste
1.000
5. Oktober
Bar
12.000
Luboml
10.000
1. Oktober
Hunderte fliehen, werden jedoch später gestellt
Warkowicze
400
getötet
1.600
fliehen
Mizocz
850
850
Ostróg
2.200
800
fliehen
0 Kilometer 200
© Martin Gilbert 1982

DREISSIG DEPORTATIONEN NACH TREBLINKA, 15. – 31. OKTOBER 1942

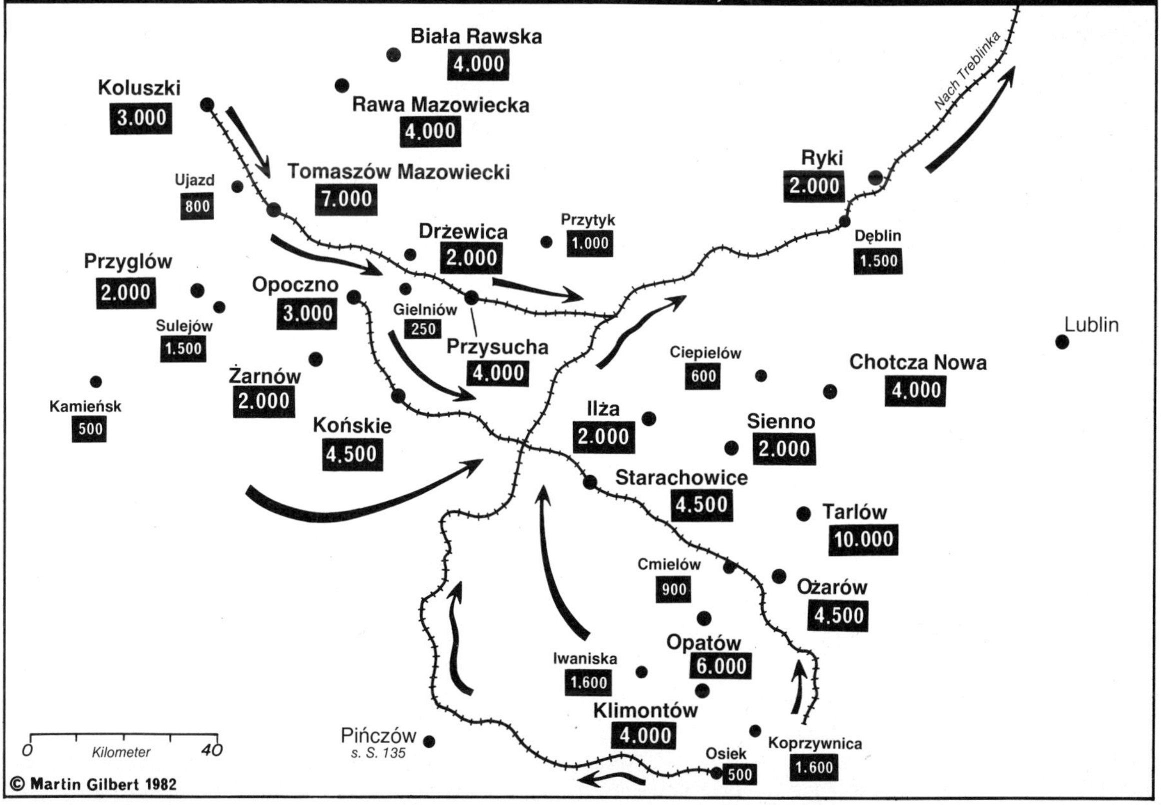
Biała Rawska
4.000
Koluszki
3.000
Rawa Mazowiecka
4.000
Nach Treblinka
Ujazd
800
Tomaszów Mazowiecki
7.000
Ryki
2.000
Przytyk
1.000
Dęblin
1.500
Drżewica
2.000
Przyglów
2.000
Opoczno
3.000
Gielniów
250
Sulejów
1.500
Przysucha
4.000
Lublin
Ciepielów
600
Chotcza Nowa
4.000
Żarnów
2.000
Kamieńsk
500
Końskie
4.500
Iłża
2.000
Sienno
2.000
Starachowice
4.500
Tarlów
10.000
Cmielów
900
Ożarów
4.500
Opatów
6.000
Iwaniska
1.600
Klimontów
4.000
Pińczów
s. S. 135
Osiek
500
Koprzywnica
1.600
0 Kilometer 40
© Martin Gilbert 1982

DEPORTATIONEN NACH AUSCHWITZ, 15.–31. OKTOBER 1942

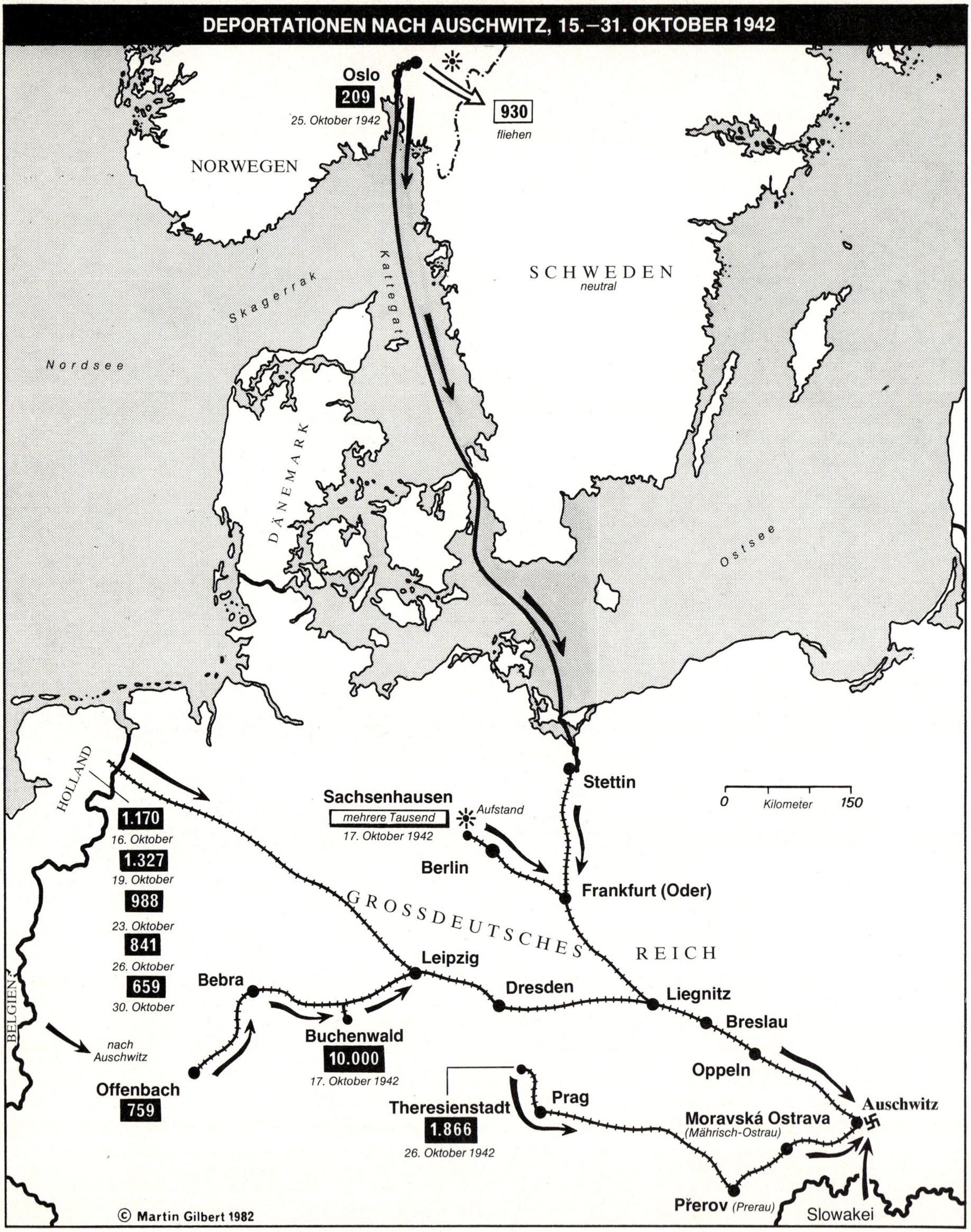
Oslo
209
25. Oktober 1942
930
fliehen
NORWEGEN
SCHWEDEN
neutral
Skagerrak
Kattegat
Nordsee
DÄNEMARK
Ostsee
HOLLAND
Stettin
0 Kilometer 150
Sachsenhausen
mehrere Tausend
17. Oktober 1942
Aufstand
Berlin
Frankfurt (Oder)
1.170
16. Oktober
1.327
19. Oktober
988
23. Oktober
841
26. Oktober
659
30. Oktober
GROSSDEUTSCHES REICH
Leipzig
Dresden
Liegnitz
Breslau
Bebra
BELGIEN
nach Auschwitz
Buchenwald
10.000
17. Oktober 1942
Oppeln
Offenbach
759
Prag
Theresienstadt
1.866
26. Oktober 1942
Auschwitz
Moravská Ostrava
(Mährisch-Ostrau)
Přerov (Prerau)
Slowakei
© Martin Gilbert 1982

Die Karte oben zeigt zehn der Deportationen, die in der zweiten Oktoberhälfte des Jahres 1942 von Westeuropa und Norwegen nach Auschwitz durchgeführt wurden. Zusätzlich zu diesen sowie vier weitere Deportationen aus Belgien *(S. 129)* ist in den Listen von Auschwitz noch ein Zug aufgeführt, der das Lager, aus der Slowakei kommend, am 23. Oktober erreichte.

Innerhalb von sechs Monaten, nachdem die Deutschen im April 1940 *(S. 45)* Norwegen besetzt hatten,

WEITERE DEPORTATIONEN, MASSAKER UND AUFSTÄNDE, 15. – 31. OKTOBER 1942

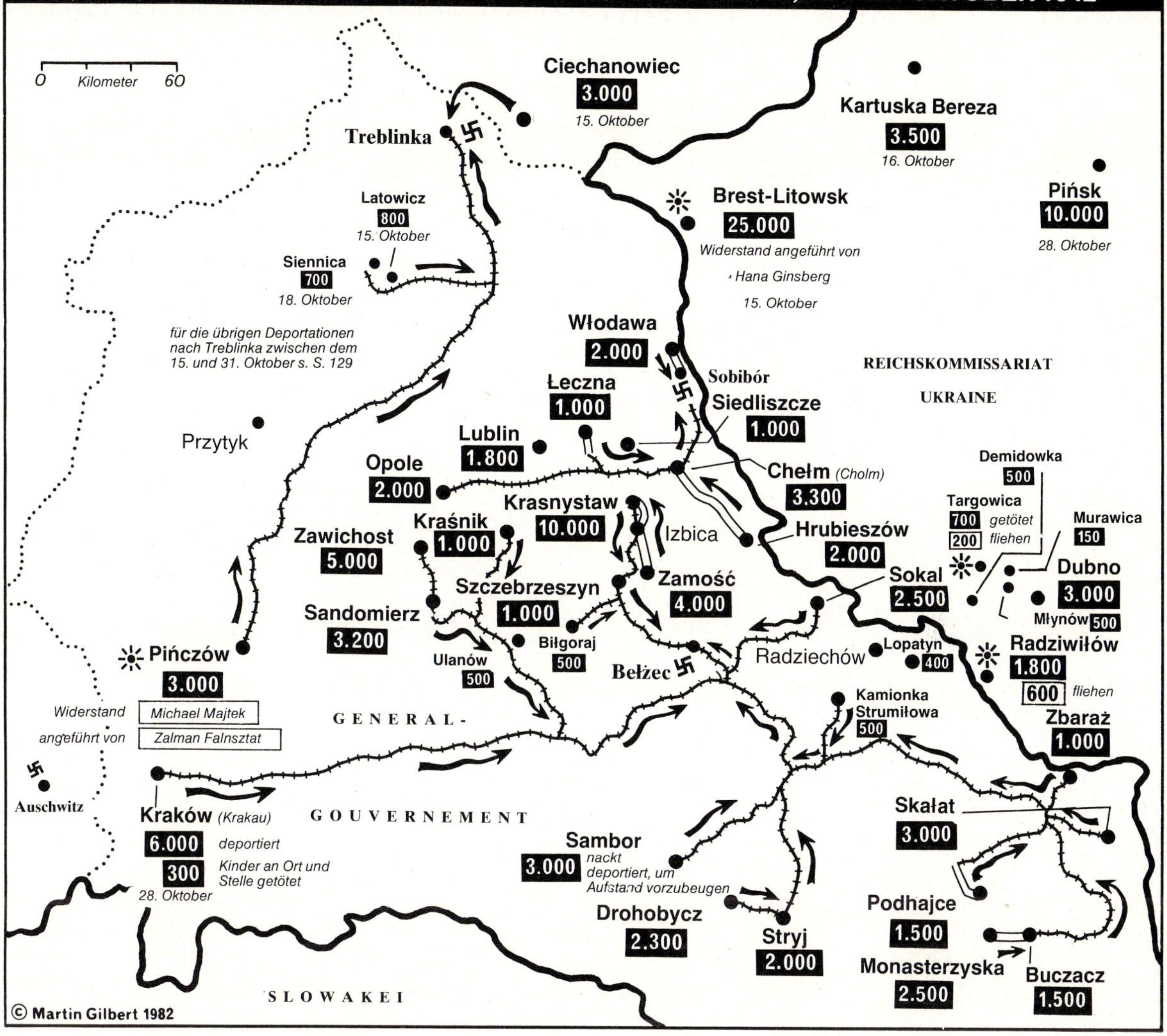
0 Kilometer 60
Ciechanowiec
3.000
15. Oktober
Treblinka
Kartuska Bereza
3.500
16. Oktober
Brest-Litowsk
25.000
Widerstand angeführt von
Hana Ginsberg
15. Oktober
Pińsk
10.000
28. Oktober
Latowicz
800
15. Oktober
Siennica
700
18. Oktober
für die übrigen Deportationen nach Treblinka zwischen dem 15. und 31. Oktober s. S. 129
Włodawa
2.000
Sobibór
REICHSKOMMISSARIAT
UKRAINE
Łeczna
1.000
Siedliszcze
1.000
Przytyk
Lublin
1.800
Opole
2.000
Chełm (Cholm)
3.300
Demidowka
500
Targowica
700 getötet
200 fliehen
Murawica
150
Krasnystaw
10.000
Kraśnik
1.000
Izbica
Hrubieszów
2.000
Zawichost
5.000
Zamość
4.000
Sokal
2.500
Dubno
3.000
Szczebrzeszyn
1.000
Młynów 500
Sandomierz
3.200
Biłgoraj
500
Radziechów
Lopatyn
400
Radziwiłów
1.800
600 fliehen
Pińczów
3.000
Ulanów
500
Bełżec
Kamionka Strumiłowa
500
Zbaraż
1.000
Widerstand angeführt von
Michael Majtek
Zalman Falnsztat
GENERAL-
Auschwitz
Kraków (Krakau)
6.000 deportiert
300 Kinder an Ort und Stelle getötet
28. Oktober
GOUVERNEMENT
Skałat
3.000
Sambor
3.000 nackt deportiert, um Aufstand vorzubeugen
Podhajce
1.500
Drohobycz
2.300
Stryj
2.000
Monasterzyska
2.500
Buczacz
1.500
SLOWAKEI
© Martin Gilbert 1982

war den dortigen Juden jegliche Teilnahme am Berufsleben untersagt worden. Im Juni 1942 wurde eine Zwangsregistrierung aller Juden und im Oktober 1942 die Konfiskation sämtlichen jüdischen Eigentums verfügt. Dann, am 25. Oktober, wurden im ganzen Land alle jüdischen Männer und Jungen über 16 Jahren – insgesamt 209 Personen – festgenommen, per Schiff von Norwegen nach Stettin geschickt und von dort weiter mit der Eisenbahn nach Auschwitz transportiert. Darüber hinaus wurden am 25. November 531 Frauen und Kinder festgenommen *(S. 133)* und ebenfalls in den Tod geschickt. Nur zwölf der 740 Deportierten überlebten den Krieg.

Mit Hilfe der norwegischen Bevölkerung, die sich dabei nicht selten selbst in Lebensgefahr brachte, gelang immerhin 930 norwegischen Juden die Flucht ins neutrale Schweden. Etwa 60 wurden in Norwegen selbst ins Gefängnis geworfen oder interniert.

Die Karte oben zeigt einige der Deportationen, die in dem gleichen Zeitraum von zwei Wochen zu den Todeslagern im Osten durchgeführt wurden. Bevor die Deportation von Drohobycz anlief, wurden fast 200 alte und kranke Juden in den Straßen der Stadt erschossen. Unter die Exekutionen vor Ort fiel die Erschießung von 25000 Juden in Brest-Litowsk. Fast alle übrigen Juden von Brest – etwa 5000 – waren im Juni 1941 *(S. 67)* umgebracht worden. Den meisten der wenigen hundert überlebenden Juden gelang es, sich Partisaneneinheiten anzuschließen.

Zu den Deportationen dieser beiden Wochen gehörte eine, die von Przytyk nach Treblinka führte *(S. 129)*. Es war die Ermordung von drei Juden in Przytyk vor dem Zweiten Weltkrieg gewesen *(S. 21)*, die die polnischen Juden dermaßen alarmiert hatte, daß sie sich an die Pogrome während der Zarenzeit erinnert fühlten. Doch im Herbst 1942 nahm sich die Deportation und sofortige Ermordung von 1000 Juden aus eben diesem Dorf – Tode, die für sich genommen entsetzlich waren – vergleichsweise bescheiden aus, wenn man bedenkt, daß in nur zwei Wochen allein im östlichen Polen insgesamt mehr als 100000 Männer, Frauen und Kinder getötet wurden.

DEPORTATIONEN UND WIDERSTAND, 1.–6. NOVEMBER 1942

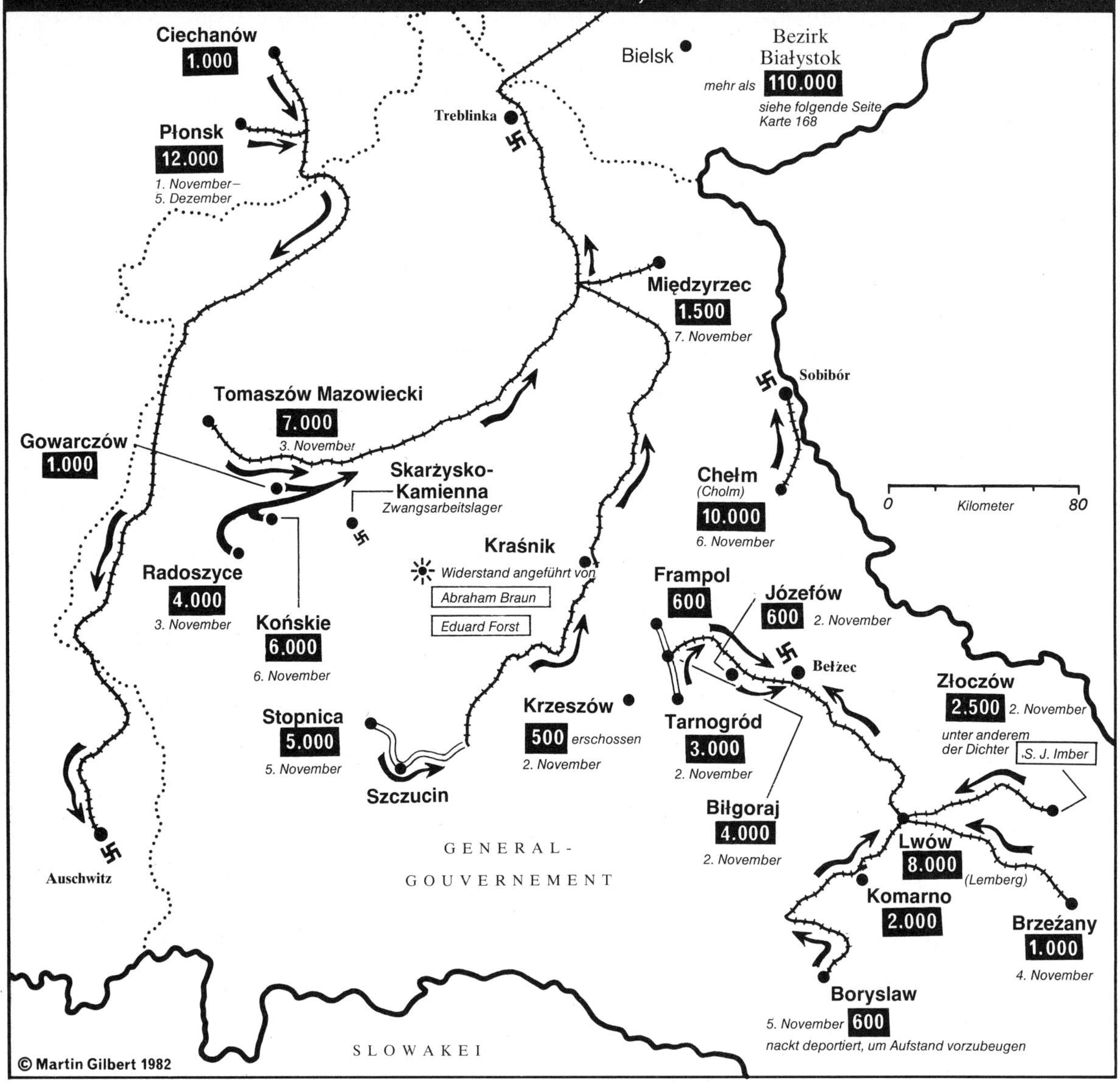
Ciechanów
1.000
Płonsk
12.000
1. November–
5. Dezember
Treblinka
Bielsk
Bezirk
Białystok
mehr als 110.000
siehe folgende Seite,
Karte 168
Międzyrzec
1.500
7. November
Sobibór
Tomaszów Mazowiecki
7.000
3. November
Gowarczów
1.000
Skarżysko-
Kamienna
Zwangsarbeitslager
Chełm
(Cholm)
10.000
6. November
0
Kilometer
80
Kraśnik
Widerstand angeführt von
Abraham Braun
Eduard Forst
Radoszyce
4.000
3. November
Końskie
6.000
6. November
Frampol
600
Józefów
600
2. November
Bełżec
Złoczów
2.500
2. November
unter anderem
der Dichter
S. J. Imber
Stopnica
5.000
5. November
Krzeszów
500
erschossen
2. November
Tarnogród
3.000
2. November
Szczucin
Biłgoraj
4.000
2. November
Lwów
8.000
(Lemberg)
Komarno
2.000
Brzeżany
1.000
4. November
Auschwitz
GENERAL-
GOUVERNEMENT
Boryslaw
5. November 600
nackt deportiert, um Aufstand vorzubeugen
SLOWAKEI
© Martin Gilbert 1982

Im November 1942 kam es zu weiteren Deportationen aus Holland, Frankreich und Norwegen *(folgende Seite, oben)*. Weiter ostwärts wurden in Sluszk Juden niedergemetzelt; und in Proskurow, wo 1919 1700 Juden umgebracht worden waren *(S. 15)*, wurden die letzten 7000 Juden ermordet.

Am 2. November fand im Bezirk Białystok eine der am sorgfältigsten organisierten und umfangreichsten Festnahmeaktionen des ganzen Krieges statt *(folgende Seite, unten)*; in dem betroffenen Gebiet waren bereits während der ersten zwei Monate nach dem Einmarsch der Deutschen mehr als 20000 Juden ermordet worden *(S. 67 und 68)*. Die verbliebenen 110000 Juden, die sich ausschließlich in ihren Heimatstädten und -dörfern aufhalten durften, wurden nun festgenommen und in Lager in Zambrów, Wołkowysk, Bogusze und Kielbasin geschickt, bevor man sie mit der Bahn nach Treblinka und Auschwitz brachte. Als sich die Juden von Marcinkańce der Deportation widersetzten, wurden sie alle in ihrem Dorf erschossen.

In Siemiatycze gelang ein paar Dutzend Juden die Flucht in die umliegenden Wälder, wo sie eine kleine Widerstandsgruppe bildeten. Später wurden die meisten von ihnen von polnischen Partisanentrupps getötet.

Weiter südlich, in Stopnica *(oben)*, wurden 1500 Männer in Zwangsarbeitslager bei Skażrysko-Kamienna geschickt, während 400 Kinder und alte Menschen auf dem Friedhof der Stadt erschossen wurden.

Die übrigen 3000 Juden mußten nach Szczucin marschieren, wobei viele unterwegs erschossen wurden. Die Überlebenden schickte man mit dem Zug nach Treblinka, wo – zusammengerechnet mit Bełżec und Auschwitz – innerhalb von einer Woche mehr als 170000 Juden getötet wurden *(oben)*.

DEPORTATIONEN ÜBER WEITE ENTFERNUNGEN UND MASSENMORDE, NOVEMBER 1942

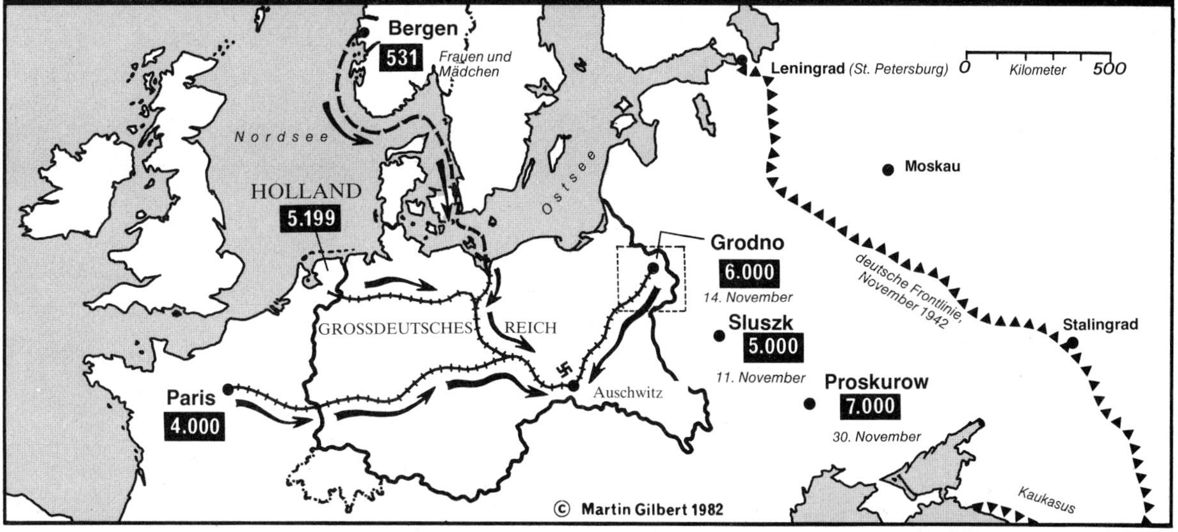
Bergen
531
Frauen und Mädchen
Leningrad (St. Petersburg)
0 Kilometer 500
Nordsee
Moskau
HOLLAND
5.199
Ostsee
Grodno
6.000
14. November
deutsche Frontlinie, November 1942
GROSSDEUTSCHES REICH
Sluszk
5.000
Stalingrad
11. November
Proskurow
7.000
Paris
4.000
Auschwitz
30. November
Kaukasus
© Martin Gilbert 1982

FÜNFUNDSECHZIG DEPORTATIONEN AUS DEM BEZIRK BIAŁYSTOK, 2. NOVEMBER 1942

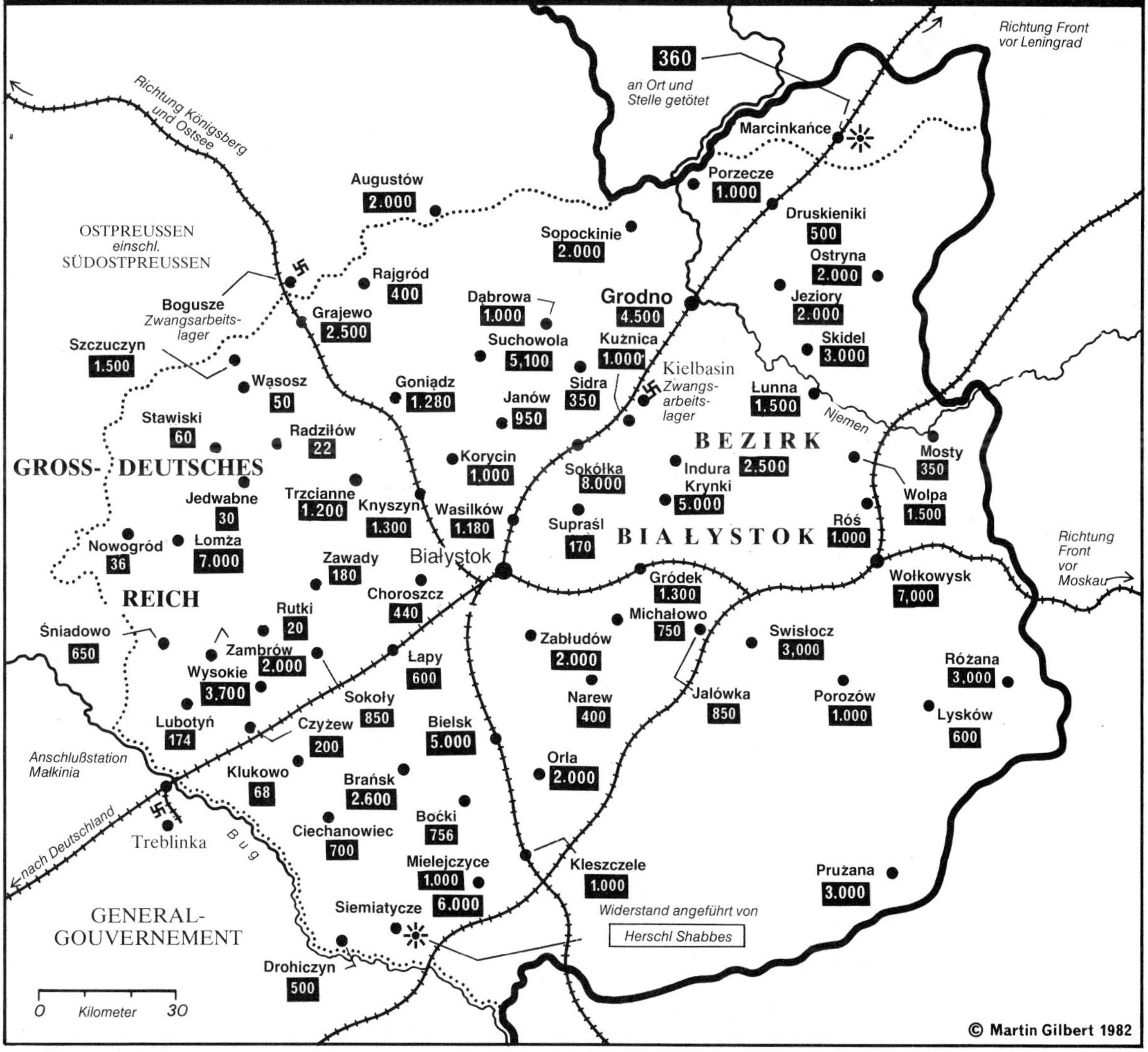
Richtung Front vor Leningrad
360
an Ort und Stelle getötet
Richtung Königsberg und Ostsee
Marcinkańce
Porzecze
1.000
Augustów
2.000
Druskieniki
500
Sopockinie
2.000
OSTPREUSSEN einschl. SÜDOSTPREUSSEN
Ostryna
2.000
Rajgród
400
Bogusze
Zwangsarbeitslager
Dąbrowa
1.000
Grodno
4.500
Jeziory
2.000
Grajewo
2.500
Szczuczyn
1.500
Suchowola
5,100
Kuźnica
1.000
Skidel
3.000
Kielbasin
Zwangsarbeitslager
Wąsosz
50
Goniądz
1.280
Sidra
350
Łunna
1.500
Stawiski
60
Janów
950
Radziłów
22
Niemen
BEZIRK
Mosty
350
Korycin
1.000
GROSS-DEUTSCHES
Sokółka
8.000
Indura
2.500
Krynki
5.000
Wolpa
1.500
Jedwabne
30
Trzcianne
1.200
Knyszyn
1.300
Wasilków
1.180
Różana ...
Supraśl
170
BIAŁYSTOK
Róś
1.000
Richtung Front vor Moskau
Nowogród
36
Łomża
7.000
Zawady
180
Białystok
Gródek
1.300
Wołkowysk
7,000
REICH
Choroszcz
440
Michałowo
750
Rutki
20
Śniadowo
650
Zambrów
2,000
Zabłudów
2.000
Swisłocz
3,000
Wysokie
3,700
Łapy
600
Różana
3,000
Sokoły
850
Narew
400
Jalówka
850
Porozów
1.000
Lysków
600
Lubotyń
174
Czyżew
200
Bielsk
5.000
Anschlußstation Małkinia
Orla
2.000
Klukowo
68
Brańsk
2.600
Treblinka
nach Deutschland
Bug
Boćki
756
Ciechanowiec
700
Mielejczyce
1.000
Kleszczele
1.000
Pružana
3.000
GENERAL-GOUVERNEMENT
Siemiatycze
6.000
Widerstand angeführt von
Herschl Shabbes
Drohiczyn
500
0 Kilometer 30
© Martin Gilbert 1982

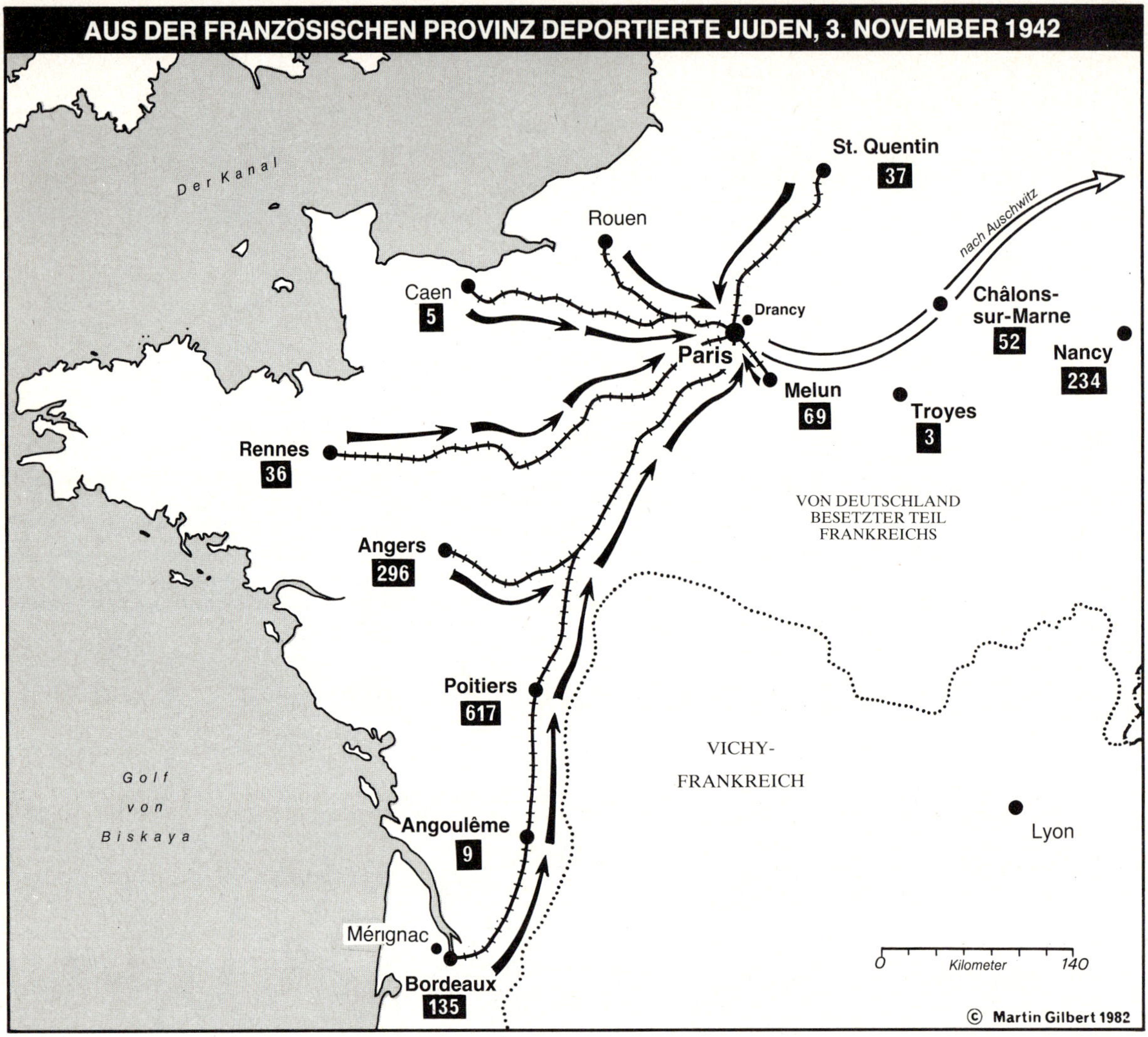
AUS DER FRANZÖSISCHEN PROVINZ DEPORTIERTE JUDEN, 3. NOVEMBER 1942
Der Kanal
St. Quentin
37
Rouen
nach Auschwitz
Caen
5
Drancy
Châlons-sur-Marne
52
Paris
Nancy
234
Melun
69
Troyes
3
Rennes
36
VON DEUTSCHLAND BESETZTER TEIL FRANKREICHS
Angers
296
Poitiers
617
VICHY-FRANKREICH
Golf von Biskaya
Angoulême
9
Lyon
Mérignac
0 Kilometer 140
Bordeaux
135
© Martin Gilbert 1982

Eine der Deportationen, die im November 1942 nach Auschwitz durchgeführt wurden, hatte ihren Ausgang am 3. November in Paris genommen – unter den Deportierten befanden sich mehrere hundert Juden, die in der französischen Provinz festgenommen worden waren *(oben)*.

Von den 1000 Juden, die an jenem Tag deportiert wurden, waren 200 Kinder, die zusammen mit ihren Eltern oder Großeltern auf den Weg gebracht wurden – unter anderem die vierjährigen Zwillinge Annie und Lydia Kirzner, der zweijährige Jacques Wlademirski, der vierjährige Daniel Szulc und die Geschwister David und Solange Zajdenwerger, vier und drei Jahre alt. Alle wurden vergast.

Die Karte auf der folgenden Seite *(oben)* zeigt die Geburtsorte einiger der übrigen Personen, die am 3. November von Paris nach Auschwitz deportiert wurden. Zum Teil handelte es sich um alte Menschen, wie zum Beispiel bei dem 70jährigen Gabriel Erlich aus Warschau, der zusammen mit seiner Frau und seinen beiden 36 beziehungsweise 38 Jahre alten Töchtern deportiert wurde.

Viele der Deportierten standen wie die Töchter Erlich in der Blüte des Lebens: Magalta Poulios von der griechischen Insel Chios war 35 Jahre alt; Jean Blumenthal aus Berlin war 27; ebenfalls 27 war Joseph Rozio aus der türkischen Hafenstadt Izmir (Smyrna); Robert Geyer aus Metz war gerade 20 Jahre alt; Gabrielle Bruski aus Budapest war erst 18. Mutterseelenallein wurde der vierjährige Jankiel Ciesielski deportiert, der in Łódź geboren war.

Die beiden kleineren Karten *(folgende Seite, unten)* geben Geburtsorte und Namen einiger der vielen hundert Juden wieder, die zwischen 1942 und 1944 von Paris nach Auschwitz deportiert wurden und die in Amerika geboren waren. Mindestens zehn von ihnen besaßen zum Zeitpunkt ihrer Deportation noch die Staatsbürgerschaft der USA. Alle hatten sich zwischen den Kriegen entschlossen, nach Europa zu kommen, um dort zu unterrichten, zu arbeiten, zu heiraten und Kinder großzuziehen.

Das Foto wurde während einer der von Paris abgehenden Deportationen aufgenommen; über 80000 Juden wurden in wenig mehr als zwei Jahren von Paris nach Auschwitz deportiert.

GEBURTSORTE EINIGER DER AUS PARIS DEPORTIERTEN, 3. NOVEMBER 1942

St. Petersburg (Leningrad)
Lydie Gourewitsch, 31 Jahre alt
Nordsee
Ostsee
Kowno
Witebsk
Wilna
Königsberg
Borissow
deutsche Frontlinie November 1942
Białystok
Rotterdam
Berlin
Leipzig
Łódź
Warschau
Aachen
Lublin
Kiew
Charkow
Caen
Dresden
Paris
Metz
Prag
Auschwitz
Lwów (Lemberg)
Poltawa
Kraków (Krakau)
Salzburg
Belfort
Czernowitz (Tschernowitz)
Munkács (Munkačevo)
Wien
Sighet (Sighetul Marmaţiei)
Botoşani
Kertsch
Sophie Shagin, 55 Jahre alt
Graz
Budapest
Odessa
Galaţi (Galatz)
Sewastopol
George Roubenstein, 53 Jahre alt
Sarajewo
Bukarest
Rustschuk (Russe)
Schwarzes Meer
Sofia
Saloniki
Istanbul (Konstantinopel)
Jacques Hayim, 29 Jahre alt, und
Mazeltow Pinto, 22 Jahre alt
0 Kilometer 40
Charles Chouraqui, 42 Jahre alt
Chios
Izmir (Smyrna)
Algier
© Martin Gilbert 1982

NACH AUSCHWITZ DEPORTIERTE JUDEN AMERIKANISCHER HERKUNFT

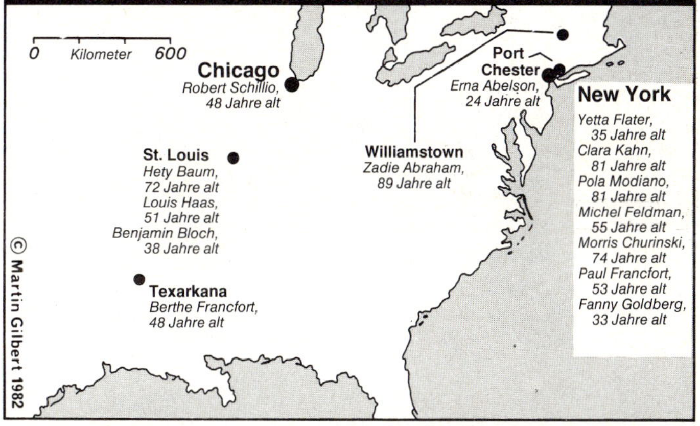
0 Kilometer 600
Chicago
Robert Schillio, 48 Jahre alt
Port Chester
Erna Abelson, 24 Jahre alt
New York
Yetta Flater, 35 Jahre alt
Clara Kahn, 81 Jahre alt
Pola Modiano, 81 Jahre alt
Michel Feldman, 55 Jahre alt
Morris Churinski, 74 Jahre alt
Paul Francfort, 53 Jahre alt
Fanny Goldberg, 33 Jahre alt
St. Louis
Hety Baum, 72 Jahre alt
Louis Haas, 51 Jahre alt
Benjamin Bloch, 38 Jahre alt
Williamstown
Zadie Abraham, 89 Jahre alt
Texarkana
Berthe Francfort, 48 Jahre alt
© Martin Gilbert 1982

GEBURTSORTE WEITERER DEPORTIERTER AMERIKANISCHER HERKUNFT

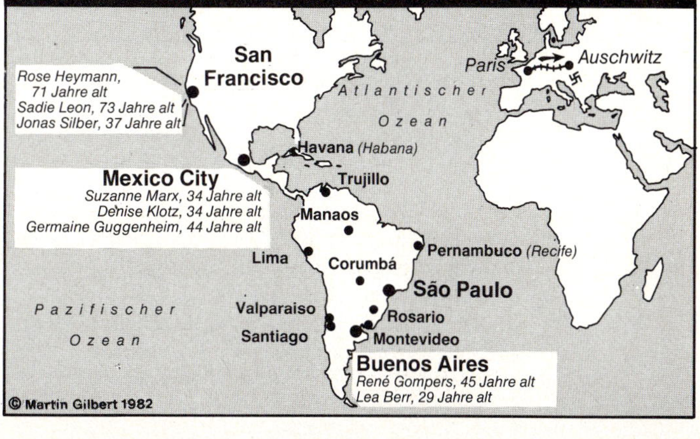
San Francisco
Rose Heymann, 71 Jahre alt
Sadie Leon, 73 Jahre alt
Jonas Silber, 37 Jahre alt
Paris
Auschwitz
Atlantischer Ozean
Havana (Habana)
Mexico City
Suzanne Marx, 34 Jahre alt
Denise Klotz, 34 Jahre alt
Germaine Guggenheim, 44 Jahre alt
Trujillo
Manaos
Pernambuco (Recife)
Lima
Corumbá
São Paulo
Pazifischer Ozean
Valparaiso
Rosario
Santiago
Montevideo
Buenos Aires
René Gompers, 45 Jahre alt
Lea Berr, 29 Jahre alt
© Martin Gilbert 1982

DEPORTATIONEN, MASSAKER UND AUFSTÄNDE, 7. – 30. NOVEMBER 1942

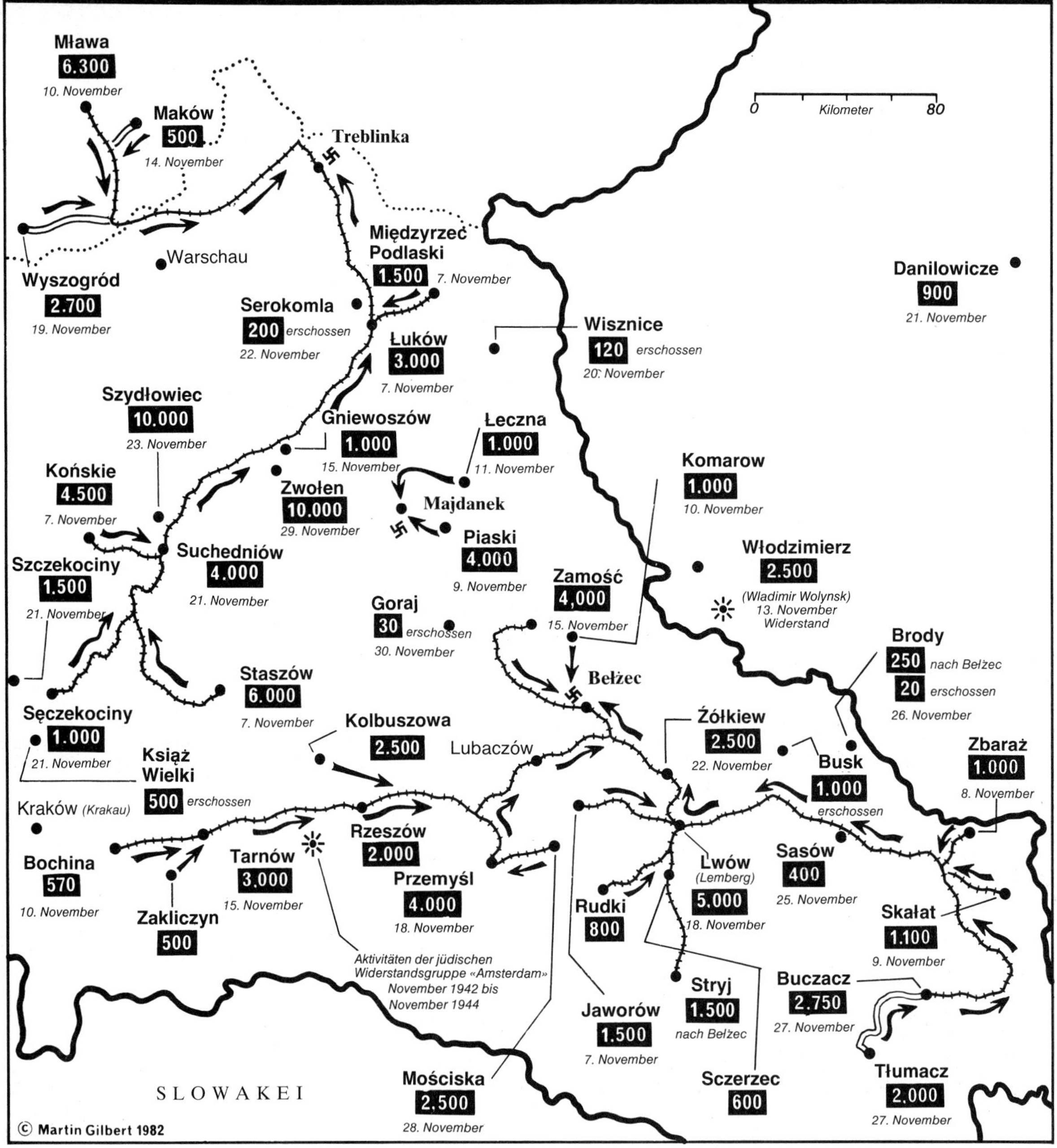
Mława
6.300
10. November
Maków
500
14. November
Treblinka
0 Kilometer 80
Międzyrzec Podlaski
1.500
7. November
Warschau
Wyszogród
2.700
19. November
Serokomla
200 erschossen
22. November
Łuków
3.000
7. November
Wisznice
120 erschossen
20. November
Danilowicze
900
21. November
Szydłowiec
10.000
23. November
Gniewoszów
1.000
15. November
Łeczna
1.000
11. November
Końskie
4.500
7. November
Zwoleń
10.000
29. November
Majdanek
Piaski
4.000
9. November
Komarow
1.000
10. November
Szczekociny
1.500
21. November
Suchedniów
4.000
21. November
Goraj
30 erschossen
30. November
Zamość
4.000
15. November
Włodzimierz
2.500
(Wladimir Wolynsk)
13. November
Widerstand
Brody
250 nach Bełżec
20 erschossen
26. November
Staszów
6.000
7. November
Bełżec
Sęczekociny
1.000
21. November
Kolbuszowa
2.500
Lubaczów
Żółkiew
2.500
22. November
Busk
1.000
erschossen
Zbaraż
1.000
8. November
Książ Wielki
500 erschossen
Kraków (Krakau)
Rzeszów
2.000
Bochina
570
10. November
Tarnów
3.000
15. November
Zakliczyn
500
Przemyśl
4.000
18. November
Rudki
800
Lwów
(Lemberg)
5.000
18. November
Sasów
400
25. November
Skałat
1.100
9. November
Aktivitäten der jüdischen Widerstandsgruppe «Amsterdam» November 1942 bis November 1944
Stryj
1.500
nach Bełżec
Buczacz
2.750
27. November
Jaworów
1.500
7. November
Sczerzec
600
Tłumacz
2.000
27. November
SLOWAKEI
Mościska
2.500
28. November
© Martin Gilbert 1982

Während der letzten drei Novemberwochen wurden mehr als 50000 Juden in die Todeslager von Treblinka und Bełżec deportiert, ins Konzentrationslager Majdanek geschickt oder, wie in Włodzimierz (Wladimir Wolynsk), auf offener Straße niedergemetzelt *(oben)*.

Innerhalb weniger Stunden wurden alte Gemeinden vollständig vernichtet: Die Juden von Wyszogród konnten die Ursprünge ihrer Gemeinde in der Stadt bis ins 15. Jahrhundert zurückverfolgen, die Juden von Buczacz bis ins späte 16. Jahrhundert.

In Buczacz war 1907 der Schriftsteller und Nobelpreisträger S. Y. Agnon geboren worden; im Alter von 20 Jahren emigrierte er nach Palästina. Nach einem Besuch in Buczacz im Jahre 1930 entwarf er ein apokalyptisches Bild seiner Heimatstadt mit leeren Synagogen, einer zerstörten Gesellschaft und einer vernichteten Bevölkerung: eine «Totenstadt».

Nach den ersten Morden im August 1941 *(S. 69)*

DIE JUDEN ALGERIENS UND DIE «OPERATION TORCH», 8. NOVEMBER 1942

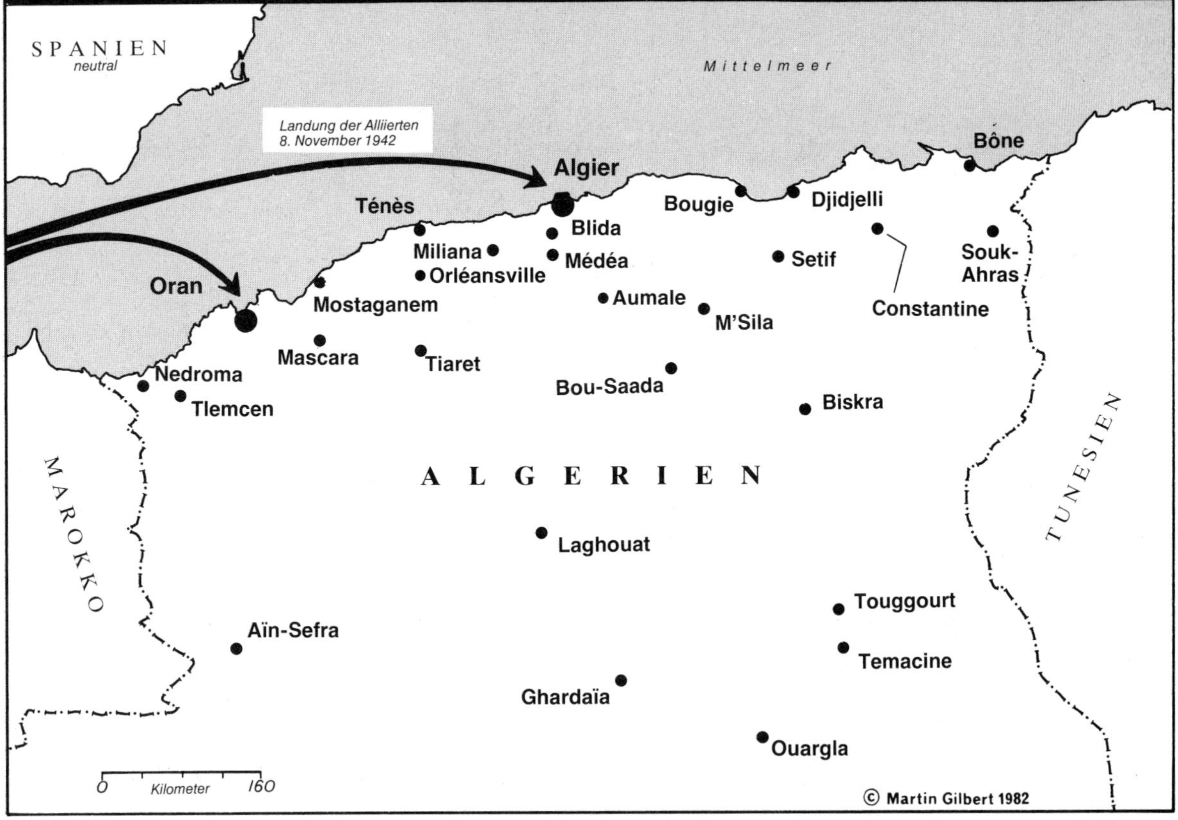
SPANIEN
neutral
Mittelmeer
Landung der Alliierten 8. November 1942
Algier
Ténès
Blida
Bougie
Djidjelli
Bône
Miliana
Médéa
Orléansville
Setif
Souk-Ahras
Oran
Mostaganem
Aumale
M'Sila
Constantine
Mascara
Tiaret
Nedroma
Tlemcen
Bou-Saada
Biskra
MAROKKO
ALGERIEN
TUNESIEN
Laghouat
Touggourt
Aïn-Sefra
Temacine
Ghardaïa
Ouargla
0 Kilometer 160
© Martin Gilbert 1982

und den Deportationen vom Oktober 1942 *(S. 131)* hatten junge Männer und Frauen in Buczacz versucht, Waffen aufzutreiben und sich für einen Ausbruch vorzubereiten. Mitte des Jahres 1943 *(S. 161)*, als die SS das Getto auflöste, gelang einigen Juden die Flucht in die Wälder. Die meisten wurden am Rande der Stadt in der Nähe des jüdischen Friedhofes ermordet.

Aber nicht nur in Europa, sondern auch in Nordafrika *(oben)* waren die Juden gefährdet. Am gesamten algerischen Widerstand nahmen Juden aktiv teil, und es war ein Jude, Jose Abulker, der den Aufstand in Algier anführte, durch den die deutschen Kräfte gebunden und die Hauptstadt «neutralisiert» wurde, als die Alliierten ihre «Operation Torch» durchführten und mit ihrer Landung am 8. November 1942 der Vorherrschaft der Deutschen in Algerien ein Ende setzten. Für die 117000 algerischen Juden bedeutete die Landung der Alliierten den Schutz vor der Deportation. Mit den fast gleichzeitigen Niederlagen der Deutschen bei Stalingrad und bei El Alamein *(rechts)* markierte die Landung der Alliierten in Nordafrika einen wesentlichen Wendepunkt des Krieges. Aber es sollten noch ganze anderthalb Jahre vergehen, bis die Rote Armee Majdanek und damit das erste Todeslager auf polnischem Boden erreichte *(S. 200)* und bis die westlichen Alliierten an den Stränden der Normandie landeten *(S. 201)*. Während dieser 18 Monate wurden die Deportationen von Juden im gesamten von den Nazis beherrschten Europa ohne Unterbrechung fortgesetzt.

STALINGRAD, EL ALAMEIN, «TORCH»

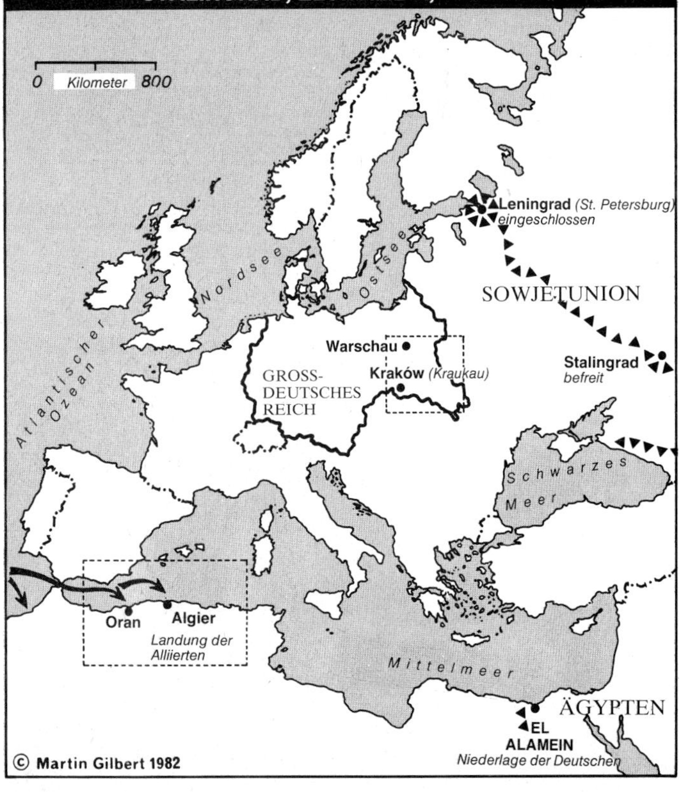
0 Kilometer 800
Leningrad (St. Petersburg) eingeschlossen
Nordsee
Ostsee
SOWJETUNION
Atlantischer Ozean
Warschau
GROSS-DEUTSCHES REICH
Kraków (Kraukau)
Stalingrad befreit
Schwarzes Meer
Oran
Algier
Landung der Alliierten
Mittelmeer
ÄGYPTEN
EL ALAMEIN
Niederlage der Deutschen
© Martin Gilbert 1982

GEBURTSORTE EINIGER DER AUS PARIS DEPORTIERTEN, 9. NOVEMBER 1942

Kowno
Białystok
Wilna
Berlin
Warschau
Łódź
Stalingrad
Drancy
Leipzig
Lublin
Charkow
Paris
Berditschew
Rostow
Kraków (Krakau)
St. Cloud
Neuilly
Auschwitz
Dnjepropetrowsk
(Jekaterinoslaw)
Bourges
Czernowitz
(Tschernowitz)
Wien
Odessa
Kischinew
Kaspisches Meer
Focşani
Kertsch
Bukarest
Marseille
Rustschuk (Russe)
Livorno
Warna
Schwarzes Meer
Sofia
Edirne
(Adrianopel)
Istanbul (Konstantinopel)
Brussa (Bursa)
Chanak
KLEINASIEN
Izmir
Aidin
(Smyrna)
Oran
Algier
NORDAFRIKA
Jerusalem
Joseph Misrachi, 44 Jahre alt
Alexandria
Kairo
Esther Cohen, 60 Jahre alt
El Alamein
0 Kilometer 500
© Martin Gilbert 1982

AUS PARIS DEPORTIERTE, GEBOREN IN GRIECHENLAND

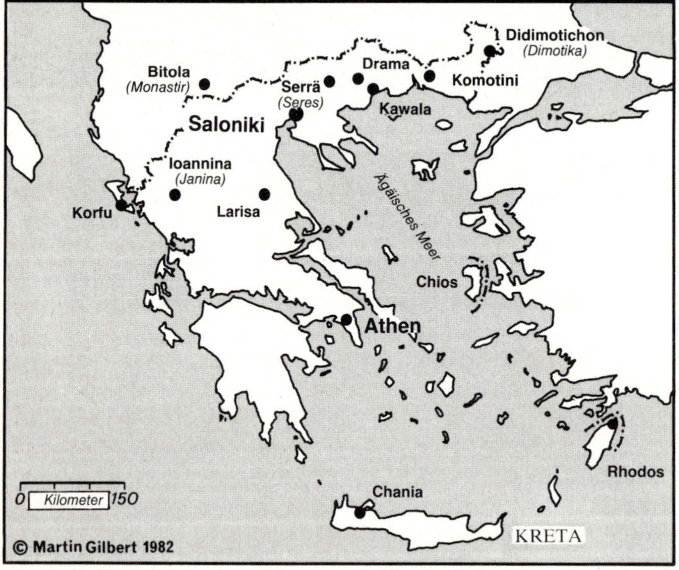
Didimotichon
(Dimotika)
Bitola
(Monastir)
Drama
Serrä
(Seres)
Komotini
Kawala
Saloniki
Ioannina
(Janina)
Larisa
Korfu
Ägäisches Meer
Chios
Athen
Rhodos
0 Kilometer 150
Chania
KRETA
© Martin Gilbert 1982

Am 9. November 1942 waren es die in Griechenland geborenen Juden, die in Paris festgenommen und nach Auschwitz deportiert wurden. Mehr als 800 dieser Deportierten stammten aus Saloniki *(oben)*: Fast 100 von ihnen waren Kinder unter zwölf Jahren. Unter den Deportierten, die aus der antiken Stadt Drama stammten, waren Jacques und Nicoula Benveniste mit ihrer 19jährigen Tocher Liza. Der 67 Jahre alte Moise Cohen war aus Chania auf Kreta nach Paris gekommen.

Wie schon bei allen vorangegangenen Deportationen aus Paris befanden sich Juden aus sämtlichen Teilen Europas, Nordafrikas und Kleinasiens *(oben)* unter den Deportierten. Esther Cohen war 60 Jahre zuvor in Kairo zur Welt gekommen, Joseph Misrahi 44 Jahre zuvor in Jerusalem, Solomon Moscowitz 1877 in der Hafenstadt Kertsch.

Im Generalgouvernement hielten sich seit dem Frühjahr 1942 mehrere tausend Juden aus vier Gemeinden in den Wäldern versteckt *(folgende Seite, oben)*. Am 10. November veranlaßte eine Sicherheitsgarantie der Deutschen für ein neues Getto mehr als 6000 von ihnen, die Wälder zu verlassen, da man ihnen freies Geleit zugesagt hatte. Hungrig und frierend wurden sie nach Sandomierz gebracht: Doch zwei Monate später wurden fast alle von ihnen nach Treblinka deportiert und vergast – nur ein paar Hundert kamen in Arbeitslager in Skarżysko-Kamienna und Sandomierz selbst.

Im Bezirk Zamość *(folgende Seite, unten)* waren es Polen, die Opfer der Nazi-Brutalität wurden. Zehntausende von ihnen wurden aus ihren Häusern vertrieben und Hunderte von ihnen getötet, um Platz zu schaffen, damit SS-Leute, Volksdeutsche und Ukrainer sich auf dem fetten Weideland der Gegend niederlassen konnten. Zur gleichen Zeit wurden Tausende polnischer Kinder in Konzentrationslager deportiert. Insgesamt wurden über 100 Ortschaften von ihren Bewohnern «gesäubert» und mehr als 40 000 Polen vertrieben.

FLUCHT, TÄUSCHUNG UND DEPORTATION, 10. NOVEMBER 1942

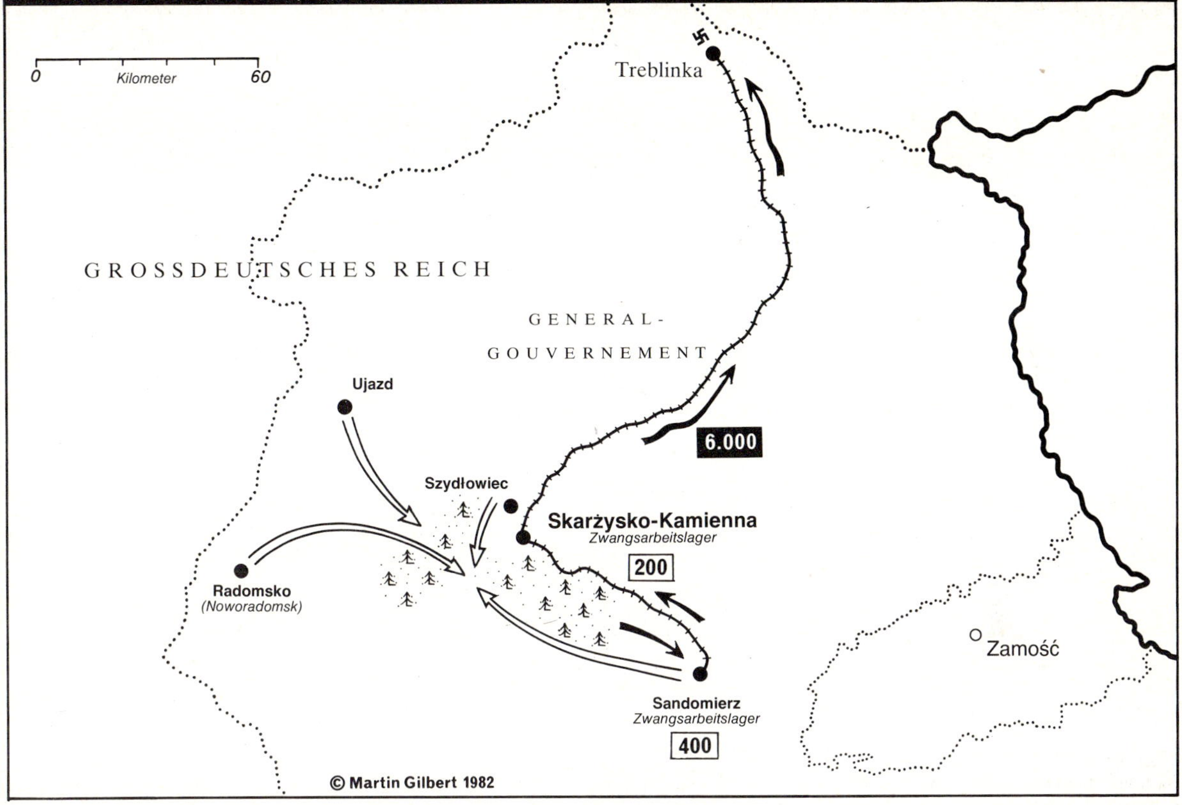
0 Kilometer 60
Treblinka
GROSSDEUTSCHES REICH
GENERAL-
GOUVERNEMENT
Ujazd
6.000
Szydłowiec
Skarżysko-Kamienna
Zwangsarbeitslager
200
Radomsko
(Noworadomsk)
Zamość
Sandomierz
Zwangsarbeitslager
400
© Martin Gilbert 1982

VERTRIEBENE UND ERMORDETE POLEN, 27. NOVEMBER – 31. DEZEMBER 1942

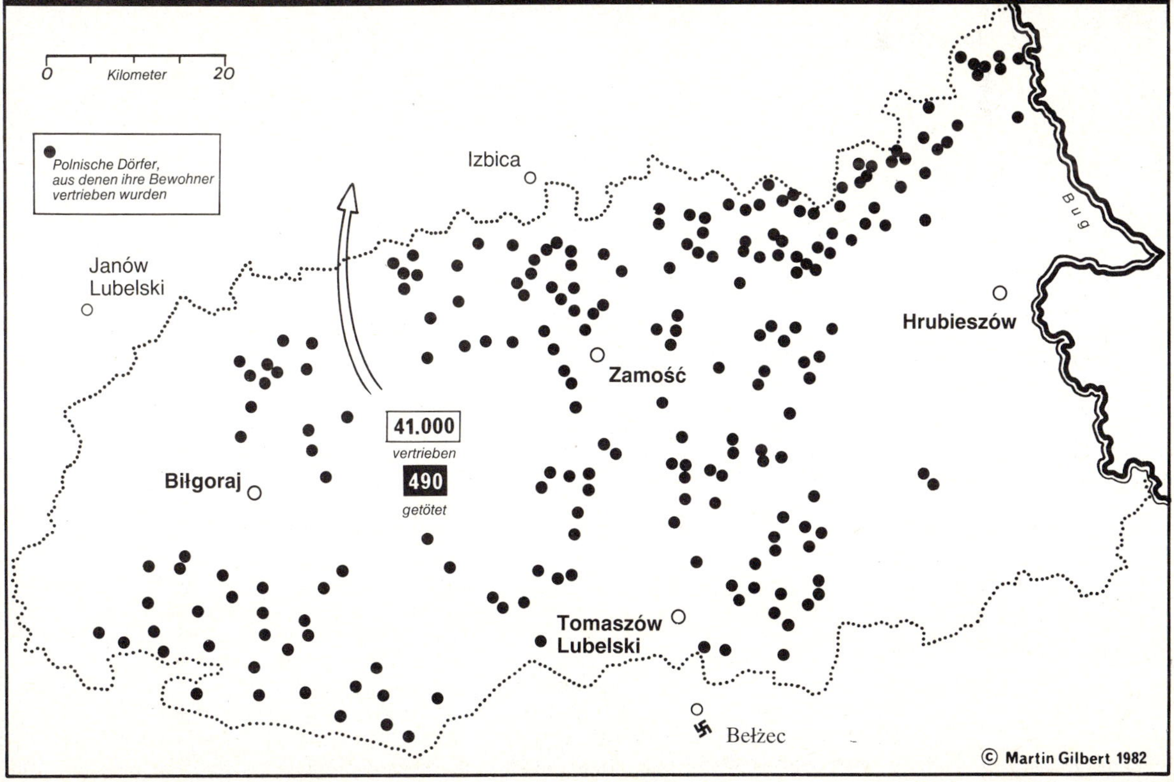
0 Kilometer 20
Polnische Dörfer, aus denen ihre Bewohner vertrieben wurden
Izbica
Bug
Janów Lubelski
Hrubieszów
Zamość
41.000
vertrieben
490
getötet
Biłgoraj
Tomaszów Lubelski
Bełżec
© Martin Gilbert 1982

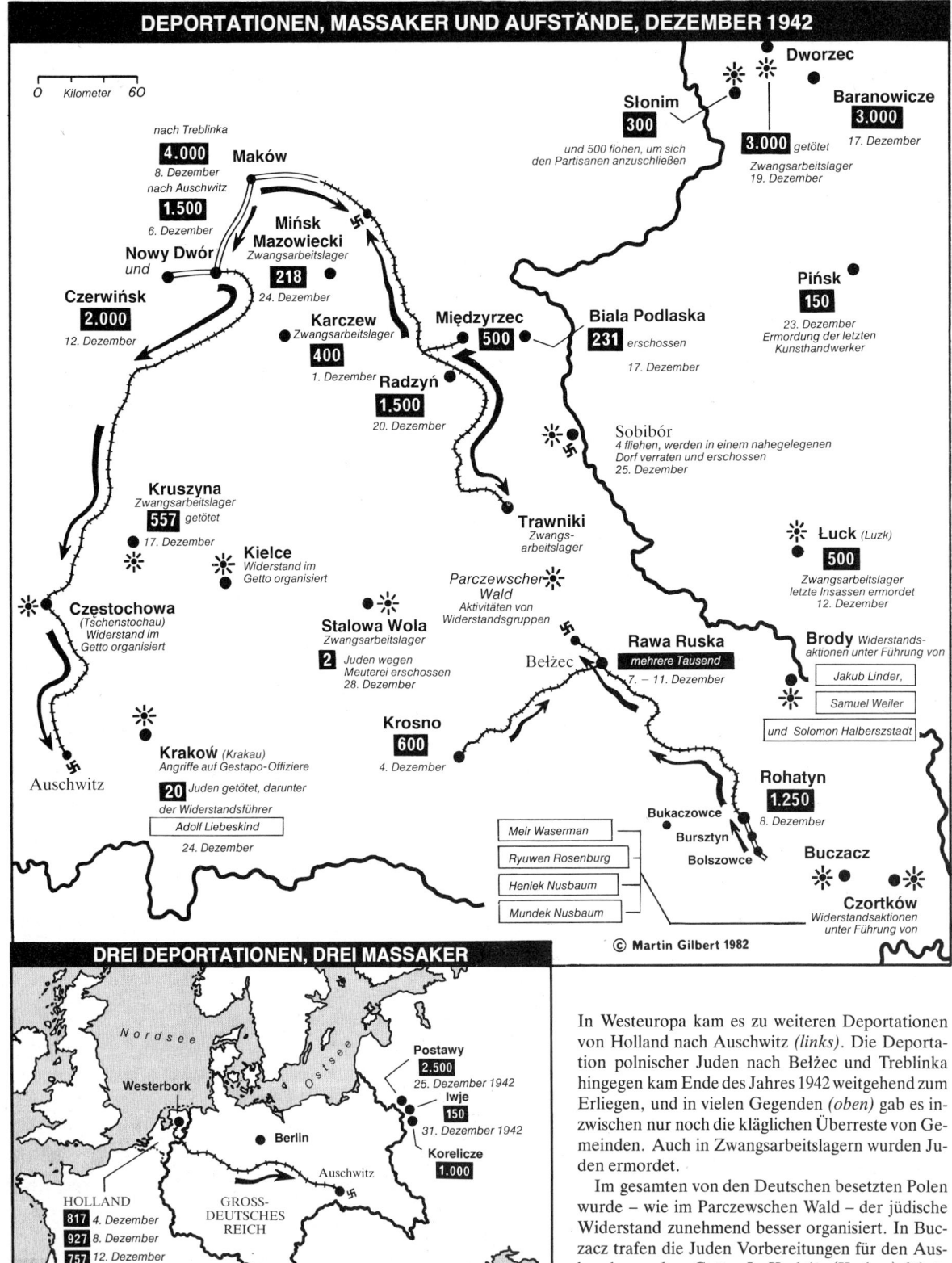

DEPORTATIONEN, MASSAKER UND AUFSTÄNDE, DEZEMBER 1942

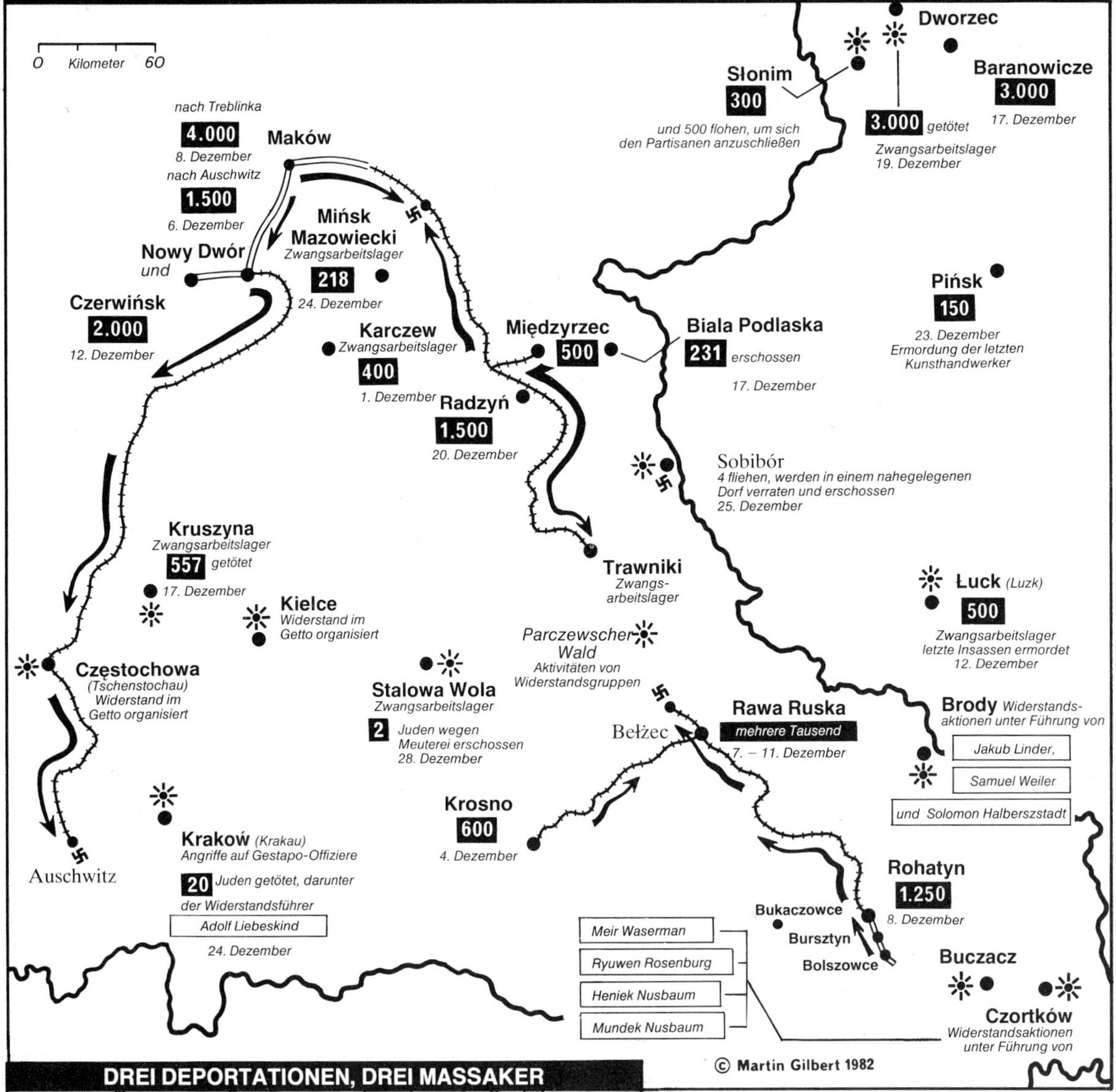
0 Kilometer 60
nach Treblinka
4.000
8. Dezember
nach Auschwitz
1.500
6. Dezember
Maków
Mińsk Mazowiecki
Zwangsarbeitslager
218
24. Dezember
Nowy Dwór und Czerwińsk
2.000
12. Dezember
Karczew
Zwangsarbeitslager
400
1. Dezember
Międzyrzec
500
Radzyń
1.500
20. Dezember
Słonim
300
und 500 flohen, um sich den Partisanen anzuschließen
Dworzec
3.000 getötet
Zwangsarbeitslager
19. Dezember
Baranowicze
3.000
17. Dezember
Biala Podlaska
231 erschossen
17. Dezember
Pińsk
150
23. Dezember
Ermordung der letzten Kunsthandwerker
Sobibór
4 fliehen, werden in einem nahegelegenen Dorf verraten und erschossen
25. Dezember
Trawniki
Zwangs-arbeitslager
Kruszyna
Zwangsarbeitslager
557 getötet
17. Dezember
Kielce
Widerstand im Getto organisiert
Łuck (Luzk)
500
Zwangsarbeitslager
letzte Insassen ermordet
12. Dezember
Parczewscher Wald
Aktivitäten von Widerstandsgruppen
Częstochowa
(Tschenstochau)
Widerstand im Getto organisiert
Stalowa Wola
Zwangsarbeitslager
2 Juden wegen Meuterei erschossen
28. Dezember
Bełżec
Rawa Ruska
mehrere Tausend
7. – 11. Dezember
Brody Widerstands-aktionen unter Führung von
Jakub Linder,
Samuel Weiler
und Solomon Halberszstadt
Krosno
600
4. Dezember
Auschwitz
Kraków (Krakau)
Angriffe auf Gestapo-Offiziere
20 Juden getötet, darunter der Widerstandsführer
Adolf Liebeskind
24. Dezember
Rohatyn
1.250
8. Dezember
Bukaczowce
Bursztyn
Bolszowce
Meir Waserman
Ryuwen Rosenburg
Heniek Nusbaum
Mundek Nusbaum
Buczacz
Czortków
Widerstandsaktionen unter Führung von
© Martin Gilbert 1982

DREI DEPORTATIONEN, DREI MASSAKER

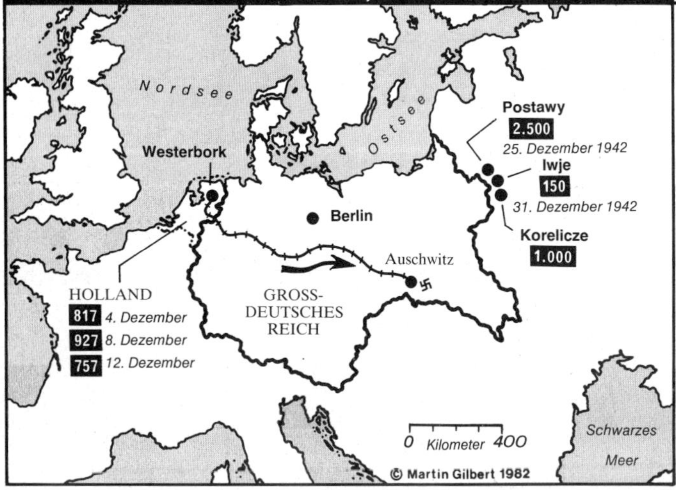
Nordsee
Ostsee
Westerbork
Berlin
Postawy
2.500
25. Dezember 1942
Iwje
150
31. Dezember 1942
Korelicze
1.000
Auschwitz
HOLLAND
817 4. Dezember
927 8. Dezember
757 12. Dezember
GROSS-DEUTSCHES REICH
0 Kilometer 400
Schwarzes Meer
© Martin Gilbert 1982

In Westeuropa kam es zu weiteren Deportationen von Holland nach Auschwitz *(links)*. Die Deportation polnischer Juden nach Bełżec und Treblinka hingegen kam Ende des Jahres 1942 weitgehend zum Erliegen, und in vielen Gegenden *(oben)* gab es inzwischen nur noch die kläglichen Überreste von Gemeinden. Auch in Zwangsarbeitslagern wurden Juden ermordet.

Im gesamten von den Deutschen besetzten Polen wurde – wie im Parczewschen Wald – der jüdische Widerstand zunehmend besser organisiert. In Buczacz trafen die Juden Vorbereitungen für den Ausbruch aus dem Getto. In Kraków (Krakau) führte die im Juli 1942 gebildeten Jüdische Kampforganisation (ŻOB) Sabotageakte aus. An anderen Orten kam es weiterhin zu Widerstandsaktionen, zur Flucht in die Wälder, zu Vorbereitungen für Auf-

ZIGEUNER: DEPORTATIONEN, MASSAKER UND AUFSTÄNDE, 1939–1945

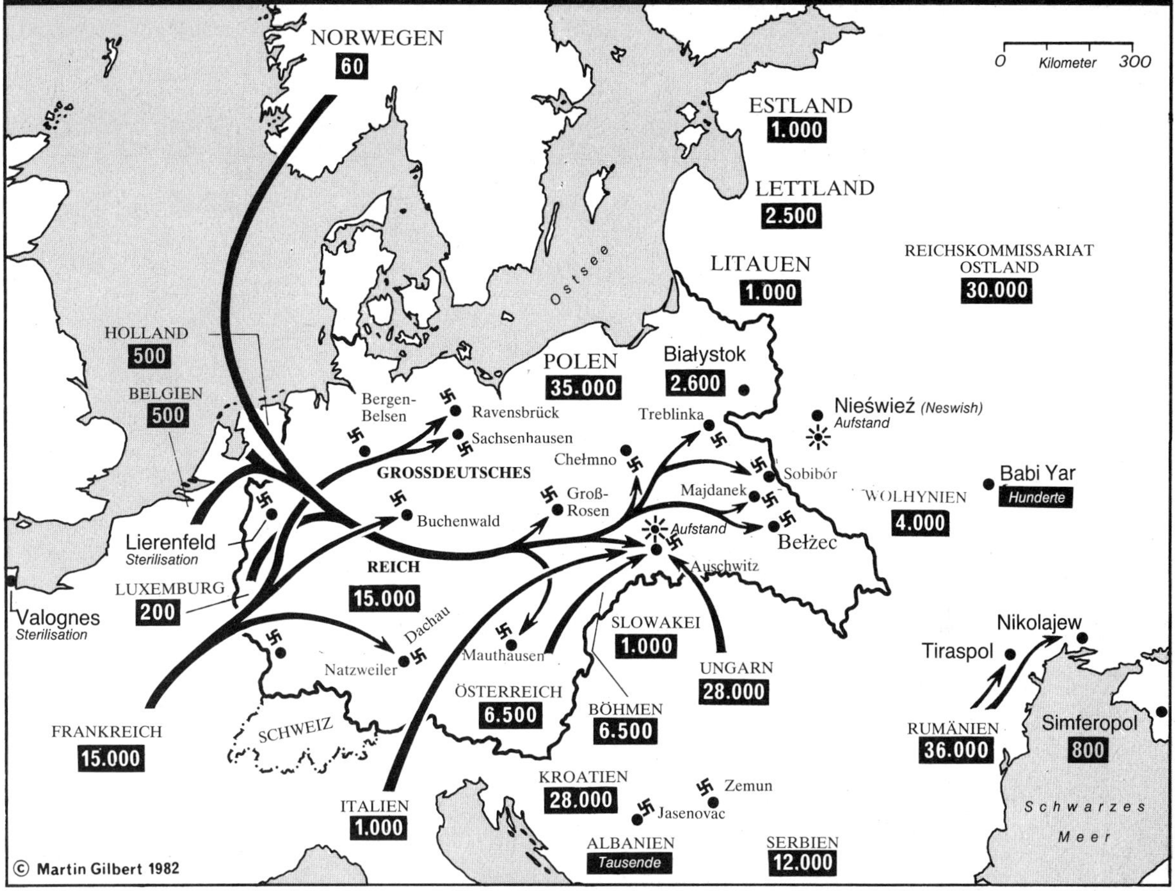
NORWEGEN
60
0 Kilometer 300
ESTLAND
1.000
LETTLAND
2.500
LITAUEN
1.000
REICHSKOMMISSARIAT OSTLAND
30.000
Ostsee
HOLLAND
500
BELGIEN
500
POLEN
35.000
Białystok
2.600
Bergen-Belsen
Ravensbrück
Sachsenhausen
Treblinka
Nieświeź (Neswish)
Aufstand
Chełmno
GROSSDEUTSCHES
Sobibór
Babi Yar
Hunderte
Groß-Rosen
Majdanek
WOLHYNIEN
4.000
Buchenwald
Aufstand
Bełżec
Lierenfeld
Sterilisation
REICH
Auschwitz
LUXEMBURG
200
15.000
Valognes
Sterilisation
Dachau
SLOWAKEI
1.000
Nikolajew
Tiraspol
Mauthausen
Natzweiler
UNGARN
28.000
ÖSTERREICH
6.500
BÖHMEN
6.500
RUMÄNIEN
36.000
Simferopol
800
FRANKREICH
15.000
SCHWEIZ
KROATIEN
28.000
Zemun
Jasenovac
Schwarzes Meer
ITALIEN
1.000
ALBANIEN
Tausende
SERBIEN
12.000

stände und sogar zu Ausbrüchen aus den Todeslagern – und das alles unter schwierigsten Bedingungen.

Wie die Juden, so wollten die Nazis auch die Zigeuner in Europa vernichten *(oben)*. Gemäß einem Erlaß vom 16. Dezember 1942 wurden alle in Deutschland lebenden Zigeuner nach Auschwitz deportiert. Am 29. März 1943 wurde Befehl gegeben, auch alle holländischen Zigeuner nach Auschwitz zu deportieren. Wie aus der Karte oben hervorgeht, wurden in ganz Europa Zigeunersippen und -stämme vernichtet. Verschiedentlich ist es zu Aufständen seitens der Zigeuner gekommen. Doch wie die Juden so sahen sich auch die Zigeuner mit einer Kombination aus künstlich übersteigertem «Rassen»-Haß, übergenauer Planung, permanenter Täuschung und einer überwältigenden militärischen Macht konfrontiert.

Viele Zigeuner wurden in Judengettos deportiert. In Litauen sperrte die Gestapo 1000 Zigeuner in eine Synagoge, bis sie verhungert waren. Zu Hunderten wurden sie Seite an Seite mit Juden ermordet, so geschehen in Babi Yar. In Valognes, Lierenfeld und Ravensbrück wurden Hunderte von Zigeunerinnen sterilisiert. Bis 1945 hatten die Nazis von den insgesamt 700000 in Europa lebenden Zigeunern 220000 ermordet. Das Foto zeigt eine Zigeunerfamilie in Wolhynien.

DEPORTATIONEN, MASSAKER UND AUFSTÄNDE, JANUAR 1943

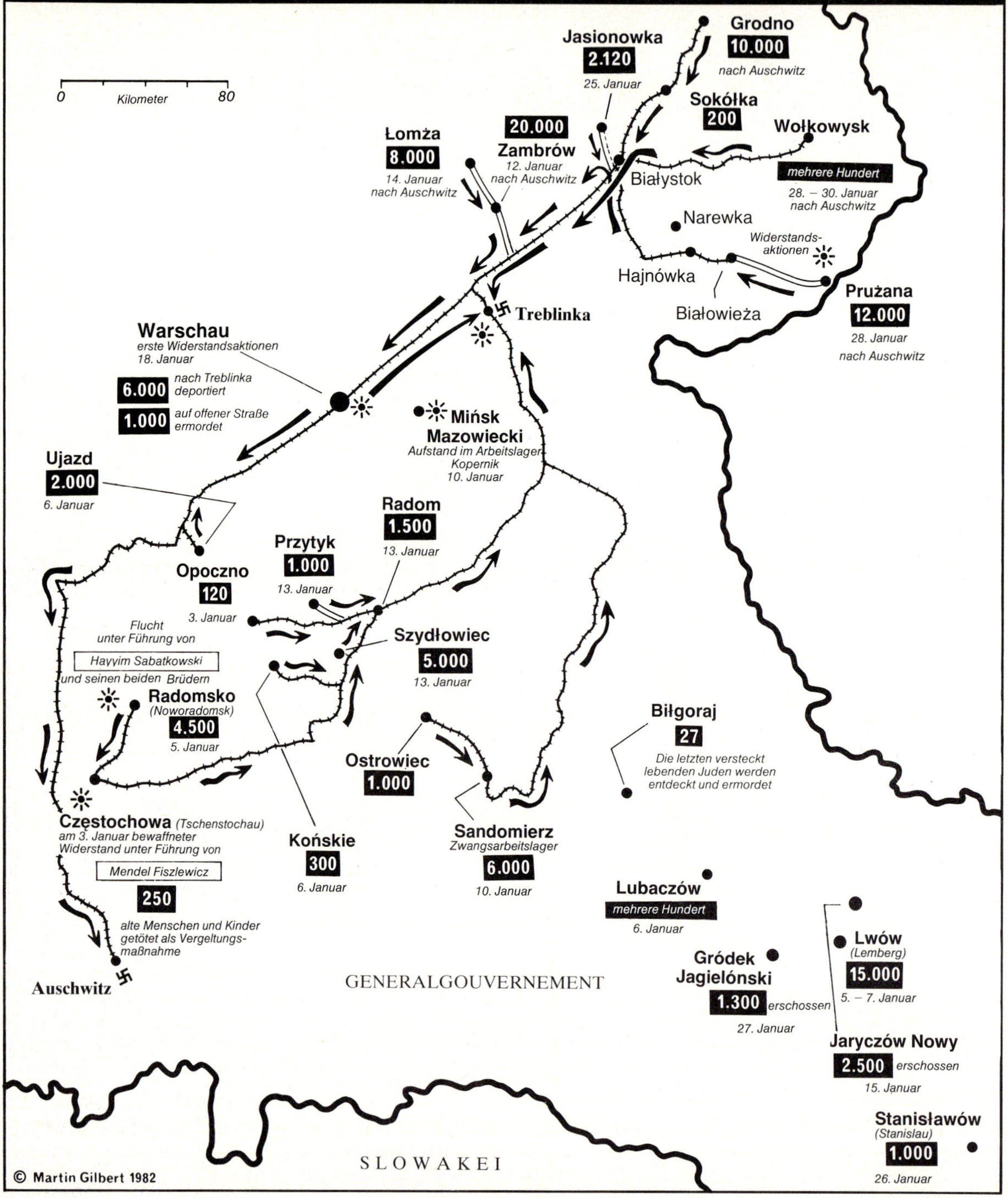

0 Kilometer 80
Grodno
10.000
nach Auschwitz
Jasionowka
2.120
25. Januar
Sokółka
200
Wołkowysk
20.000
Zambrów
12. Januar
nach Auschwitz
Łomża
8.000
14. Januar
nach Auschwitz
Białystok
mehrere Hundert
28. – 30. Januar
nach Auschwitz
Narewka
Widerstands-
aktionen
Hajnówka
Białowieża
Pružana
12.000
28. Januar
nach Auschwitz
Treblinka
Warschau
erste Widerstandsaktionen
18. Januar
6.000 nach Treblinka deportiert
1.000 auf offener Straße ermordet
Mińsk
Mazowiecki
Aufstand im Arbeitslager
Kopernik
10. Januar
Ujazd
2.000
6. Januar
Radom
1.500
13. Januar
Przytyk
1.000
13. Januar
Opoczno
120
3. Januar
Flucht
unter Führung von
Hayyim Sabatkowski
und seinen beiden Brüdern
Szydłowiec
5.000
13. Januar
Radomsko
(Noworadomsk)
4.500
5. Januar
Bilgoraj
27
Die letzten versteckt lebenden Juden werden entdeckt und ermordet
Ostrowiec
1.000
Częstochowa (Tschenstochau)
am 3. Januar bewaffneter Widerstand unter Führung von
Mendel Fiszlewicz
250
alte Menschen und Kinder getötet als Vergeltungs-maßnahme
Końskie
300
6. Januar
Sandomierz
Zwangsarbeitslager
6.000
10. Januar
Lubaczów
mehrere Hundert
6. Januar
Lwów
(Lemberg)
15.000
5. – 7. Januar
Gródek
Jagielónski
1.300 erschossen
27. Januar
Jaryczów Nowy
2.500 erschossen
15. Januar
Auschwitz
GENERALGOUVERNEMENT
Stanisławów
(Stanislau)
1.000
26. Januar
SLOWAKEI
© Martin Gilbert 1982

Im Laufe des Januar 1943 kam es zu weiteren Deportationen der noch verbliebenen polnischen Juden, doch viele von ihnen wurden gleich an Ort und Stelle erschossen – so zum Beispiel die letzten 200 Juden von Sokółka *(oben)*, die in einer Stiefelfabrik gearbeitet hatten, die letzten 27 Juden von Biłgoraj und die letzten 17 Handwerker von Dzisna (Disna) *(folgende Seite, unten)*. Nach Auschwitz *(folgende Seite, oben)* wurden insgesamt mehr als 10000 Juden aus Holland, Theresienstadt und Belgien sowie 2000 aus Berlin deportiert. Zu dem letzten Transport aus Holland gehörten 869 Invaliden und Kinder; alle wurden bei ihrer Ankunft vergast.

Dennoch: Ausmaß und Selbstvertrauen des jüdischen Widerstandes wuchsen. In Częstochowa (Tschenstochau) tötete eine jüdische Widerstands-

DEPORTATIONEN ÜBER WEITE ENTFERNUNGEN NACH AUSCHWITZ, JANUAR 1943

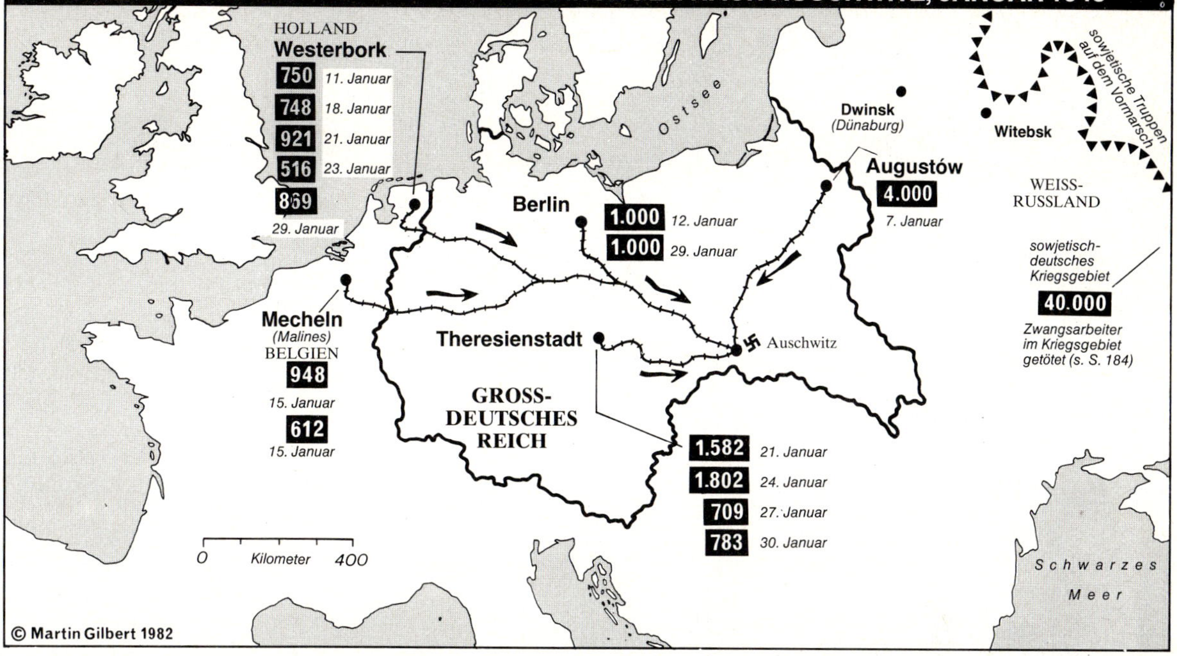
HOLLAND
Westerbork
750 11. Januar
748 18. Januar
921 21. Januar
516 23. Januar
869 29. Januar
Ostsee
Dwinsk (Dünaburg)
Witebsk
sowjetische Truppen auf dem Vormarsch
Augustów
4.000 7. Januar
WEISS-RUSSLAND
Berlin
1.000 12. Januar
1.000 29. Januar
sowjetisch-deutsches Kriegsgebiet
40.000
Zwangsarbeiter im Kriegsgebiet getötet (s. S. 184)
Mecheln (Malines)
BELGIEN
948 15. Januar
612 15. Januar
Theresienstadt
Auschwitz
GROSS-DEUTSCHES REICH
1.582 21. Januar
1.802 24. Januar
709 27. Januar
783 30. Januar
0 Kilometer 400
Schwarzes Meer
© Martin Gilbert 1982

DIE LETZTEN SIEBZEHN HANDWERKER VON DZISNA (DISNA) – ERMORDET

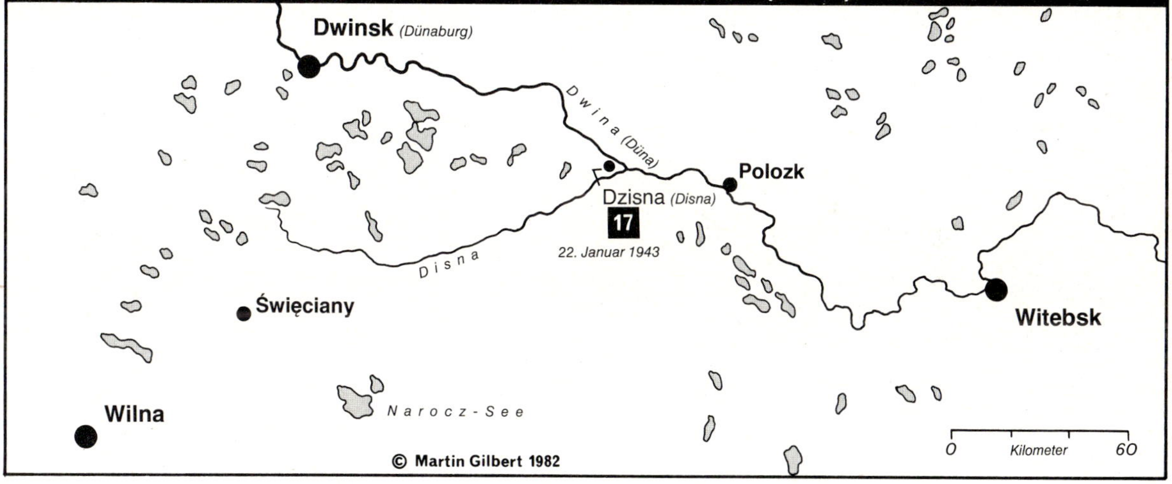
Dwinsk (Dünaburg)
Dwina (Düna)
Polozk
Dzisna (Disna)
17
22. Januar 1943
Disna
Święciany
Witebsk
Wilna
Narocz-See
0 Kilometer 60
© Martin Gilbert 1982

gruppe 25 deutsche Soldaten. Als Vergeltungsaktion erschoß die SS 250 alte Menschen und Kinder. Vergeltungsaktionen von solchem Ausmaß machte jede Art von Widerstand um so gefährlicher. In Prużana nahm eine Gruppe von Juden Kontakt mit polnischen Partisanen in der Umgegend auf, aber selbst eine solche Aktion war nicht ohne Risiko. Als schließlich die drei Brüder Hayyim, Mordekhai und Herzke Sabatkowski den Wald in der Nähe von Końskie erreichten, wurden sie von polnischen Partisanen ermordet. Viele Juden wurden auf der Flucht von antisemitischen Polen getötet, aber vielen wurde auch das Leben gerettet, indem Polen sie bei sich versteckten und dabei ihr eigenes Leben aufs Spiel setzten.

Wenn die versiegelten Züge Treblinka erreichten, trieben die urkrainischen Aufseher die hungernden und verängstigten Deportierten mit Peitschen und Gewehrkolben die kurze Straße entlang zur Gaskammer. Die Straße selbst war mit Attrappen von Geschäften gesäumt, und der Bahnhof war getarnt als Durchreisestation. Doch im Januar 1943 war es nicht mehr die Angst vor der Ungewißheit, sondern die Angst vor dem Tode, die die Deportierten erfüllte, und als einer der Züge aus Grodno spät abends in Treblinka ankam, machten sich 1000 Juden über die Aufseher her und schlugen und stachen mit Holzlatten, die sie aus einem Zaun in der Nähe herausgerissen hatten, mit Messern und Rasierklingen auf sie ein. Der Kampf dauerte mehrere Stunden. Am Morgen wurden alle Juden und Aufseher tot im Schnee liegend aufgefunden, niedergestreckt von Maschinengewehrsalven und Granaten der SS, die wahllos auf beide Seiten abgefeuert worden waren.

GEBURTSORTE EINIGER DERER, DIE 1943 IN DRANCY STARBEN

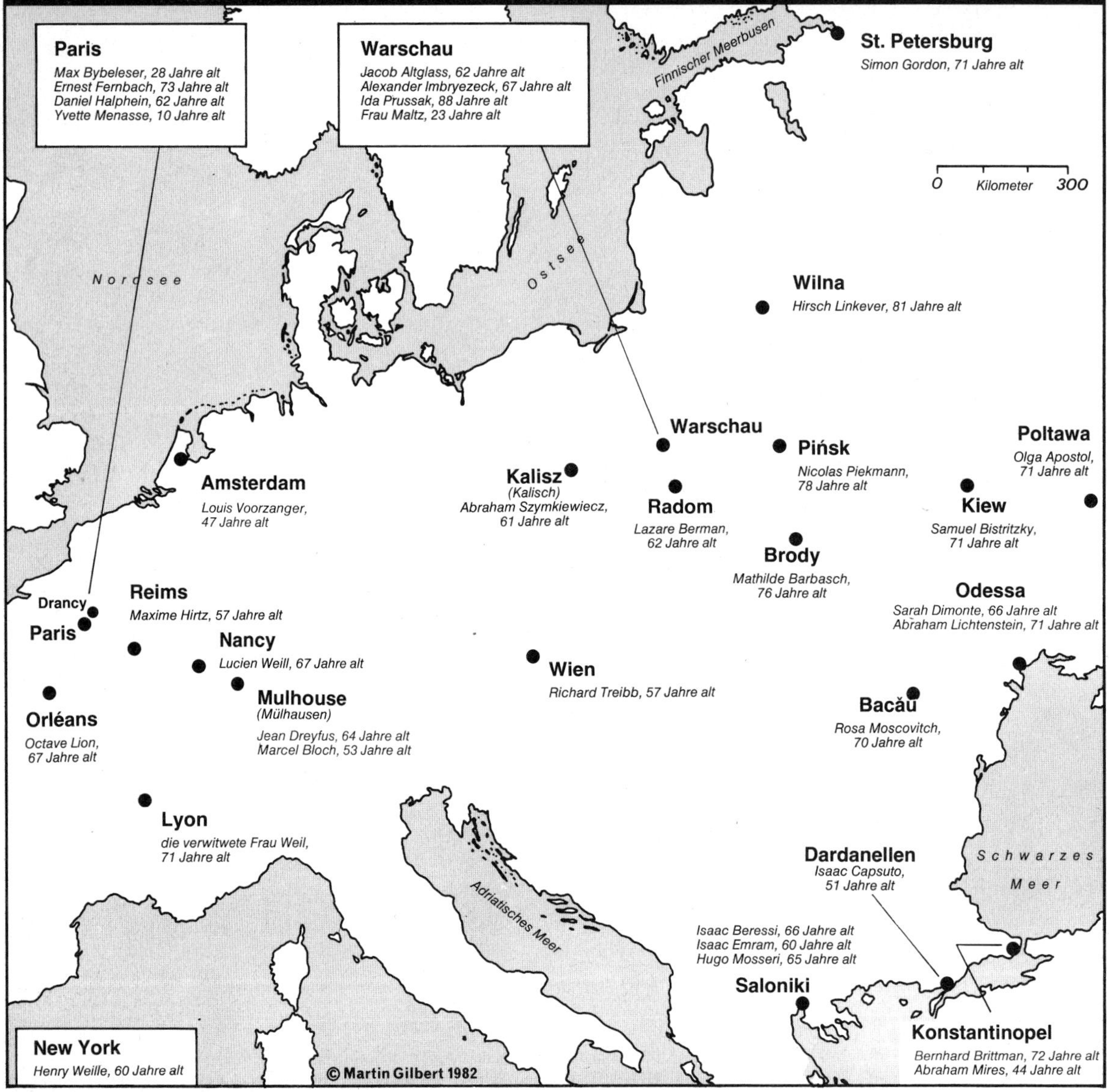

Paris
Max Bybeleser, 28 Jahre alt
Ernest Fernbach, 73 Jahre alt
Daniel Halphein, 62 Jahre alt
Yvette Menasse, 10 Jahre alt
Warschau
Jacob Altglass, 62 Jahre alt
Alexander Imbryezeck, 67 Jahre alt
Ida Prussak, 88 Jahre alt
Frau Maltz, 23 Jahre alt
Finnischer Meerbusen
St. Petersburg
Simon Gordon, 71 Jahre alt
0 Kilometer 300
Nordsee
Ostsee
Wilna
Hirsch Linkever, 81 Jahre alt
Warschau
Pińsk
Nicolas Piekmann, 78 Jahre alt
Poltawa
Olga Apostol, 71 Jahre alt
Amsterdam
Louis Voorzanger, 47 Jahre alt
Kalisz
(Kalisch)
Abraham Szymkiewiecz, 61 Jahre alt
Radom
Lazare Berman, 62 Jahre alt
Kiew
Samuel Bistritzky, 71 Jahre alt
Brody
Mathilde Barbasch, 76 Jahre alt
Reims
Maxime Hirtz, 57 Jahre alt
Drancy
Paris
Odessa
Sarah Dimonte, 66 Jahre alt
Abraham Lichtenstein, 71 Jahre alt
Nancy
Lucien Weill, 67 Jahre alt
Wien
Richard Treibb, 57 Jahre alt
Orléans
Octave Lion, 67 Jahre alt
Mulhouse
(Mülhausen)
Jean Dreyfus, 64 Jahre alt
Marcel Bloch, 53 Jahre alt
Bacău
Rosa Moscovitch, 70 Jahre alt
Lyon
die verwitwete Frau Weil, 71 Jahre alt
Dardanellen
Isaac Capsuto, 51 Jahre alt
Schwarzes Meer
Adriatisches Meer
Isaac Beressi, 66 Jahre alt
Isaac Emram, 60 Jahre alt
Hugo Mosseri, 65 Jahre alt
Saloniki
New York
Henry Weille, 60 Jahre alt
© Martin Gilbert 1982
Konstantinopel
Bernhard Brittman, 72 Jahre alt
Abraham Mires, 44 Jahre alt

ACHT GEBÜRTIGE SCHWEIZER JUDEN, DIE VON PARIS NACH AUSCHWITZ DEPORTIERT WURDEN, 1942–1944

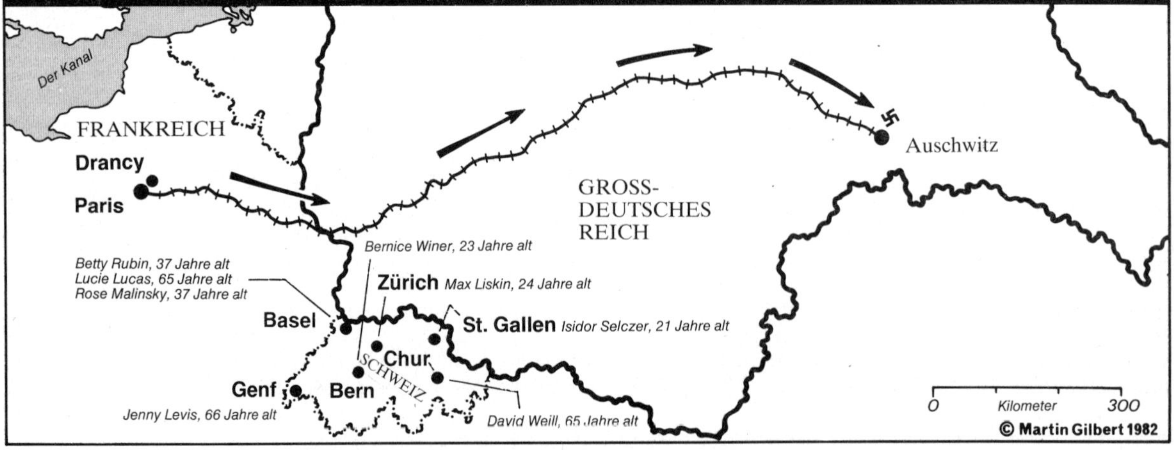

Der Kanal
FRANKREICH
Drancy
Paris
Auschwitz
GROSS-DEUTSCHES REICH
Bernice Winer, 23 Jahre alt
Betty Rubin, 37 Jahre alt
Lucie Lucas, 65 Jahre alt
Rose Malinsky, 37 Jahre alt
Zürich Max Liskin, 24 Jahre alt
Basel
St. Gallen Isidor Selczer, 21 Jahre alt
Chur
SCHWEIZ
Genf
Bern
Jenny Levis, 66 Jahre alt
David Weill, 65 Jahre alt
0 Kilometer 300
© Martin Gilbert 1982

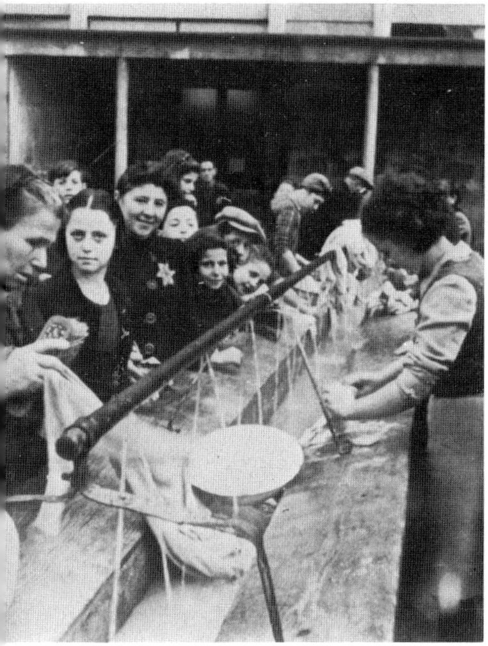

DIE BEDROHTEN JUDEN TUNESIENS
Biserta (Bizerte)
Mateur
Utica
Souk-el-Arba
Béja
Tunis
Menzel-bou-Zalfa
Chemtou
Testour
Soliman
Nabeul
El-Kef
Ebba-Ksour
Sousse
Thala
Monastir
Kairouan
Moknin
Mahdia
Hadjeb-el-Aïoun
Sbeïtla
unter Kontrolle der Achsenmächte
Gafsa
Sfax
El-Guetar
Tozeur
Nefta
El-Hamma
Hara-Kebira
I. Djerba
Hara-Srira
Gabès
Kebilli
Zarzis
Medenin
Ben-Gardan
Foum Tataouin
TUNESIEN
ALGERIEN
LIBYEN
0 Kilometer 160
© Martin Gilbert 1982

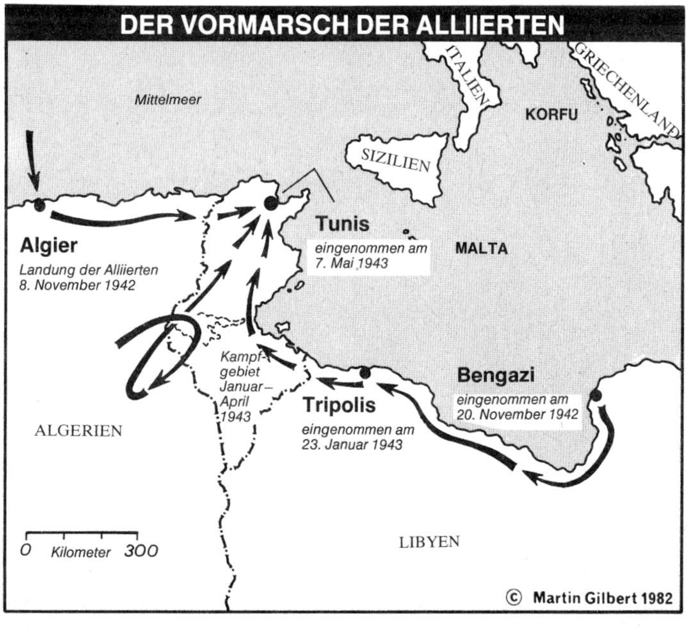
DER VORMARSCH DER ALLIIERTEN
ITALIEN
GRIECHENLAND
Mittelmeer
KORFU
SIZILIEN
Tunis
eingenommen am 7. Mai 1943
MALTA
Algier
Landung der Alliierten 8. November 1942
Kampf-gebiet Januar–April 1943
Bengazi
eingenommen am 20. November 1942
Tripolis
eingenommen am 23. Januar 1943
ALGERIEN
LIBYEN
0 Kilometer 300
© Martin Gilbert 1982

Im Rahmen der Vorbereitungen von Deportationen aus Paris brachte die Gestapo die Juden nach Drancy, wo die Bedingungen äußerst primitiv waren. Mehr als 100 Juden starben dort im Laufe des Jahres 1943, darunter zahlreiche alte Menschen *(vorherige Seite, oben)*, die die ständigen Entbehrungen nicht ertragen konnten. Henry Weille war 1883 in New York und Ida Prussak zur Zeit des Krimkrieges in Warschau geboren worden. Auch einige junge Menschen starben im Lager, darunter die zehnjährige Yvette Menasse.

Das Foto wurde 1942 von den Deutschen im Durchgangslager Drancy aufgenommen.

Selbst Juden aus der neutralen Schweiz waren vor der Deportation nicht sicher. Die Gestapo-Listen der aus Paris Deportierten enthalten 39 gebürtige Schweizer Juden, die zwischen März 1942 und Mai 1944 nach Auschwitz gebracht wurden – ihre Geburtsorte sind in der unteren Karte auf der vorherigen Seite verzeichnet: Sowohl Max Liskin aus Zürich wie auch Bernice Winer aus Bern waren Anfang 20, als sie deportiert wurden.

Die Juden in Tunesien *(rechts)* hatten während der fünf Monate dauernden deutschen Besetzung unter der Konfiskation ihres Eigentums, Plünderungen, Zwangsarbeit, Mißhandlungen und Exekutionen zu leiden. Mehr als 4000 von ihnen wurden in Arbeitslager nahe der Frontlinien geschickt und viele starben infolge von Mißhandlungen, Krankheiten und schließlich sogar bei den Luftangriffen der Alliierten. In der Karte oben sind die wichtigsten Städte verzeichnet, in denen die insgesamt mehr als 50000 tunesischen Juden lebten. Ihre Leiden endeten im Mai 1943, als die Truppen der Alliierten die Deutschen aus Nordafrika vertrieben.

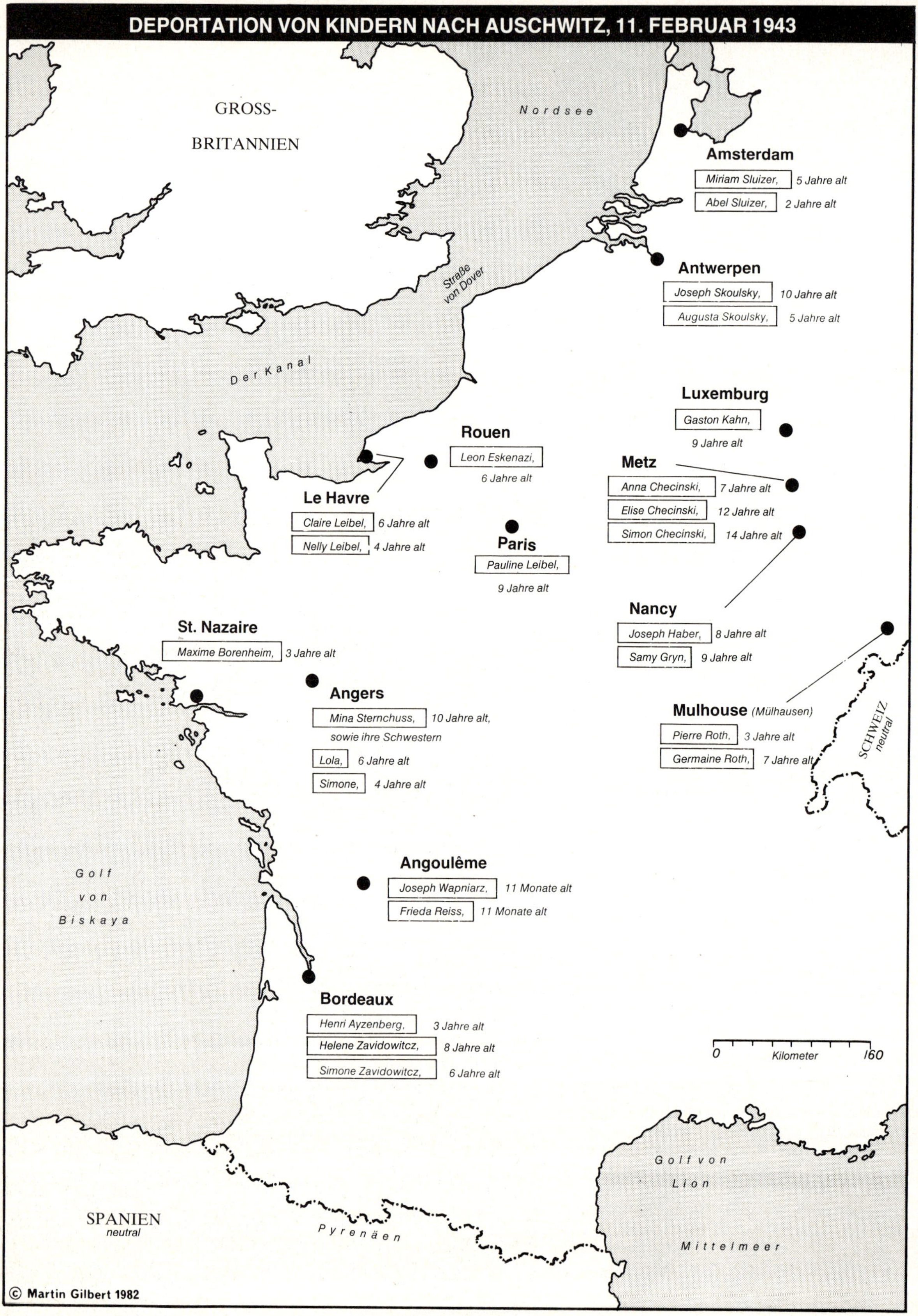
DEPORTATION VON KINDERN NACH AUSCHWITZ, 11. FEBRUAR 1943
GROSS-
BRITANNIEN
Nordsee
Amsterdam
Miriam Sluizer, 5 Jahre alt
Abel Sluizer, 2 Jahre alt
Straße von Dover
Antwerpen
Joseph Skoulsky, 10 Jahre alt
Augusta Skoulsky, 5 Jahre alt
Der Kanal
Luxemburg
Gaston Kahn,
9 Jahre alt
Rouen
Leon Eskenazi,
6 Jahre alt
Metz
Anna Checinski, 7 Jahre alt
Elise Checinski, 12 Jahre alt
Simon Checinski, 14 Jahre alt
Le Havre
Claire Leibel, 6 Jahre alt
Nelly Leibel, 4 Jahre alt
Paris
Pauline Leibel,
9 Jahre alt
Nancy
Joseph Haber, 8 Jahre alt
Samy Gryn, 9 Jahre alt
St. Nazaire
Maxime Borenheim, 3 Jahre alt
Angers
Mina Sternchuss, 10 Jahre alt,
sowie ihre Schwestern
Lola, 6 Jahre alt
Simone, 4 Jahre alt
Mulhouse (Mülhausen)
Pierre Roth, 3 Jahre alt
Germaine Roth, 7 Jahre alt
SCHWEIZ
neutral
Golf
von
Biskaya
Angoulême
Joseph Wapniarz, 11 Monate alt
Frieda Reiss, 11 Monate alt
Bordeaux
Henri Ayzenberg, 3 Jahre alt
Helene Zavidowitcz, 8 Jahre alt
Simone Zavidowitcz, 6 Jahre alt
0 Kilometer 160
Golf von
Lion
SPANIEN
neutral
Pyrenäen
Mittelmeer
© Martin Gilbert 1982

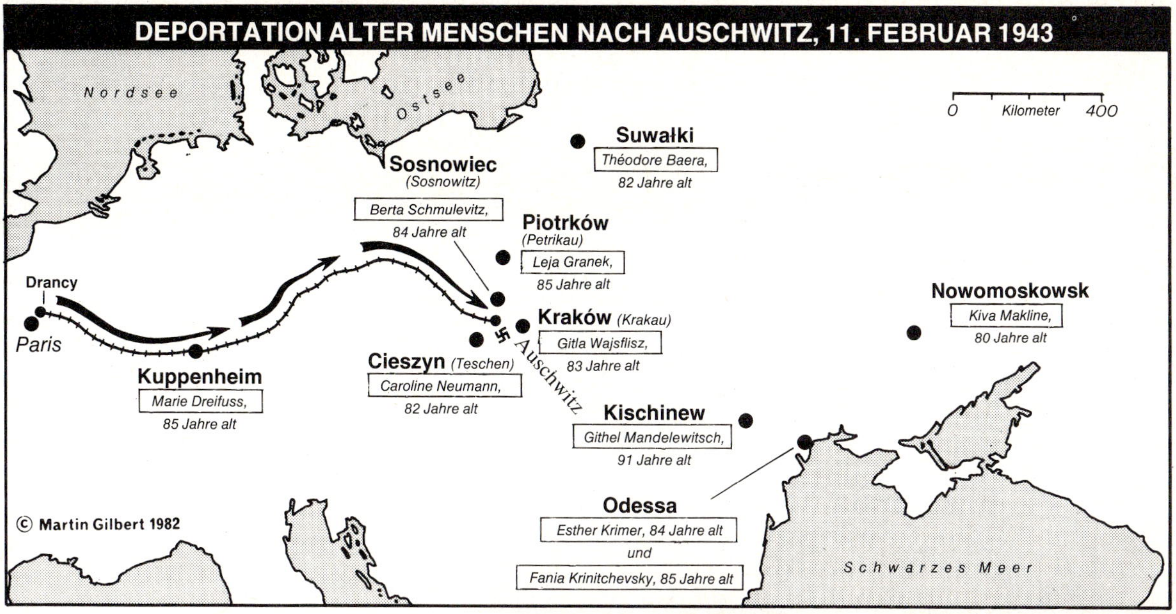
DEPORTATION ALTER MENSCHEN NACH AUSCHWITZ, 11. FEBRUAR 1943
Nordsee
Ostsee
0 Kilometer 400
Suwałki
Théodore Baera,
82 Jahre alt
Sosnowiec
(Sosnowitz)
Berta Schmulevitz,
84 Jahre alt
Piotrków
(Petrikau)
Leja Granek,
85 Jahre alt
Drancy
Paris
Kraków (Krakau)
Gitla Wajsflisz,
83 Jahre alt
Nowomoskowsk
Kiva Makline,
80 Jahre alt
Auschwitz
Kuppenheim
Marie Dreifuss,
85 Jahre alt
Cieszyn (Teschen)
Caroline Neumann,
82 Jahre alt
Kischinew
Githel Mandelewitsch,
91 Jahre alt
Odessa
Esther Krimer, 84 Jahre alt
und
Fania Krinitchevsky, 85 Jahre alt
© Martin Gilbert 1982
Schwarzes Meer

Bei den weiteren Deportationen von Frankreich nach Auschwitz blieben weder Kinder noch alte Menschen verschont. Unter den 1000 Juden, die am 11. Februar 1943 deportiert wurden und von denen nur zehn den Krieg überlebten, befanden sich mehrere hundert Kinder und alte Menschen, die sofort vergast wurden, als der Deportationszug das Lager erreichte.

Die Kinder, deren Namen und Geburtsorte in der Karte auf der vorherigen Seite verzeichnet sind, wurden zusammen mit ihren Eltern deportiert – nur Joseph und Augusta Skoulsky wurden alleine und die Schwestern Leibel zusammen mit ihrer neunjährigen Schwester Pauline deportiert, die in Paris geboren war.

Der kleine Maxime Borenheim wurde zusammen mit seiner 19jährigen Mutter deportiert, die in Warschau geboren war. Die drei Schwestern Sternchuss wurden zusammen mit ihrer 74jährigen Großmutter deportiert, die ebenfalls aus Warschau stammte. Die Schwestern Zavidowitcz wurden zusammen mit ihrem Vater deportiert, der gebürtig aus Brest-Litowsk stammte.

Neben den über 80- und über 90jährigen, deren Geburtsorte in der Karte oben verzeichnet sind, wurden in diesem einen Zug weitere 15 alte Menschen im Alter von über 70 Jahren deportiert – alle wurden sofort bei ihrer Ankunft in Auschwitz vergast.

Am 12. Februar meldete die Gestapo, daß an der französischen Grenze drei Juden versucht hätten, aus dem Zug zu fliehen. Sie waren jedoch alle wieder eingefangen und gezwungen worden, die Reise fortzusetzen.

Das Foto zeigt eine Gruppe jüdischer Kinder aus Beregsas (Beregsasy) und Bilke bei ihrer Ankunft in Auschwitz im Jahre 1944 *(S. 197)*.

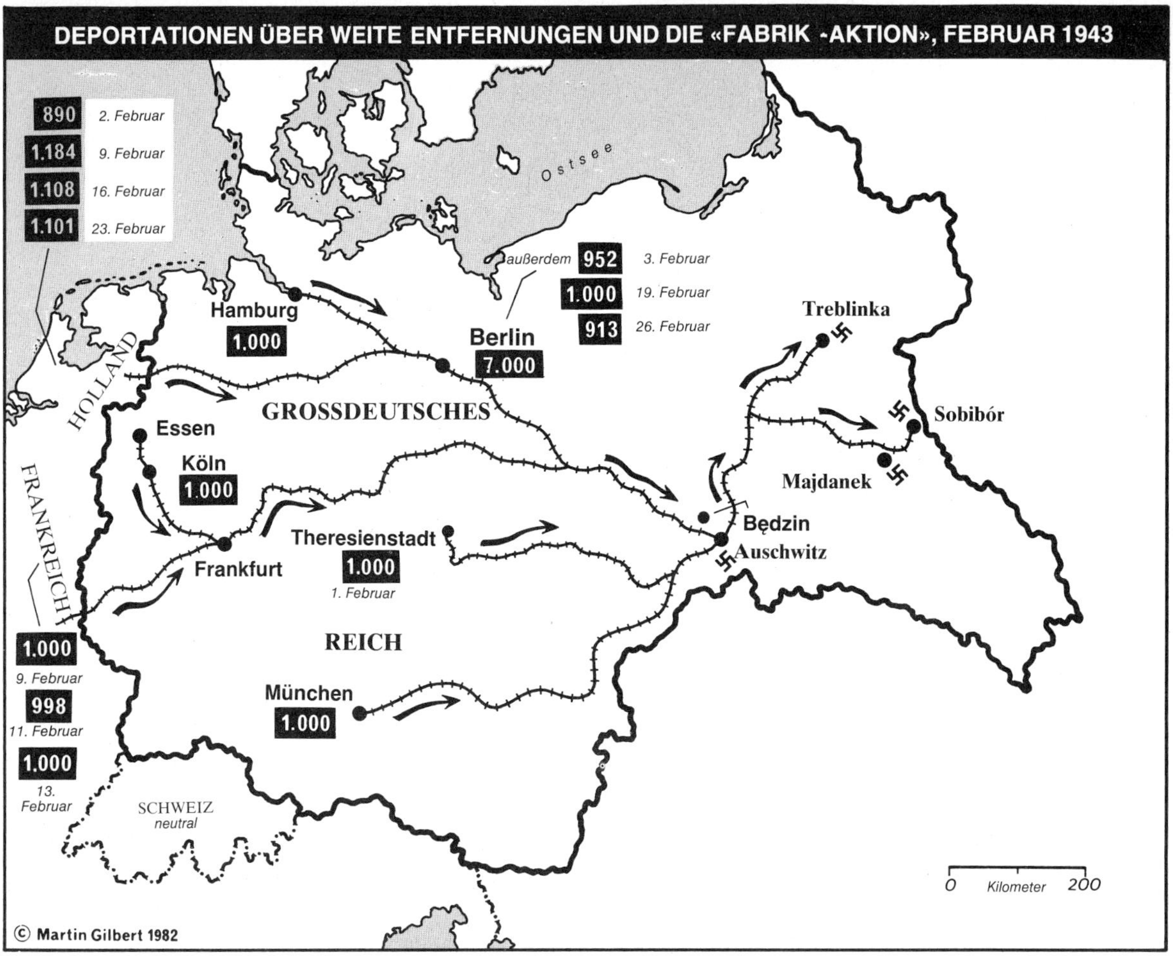
DEPORTATIONEN ÜBER WEITE ENTFERNUNGEN UND DIE «FABRIK -AKTION», FEBRUAR 1943
890 2. Februar
1.184 9. Februar
1.108 16. Februar
1.101 23. Februar
Ostsee
außerdem 952 3. Februar
1.000 19. Februar
913 26. Februar
Hamburg
1.000
Berlin
7.000
Treblinka
HOLLAND
GROSSDEUTSCHES
Sobibór
Essen
Köln
1.000
Majdanek
FRANKREICH
Będzin
Auschwitz
Theresienstadt
1.000
1. Februar
Frankfurt
1.000
9. Februar
998
11. Februar
1.000
13. Februar
REICH
München
1.000
SCHWEIZ
neutral
0 Kilometer 200
© Martin Gilbert 1982

Im Febraur 1943 trafen Transporte aus Holland, Berlin, Theresienstadt und Paris in den Todeslagern im Osten ein *(oben)*. Unter den Personen, die am 13. Februar von Paris nach Auschwitz deportiert wurden, befand sich Gisele Lustiger, geboren in Będzin. Ihr Sohn Aaron war vor dem Krieg zum Katholizismus konvertiert und überlebte; im Februar 1981 wurde er Erzbischof von Paris.

Am Anfang des Jahres 1943 arbeiteten mehr als 10000 Juden in Fabriken in ganz Deutschland. Am 27. Februar begann die SS mit der «Fabrik-Aktion», in deren Rahmen diese Arbeiter in den Osten deportiert wurden *(oben)*, wo nur wenige von ihnen überlebten. Das Foto wurde 1980 aufgenommen und zeigt einen Teil der Zäune und Wachtürme von Majdanek.

Auch die Auflösung von Zwangsarbeitslagern ging weiter – so wurden 1000 Arbeiter von Chrzanów nach Auschwitz geschickt *(folgende Seite)*.

In Ostgalizien kamen die Deportationen nach Bełżec zum Stillstand: Die Juden, die noch am Leben waren, wurden auf örtlichen Friedhöfen oder in umliegenden Wäldern getötet.

In Białystok kamen acht SS-Leute ums Leben, als Mitglieder einer zionistischen Jugendorganisation

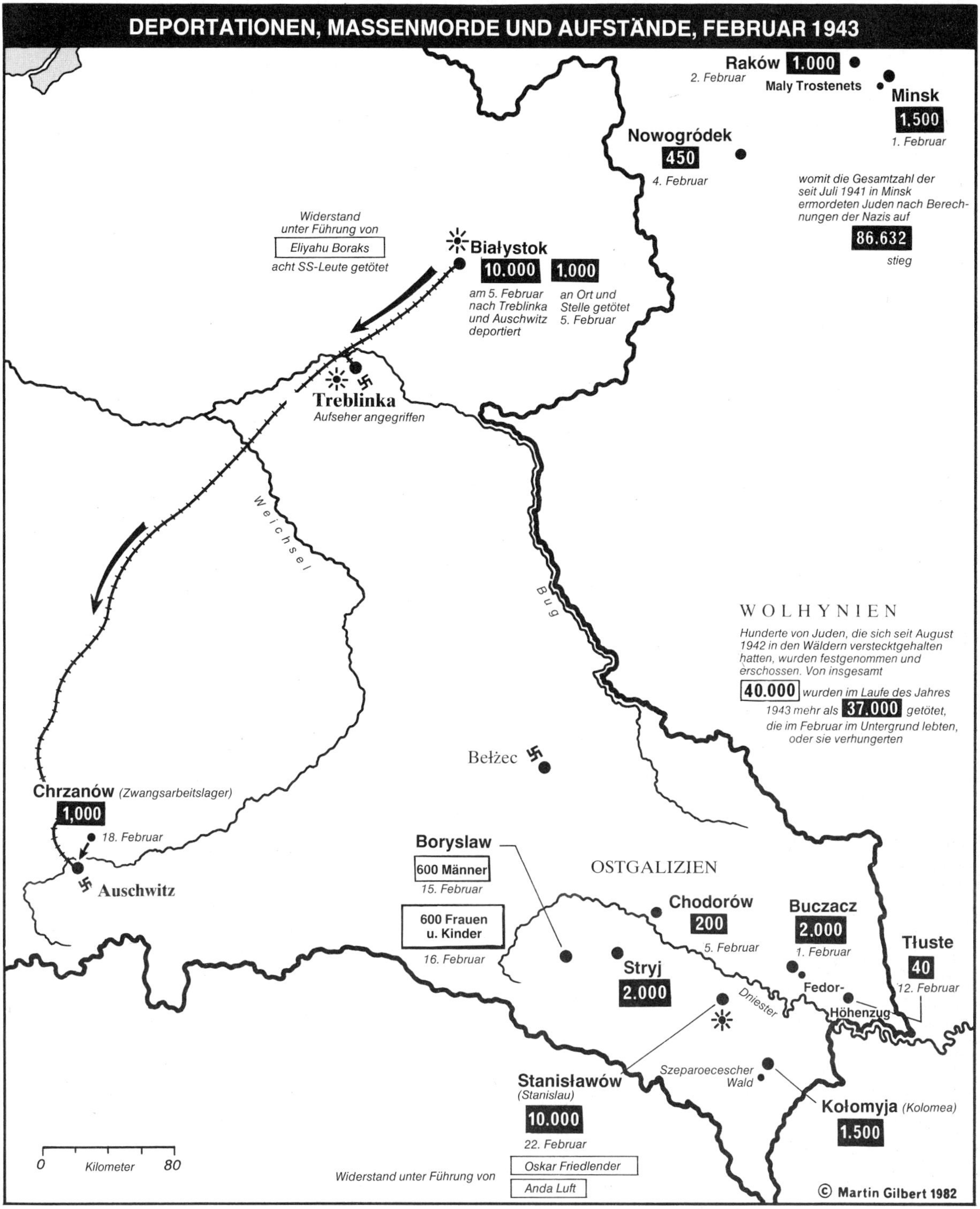
DEPORTATIONEN, MASSENMORDE UND AUFSTÄNDE, FEBRUAR 1943
Raków 1.000
2. Februar
Maly Trostenets
Minsk
1.500
1. Februar
Nowogródek
450
4. Februar
womit die Gesamtzahl der seit Juli 1941 in Minsk ermordeten Juden nach Berechnungen der Nazis auf
86.632
stieg
Widerstand unter Führung von
Eliyahu Boraks
acht SS-Leute getötet
Białystok
10.000
1.000
am 5. Februar nach Treblinka und Auschwitz deportiert
an Ort und Stelle getötet 5. Februar
Treblinka
Aufseher angegriffen
Weichsel
Bug
WOLHYNIEN
Hunderte von Juden, die sich seit August 1942 in den Wäldern versteckt gehalten hatten, wurden festgenommen und erschossen. Von insgesamt
40.000 wurden im Laufe des Jahres 1943 mehr als 37.000 getötet, die im Februar im Untergrund lebten, oder sie verhungerten
Bełżec
Chrzanów (Zwangsarbeitslager)
1,000
18. Februar
Auschwitz
Boryslaw
600 Männer
15. Februar
600 Frauen u. Kinder
16. Februar
OSTGALIZIEN
Chodorów
200
5. Februar
Buczacz
2.000
1. Februar
Tłuste
40
12. Februar
Stryj
2.000
Fedor-Höhenzug
Dniester
Stanisławów (Stanislau)
10.000
22. Februar
Szeparoecescher Wald
Kołomyja (Kolomea)
1.500
0 Kilometer 80
Widerstand unter Führung von
Oskar Friedlender
Anda Luft
© Martin Gilbert 1982

bei ihrer Deportation Widerstand leisteten. Die restlichen Gruppenmitglieder, die festgenommen und deportiert wurden, griffen dann in Treblinka die Aufseher an, wobei sie eine oder möglicherweise auch zwei noch in ihrem Besitz befindliche Pistolen benutzten. Doch sie wurden schnell getötet: Die 700 Mann starke Garnison in Treblinka, bestehend aus SS-Leuten und Ukrainern, verfügte über ein umfangreiches Arsenal von Maschinengewehren und Granaten. Auch schlugen sie mit Peitschen und Knüppeln erbarmungslos auf Männer, Frauen und Kinder ein, die aus den Zügen taumelten. Aber sogar in solchen Situationen leisteten einzelne Menschen Widerstand, so zum Beispiel eine junge Frau, die man nackt ausgezogen hatte und die einem Ukrainer sein Gewehr entriß, um damit zwei Nazis zu erschießen und einen dritten zu verwunden, bevor sie überwältigt und grausam zu Tode gefoltert wurde.

DIE DEPORTIERTEN JUDEN MAKEDONIENS UND THRAKIENS, 3. – 22. MÄRZ 1943

SERBIEN
unter deutscher Militärbesatzung
JUGOSLAWIEN
4 Barkassen
Lom-Palanka
Abfahrt zwischen 20. und 22. März
Donau
RUMÄNIEN
0 Kilometer 60
Niš (Nisch)
Pirot
185
Priština
249
Sofia
Radomir
Arbeitslager
BULGARIEN
Kriva Palanka
5
Kumanovo
13
Dupniza
Internierungslager 18. – 19. März
Gorna Džumaja
Internierungslager 18. – 19. März
Skopje
3.351
Arbeitslager einer Tabakfabrik 11. – 13. März
Veles
18
Štip
551
Didimotichon
(Dimotika)
867
Drama
589
Paranestion
19
Orestias
194
Xanthi
526
Bitola
(Monastir)
3.315
MAKEDONIEN
von Bulgarien besetzt
Nea Zichna
18
Komotini
878
OSTTHRAKIEN
Suflion
32
Gevgelija
11
Serrä
(Seres)
471
THRAKIEN
Kawala
1.484
Dedeagatsch
(Alexandrupolis)
137
Sarischaban
12
(Chrysupolis)
Saloniki
Thasos
16
Samothraki
3
Ägäisches Meer
Berg Athos
Dardanellen
GRIECHENLAND
TÜRKEI
neutral
© Martin Gilbert 1982

Nachdem die Bulgaren im April 1941 die griechische Provinz Thrakien besetzt hatten, brachten die Deutschen Ostthrakien, das sich entlang der türkischen Küste erstreckt, unter ihre unmittelbare Herrschaft *(vorherige Seite)*. In diesem Gebiet lebten etwa 1250 Juden, die meisten von ihnen in der Stadt Didimotichon (Dimotika), wo sich die Ursprünge der jüdischen Gemeinde bis in das Jahr 1542 zurückverfolgen ließen, als Flüchtlinge aus Spanien dort eintrafen. Nach 300 Jahren sprachen diese «Sepharden» (spanische Juden) immer noch einen spanischen Dialekt, Ladino.

Am 3. März 1943 nahmen die Deutschen alle Juden in Ostthrakien fest, auch jene drei, die auf der Insel Samothraki lebten. Fünf Tage später wurden sie per Zug nach Treblinka deportiert. Abgesehen von 40 Juden, denen es gelang, sich in Orestias der Festnahme zu entziehen, und weiteren 33, die der Deportation in Didimotichon (Dimotika) entgingen, überlebte kein Jude aus Ostthrakien den Krieg.

Einen Tag nach den Festnahmen in Ostthrakien wurden auch die Juden im bulgarisch besetzten Thrakien und im bulgarisch besetzten Makedonien verhaftet, in Internierungslager in Skopje und innerhalb Bulgariens gebracht und dann in insgesamt 20 Zügen *(rechts)* deportiert – einige direkt nach Treblinka, andere nach Lom an der Dunarea (Unterlauf der Donau), von wo aus sie zunächst mit Barkassen durch das Eiserne Tor nach Wien und dann mit dem Zug weitertransportiert wurden.

Innerhalb von drei Wochen waren 23 Gemeinden vernichtet. Die Gemeinde von Bitola (Monastir) war kurz nach der Vertreibung der Juden aus Spanien im Jahre 1492 gegründet worden.

Die Fotos wurden an Bord von einer der Barkassen *(links)* und an einem Deportations-Sammelpunkt aufgenommen.

ZWANZIG ZÜGE VOM BALKAN, MÄRZ 1943

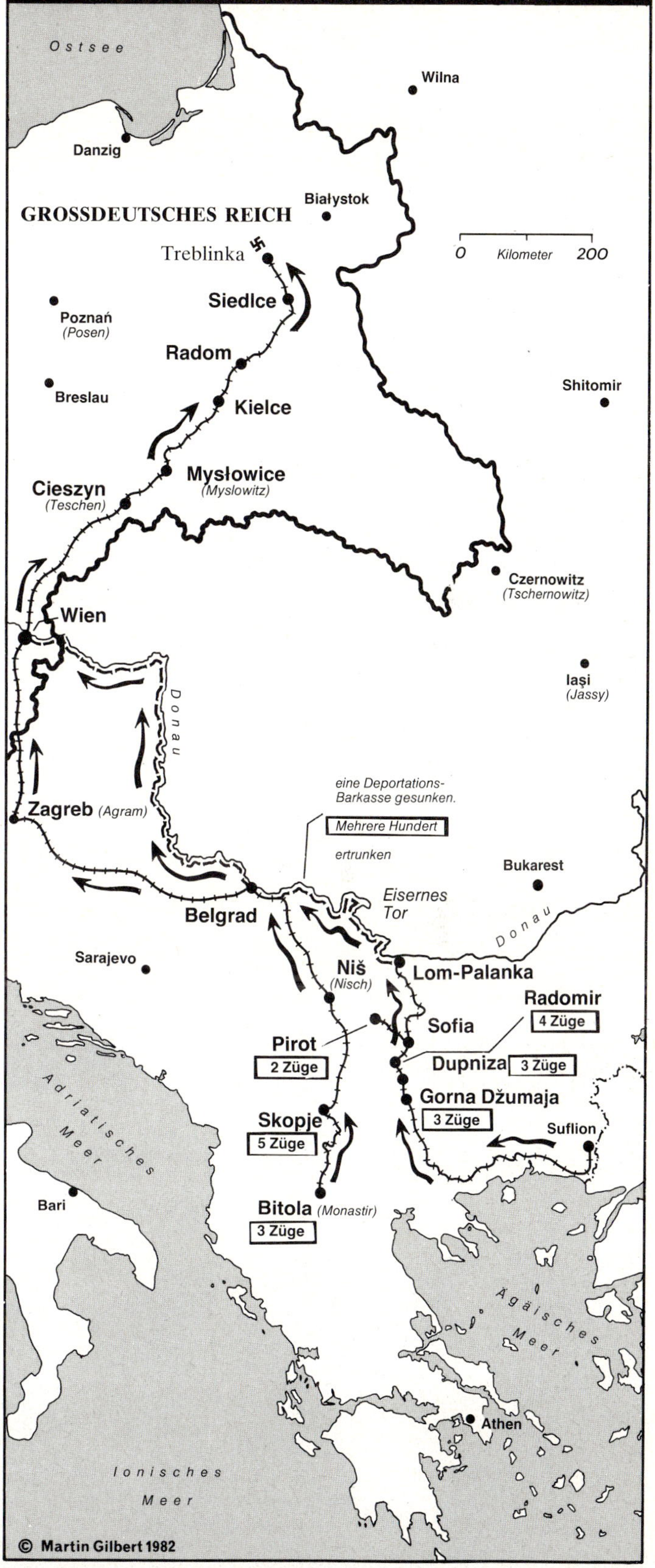
Ostsee
Wilna
Danzig
Białystok
GROSSDEUTSCHES REICH
0 Kilometer 200
Treblinka
Siedlce
Poznań (Posen)
Radom
Shitomir
Breslau
Kielce
Mysłowice (Myslowitz)
Cieszyn (Teschen)
Czernowitz (Tschernowitz)
Wien
Iaşi (Jassy)
Donau
Zagreb (Agram)
eine Deportations-Barkasse gesunken.
Mehrere Hundert
ertrunken
Bukarest
Belgrad
Eisernes Tor
Donau
Sarajevo
Niš (Nisch)
Lom-Palanka
Radomir
4 Züge
Sofia
Pirot
2 Züge
Dupniza
3 Züge
Gorna Džumaja
3 Züge
Adriatisches Meer
Skopje
5 Züge
Suflion
Bari
Bitola (Monastir)
3 Züge
Ägäisches Meer
Athen
Ionisches Meer
© Martin Gilbert 1982

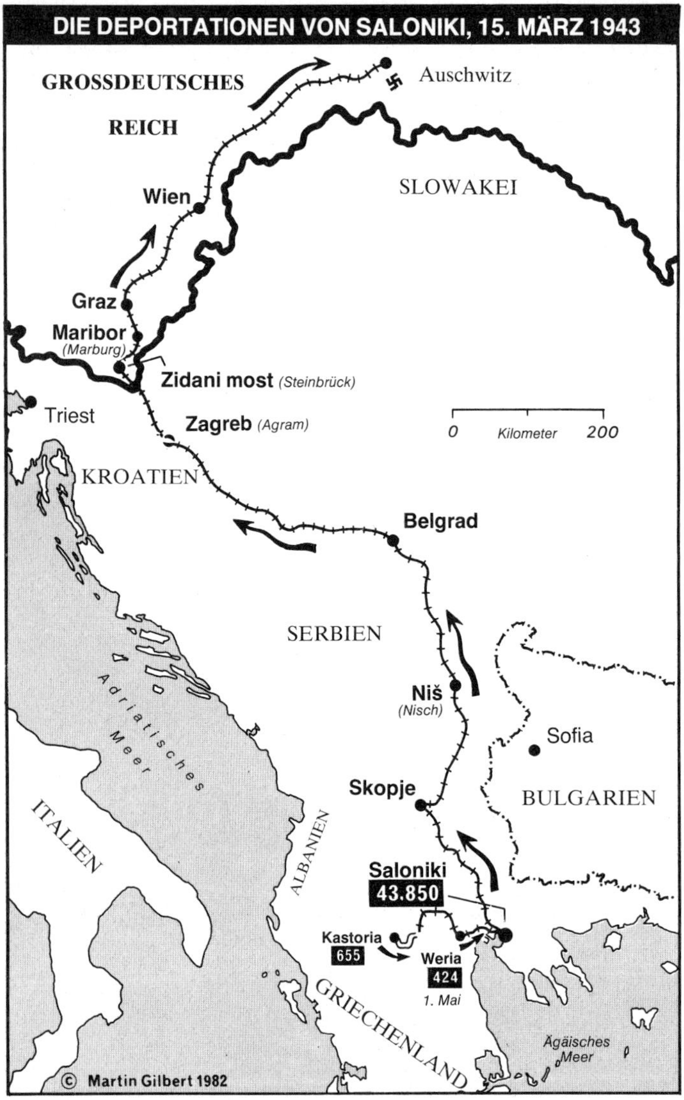
DIE DEPORTATIONEN VON SALONIKI, 15. MÄRZ 1943
GROSSDEUTSCHES
REICH
Auschwitz
SLOWAKEI
Wien
Graz
Maribor
(Marburg)
Zidani most (Steinbrück)
Triest
Zagreb (Agram)
0 Kilometer 200
KROATIEN
Belgrad
SERBIEN
Niš
(Nisch)
Sofia
Adriatisches Meer
Skopje
BULGARIEN
ITALIEN
ALBANIEN
Saloniki
43.850
Kastoria
655
Weria
424
1. Mai
GRIECHENLAND
Ägäisches Meer
© Martin Gilbert 1982

Innerhalb von zwei Wochen nach der Deportation der thrakischen und makedonischen Juden nach Treblinka wurden die Juden von Saloniki festgenommen, interniert und nach Auschwitz deportiert *(links)*. Das Foto zeigt die ersten Demütigungen, denen sie ausgesetzt waren: Zwangsexerzieren, bis sie zusammenbrachen. Seit der Zeit des Apostel Paulus hatten Juden in Saloniki gelebt. Im zwölften Jahrhundert stellten sie ihren eigenen Bürgermeister. 1430 wurden ihre Rabbis mit den geistlichen Häuptern der griechischen Kirche auf eine Stufe gestellt. Im 15. und 16. Jahrhundert war die Stadt sowohl für deutsche wie auch für spanische Juden ein sicherer Zufluchtsort bei Verfolgungen. Im 19. Jahrhundert betätigten sich die Juden von Saloniki als Handwerker, Händler, Ladenbesitzer und Werftarbeiter. Zwischen den Kriegen emigrierten viele von ihnen nach Palästina, Frankreich und in die Vereinigten Staaten. Andere blieben und lebten als Mitglieder einer blühenden Gemeinde: Sie waren Ärzte, Rechtsanwälte, Lehrer und vor allem Schauerleute und Werftarbeiter.

Die erste Deportation von Juden aus Saloniki begann am 15. März 1943, als 2800 Juden auf 40 Viehlastwagen gezwängt wurden und man ihnen sagte, sie würden nach Polen «umgesiedelt». Fünf Monate später, am 7. August 1943, verließ der letzte Zug Saloniki mit Reiseziel Auschwitz, wo von den 56000 Juden, die in Saloniki gelebt hatten, mehr als 43000 umgebracht wurden *(S. 154,157 und 160 bis 162)*.

Der Wahnsinn der deutschen Judenpolitik wurde in Saloniki besonders deutlich, weil dort die jüdischen Werft- und Hafenarbeiter für einen effizienten

DIE RETTUNG DER BULGARISCHEN JUDEN, 17. MÄRZ 1943
SERBIEN, UNTER DEUTSCHER BESATZUNG
RUMÄNIEN
DOBRUDSCHA
Widin
Silistra
Lom-Palanka
Donau
Rustschuk
(Russe)
Dobritsch
(Tolbuchin)
Samovit
Arbeitslager
Rasgrad
Warna
Schumen
(Kolarowgrad)
Prowadija
BULGARIEN
JUGOSLAWIEN
Sofia
Sliwen
Karnobat
Kasanlak
Radomir
Arbeitslager
Stara Sagora
Nowa Sagora
Jambol
Burgas
Schwarzes Meer
Pasardschik
Plowdiw
(Philippopel)
Assenowgrad
(Stanimaka)
Chaskowo
MAKEDONIEN, VON BULGARIEN BESETZTER TEIL
Kurdzali
TÜRKEI
neutral
OSTTHRAKIEN
THRAKIEN, VON BULGARIEN BESETZTER TEIL
GRIECHENLAND
© Martin Gilbert 1982
Marmarameer
Saloniki
von Deutschland besetzt
Ägäisches Meer
Kilometer 40

Betrieb im Hafen von ausschlaggebender Bedeutung waren. Aber nicht einmal solche praktischen Erwägungen konnten die Nazis beeindrucken: Nichts durfte der Vernichtung jeder einzelnen jüdischen Gemeinde in Europa im Wege stehen.

Nordöstlich von Saloniki lebten die bulgarischen Juden *(oben)*, die von den Nazis ebenfalls zur Deportation ausersehen waren. 1934 hatte Bulgarien 6 Millionen Einwohner, von denen 48398 Juden waren. Am 22. Januar 1941 wurde ein «Gesetz zum Schutze der Nation» erlassen, das den Juden einen Monat Zeit ließ, von allen öffentlichen Ämtern zurückzutreten, und durch das fast alle jüdischen Ärzte, Zahnärzte und Rechtsanwälte gezwungen waren, ihre Praxen aufzugeben. Außerdem wurde auf alle Häuser, Geschäfte und auf sonstiges Eigentum von Juden eine spezielle Steuer erhoben, die bis zu einem Viertel des Wertes der jeweiligen Besitztümer ausmachte. Ende des Jahres 1941 waren etwa 400 bulgarische Juden in örtlichen bulgarischen Partisaneneinheiten aktiv.

Nach dem Muster der Deportationen aus Thrakien, Makedonien und Saloniki verlangte die SS am 10. März 1943 die Deportation aller bulgarischen Juden nach Polen. Die bulgarische Regierung hatte sich bereits der Forderung gebeugt, 12000 unter bulgarischer Besatzung lebende Juden aus Thrakien und Makedonien zu deportieren. Doch der Forderung zur Deportation von 49000 Juden bulgarischer Staatsangehörigkeit widersetzte sich das bulgarische Volk: der König, das Parlament, die Intellektuellen und die Bauern. Die Bauern sollen sogar bereit gewesen sein, sich auf die Eisenbahnschienen zu legen, um derartige Deportationen zu verhindern, und am 17. März 1943 lehnte das bulgarische Parlament einstimmig jegliche Deportationen ab.

Nicht nur der König, sondern auch der Archimandrit Cyril und der päpstliche Nuntius in der Türkei, Angelo Roncalli (später Papst Johannes XXIII.) protestierten entschieden gegen die beabsichtigten Deportationen.

Die Folge dieser Proteste war, daß keine bulgarischen Juden aus Bulgarien selbst in die Gaskammern deportiert wurden. Einige wenige, die bei Ausbruch des Krieges in Paris lebten, waren bereits nach Auschwitz deportiert worden *(S. 121)*. Andere kamen in Arbeitslager in Samovit oder Radomir. Doch handelte es sich hier nicht um Straflager wie in Deutschland.

Bulgarien war das einzige Land unter deutschem Einfluß oder deutscher Kontrolle, dessen jüdische Bevölkerung während der Kriegsjahre sogar anwuchs: von 48565 im Jahre 1934 auf 49172 im Jahre 1945.

DEPORTATIONEN ÜBER WEITE ENTFERNUNGEN, MASSAKER UND AUFSTÄNDE, MÄRZ 1943

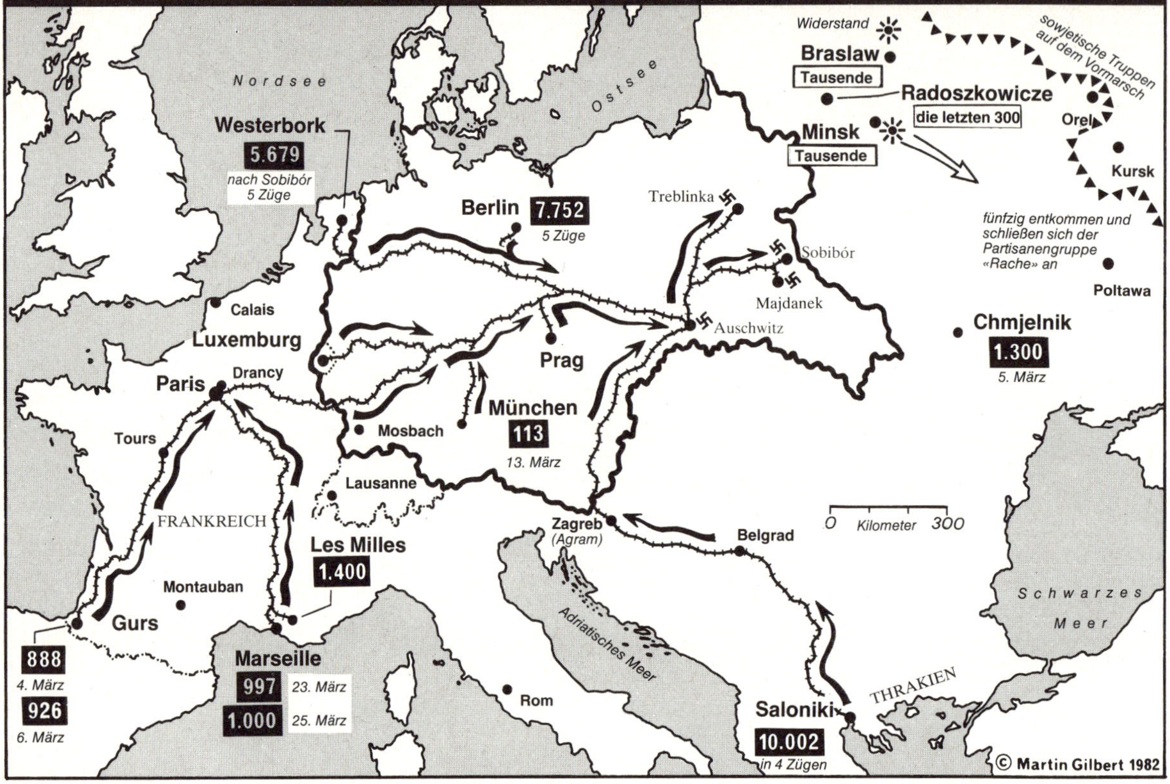
Widerstand
Braslaw
Tausende
Radoszkowicze
die letzten 300
Minsk
Tausende
sowjetische Truppen auf dem Vormarsch
Orel
Kursk
fünfzig entkommen und schließen sich der Partisanengruppe «Rache» an
Poltawa
Nordsee
Ostsee
Westerbork
5.679
nach Sobibór
5 Züge
Berlin
7.752
5 Züge
Treblinka
Sobibór
Majdanek
Auschwitz
Calais
Luxemburg
Drancy
Paris
Prag
München
113
13. März
Mosbach
Chmjelnik
1.300
5. März
Tours
Lausanne
FRANKREICH
Les Milles
1.400
Zagreb
(Agram)
Belgrad
0 Kilometer 300
Montauban
Gurs
888
4. März
926
6. März
Marseille
997
23. März
1.000
25. März
Adriatisches Meer
Rom
Schwarzes Meer
THRAKIEN
Saloniki
10.002
in 4 Zügen
© Martin Gilbert 1982

DEPORTATIONEN, MASSAKER UND AUFSTÄNDE, MÄRZ 1943

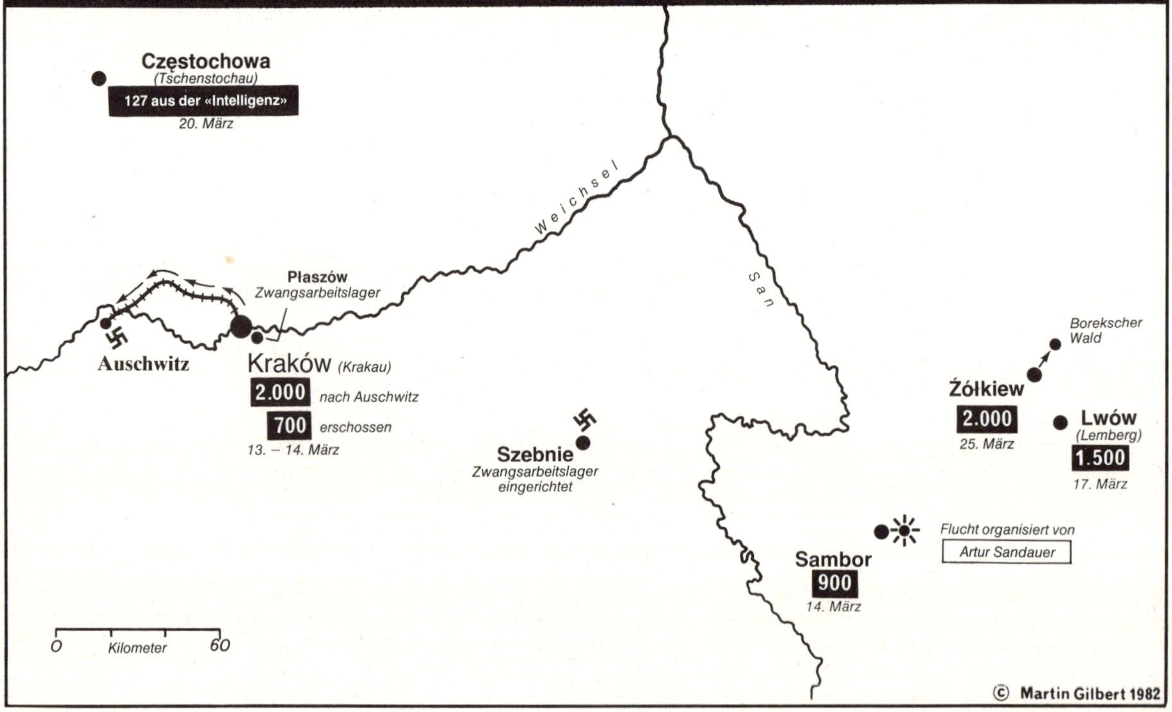
Częstochowa
(Tschenstochau)
127 aus der «Intelligenz»
20. März
Weichsel
San
Płaszów
Zwangsarbeitslager
Auschwitz
Kraków (Krakau)
2.000
nach Auschwitz
700
erschossen
13. – 14. März
Szebnie
Zwangsarbeitslager eingerichtet
Borekscher Wald
Żółkiew
2.000
25. März
Lwów
(Lemberg)
1.500
17. März
Flucht organisiert von
Artur Sandauer
Sambor
900
14. März
0 Kilometer 60
© Martin Gilbert 1982

Im Laufe des März 1943 verließen fünf Züge Holland mit Ziel Sobibór, ein Zug Paris mit Ziel Auschwitz und zwei Züge Paris mit Ziel Majdanek *(vorherige Seite, oben)*. Unter den Deportierten nach Majdanek befand sich der deutsche jüdische Maler Hermann Lismann, der in Lausanne, Rom und Paris studiert hatte. Als Nachimpressionist war er 1933 nach Frankreich emigriert. Zunächst hatte er in der Nähe von Tours gelebt. Dann war er nach Montauban geflohen, von wo aus er deportiert wurde.

Von Gurs aus wurden bis auf zwei alle 51 Mosbacher Juden, die mehr als zwei Jahre vorher von Deutschland nach Gurs deportiert worden waren, *(S. 48)* auf ihre Reise in den Tod gebracht.

Ebenfalls im März 1943 wurden Nathan Lewinsztejn, 29 Jahre alt, und Lajwa Krysztal, 40 Jahre alt, von Paris nach Majdanek deportiert – beide waren in Lublin geboren, in dessen Vororten das Konzentrationslager Majdanek mit seiner Gaskammer lag.

Im Generalgouvernement *(vorherige Seite, unten)* wurden 10000 Juden festgenommen, von Kraków (Krakau) nach Auschwitz deportiert, in einem Zwangsarbeitslager im Krakauer Vorort Płaszów untergebracht oder auf offener Straße erschossen. In Sambor wurden 900 Juden auf dem Marktplatz der Stadt erschossen, wobei viele Mütter gezwungen wurden zuzuschauen, wie zuerst ihre Kinder sterben mußten. Die «Liquidation» setzte sorgfältig gehegten Plänen für Widerstandstätigkeiten ein Ende. In Braslaw *(vorherige Seite, oben)* starben die Widerstandskämpfer auf ihren Posten. Bei dem Massaker von Minsk wurden Tausende erschossen, während es nur 50 gelang, die bewaffneten Ketten zu durchbrechen und sich zu den Partisanen durchzuschlagen.

Unter denjenigen, die im März 1943 aus Frankreich deportiert wurden, waren 4000 Juden aus der Umgebung von Marseille *(rechts)*, von denen die meisten zwei Monate zuvor im Rahmen der «Aktion Tiger» festgenommen worden waren. Sie wurden nach Drancy geschickt und von dort aus am 23. März 1943 nach Sobibór deportiert. Alle Deportierten wurden gleich bei ihrer Ankunft vergast. Zwei Tage später verließ ein weiterer Zug mit 1000 Juden Drancy mit Ziel Sobibór. Bis auf 15 wurden alle vergast. Nur fünf überlebten den Krieg.

Unter den Juden in diesen beiden Zügen waren Vidal Farhi und Lea Klauser, beide geboren in Jerusalem, Dick und Jacob Prins aus Nierländisch-Indien *(S. 127)*, sowie die 18jährigen Zwillinge Jean und Victor Nerver, die in Calais geboren waren.

In Les Accates in der Nähe von Marseille wurden 16 jüdische Kinder versteckt und auf diese Weise gerettet. Die 30 Waisenkinder von La Rose hingegen – das Foto machte der Autor 1976 – wurden nach Auschwitz deportiert, und zwar zusammen mit ihrer Pflegerin Alice Salomon, die darauf beharrte, das Schicksal der Kinder zu teilen.

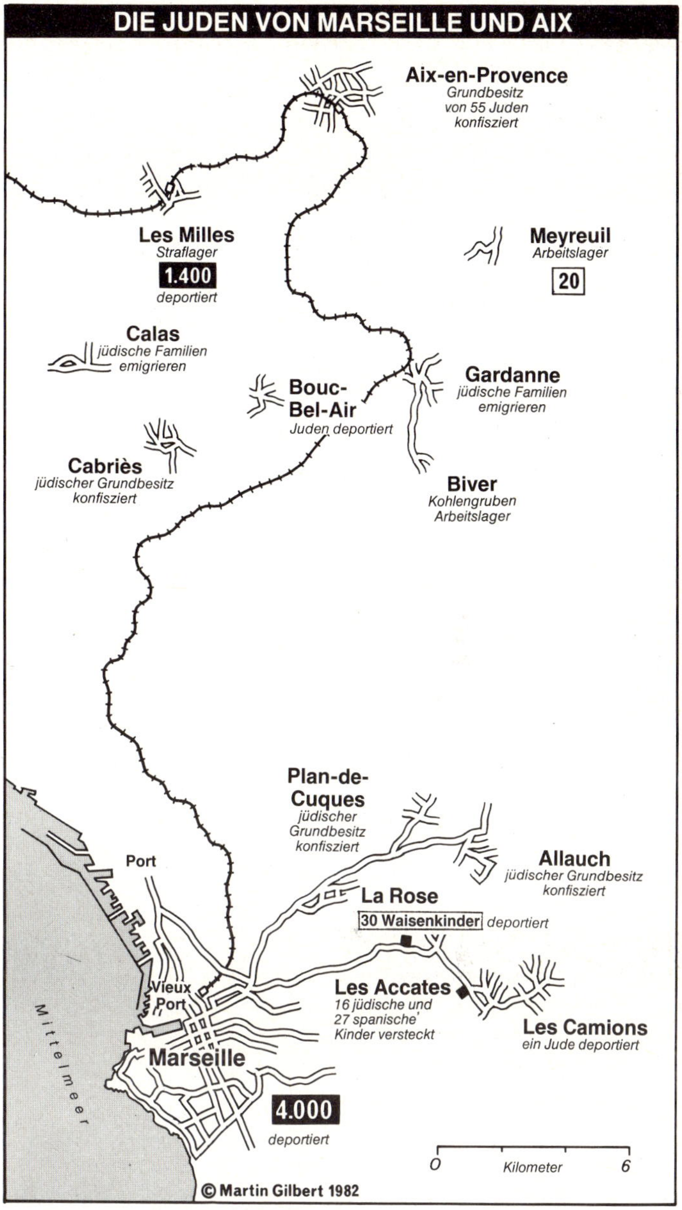
DIE JUDEN VON MARSEILLE UND AIX
Aix-en-Provence
Grundbesitz von 55 Juden konfisziert
Les Milles
Straflager
1.400
deportiert
Meyreuil
Arbeitslager
20
Calas
jüdische Familien emigrieren
Bouc-Bel-Air
Juden deportiert
Gardanne
jüdische Familien emigrieren
Cabriès
jüdischer Grundbesitz konfisziert
Biver
Kohlengruben Arbeitslager
Plan-de-Cuques
jüdischer Grundbesitz konfisziert
Allauch
jüdischer Grundbesitz konfisziert
Port
La Rose
30 Waisenkinder deportiert
Vieux Port
Les Accates
16 jüdische und 27 spanische Kinder versteckt
Les Camions
ein Jude deportiert
Mittelmeer
Marseille
4.000
deportiert
0 Kilometer 6
© Martin Gilbert 1982

DEPORTATIONEN, MASSAKER UND AUFSTÄNDE, APRIL 1943

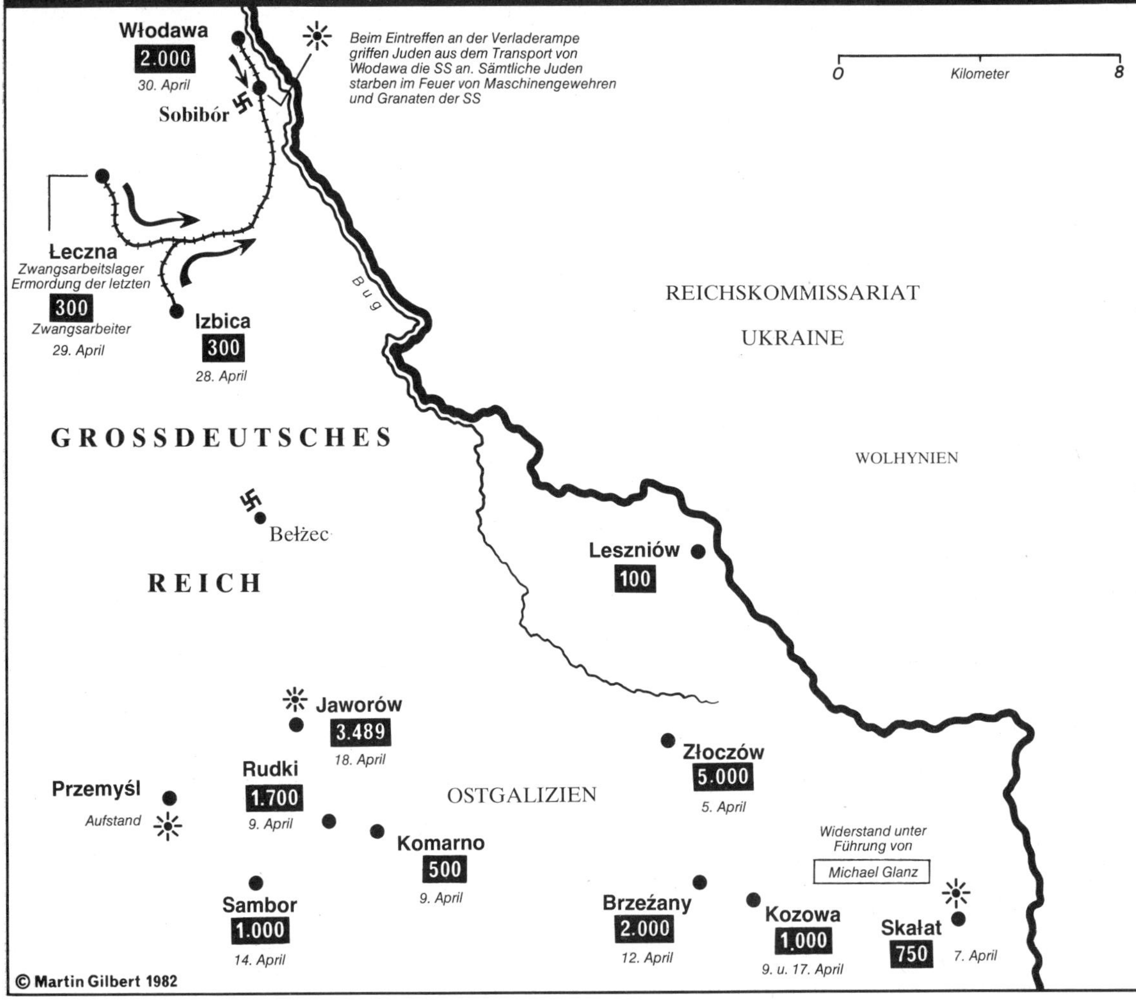
Włodawa
2.000
30. April
Sobibór
Beim Eintreffen an der Verladerampe griffen Juden aus dem Transport von Włodawa die SS an. Sämtliche Juden starben im Feuer von Maschinengewehren und Granaten der SS
0 Kilometer 8
Łeczna
Zwangsarbeitslager
Ermordung der letzten
300
Zwangsarbeiter
29. April
Izbica
300
28. April
Bug
REICHSKOMMISSARIAT
UKRAINE
GROSSDEUTSCHES
REICH
WOLHYNIEN
Bełżec
Leszniów
100
Jaworów
3.489
18. April
Złoczów
5.000
5. April
Rudki
1.700
9. April
Przemyśl
Aufstand
OSTGALIZIEN
Komarno
500
9. April
Widerstand unter Führung von
Michael Glanz
Sambor
1.000
14. April
Brzeżany
2.000
12. April
Kozowa
1.000
9. u. 17. April
Skałat
750
7. April
© Martin Gilbert 1982

Im April 1943 kam es in Ostgalizien zu weiteren Tötungen *(oben)* und auch die Deportationen über weite Entfernungen nach Auschwitz und Treblinka wurden fortgesetzt *(folgende Seite, oben)*: neun von Saloniki, vier aus Holland, eine aus Belgien und eine aus Frankreich.

Die 300 Juden aus Soly und Smorgonie *(folgende Seite, oben)* wurden mit dem Zug nach Wilna transportiert, nachdem ihnen mitgeteilt worden war, daß sie im Getto von Kowno untergebracht werden sollten. Doch statt nach Kowno zu fahren, hielt der Zug im nicht weit entfernten Ponary. Ein 15jähriger Schüler aus Wilna, Yitskhok Rudaschewsky, notierte in seinem Tagebuch die Geschichte, die Wilna innerhalb weniger Stunden erreichte: «Wie wilde Tiere vor dem Sterben fingen die Leute in tödlicher Verzweiflung an, die Eisenbahnwaggons kaputtzumachen, sie zerschlugen die kleinen Fenster, deren Scheiben mit dickem Draht verstärkt waren. Hunderte wurden erschossen, als sie versuchten wegzulaufen. Die Eisenbahngleise sind auf eine weite Strecke mit Leichnamen übersät.»

Alle, die das Massaker am Bahndamm vom 5. April überlebten, wurden in den Kiesgruben bei Ponary von deutschen und litauischen SS-Männern erschossen. Einige Stunden später erreichten 4000 Juden den Bahnhof von Ponary, die aus Święciany kamen, wo seit dem Massaker von Polygon im September 1941 *(S. 77)* das Getto praktisch unbehelligt geblieben war. Auch sie leisteten Widerstand, und zwar mit Pistolen, Messern und bloßen Fäusten. Einigen Dutzend gelang es, nach Wilna zu entkommen. Die übrigen wurden an Ort und Stelle erschossen.

In Jaworów *(folgende Seite, unten)* wurden am 18. April 1943 jene Juden ermordet, die vorher aus sechs umliegenden Dörfern vertrieben und in der Stadt festgehalten worden waren – die Juden von Jaworów selbst waren bereits im vorangegangenen November in Bełżec getötet worden. *(S. 136)*.

Die meisten, die von Jaworów aus die Wälder erreichten, fielen im Kampf gegen die Deutschen. Es gab aber auch Widerstandsaktionen in Skałat und Przemyśl *(oben)* sowie in Belgien *(folgende Seite, oben)* und, in besonders großem Ausmaß, in Warschau *(S. 158)*.

DEPORTATIONEN ÜBER WEITE ENTFERNUNGEN, MASSAKER UND AUFSTÄNDE, APRIL 1943

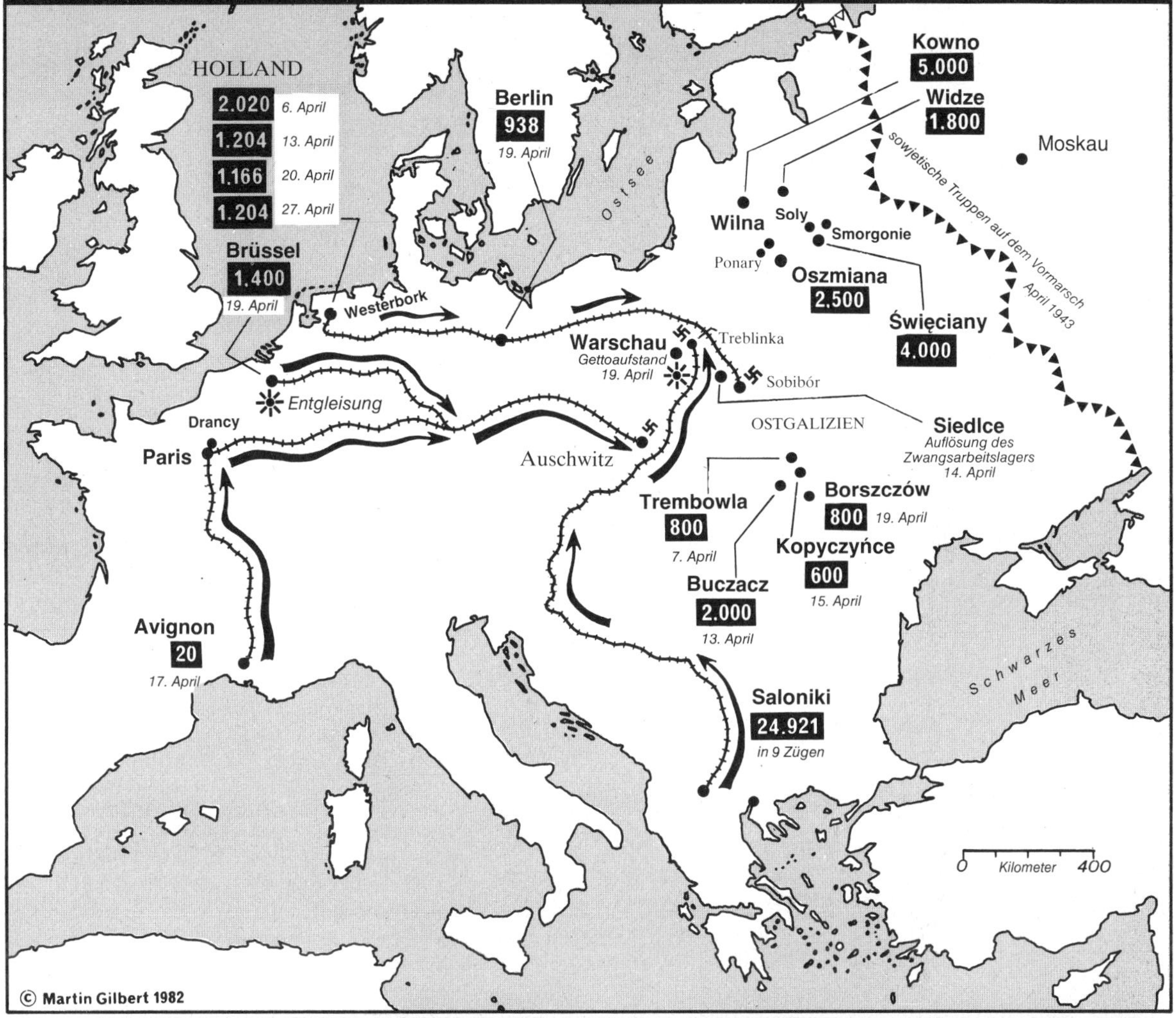
HOLLAND
2.020 6. April
1.204 13. April
1.166 20. April
1.204 27. April
Brüssel
1.400
19. April
Westerbork
Berlin
938
19. April
Ostsee
Kowno
5.000
Widze
1.800
Moskau
sowjetische Truppen auf dem Vormarsch April 1943
Wilna
Soly
Smorgonie
Ponary
Oszmiana
2.500
Święciany
4.000
Treblinka
Warschau
Gettoaufstand
19. April
Sobibór
Entgleisung
Drancy
Paris
Auschwitz
OSTGALIZIEN
Siedlce
Auflösung des Zwangsarbeitslagers
14. April
Trembowla
800
7. April
Borszczów
800 19. April
Kopyczyńce
600
15. April
Buczacz
2.000
13. April
Avignon
20
17. April
Saloniki
24.921
in 9 Zügen
Schwarzes Meer
0 Kilometer 400
© Martin Gilbert 1982

DIE VERNICHTUNG VON SECHS GEMEINDEN, 18. APRIL 1943

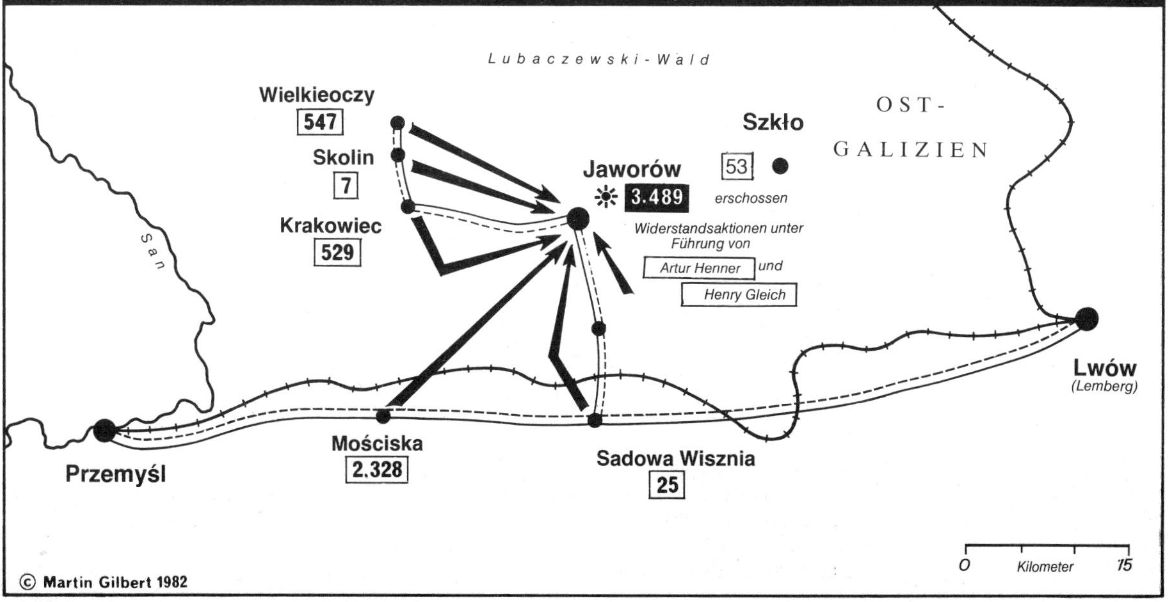
Lubaczewski-Wald
Wielkieoczy
547
Skolin
7
Krakowiec
529
Jaworów
3.489
Szkło
53
erschossen
OST-GALIZIEN
Widerstandsaktionen unter Führung von
Artur Henner und
Henry Gleich
San
Przemyśl
Mościska
2.328
Sadowa Wisznia
25
Lwów
(Lemberg)
0 Kilometer 15
© Martin Gilbert 1982

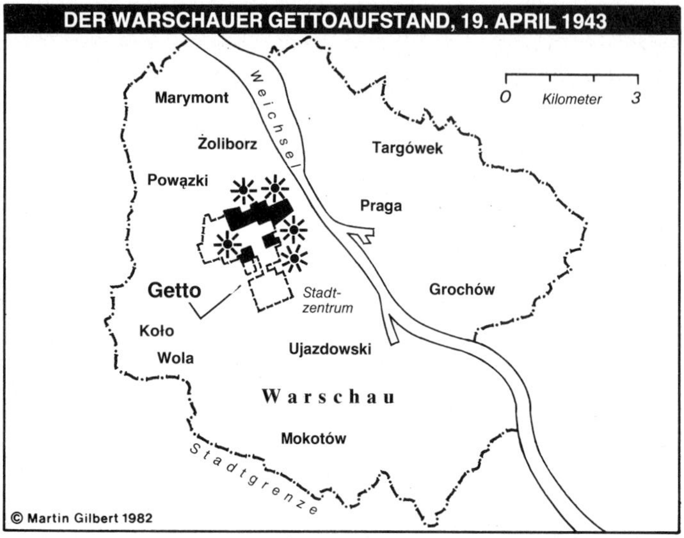
DER WARSCHAUER GETTOAUFSTAND, 19. APRIL 1943
Marymont
Weichsel
0 Kilometer 3
Żoliborz
Targówek
Powązki
Praga
Getto
Stadt-zentrum
Grochów
Koło
Wola
Ujazdowski
Warschau
Mokotów
Stadtgrenze
© Martin Gilbert 1982

Am 18. Januar 1943 hatten sich die jüdischen Untergrundorganisationen in Warschau einer neuen Welle von Deportationen widersetzt. Innerhalb von vier Tagen waren 6000 Juden deportiert und 1000 auf offener Straße ermordet worden *(S. 142)*. Aber der Widerstand seitens der Juden und die Straßenkämpfe waren so heftig gewesen, daß weitere Deportationen ausgesetzt wurden.

Der jüdische Untergrund, angeführt von Mordecai Anielewicz, bereitete sich darauf vor, jegliche Versuche einer Wiederaufnahme der Deportationen zu bekämpfen.

Am 19. April 1943 drang eine Militäreinheit der Deutschen, ausgerüstet mit Panzern und Artillerie, in das Getto ein, um die Deportationen in die Todeslager wieder aufzunehmen. Die jüdischen Einheiten leisteten Widerstand und vertrieben die Deutschen aus dem Getto.

Innerhalb weniger Stunden kehrten die Deutschen zurück; sie suchten jedoch nicht länger den offenen Konflikt mit den bewaffneten jüdischen Einheiten. Statt dessen begannen sie, systematisch Straße für Straße die Häuser im Getto niederzubrennen und gleichzeitig diejenigen, die sich in Bunkern oder in der Kanalisation versteckt hatten, mit Rauch- oder Handgranaten zu töten beziehungsweise ins Freie zu treiben.

Am 8. Mai 1943 drangen die deutschen Truppen zum Hauptquartier der jüdischen Untergrundorganisationen vor. In dem anschließenden Gefecht wurden Anielewicz und mehr als 100 seiner Kampfgenossen getötet. Eine Woche später meldete der Befehlshaber der deutschen Truppen, General Stroop, an seine Vorgesetzten: «Das Warschauer Getto gibt es nicht mehr.»

Während der Kämpfe waren mehr als 56000 Juden bei lebendigem Leibe verbrannt, erschossen, als sie aus den brennenden Gebäuden flohen, oder festgenommen und nach Treblinka deportiert worden.

Die Karte zeigt die Stadtgrenze von Warschau, die ursprüngliche Ausdehnung des Gettos sowie – als schwarze Flächen – die drei sehr viel kleineren Gebiete, auf die das Getto nach den umfangreichen Deportationen zwischen Juli und September 1942 zusammengeschrumpft war. Das Foto links wurde 1980 aufgenommen und zeigt eines der sehr wenigen Häuser im Gettogebiet, das die ansonsten annähernd totale Zerstörung überlebt hat.

Die Fotos auf der folgenden Seite stammen beide aus einem speziellen Album, das General Stroop zusammenstellte, um seinen «Sieg» zu feiern. Das obere Foto zeigt einen jüdischen Kämpfer, der aus einem Bunker geholt wird. Das Foto unten zeigt Stroop selbst (mit Blick in die Kamera, Schutzbrille um den Hals und Handschuhen) und zwei gefangengenommene jüdische Kämpfer, einen Mann und eine Frau.

Nicht weniger als 15000 Juden flohen in den «arischen» Teil von Warschau. Zum Teil wurden sie später aufgespürt oder verraten. Die meisten jedoch wurden von den Polen versteckt und überlebten den Krieg – viele von ihnen nahmen im August 1944 an den Kämpfen des Warschauer Aufstandes teil *(S. 206/207)*.

SIEBEN DEPORTATIONEN SOWIE WEITERE MASSAKER UND AUFSTÄNDE, 4.–25. MAI 1943

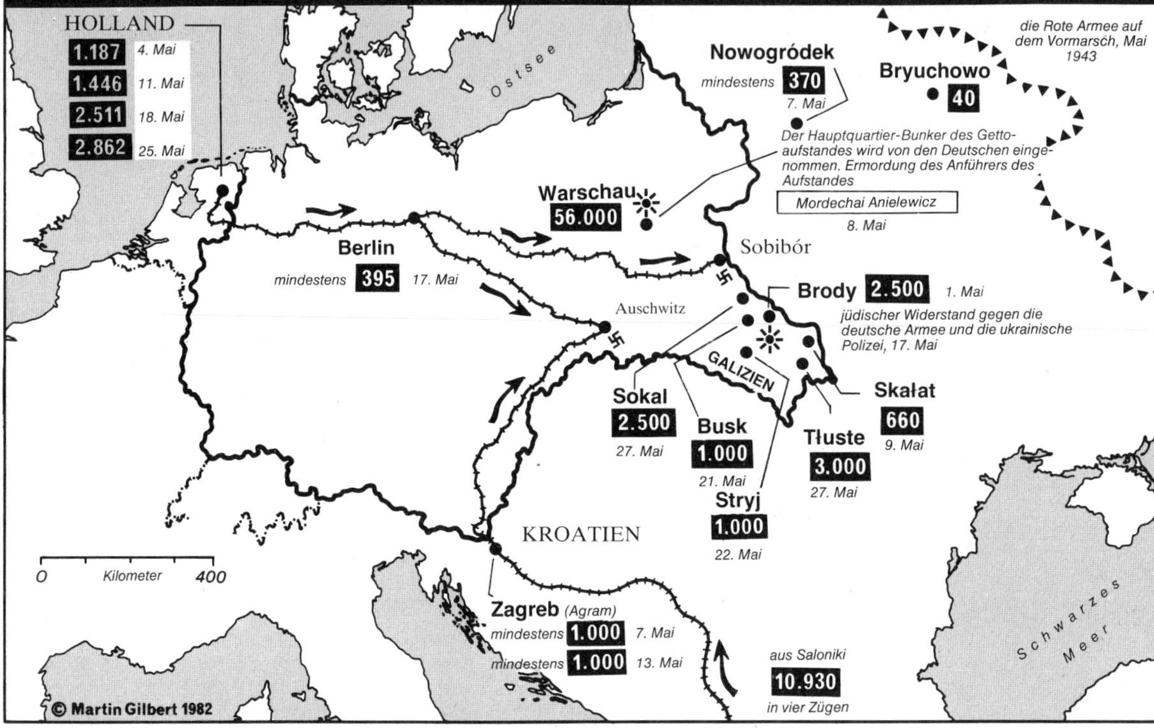
HOLLAND
1.187 4. Mai
1.446 11. Mai
2.511 18. Mai
2.862 25. Mai
Ostsee
Nowogródek
mindestens 370
7. Mai
Bryuchowo
40
die Rote Armee auf dem Vormarsch, Mai 1943
Der Hauptquartier-Bunker des Gettoaufstandes wird von den Deutschen eingenommen. Ermordung des Anführers des Aufstandes
Mordechai Anielewicz
8. Mai
Warschau
56.000
Berlin
mindestens 395 17. Mai
Sobibór
Brody 2.500 1. Mai
jüdischer Widerstand gegen die deutsche Armee und die ukrainische Polizei, 17. Mai
Auschwitz
GALIZIEN
Sokal
2.500
27. Mai
Busk
1.000
21. Mai
Stryj
1.000
22. Mai
Tłuste
3.000
27. Mai
Skałat
660
9. Mai
KROATIEN
0 Kilometer 400
Zagreb (Agram)
mindestens 1.000 7. Mai
mindestens 1.000 13. Mai
aus Saloniki
10.930
in vier Zügen
Schwarzes Meer
© Martin Gilbert 1982

Zu der Zeit, als der Warschauer Gettoaufstand niedergeschlagen wurde und mehr als 56000 Warschauer Juden verbrannten beziehungsweise erschossen oder deportiert wurden, kam es auch außerhalb der Grenzen des Großdeutschen Reiches zu weiteren Deportationen: vier aus Holland und zwei aus Kroatien.

Wie in Warschau, so hatte auch in der ostgalizischen Stadt Brody der jüdische Widerstand Todesopfer unter den Deutschen gefordert: Da jedoch die sowjetischen Truppen noch mindestens 500 Kilometer weiter östlich standen, konnten die Deutschen im Mai und im Juni 1943 erhebliche Kräfte und Energien mobilisieren, um die noch verbliebenen jüdischen Gemeinden Ostgaliziens zu vernichten *(oben/ folgende Seite, unten)*.

Das Foto zeigt eine Mutter mit ihren drei Kindern im Augenblick der Deportation. Die meisten galizischen Juden, die ermordet werden sollten, wurden mittlerweile nicht mehr in eines der Vernichtungslager gebracht, sondern lediglich in umliegende Wälder und Kiesgruben oder, wie in Tłuste, auf den jüdischen Friedhof. Die Hinrichtungen wurden an diesen Orten dann voller Grausamkeit und Sadismus durchgeführt – nicht selten wurden weinende Kinder den Armen ihrer Mütter entrissen und vor deren Augen erschossen, oder es wurde ihnen durch einen einzigen Schlag mit dem Gewehrkolben der Schädel zertrümmert. Hunderte von Kindern wurden lebendig in Gruben geworfen und starben dort aus Angst oder vor inneren Qualen, erdrückt von dem Gewicht der auf sie fallenden Leichname.

Im Laufe des Juni kam es zu weiteren Deportationen aus Holland und Frankreich *(folgende Seite, oben)*. Am 5. Juni wurden insgesamt 1266 Kinder im

NEUN DEPORTATIONEN IN DEN OSTEN, JUNI 1943

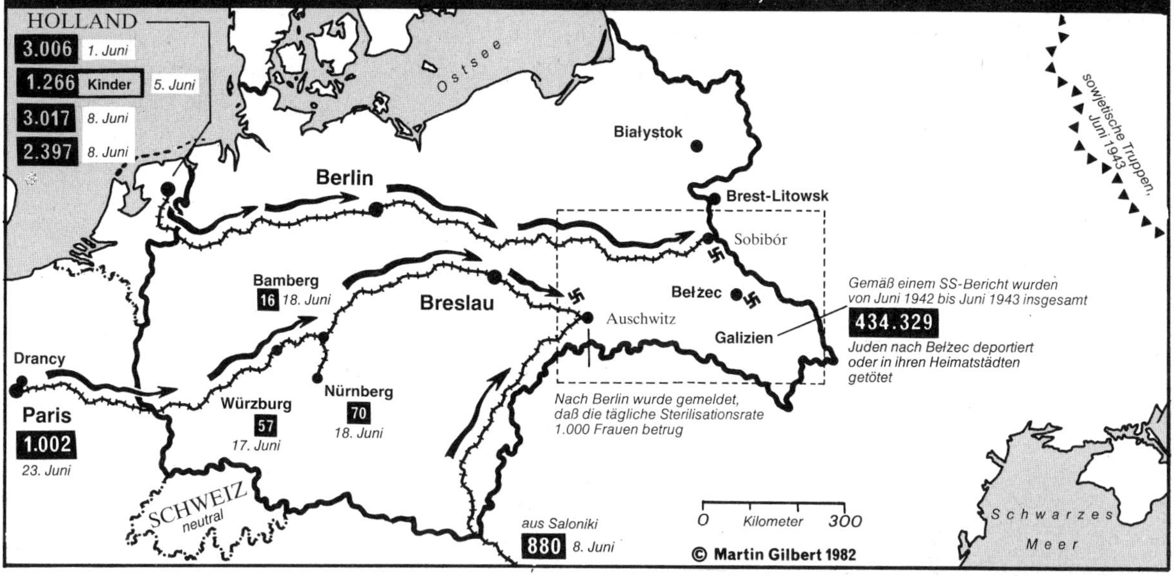
HOLLAND
3.006 1. Juni
1.266 Kinder 5. Juni
3.017 8. Juni
2.397 8. Juni
Ostsee
Białystok
Berlin
Brest-Litowsk
Sobibór
sowjetische Truppen, Juni 1943
Bamberg
16 18. Juni
Breslau
Bełżec
Auschwitz
Galizien
Gemäß einem SS-Bericht wurden von Juni 1942 bis Juni 1943 insgesamt
434.329
Juden nach Bełżec deportiert oder in ihren Heimatstädten getötet
Drancy
Paris
1.002
23. Juni
Würzburg
57
17. Juni
Nürnberg
70
18. Juni
Nach Berlin wurde gemeldet, daß die tägliche Sterilisationsrate 1.000 Frauen betrug
SCHWEIZ
neutral
aus Saloniki
880 8. Juni
0 Kilometer 300
© Martin Gilbert 1982
Schwarzes Meer

DEPORTATIONEN, MASSAKER UND AUFSTÄNDE, JUNI 1943

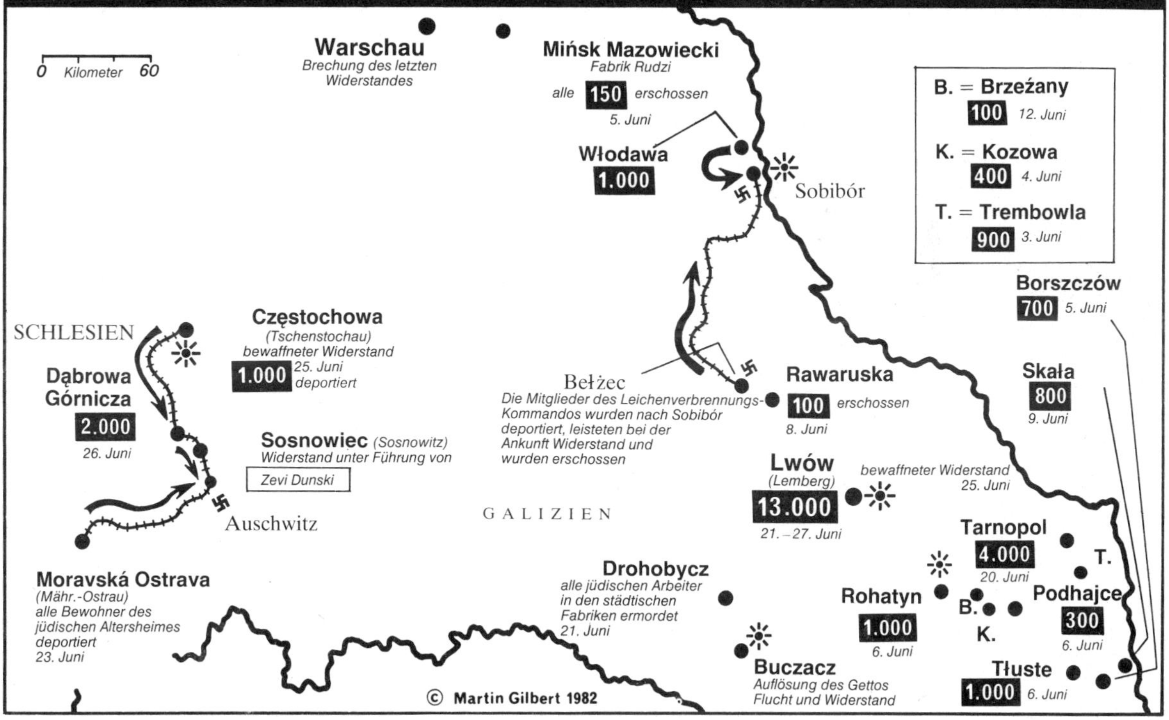
0 Kilometer 60
Warschau
Brechung des letzten Widerstandes
Mińsk Mazowiecki
Fabrik Rudzi
alle 150 erschossen
5. Juni
Włodawa
1.000
Sobibór
B. = Brzeżany
100 12. Juni
K. = Kozowa
400 4. Juni
T. = Trembowla
900 3. Juni
Borszczów
700 5. Juni
SCHLESIEN
Dąbrowa Górnicza
2.000
26. Juni
Częstochowa
(Tschenstochau)
bewaffneter Widerstand
1.000 25. Juni deportiert
Sosnowiec (Sosnowitz)
Widerstand unter Führung von
Zevi Dunski
Auschwitz
Bełżec
Die Mitglieder des Leichenverbrennungs-Kommandos wurden nach Sobibór deportiert, leisteten bei der Ankunft Widerstand und wurden erschossen
Rawaruska
100 erschossen
8. Juni
Skała
800
9. Juni
Lwów
(Lemberg)
13.000
21.–27. Juni
bewaffneter Widerstand
25. Juni
GALIZIEN
Tarnopol
4.000
20. Juni
T.
Moravská Ostrava
(Mähr.-Ostrau)
alle Bewohner des jüdischen Altersheimes deportiert
23. Juni
Drohobycz
alle jüdischen Arbeiter in den städtischen Fabriken ermordet
21. Juni
Rohatyn
1.000
6. Juni
B.
K.
Podhajce
300
6. Juni
Buczacz
Auflösung des Gettos
Flucht und Widerstand
Tłuste
1.000 6. Juni
© Martin Gilbert 1982

Alter von unter 16 Jahren von Holland nach Sobibór deportiert. Alle wurden bei ihrer Ankunft vergast. Auch von den 1000 Juden, die am 23. Juni von Paris nach Auschwitz deportiert wurden, waren über 100 noch keine 16 Jahre alt. Es waren sogar 13 Säuglinge sowie zahlreiche Mütter mit Kleinkindern unter den Deportierten, die alle bei ihrer Ankunft ermordet wurden – einer von ihnen war der acht Monate alte Henry Kaminka, der zusammen mit seiner in Białystok geborenen Mutter Salomée und seinem in Brest-Litowsk geborenen Vater Vital deportiert wurde.

Doch in Galizien und Schlesien kam es nicht nur zu weiteren Ermordungen, sondern auch zu weiteren Widerstandsaktionen *(oben)*. Allerdings gab es praktisch keine Möglichkeiten, an Waffen zu kommen, und die örtliche Bevölkerung war oft nicht bereit, Beistand zu leisten, so daß Verteidigung wie Flucht gleichermaßen aussichtslos erscheinen mußten. Doch beides wurde weiterhin versucht.

DEPORTATIONEN, MASSAKER UND AUFSTÄNDE, JULI 1943

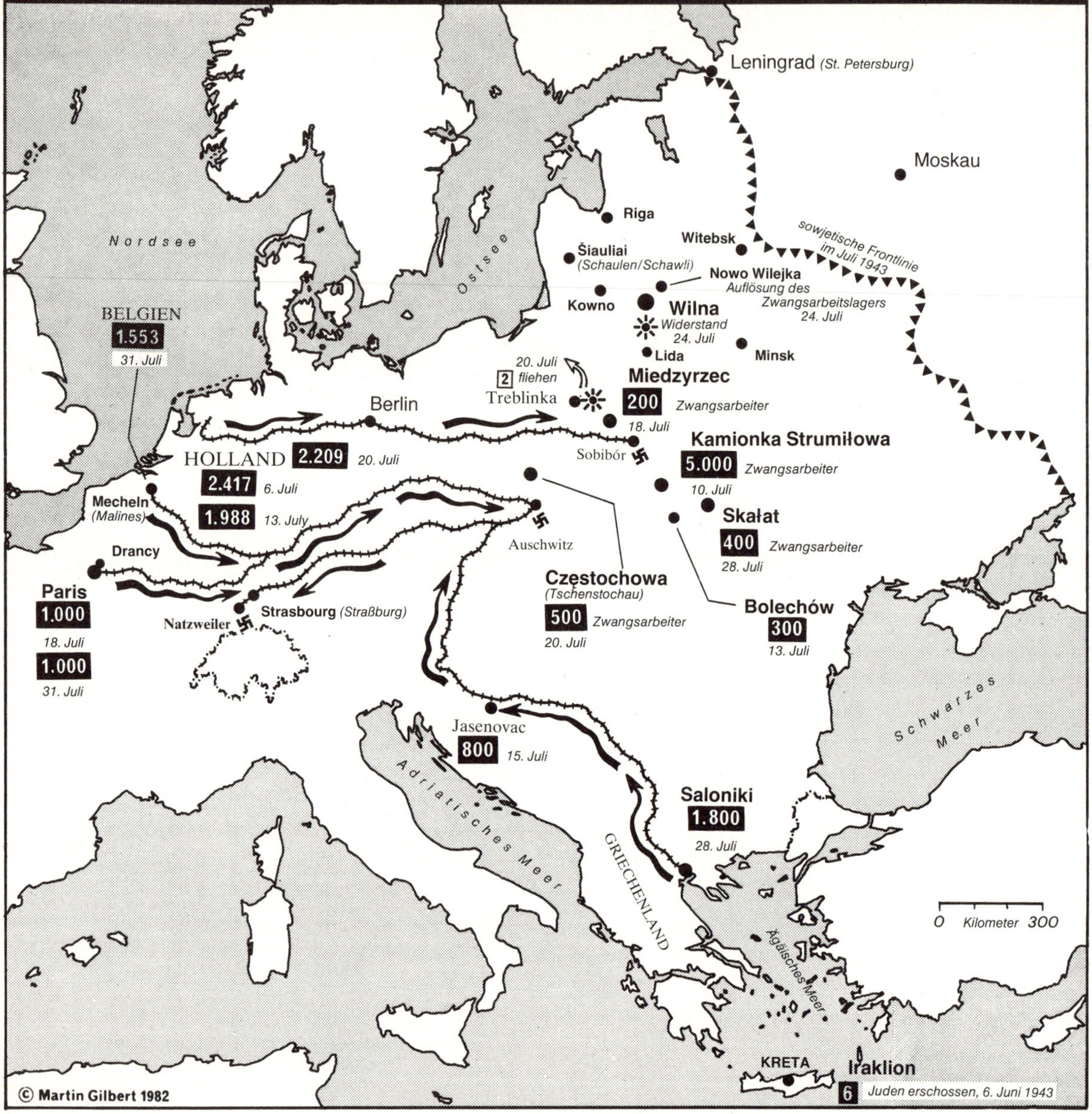
Leningrad (St. Petersburg)
Moskau
Riga
Witebsk
sowjetische Frontlinie im Juli 1943
Šiauliai (Schaulen/Schawli)
Nowo Wilejka
Auflösung des Zwangsarbeitslagers 24. Juli
Kowno
Wilna
Widerstand 24. Juli
Lida
Minsk
Nordsee
Ostsee
BELGIEN
1.553
31. Juli
20. Juli
2 fliehen
Treblinka
Miedzyrzec
200 Zwangsarbeiter
18. Juli
Berlin
Sobibór
Kamionka Strumiłowa
5.000 Zwangsarbeiter
10. Juli
HOLLAND
2.209 20. Juli
2.417 6. Juli
1.988 13. July
Mecheln (Malines)
Drancy
Auschwitz
Skałat
400 Zwangsarbeiter
28. Juli
Częstochowa (Tschenstochau)
500 Zwangsarbeiter
20. Juli
Paris
1.000
18. Juli
1.000
31. Juli
Natzweiler
Strasbourg (Straßburg)
Bolechów
300
13. Juli
Schwarzes Meer
Jasenovac
800 15. Juli
Adriatisches Meer
Saloniki
1.800
28. Juli
GRIECHENLAND
0 Kilometer 300
Ägäisches Meer
KRETA
Iraklion
6 Juden erschossen, 6. Juni 1943
© Martin Gilbert 1982

Während im Sommer 1943 die Rote Armee mit ihrem Vormarsch nach Westen begann, ermordeten die Nazis mehrere tausend Juden, die bis dahin noch nicht in Todeslager deportiert worden waren, sondern die man als Zwangsarbeiter in Fabriken und Arbeitslagern am Leben gelassen hatte. Gleichzeitig kam es zu weiteren Deportationen nach Auschwitz aus den entlegensten Ecken des deutschen Herrschaftsgebietes *(oben)*, darunter zwei aus Paris, eine aus Belgien und drei aus Holland; ebenfalls deportiert wurden die noch verbliebenen Juden Salonikis *(S. 152)*.

Sechs der im Osten gelegenen Gettos waren 1942 der «Liquidation» durch die Nazis entgangen: Wilna, Kowno, Šiauliai (den Juden bekannt als Schawli), Riga, Minsk und Lida.

In Wilna *(folgende Seite und oben)*, wo 20000 Juden im Getto lebten, beschloß eine Gruppe von 21 jungen Männern und Frauen, die in der jüdischen Untergrundbewegung tätig waren, den Versuch zu wagen, Kontakt mit sowjetischen Partisanen aufzunehmen, die in jener Zeit hinter den deutschen Frontlinien zunehmend aktiv wurden.

FLUCHT, HINTERHALT UND WIDERSTAND, 24. JULI 1943

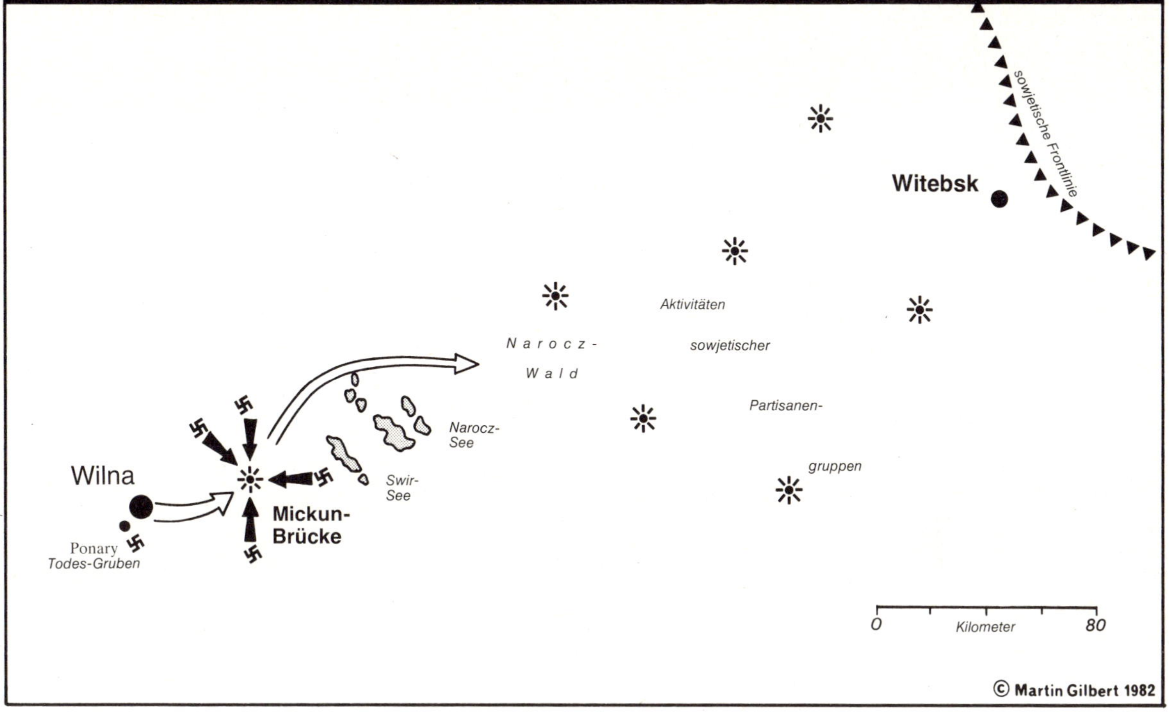
sowjetische Frontlinie
Witebsk
Aktivitäten
sowjetischer
Partisanen-
gruppen
Narocz-
Wald
Narocz-
See
Swir-
See
Wilna
Mickun-
Brücke
Ponary
Todes-Gruben
0
Kilometer
80
© Martin Gilbert 1982

Den 21 gelang die Flucht, doch sie wurden von deutschen Soldaten bei der Mickun-Brücke in einen Hinterhalt gelockt und neun von ihnen kamen bei den anschließenden Kämpfen ums Leben.

Drei Tage nach dem Hinterhalt an der Brücke wurden 32 Verwandte der neun getöteten Juden in Wilna von der Gestapo festgenommen, nach Ponary gebracht und dort erschossen.

Diejenigen, die den Hinterhalt überlebten, schlugen sich weiter nach Osten in den Narocz-Wald durch, wo sie sich sowjetischen Partisanen anschlossen; sie waren aktiv an der Vernichtung des deutschen Nachschubs und an der Zerstörung der Nachrichtenverbindungen der Deutschen mit ihren Frontlinien beteiligt.

In Wilna sollte die Hinrichtung der 32 Verwandten zur Tragödie für alle werden, die im Getto blieben. Um derartige Fluchtversuche in Zukunft zu verhindern, gab der Chef der Gestapo in Wilna, Bruno Kittel, umgehend bekannt, daß in Zukunft als Vergeltungsmaßnahme die gesamte Familie eines jeden, der in den Wald flöhe, getötet würde; bei jenen Ausbrechern, die keine Familie besäßen, würden all jene exekutiert, die mit ihnen das Zimmer teilten oder auch nur im gleichen Mietshaus mit ihnen wohnten. Hinsichtlich jener Juden, die täglich in zehnköpfigen Gruppen außerhalb des Gettos zur Arbeit geschickt wurden, verfügte die Gestapo, daß wenn auch nur ein einziger nicht zurückkehren sollte, die übrigen neun erschossen würden. Fluchtversuche in die Wälder kamen nicht mehr vor. Doch innerhalb des Gettos fuhren die jüdischen Widerstandsgruppen damit fort, Pläne auszuarbeiten und Waffen zu sammeln.

1940 hatte die SS bei Natzweiler im Elsaß ein Konzentrationslager mit 20 dazugehörigen Arbeitslagern eingerichtet. Zwischen den ersten Exekutionen am 18. September 1942 und der Befreiung von Natzweiler am 31. Augsut 1944 starben dort mindestens 25000 Gefangene, Juden wie Nichtjuden; sie verhungerten, starben infolge von Mißhandlungen oder wurden ermordet.

Zahlreiche jüdische und nichtjüdische Frauen, die im französischen Widerstand aktiv waren, aber auch viele russische und polnische Gefangene wurden in Natzweiler getötet. Die penibel geführten Lagerlisten geben beispielsweise Aufschluß darüber, daß am 19. Mai 1944 im Lager acht Zivilisten aus Luxemburg erschossen wurden.

Am 6. November 1942 hatte Heinrich Himmler seine Unterstützung für das Projekt zugesagt, im Anatomischen Institut der «Reichsuniversität» Straßburg nicht weit von Natzweiler eine Sammlung jüdischer Schädel und Skelette einzurichten. Am 21. Juni 1943 wurden in Auschwitz 73 Juden und 30 Jüdinnen ausgewählt und nach Natzweiler geschickt, wo sie gemessen, gewogen und vergast wurden; anschließend sandte man ihre Leichname weiter an das Anatomische Institut in Straßburg. Als am 15. Oktober 1944 die alliierten Truppen auf Straßburg vorrückten, befahl Himmler, die Skelettsammlung zu vernichten. Doch alle dazugehörigen Dokumente überstanden den Krieg.

Auch in Auschwitz selbst wurden weiterhin medizinische Versuche durchgeführt *(S. 107)*, was den Tod von Hunderten von Menschen, vor allem Frauen, zur Folge hatte. Viele hundert wurden durch Sterilisation und andere Experimente für den Rest ihres Lebens zu Krüppeln gemacht. Andere wurden ganz gezielt zu dem Zweck ermordet, damit die SS-Ärzte ihren Knochenbau untersuchen konnten.

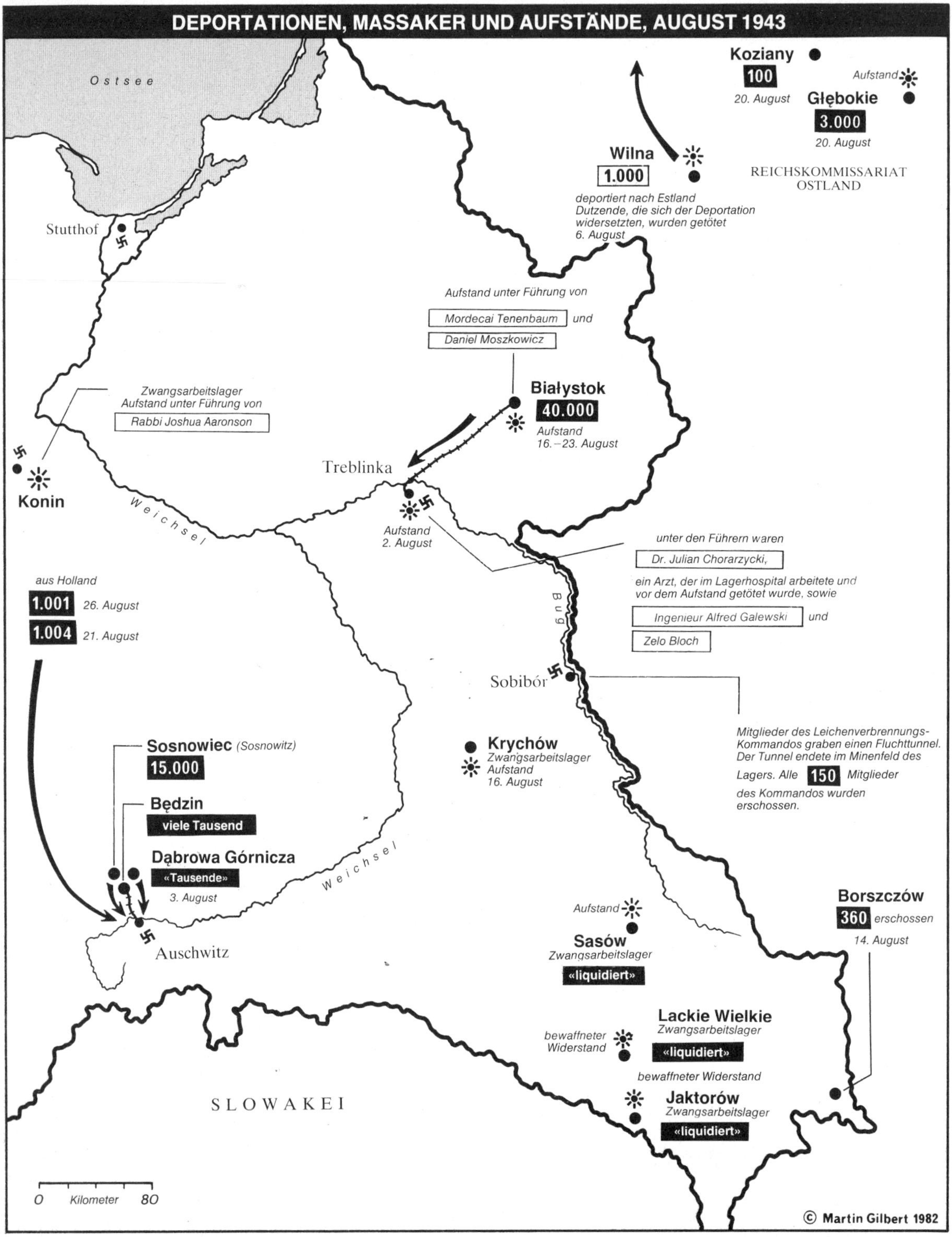
DEPORTATIONEN, MASSAKER UND AUFSTÄNDE, AUGUST 1943
Ostsee
Koziany
100
20. August
Aufstand
Głębokie
3.000
20. August
REICHSKOMMISSARIAT OSTLAND
Wilna
1.000
deportiert nach Estland
Dutzende, die sich der Deportation widersetzten, wurden getötet
6. August
Stutthof
Aufstand unter Führung von
Mordecai Tenenbaum und
Daniel Moszkowicz
Białystok
40.000
Aufstand
16.–23. August
Zwangsarbeitslager
Aufstand unter Führung von
Rabbi Joshua Aaronson
Konin
Treblinka
Aufstand
2. August
Weichsel
unter den Führern waren
Dr. Julian Chorarzycki,
ein Arzt, der im Lagerhospital arbeitete und vor dem Aufstand getötet wurde, sowie
Ingenieur Alfred Galewski und
Zelo Bloch
Bug
aus Holland
1.001 26. August
1.004 21. August
Sobibór
Krychów
Zwangsarbeitslager
Aufstand
16. August
Mitglieder des Leichenverbrennungs-Kommandos graben einen Fluchttunnel. Der Tunnel endete im Minenfeld des Lagers. Alle 150 Mitglieder des Kommandos wurden erschossen.
Sosnowiec (Sosnowitz)
15.000
Będzin
viele Tausend
Dąbrowa Górnicza
«Tausende»
3. August
Weichsel
Auschwitz
Aufstand
Sasów
Zwangsarbeitslager
«liquidiert»
Borszczów
360 erschossen
14. August
Lackie Wielkie
Zwangsarbeitslager
«liquidiert»
bewaffneter Widerstand
bewaffneter Widerstand
Jaktorów
Zwangsarbeitslager
«liquidiert»
SLOWAKEI
0 Kilometer 80
© Martin Gilbert 1982

Im August 1943 wurden mehr als 2000 Juden von Holland nach Auschwitz deportiert (*oben*), während gleichzeitig im Generalgouvernement drei Zwangsarbeitslager «liquidiert» und ihre Insassen ermordet wurden.

Die Deportation von 40000 Juden aus dem Getto von Białystok nach Treblinka verursachte zwei große Aufstände: einen in Białystok selbst, wo die Deutschen Artillerie und Panzer einsetzten, um den Widerstand zu brechen, und einen in Treblinka

AKTIVITÄTEN JÜDISCHER PARTISANEN IM BEZIRK BIAŁYSTOK, 1943

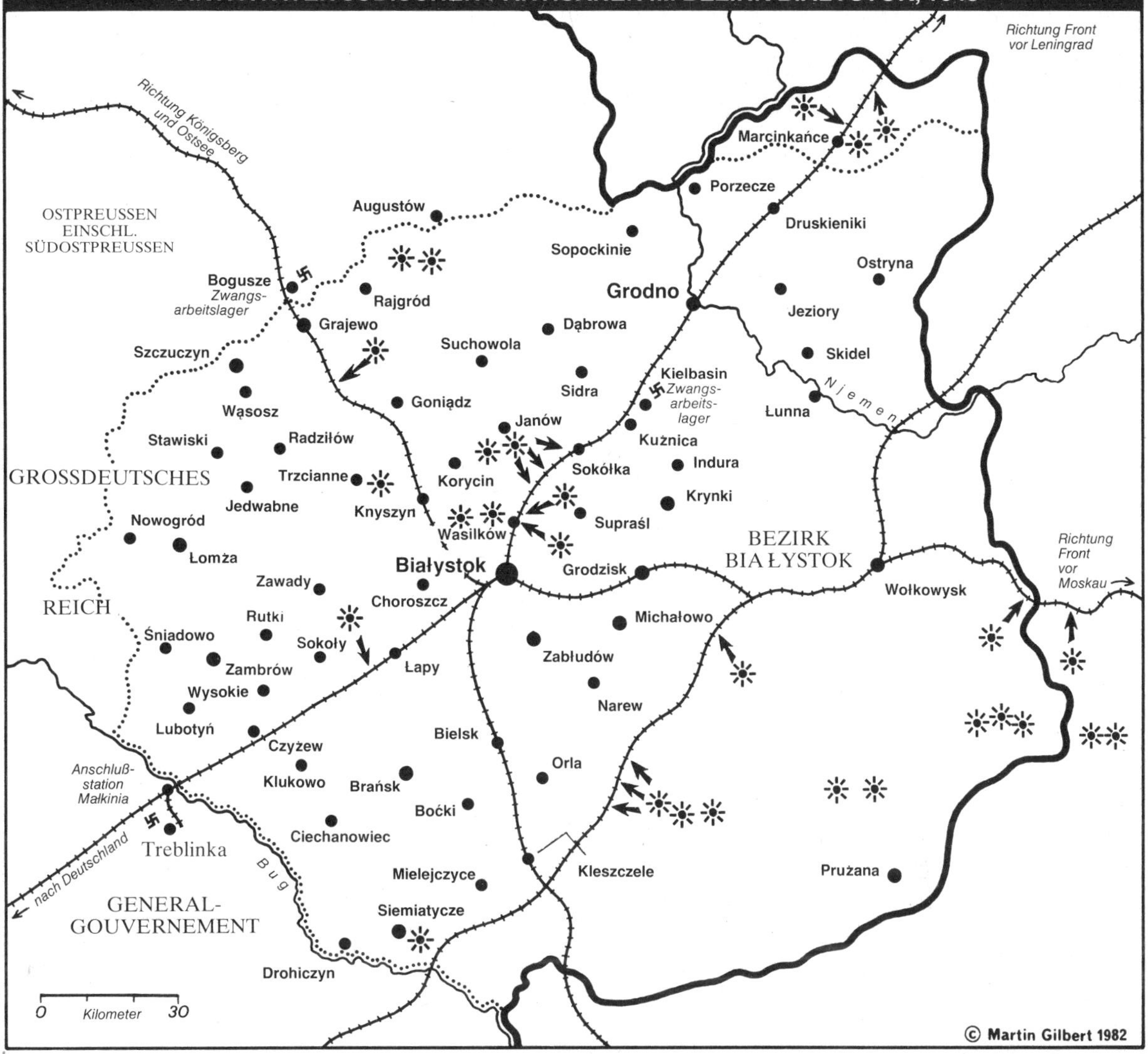
Richtung Front vor Leningrad
Richtung Königsberg und Ostsee
Marcinkańce
Porzecze
Druskieniki
Augustów
Sopockinie
OSTPREUSSEN EINSCHL. SÜDOSTPREUSSEN
Ostryna
Bogusze Zwangsarbeitslager
Rajgród
Grodno
Jeziory
Grajewo
Dąbrowa
Suchowola
Skidel
Szczuczyn
Kielbasin Zwangsarbeitslager
Sidra
Wąsosz
Goniądz
Łunna
Niemen
Janów
Stawiski
Radziłów
Kuźnica
Indura
GROSSDEUTSCHES
Trzcianne
Sokółka
Korycin
Krynki
Jedwabne
Knyszyn
Nowogród
Supraśl
Wasilków
BEZIRK BIAŁYSTOK
Łomża
Białystok
Grodzisk
Richtung Front vor Moskau
Zawady
Wołkowysk
Choroszcz
REICH
Rutki
Michałowo
Śniadowo
Sokoły
Zabłudów
Zambrów
Łapy
Wysokie
Narew
Lubotyń
Bielsk
Czyżew
Anschlußstation Małkinia
Orla
Klukowo
Brańsk
Boćki
Ciechanowiec
Treblinka
nach Deutschland
Bug
Mielejczyce
Kleszczele
Pružana
GENERAL-GOUVERNEMENT
Siemiatycze
Drohiczyn
0 Kilometer 30
© Martin Gilbert 1982

(*Karte 210*), wo sich mehrere hundert Gefangene einen Kampf mit den Aufsehern lieferten und versuchten, über die Minenfelder zu entkommen. Doch wie überall sonst, so wurden auch in Treblinka alle Widerstandsaktionen mit äußerster Brutalität niedergeschlagen. Nach dem Aufstand in Białystok wurden in der Stadt mehr als 1000 jüdische Kinder festgenommen und zunächst nach Theresienstadt und dann nach Auschwitz deportiert (*rechts*), während in Głębokie an einem einzigen Tag 3000 Juden niedergemetztelt wurden, die versucht hatten, sich dem Transport in die umliegenden Wälder zu widersetzen. Jene Juden aber, denen die Flucht gelang, überzogen die Gegend mit einem feinen aber höchst wirksamen Netz von Partisanenaktivitäten. Im gesamten Bezirk Białystok (*oben*) setzten sich die Juden, denen es am 2. November 1942 gelungen war, der Deportation zu entrinnen (*S. 133*), mit aller Macht dafür ein, die Eisenbahnverbindungen der Deutschen mit ihren Frontlinien bei Leningrad und Moskau zu unterbrechen: Die Pfeile stellen die wichtigsten Angriffe der Partisanen dar.

DIE ERMORDUNG VON 1.260 KINDERN AUS BIAŁYSTOK

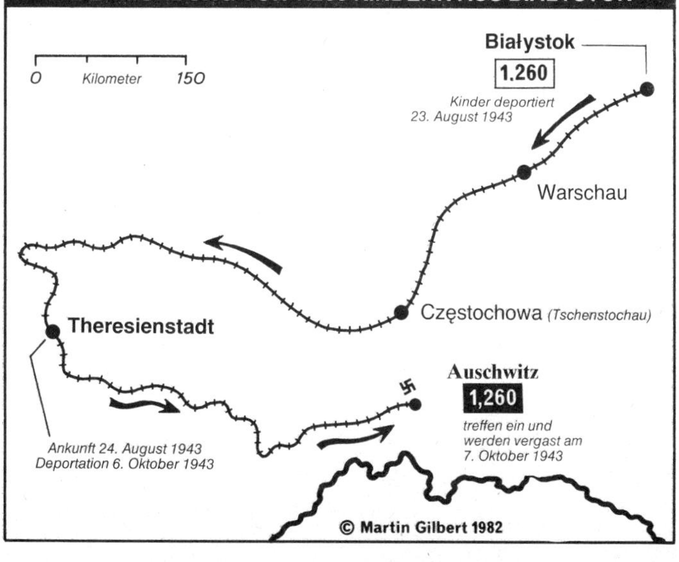
Białystok
1.260
Kinder deportiert 23. August 1943
0 Kilometer 150
Warschau
Częstochowa (Tschenstochau)
Theresienstadt
Auschwitz
1,260
treffen ein und werden vergast am 7. Oktober 1943
Ankunft 24. August 1943 Deportation 6. Oktober 1943
© Martin Gilbert 1982

DIE GERETTETEN JUDEN DÄNEMARKS, SEPTEMBER 1943
Skagerrak
SCHWEDEN
neutral
Aalborg
Nibe
Kattegat
Viborg
Randers
Aarhus
DÄNEMARK
Hälsingborg
Helsingør
Hillerød
Horsens
Kopenhagen
Fredericia
Roskilde
Malmö
Middelfart
Ringsted
Großer Belt
Haderslev
(Hadersleben)
Odense
Slagelse
Nyborg
Assens
Næstved
Flucht von
5.919
Juden
1.301
Halbjuden
686
mit Juden verheirateten Christen
Svendborg
Nakskov
Ostsee
Kiel
Stralsund
DEUTSCHES
REICH
Lübeck
0
Kilometer
60
Hamburg
© Martin Gilbert 1982

Im Anschluß an die deutsche Besetzung Dänemarks im Frühjahr 1940 hatten die Deutschen eine Politik der Kooperation und der Verhandlungen mit den dänischen Behörden verfolgt, so, wie sie im Deutsch-Dänischen Abkommen vom 9. April 1940 vorgesehen war. Das Ergebnis war, daß die Juden unbehelligt blieben. Doch nachdem der dänische Widerstand gegen die deutsche Besatzung jede weitere Kooperation unmöglich gemacht hatte, setzten die Deutschen am 28. August 1943 das Abkommen außer Kraft und verkündeten das Kriegsrecht.

Die SS hoffte, die Gelegenheit nutzen zu können, um alle 7200 dänischen Juden, die zum größten Teil in Kopenhagen lebten, zu deportieren; der Rest verteilte sich auf die in der Karte auf der vorherigen Seite verzeichneten Städte und Dörfer. Von der bevorstehenden Deportation in Kenntnis gesetzt, machten Dänen und Juden einen Plan, der vorsah, daß dänische Kapitäne und Fischer am Vorabend der Deportation 5919 Juden, 1301 Halbjuden (von den Nazis ebenfalls als Juden betrachtet) und 686 mit Juden verheiratete Christen nach Schweden in Sicherheit brachten – in ein Land also, in dem zwischen 1933 und 1943 bereits mehr als 3000 europäische Juden, darunter viele aus Deutschland selbst, Zuflucht gefunden hatten (*rechts*).

Am 1. Oktober 1943 fanden die Deutschen in Dänemark nur noch 500 Juden vor. Alle wurden nach Theresienstadt geschickt; 423 überlebten den Krieg.

Das Foto zeigt dänische Juden, die in einem Keller auf den Moment der Rettung warten.

SCHWEDEN UND DIE JUDEN, 1939–1945
NORWEGEN
SCHWEDEN
neutral
Stockholm
Göteborg
Norrköping
Nordsee
DÄNEMARK
Karlskrona
Malmö
LITAUEN
DEUTSCHES REICH
TSCHECHOSLOWAKEI
ÖSTERREICH
0 Kilometer 300
© Martin Gilbert

EIN ZWANGSARBEITSLAGER WIRD EINGERICHTET, 30. SEPTEMBER 1943
Ostsee
Wilna
Nowo Wilejka
Minsk
Koldyczewo
Dworzec
Hancewicze
Frontlinie am 1. September 1943
Orel
Kursk
GROSS-DEUTSCHES REICH
WEISSRUSSLAND
Karczew
Miedzyrzec
Poniatowa
Borki
Fünfteichen
Krychów
Trawniki
SCHLESIEN
Sosnowiec
(Sosnowitz)
Rozwadów
Kamionka Strumiłowa
Pustków
Mielec
Płaszów
Kiew
Charkow
UKRAINE
sowjetische Truppen auf dem Vormarsch
Dnjepropetrowsk
(Jekaterinoslaw)
Szebnie
Lwów
(Lemberg)
Sasów
Skałat
Auschwitz
GALIZIEN
SLOWAKEI
Kirowograd
(Sinowjewsk)
Mariupol
Sered
Nováky
Balta
Odessa
Asowsches Meer
KRIM
0 Kilometer 200
© Martin Gilbert 1982
Schwarzes Meer

ZWANGSARBEITSLAGER, 1943–1944
Waiwara
Klooga
Nordsee
Kaiserwald
Ostsee
WEISS-RUSSLAND
Stutthof
Neuengamme
Ravensbrück
Poniatowa
Sachsenhausen
Warschau
Borki
RUHRGEBIET
SCHLESIEN
Łódź
Krychów
Pustków
Buchenwald
Fünfteichen
Auschwitz
Sasów
Alderney
Flossenbürg
GALIZIEN
unter den Toten waren:
Natzweiler
Nováky
Chayim Goldin 7.12.1943
Dachau
Sered
Skałat
Robert Perlestein 22.12.1943
Szebnie
Seib Becker 30.12.1943
Lucien Worms 7.1.1944
Isaac Stekovsky 8.2.1944
Bor
Wilfried Gordeson 26.2.1944
Henry Lippman 2.3.1944
0 Kilometer 400
Adriatisches Meer
Szmul Kirschenblatt 26.4.1944
© Martin Gilbert 1982

Als die sowjetischen Truppen weiter nach Westen vordrangen, wurden mehr und mehr Juden in Zwangsarbeitslager in Weißrußland und im Großdeutschen Reich verlegt. Eine Waffenfabrik von Krupp in Mariupol wurde aufgelöst (*oben*) und im schlesischen Fünfteichen neu angesiedelt. Juden, die gerade von Sosnowiec (Sosnowitz) nach Auschwitz deportiert worden waren, wurden mit dem Zug zur Arbeit nach Fünfteichen geschickt, wo viele starben.

In allen Arbeitslagern waren Todesfälle infolge von brutaler Behandlung an der Tagesordnung. Die Karte links nennt acht der 100 Juden, die auf Alderney starben, einer englischen Insel, die 1940 von den Deutschen besetzt wurde.

Unter anderem wurden Zwangsarbeiter dafür eingesetzt, alle Spuren früherer Massenmorde zu verwischen. Auf Betreiben von Himmler wurden eine Reihe von Spezialeinheiten, bekannt unter dem Oberbegriff «Einheit 1005», dazu gezwungen, die Leichname der Ermordeten auszugraben, zu verbrennen und die Asche zu verstreuen. Diese Arbeit nahm annähernd zwei Jahre in Anspruch und bedeutete die Exhumierung von mehr als zwei Millionen Leichnamen (*folgende Seite*).

HIMMLER ORDNET AN, ALLE SPUREN VON MASSENMORDEN ZU VERWISCHEN

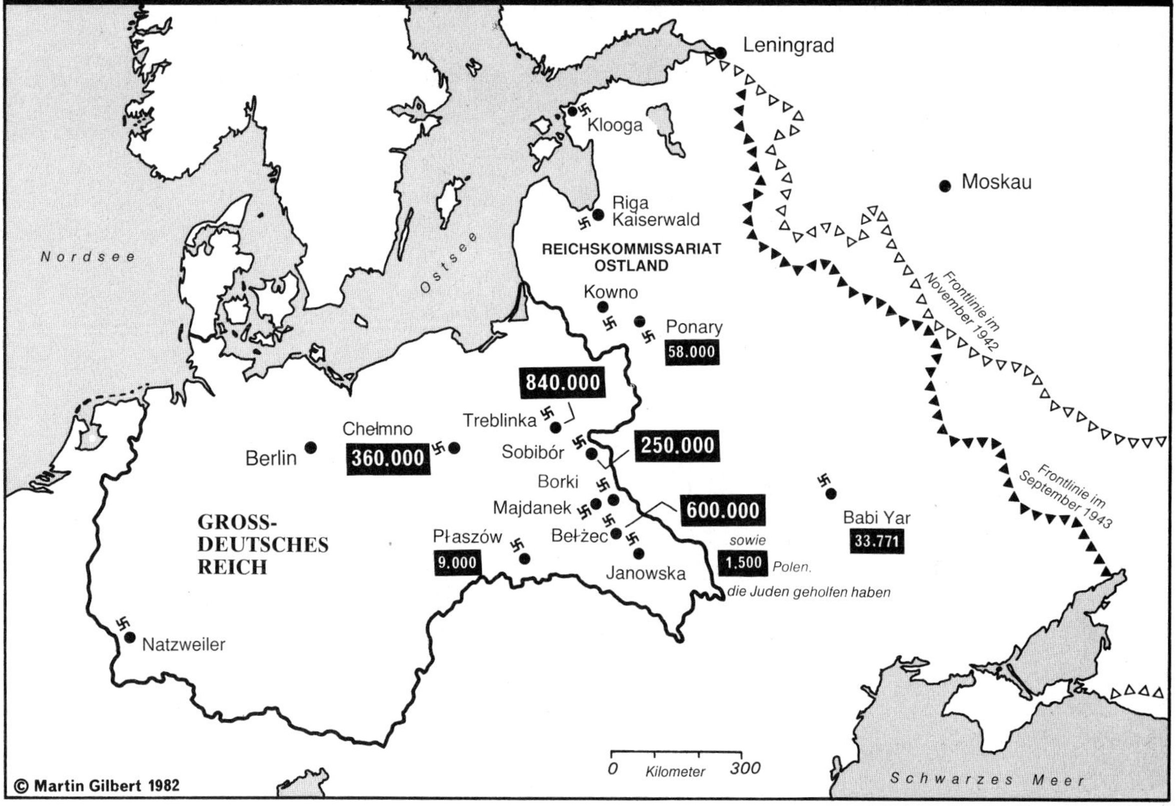
Leningrad
Klooga
Moskau
Riga
Kaiserwald
REICHSKOMMISSARIAT OSTLAND
Nordsee
Ostsee
Kowno
Ponary
58.000
840.000
Treblinka
Chełmno
Berlin
360.000
Sobibór
250.000
Borki
Majdanek
600.000
GROSS-DEUTSCHES REICH
Płaszów
9.000
Bełżec
Janowska
sowie
1.500
Polen,
die Juden geholfen haben
Babi Yar
33.771
Frontlinie im November 1942
Frontlinie im September 1943
Natzweiler
0 Kilometer 300
Schwarzes Meer
© Martin Gilbert 1982

Eine solche Einheit war in Babi Yar im Einsatz (*rechts*). Andere, die zu verschiedenen Zeitpunkten an den Tatorten der Mörder eingesetzt wurden, die in der Karte oben verzeichnet sind, wurden selbst ermordet, sobald ihre Arbeit getan war. Die SS wollte keinerlei Spuren hinterlassen – weder von ihren Verbrechen, noch von den Zwangsarbeitern, die gezwungen wurden, sie zu vertuschen. Und doch gelang es einigen, zu entkommen. Die Janowska-Einheit, die ihre düstere Arbeit im Juli 1943 aufgenommen hatte, machte vier Monate später einen Aufstand (*S. 174*). Sogar in Borki, wo es ebenso viele bewaffnete Aufseher wie Gefangene gab, überlebten drei Gefangene einen Ausbruchsversuch.

In Płaszów wurde im Januar 1945 eine «Einheit 1005» gezwungen, 9000 Leichname aus elf Massengräbern zu exhumieren. In Ponary wurden in der Zeit zwischen September 1943 und April 1944 58000 Leichname exhumiert und verbrannt. Die Ponary-Einheit bestand aus 70 Juden und 10 sowjetischen Kriegsgefangenen, die unter dem Verdacht standen, Juden zu sein; alle waren während der Arbeit angekettet und wurden nachts in einer tiefen Grube untergebracht, die nur über eine hölzerne Leiter zugänglich war, die an jedem Abend eingeholt wurde. Nachdem sie drei Monate lang mit bloßen Händen und mit Löffeln einen Fluchttunnel gegraben hatten, gelang 40 von ihnen in der Nacht des 15. April 1944 die Flucht (*S. 181*). 25 wurden wieder eingefangen und getötet; 15 entkamen ihren Verfolgern.

Das Foto zeigt eine Gruppe von Gefangenen im Zwangsarbeitslager von Płaszów.

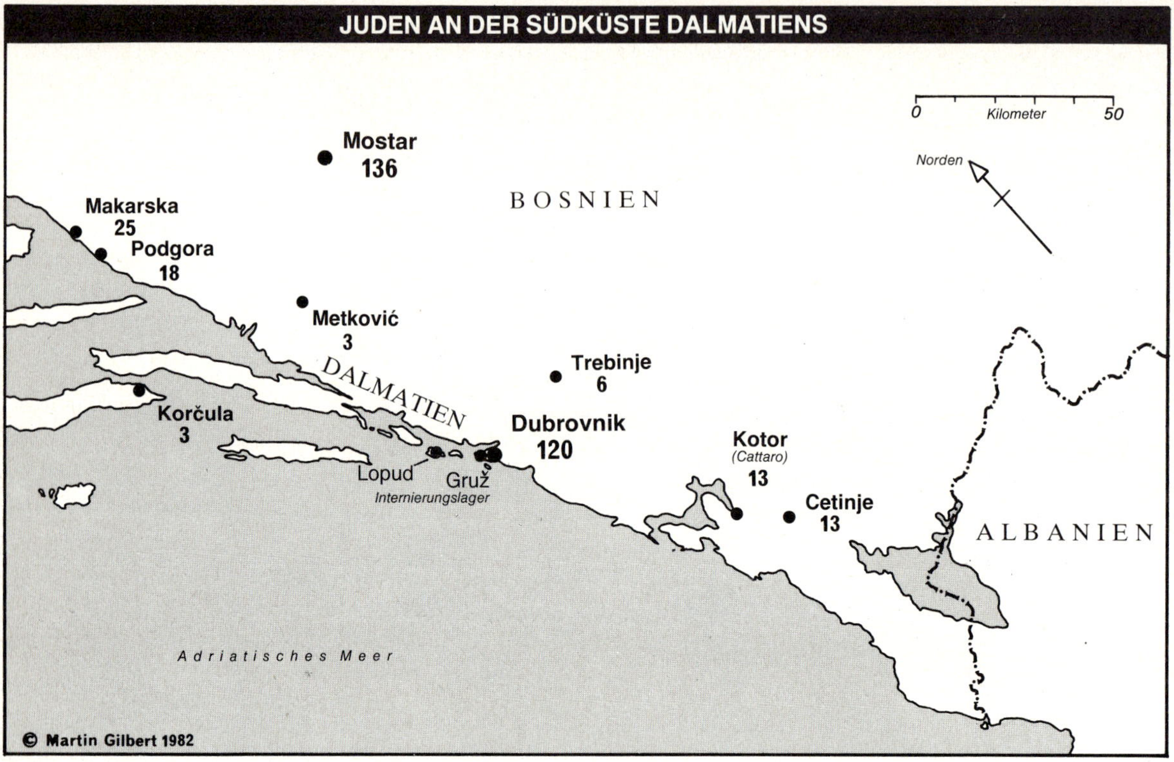
JUDEN AN DER SÜDKÜSTE DALMATIENS
0 Kilometer 50
Norden
Mostar
136
BOSNIEN
Makarska
25
Podgora
18
Metković
3
DALMATIEN
Trebinje
6
Korčula
3
Dubrovnik
120
Kotor
(Cattaro)
13
Lopud
Gruž
Internierungslager
Cetinje
13
ALBANIEN
Adriatisches Meer
© Martin Gilbert 1982

Im April 1941 hatten italienische Truppen Dalmatien besetzt, dessen kleine jüdische Gemeinden (*oben*) in ihren Ursprüngen auf das 14. Jahrhundert zurückgingen. Die Zahlen entsprechen der jugoslawischen Volkszählung vom 31. März 1931. Im November 1942 wurden die Juden Dalmatiens auf deutschen Druck hin in Lopud und Gruž interniert. 1943 wurden sie auf die Insel Rab verlegt (*folgende Seite, oben*). Als sich die Italiener im September 1943 aus dem Kriegsgeschehen zurückzogen, gelang es vielen dieser Juden zu fliehen und sich den jugoslawischen Partisanen anzuschließen. Die Alten und Kranken sowie Frauen mit Kindern jedoch wurden nach Zemun deportiert und dort getötet.

Aus Frankreich, Belgien, Holland und dem Norden Italiens – der gerade erst von den Deutschen besetzt worden war – wurden mehr als 5000 Juden nach Auschwitz deportiert (*folgende Seite, oben*); das gleiche Schicksal ereilte Juden aus Theresienstadt, Mähren und Galizien. Bevor die Deportation von Tarnów nach Auschwitz auf den Weg gebracht wurde (*folgende Seite, unten*), ermordete man Hunderte von Juden auf offener Straße; dann zwängte man 5000 Menschen in einen einzigen Zug, so daß pro versiegeltem Waggon 160 Menschen Platz finden mußten. Der Zug hielt in Bochnia, wo neuen Waggons mit weiteren 3000 Juden angekoppelt wurden. Als der Zug Auschwitz erreichte, waren nur noch 400 der Deportierten am Leben. Die «Überlebenden» wurden in die Gaskammern geschickt.

Im Osten (*folgende Seite, oben*) wurden Ende August und Anfang September mehr als 7000 Juden aus Wilna in die Zwangsarbeitslager Estlands deportiert; bei dieser Gelegenheit gelang es mehreren hundert Juden, von Wilna in die Wälder zu fliehen und sich den Partisanen anzuschließen.

Während die sowjetischen Truppen stetig weiter nach Westen vordrangen und die alliierten Armeen südlich von Rom auf europäischem Boden standen, wurden 2000 Juden von Minsk nach Sobibór deportiert.

In Miedzyrzec und in Sobibór wagten praktisch unbewaffnete Juden einen Angriff auf deutsche Soldaten und SS-Männer. In Treblinka tötete am 2. September 1943 eine Gruppe von 13 jüdischen Zwangsarbeitern ihren ukrainischen SS-Aufseher mit einem Brecheisen, als sie unmittelbar außerhalb des Lagerzauns arbeiteten. Ihr Anführer, ein 18jähriger polnischer Jude namens Seweryn Klajnman, zog die Uniform des toten Aufsehers an, schulterte dessen Gewehr und «marschierte» mit seinen Mitgefangenen los, als hätten sie die Absicht, an einer anderen Stelle ein Stück weit entfernt weiterzuarbeiten; während sie abmarschierten, überschüttete er sie mit Flüchen und Gebrüll, wie es einem SS-Mann geziemte. Unter der Führung eines Fuhrmanns, der zu ihrer Gruppe gehörte und die Gegend gut kannte, entkamen sie ihren Verfolgern und entgingen so der Festnahme.

In der Nähe von Kiew wurde eine Arbeitseinheit von 325 Juden und sowjetischen Gefangenen gezwungen, mit Ketten gefesselt die Opfer des Massakers von Babi Yar (*S. 76*) auszugraben und zu verbrennen – sie leisteten Widerstand, als am 30. September 1943 auch ihre Ermordung unmittelbar bevorstand. Die SS-Aufseher eröffneten das Feuer mit Maschinengewehren und Granaten. Nur 14 der Gefangenen überlebten den Aufstand.

DEPORTATIONEN ÜBER WEITE ENTFERNUNGEN, FLUCHT UND AUFSTÄNDE, SEPTEMBER 1943

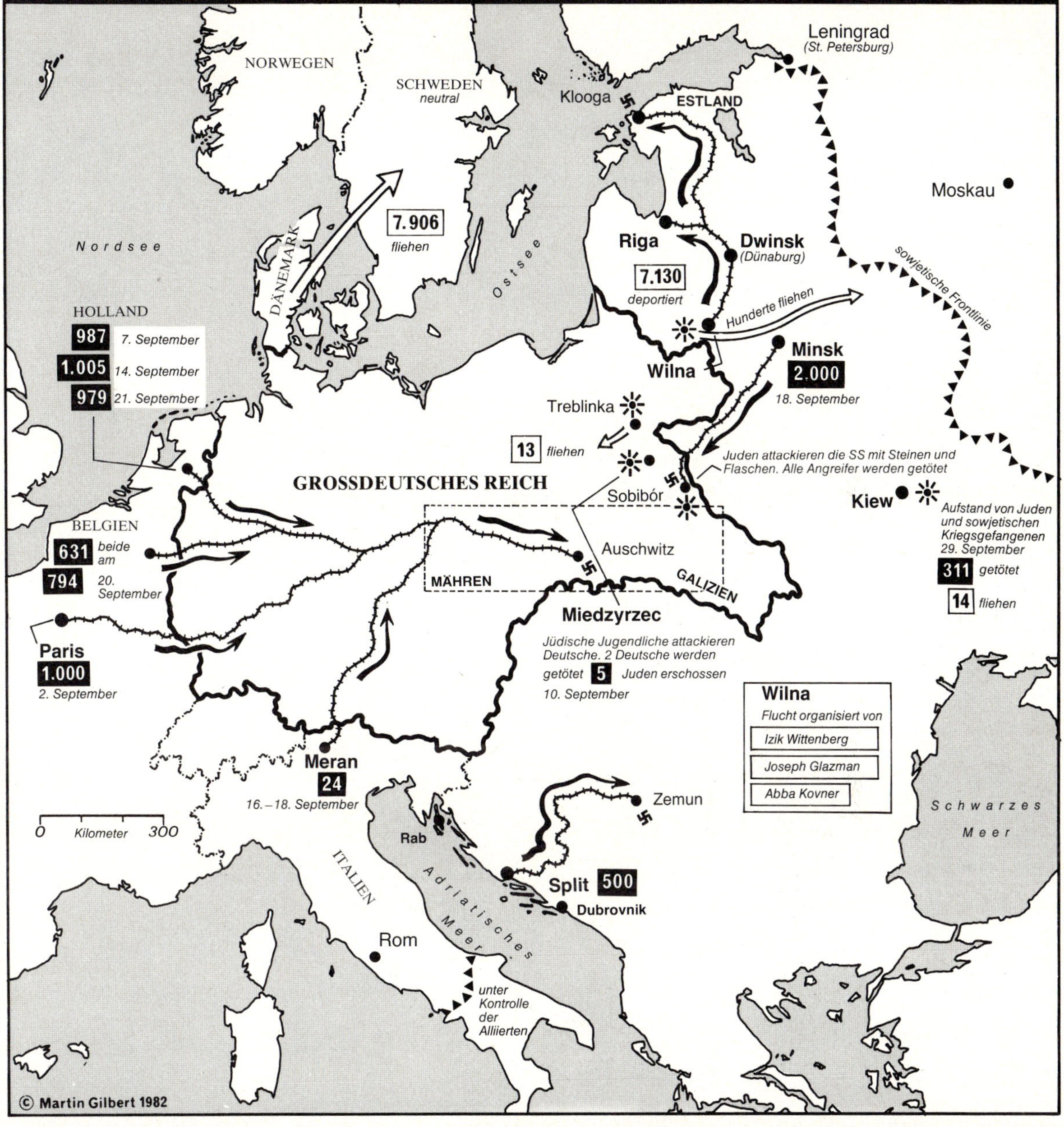
NORWEGEN
SCHWEDEN
neutral
Klooga
ESTLAND
Leningrad
(St. Petersburg)
Moskau
Nordsee
DÄNEMARK
7.906
fliehen
Ostsee
Riga
Dwinsk
(Dünaburg)
7.130
deportiert
Hunderte fliehen
sowjetische Frontlinie
Wilna
Minsk
2.000
18. September
HOLLAND
987 7. September
1.005 14. September
979 21. September
Treblinka
13 fliehen
Juden attackieren die SS mit Steinen und Flaschen. Alle Angreifer werden getötet
GROSSDEUTSCHES REICH
Sobibór
Kiew
Aufstand von Juden und sowjetischen Kriegsgefangenen 29. September
311 getötet
14 fliehen
BELGIEN
631 beide am
794 20. September
Auschwitz
MÄHREN
GALIZIEN
Miedzyrzec
Jüdische Jugendliche attackieren Deutsche. 2 Deutsche werden getötet 5 Juden erschossen
10. September
Paris
1.000
2. September
Wilna
Flucht organisiert von
Izik Wittenberg
Joseph Glazman
Abba Kovner
Meran
24
16.–18. September
Zemun
0 Kilometer 300
Rab
Schwarzes Meer
ITALIEN
Adriatisches Meer
Split 500
Dubrovnik
Rom
unter Kontrolle der Alliierten
© Martin Gilbert 1982

FÜNF DEPORTATIONEN NACH AUSCHWITZ, 2.–8. SEPTEMBER 1943

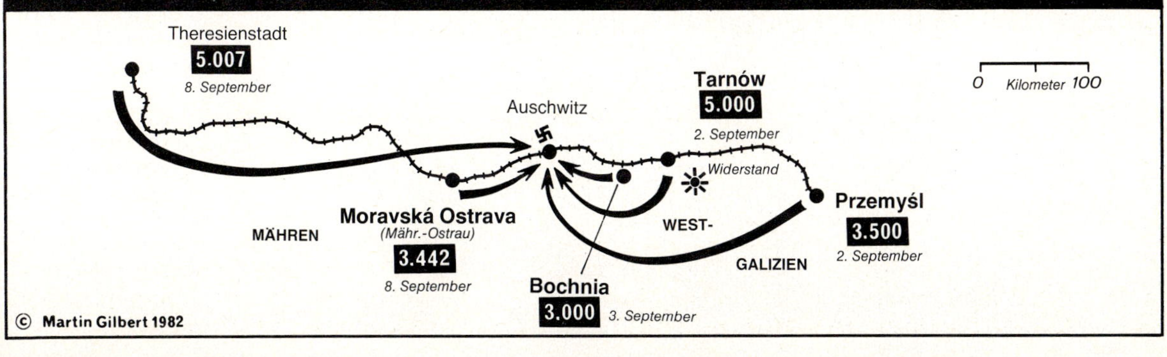
Theresienstadt
5.007
8. September
Auschwitz
Tarnów
5.000
2. September
0 Kilometer 100
Widerstand
Przemyśl
3.500
2. September
MÄHREN
Moravská Ostrava
(Mähr.-Ostrau)
3.442
8. September
WEST-
GALIZIEN
Bochnia
3.000 3. September
© Martin Gilbert 1982

DIE DEPORTATIONEN DER ITALIENISCHEN JUDEN, 9. OKTOBER – 21. NOVEMBER 1943

Auschwitz
Moravská Ostrava
(Mähr.-Ostrau)
GROSSDEUTSCHES
REICH
SLOWAKEI
Wien
SCHWEIZ
neutral
UNGARN
Meran
Bozen
(Bolzano)
Villach
Triest
9. Oktober
Mailand
9. November
Vercelli
Verona
Padua
La Risiera di San Sabba
3.000
italienische Kriegsgefangene von der SS und ukrainischen Aufsehern ermordet, auch
620
der insgesamt
1.920
Juden
Triests wurden ermordet
Turin
Venedig
9. November
Mantua
Asti
Fossoli
Alessandria
Ferrara
14. September
Parma
KROATIEN
Modena
Bologna
Genua
3. November
La Spezia
85
DALMATIEN
San Remo
Florenz
9. November
Pisa
Borgo S. Dalmazzo
Livorno
325
21. November
Siena
Adriatisches Meer
NORDITALIEN
unter deutscher Besatzung 16. September 1943
Termoli
Rom
1.015
18. Oktober
Foggia
Frontlinie am 15. November
Frontlinie am 12. Oktober
Neapel
unter Kontrolle der Alliierten
Salerno
Tyrrhenisches Meer
Ferramonte di Tarsia
0 Kilometer 120
© Martin Gilbert 1982

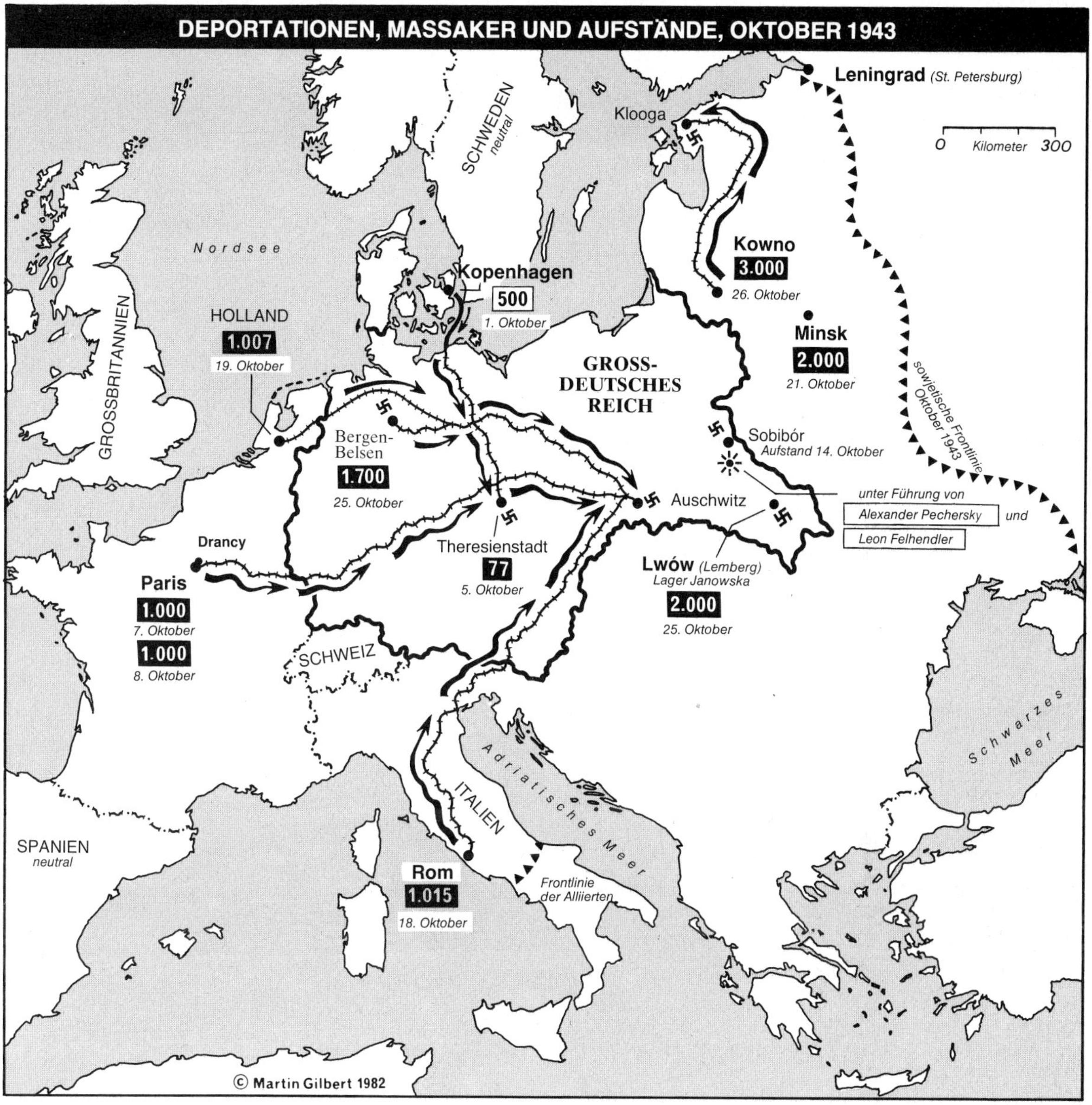
DEPORTATIONEN, MASSAKER UND AUFSTÄNDE, OKTOBER 1943
Leningrad (St. Petersburg)
Klooga
SCHWEDEN neutral
0 Kilometer 300
Nordsee
Kowno
3.000
26. Oktober
Kopenhagen
500
1. Oktober
GROSSBRITANNIEN
HOLLAND
1.007
19. Oktober
Minsk
2.000
21. Oktober
GROSS-DEUTSCHES REICH
sowjetische Frontlinie Oktober 1943
Bergen-Belsen
1.700
25. Oktober
Sobibór
Aufstand 14. Oktober
Auschwitz
unter Führung von
Alexander Pechersky
und
Leon Felhendler
Drancy
Theresienstadt
77
5. Oktober
Paris
1.000
7. Oktober
1.000
8. Oktober
Lwów (Lemberg)
Lager Janowska
2.000
25. Oktober
SCHWEIZ
Schwarzes Meer
Adriatisches Meer
ITALIEN
SPANIEN neutral
Rom
1.015
18. Oktober
Frontlinie der Alliierten
© Martin Gilbert 1982

Am 16. September 1943 waren mehr als 37000 italienische Juden unter Nazi-Herrschaft gekommen. Einige flohen in die Schweiz. Mehrere Tausend suchten Zuflucht bei katholischen Familien. Am 16. Oktober 1943 wurden in Rom 1000 Juden festgenommen und nach Auschwitz deportiert. Innerhalb eines Monats wurden insgesamt 8360 italienische Juden, größtenteils aus den in der Karte auf der vorherigen Seite verzeichneten Städten, nach Auschwitz deportiert, wo 7749 von ihnen ermordet wurden.

Die Deportationen von Holland und Frankreich nach Auschwitz gingen weiter. Aus Kowno wurden 3000 Juden in das Zwangsarbeitslager Klooga in Estland geschickt (*oben*).

Im September (*S. 171*) waren 2000 Juden und sowjetische Kriegsgefangene von Minsk nach Sobibór deportiert worden: 80 hatte man ausgewählt, um als Tischler und Zimmerleute zu arbeiten. Die übrigen waren vergast worden. Unter den 80 befand sich Alexander Pechersky, ein sowjetischer Offizier und ebenfalls Jude, der zusammen mit anderen Gefangenen einen Ausbruch plante. Am 14. Oktober fand der Ausbruch statt: Elf oder zwölf SS-Männer und über ein Dutzend ukrainische SS-Aufseher wurden getötet. Von den 600 Juden, die sich zu jenem Zeitpunkt in dem Arbeitslager befanden, wurden 200 auf der Flucht erschossen oder starben in den Minenfeldern des Lagers; 400 entkamen, von denen 100 später wieder eingefangen und getötet wurden; andere schlossen sich sowjetischen Partisanenverbänden an und kamen größtenteils im Kampf ums Leben; wieder andere starben an Typhus oder wurden von feindlichen polnischen Banden getötet. Nur 30 überlebten den Krieg, unter ihnen Pechersky.

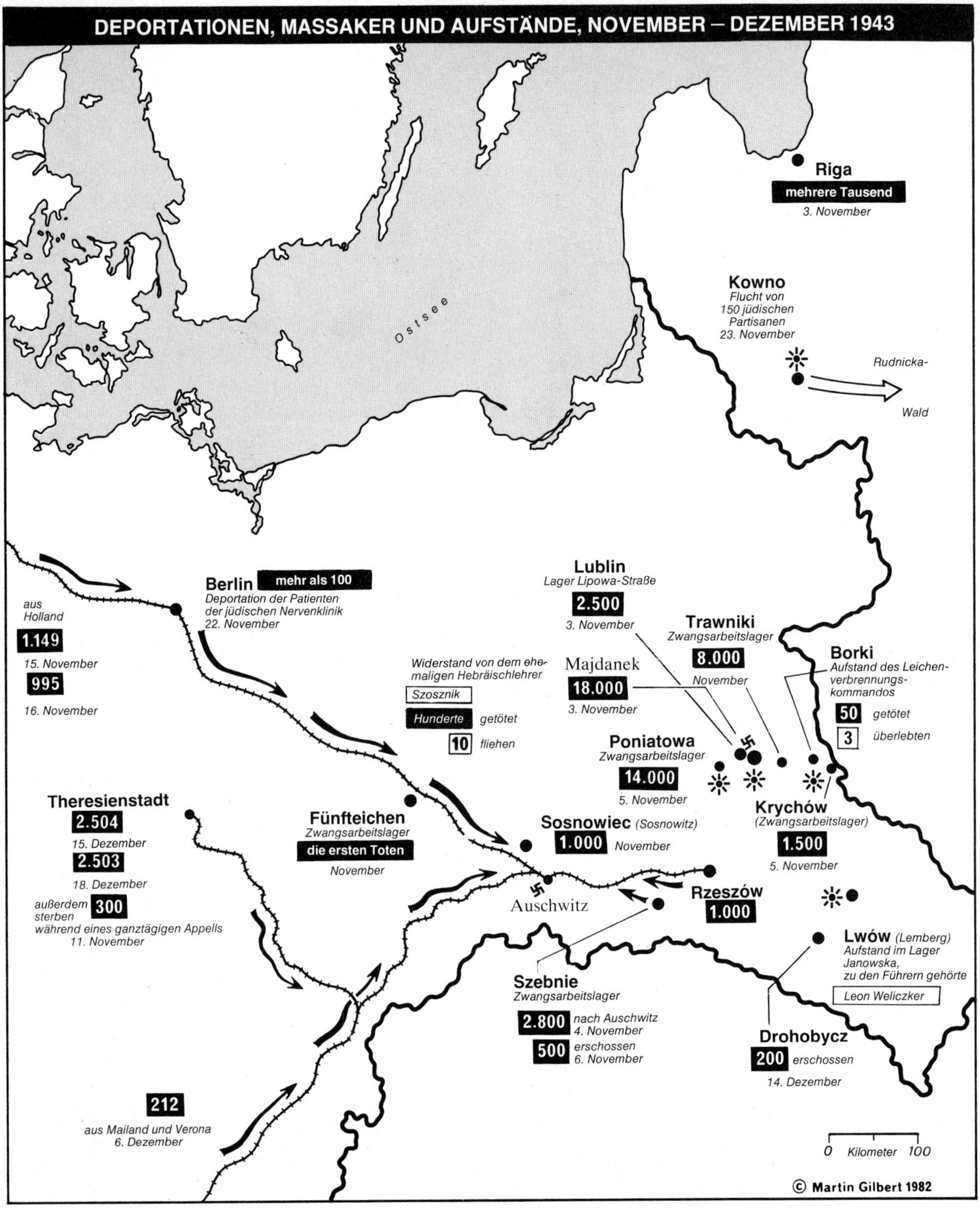
DEPORTATIONEN, MASSAKER UND AUFSTÄNDE, NOVEMBER – DEZEMBER 1943
Ostsee
Riga
mehrere Tausend
3. November
Kowno
Flucht von 150 jüdischen Partisanen
23. November
Rudnicka-Wald
Berlin
mehr als 100
Deportation der Patienten der jüdischen Nervenklinik
22. November
aus Holland
1.149
15. November
995
16. November
Lublin
Lager Lipowa-Straße
2.500
3. November
Trawniki
Zwangsarbeitslager
8.000
November
Majdanek
18.000
3. November
Widerstand von dem ehemaligen Hebräischlehrer
Szosznik
Hunderte getötet
10 fliehen
Borki
Aufstand des Leichenverbrennungskommandos
50 getötet
3 überlebten
Poniatowa
Zwangsarbeitslager
14.000
5. November
Krychów
(Zwangsarbeitslager)
1.500
5. November
Theresienstadt
2.504
15. Dezember
2.503
18. Dezember
außerdem 300 sterben während eines ganztägigen Appells
11. November
Fünfteichen
Zwangsarbeitslager
die ersten Toten
November
Sosnowiec (Sosnowitz)
1.000 November
Auschwitz
Rzeszów
1.000
Lwów (Lemberg)
Aufstand im Lager Janowska, zu den Führern gehörte
Leon Weliczker
Szebnie
Zwangsarbeitslager
2.800 nach Auschwitz
4. November
500 erschossen
6. November
Drohobycz
200 erschossen
14. Dezember
212
aus Mailand und Verona
6. Dezember
0 Kilometer 100
© Martin Gilbert 1982

Im November und Dezember 1943 kam es zu weiteren Deportationen aus Italien, Holland und Theresienstadt nach Auschwitz (*oben*). In Majdanek wurden an einem einzigen mörderischen Tag – von der SS «Erntedankfest» genannt – 18 000 Gefangene niedergemetzelt. An anderen Orten fuhr die SS damit fort, Zwangsarbeitslager zu vernichten. Die Juden versuchten, sich der Exekution zu widersetzen, so zum Beispiel in Majdanek, Janowska und Poniatowa (*oben*). Viele der Juden, denen die Flucht aus den Gettos und Lagern gelungen war, schlossen sich sowjetischen Partisanentrupps an oder bildeten selbst kleine Einheiten. Die Karte (folgende Seite) zeigt 35 Städte und Dörfer, aus denen Juden die Flucht in die Wälder gelang. Von denen, die versucht hatten, aus Kowno zu fliehen, wurden fast alle getötet.

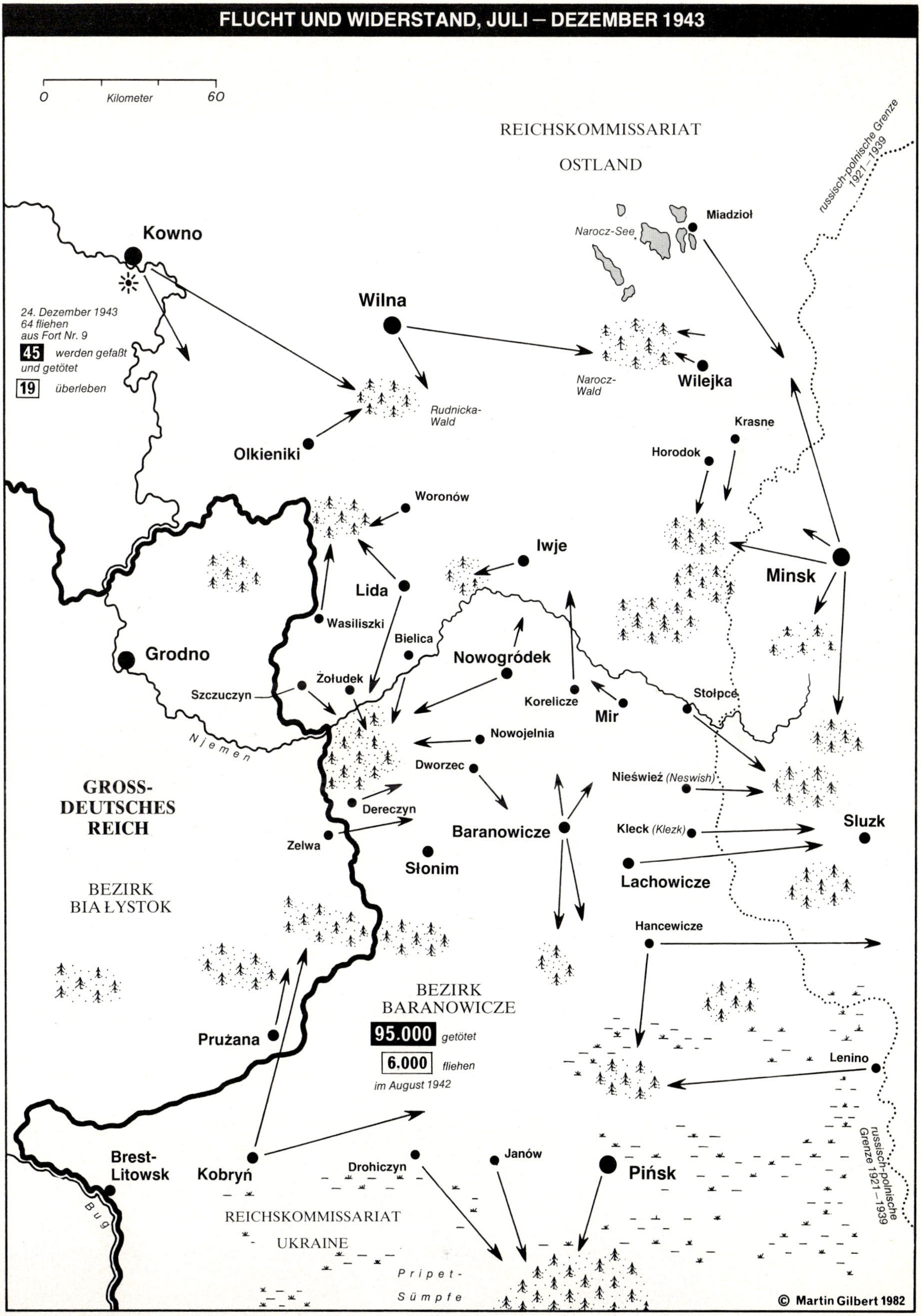
FLUCHT UND WIDERSTAND, JULI – DEZEMBER 1943
0
Kilometer
60
REICHSKOMMISSARIAT
OSTLAND
russisch-polnische Grenze 1921–1939
Miadzioł
Narocz-See
Kowno
24. Dezember 1943
64 fliehen
aus Fort Nr. 9
45 werden gefaßt
und getötet
19 überleben
Wilna
Narocz-Wald
Wilejka
Rudnicka-Wald
Krasne
Horodok
Olkieniki
Woronów
Iwje
Minsk
Lida
Wasiliszki
Bielica
Grodno
Nowogródek
Żołudek
Szczuczyn
Korelicze
Mir
Stołpce
Njemen
Nowojelnia
Dworzec
Nieśwież (Neswish)
GROSS-
DEUTSCHES
REICH
Dereczyn
Baranowicze
Kleck (Klezk)
Sluzk
Zelwa
Słonim
Lachowicze
BEZIRK
BIAŁYSTOK
Hancewicze
BEZIRK
BARANOWICZE
95.000 getötet
6.000 fliehen
im August 1942
Pružana
Lenino
Brest-
Litowsk
Kobryń
Drohiczyn
Janów
Pińsk
Bug
REICHSKOMMISSARIAT
UKRAINE
Pripet-
Sümpfe
© Martin Gilbert 1982

JUDEN, DIE NACH AUSCHWITZ DEPORTIERT UND DORT VERGAST WURDEN, JANUAR – FEBRUAR 1944

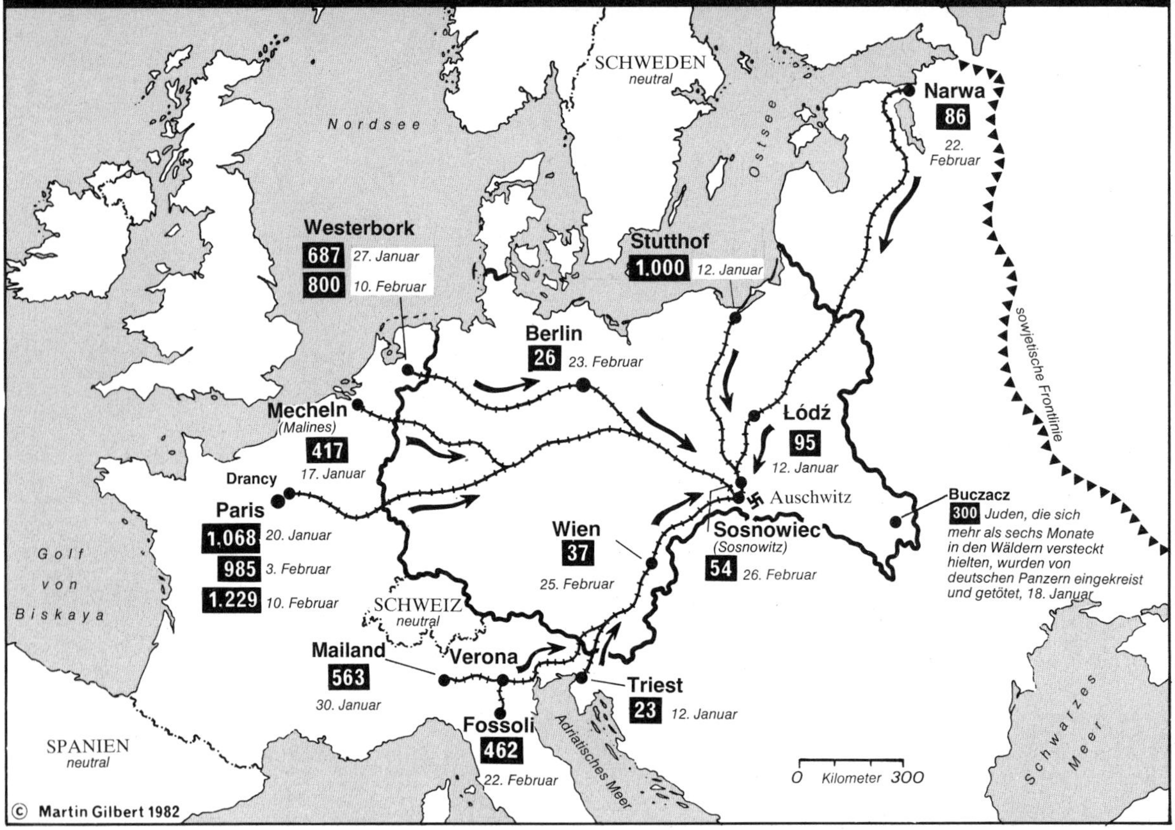
SCHWEDEN
neutral
Nordsee
Ostsee
Narwa
86
22. Februar
Westerbork
687 27. Januar
800 10. Februar
Stutthof
1.000 12. Januar
Berlin
26 23. Februar
sowjetische Frontlinie
Mecheln
(Malines)
417
17. Januar
Łódź
95
12. Januar
Drancy
Paris
1.068 20. Januar
985 3. Februar
1.229 10. Februar
Auschwitz
Buczacz
300 Juden, die sich mehr als sechs Monate in den Wäldern versteckt hielten, wurden von deutschen Panzern eingekreist und getötet, 18. Januar
Wien
37
25. Februar
Sosnowiec
(Sosnowitz)
54 26. Februar
Golf von Biskaya
SCHWEIZ
neutral
Mailand
563
30. Januar
Verona
Triest
23 12. Januar
Fossoli
462
22. Februar
SPANIEN
neutral
Adriatisches Meer
0 Kilometer 300
Schwarzes Meer
© Martin Gilbert 1982

GEBURTSORTE VON VIERUNDZWANZIG NACH AUSCHWITZ DEPORTIERTEN JUDEN, 22. JANUAR 1944

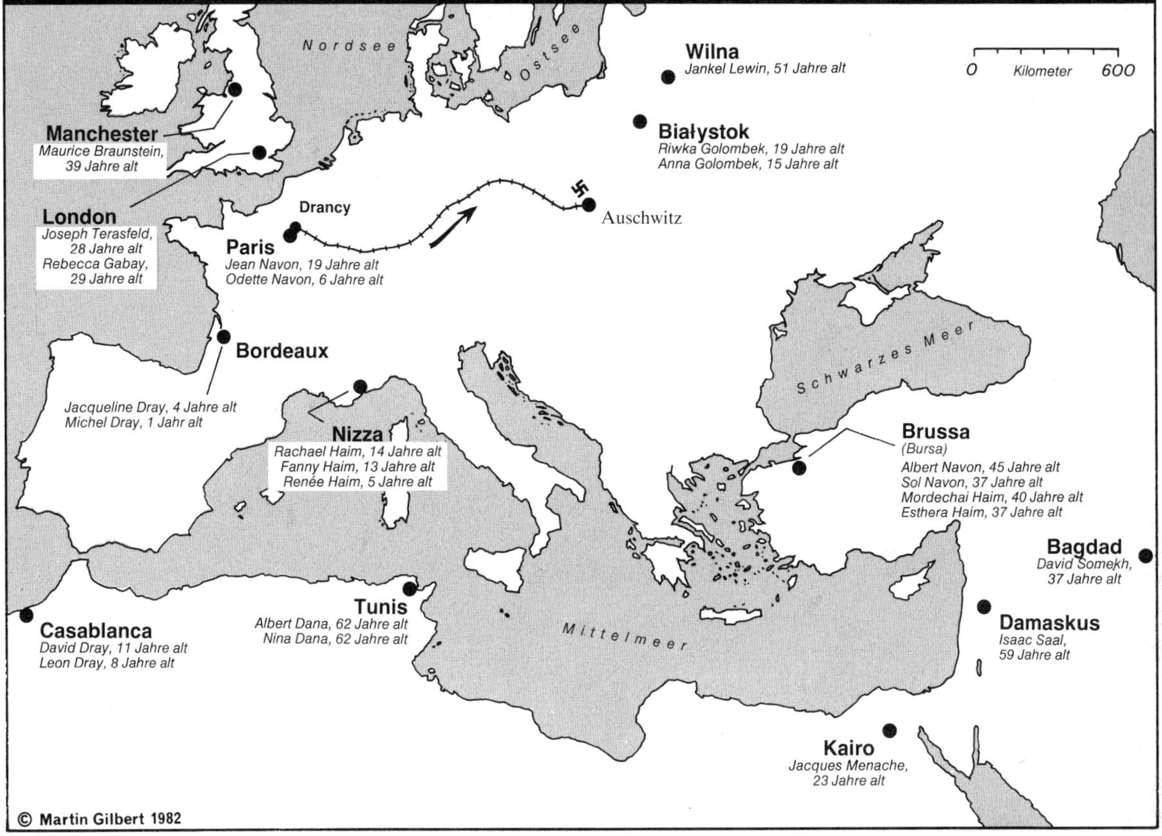
Nordsee
Ostsee
Wilna
Jankel Lewin, 51 Jahre alt
0 Kilometer 600
Manchester
Maurice Braunstein, 39 Jahre alt
Białystok
Riwka Golombek, 19 Jahre alt
Anna Golombek, 15 Jahre alt
London
Joseph Terasfeld, 28 Jahre alt
Rebecca Gabay, 29 Jahre alt
Drancy
Auschwitz
Paris
Jean Navon, 19 Jahre alt
Odette Navon, 6 Jahre alt
Bordeaux
Jacqueline Dray, 4 Jahre alt
Michel Dray, 1 Jahr alt
Schwarzes Meer
Nizza
Rachael Haim, 14 Jahre alt
Fanny Haim, 13 Jahre alt
Renée Haim, 5 Jahre alt
Brussa
(Bursa)
Albert Navon, 45 Jahre alt
Sol Navon, 37 Jahre alt
Mordechai Haim, 40 Jahre alt
Esthera Haim, 37 Jahre alt
Bagdad
David Somekh, 37 Jahre alt
Casablanca
David Dray, 11 Jahre alt
Leon Dray, 8 Jahre alt
Tunis
Albert Dana, 62 Jahre alt
Nina Dana, 62 Jahre alt
Mittelmeer
Damaskus
Isaac Saal, 59 Jahre alt
Kairo
Jacques Menache, 23 Jahre alt
© Martin Gilbert 1982

IN DER TÜRKEI GEBORENE JUDEN, DIE AUS PARIS DEPORTIERT WURDEN

BULGARIEN
Schwarzes Meer
Edirne
(Adrianopel)
EUROPÄISCHE TÜRKEI
Istanbul
OST-THRAKIEN
Silivri
Izmit
Gallipoli
(Gelibolu)
Marmara-meer
Adapazari
Tschanak
(Canakkale)
Brussa
(Bursa)
Pazarcik
TÜRKEI
neutral
Bergama
Ägäisches Meer
Manisa
Izmir
(Smyrna)
0 Kilometer 80
Aidin
© Martin Gilbert 1982

Die Karte auf der vorherigen Seite zeigt die Deportationen nach Auschwitz im Laufe des Januar und des Februar 1944. Die Daten beziehen sich auf die Ankunft der jeweiligen Züge in Auschwitz; in den schwarzen Kästen findet sich die Anzahl derer, die gemäß den in Auschwitz selbst von der SS geführten Listen tatsächlich vergast wurden. Insgesamt registrierte die SS in diesen beiden Monaten 13 Deportationen von der Ostsee bis zur Adria.

Die Karte oben zeigt Geburtsort und Alter von 24 Deportierten in einem jener 13 Deportationszüge: Es handelt sich um den Zug, der, aus Drancy kommend, am 22. Januar 1944 in Auschwitz eintraf. Er hatte Paris zwei Tage zuvor mit 632 Männern, 515 Frauen und 221 Kindern unter 18 Jahren verlassen. Von diesen 1368 Juden wurden 749 bei ihrer Ankunft in Auschwitz vergast. Neben denen, die auf der Karte genannt sind, stammten auch die übrigen deportierten Juden aus sämtlichen europäischen Ländern.

Unter den Juden, die von Paris nach Auschwitz deportiert wurden, waren mehr als 1000, deren Geburtsort in der Türkei lag, für die jedoch trotz der Neutralität der Türkei ihre Nationalität keinen Schutz bedeutete. Ihre Geburtsorte sind zum Teil auf der Karte rechts verzeichnet.

Das Foto zeigt Kinder in Westerbork, dem holländischen Deportations-Sammelpunkt, am Vorabend ihrer Deportation.

GEBURTSORTE VON DREISSIG NACH AUSCHWITZ DEPORTIERTEN JUDEN, 3. FEBRUAR 1944

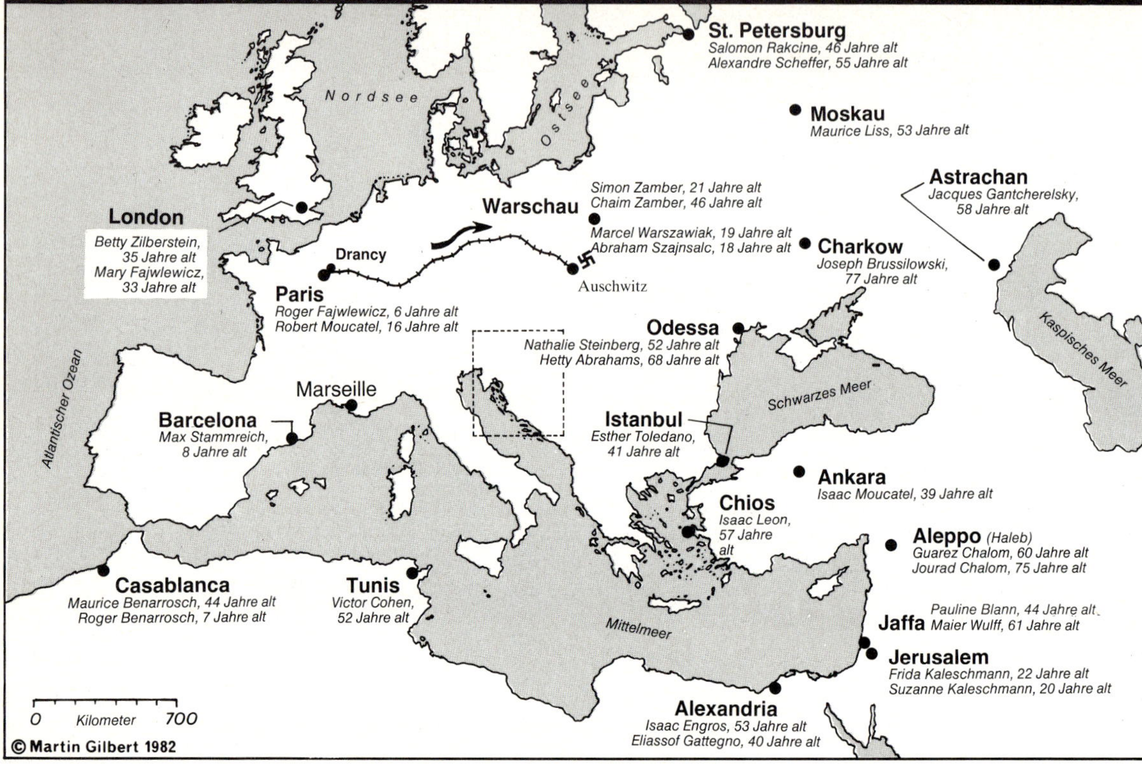
St. Petersburg
Salomon Rakcine, 46 Jahre alt
Alexandre Scheffer, 55 Jahre alt
Nordsee
Ostsee
Moskau
Maurice Liss, 53 Jahre alt
Astrachan
Jacques Gantcherelsky, 58 Jahre alt
Simon Zamber, 21 Jahre alt
Chaim Zamber, 46 Jahre alt
Warschau
Marcel Warszawiak, 19 Jahre alt
Abraham Szajnsalc, 18 Jahre alt
Charkow
Joseph Brussilowski, 77 Jahre alt
London
Betty Zilberstein, 35 Jahre alt
Mary Fajwlewicz, 33 Jahre alt
Drancy
Auschwitz
Paris
Roger Fajwlewicz, 6 Jahre alt
Robert Moucatel, 16 Jahre alt
Odessa
Nathalie Steinberg, 52 Jahre alt
Hetty Abrahams, 68 Jahre alt
Kaspisches Meer
Atlantischer Ozean
Marseille
Schwarzes Meer
Barcelona
Max Stammreich, 8 Jahre alt
Istanbul
Esther Toledano, 41 Jahre alt
Ankara
Isaac Moucatel, 39 Jahre alt
Chios
Isaac Leon, 57 Jahre alt
Aleppo (Haleb)
Guarez Chalom, 60 Jahre alt
Jourad Chalom, 75 Jahre alt
Casablanca
Maurice Benarrosch, 44 Jahre alt
Roger Benarrosch, 7 Jahre alt
Tunis
Victor Cohen, 52 Jahre alt
Mittelmeer
Pauline Blann, 44 Jahre alt
Jaffa Maier Wulff, 61 Jahre alt
Jerusalem
Frida Kaleschmann, 22 Jahre alt
Suzanne Kaleschmann, 20 Jahre alt
0 Kilometer 700
Alexandria
Isaac Engros, 53 Jahre alt
Eliassof Gattegno, 40 Jahre alt
© Martin Gilbert 1982

DIE JUDEN IM NORDEN DALMATIENS

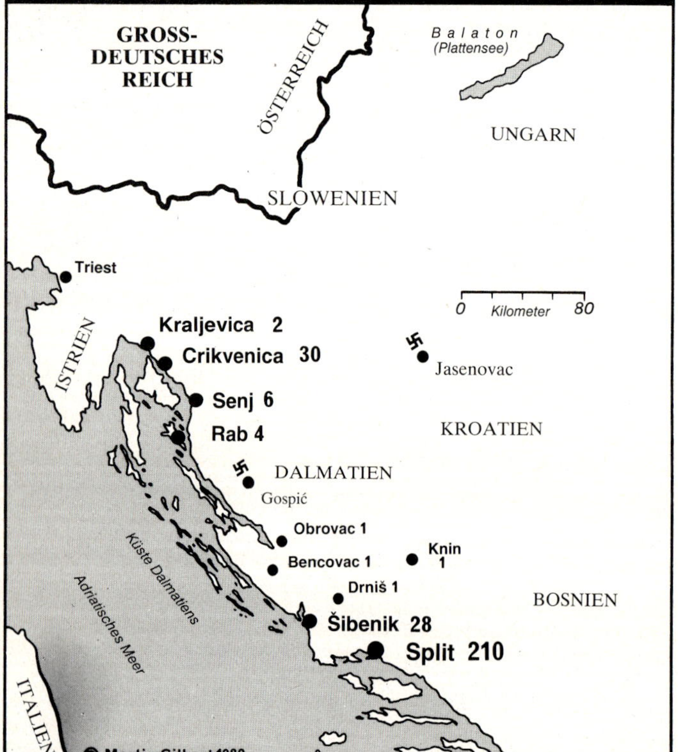
GROSS-
DEUTSCHES
REICH
ÖSTERREICH
Balaton
(Plattensee)
UNGARN
SLOWENIEN
Triest
0 Kilometer 80
ISTRIEN
Kraljevica 2
Crikvenica 30
Jasenovac
Senj 6
Rab 4
KROATIEN
DALMATIEN
Gospić
Obrovac 1
Knin 1
Bencovac 1
Küste Dalmatiens
Drniš 1
BOSNIEN
Adriatisches Meer
Šibenik 28
Split 210
ITALIEN
© Martin Gilbert 1982

Am 3. Februar 1944 verließ ein weiterer Zug Paris mit dem Ziel Auschwitz. Es war die siebenundsechzigste Deportation dieser Art innerhalb von knapp zwei Jahren. Die Karte oben zeigt Name, Geburtsort und Alter von 30 der Deportierten. Unter denen, die deportiert und bei ihrer Ankunft in Auschwitz vergast wurden, war der 39jährige Oberrabbiner von Straßburg, René Hirschler, gebürtig aus Marseille, sowie seine 32jährige Frau Simone. 1939 war Hirschler für jene jüdischen Flüchtlinge als Geistlicher tätig, die sich der französischen Fremdenlegion angeschlossen hatten, um gegen Deutschland zu kämpfen. Im März 1943 wurde er oberster Geistlicher für alle im Ausland geborenen Juden, die sich in französischen Internierungslagern befanden. Er und seine Frau waren im Dezember 1943 in Marseille festgenommen worden.

Insgesamt wurden in diesem einen Zug 1214 Juden deportiert. 14 der Deportierten waren über 80.

Mehr als 100 waren unter 16 Jahre alt. Nur 26 überlebten den Krieg.

Unter den am 3. Februar Deportierten waren vier Juden, die aus den Vereinigten Staaten stammten: die 89jährige Zadie Abraham, die 81jährige Clara Kahn, die 81jährige Pola Modiano und der 57jährige Michel Feldman (*S. 135*), außerdem Murad Gubbay, geboren in Kalkutta (*S. 127*) und der 17jährige Raymond Strauss, geboren in der brasilianischen Stadt São Paulo.

In der Karte auf der vorherigen Seite (*unten*) sind – gemäß der jugoslawischen Volkszählung vom 31. März 1931 – jüdische Gemeinden sowie einzelne jüdische Personen verzeichnet. Die Juden von Split konnten ihre Vorfahren bis ins 3. Jahrhundert n. Chr. zurückverfolgen.

Am 11. März 1944 wurden 300 Frauen und Kinder aus dem Norden Dalmatiens, die in Gospić interniert waren, in das kroatische Konzentrationslager Jasenovac deportiert (*rechts, unten*). Kein einziger überlebte.

1941, nach der Besetzung Dalmatiens durch die Italiener, wurde die Insel Rab, auf der 1931 eine einzige jüdische Familie gelebt hatte, zum Zentrum einer gewaltigen Flüchtlingsbevölkerung von Juden aus Österreich, Kroatien und Bosnien. Vielen war es gelungen, sich im September 1943 den jugoslawischen Partisanen anzuschließen; andere, in erster Linie Frauen und Kinder, wurden im März 1944 festgenommen und nach Auschwitz deportiert *(rechts, unten)*.

Die albanischen Juden hatten unter der Herrschaft der Italiener unbehelligt leben und überleben können. Die ersten Juden, die sich in Albanien niederließen, waren Flüchtlinge aus Spanien, die 1492 von dort vertrieben wurden. Im 16. Jahrhundert waren weitere Flüchtlinge aus Sizilien und Süditalien hinzugekommen. 1927 lebten die meisten albanischen Juden in Koritza (Korçë) *(rechts, oben)*. Nach 1938 suchten mehrere hundert jüdische Flüchtlinge aus Deutschland und Österreich Zuflucht in Tirana und Durazzo (Durrës). Nach dem Zusammenbruch Italiens im September 1943 blieben sie zunächst unbehelligt. Im April 1944 wurden sie dann auf deutschen Druck hin in Priština (Prishtinë) interniert und anschließend nach Bergen-Belsen deportiert. Von 400 albanischen Deportierten überlebten nur 100 den Krieg.

Diese März- und April-Deportationen fanden zu einer Zeit statt, als sich in Süditalien die alliierten Truppen Rom näherten und die sowjetischen Truppen bereits die Ostgrenze des Großdeutschen Reiches überschritten hatten und auf Lwów (Lemberg) vorrückten.

Gleichzeitig wurde am 7. März 1944 in Warschau der Historiker Emanuel Ringelblum von der Gestapo aufgespürt und zusammen mit seiner Familie gefoltert und getötet; er hatte sich darum bemüht, soviel Material wie möglich über das Warschauer Getto zu sammeln und zu retten, und es war ihm gelungen, sich nach dem Gettoaufstand im «arischen» Teil Warschaus zu verstecken. In anderen Teilen des «arischen» Warschau versteckten polnische Familien unter Gefährdung ihres eigenen Lebens mehrere tausend Juden, von denen die meisten den Krieg überlebten.

DIE INTERNIERUNG DER JUDEN ALBANIENS

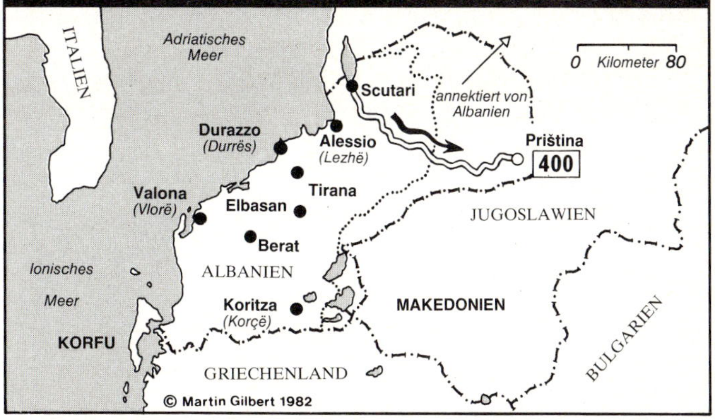
ITALIEN
Adriatisches Meer
0 Kilometer 80
Scutari
annektiert von Albanien
Durazzo (Durrës)
Alessio (Lezhë)
Priština
400
Tirana
Valona (Vlorë)
Elbasan
JUGOSLAWIEN
Berat
Ionisches Meer
ALBANIEN
Koritza (Korçë)
MAKEDONIEN
KORFU
BULGARIEN
GRIECHENLAND
© Martin Gilbert 1982

DREI DEPORTATIONEN, MÄRZ – APRIL 1944

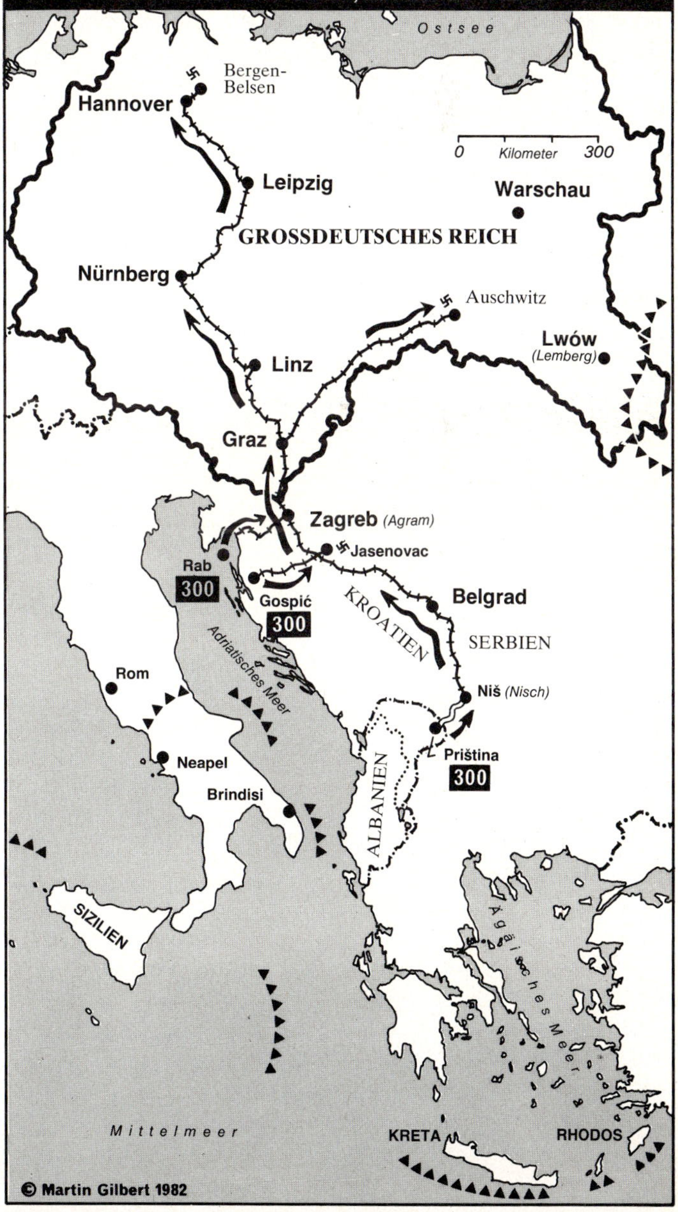
Ostsee
Bergen-Belsen
Hannover
0 Kilometer 300
Leipzig
Warschau
GROSSDEUTSCHES REICH
Nürnberg
Auschwitz
Lwów (Lemberg)
Linz
Graz
Zagreb (Agram)
Rab
300
Jasenovac
Gospić
300
Belgrad
KROATIEN
SERBIEN
Adriatisches Meer
Rom
Niš (Nisch)
Priština
300
Neapel
Brindisi
ALBANIEN
SIZILIEN
Ägäisches Meer
Mittelmeer
KRETA
RHODOS
© Martin Gilbert 1982

DIE DEPORTATION GRIECHISCHER JUDEN NACH AUSCHWITZ, 23. MÄRZ – 2. APRIL 1944

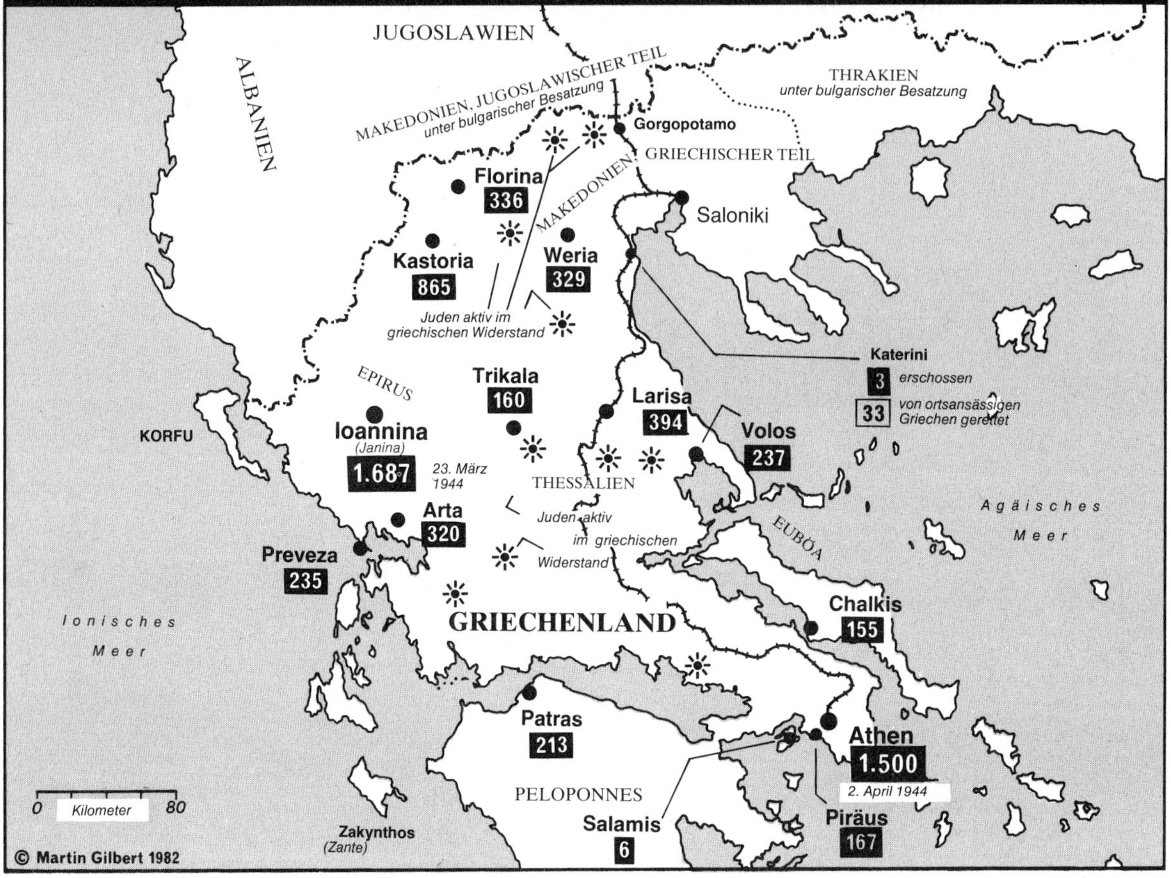
JUGOSLAWIEN
ALBANIEN
MAKEDONIEN, JUGOSLAWISCHER TEIL
unter bulgarischer Besatzung
THRAKIEN
unter bulgarischer Besatzung
Gorgopotamo
MAKEDONIEN
GRIECHISCHER TEIL
Florina
336
Saloniki
Kastoria
865
Weria
329
Juden aktiv im
griechischen Widerstand
Katerini
3
erschossen
33
von ortsansässigen
Griechen gerettet
EPIRUS
Trikala
160
Larisa
394
Volos
237
KORFU
Ioannina
(Janina)
1.687
23. März
1944
THESSALIEN
Agäisches
Meer
Arta
320
Juden aktiv
im griechischen
Widerstand
EUBÖA
Preveza
235
Chalkis
155
Ionisches
Meer
GRIECHENLAND
Patras
213
Athen
1.500
2. April 1944
PELOPONNES
0 Kilometer 80
Salamis
6
Piräus
167
Zakynthos
(Zante)
© Martin Gilbert 1982

Am 15. März 1944 stellten die deutschen Behörden auf dem ganzen griechischen Festland Trupps mit Lastwagen und Wachpersonal zusammen und begannen eine systematische Suche nach mehr als 10000 griechischen Juden. Der Hälfte von ihnen gelang es, in die Berge zu fliehen und Schutz bei den dort ansässigen Bauern zu finden, sich griechischen Partisaneneinheiten anzuschließen oder über das Ägäische Meer in die neutrale Türkei zu entkommen. Viele überlebten auf Grund einer Anordnung von Erzbischof Damaskinos, daß alle Mönchs- und Nonnenklöster in Athen und in den Provinzstädten jedem Juden Schutz zu gewähren hätten, der an ihre Tür klopfte. Doch mehr als 5000 griechische Juden wurden festgenommen und nach Auschwitz deportiert. Das bedeutete eine achttägige Reise in versiegelten Viehwagen. Bereits unterwegs starben Hunderte.

Im Westen kam es zu weiteren Deportationen aus Frankreich und Holland *(folgende Seite)*: In zwei Zügen aus Paris befanden sich Juden aus Hongkong, dem Senegal, Liverpool und Samarkand.

Im Osten gab es zwei Aufstände: Am 22. März 1944 wurden in Koldyczewo zehn SS-Aufseher getötet, und es gelang Hunderten von Gefangenen, zu fliehen und sich den Partisanen anzuschließen. 25 Ausbrecher wurden wieder eingefangen, unter ihnen der Anführer, der Selbstmord beging. Am 15. April 1944 *(siehe auch Seite 169)* versuchte eine Gruppe von Gefangenen, deren Aufgabe es war, die Spuren von Massenmorden zu vernichten, von Ponary zu fliehen. 25 wurden getötet; 15 gelang es, zu entkommen. Fünf Tage später wurden die verbliebenen 40 Mitglieder der Einheit umgebracht.

Tausende von Juden dienten und kämpften im französischen Widerstand und in jugoslawischen und griechischen Partisaneneinheiten *(oben)*. Mehr als 300 jüdische Soldaten aus der griechischen Armee sowie weitere 1000 Juden schlossen sich den griechischen Partisaneneinheiten an. Eine Gruppe von 40 jüdischen Partisanen beteiligte sich an der Sprengung der Brücke von Gorgopotamo, womit für die Deutschen die Eisenbahnverbindung zwischen Griechenland und dem Norden unterbrochen war. Die wichtigste nationale griechische Widerstandsorganisation im Gebiet von Trikala, Larisa und Volos wurde geführt von Moses Pesah, einem griechischen Rabbi.

Juden dienten auch in sowjetischen Partisaneneinheiten, die hinter den deutschen Linien mit Fallschirmen absprangen, um die Truppen- und Munitionstransporte der Deutschen zu stören. In der Gegend von Lublin gab es im März 1944 zahlreiche Ju-

DEPORTATIONEN, MASSAKER UND AUFSTÄNDE, MÄRZ – APRIL 1944

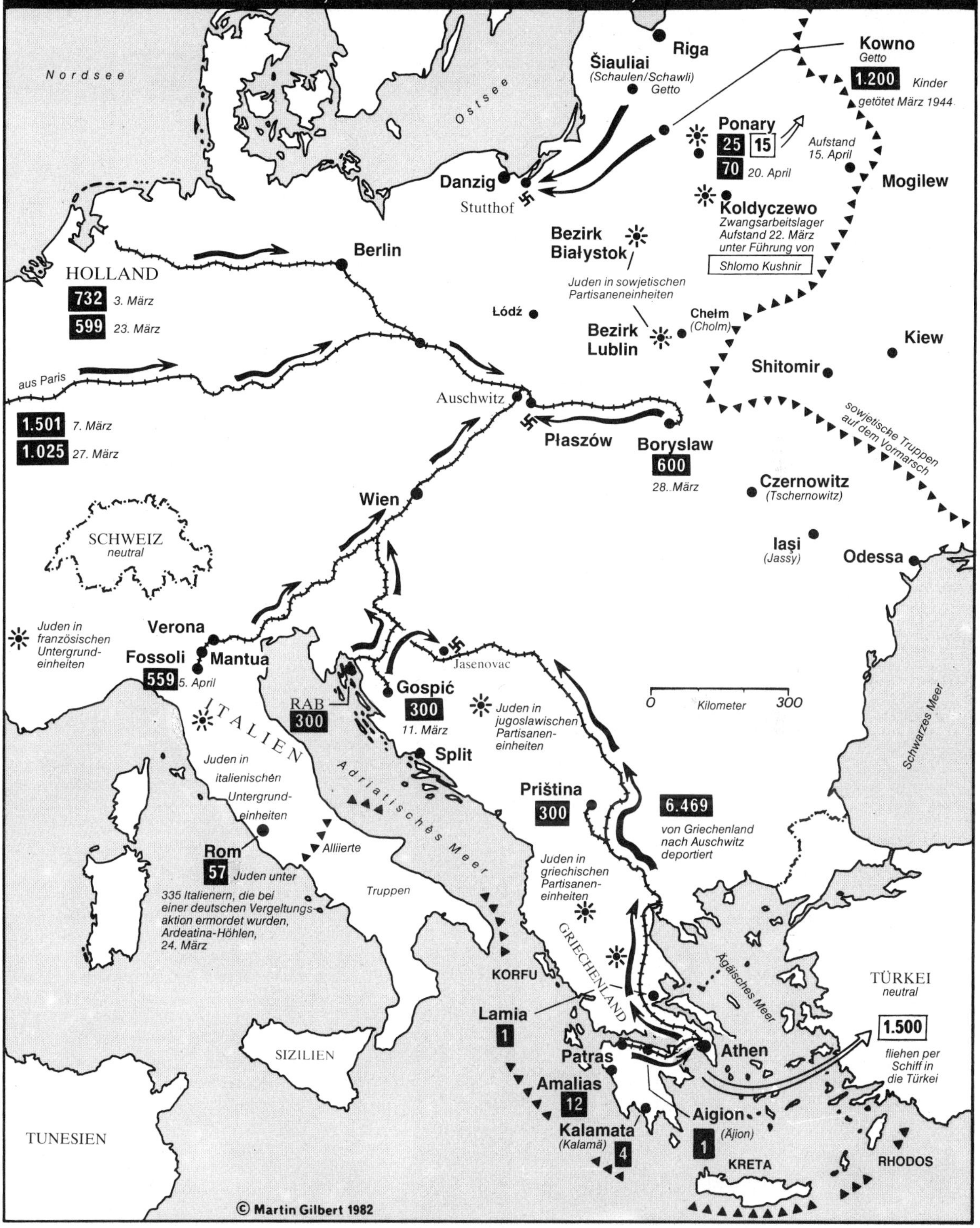
Nordsee
Ostsee
Riga
Šiauliai
(Schaulen/Schawli)
Getto
Kowno
Getto
1.200 Kinder
getötet März 1944
Ponary
25
15
Aufstand
15. April
70 20. April
Mogilew
Danzig
Stutthof
Koldyczewo
Zwangsarbeitslager
Aufstand 22. März
unter Führung von
Shlomo Kushnir
Bezirk
Białystok
Berlin
HOLLAND
732 3. März
599 23. März
Juden in sowjetischen
Partisaneneinheiten
Łódź
Chełm
(Cholm)
Bezirk
Lublin
Kiew
Shitomir
aus Paris
Auschwitz
1.501 7. März
1.025 27. März
Płaszów
Boryslaw
600
28. März
sowjetische Truppen
auf dem Vormarsch
Czernowitz
(Tschernowitz)
Wien
SCHWEIZ
neutral
Iaşi
(Jassy)
Odessa
Juden in
französischen
Untergrund-
einheiten
Verona
Fossoli
Mantua
559 5. April
Jasenovac
RAB
300
Gospić
300
11. März
Juden in
jugoslawischen
Partisanen-
einheiten
0 Kilometer 300
Schwarzes Meer
ITALIEN
Split
Juden in
italienischen
Untergrund-
einheiten
Adriatisches Meer
Priština
300
6.469
von Griechenland
nach Auschwitz
deportiert
Alliierte
Truppen
Rom
57 Juden unter
335 Italienern, die bei
einer deutschen Vergeltungs-
aktion ermordet wurden,
Ardeatina-Höhlen,
24. März
Juden in
griechischen
Partisanen-
einheiten
GRIECHENLAND
Ägäisches Meer
TÜRKEI
neutral
KORFU
Lamia
1
1.500
fliehen per
Schiff in
die Türkei
Patras
Athen
SIZILIEN
Amalias
12
Aigion
(Ájion)
1
Kalamata
(Kalamä)
4
KRETA
RHODOS
TUNESIEN
© Martin Gilbert 1982

den, die als Mitglieder sowjetischer Partisaneneinheiten über Polen mit Fallschirmen abgesprungen waren. Zu diesen Juden gehörten der Kommandant eines sowjetischen Fallschirm-Spezialbataillons, Oberstleutnant Henryk Torunczyk aus Łódź; sein stellvertretender Kommandant Joseph Kratko aus Chełm (Cholm); und der einzige weibliche Offizier des Bataillons, Leutnant Lucyna Herz, die im Kampf fiel, als sie eine Kompanie gegen eine deutsche Stellung an der Weichsel führte. Für ihre Tapferkeit wurde sie nachträglich in den Rang eines Hauptmanns der Roten Armee erhoben.

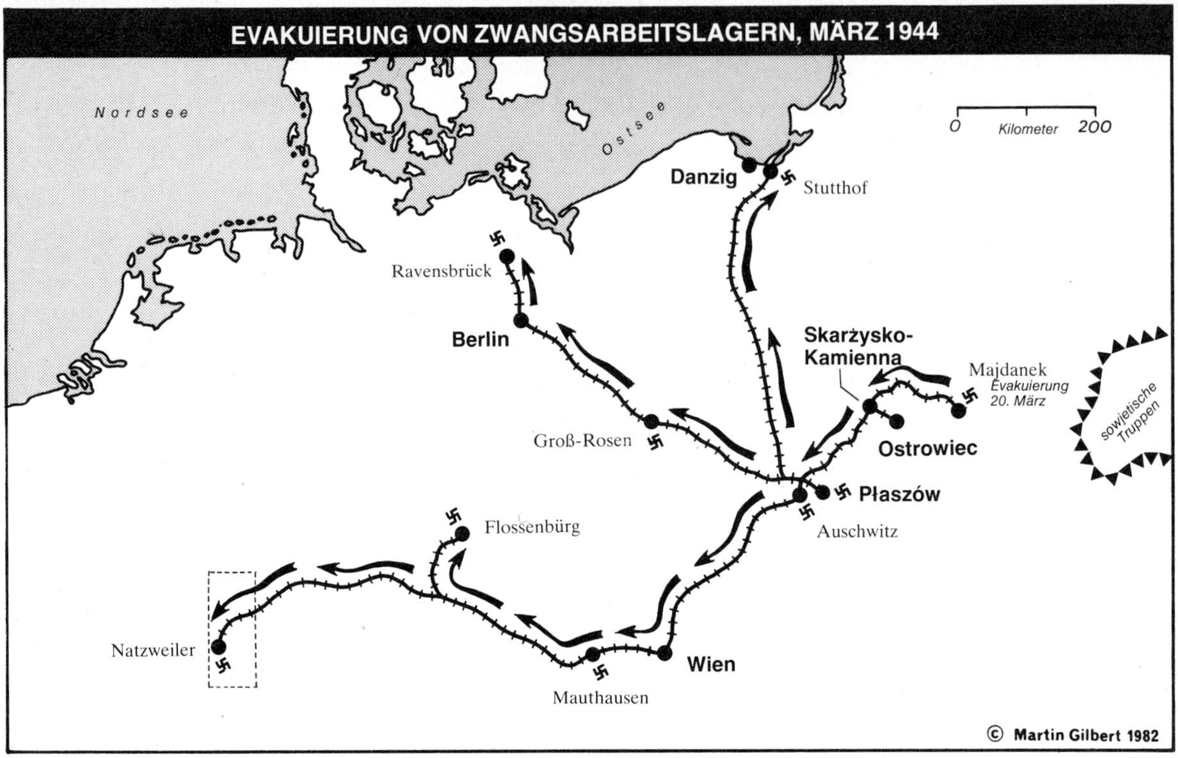
EVAKUIERUNG VON ZWANGSARBEITSLAGERN, MÄRZ 1944
Nordsee
Ostsee
0 Kilometer 200
Danzig
Stutthof
Ravensbrück
Berlin
Skarżysko-Kamienna
Majdanek
Evakuierung 20. März
sowjetische Truppen
Groß-Rosen
Ostrowiec
Płaszów
Flossenbürg
Auschwitz
Natzweiler
Wien
Mauthausen
© Martin Gilbert 1982

Während die sowjetischen Truppen weiter und weiter nach Westen vordrangen, begannen die Deutschen mit der systematischen Evakuierung von Zwangsarbeitslagern in jenen Gebieten, aus denen sie sich zurückzogen *(oben)*. Aus dem Lager in Płaszów wurden viele hundert Menschen nach Auschwitz, andere westwärts nach Mauthausen und Flossenbürg und einige nach Norden in das Konzentrationslager von Stutthof geschickt.

Als Majdanek selbst am 20. März 1944 evakuiert wurde, brachte man alle Kranken direkt nach Auschwitz, um sie dort zu vergasen, während die übrigen nach Groß-Rosen und die Frauen nach Ravensbrück und Natzweiler geschickt wurden.

Das Foto stammt aus dem Jahre 1980 und zeigt einige der Hunderttausende von Schuhen, die die Deutschen zwischen 1942 und 1944 ihren Opfern abnahmen, in der Hoffnung, ein technisches Verfahren zu finden, mit dessen Hilfe sich Schuhleder für praktische oder gar militärische Zwecke wiederverwenden ließe. Doch ein solches Verfahren war bis zur Evakuierung des Lagers nicht entdeckt worden. Die Schuhe blieben in ihrem ursprünglichen Lagerraum.

Auch als bereits die ersten Evakuierungen in Richtung Westen vorgenommen wurden, kam es noch zu weiteren Deportationen in den Osten. Die Deportationen aus Holland, Italien und Paris sind in den beiden kleinen Karten auf der folgenden Seite verzeichnet. Mehr als die Hälfte der nach Bergen-Belsen und Theresienstadt deportierten holländischen Juden überlebte. Doch von denen, die nach Auschwitz kamen, starben die meisten.

FÜNF DEPORTATIONEN AUS HOLLAND

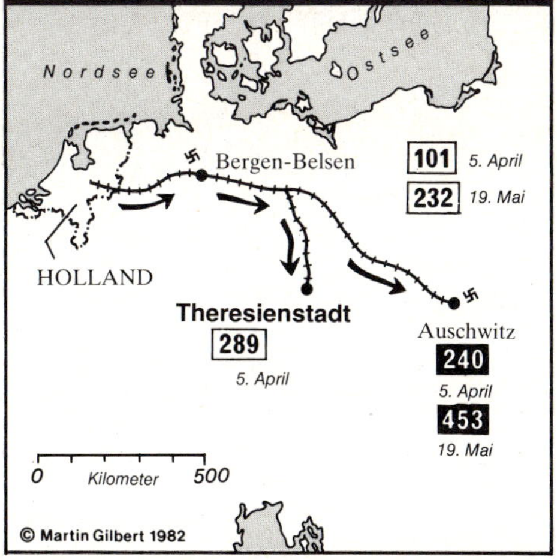
Nordsee
Ostsee
Bergen-Belsen
101 5. April
232 19. Mai
HOLLAND
Theresienstadt
289
5. April
Auschwitz
240
5. April
453
19. Mai
0 Kilometer 500
© Martin Gilbert 1982

DREI WEITERE DEPORTATIONEN

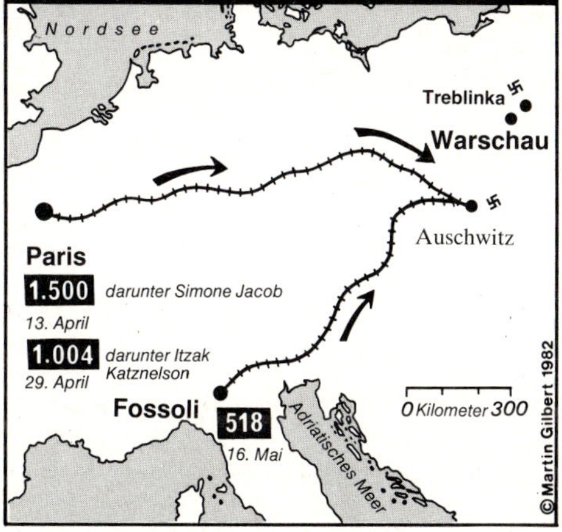
Nordsee
Treblinka
Warschau
Auschwitz
Paris
1.500 darunter Simone Jacob
13. April
1.004 darunter Itzak Katznelson
29. April
Fossoli
518
16. Mai
Adriatisches Meer
0 Kilometer 300
© Martin Gilbert 1982

Unter denjenigen, die am 13. April 1944 von Auschwitz deportiert wurden, befanden sich mehrere hundert Juden, die aus dem Elsaß stammten, jener französischen Provinz, die die Deutschen bereits 1870 und dann wieder 1940 annektiert hatten. Die Karte rechts zeigt einige der Städte und Dörfer, in denen die Deportierten geboren waren – zum großen Teil gerade in jener Zeit, als sich das Gebiet vor dem Ersten Weltkrieg unter deutscher Herrschaft befand.

Insgesamt wurden am 13. April 1944 1500 Juden von Paris nach Auschwitz deportiert, darunter 148 Kinder unter zwölf Jahren, sowie die 16jährige Simone Jacob, gebürtig aus Nizza. Simone Jacob war eine von 100 Deportierten dieses einen Zuges, die Auschwitz überlebten. Sie wurde später als Simone Veil Gesundheitsministerin in der französischen Regierung und im Juli 1979 Präsidentin des Europäischen Parlaments in Straßburg.

Unter denen, die zu der zweiten Deportation aus Paris in jenem Monat – am 29. April 1944 – gehörten und die getötet wurden, war der jiddische Dichter Itzak Katznelson aus Warschau. Seine Frau und der größte Teil seiner Familie war bereits in Treblinka umgebracht worden.

DEPORTIERTE, GEBOREN IM ELSASS, 13. APRIL 1944

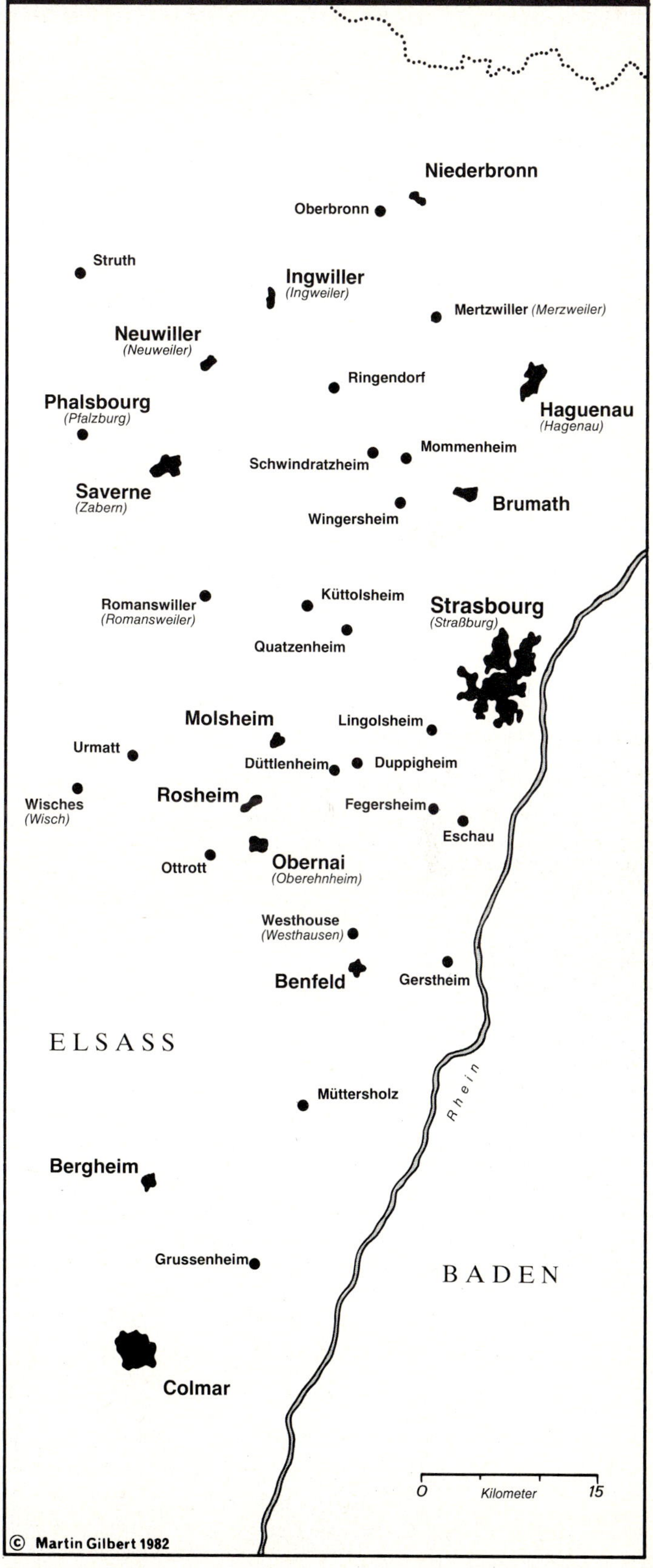
Niederbronn
Oberbronn
Struth
Ingwiller (Ingweiler)
Mertzwiller (Merzweiler)
Neuwiller (Neuweiler)
Ringendorf
Phalsbourg (Pfalzburg)
Haguenau (Hagenau)
Mommenheim
Schwindratzheim
Saverne (Zabern)
Wingersheim
Brumath
Romanswiller (Romansweiler)
Küttolsheim
Strasbourg (Straßburg)
Quatzenheim
Molsheim
Lingolsheim
Urmatt
Düttlenheim
Duppigheim
Wisches (Wisch)
Rosheim
Fegersheim
Eschau
Ottrott
Obernai (Oberehnheim)
Westhouse (Westhausen)
Benfeld
Gerstheim
ELSASS
Müttersholz
Rhein
Bergheim
Grussenheim
BADEN
Colmar
0 Kilometer 15
© Martin Gilbert 1982

DIE JUDEN IN UNGARN UND DIE DEUTSCHE BESATZUNG, 19. MÄRZ 1944

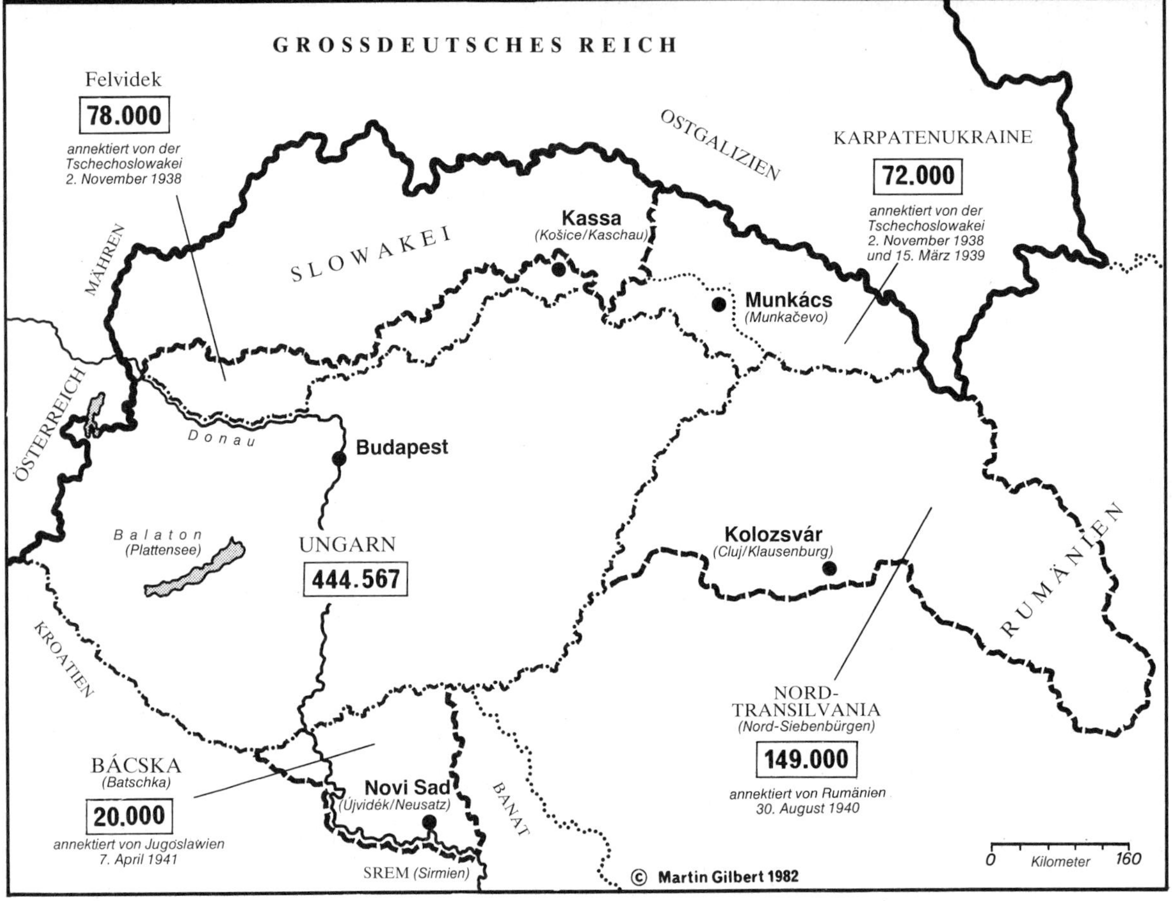
GROSSDEUTSCHES REICH
Felvidek
78.000
annektiert von der Tschechoslowakei 2. November 1938
OSTGALIZIEN
KARPATENUKRAINE
72.000
annektiert von der Tschechoslowakei 2. November 1938 und 15. März 1939
MÄHREN
SLOWAKEI
Kassa
(Košice/Kaschau)
Munkács
(Munkačevo)
ÖSTERREICH
Donau
Budapest
Balaton
(Plattensee)
UNGARN
444.567
Kolozsvár
(Cluj/Klausenburg)
RUMÄNIEN
KROATIEN
NORD-TRANSILVANIA
(Nord-Siebenbürgen)
149.000
annektiert von Rumänien 30. August 1940
BÁCSKA
(Batschka)
20.000
annektiert von Jugoslawien 7. April 1941
Novi Sad
(Újvidék/Neusatz)
BANAT
SREM (Sirmien)
© Martin Gilbert 1982
0 Kilometer 160

Am 19. März 1944 wurde Ungarn von den Deutschen besetzt. Von einem Tag auf den anderen kamen mehr als eine Dreiviertelmillion Juden unter Nazi-Herrschaft, die bis dahin vor faschistischem Terror und insbesondere vor der Deportation sicher gewesen schienen.

Mehr als eine Viertelmillion dieser Juden lebten in Gebieten, die Ungarn selbst zwischen 1938 und 1941 annektiert hatte, wie auf der Karte oben zu sehen ist. Ein solches Gebiet war die Bácska (Batschka), deren jüdische Gemeinden gemäß der jugoslawischen Volkszählung vom Jahre 1931 in der Karte auf der folgenden Seite verzeichnet sind.

Im Herbst 1941 hatte man mehr als 10000 Juden, deren ungarische Staatsbürgerschaft zweifelhaft war, nach Kamenez-Podolskij deportiert und dort ermordet *(S. 68)*. Einige Monate später, im Januar 1942, waren in der Bácska (Batschka) 1000 Juden niedergemetzelt worden *(S. 87)*.

Von den mehr als 50.000 ungarischen Juden, die man gezwungen hatte, in Arbeitsbataillonen an der Ostfront zu dienen und damit die Kriegsanstrengungen Ungarns gegen Rußland zu unterstützen, waren im Januar 1943 mindestens 40000 bei Kampfhandlungen gefallen oder nach dem Sieg der sowjetischen Armee am Don ums Leben gekommen *(S. 143)*.

Obwohl so viele Juden ihr Leben verloren hatten, widersetzte sich die ungarische Regierung 1943 entschieden zwei Aufforderungen seitens der Deutschen, ungarische Juden ins Großdeutsche Reich zu deportieren; sie begann sogar damit, gerichtliche Untersuchungen gegen diejenigen einzuleiten, die für die Morde in der Bácska (Batschka) im Jahre 1942 verantwortlich waren.

Hitler persönlich hatte zweimal bei der ungarischen Regierung gegen die, wie er es nannte, «unentschlossene und unwirksame» Handhabung der jüdischen Frage protestiert, und am 12. März 1944, eine Woche vor der deutschen Besetzung Ungarns, begann die SS, die vollständige Vernichtung des ungarischen Judentums zu planen.

Innerhalb weniger Wochen, nachdem die Deutschen in Ungarn die Herrschaft an sich gerissen hatten, wurden Zehntausende von Juden aus ihren Städten und Dörfern vertrieben und in Gettos und Sonderlagern untergebracht *(S. 186)*.

Das Foto zeigt eine Deportation aus einer Stadt in der Provinz Felvidek, die Ungarn im November 1938 von der Tschechoslowakei annektiert hatte.

JÜDISCHE GEMEINDEN IN DER BÁCSKA (BATSCHKA), DEREN MITGLIEDER INTERNIERT WURDEN

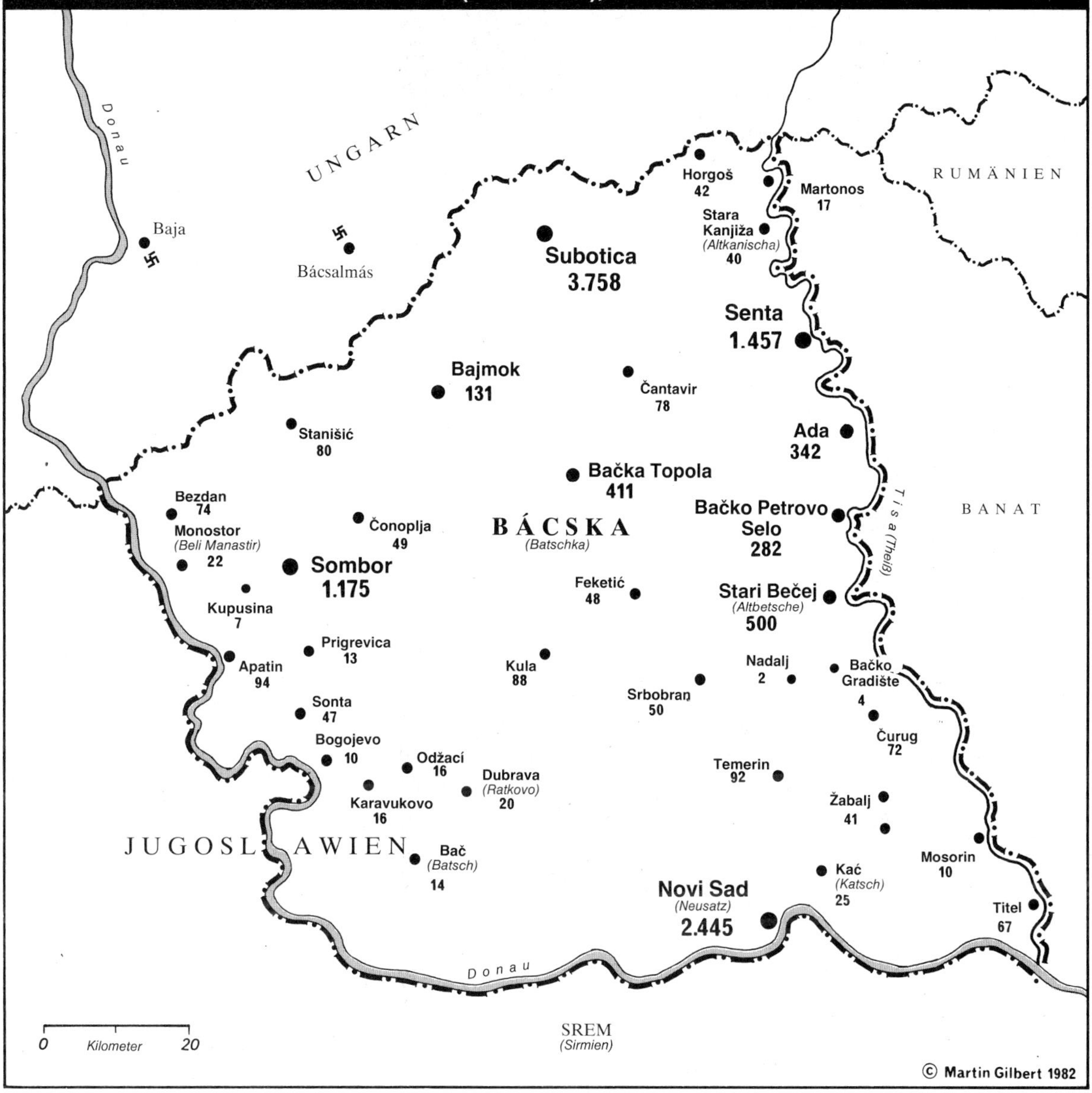
Donau
UNGARN
Baja
Bácsalmás
Horgoš
42
Martonos
17
Stara Kanjiža
(Altkanischa)
40
RUMÄNIEN
Subotica
3.758
Senta
1.457
Bajmok
131
Čantavir
78
Stanišić
80
Ada
342
Bačka Topola
411
Bezdan
74
Monostor
(Beli Manastir)
22
Čonoplja
49
BÁCSKA
(Batschka)
Bačko Petrovo Selo
282
Tisa (Theiß)
BANAT
Sombor
1.175
Kupusina
7
Feketić
48
Stari Bečej
(Altbetsche)
500
Prigrevica
13
Apatin
94
Kula
88
Nadalj
2
Bačko Gradište
4
Srbobran
50
Sonta
47
Čurug
72
Bogojevo
10
Odžaci
16
Dubrava
(Ratkovo)
20
Temerin
92
Karavukovo
16
Žabalj
41
JUGOSLAWIEN
Bač
(Batsch)
14
Mosorin
10
Kać
(Katsch)
25
Novi Sad
(Neusatz)
2.445
Titel
67
Donau
0 Kilometer 20
SREM
(Sirmien)
© Martin Gilbert 1982

ZUR DEPORTATION VERSAMMELTE JUDEN, 16. APRIL – 23. MAI 1944

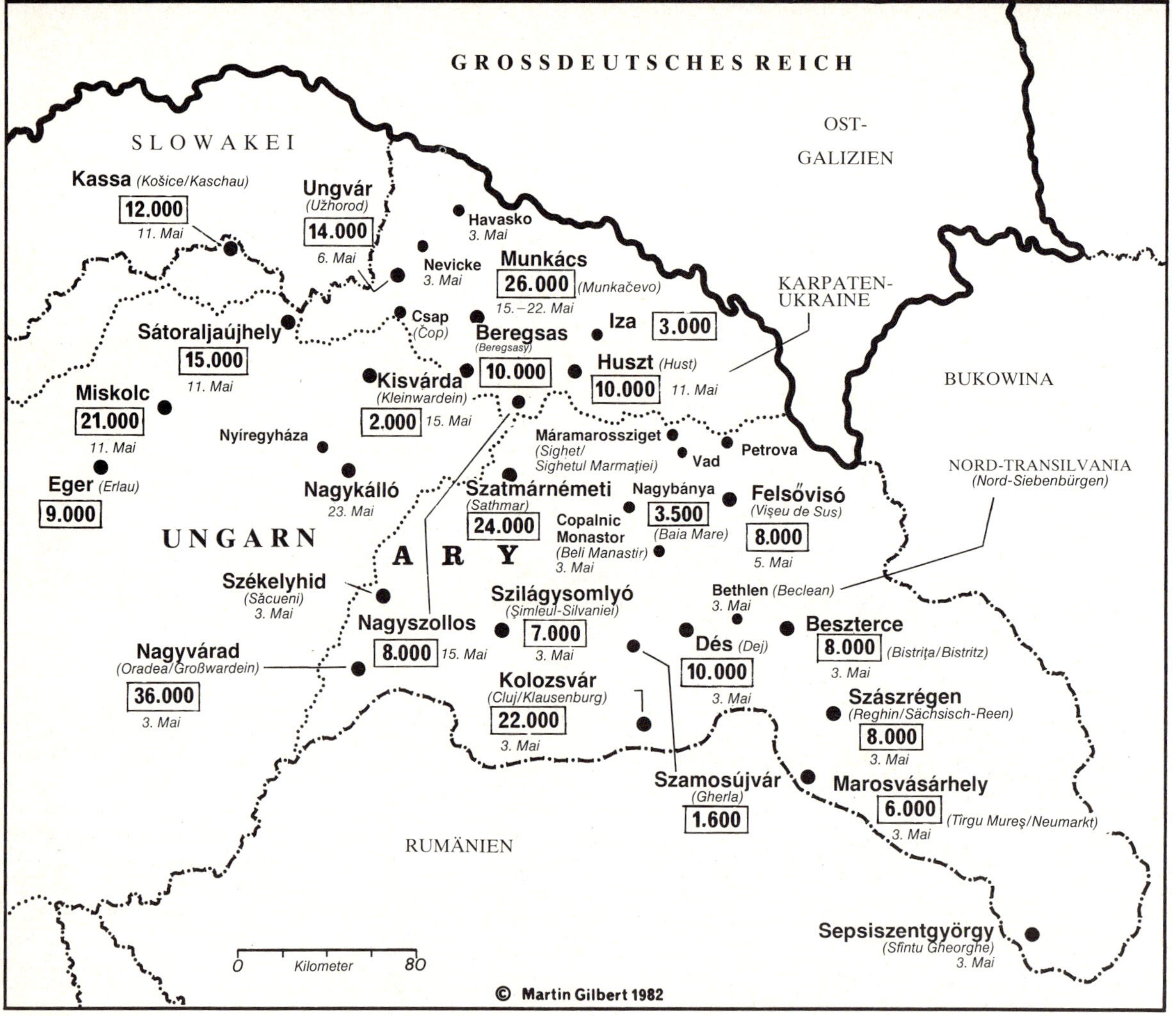
GROSSDEUTSCHES REICH
SLOWAKEI
OST-GALIZIEN
Kassa (Košice/Kaschau) 12.000 11. Mai
Ungvár (Užhorod) 14.000 6. Mai
Havasko 3. Mai
Nevicke 3. Mai
Munkács 26.000 (Munkačevo) 15.–22. Mai
Csap (Čop)
Beregsas (Beregsasy) 10.000
Iza 3.000
Huszt (Hust) 10.000 11. Mai
KARPATEN-UKRAINE
Sátoraljaújhely 15.000 11. Mai
Kisvárda (Kleinwardein) 2.000 15. Mai
Miskolc 21.000 11. Mai
Nyíregyháza
Máramarossziget (Sighet/Sighetul Marmației)
Vad
Petrova
BUKOWINA
Eger (Erlau) 9.000
Nagykálló 23. Mai
Szatmárnémeti (Sathmar) 24.000
Nagybánya 3.500 (Baia Mare)
Felsővisó (Vişeu de Sus) 8.000 5. Mai
NORD-TRANSILVANIA (Nord-Siebenbürgen)
UNGARN
A R Y
Copalnic Monastor (Beli Manastir) 3. Mai
Székelyhid (Săcueni) 3. Mai
Szilágysomlyó (Şimleul-Silvaniei) 7.000 3. Mai
Bethlen (Beclean) 3. Mai
Nagyszollos 8.000 15. Mai
Beszterce 8.000 (Bistriţa/Bistritz) 3. Mai
Nagyvárad (Oradea/Großwardein) 36.000 3. Mai
Dés (Dej) 10.000 3. Mai
Kolozsvár (Cluj/Klausenburg) 22.000 3. Mai
Szászrégen (Reghin/Sächsisch-Reen) 8.000 3. Mai
Szamosújvár (Gherla) 1.600
Marosvásárhely 6.000 (Tirgu Mureş/Neumarkt) 3. Mai
RUMÄNIEN
Sepsiszentgyörgy (Sfîntu Gheorghe) 3. Mai
0 Kilometer 80
© Martin Gilbert 1982

Ab dem 15. April 1944 wurden Zehntausende ungarischer Juden gezwungen, ihre Wohnungen und Häuser zu verlassen und in speziell dafür vorgesehene Gettogebiete zu ziehen. Die Karte oben zeigt einige dieser Gettos mit den ungefähren Zahlen ihrer Bewohner.

Wenn die Gestapo in ungarische Städte oder Dörfer eindrang, gehörte es zu ihren Methoden, einige einflußreiche Bürger festzunehmen und ihre Ermordung anzudrohen, sofern die Gemeinde nicht ein Lösegeld zahlte. Auf diese Weise verarmten die Juden der betreffenden Städte von einem Tag auf den anderen und hatten nicht einmal mehr das Geld, sich Eisenbahnfahrkarten zu kaufen. Die Lösegeld-Aktionen ließen auch die SS glaubwürdig erscheinen: Sie hatte versprochen, die Geiseln freizulassen, sobald das Lösegeld bezahlt würde, und sie hielt ihr Wort. Wenn die SS dann sagte: «Wir haben Befehl, euch zur Arbeit in Ziegeleien und auf Bauernhöfe zu bringen *und euch wird kein Haar gekrümmt werden*», so klang das plausibel. «Schon bald», so erklärte die SS denen, die auf diese Weise ihre Freiheit verloren, «werdet ihr in den Osten fahren und dort bei der Ernte helfen.»

Am 15. Mai 1944 *(folgende Seite, oben)* begannen die Deportationen nach Auschwitz. Bis Mitte Juni waren aus der Karpartenukraine und aus Nord-Transilvania (Nord-Siebenbürgen) insgesamt 289357 Juden nach Auschwitz deportiert worden *(siehe auch Seite 196–201)*.

Die Karte auf der folgenden Seite unten zeigt 63 Städte und Dörfer im Osten Ungarns sowie jeweils die ungefähre Anzahl von Juden, die in dem betreffenden Ort lebten *und* von denen bekannt ist, daß sie nach Auschwitz deportiert und dort vergast worden sind. In Miskolc und Sátoraljaújhely wurden Hunderte von Juden erschossen, als sie sich weigerten, die Züge zu besteigen.

Einen Eindruck vom Ausmaß der Vernichtungen in anderen Teilen Ungarns während der Sommermonate des Jahres 1944 vermitteln die Karten auf den Seiten 196 bis 201.

DEPORTATIONEN AUS DEM ÖSTLICHEN UNGARN, 15. MAI – 7. JUNI 1944

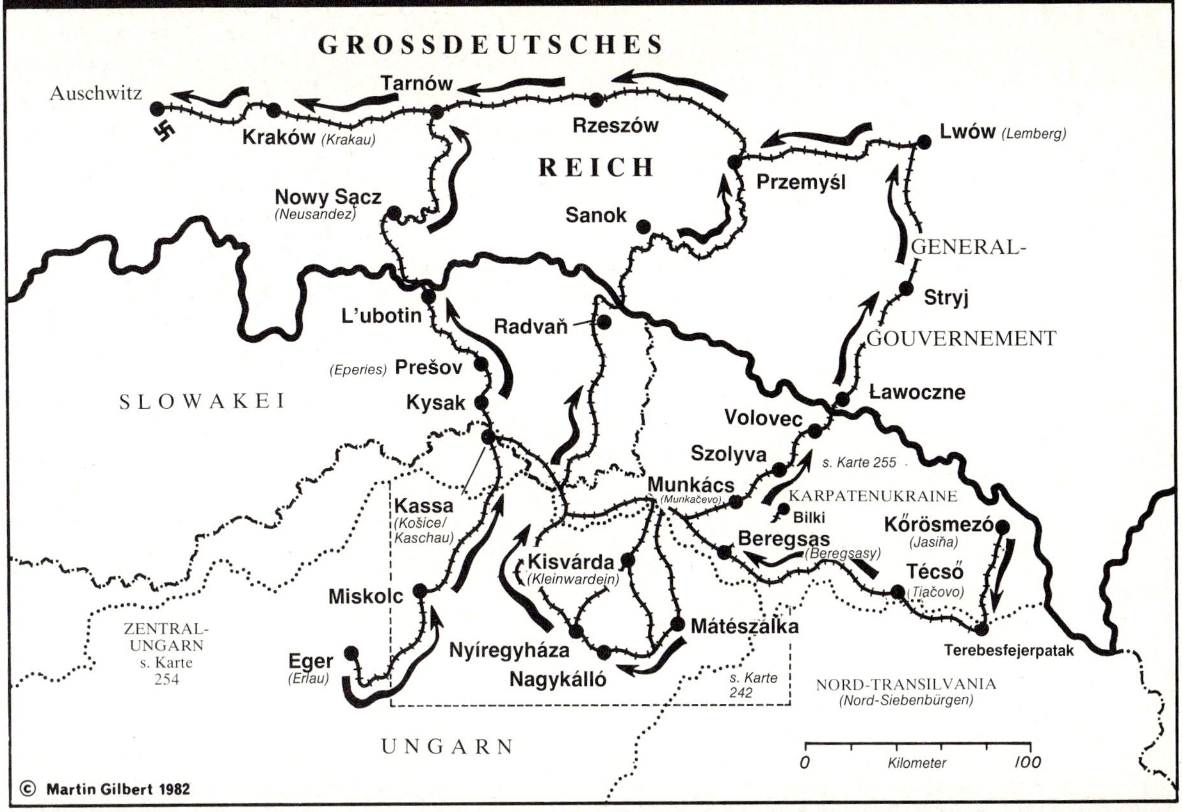
GROSSDEUTSCHES
REICH
Auschwitz
Tarnów
Kraków (Krakau)
Rzeszów
Lwów (Lemberg)
Przemyśl
Nowy Sącz (Neusandez)
Sanok
GENERAL-
GOUVERNEMENT
Stryj
L'ubotin
Radvaň
(Eperies) Prešov
Kysak
SLOWAKEI
Ławoczne
Volovec
Szolyva
s. Karte 255
Munkács (Munkačevo)
KARPATENUKRAINE
Bilki
Kassa (Košice/ Kaschau)
Kőrösmező (Jasiňa)
Beregsas (Beregsasy)
Kisvárda (Kleinwardein)
Técső (Tiačovo)
Miskolc
ZENTRAL-
UNGARN
s. Karte
254
Eger (Erlau)
Nyíregyháza
Mátészalka
Nagykálló
Terebesfejerpatak
s. Karte 242
NORD-TRANSILVANIA
(Nord-Siebenbürgen)
UNGARN
0
Kilometer
100
© Martin Gilbert 1982

DIE VERNICHTUNG EINIGER JÜDISCHER GEMEINDEN IN UNGARN, 15. MAI – 7. JUNI 1944

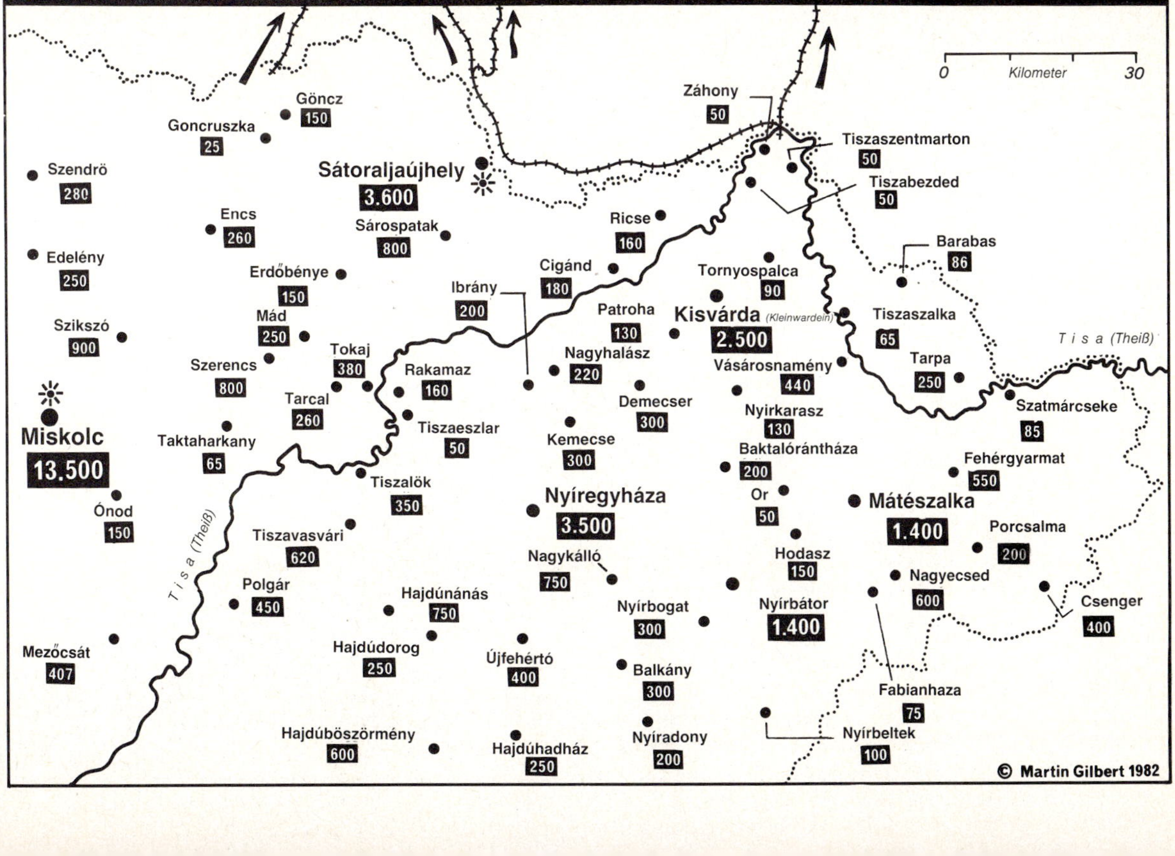
0
Kilometer
30
Göncz 150
Goncruszka 25
Záhony 50
Tiszaszentmarton 50
Szendrö 280
Sátoraljaújhely 3.600
Tiszabezded 50
Encs 260
Sárospatak 800
Ricse 160
Edelény 250
Barabas 86
Erdőbénye 150
Cigánd 180
Tornyospalca 90
Ibrány 200
Mád 250
Patroha 130
Kisvárda (Kleinwardein) 2.500
Tiszaszalka 65
Szikszó 900
Tokaj 380
Nagyhalász 220
Tisa (Theiß)
Szerencs 800
Rakamaz 160
Vásárosnamény 440
Tarpa 250
Tarcal 260
Demecser 300
Szatmárcseke 85
Miskolc 13.500
Tiszaeszlar 50
Nyirkarasz 130
Taktaharkany 65
Kemecse 300
Baktalórántháza 200
Fehérgyarmat 550
Tiszalök 350
Ónod 150
Nyíregyháza 3.500
Or 50
Mátészalka 1.400
Tiszavasvári 620
Porcsalma 200
Tisa (Theiß)
Hodasz 150
Nagykálló 750
Nagyecsed 600
Polgár 450
Hajdúnánás 750
Nyírbogat 300
Nyírbátor 1.400
Csenger 400
Mezőcsát 407
Hajdúdorog 250
Újfehértó 400
Balkány 300
Fabianhaza 75
Hajdúböszörmény 600
Hajdúhadház 250
Nyíradony 200
Nyírbeltek 100
© Martin Gilbert 1982

DIE PARIS-DEPORTATIONEN VOM 15. MAI 1944

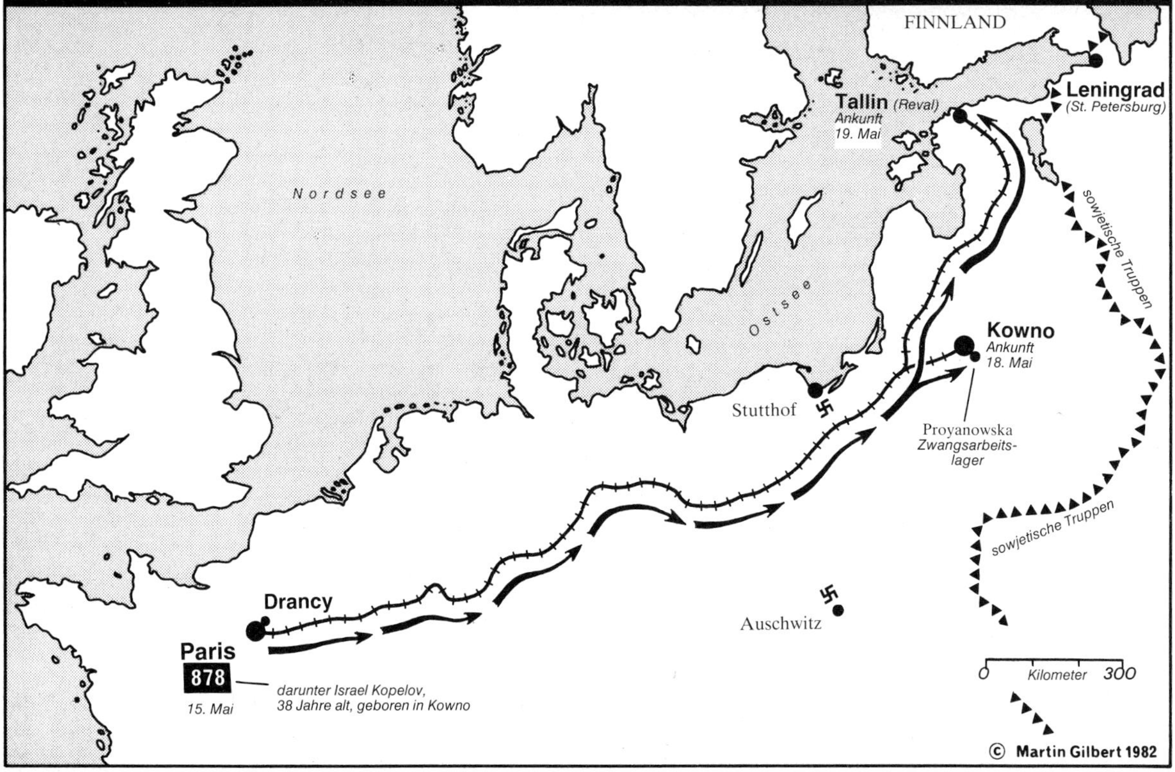
FINNLAND
Leningrad
(St. Petersburg)
Tallin (Reval)
Ankunft
19. Mai
Nordsee
Ostsee
sowjetische Truppen
Kowno
Ankunft
18. Mai
Stutthof
Proyanowska
Zwangsarbeits-
lager
sowjetische Truppen
Drancy
Auschwitz
Paris
878
15. Mai
darunter Israel Kopelov,
38 Jahre alt, geboren in Kowno
0 Kilometer 300
© Martin Gilbert 1982

GEBURTSORTE EINIGER DER AM 15. MAI 1944 AUS PARIS DEPORTIERTEN

außerdem
Moses Algaze-Razon,
geboren in Havana, Kuba,
23 Jahre alt
Tallin
(Reval)
St. Pertersburg
(Leningrad)
Nordsee
Ostsee
Riga
Moskau
Dwinsk (Dünaburg)
Jacob Boguslawski,
26 Jahre alt
Kowno
Wilna
Mołczadz
Atlantischer
Ozean
London
Amsterdam
Berlin
Warschau
Kobryń
Brüssel
Łódź
Lublin
Kiew
Drancy
Frankfurt
Kraków
(Krakau)
Sokal
Paris
Strasbourg
(Straßburg)
Lwów (Lemberg)
Brno (Brünn)
Wien
Dijon
Zürich
Budapest
Kischinew
Odessa
Bordeaux
Szombathely
(Steinamanger)
Makó
Iaşy (Jassy)
Lyon
Genf
Pécs (Fünfkirchen)
Ismail
Sewastopol
Avignon
Belgrad
Bukarest
Sulina
Baku
Abraham
Jakoubowitsch,
22 Jahre
alt
Kaspisches Meer
Marseille
Adriatisches Meer
Warna
Schwarzes Meer
(Adrianopel) Edirne
Rom
Saloniki
Konstantinopel
Brussa (Bursa)
Ägäisches Meer
Izmir (Smyrna)
Oran
Algier
Tunis
Aidin
Emmanuel
Cohen,
54 Jahre alt
Bagdad
Arnold David,
32 Jahre alt
Rabat
Simon Kadosh,
20 Jahre alt
Tlemcen
Constantine
Damaskus
Safed
Mittelmeer
Georges Quaziz,
19 Jahre alt
Jaffa
Jerusalem
Haim Epstein,
39 Jahre alt
0 Kilometer 800
Georges Sirkis, 37 Jahre alt
© Martin Gilbert 1982

GEBURTSORTE EINIGER DER VON PARIS NACH AUSCHWITZ DEPORTIERTEN, 20. MAI 1944

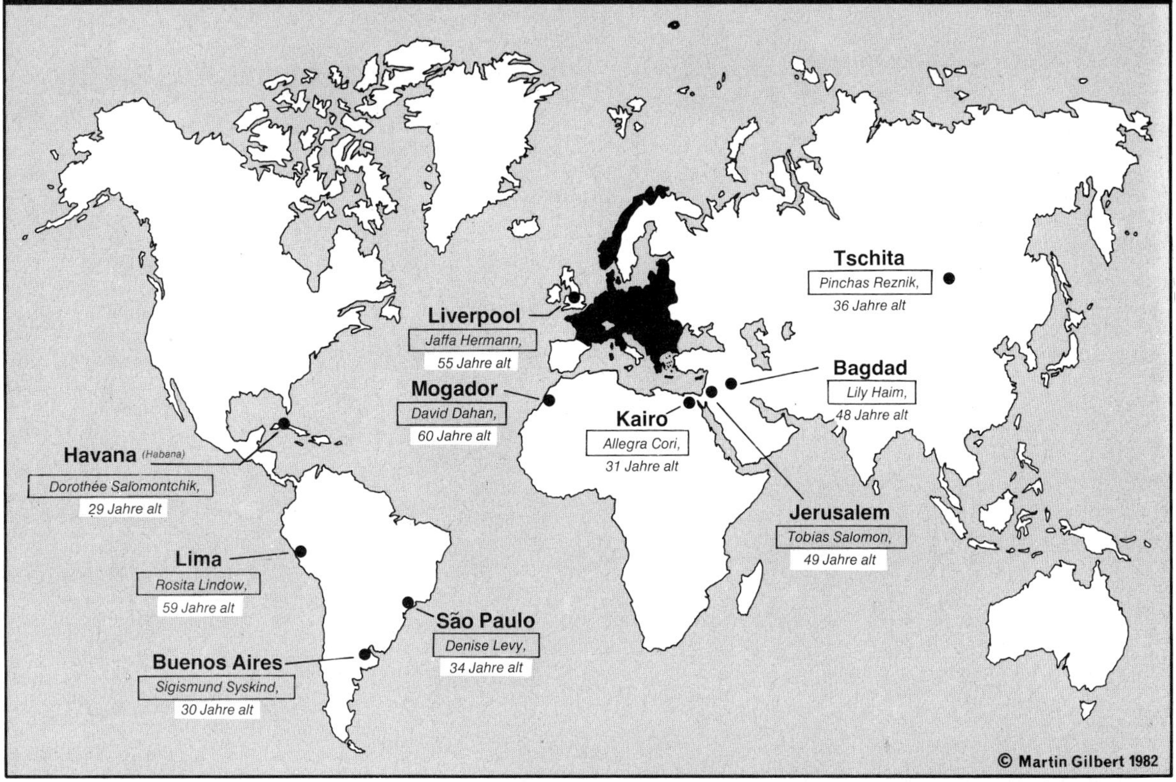
Tschita
Pinchas Reznik,
36 Jahre alt
Liverpool
Jaffa Hermann,
55 Jahre alt
Bagdad
Lily Haim,
48 Jahre alt
Mogador
David Dahan,
60 Jahre alt
Kairo
Allegra Cori,
31 Jahre alt
Havana (Habana)
Dorothée Salomontchik,
29 Jahre alt
Jerusalem
Tobias Salomon,
49 Jahre alt
Lima
Rosita Lindow,
59 Jahre alt
São Paulo
Denise Levy,
34 Jahre alt
Buenos Aires
Sigismund Syskind,
30 Jahre alt
© Martin Gilbert 1982

Genau an jenem Tag, an dem die ersten Deportationen von Ungarn nach Auschwitz stattfanden, verließ ein Zug Paris mit 15 Viehwaggons, in die 878 Juden gesperrt waren. Es handelte sich ausschließlich um Männer. Ziel ihrer Reise war nicht Auschwitz, sondern Kowno.

Nach drei Tagen und drei Nächten erreichten sie am 18. Mai 1944 ihren Bestimmungsort und wurden in das Zwangsarbeitslager Proyanowska geschickt. Dort wurden 160 von ihnen erschossen und die übrigen sechs Wochen später zusammen mit anderen Juden aus Kowno evakuiert *(S. 200)*.

Fast 260 der Deportierten waren nach Tallin (Reval) weitergeschickt worden. Sechs Tage nach ihrer Ankunft wurden 60 von ihnen zur Arbeit gebracht, doch niemand sah sie je wieder. Die übrigen führten Reparaturarbeiten an einem Flugplatz aus; am 14. Juli wurden 60 von ihnen in einen nahe gelegenen Wald gebracht und erschossen. Am 14. August wurden 100 Kranke auf eine Reise mit «unbekanntem Ziel» geschickt. Vier Tage darauf wurden die 34 Überlebenden nach Stutthof evakuiert *(S. 206)*: 15 überlebten den Krieg.

Die untere Karte auf der vorherigen Seite zeigt die Geburtsorte einiger derer, die am 15. Mai deportiert wurden. Die Karte oben zeigt die Geburtsorte von zehn Deportierten, die in dem Zug waren, der fünf Tage später von Paris nach Auschwitz geschickt wurde. Wie einige Tausend der in Auschwitz Ermordeten waren auch sie zwischen den Kriegen nach Westeuropa emigriert. Das Foto zeigt einen Juden im Augenblick der Abreise von Paris.

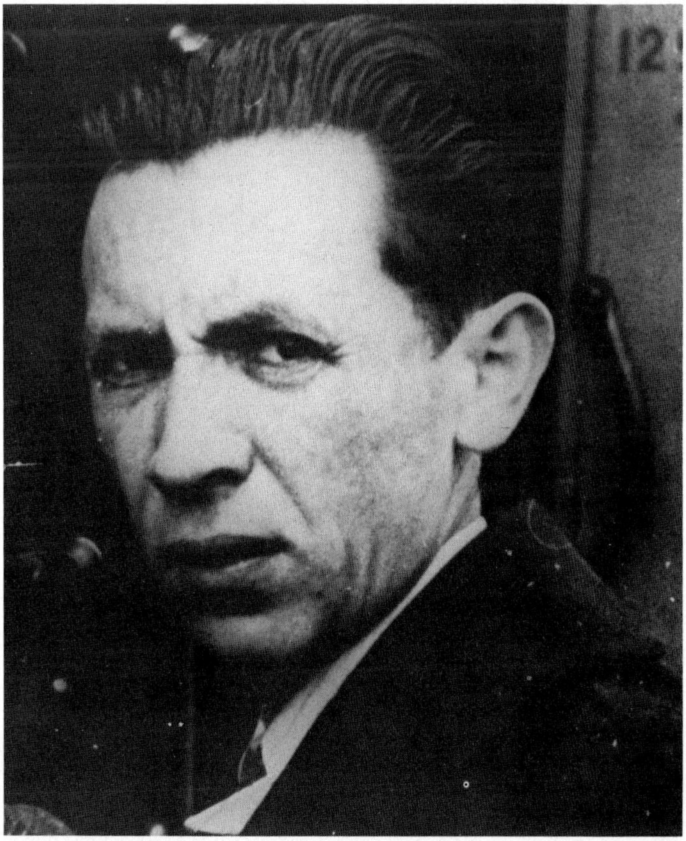

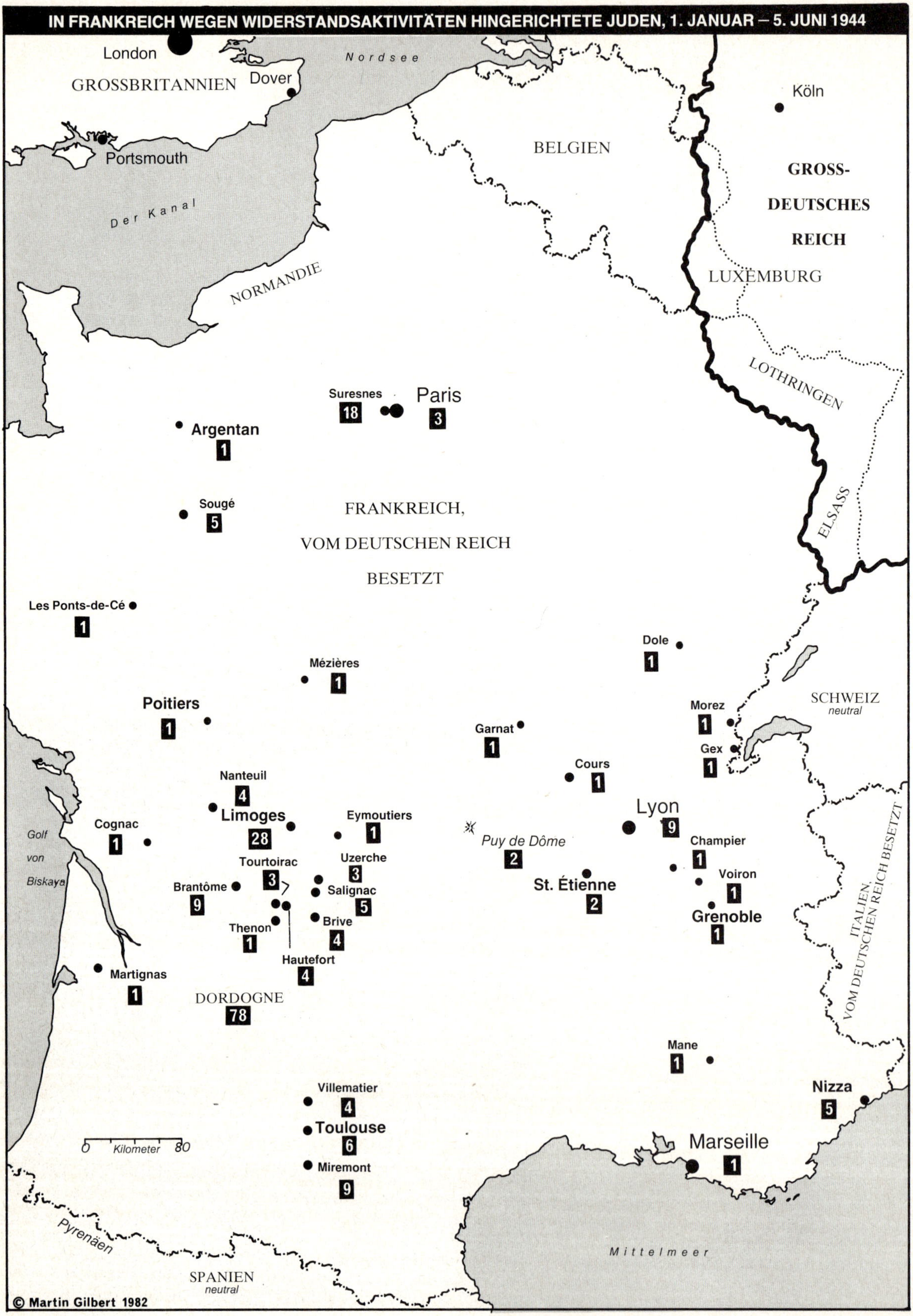
IN FRANKREICH WEGEN WIDERSTANDSAKTIVITÄTEN HINGERICHTETE JUDEN, 1. JANUAR – 5. JUNI 1944
London
GROSSBRITANNIEN
Dover
Nordsee
Köln
Portsmouth
BELGIEN
GROSS-
DEUTSCHES
REICH
Der Kanal
NORMANDIE
LUXEMBURG
LOTHRINGEN
Suresnes 18
Paris 3
Argentan 1
Sougé 5
FRANKREICH,
VOM DEUTSCHEN REICH
BESETZT
ELSASS
Les Ponts-de-Cé 1
Dole 1
Mézières 1
Poitiers 1
Morez 1
SCHWEIZ
neutral
Garnat 1
Gex 1
Cours 1
Nanteuil 4
Limoges 28
Lyon 9
Cognac 1
Eymoutiers 1
Golf
von
Biskaya
Puy de Dôme 2
Champier 1
Tourtoirac 3
Uzerche 3
Voiron 1
Brantôme 9
Salignac 5
St. Étienne 2
Grenoble 1
Thenon 1
Brive 4
ITALIEN,
VOM DEUTSCHEN REICH BESETZT
Hautefort 4
Martignas 1
DORDOGNE 78
Mane 1
Villematier 4
Nizza 5
Toulouse 6
0 Kilometer 80
Marseille 1
Miremont 9
Pyrenäen
Mittelmeer
SPANIEN
neutral
© Martin Gilbert 1982

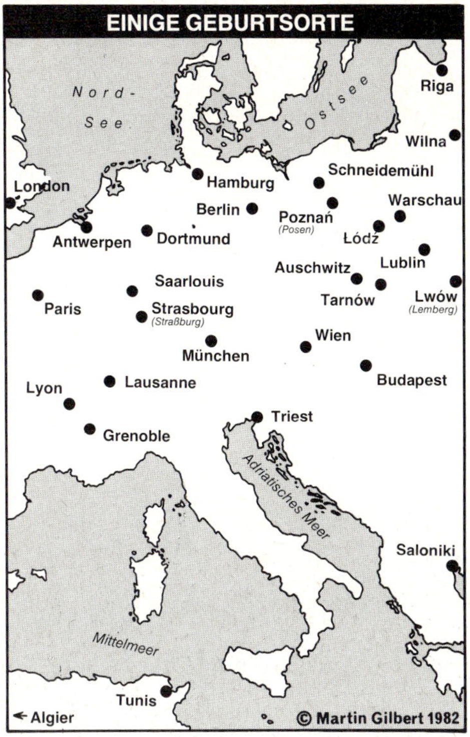
EINIGE GEBURTSORTE
Nord-
See
Ostsee
Riga
Wilna
Schneidemühl
London
Hamburg
Warschau
Berlin
Poznań
(Posen)
Łódź
Antwerpen
Dortmund
Lublin
Auschwitz
Saarlouis
Lwów
(Lemberg)
Tarnów
Paris
Strasbourg
(Straßburg)
Wien
München
Budapest
Lyon
Lausanne
Triest
Grenoble
Adriatisches Meer
Saloniki
Mittelmeer
Tunis
Algier
© Martin Gilbert 1982

In den sechs Monaten vor der Landung der Alliierten in der Normandie wurden in Frankreich mehr als 250 Juden hingerichtet, weil sie sich im Widerstand betätigt oder Sabotageakte ausgeführt hatten. Die Orte der Hinrichtung von 229 von ihnen sind hier dargestellt *(vorherige Seite)*. Über die Hälfte von ihnen waren in den zehn Jahren vor dem Zweiten Weltkrieg als Immigranten oder Flüchtlinge nach Frankreich gekommen, das ihnen Arbeit und Sicherheit bot.

Unter den 28 Juden, die in Limoges hingerichtet wurden, war der 67jährige Victor Rubinstein, gebürtig aus New York. 19 der Hingerichteten stammten aus Warschau, acht aus Budapest, fünf aus Berlin, fünf aus Wien und drei aus Algier.

Einer der sechs in Toulouse hingerichteten Juden, Mandel Langer, war 1903 in Auschwitz geboren. Haim Matem wurde 1898 in Jerusalem geboren, als es noch Teil des Osmanischen Reiches war.

Die Karte links zeigt eine Reihe weiterer Geburtsorte der Deportierten.

Das Foto zeigt ein Erschießungskommando der Gestapo in Frankreich bei der Hinrichtung eines jüdischen Mitgliedes der Résistance.

JUDEN, GRIECHEN UND ITALIENER ERTRINKEN VOR PHOLEGANDROS, 6. JUNI 1944

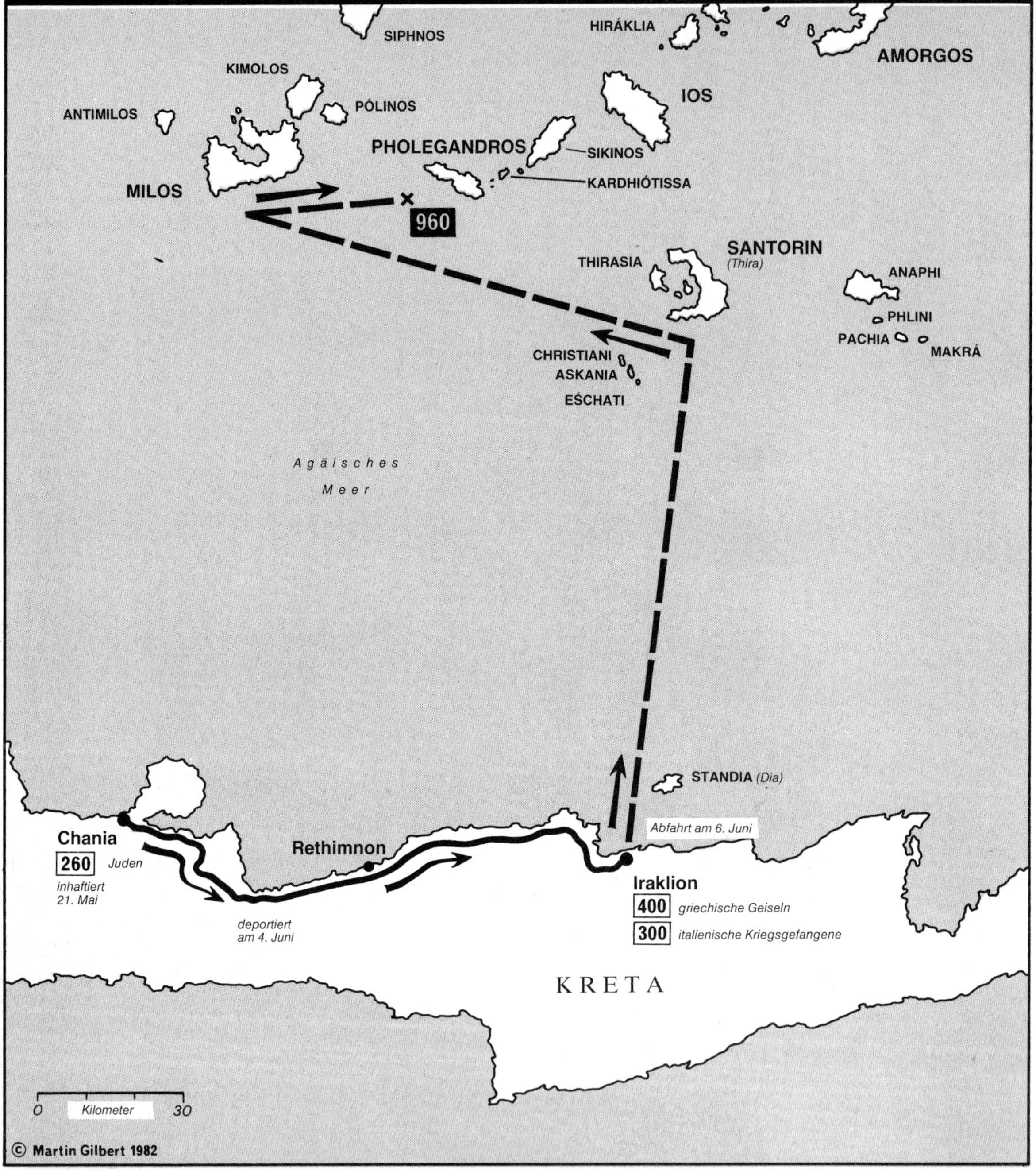
SIPHNOS
HIRÁKLIA
AMORGOS
KIMOLOS
IOS
ANTIMILOS
PÓLINOS
PHOLEGANDROS
SIKINOS
KARDHIÓTISSA
MILOS
960
SANTORIN
(Thira)
THIRASIA
ANAPHI
PHLINI
PACHIA
MAKRÁ
CHRISTIANI
ASKANIA
EŚCHATI
Agäisches
Meer
STANDIA (Dia)
Abfahrt am 6. Juni
Chania
260 Juden
inhaftiert
21. Mai
Rethimnon
deportiert
am 4. Juni
Iraklion
400 griechische Geiseln
300 italienische Kriegsgefangene
KRETA
0 Kilometer 30
© Martin Gilbert 1982

Auf Kreta hatten Juden seit der Zeit der Römer gelebt. Häufig unterdrückt, vertrauten sie sich 440 n. Chr. einem Pseudo-Messias an, der versprach, sie «trocknen Fußes» über das Meer in das Gelobte Land zu führen. Hunderte ertranken.

Am 21. Mai 1944 nahm die Gestapo alle 260 Juden von Chania sowie jene fünf Familien fest, die in Rethimnon lebten. Am 4. Juni wurden sie alle nach Iraklion deportiert, wo sie zwei Tage später auf ein Schiff kamen, das sie über das Ägäische Meer in Richtung Santorin (Thira) auf den Weg brachte.

Zusammen mit den Juden wurden 400 griechische Zivilisten deportiert, die als Geiseln festgenommen worden waren, sowie 300 italienische Kriegsgefangene, die mehr als vier Jahre als Verbündete an Deutschlands Seite gekämpft hatten. Sie wurden 120 Seemeilen über das Meer gebracht, wo das Schiff absichtlich versenkt wurde, so daß alle an Bord ertranken.

Nur sieben kretische Juden überlebten den Krieg – in einem Versteck.

Obwohl die alliierten Truppen in Süditalien stan-

DIE GERETTETEN JUDEN VON ZAKYNTHOS (ZANTE)
KEPHALLENIA
Kap Skinari
Volimaes
Katastari
Zakynthos
(Zante)
Muzákion
ZAKYNTHOS
(Zante)
Kiliomenon
Keri
Ionisches
Meer
Kap Marathia
© Martin Gilbert 1982
0 Kilometer 15

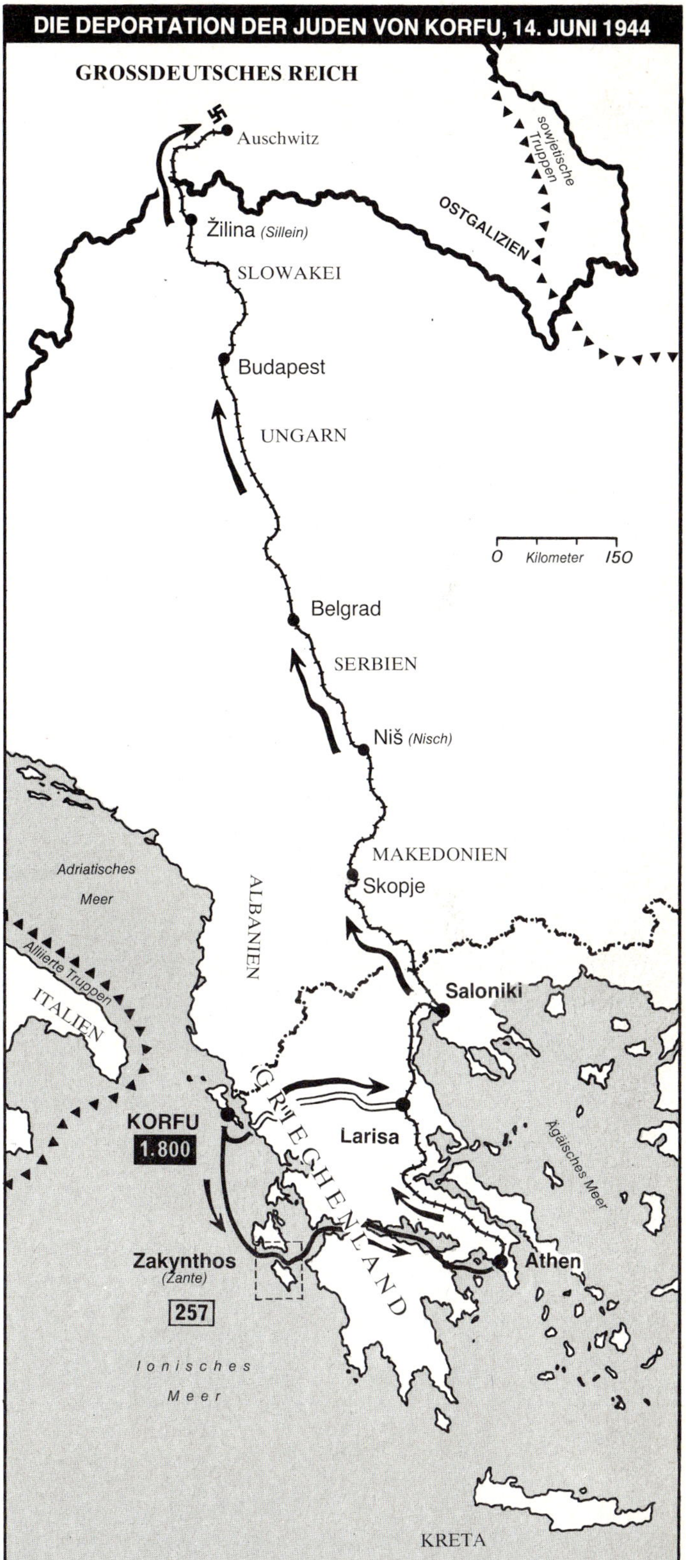
DIE DEPORTATION DER JUDEN VON KORFU, 14. JUNI 1944
GROSSDEUTSCHES REICH
Auschwitz
sowjetische Truppen
OSTGALIZIEN
Žilina (Sillein)
SLOWAKEI
Budapest
UNGARN
0 Kilometer 150
Belgrad
SERBIEN
Niš (Nisch)
MAKEDONIEN
Skopje
Adriatisches
Meer
ALBANIEN
Alliierte Truppen
ITALIEN
Saloniki
GRIECHENLAND
KORFU
1.800
Larisa
Ägäisches Meer
Zakynthos
(Zante)
257
Athen
Ionisches
Meer
KRETA
© Martin Gilbert 1982

den und die Sowjets nach Ostgalizien vordrangen, suchte die SS nach wie vor Juden, um sie nach Auschwitz zu deportieren. Eines der Gebiete ihrer Suche waren die Inseln im Ionischen Meer, unter anderem Zakynthos (Zante) und Korfu, das damals nur 50 Seemeilen von den alliierten Truppen in Süditalien entfernt lag.

Auf Korfu *(rechts)* hatten seit dem 13. Jahrhundert Juden gelebt. Während der Belagerung der Insel durch die Türken im Jahre 1716 hatten sich die Juden bei der Verteidigung der Insel hervorgetan. Während der Besetzung durch die Italiener von April 1941 bis September 1943 hatte es keine ernstzunehmende Unterdrückung gegeben, und auch als die Deutschen am 27. September 1943 die Insel besetzten, kam es nicht gleich zu Verfolgungen. Doch am 6. Juni 1944 nahm die Gestapo alle 1800 Juden fest, und acht Tage später wurden sie – wie es hieß, als «Umsiedler» – nach Polen deportiert. Die Frauen wurden auf dem Landwege nach Larisa gebracht, die Männer fuhren mit dem Schiff. Solange sie auf See waren, bekamen sie nichts zu essen oder zu trinken, so daß einige starben. Am 20. Juni wurden sie alle mit dem Zug gen Norden auf den Weg gebracht, und neun Tage darauf erreichten sie Auschwitz: 1600 kamen sofort in die Gaskammern und 200 wurden als Zwangsarbeiter eingesetzt.

Auf Zakynthos (Zante) weigerten sich sowohl der Erzbischof Chrysostomos als auch der Bürgermeister Lukos Karrer, den Anordnungen der Gestapo Folge zu leisten und alle 257 Juden der Insel auf der Kaimauer zu versammeln, so daß sie auf das Schiff aus Korfu gebracht werden konnten. «Sollte der Deportationsbefehl ausgeführt werden», erklärte der Erzbischof, «so werde ich die Juden begleiten und ihr Schicksal teilen.» Alle 195 kräftigen und gesunden Juden wurden in entlegenen Dörfern in Sicherheit gebracht. 60 alte Menschen und Kinder wurden von der Gestapo festgenommen und an die Pier getrieben, um dort auf das Schiff aus Korfu zu warten: Das Schiff war jedoch schon so überfüllt, daß es nicht anlegte.

DEPORTATIONEN ÜBER WEITE ENTFERNUNGEN, JUNI 1944

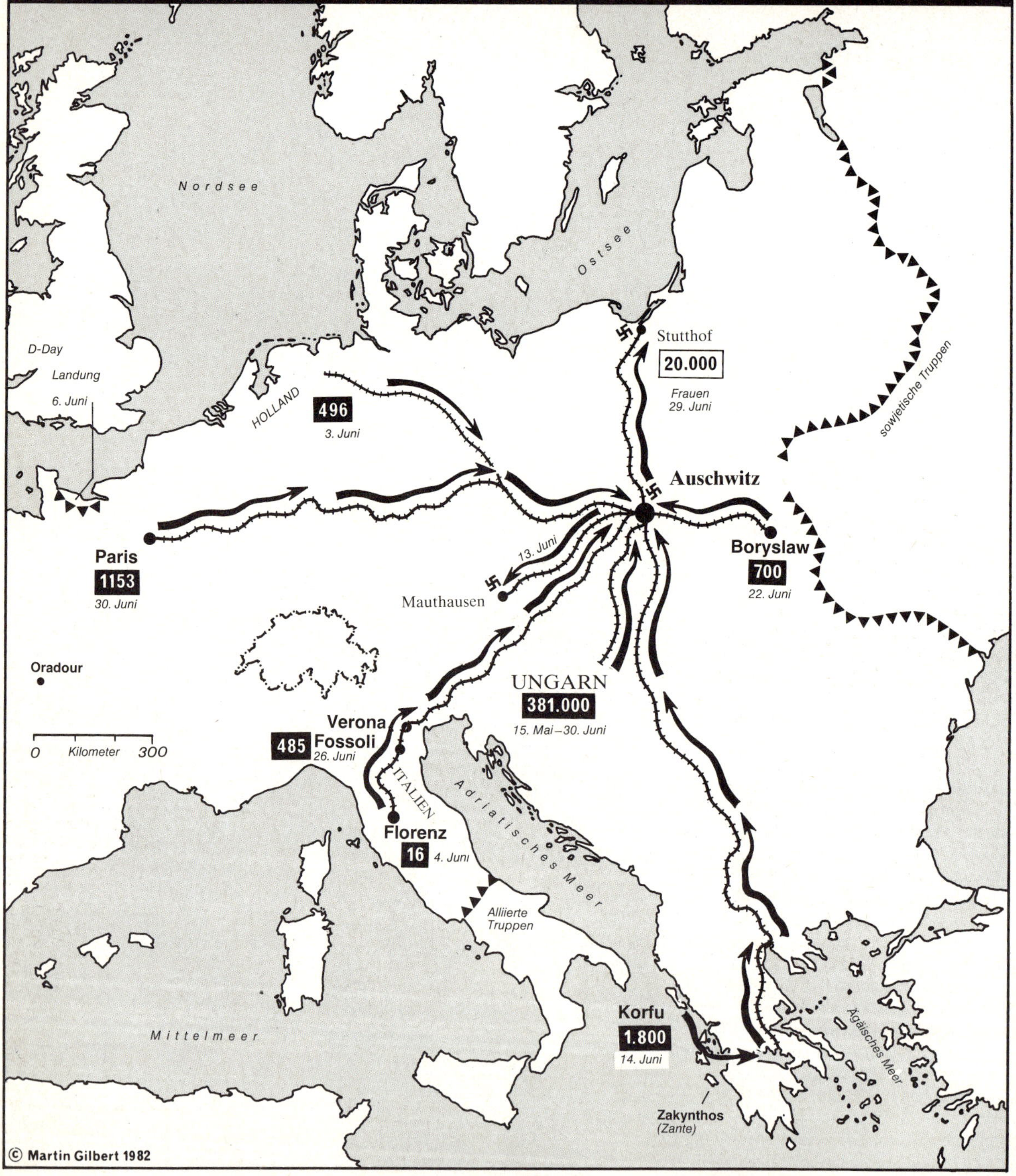

Nordsee
Ostsee
D-Day
Landung
6. Juni
HOLLAND
496
3. Juni
Stutthof
20.000
Frauen
29. Juni
sowjetische Truppen
Auschwitz
Paris
1153
30. Juni
13. Juni
Mauthausen
Boryslaw
700
22. Juni
Oradour
UNGARN
381.000
15. Mai–30. Juni
Verona
485
Fossoli
26. Juni
0 Kilometer 300
ITALIEN
Florenz
16
4. Juni
Adriatisches Meer
Alliierte Truppen
Korfu
1.800
14. Juni
Ägäisches Meer
Mittelmeer
Zakynthos
(Zante)
© Martin Gilbert 1982

Während die sowjetischen Truppen immer weiter auf Auschwitz vorrückten und die alliierten Truppen am 6. Juni 1944 an den Stränden der Normandie landeten, gingen die Deportationen nach Auschwitz weiter. Im Laufe des Monats Juni *(oben)* trafen in Auschwitz Züge aus Paris, Italien, Holland, aus der ostgalizischen Stadt Boryslaw und aus Korfu sowie aus Ungarn *(S. 196–201)* ein, wo die Deportationen mit besonderer Intensität fortgesetzt wurden. Gleichzeitig mit diesen Deportationen nach Auschwitz begann man auch damit, die ersten Juden aus Auschwitz zu evakuieren: Die Zwangsarbeitslager, die ihre Arbeitskräfte aus Birkenau bezogen, brachten die Gefangenen auf den Weg – die Männer in

STUTTHOF UND DIE DAZUGEHÖRIGEN ZWANGSARBEITSLAGER
Ostsee
Seerappen
Königsberg
Danziger Bucht
Lauenburg
Gdynia
(Gdingen)
OSTPREUSSEN
Stolp
Troyl-Werft
Stutthof
Heiligenbeil
Gerdauen
Danzig
POMMERN
Schichau-Werft
Reimannsfelde
Wrzeszcz
Praust
49.000
Tote im Jahre 1944
Schippenbeil
Elbing
Weichsel
Brusy
(Bruß)
0 Kilometer 40
© Martin Gilbert 1982

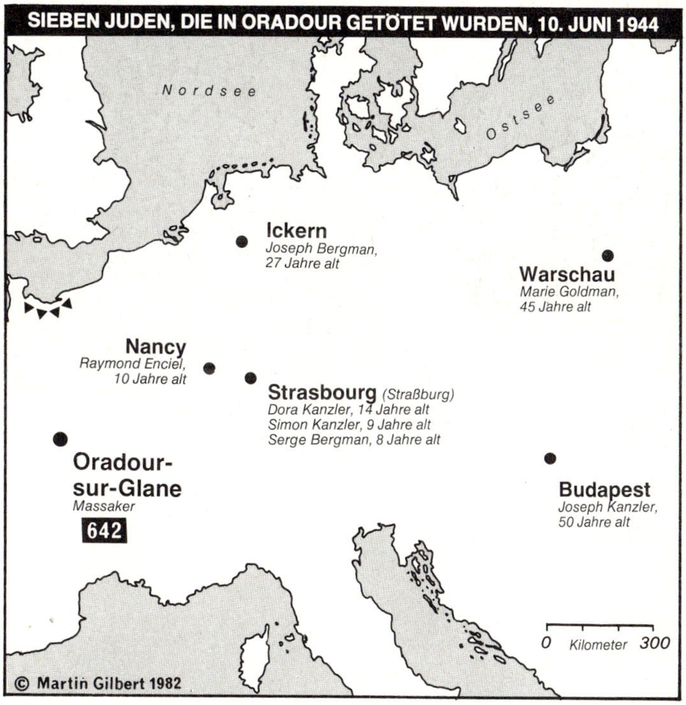
SIEBEN JUDEN, DIE IN ORADOUR GETÖTET WURDEN, 10. JUNI 1944
Nordsee
Ostsee
Ickern
Joseph Bergman, 27 Jahre alt
Warschau
Marie Goldman, 45 Jahre alt
Nancy
Raymond Enciel, 10 Jahre alt
Strasbourg (Straßburg)
Dora Kanzler, 14 Jahre alt
Simon Kanzler, 9 Jahre alt
Serge Bergman, 8 Jahre alt
Oradour-sur-Glane
Massaker
642
Budapest
Joseph Kanzler, 50 Jahre alt
0 Kilometer 300
© Martin Gilbert 1982

Richtung Westen nach Mauthausen, die Frauen in Richtung Norden nach Stutthof.

Das Konzentrationslager von Stutthof war im September 1939 eingerichtet worden *(S. 34)*. Aber erst im August 1943 wurde zum erstenmal eine größere Anzahl von Juden, nämlich einige hundert Überlebende des Gettoaufstandes von Białystok, dorthin deportiert *(S. 164)*.

Es war die Gegend um Stutthof, wo die Deutschen im Frühjahr 1944 damit begonnen hatten, mehr als 60 neue Arbeitslager einzurichten, die jene ersetzen sollten, die bereits von den sowjetischen Truppen überrannt worden waren. Die Karte oben zeigt die wichtigsten Ortschaften und Lager, in die im Sommer und Herbst 1944 von Stutthof aus Gefangene geschickt wurden *(S. 211)*.

In den Arbeitslagern in der Umgebung von Stutthof waren die Bedingungen grauenvoll: Von 100 jüdischen Mädchen im Zwangsarbeitslager Gerdauen überlebten nur drei den Krieg.

In Stutthof selbst starben Zehntausende von Gefangenen an der Ruhr, an Typhus oder an mangelnder Ernährung. Andere wurden während der Arbeit in den umliegenden Wäldern brutal mit Knüppeln zu Tode geprügelt oder sadistisch im Schlamm ertränkt. Viele wurden mit Phenol-Injektionen getötet; anschließend wurden ihre Leichen im Krematorium in speziell konstruierten «Hochleistungs»-Öfen verbrannt.

Insgesamt kamen mehr als 52000 Juden in das Lager Stutthof, von denen mindestens 30000 Frauen waren. Nur etwa 3000 überlebten die brutale Behandlung.

In Frankreich töteten die Deutschen in Oradour-sur-Glane vier Tage nach der Landung der Alliierten mehr als 600 französische Dorfbewohner *(rechts)*. Die Frauen und Kinder wurden in der Kirche bei lebendigem Leibe verbrannt und die Männer mit Maschinengewehren niedergemacht – das ganze war eine Vergeltungsaktion, weil in einem anderen Dorf ein SS-Gruppenführer von einem Heckenschützen aus dem Widerstand getötet worden war. Sieben der 642 Männer, Frauen und Kinder, die in Oradour getötet wurden, waren Juden: Flüchtlinge, die bislang der Deportation nach Auschwitz entgangen waren, indem sie sich bei den freundlich gesonnenen Dorfbewohnern versteckt hatten. Nun wurden sie Opfer eines anderen, immer wieder zutage tretenden Wesenszuges der Nazi-Tyrannei: Vergeltungsmaßnahmen an Zivilisten. Unter den sieben war Joseph Kanzler, geboren in Budapest, und seine beiden Kinder, geboren in Straßburg.

DEPORTATIONEN AUS ZENTRALUNGARN, 15. MAI – 8. JULI 1944

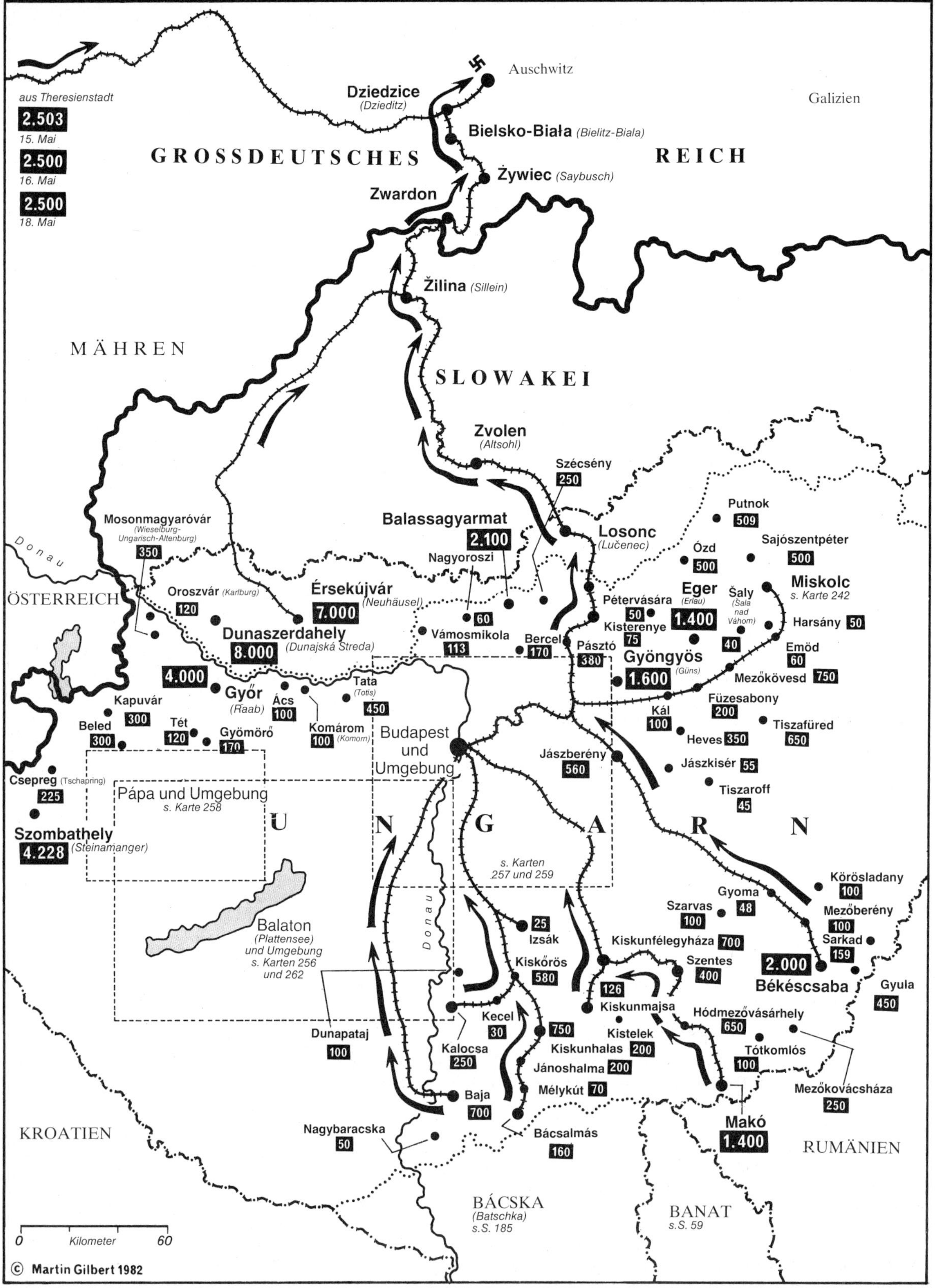

aus Theresienstadt
2.503
15. Mai
2.500
16. Mai
2.500
18. Mai
Auschwitz
Dziedzice
(Dzieditz)
Bielsko-Biała (Bielitz-Biala)
Galizien
GROSSDEUTSCHES
REICH
Żywiec (Saybusch)
Zwardon
Žilina (Sillein)
MÄHREN
SLOWAKEI
Zvolen
(Altsohl)
Szécsény
250
Putnok
509
Mosonmagyaróvár
(Wieselburg-Ungarisch-Altenburg)
350
Balassagyarmat
2.100
Losonc
(Lučenec)
Sajószentpéter
500
Ózd
500
Donau
Nagyoroszi
ÖSTERREICH
Oroszvár (Karlburg)
120
Érsekújvár
7.000
(Neuhäusel)
60
Pétervására
50
Eger
(Erlau)
1.400
Šaly
(Šala nad Váhom)
40
Miskolc
s. Karte 242
Harsány 50
Kisterenye
75
Dunaszerdahely
8.000
(Dunajská Streda)
Vámosmikola
113
Bercel
170
Pásztó
380
Gyöngyös
(Güns)
1.600
Emöd
60
Mezőkövesd 750
4.000
Győr
(Raab)
Ács
100
Tata
(Totis)
450
Kapuvár
300
Füzesabony
200
Beled
300
Tét
120
Gyömörő
170
Komárom
(Komorn)
100
Budapest und Umgebung
Kál
100
Heves 350
Tiszafüred
650
Jászberény
560
Jászkisér 55
Tiszaroff
45
Csepreg (Tschapring)
225
Pápa und Umgebung
s. Karte 258
Szombathely
4.228
(Steinamanger)
U
N
G
A
R
N
s. Karten 257 und 259
Körösladany
100
Gyoma
48
Szarvas
100
Mezőberény
100
Sarkad
159
Balaton
(Plattensee)
und Umgebung
s. Karten 256 und 262
Donau
Izsák
25
Kiskunfélegyháza 700
Szentes
400
2.000
Békéscsaba
Gyula
450
Kiskőrös
580
126
Kiskunmajsa
Hódmezővásárhely
650
Kecel
30
750
Kistelek
Dunapataj
100
Kalocsa
250
Kiskunhalas 200
Tótkomlós
100
Jánoshalma 200
Mélykút 70
Mezőkovácsháza
250
Baja
700
Makó
1.400
KROATIEN
Nagybaracska
50
Bácsalmás
160
RUMÄNIEN
BÁCSKA
(Batschka)
s.S. 185
BANAT
s.S. 59
0 Kilometer 60

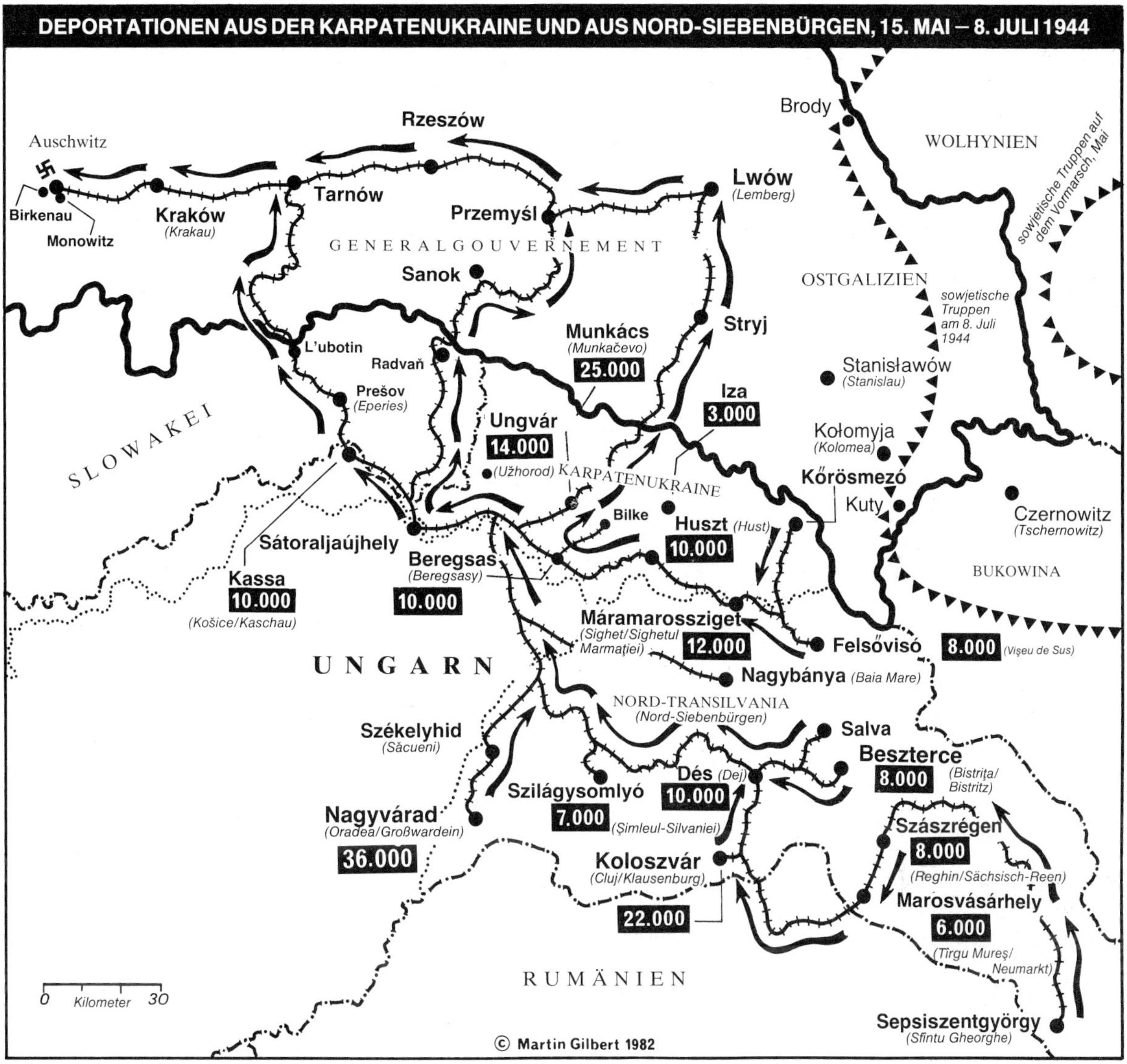
DEPORTATIONEN AUS DER KARPATENUKRAINE UND AUS NORD-SIEBENBÜRGEN, 15. MAI – 8. JULI 1944
Auschwitz
Birkenau
Monowitz
Kraków
(Krakau)
Tarnów
Rzeszów
Przemyśl
GENERALGOUVERNEMENT
Sanok
Lwów
(Lemberg)
Brody
WOLHYNIEN
sowjetische Truppen auf dem Vormarsch, Mai
OSTGALIZIEN
sowjetische Truppen am 8. Juli 1944
Stryj
Stanisławów
(Stanislau)
L'ubotin
Radvaň
Prešov
(Eperies)
Munkács
(Munkačevo)
25.000
Iza
3.000
Kołomyja
(Kolomea)
SLOWAKEI
Ungvár
14.000
(Užhorod)
KARPATENUKRAINE
Kőrösmező
Kuty
Czernowitz
(Tschernowitz)
Bilke
Huszt (Hust)
10.000
Sátoraljaújhely
Beregsas
(Beregsasy)
10.000
Kassa
10.000
(Košice/Kaschau)
BUKOWINA
Máramarossziget
(Sighet/Sighetul Marmației)
12.000
Felsővisó
8.000
(Vişeu de Sus)
UNGARN
Nagybánya (Baia Mare)
NORD-TRANSILVANIA
(Nord-Siebenbürgen)
Székelyhid
(Săcueni)
Salva
Beszterce
(Bistrița/ Bistritz)
8.000
Dés (Dej)
10.000
Szilágysomlyó
7.000
(Şimleul-Silvaniei)
Nagyvárad
(Oradea/Großwardein)
36.000
Szászrégen
8.000
(Reghin/Sächsisch-Reen)
Koloszvár
(Cluj/Klausenburg)
22.000
Marosvásárhely
6.000
(Tirgu Mureş/ Neumarkt)
RUMÄNIEN
0 Kilometer 30
Sepsiszentgyörgy
(Sfintu Gheorghe)
© Martin Gilbert 1982

Die Deportationen ungarischer Juden hatten am 15. Mai 1944 in Ostungarn *(S. 187)* und Zentralungarn *(vorherige Seite)* begonnen. Ebenfalls am 15. Mai begannen die Deportationen von Juden aus zwei Gebieten, die 1938 und 1940 annektiert worden waren, nämlich der Karpatenukraine und Nord-Transilvania (Nord-Siebenbürgen) *(oben)* – in diesen Gebieten lag die Anzahl der Opfer in knapp acht Wochen bei über 250000. Die Karten verzeichnen einige dieser Toten und geben einen Eindruck von der Geschwindigkeit, dem Ausmaß und der Wirksamkeit des Nazi-Plans – ein Plan, der mehr als viereinhalb Jahre nach dem Einmarsch der Deutschen in Polen in die Tat umgesetzt wurde.

Jeder Zug war mit der trügerischen Aufschrift «Deutsche Arbeiter-Umsiedler» versehen. Bis zu 100 Menschen wurden in jeden Waggon hineingezwängt. Wie schon vorher bei den französischen, holländischen, belgischen und griechischen Deportierten war auch jetzt in jedem Waggon nur ein einziger Eimer mit Wasser und ein einziger Fäkalieneimer erlaubt. Hunderte starben während der Reise. Viele begingen Selbstmord oder verloren in der Enge und vor lauter Angst den Verstand. Andere wurden getötet oder ausgeraubt, wenn der Zug irgendwo zur Betriebskontrolle anhalten mußte.

Am «D-Day», als die Truppen der Westalliierten an den Stränden der Normandie landeten *(S. 194)*, waren die Deportationen noch in vollem Gange. Über zwei Jahre war es den Nazi-Behörden und sogar Hitler persönlich nicht gelungen, die ungarische Regierung und den Reichsverweser Admiral Horthy davon zu überzeugen, sich mit diesen Deportationen einverstanden zu erklären. Nun, da sie die Kontrolle über Ungarn hatten, beeilten sich die Deutschen, diese letzte noch unversehrte jüdische Gemeinde zu vernichten, ehe die sowjetischen Truppen, die stetig nach Ostgalizien vorrückten, den Osten Ungarns erreichten.

DIE DEPORTATIONEN AUS UNGARN GEHEN WEITER: DAS GEBIET UM DEN BALATON (PLATTENSEE)

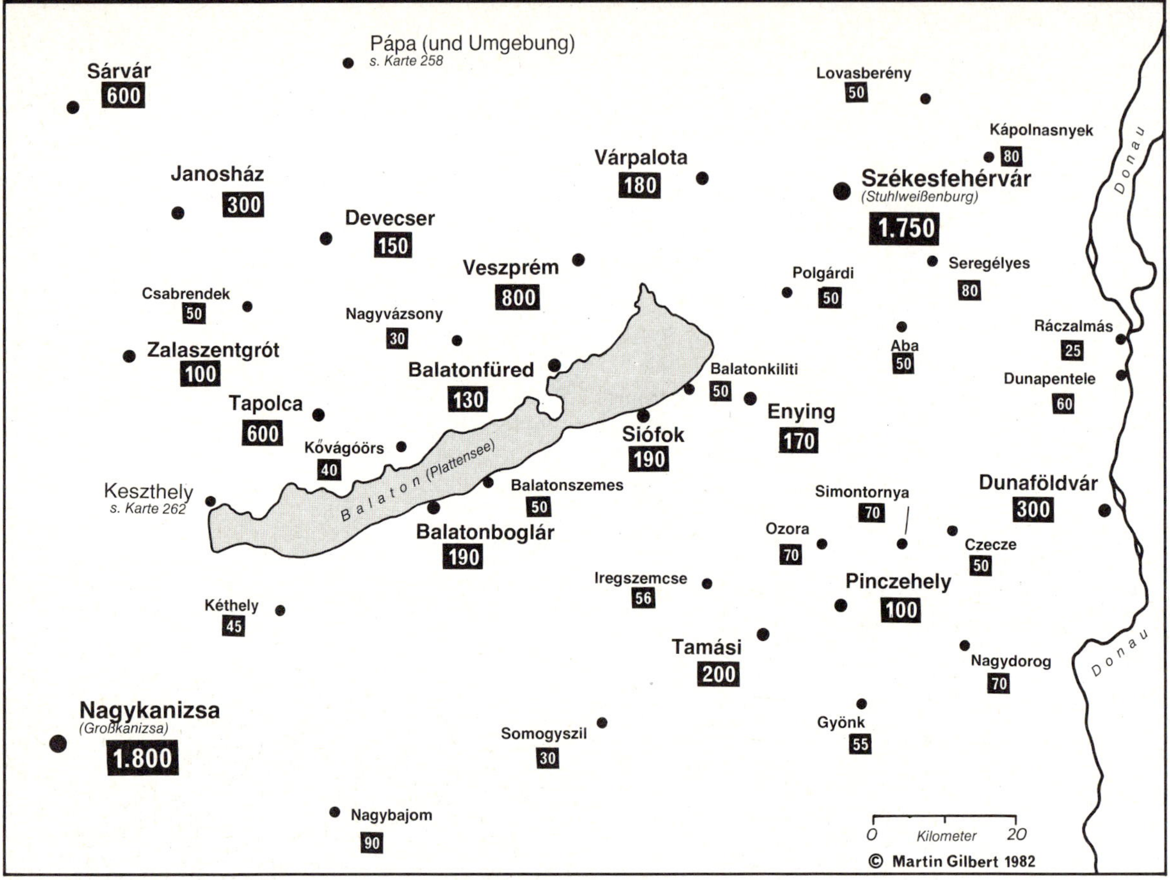
Pápa (und Umgebung)
s. Karte 258
Sárvár 600
Lovasberény 50
Kápolnasnyek 80
Donau
Janosház 300
Várpalota 180
Székesfehérvár (Stuhlweißenburg) 1.750
Devecser 150
Veszprém 800
Polgárdi 50
Seregélyes 80
Csabrendek 50
Nagyvázsony 30
Aba 50
Ráczalmás 25
Zalaszentgrót 100
Balatonfüred 130
Balatonkiliti 50
Dunapentele 60
Tapolca 600
Enying 170
Siófok 190
Kővágóörs 40
Balaton (Plattensee)
Balatonszemes 50
Dunaföldvár 300
Keszthely
s. Karte 262
Balatonboglár 190
Simontornya 70
Ozora 70
Czecze 50
Iregszemcse 56
Pinczehely 100
Kéthely 45
Tamási 200
Nagydorog 70
Donau
Nagykanizsa (Großkanizsa) 1.800
Somogyszil 30
Gyönk 55
Nagybajom 90
0 Kilometer 20
© Martin Gilbert 1982

DEPORTATIONEN AUS DER UMGEBUNG VON BUDAPEST

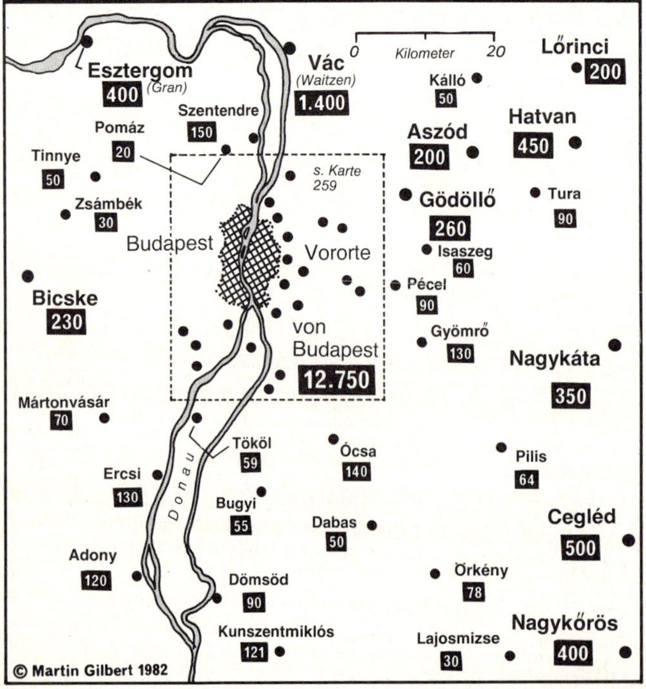
Esztergom (Gran) 400
Vác (Waitzen) 1.400
0 Kilometer 20
Lőrinci 200
Kálló 50
Szentendre 150
Pomáz 20
Aszód 200
Hatvan 450
Tinnye 50
s. Karte 259
Gödöllő 260
Tura 90
Zsámbék 30
Budapest
Vororte
Isaszeg 60
Bicske 230
Pécel 90
von Budapest 12.750
Gyömrő 130
Nagykáta 350
Mártonvásár 70
Tököl 59
Ócsa 140
Pilis 64
Ercsi 130
Donau
Bugyi 55
Dabas 50
Cegléd 500
Adony 120
Örkény 78
Dömsöd 90
Kunszentmiklós 121
Lajosmizse 30
Nagykőrös 400
© Martin Gilbert 1982

Im Mai und Juni gingen die Deportationen von Ungarn nach Auschwitz weiter – und sie wurden systematisch von Region zu Region durchgeführt. Ende Juni und in der ersten Juliwoche konzentrierten sich die Deportationen auf das Gebiet um den Balaton (Plattensee) *(oben)*, auf Budapest *(links)* und auf die unmittelbare Umgebung von Budapest *(folgende Seite, unten)*. Da es das erklärte Ziel der Nazis war, jeden ungarischen Juden nach Auschwitz zu bringen, wurden auch in den winzigsten Gemeinden Juden festgenommen *(folgende Seite, oben)*. Um dieses Ziel zu erreichen, überwachte Adolf Eichmann persönlich von einem Büro in Budapest aus die Deportationen.

Bei der Ankunft in Auschwitz wurden nur wenige – manchmal lediglich ein Dutzend Männer von insgesamt 4000 Deportierten – am Leben gelassen, um als Zwangsarbeiter eingesetzt zu werden; die überwältigende Mehrheit wurde umgehend in die Gaskammern gebracht und ermordet. Die Leichen wurden verbrannt.

Die Karte auf der folgenden Seite *(oben)* zeigt die jüdischen Gemeinden und Familien im Gebiet um Pápa, deren Mitglieder am 4. Juli 1944 nach Auschwitz deportiert und dort ermordet wurden. 1942 waren viele der jungen Juden Pápas zur Zwangsarbeit

DIE JUDEN AUS DER GEGEND VON PÁPA WERDEN NACH AUSCHWITZ DEPORTIERT, 4. JULI 1944

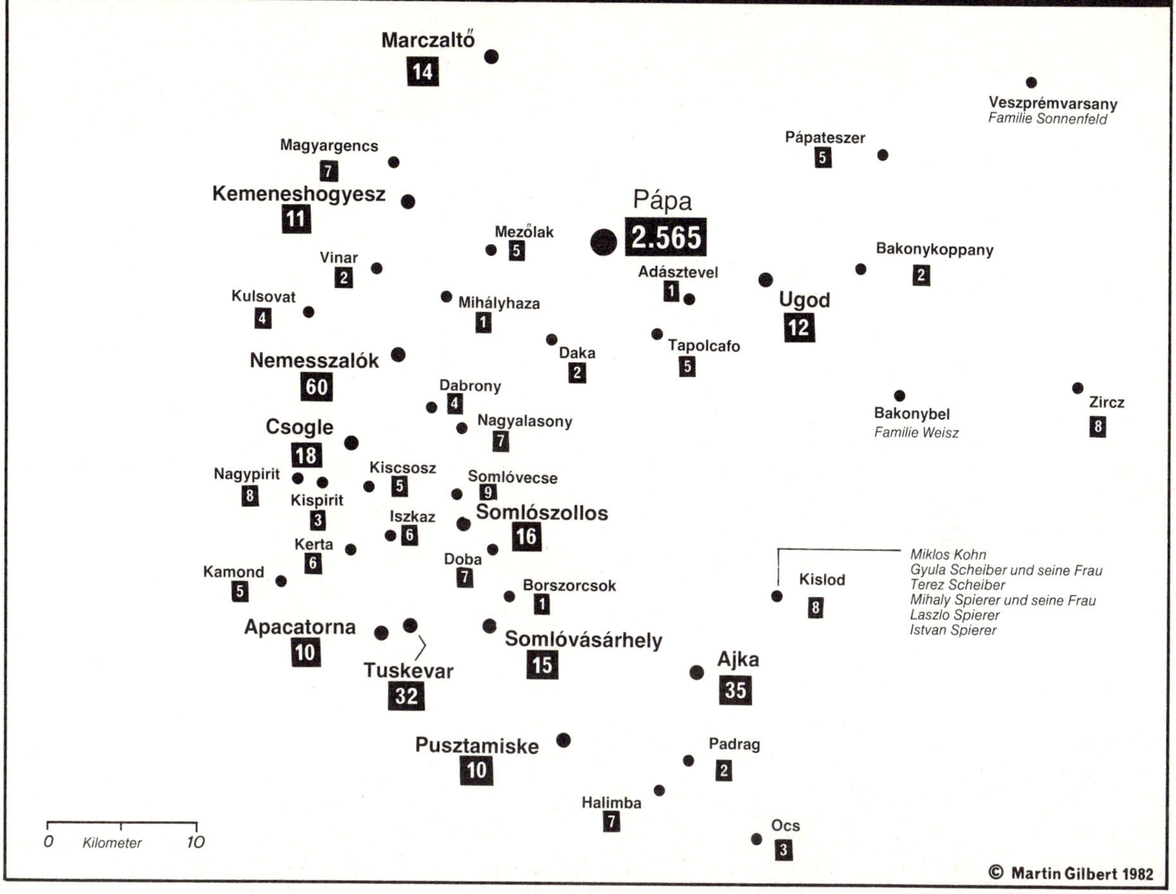
Marczaltő
14
Veszprémvarsany
Familie Sonnenfeld
Pápateszer
5
Magyargencs
7
Kemeneshogyesz
11
Pápa
2.565
Mezőlak
5
Bakonykoppany
2
Vinar
2
Adásztevel
1
Ugod
12
Kulsovat
4
Mihályhaza
1
Daka
2
Tapolcafo
5
Nemesszalók
60
Dabrony
4
Bakonybel
Familie Weisz
Zircz
8
Csogle
18
Nagyalasony
7
Nagypirit
8
Kiscsosz
5
Somlóvecse
9
Kispirit
3
Iszkaz
6
Somlószollos
16
Kerta
6
Doba
7
Miklos Kohn
Gyula Scheiber und seine Frau
Terez Scheiber
Mihaly Spierer und seine Frau
Laszlo Spierer
Istvan Spierer
Kamond
5
Borszorcsok
1
Kislod
8
Apacatorna
10
Somlóvásárhely
15
Tuskevar
32
Ajka
35
Pusztamiske
10
Padrag
2
Halimba
7
0 Kilometer 10
Ocs
3
© Martin Gilbert 1982

DEPORTATIONEN AUS DEN VORORTEN VON BUDAPEST

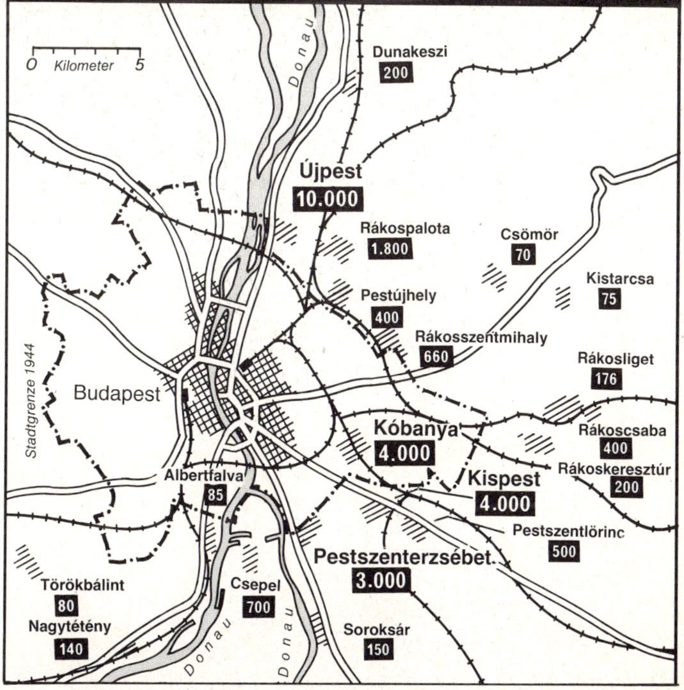
0 Kilometer 5
Donau
Dunakeszi
200
Újpest
10.000
Rákospalota
1.800
Csömör
70
Kistarcsa
75
Pestújhely
400
Rákosszentmihaly
660
Rákosliget
176
Stadtgrenze 1944
Budapest
Kóbanya
4.000
Rákoscsaba
400
Albertfalva
85
Kispest
4.000
Rákoskeresztúr
200
Pestszentlörinc
500
Pestszenterzsébet
3.000
Törökbálint
80
Csepel
700
Nagytétény
140
Soroksár
150
Donau
Donau

an die russische Front geschickt worden *(S. 184)*. Am 24. Mai 1944 wurden die verbliebenen 2565 Juden der Stadt sowie mehr als 200 Juden aus umliegenden Dörfern in ein Getto gesperrt. Einige Wochen später wurden sie in ein Konzentrationslager überführt, das in einer Fabrik in der Stadt eingerichtet worden war – von dort aus sollten sie deportiert werden.

Als Flüchtlinge Nachrichten von den Deportationen und erste Beschreibungen vom Funktionieren der Gaskammern in Auschwitz in den Westen brachten und dort berichteten, daß erste Zugladungen mit Juden aus Ungarn vergast worden waren, hagelte es Proteste in Budapest: von den Staatsoberhäuptern der Alliierten, vom König des neutralen Schweden, vom Präsidenten des Internationalen Roten Kreuzes und vom Vatikan. Diese Proteste erreichten ihren Höhepunkt in den ersten Julitagen, als die Deportation der Juden von Pápa unmittelbar bevorstand. Für sie jedoch kamen die Proteste tragischerweise zu spät. Obwohl die ungarische Regierung beschloß, die Deportationen zu stoppen, wurden die 2800 Juden von Pápa für ihren Transport nach Auschwitz bereitgemacht; nicht einmal 300 von ihnen überlebten. Unter denen, die ums Leben kamen, war ihr Rabbi J. Haberfeld.

DEPORTATIONEN, MASSENMORDE UND AUFSTÄNDE, JULI 1944

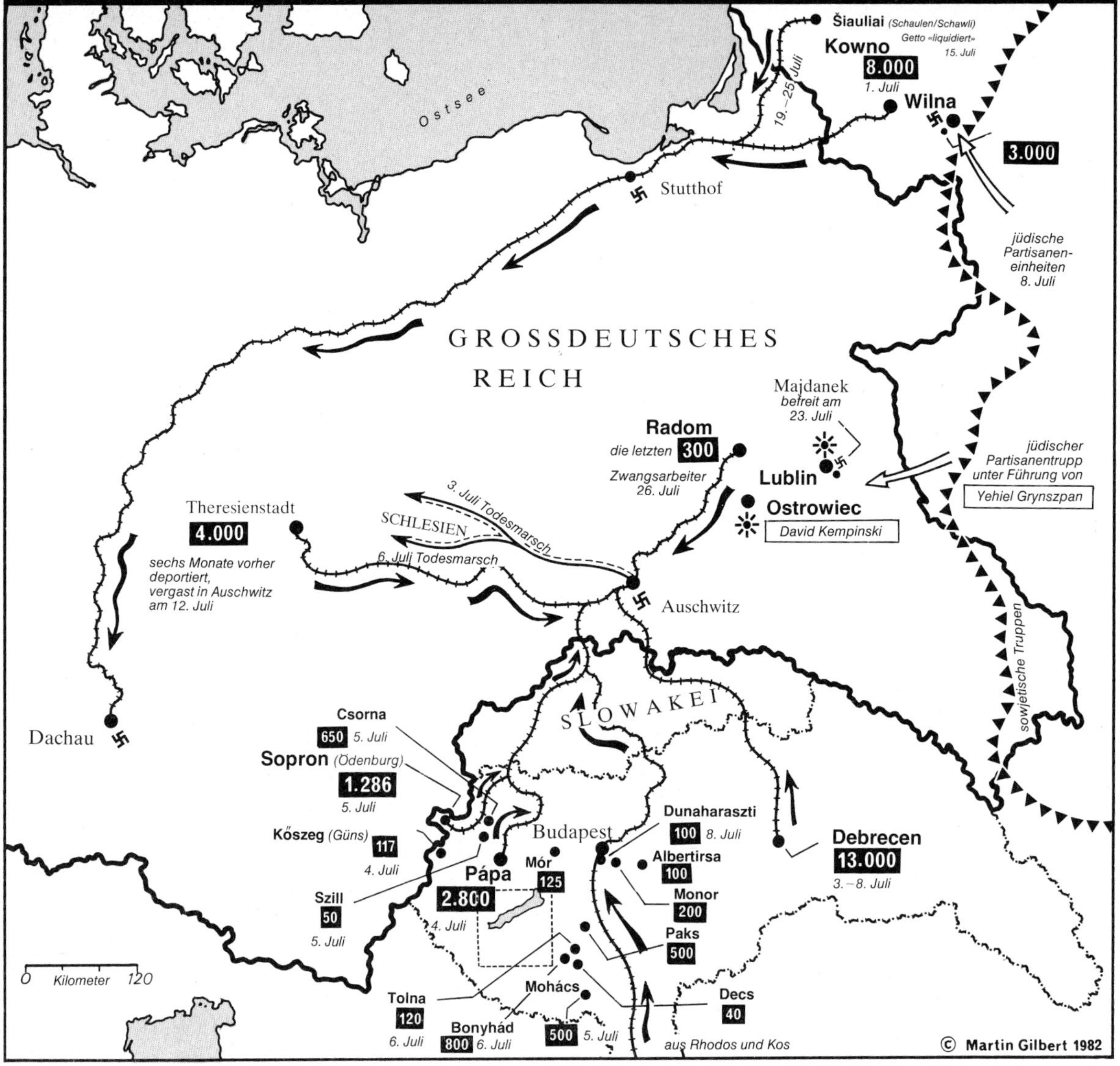
Šiauliai (Schaulen/Schawli)
Getto «liquidiert» 15. Juli
Kowno
8.000
1. Juli
19.–25. Juli
Wilna
3.000
Ostsee
Stutthof
jüdische Partisaneneinheiten 8. Juli
GROSSDEUTSCHES REICH
Majdanek befreit am 23. Juli
Radom
die letzten 300
Zwangsarbeiter 26. Juli
Lublin
Ostrowiec
David Kempinski
jüdischer Partisanentrupp unter Führung von
Yehiel Grynszpan
Theresienstadt
4.000
sechs Monate vorher deportiert, vergast in Auschwitz am 12. Juli
3. Juli Todesmarsch
SCHLESIEN
6. Juli Todesmarsch
Auschwitz
sowjetische Truppen
SLOWAKEI
Dachau
Csorna
650 5. Juli
Sopron (Ödenburg)
1.286
5. Juli
Kőszeg (Güns)
117
4. Juli
Szill
50
5. Juli
Pápa
2.800
4. Juli
Mór
125
Budapest
Dunaharaszti
100 8. Juli
Albertirsa
100
Monor
200
Paks
500
Debrecen
13.000
3.–8. Juli
0 Kilometer 120
Tolna
120
6. Juli
Mohács
Bonyhád
800 6. Juli
500 5. Juli
Decs
40
aus Rhodos und Kos
© Martin Gilbert 1982

Als sich in der ersten Juliwoche sowjetische Truppen den Städten Šiauliai (Schaulen/Schawli), Kowno, Wilna und Lublin näherten, waren hinter den Linien all dieser Frontabschnitte jüdische Partisanen aktiv.

Am 2. Juli verhaftete die SS die letzten 3000 Juden von Wilna – sie arbeiteten in einer Fabrik – und ermordete sie in Ponary *(oben)*. Als die sowjetischen Truppen näherrückten, wurden Tausende von Juden in Šiauliai (Schaulen/Schawli) und Kowno getötet und weitere viele tausend nach Stutthof und Dachau evakuiert. Als die SS 2000 Zwangsarbeiter von Ostrowiec nach Auschwitz schickte, gelang es einigen von ihnen, auszubrechen und zu fliehen.

Am 4. Juli 1944 wurden die Juden von Pápa *(S. 199)* nach Auschwitz deportiert *(oben)*. Insgesamt wurden in jener ersten Juliwoche weitere 50000 ungarische Juden in den Tod geschickt *(folgende Seite, oben)*. Viele dieser Deportierten lebten in kleinen Gemeinden südlich des Balaton (Plattensee) *(folgende Seite, unten)*. Am 8. Juli endlich beugte sich die ungarische Regierung dem wachsenden internationalen Druck und ordnete an, mit den Deportationen aufzuhören. Die Deutschen gaben nach. Mehr als 437402 ungarische Juden waren bereits deportiert worden; 300000 waren am 8. Juli noch am Leben, die meisten davon in Budapest, wo die Deportationen gerade erst anlaufen sollten, nachdem sie die Vororte bereits erreicht hatten *(S. 199)*.

Am 23. Juli kamen sowjetische Truppen nach Majdanek. Daraufhin beschleunigte die SS die Evakuierung von Auschwitz und setzte in immer kürzerer Folge Gruppen von dort aus in Marsch *(oben)*, während von Frankreich und Belgien *(folgende Seite, oben)* sowie von Radom aus immer noch einige

DEPORTATIONEN ÜBER WEITE ENTFERNUNGEN, JULI 1944

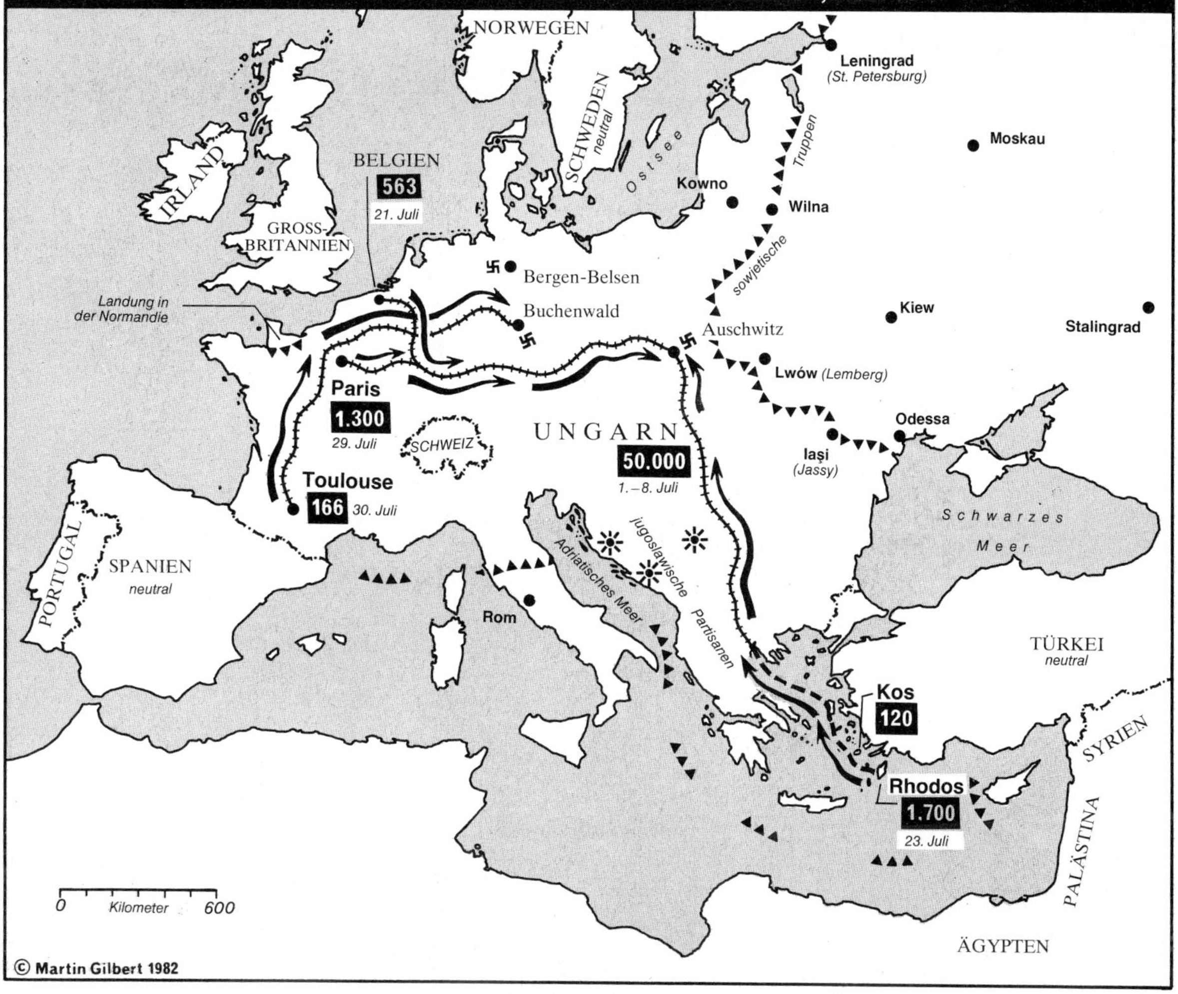
NORWEGEN
Leningrad
(St. Petersburg)
SCHWEDEN
neutral
Truppen
Moskau
BELGIEN
563
21. Juli
IRLAND
Ostsee
Kowno
Wilna
GROSS-
BRITANNIEN
Bergen-Belsen
sowjetische
Landung in
der Normandie
Buchenwald
Kiew
Stalingrad
Auschwitz
Lwów (Lemberg)
Paris
1.300
29. Juli
UNGARN
50.000
1.–8. Juli
Odessa
Iaşi
(Jassy)
SCHWEIZ
Toulouse
166
30. Juli
Schwarzes
Meer
PORTUGAL
SPANIEN
neutral
jugoslawische
Partisanen
Adriatisches Meer
Rom
TÜRKEI
neutral
Kos
120
SYRIEN
Rhodos
1.700
23. Juli
PALÄSTINA
0
Kilometer
600
ÄGYPTEN
© Martin Gilbert 1982

WEITERE DEPORTATIONEN AUS UNGARN, 1.–8. JULI 1944

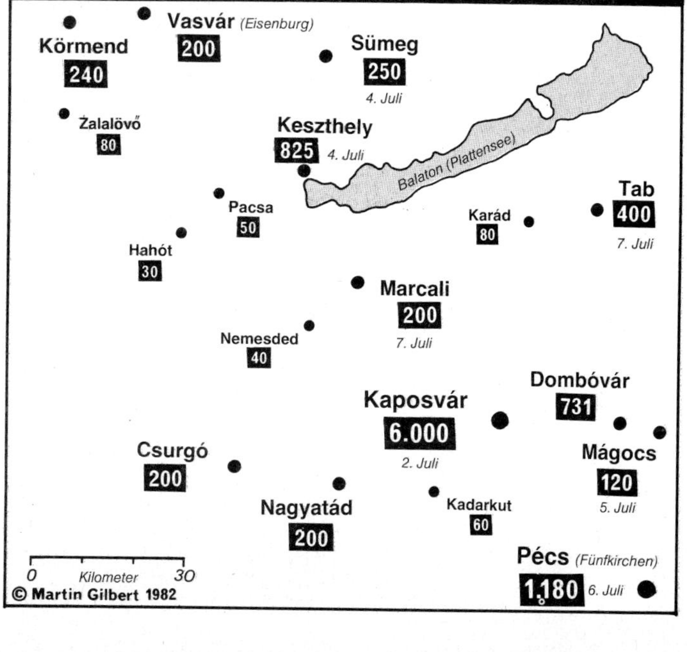
Vasvár (Eisenburg)
200
Körmend
240
Sümeg
250
4. Juli
Żalalövő
80
Keszthely
825
4. Juli
Balaton (Plattensee)
Pacsa
50
Hahót
30
Karád
80
Tab
400
7. Juli
Marcali
200
7. Juli
Nemesded
40
Dombóvár
731
Kaposvár
6.000
2. Juli
Csurgó
200
Mágocs
120
5. Juli
Nagyatád
200
Kadarkut
60
Pécs (Fünfkirchen)
1.180
6. Juli
0
Kilometer
30
© Martin Gilbert 1982

wenige Züge nach Auschwitz auf den Weg gebracht wurden. Nicht nur die letzten Deportierten aus Ungarn, sondern auch Juden von so entlegenen Orten wie den Inseln Kos und Rhodos, waren noch auf dem Weg in die Gaskammern, als bereits mehr und mehr «Todesmärsche» angeordnet wurden und Hunderte von Juden ums Leben kamen, während sie – Männer und Frauen, geschwächt von Hunger und Mißhandlungen – weg von dem Lager in Richtung Westen zu neuen Arbeitslagern marschierten.

In Jugoslawien kämpften Juden bei Partisaneneinheiten, die immer größere Gebiete des Balkans befreiten.

Im Rahmen dieser Evakuierungen wurden zunächst in Dachau und bald auch in Bergen-Belsen – beides bis dahin in erster Linie Lager für nichtjüdische politische Gefangene – Tausende von Juden untergebracht, die vorwiegend aus den Arbeitslagern in den Ostgebieten kamen. Dort waren sie zwar nicht systematisch umgebracht worden, wie in den Vernichtungslagern im Osten, aber sie waren nichtsdestoweniger zu Hunderten ums Leben gekommen, sei es auf Grund der Brutalität ihrer Aufseher, sei es infolge von Hunger oder Krankheiten.

JÜDISCHE WAISENKINDER WERDEN ZWISCHEN DEM 20. UND 24. JULI 1944 FESTGENOMMEN UND NACH AUSCHWITZ DEPORTIERT

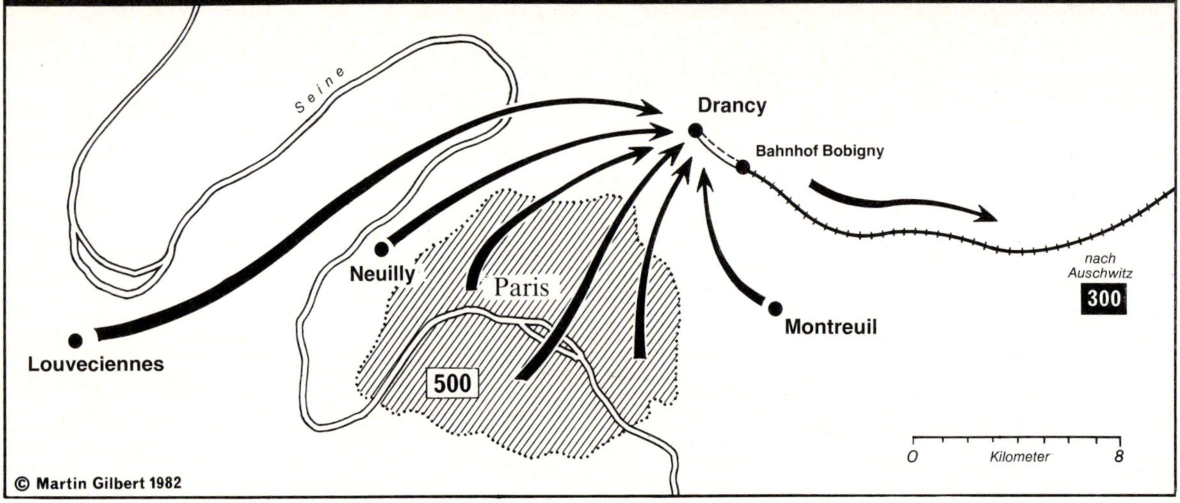
Seine
Drancy
Bahnhof Bobigny
Neuilly
Paris
Louveciennes
Montreuil
500
nach
Auschwitz
300
0 Kilometer 8
© Martin Gilbert 1982

GEBURTSORTE VON EINUNDDREISSIG DER AM 31. JULI 1944 DEPORTIERTEN KINDER

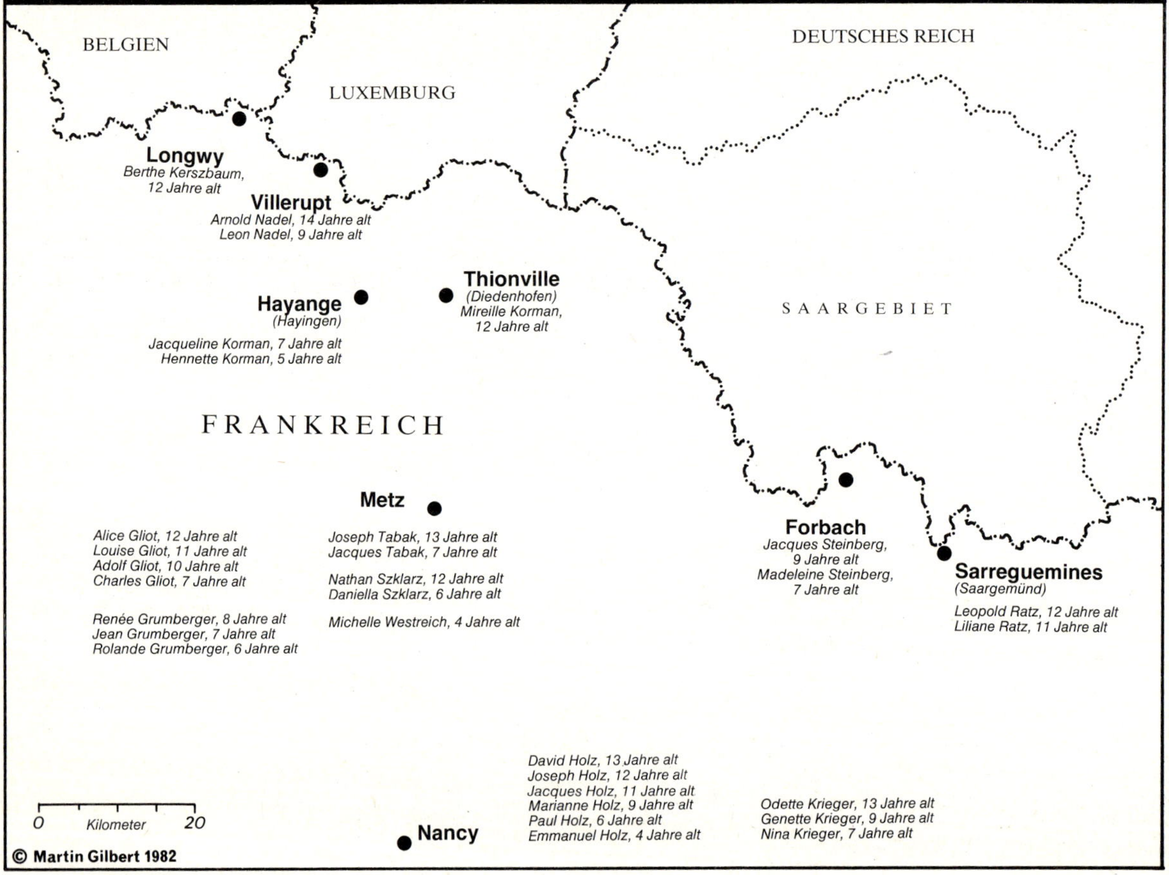
BELGIEN
LUXEMBURG
DEUTSCHES REICH
Longwy
Berthe Kerszbaum,
12 Jahre alt
Villerupt
Arnold Nadel, 14 Jahre alt
Leon Nadel, 9 Jahre alt
Thionville
(Diedenhofen)
Mireille Korman,
12 Jahre alt
Hayange
(Hayingen)
Jacqueline Korman, 7 Jahre alt
Hennette Korman, 5 Jahre alt
SAARGEBIET
FRANKREICH
Metz
Alice Gliot, 12 Jahre alt
Louise Gliot, 11 Jahre alt
Adolf Gliot, 10 Jahre alt
Charles Gliot, 7 Jahre alt
Renée Grumberger, 8 Jahre alt
Jean Grumberger, 7 Jahre alt
Rolande Grumberger, 6 Jahre alt
Joseph Tabak, 13 Jahre alt
Jacques Tabak, 7 Jahre alt
Nathan Szklarz, 12 Jahre alt
Daniella Szklarz, 6 Jahre alt
Michelle Westreich, 4 Jahre alt
Forbach
Jacques Steinberg,
9 Jahre alt
Madeleine Steinberg,
7 Jahre alt
Sarreguemines
(Saargemünd)
Leopold Ratz, 12 Jahre alt
Liliane Ratz, 11 Jahre alt
David Holz, 13 Jahre alt
Joseph Holz, 12 Jahre alt
Jacques Holz, 11 Jahre alt
Marianne Holz, 9 Jahre alt
Paul Holz, 6 Jahre alt
Emmanuel Holz, 4 Jahre alt
Odette Krieger, 13 Jahre alt
Genette Krieger, 9 Jahre alt
Nina Krieger, 7 Jahre alt
Nancy
0 Kilometer 20
© Martin Gilbert 1982

Während die Alliierten ihren Vormarsch auf Paris weiterführten, befahl die SS am 20. Juli 1944, in Paris und Umgebung jüdische Waisenkinder festzunehmen. Innerhalb von vier Tagen wurden 500 Waisen verhaftet, von denen etwa 300 im Rahmen eines Transportes mit insgesamt 1300 Juden am 31. Juli 1944 von Drancy nach Auschwitz deportiert wurden.

Die Karte oben und die Karten auf der folgenden Seite zeigen Geburtsorte und Alter von 67 dieser 1300 Deportierten. Bei ihrer Ankunft in Auschwitz wurden 800 von ihnen vergast, darunter alle Kinder. Von den 500 Erwachsenen, die als Arbeitskräfte für ein nahegelegenes Arbeitslager ausgewählt wurden, überlebten 350 die letzten zehn Monate des Krieges.

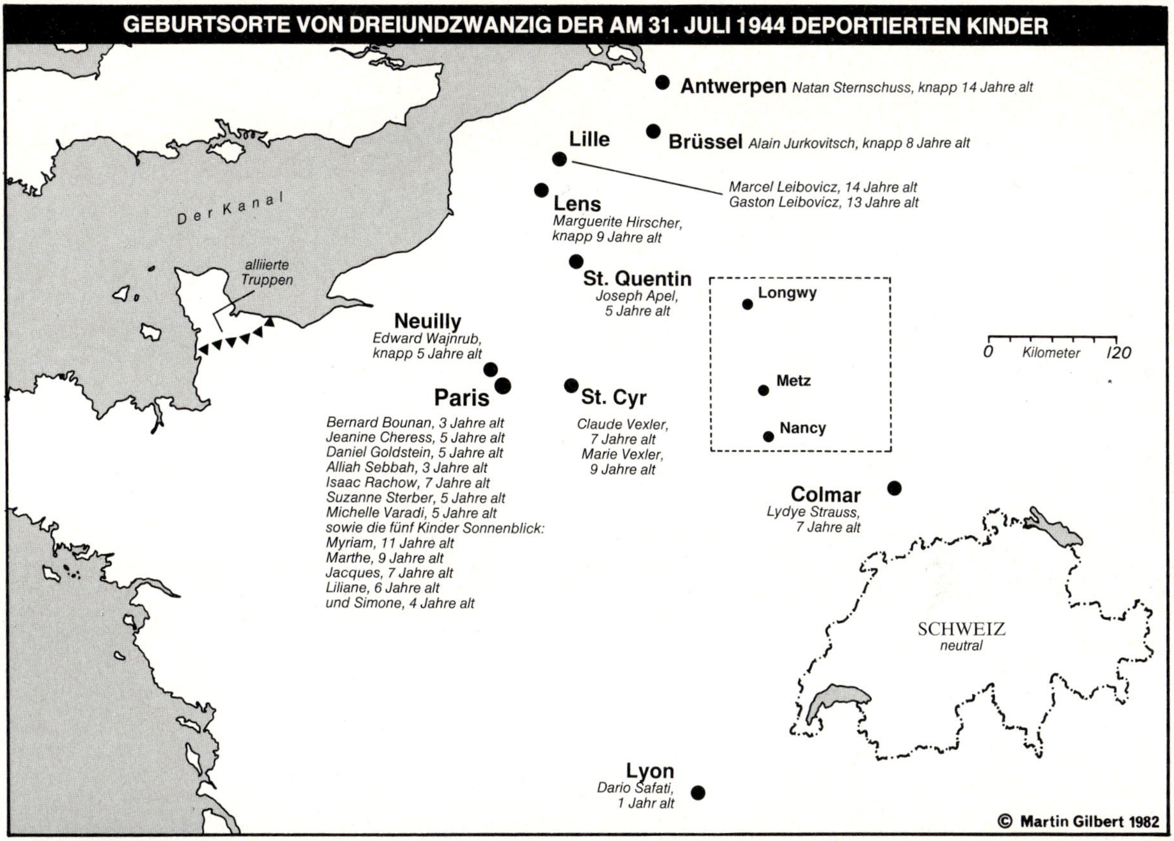
GEBURTSORTE VON DREIUNDZWANZIG DER AM 31. JULI 1944 DEPORTIERTEN KINDER
Antwerpen Natan Sternschuss, knapp 14 Jahre alt
Brüssel Alain Jurkovitsch, knapp 8 Jahre alt
Lille
Marcel Leibovicz, 14 Jahre alt
Gaston Leibovicz, 13 Jahre alt
Lens
Marguerite Hirscher, knapp 9 Jahre alt
Der Kanal
alliierte Truppen
St. Quentin
Joseph Apel, 5 Jahre alt
Longwy
Metz
Nancy
Neuilly
Edward Wajnrub, knapp 5 Jahre alt
0 Kilometer 120
Paris
Bernard Bounan, 3 Jahre alt
Jeanine Cheress, 5 Jahre alt
Daniel Goldstein, 5 Jahre alt
Alliah Sebbah, 3 Jahre alt
Isaac Rachow, 7 Jahre alt
Suzanne Sterber, 5 Jahre alt
Michelle Varadi, 5 Jahre alt
sowie die fünf Kinder Sonnenblick:
Myriam, 11 Jahre alt
Marthe, 9 Jahre alt
Jacques, 7 Jahre alt
Liliane, 6 Jahre alt
und Simone, 4 Jahre alt
St. Cyr
Claude Vexler, 7 Jahre alt
Marie Vexler, 9 Jahre alt
Colmar
Lydye Strauss, 7 Jahre alt
SCHWEIZ
neutral
Lyon
Dario Safati, 1 Jahr alt
© Martin Gilbert 1982

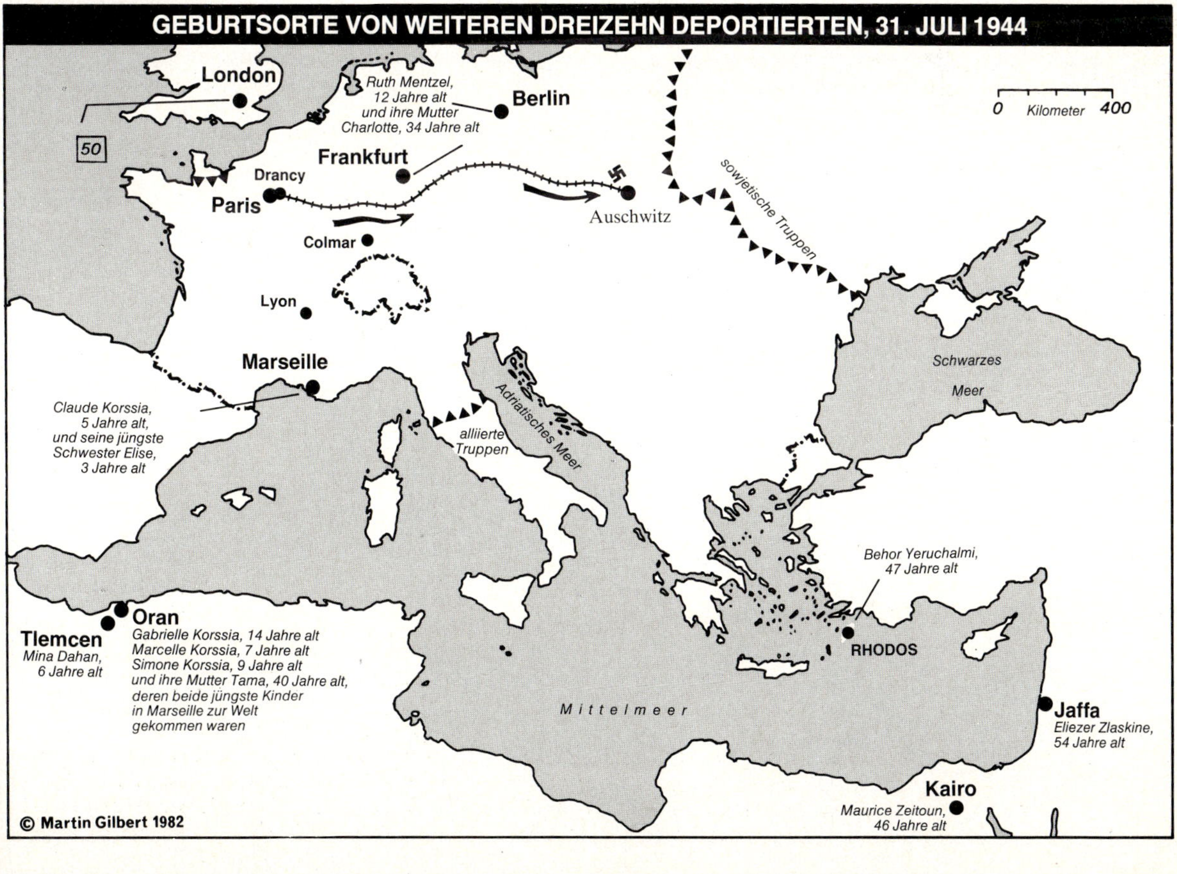
GEBURTSORTE VON WEITEREN DREIZEHN DEPORTIERTEN, 31. JULI 1944
London
50
Ruth Mentzel, 12 Jahre alt und ihre Mutter Charlotte, 34 Jahre alt
Berlin
0 Kilometer 400
Frankfurt
Drancy
Paris
Auschwitz
sowjetische Truppen
Colmar
Lyon
Marseille
Claude Korssia, 5 Jahre alt, und seine jüngste Schwester Elise, 3 Jahre alt
alliierte Truppen
Adriatisches Meer
Schwarzes Meer
Behor Yeruchalmi, 47 Jahre alt
RHODOS
Oran
Gabrielle Korssia, 14 Jahre alt
Marcelle Korssia, 7 Jahre alt
Simone Korssia, 9 Jahre alt
und ihre Mutter Tama, 40 Jahre alt,
deren beide jüngste Kinder
in Marseille zur Welt
gekommen waren
Tlemcen
Mina Dahan, 6 Jahre alt
Mittelmeer
Jaffa
Eliezer Zlaskine, 54 Jahre alt
Kairo
Maurice Zeitoun, 46 Jahre alt
© Martin Gilbert 1982

DER VORMARSCH DER ALLIIERTEN, 23. JUNI – 25. AUGUST 1944

Leningrad
(St. Petersburg)
Klooga
Riga
Frontlinie
7. August 1944
Witebsk
Kowno
Wilna
Minsk
Grodno
Stutthof
Białystok
Nordsee
Ostsee
Ravensbrück
Warschau
Neuengamme
Sachsenhausen
Siedlce
Frontlinie
23. Juni 1944
Kiew
London
Bergen-
Belsen
Berlin
Lublin
Majdanek
(Lemberg)
Lwów
Auschwitz
Prag
Der Kanal
Frontlinie
25. August
1944
Paris
Caen
Czernowitz
(Tschernowitz)
Odessa
Košice
(Kaschau)
Munkács
(Munkačevo)
Mauthausen
Dachau
Wien
Bratislava
(Preßburg)
Budapest
Iaşi
(Jassy)
Golf von
Biskaya
Frontlinie
14. August 1944
Schwarzes
Meer
Lyon
Triest
Bukarest
Bordeaux
Grenoble
Adriatisches Meer
Marseille
Cannes
alliierte Truppen
25. August
0 Kilometer 400
© Martin Gilbert 1982

DIE EVAKUIERUNG EINES ARBEITSLAGERS NACH AUSCHWITZ, 22. JULI 1944

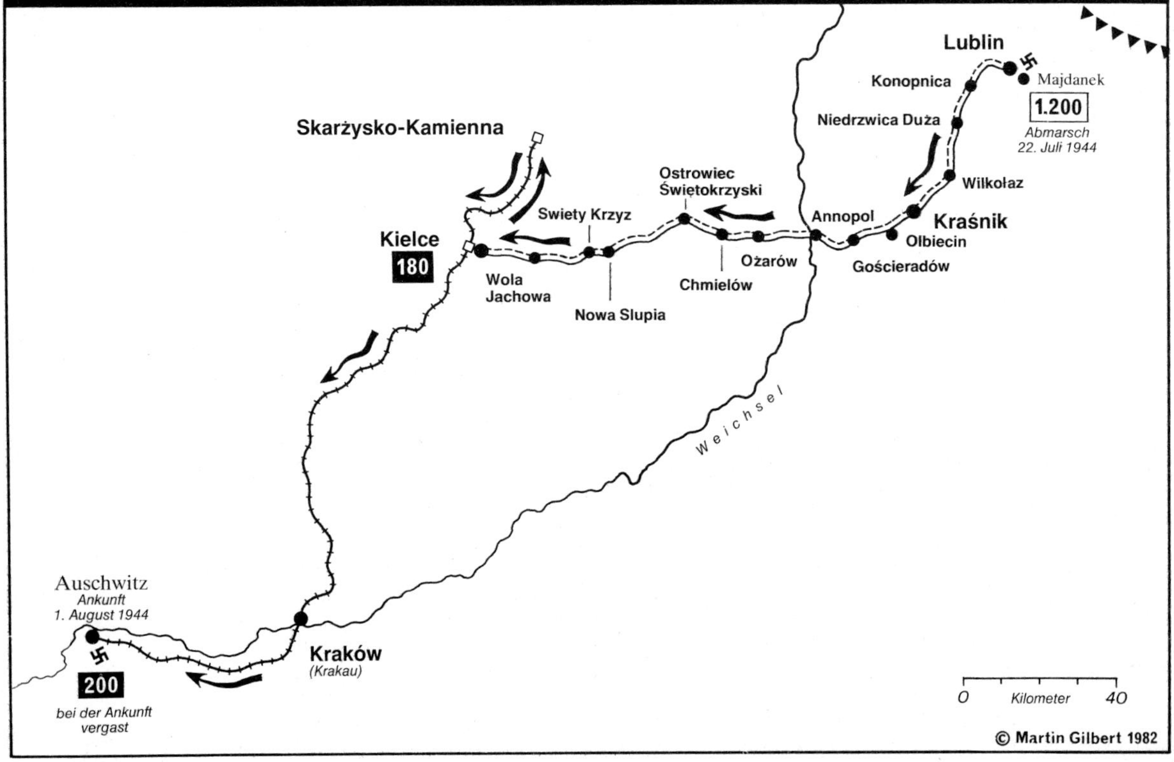
Lublin
Konopnica
Majdanek
1.200
Abmarsch
22. Juli 1944
Niedrzwica Duża
Skarżysko-Kamienna
Wilkołaz
Ostrowiec
Świętokrzyski
Swiety Krzyz
Annopol
Kraśnik
Kielce
180
Olbiecin
Ożarów
Gościeradów
Wola
Jachowa
Chmielów
Nowa Slupia
Weichsel
Auschwitz
Ankunft
1. August 1944
Kraków
(Krakau)
200
bei der Ankunft
vergast
0 Kilometer 40
© Martin Gilbert 1982

EINE EVAKUIERUNG PER «TODESMARSCH» VON WARSCHAU, 29. JULI 1944

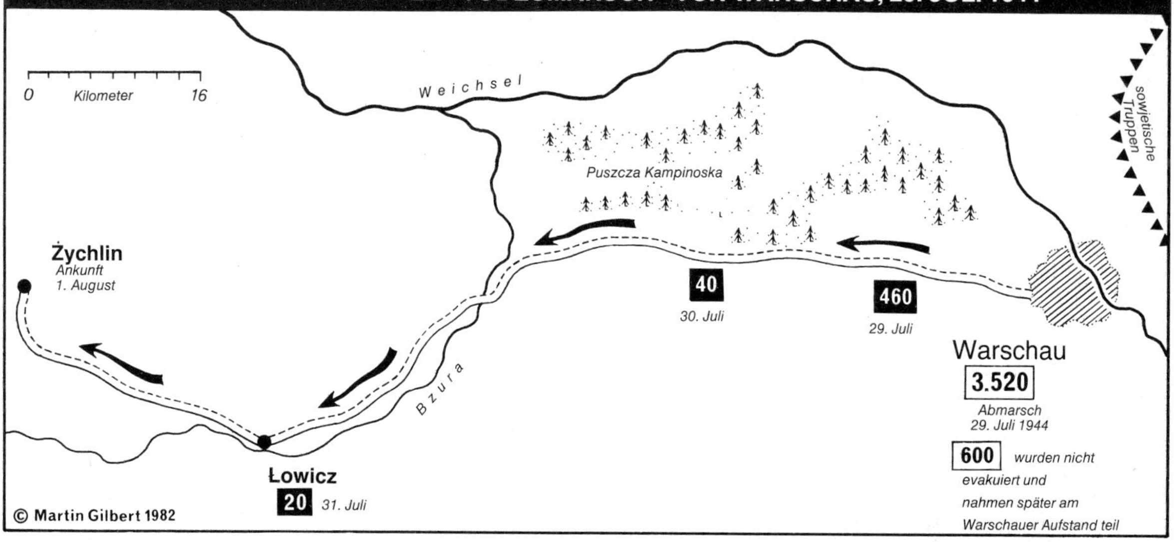
0 Kilometer 16
Weichsel
Puszcza Kampinoska
Żychlin
Ankunft
1. August
40
30. Juli
460
29. Juli
Warschau
3.520
Abmarsch
29. Juli 1944
600 wurden nicht evakuiert und nahmen später am Warschauer Aufstand teil
sowjetische Truppen
Bzura
Łowicz
20 31. Juli
© Martin Gilbert 1982

EINE EVAKUIERUNG PER «TODESZUG» NACH DACHAU, 4. AUGUST 1944

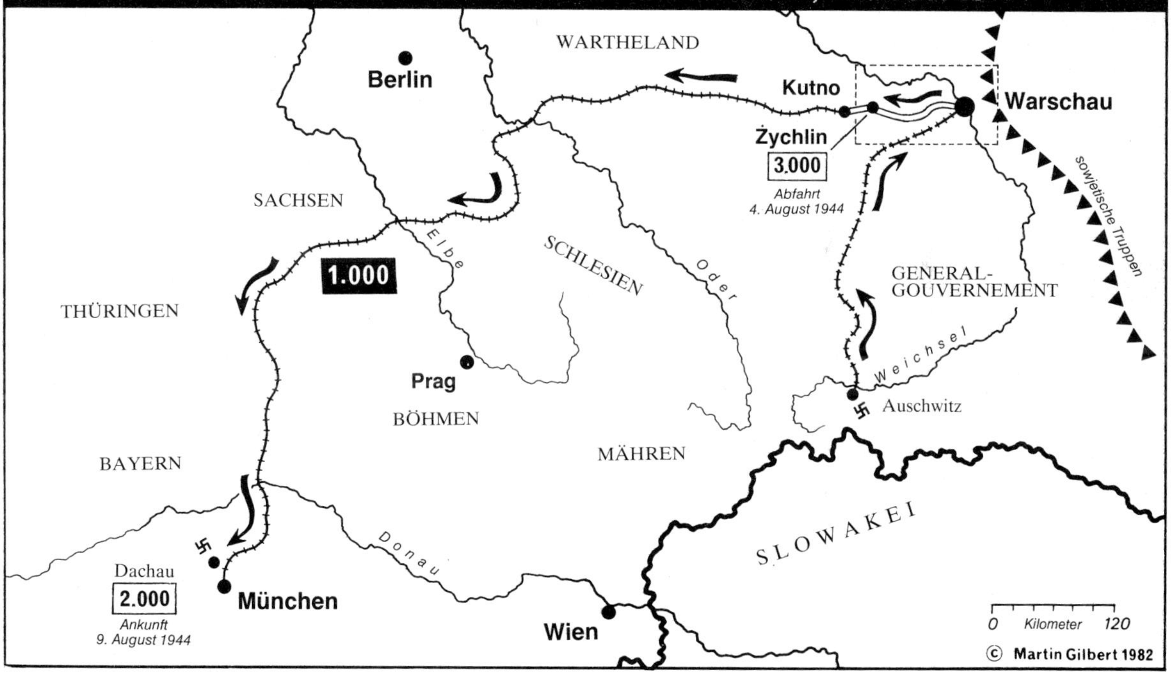
WARTHELAND
Berlin
Kutno
Warschau
Żychlin
3.000
Abfahrt
4. August 1944
sowjetische Truppen
SACHSEN
Elbe
SCHLESIEN
Oder
1.000
THÜRINGEN
GENERAL-
GOUVERNEMENT
Weichsel
Prag
BÖHMEN
Auschwitz
BAYERN
MÄHREN
SLOWAKEI
Donau
Dachau
2.000
Ankunft
9. August 1944
München
Wien
0 Kilometer 120
© Martin Gilbert 1982

Zwischen dem 23. Juni und dem 25. August 1944 war der Vormarsch der sowjetischen wie auch der westlichen alliierten Truppen beträchtlich *(vorherige Seite, oben)*. Als Białystok, Lublin und Lwów (Lemberg) befreit wurden, beschleunigten die Deutschen die Evakuierung von Juden, weg von der vorrückenden sowjetischen Armee.

Als sich die Russen Lublin näherten, wurden 1200 Juden – viele von ihnen Kriegsgefangene, die im September 1939 in Kriegsgefangenschaft geraten waren – zu Fuß westwärts nach Kielce in Marsch gesetzt, wo man 180 von ihnen tötete. Die Überlebenden wurden mit dem Zug weiter nach Auschwitz geschickt, wo man 200 bei der Ankunft vergaste.

Bei einer ähnlichen Evakuierung per Todesmarsch und Todeszug, die eine Woche später von Warschau aus durchgeführt wurde, starben mehr als 2000 Juden *(oben)*. Diese Juden, die zunächst nach Żychlin und dann nach Dachau evakuiert wurden, waren ursprünglich aus Auschwitz herbeigeholt worden, um im Warschauer Getto die Trümmer aufzuräumen. Als die Evakuierung anlief, gelang es 50 der Zwangsarbeiter, in den «arischen» Teil Warschaus zu entkommen, so daß sie einige Wochen später beim Warschauer Aufstand mitkämpfen konnten *(S. 206)*.

DEPORTATIONEN, TODESMÄRSCHE UND AUFSTÄNDE, AUGUST 1944

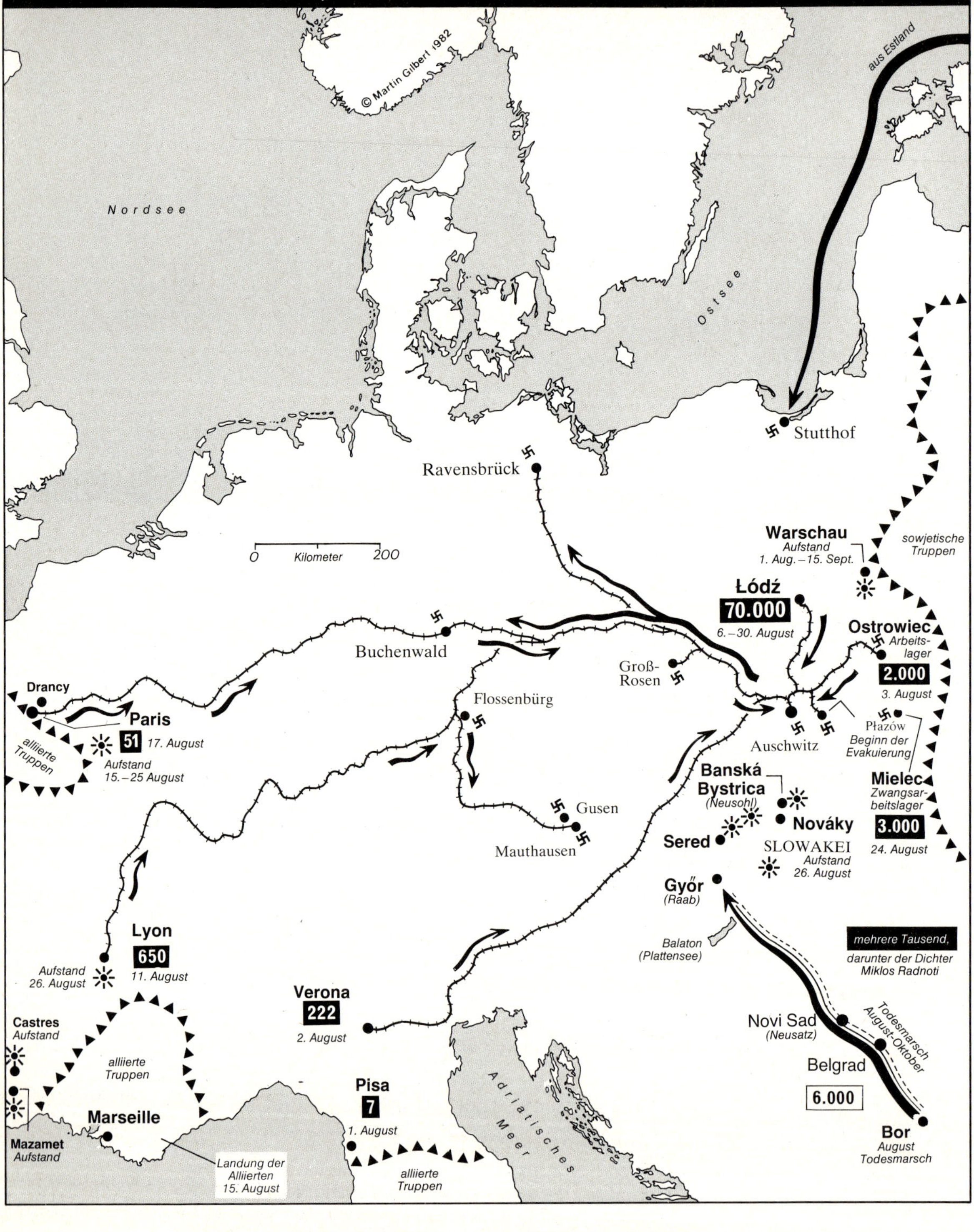
© Martin Gilbert 1982
Nordsee
Ostsee
aus Estland
Stutthof
Ravensbrück
0 Kilometer 200
Warschau
Aufstand
1. Aug. – 15. Sept.
sowjetische Truppen
Łódź
70.000
6.–30. August
Ostrowiec
Arbeitslager
2.000
3. August
Buchenwald
Groß-Rosen
Auschwitz
Płazów
Beginn der Evakuierung
Drancy
Paris
51
17. August
Aufstand
15.–25 August
alliierte Truppen
Flossenbürg
Gusen
Mauthausen
Banská Bystrica
(Neusohl)
Nováky
Sered
SLOWAKEI
Aufstand
26. August
Mielec
Zwangsarbeitslager
3.000
24. August
Győr
(Raab)
Balaton
(Plattensee)
mehrere Tausend,
darunter der Dichter Miklos Radnoti
Lyon
650
11. August
Aufstand
26. August
Castres
Aufstand
alliierte Truppen
Verona
222
2. August
Novi Sad
(Neusatz)
Todesmarsch August-Oktober
Belgrad
6.000
Mazamet
Aufstand
Marseille
Landung der Alliierten
15. August
Pisa
7
1. August
alliierte Truppen
Adriatisches Meer
Bor
August
Todesmarsch

Während sich die alliierten Truppen auf dem Vormarsch befanden, ging der Mord an den Juden weiter *(oben)*: mit Deportationen von Paris, Lyon und Verona nach Auschwitz sowie mit der Deportation von 70000 Menschen aus Łódź – dem letzten «funktionierenden» Getto – ebenfalls nach Auschwitz.

Auch die Evakuierung von Auschwitz wurde mit wachsender Intensität durchgeführt: Hunderte starben in Deportationszügen nach Ravensbrück und Flossenbürg.

In Pisa ermordeten die Nazis den katholischen Philantropen Pardo-Roques sowie sechs Juden, die

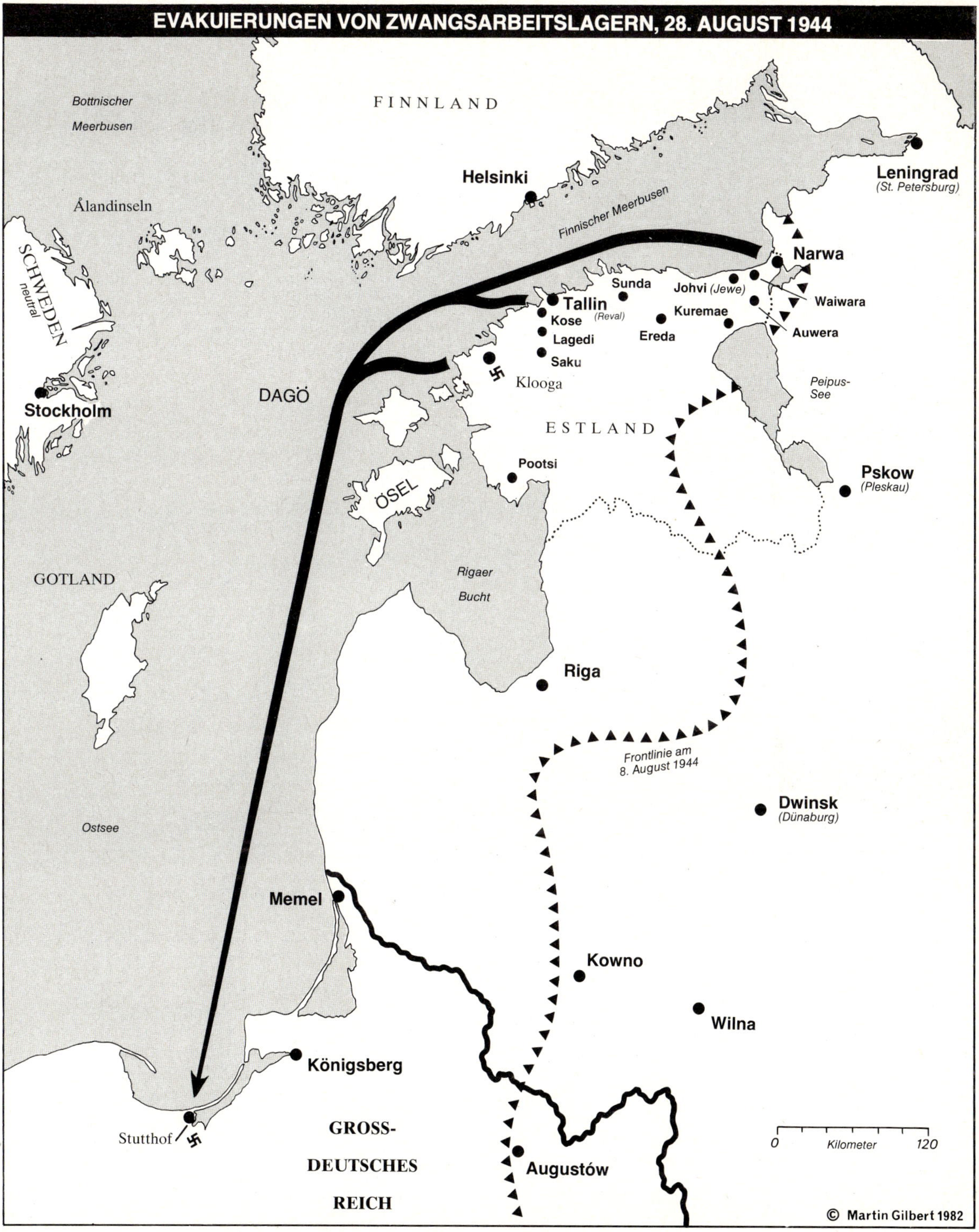
EVAKUIERUNGEN VON ZWANGSARBEITSLAGERN, 28. AUGUST 1944
Bottnischer Meerbusen
FINNLAND
Helsinki
Leningrad
(St. Petersburg)
Ålandinseln
Finnischer Meerbusen
SCHWEDEN
neutral
Narwa
Sunda
Johvi (Jewe)
Waiwara
Tallin
(Reval)
Kose
Lagedi
Saku
Ereda
Kuremae
Auwera
Klooga
Stockholm
DAGÖ
Peipus-See
ESTLAND
Pootsi
Pskow
(Pleskau)
ÖSEL
GOTLAND
Rigaer Bucht
Riga
Frontlinie am 8. August 1944
Dwinsk
(Dünaburg)
Ostsee
Memel
Kowno
Wilna
Königsberg
Stutthof
GROSS-DEUTSCHES REICH
Augustów
0 Kilometer 120
© Martin Gilbert 1982

er versteckt gehalten hatte. Und abermals Hunderte von Juden starben, als die Arbeitslager in Estland *(oben)* auf dem Seeweg evakuiert wurden.

Im August 1944 waren im französischen Partisanenkampf jüdische Einheiten und einzelne Juden aktiv. Am Warschauer Aufstand beteiligten sich etwa 1000 Juden, die sich versteckt gehalten hatten, sowie geflohene oder befreite jüdische Zwangsarbeiter – unter anderem gab es eine rein jüdische Kampfeinheit unter dem Kommando von Shmuel Kenigswein. Beim Aufstand in der Slowakei beteiligte sich ein jüdisches Bataillon sowie Hunderte einzelner Juden an der Einnahme dreier wichtiger Städte.

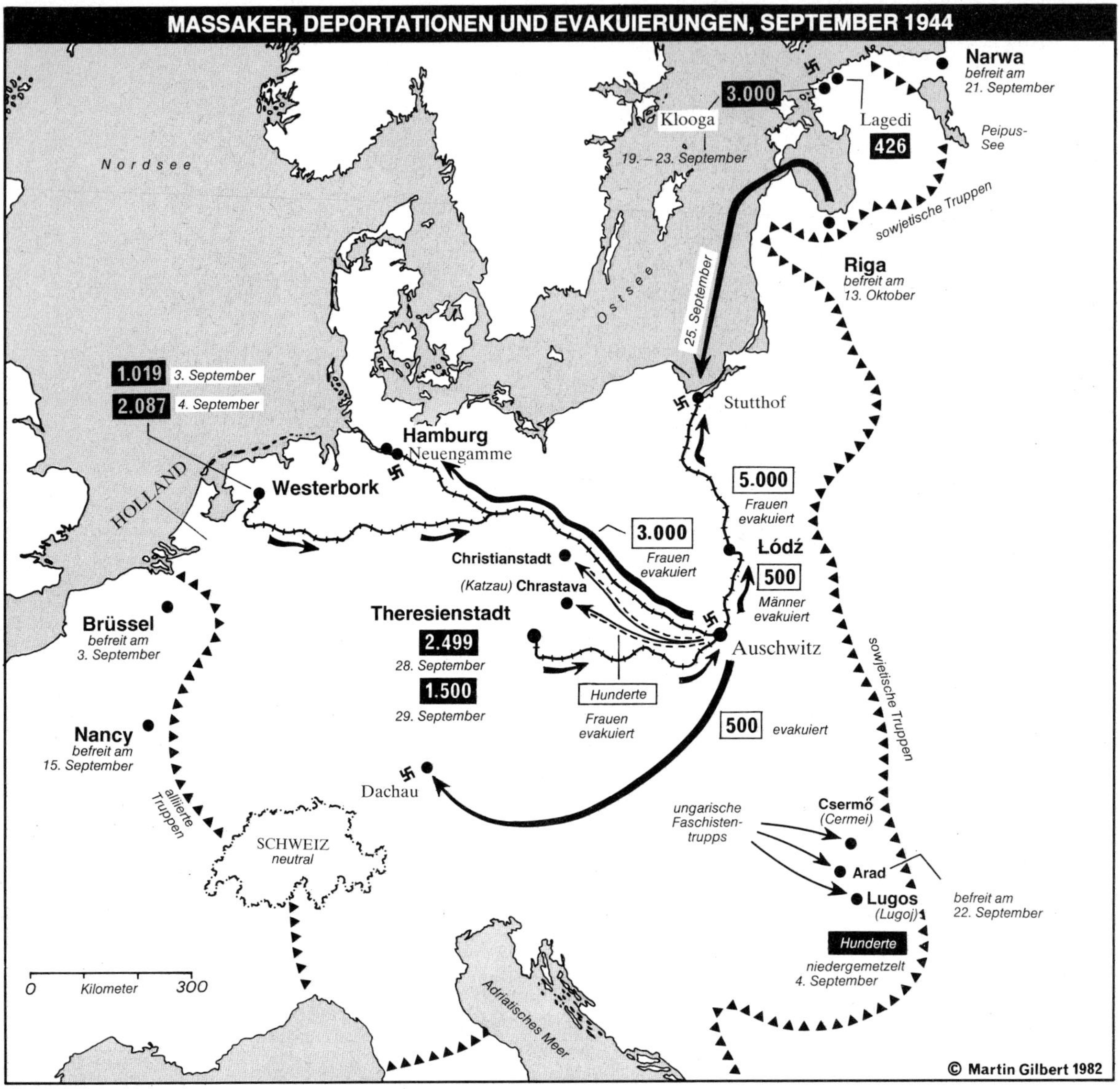
MASSAKER, DEPORTATIONEN UND EVAKUIERUNGEN, SEPTEMBER 1944
Narwa
befreit am
21. September
3.000
Klooga
19. – 23. September
Lagedi
426
Peipus-
See
Nordsee
sowjetische Truppen
Riga
befreit am
13. Oktober
Ostsee
25. September
1.019 3. September
2.087 4. September
Stutthof
Hamburg
Neuengamme
HOLLAND
Westerbork
5.000
Frauen
evakuiert
3.000
Frauen
evakuiert
Łódź
500
Männer
evakuiert
Christianstadt
(Katzau) Chrastava
Theresienstadt
2.499
28. September
1.500
29. September
Auschwitz
Hunderte
Frauen
evakuiert
500 evakuiert
sowjetische Truppen
Brüssel
befreit am
3. September
Nancy
befreit am
15. September
Dachau
alliierte
Truppen
ungarische
Faschisten-
trupps
Csermő
(Cermei)
Arad
Lugos
(Lugoj)
befreit am
22. September
SCHWEIZ
neutral
Hunderte
niedergemetzelt
4. September
0 Kilometer 300
Adriatisches Meer
© Martin Gilbert 1982

Während die alliierten Truppen eine Stadt nach der anderen befreiten, ging der Judenmord weiter. Im September 1944 trafen vier Züge aus Holland und Theresienstadt in Auschwitz ein *(oben)*. Fast alle Deportierten, einschließlich der Alten und Kinder, wurden vergast.

Anne Frank, ein jüdisches Mädchen, das vor dem Krieg von seinen Eltern als Flüchtling von Deutschland nach Holland gebracht worden war, wurde höchstwahrscheinlich in einem dieser Züge von Holland nach Auschwitz deportiert. Sie starb später in Bergen-Belsen.

Ebenfalls im September wurden von Auschwitz weitere 5000 Frauen nach Stutthof sowie 3000 nach Neuengamme evakuiert. Das Foto zeigt Himmler in Stutthof.

Als sich die sowjetischen Truppen Klooga näherten, wurden fast alle überlebenden Zwangsarbeiter ermordet, darunter 1500 Juden aus Wilna, 800 sowjetische Kriegsgefangene und 700 politische Gefangene aus Estland. Nur 85 Insassen überlebten.

Alle jüdischen Gefangenen im Zwangsarbeitslager Lagedi – einschließlich Frauen und Säuglingen – wurden nur wenige Stunden, bevor die sowjetischen Truppen eintrafen, umgebracht. Als ungarische Faschisten Nord-Transilvania (Nord-Siebenbürgen) unter ihre Kontrolle brachten, wurden auch dort noch einmal viele hundert Juden ermordet.

Sowjetische Truppen schnitten die Landverbindung zur Rigaer Bucht ab. Aus den Zwangsarbeitslagern im von Deutschen besetzten Lettland *(folgende Seite)* wurden Zehntausende von Juden, die zum großen Teil bereits von Wilna und Dwinsk (Dünaburg) deportiert worden waren *(S. 169)*, per Schiff evakuiert und ins Konzentrationslager Stutthof oder eines seiner Nebenlager gebracht.

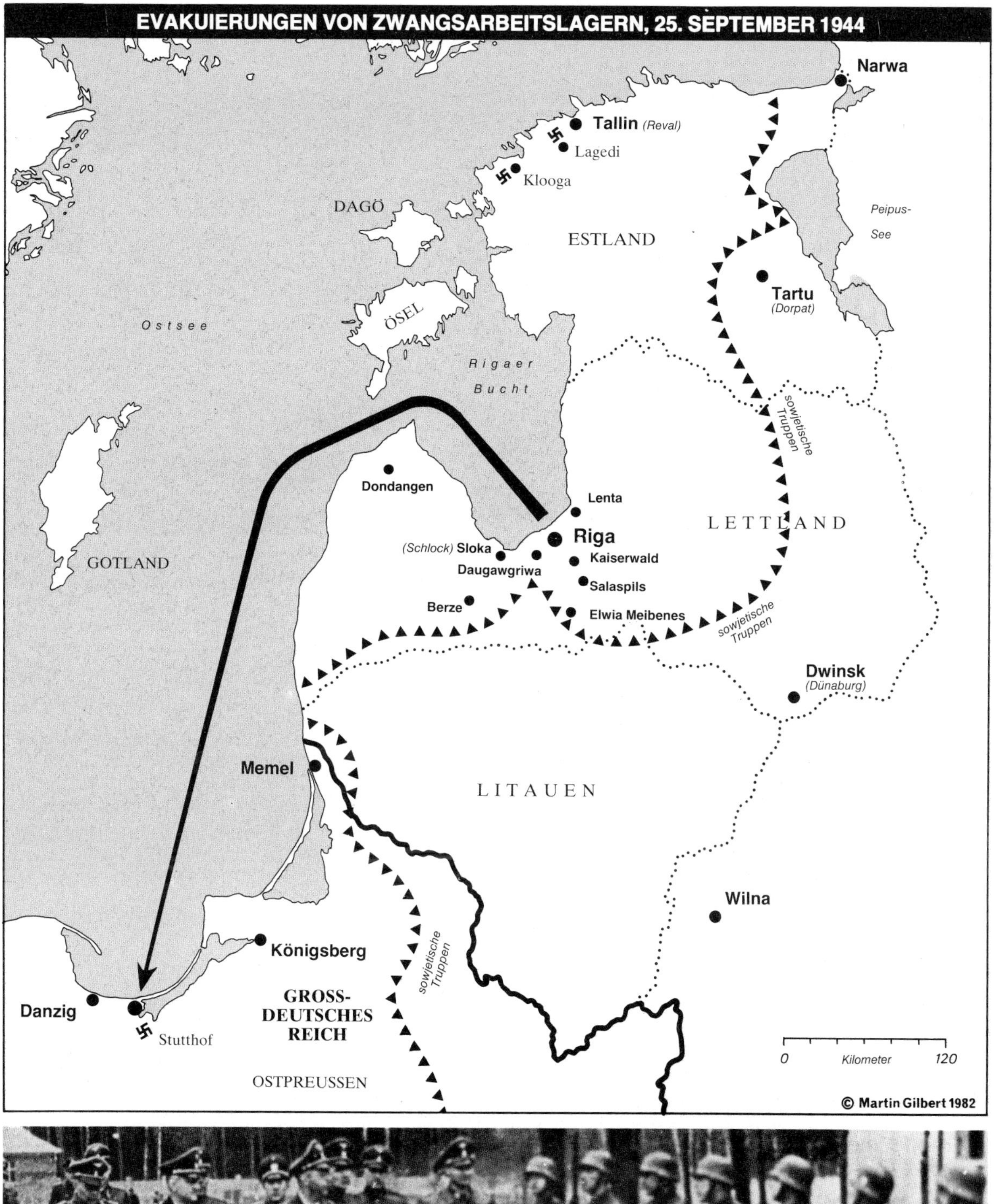
EVAKUIERUNGEN VON ZWANGSARBEITSLAGERN, 25. SEPTEMBER 1944
Narwa
Tallin (Reval)
Lagedi
Klooga
DAGÖ
ESTLAND
Peipus-See
Tartu (Dorpat)
ÖSEL
Ostsee
Rigaer Bucht
sowjetische Truppen
Dondangen
Lenta
LETTLAND
Riga
(Schlock) Sloka
Daugawgriwa
Kaiserwald
Salaspils
Berze
Elwia Meibenes
GOTLAND
Dwinsk (Dünaburg)
Memel
LITAUEN
Wilna
Königsberg
Danzig
Stutthof
GROSS-DEUTSCHES REICH
OSTPREUSSEN
0 Kilometer 120
© Martin Gilbert 1982

DEPORTATIONEN UND AUFSTÄNDE, OKTOBER 1944

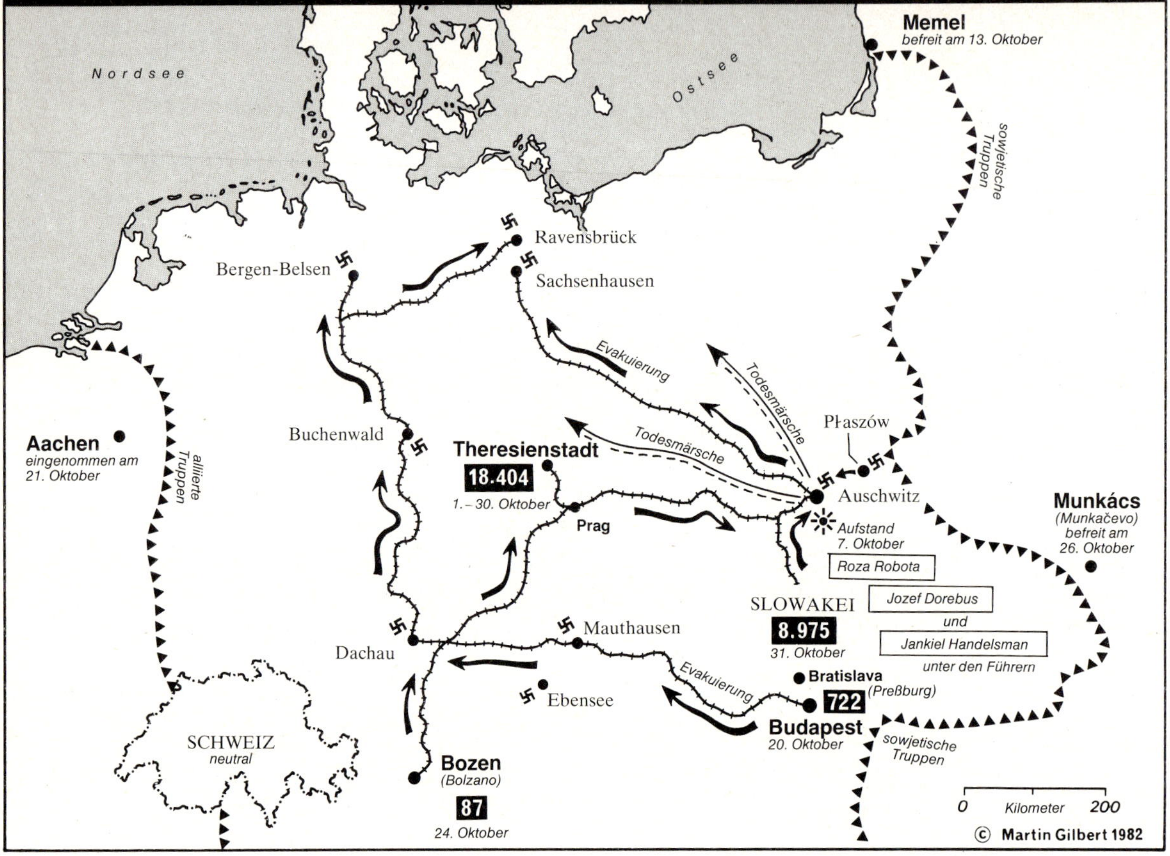
Memel
befreit am 13. Oktober
Nordsee
Ostsee
sowjetische Truppen
Ravensbrück
Sachsenhausen
Bergen-Belsen
Evakuierung
Todesmärsche
Todesmärsche
Płaszów
Aachen
eingenommen am 21. Oktober
alliierte Truppen
Buchenwald
Theresienstadt
18.404
1.–30. Oktober
Prag
Auschwitz
Aufstand 7. Oktober
Roza Robota
Munkács
(Munkačevo)
befreit am 26. Oktober
SLOWAKEI
8.975
31. Oktober
Jozef Dorebus
und
Jankiel Handelsman
unter den Führern
Mauthausen
Dachau
Evakuierung
Bratislava
(Preßburg)
722
Ebensee
Budapest
20. Oktober
sowjetische Truppen
SCHWEIZ
neutral
Bozen
(Bolzano)
87
24. Oktober
0 Kilometer 200
© Martin Gilbert 1982

Im Oktober 1944 kam es sowohl von Auschwitz wie auch von Budapest aus zu weiteren Evakuierungen per Todesmarsch und Todeszug. Gleichzeitig wurden weiterhin Juden aus Norditalien und Theresienstadt nach Auschwitz geschickt – das gleiche Schicksal traf 8000 Juden aus der Slowakei, die im Rahmen der deutschen Vergeltungsaktion für den Aufstand in der Slowakei deportiert wurden *(S. 206)*. Unter den am 28. Oktober aus der Slowakei Deportierten war Tobias Jakobovits, Verfasser einer Geschichte der böhmischen Juden und Mitarbeiter des Jüdischen Museums in Prag; er wurde zusammen mit den übrigen Museumsangestellten in den Tod geschickt.

Polnischen, ungarischen und griechischen Juden, die gerade erst in Auschwitz angekommen waren und die gezwungen wurden, die Leichen der Vergasten aus den Gaskammern in die Krematorien zu schleppen, war es mit Hilfe von vier jüdischen Mädchen, die in einer nahegelegenen Munitionsfabrik arbeiteten, gelungen, ein wenig Sprengstoff anzusammeln, mit dem sie am 7. Oktober 1944 eines der vier Krematorien in die Luft sprengten. Alle, die an der Aktion beteiligt gewesen waren, wurden anschließend getötet – bis auf einen einzigen Juden, Isaac Venezia aus Saloniki, dem es gelang, zurück in das Hauptlager zu kommen. Bei der endgültigen Evakuierung von Auschwitz *(S. 215)* war er unter denen, die nach Ebensee geschickt wurden, wo er an Hunger starb.

Im November 1944 wurden täglich weitere Städte befreit beziehungsweise von den Alliierten eingenommen. Im Westen befanden sich die Amerikaner bereits auf deutschem Boden. Im Osten waren die Russen nach Ostpreußen eingedrungen und hatten die beiden Inseln am Ausgang der Rigaer Bucht erobert *(S. 209)*.

In Auschwitz wurden im Laufe des November weitere 8000 Juden vergast *(folgende Seite)*, bevor Himmler befahl, die Vergasungen einzustellen. Die letzten fanden am 28. November statt. In der Folgezeit wurden Tausende von Juden mit dem Zug von Auschwitz zu Konzentrationslagern innerhalb des Deutschen Reiches geschickt. Zu diesen Lagern gehörten Dachau und Bergen-Belsen, die zwar nicht als Vernichtungslager dienten, trotzdem aber Stätten der wachsenden Not, des Hungers, der Krankheit und der Brutalität waren. Eine Gruppe Gefangener aus Auschwitz wurde nach Lieberose geschickt, wo sie in Ullersdorf eine spezielle «Stadt» bauen mußten, die später einmal deutschen Offizieren als Ruhesitz dienen sollte.

EVAKUIERUNGEN UND TODESMÄRSCHE, NOVEMBER 1944

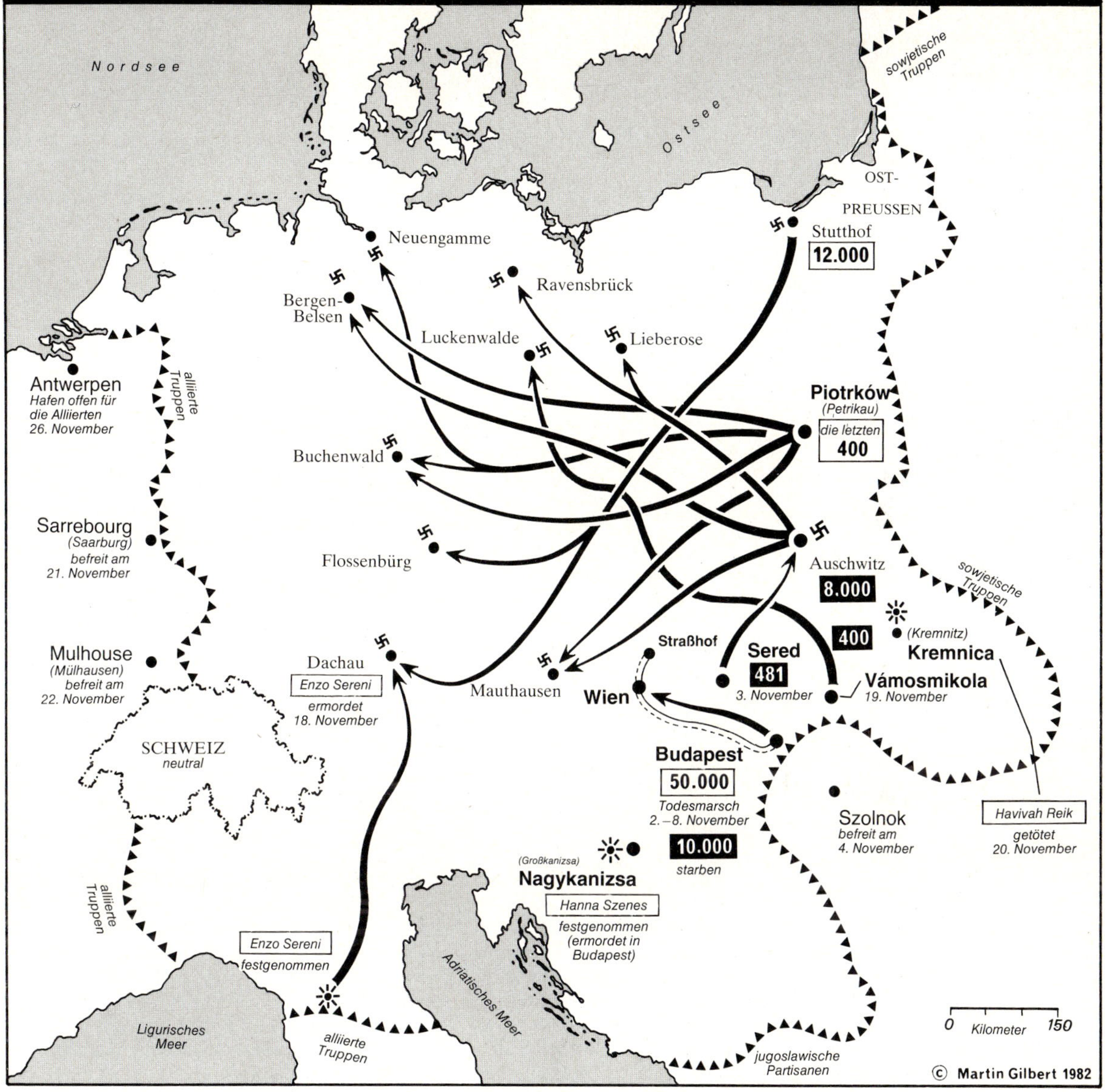
Nordsee
Ostsee
sowjetische Truppen
OST-PREUSSEN
Stutthof
12.000
Neuengamme
Ravensbrück
Bergen-Belsen
Luckenwalde
Lieberose
Antwerpen
Hafen offen für die Alliierten 26. November
alliierte Truppen
Piotrków
(Petrikau)
die letzten
400
Buchenwald
Sarrebourg
(Saarburg)
befreit am 21. November
Flossenbürg
Auschwitz
8.000
sowjetische Truppen
400
(Kremnitz)
Kremnica
Mulhouse
(Mülhausen)
befreit am 22. November
Dachau
Enzo Sereni
ermordet 18. November
Straßhof
Sered
481
3. November
Vámosmikola
19. November
Mauthausen
Wien
SCHWEIZ
neutral
Budapest
50.000
Todesmarsch 2.–8. November
10.000
starben
Szolnok
befreit am 4. November
Havivah Reik
getötet 20. November
(Großkanizsa)
Nagykanizsa
Hanna Szenes
festgenommen (ermordet in Budapest)
alliierte Truppen
Enzo Sereni
festgenommen
Adriatisches Meer
0 Kilometer 150
Ligurisches Meer
alliierte Truppen
jugoslawische Partisanen
© Martin Gilbert 1982

Von Stutthof aus wurden 12000 Juden, davon 4000 Frauen, nach Südwesten in Richtung deutsches Reichsgebiet in Marsch gesetzt. Auf dem Marsch wurden Hunderte getötet, oder sie starben vor Erschöpfung. Die letzten 400 Zwangsarbeiter aus Piotrków (Petrikau) wurden in verschiedene Lager gebracht.

Von Vámosmikola wurden mehrere tausend jüdische Kriegsgefangene auf einen Todesmarsch quer durch Deutschland nach Luckenwalde geschickt. Hunderte starben auf dem Marsch, oder sie wurden erschossen.

Während sich sowjetische Truppen Budapest näherten, wurden am 2. November Zehntausende ungarischer Juden aus der Stadt gehetzt. Unter den Schüssen und Peitschenhieben der SS wurden sie westwärts nach Wien getrieben: etwa 4000 von ihnen konnten auf Intervention des schwedischen Diplomaten Raoul Wallenberg hin gerettet werden, doch mehr als 10000 starben in sechs Tagen des Terrors.

Inmitten all dieses Entsetzens landeten jüdische Fallschirmspringer, die die Engländer in Palästina rekrutiert hatten, hinter den deutschen Linien und versuchten, Kontakte mit den verschiedenen jüdischen Partisanengruppen aufzunehmen. Unter diesen Fallschirmspringern war eine Frau namens Havivah Reik, die an der letzten Phase des Aufstandes in der Slowakei teilnahm, dann jedoch in Kremnica (Kremnitz) getötet wurde. Ein anderer, Enzo Sereni, war in den deutschen Linien in Italien gefangengenommen worden und kam nach Dachau, wo man ihn umbrachte. Als Dritte sei hier Hanna Szenes erwähnt, die an der ungarisch-jugoslawischen Grenze in der Nähe von Nagykanizsa (Großkanizsa) festgenommen, nach Budapest gebracht und dort gefoltert und erschossen wurde.

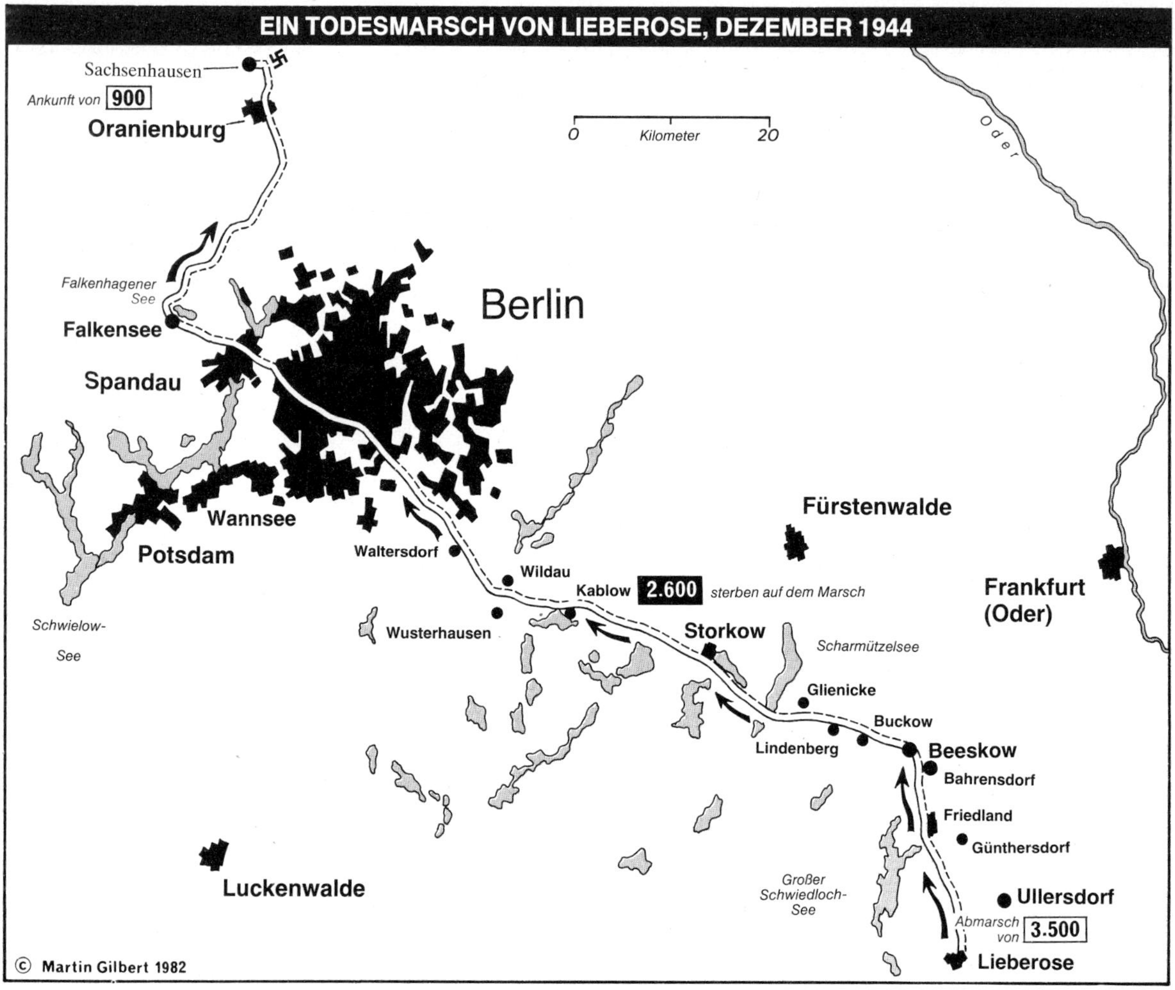
EIN TODESMARSCH VON LIEBEROSE, DEZEMBER 1944
Sachsenhausen
Ankunft von 900
Oranienburg
0 Kilometer 20
Oder
Falkenhagener See
Falkensee
Berlin
Spandau
Wannsee
Potsdam
Schwielow-See
Waltersdorf
Wildau
Kablow 2.600 sterben auf dem Marsch
Fürstenwalde
Frankfurt (Oder)
Wusterhausen
Storkow
Scharmützelsee
Glienicke
Buckow
Lindenberg
Beeskow
Bahrensdorf
Friedland
Günthersdorf
Luckenwalde
Großer Schwiedloch-See
Ullersdorf
Abmarsch von 3.500
Lieberose
© Martin Gilbert 1982

Jene Juden, die von Auschwitz in ein Lager in Lieberose geschickt worden waren *(S. 211)*, wurden im Dezember 1944 erneut evakuiert; man zwang sie, zu Fuß mehr als 140 Kilometer zum Konzentrationslager Sachsenhausen zu marschieren *(oben)*. Beim Abmarsch waren es mehr als 3500 Menschen. Einige hundert, die zu krank waren, um das Lager zu verlassen, wurden erschossen, dann wurde das Gebäude angezündet. Der Marsch ging durch Matsch und Schnee, von der Morgendämmerung bis zum Einbruch der Dunkelheit. Jeden Abend wurde den Marschierenden befohlen, eine Drehung nach links zu machen, 20 Schritte zu gehen und sich hinzulegen. Wer bei Tagesanbruch nicht aufstehen oder sich nur noch stolpernd fortbewegen konnte, wurde erschossen. Als die Marschierenden ihr Ziel erreichten, waren nicht einmal mehr 900 am Leben.

Am 6. Januar 1945 hatte man mehrere hundert jüdische Frauen mit dem Zug aus dem slowakischen Zwangsarbeitslager Sered nach Ravensbrück gebracht. Als die sowjetischen Truppen weiter nach Westen vordrangen, wurden auch die restlichen Arbeitslager auf polnischem Boden in Eile evakuiert *(folgende Seite, unten)*. In Skarżysko-Kamienna, wo in einem Zeitraum von zwei Jahren 10000 Juden ums Leben gekommen waren, wurden etwa 5000 Zwangsarbeiter evakuiert und per Zug in neue Lager gebracht. Einigen gelang es, in der allgemeinen Verwirrung zu fliehen und sich versteckt zu halten, bis die sowjetischen Truppen eintrafen.

Mit dem Erreichen ihrer neuen Lager innerhalb des Deutschen Reiches verbesserten sich nicht die Bedingungen für die Evakuierten. Brutalität, rücksichtslose Schläge, sadistische Quälereien, Hunger, sinnlose harte Arbeit und Erschießungen nach Belieben der Aufseher waren in allen noch existierenden Lagern an der Tagesordnung, zumal die Überfüllung unvorstellbare Ausmaße annahm, als überall mit wachsender Intensität evakuiert wurde.

Zu dem Zeitpunkt waren die alliierten Truppen bereit für ihren endgültigen Angriff auf das deutsche Kernland *(folgende Seite, oben)*. Als erste wagte am 12. Januar 1945 die sowjetische Armee den Vormarsch. Die letzten 47 jüdischen Zwangsarbeiter in dem ehemaligen Vernichtungslager Chełmno wußten, daß mit dem Näherrücken der sowjetischen Truppen ihre Erschießung durch die SS unmittelbar bevorstand, und sie riskierten einen Aufstand, wobei sie sich in einem Gebäude verschanzten. Die SS zündete das Gebäude an und streckte dann jeden mit der Maschinenpistole nieder, der versuchte, aus den Flammen zu entfliehen. Nur einer überlebte.

DIE ROTE ARMEE BEREITET DEN VORMARSCH VOR, 12. JANUAR 1945

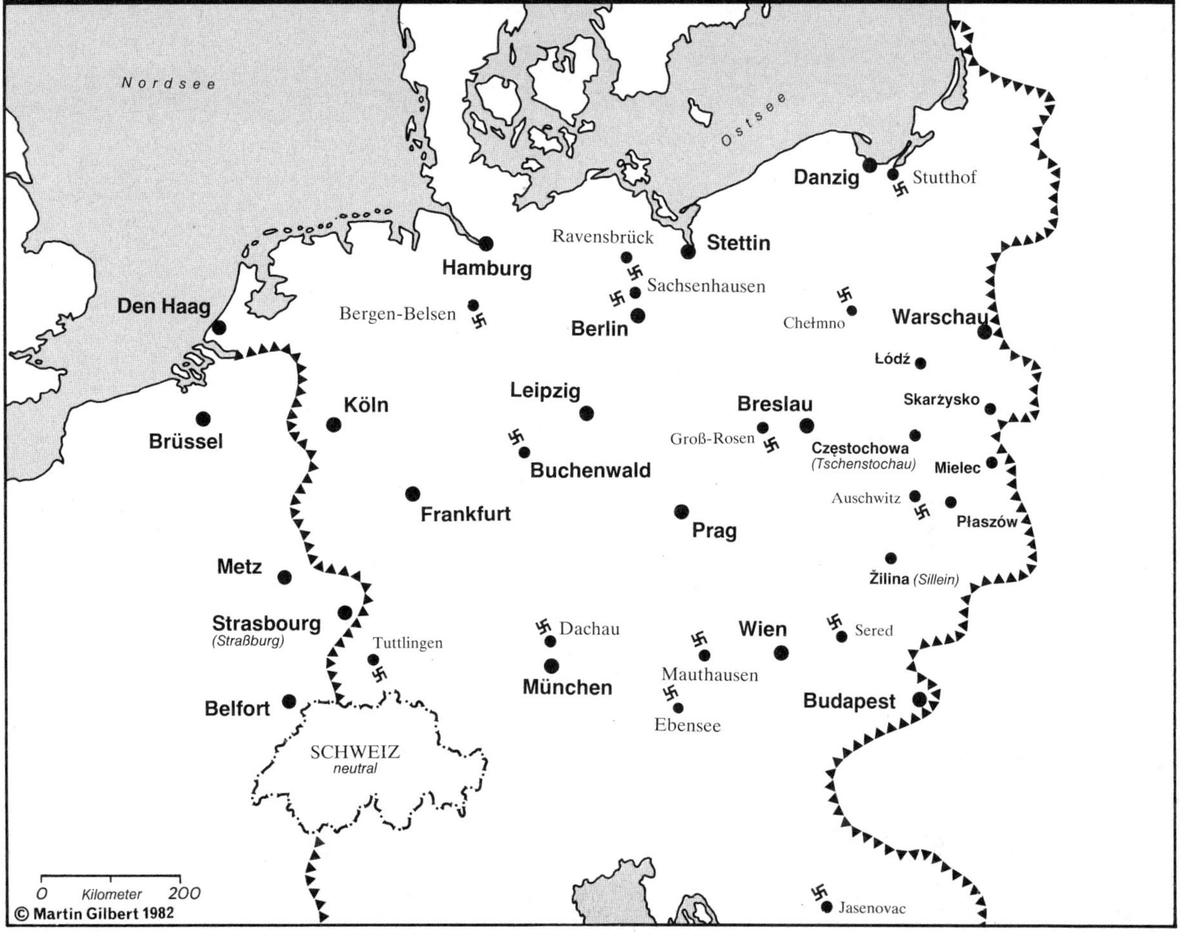
Nordsee
Ostsee
Danzig
Stutthof
Ravensbrück
Stettin
Hamburg
Sachsenhausen
Den Haag
Bergen-Belsen
Berlin
Chełmno
Warschau
Łódź
Leipzig
Breslau
Skarżysko
Köln
Brüssel
Groß-Rosen
Częstochowa
(Tschenstochau)
Mielec
Buchenwald
Auschwitz
Płaszów
Frankfurt
Prag
Metz
Žilina (Sillein)
Strasbourg
(Straßburg)
Dachau
Wien
Sered
Tuttlingen
Mauthausen
München
Belfort
Budapest
Ebensee
SCHWEIZ
neutral
0 Kilometer 200
© Martin Gilbert 1982
Jasenovac

EVAKUIERUNGEN VON ZWANGSARBEITSLAGERN, AUFSTÄNDE, 17. JANUAR 1945

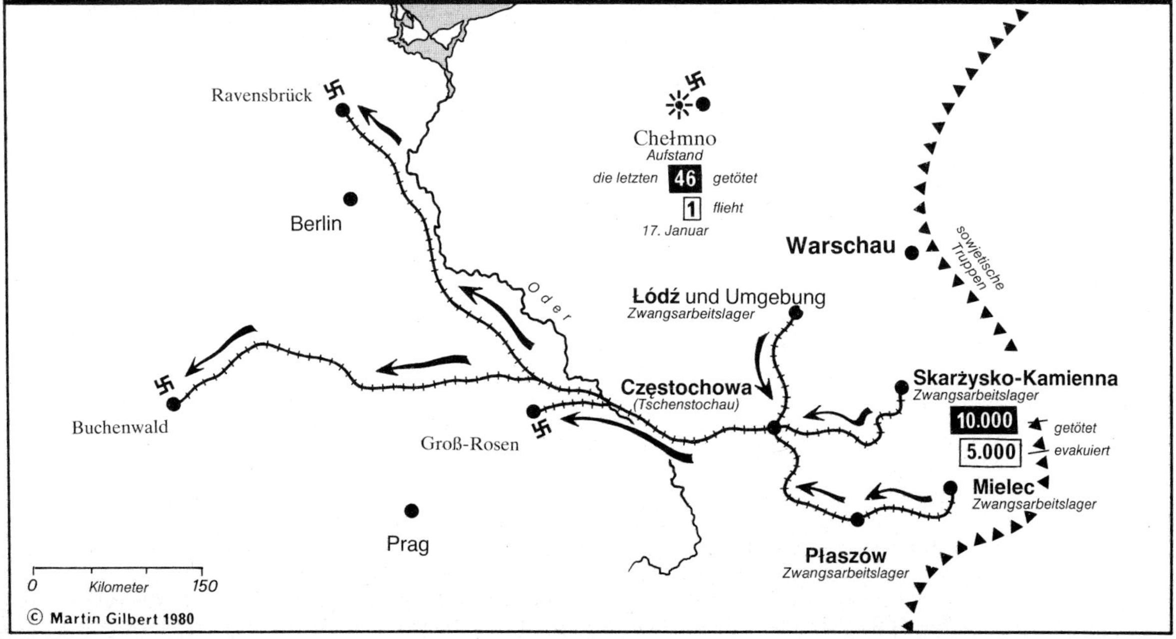
Ravensbrück
Chełmno
Aufstand
die letzten 46 getötet
1 flieht
17. Januar
Berlin
Warschau
sowjetische Truppen
Oder
Łódź und Umgebung
Zwangsarbeitslager
Skarżysko-Kamienna
Zwangsarbeitslager
Częstochowa
(Tschenstochau)
Buchenwald
10.000 getötet
5.000 evakuiert
Groß-Rosen
Mielec
Zwangsarbeitslager
Prag
Płaszów
Zwangsarbeitslager
0 Kilometer 150
© Martin Gilbert 1980

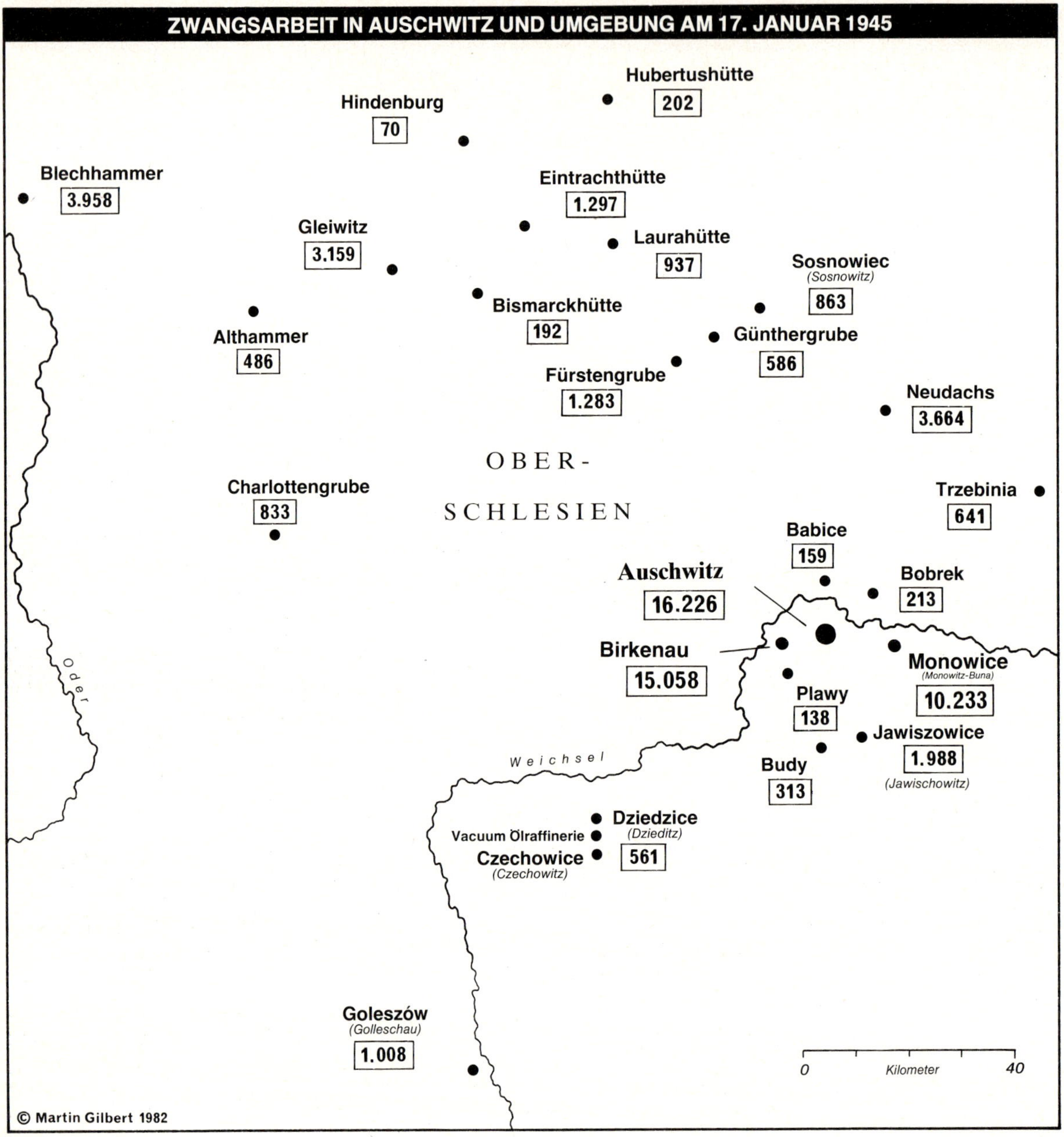
ZWANGSARBEIT IN AUSCHWITZ UND UMGEBUNG AM 17. JANUAR 1945
Hubertushütte
202
Hindenburg
70
Blechhammer
3.958
Eintrachthütte
1.297
Gleiwitz
3.159
Laurahütte
937
Sosnowiec
(Sosnowitz)
863
Bismarckhütte
192
Althammer
486
Günthergrube
586
Fürstengrube
1.283
Neudachs
3.664
OBER-
SCHLESIEN
Charlottengrube
833
Trzebinia
641
Babice
159
Auschwitz
16.226
Bobrek
213
Birkenau
15.058
Monowice
(Monowitz-Buna)
10.233
Plawy
138
Jawiszowice
1.988
(Jawischowitz)
Budy
313
Oder
Weichsel
Dziedzice
(Dzieditz)
Vacuum Ölraffinerie
Czechowice
(Czechowitz)
561
Goleszów
(Golleschau)
1.008
0
Kilometer
40
© Martin Gilbert 1982

Kurz nachdem die letzten Zwangsarbeiter aus Częstochowa (Tschenstochau) evakuiert worden waren, kamen am 16. Januar 1945 sowjetische Truppen in die Stadt *(folgende Seite, unten)*. Am 17. Januar registrierte die SS *(oben)* die Anzahl von Zwangsarbeitern im Gebiet um Auschwitz: Insgesamt waren es mehr als 30000 Männer und Frauen. Am folgenden Tag, dem 18. Januar, wurde der Befehl zur sofortigen Evakuierung sämtlicher Zwangsarbeitslager in Oberschlesien gegeben. Die Juden sollten nach Westen gebracht werden – zu Fuß.

Hunderte von Menschen starben auf diesen Märschen, oder sie wurden erschossen, während sie gingen. Viele kamen um, weil sie zu schwach waren, um wieder aufzustehen, nachdem sie einmal hingefallen waren – sie erfroren im Schnee. Die Karte auf der folgenden Seite *(oben)* zeigt die Routen, die Anzahl der Teilnehmer sowie die Anzahl der registrierten Toten einiger dieser Märsche. Darüber hinaus starben Hunderte, deren Tod nicht registriert oder deren Gräber niemals gefunden wurden.

Die untere Karte auf der folgenden Seite zeigt die Hauptrichtung der Evakuierungen per Eisenbahn vom 18. Januar 1945 und nennt 25 der vielen Dutzend Lager, in die die Evakuierten geschickt wurden. Viele von ihnen mußten in offenen Güterwaggons fahren, wo sie der ganzen Härte des Winters ausgesetzt waren, und Hunderte verhungerten oder erfroren.

EVAKUIERUNGEN IN FORM VON TODESMÄRSCHEN AUS DER GEGEND VON AUSCHWITZ, 18. JANUAR 1945

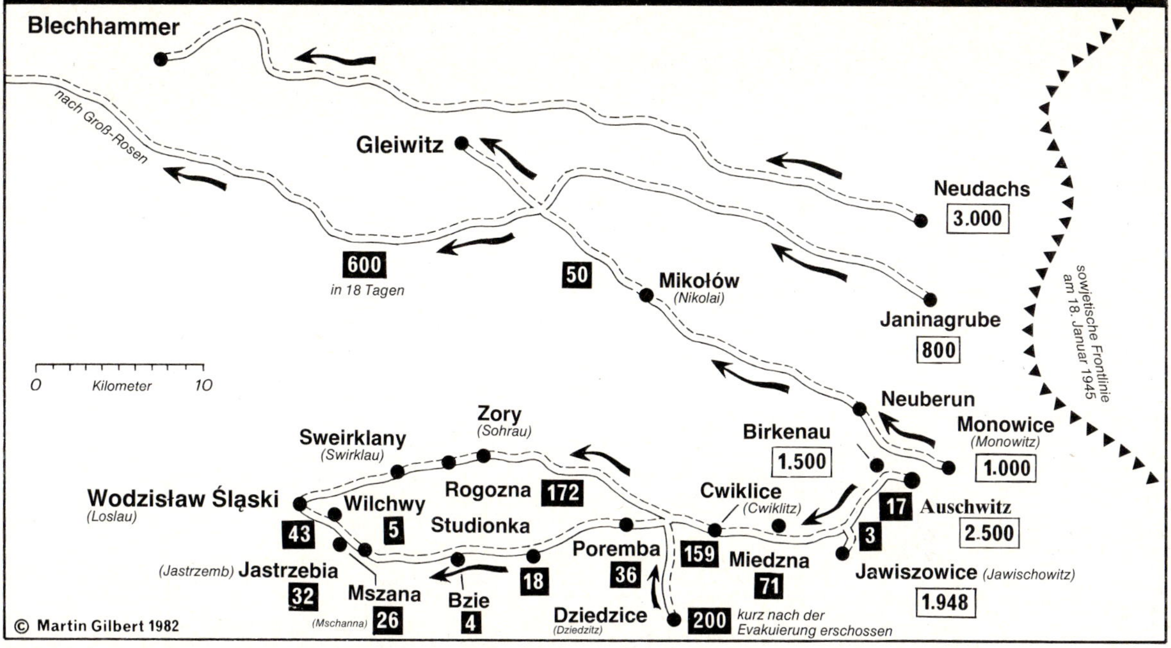
Blechhammer
nach Groß-Rosen
Gleiwitz
Neudachs
3.000
600
in 18 Tagen
50
Mikołów
(Nikolai)
Janinagrube
800
sowjetische Frontlinie
am 18. Januar 1945
0 Kilometer 10
Neuberun
Zory
(Sohrau)
Sweirklany
(Swirklau)
Birkenau
1.500
Monowice
(Monowitz)
1.000
Wodzisław Śląski
(Loslau)
Wilchwy
5
Rogozna
172
Cwiklice
(Cwiklitz)
17
Auschwitz
2.500
43
Studionka
3
Poremba
159
Miedzna
Jawiszowice (Jawischowitz)
(Jastrzemb) Jastrzebia
36
18
71
1.948
32
Mszana
(Mschanna)
26
Bzie
4
Dziedzice
(Dziedzitz)
200
kurz nach der
Evakuierung erschossen
© Martin Gilbert 1982

DER VORMARSCH DER ROTEN ARMEE UND DIE EVAKUIERUNGEN IN DER GEGEND VON AUSCHWITZ

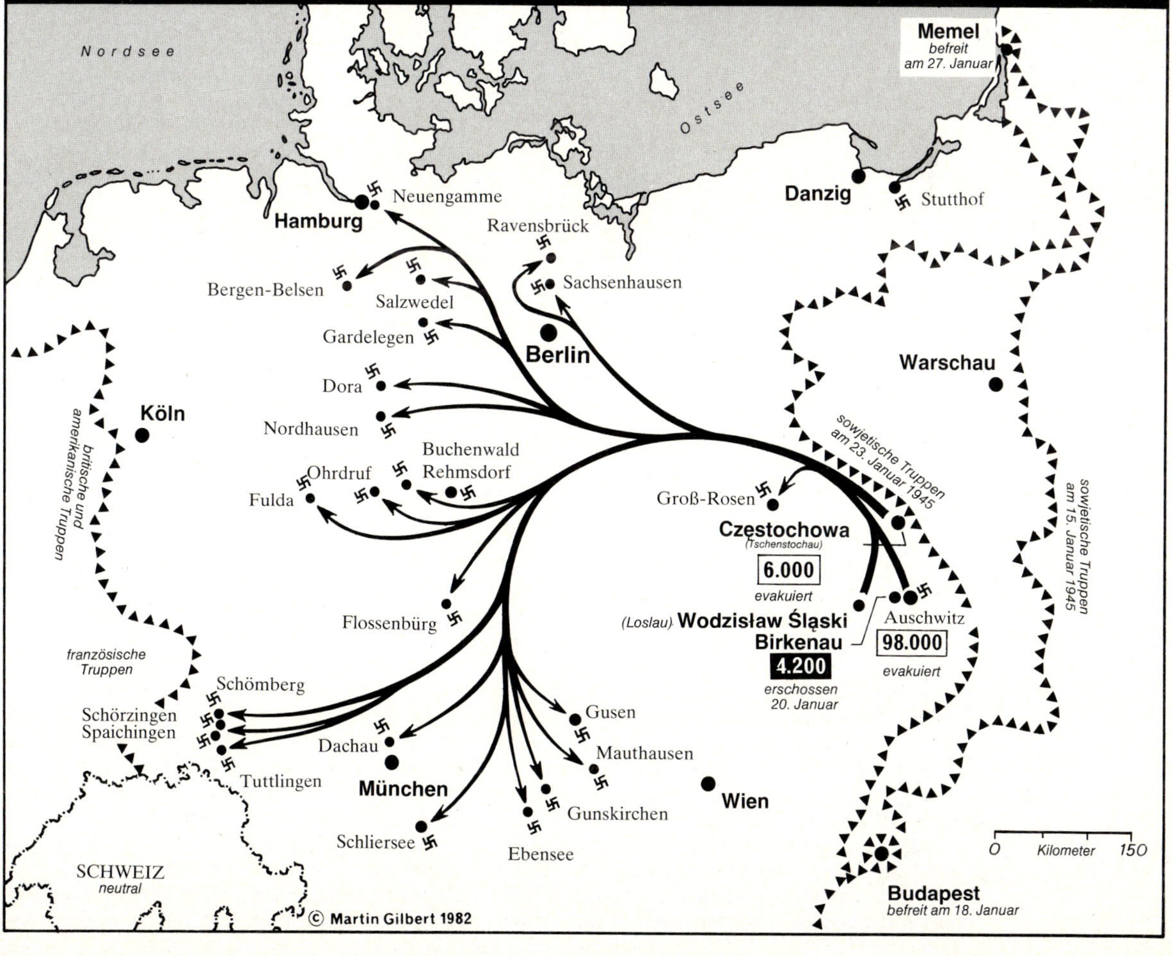
Nordsee
Memel
befreit
am 27. Januar
Ostsee
Danzig
Stutthof
Hamburg
Neuengamme
Ravensbrück
Bergen-Belsen
Salzwedel
Sachsenhausen
Gardelegen
Berlin
Warschau
Dora
Köln
Nordhausen
britische und
amerikanische Truppen
Buchenwald
Rehmsdorf
Ohrdruf
Fulda
sowjetische Truppen
am 23. Januar 1945
Groß-Rosen
Czestochowa
(Tschenstochau)
6.000
evakuiert
sowjetische Truppen
am 15. Januar 1945
Flossenbürg
(Loslau) Wodzisław Śląski
Birkenau
Auschwitz
98.000
evakuiert
4.200
erschossen
20. Januar
französische
Truppen
Schömberg
Schörzingen
Spaichingen
Tuttlingen
Dachau
Gusen
Mauthausen
München
Wien
Gunskirchen
Schliersee
Ebensee
0 Kilometer 150
SCHWEIZ
neutral
Budapest
befreit am 18. Januar
© Martin Gilbert 1982

EIN WEITERER TODESMARSCH, VON BIRKENAU, JANUAR – MÄRZ 1945

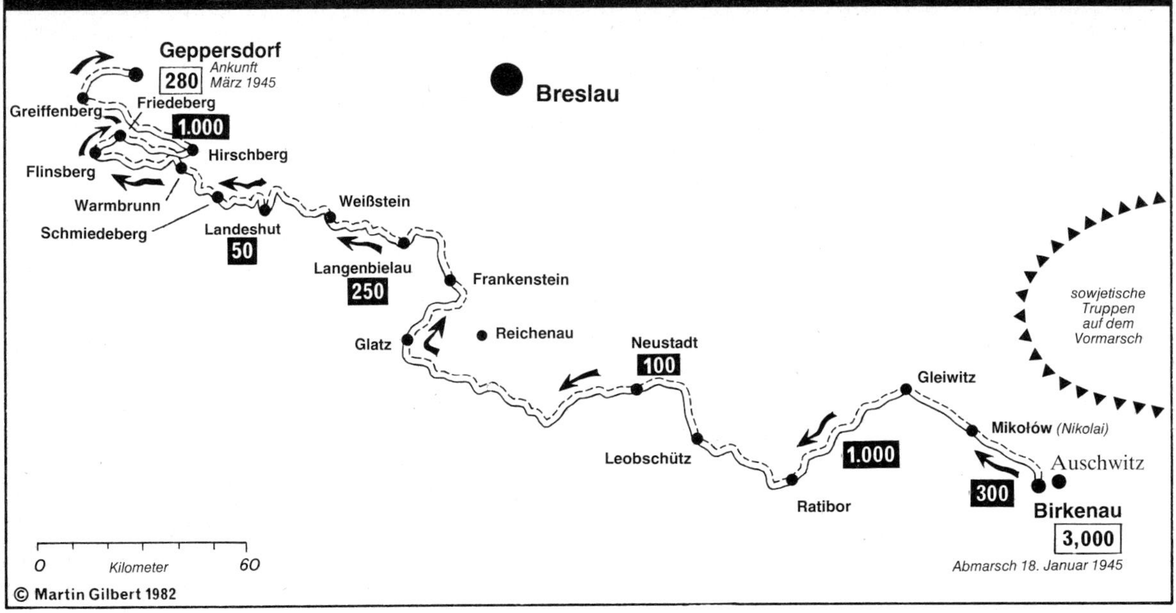
Geppersdorf
280
Ankunft März 1945
Breslau
Greiffenberg
Friedeberg
1.000
Hirschberg
Flinsberg
Warmbrunn
Schmiedeberg
Landeshut
50
Weißstein
Langenbielau
250
Frankenstein
sowjetische Truppen auf dem Vormarsch
Glatz
Reichenau
Neustadt
100
Gleiwitz
Mikołów (Nikolai)
Auschwitz
Leobschütz
1.000
Ratibor
300
Birkenau
3,000
0 Kilometer 60
Abmarsch 18. Januar 1945
© Martin Gilbert 1982

Einer der Todesmärsche, der seinen Ausgang in Birkenau nahm, dauerte über sechs Wochen. Von den 3000 Menschen, die sich zu Fuß auf den Weg machten, überlebten nur 280. Die Karte oben zeigt die Route des Marsches und die Anzahl derer, die unterwegs starben oder erschossen wurden.

Die Karte auf der folgenden Seite zeigt sowohl die Route dieses Marsches von Birkenau nach Geppersdorf als auch die Route von fünf weiteren Evakuierungen, die in den letzten zehn Tagen des Januar 1945 in Angriff genommen wurden. Die kürzeste ging von Königsberg zu einem Fischerdorf an der Ostseeküste mit Namen Palmnicken. Die Mehrzahl der 3700 Evakuierten waren jüdische Frauen, die in einem Nebenlager von Stutthof in Königsberg selbst gearbeitet hatten. Es wurde ihnen gesagt, daß sie auf dem Seeweg evakuiert werden sollten. Unterwegs wurden 700 erschossen, zum Teil nach Gutdünken der Aufseher, zum Teil weil sie stolperten oder fielen. Als sich dann die Marschierenden dem Ufer näherten – angeblich, um an Bord des Schiffes zu gehen – eröffnete die SS aus Maschinenpistolen das Feuer auf sie. Die Frauen waren schwach und unbewaffnet. Und doch trugen sie einen starken Lebenswillen in sich, und sie versuchten verzweifelt, den tödlichen Kugeln zu entkommen. 3000 wurden ermordet. Nur ungefähr 60 gelang die Flucht.

Von Danzig und von Stutthof aus wurden 29000 Juden, die meisten von ihnen Frauen, per Schiff und per Zug evakuiert und in Lager innerhalb des Deutschen Reiches gebracht. Doch nur 3000 überlebten die Reise. Drei Tage zuvor waren vom Lager Lamsdorf in der Nähe von Breslau Tausende jüdischer Kriegsgefangener *(siehe Seite 34/35)* zu Fuß westwärts in Richtung Thüringen auf den Weg gebracht worden. Ihr Marsch dauerte, ähnlich dem der Juden von Geppersdorf, über sechs Wochen, und unterwegs starben Hunderte, oder sie wurden umgebracht.

Die fünfte Evakuierung, die hier dargestellt ist, verlief ähnlich tragisch, ohne jedoch ein derart entsetzliches Ende zu nehmen. Mehr als 100 ungarische Juden waren schon früher von Auschwitz nach Goleszów (Golleschau) geschickt worden, um dort in einem Steinbruch zu arbeiten. Am 21. Januar 1945 wurden auch sie evakuiert, und zwar per Zug von Golleschau. In zwei versiegelten Viehwaggons wurden die Juden in nördlicher, südlicher und westlicher Richtung hin- und hergeschoben. Unterwegs traute sich niemand, die Waggons zu öffnen, die die Aufschrift «Eigentum der SS» trugen, und im weiteren Verlauf der Irrfahrt erfroren 20 der Juden. Nach sechs Tagen erreichten die versiegelten Waggons Svitavy (Zwittau), wo sie von ihrem Zug abgekoppelt wurden und auf der Bahnstation zurückblieben. Als Oscar Schindler, ein deutscher Katholik und Besitzer mehrerer Fabriken, davon erfuhr, bemühte er sich, von der SS die Genehmigung zu bekommen, die Waggons zu seiner Munitionsfabrik in Brünnlitz zu bringen. Er hatte keine Erfolg, beschloß jedoch, persönlich zum Bahnhof zu gehen, wo er die Frachtpapiere fand – unten drunter schrieb er, «Zielort: Schindler-Fabrik, Brünnlitz». Die Waggons wurden wieder auf den Weg gebracht. Als sie in Schindlers Fabrik ankamen, erbrach dieser die Schlösser und ließ die Juden heraus – unter Gefährdung seines eigenen Lebens gab er ihnen Schutz, Essen und Wärme.

Dies waren nicht die ersten Juden, die Schindler gerettet hatte. Schon vorher hatte er Gefangene aus

EVAKUIERUNGEN, MASSAKER UND RETTUNG, 20.–27. JANUAR 1945

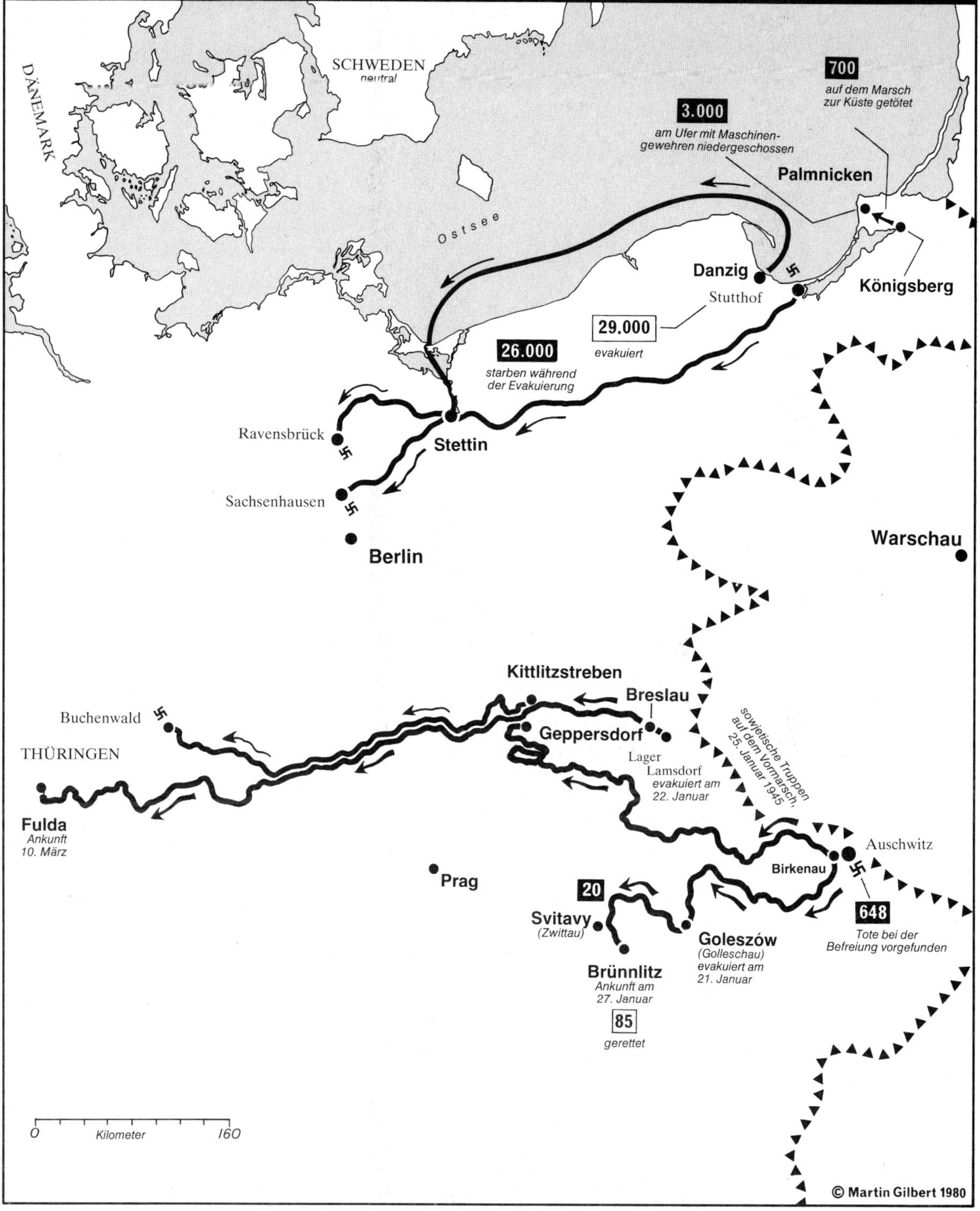
DÄNEMARK
SCHWEDEN
neutral
Ostsee
700
auf dem Marsch
zur Küste getötet
3.000
am Ufer mit Maschinen-
gewehren niedergeschossen
Palmnicken
Danzig
Stutthof
Königsberg
29.000
evakuiert
26.000
starben während
der Evakuierung
Ravensbrück
Stettin
Sachsenhausen
Berlin
Warschau
Kittlitzstreben
Breslau
Geppersdorf
Lager
Lamsdorf
evakuiert am
22. Januar
sowjetische Truppen
auf dem Vormarsch,
25. Januar 1945
Buchenwald
THÜRINGEN
Fulda
Ankunft
10. März
Prag
Auschwitz
Birkenau
648
Tote bei der
Befreiung vorgefunden
20
Svitavy
(Zwittau)
Goleszów
(Golleschau)
evakuiert am
21. Januar
Brünnlitz
Ankunft am
27. Januar
85
gerettet
0
Kilometer
160
© Martin Gilbert 1980

Płaszów, Groß-Rosen und anderen Lagern in seine Fabriken geholt – theoretisch, um sie als Zwangsarbeiter zu beschäftigen, in Wirklichkeit jedoch, um sie zu beschützen. Einer derer, die Schindler schon vorher gerettet hatte, war Moshe Bejski, ein junger polnischer Jude, der 35 Jahre später Richter am Obersten Gerichtshof in Israel werden sollte. Als Schindler im Oktober 1974 starb, wurde sein Leichnam nach Jerusalem überführt; bei seiner Beerdigung gaben ihm viele derer, die er einst gerettet hatte, das letzte Geleit zu seinem Grab auf dem Ölberg.

Als sowjetische Truppen am 27. Januar 1945 nach Auschwitz-Birkenau kamen, fanden sie dort 648 tote Insassen: Juden, Polen und Zigeuner.

EIN TODESMARSCH VON ZWEIUNDVIERZIG TAGEN DAUER, 26. JANUAR – 11. MÄRZ 1945

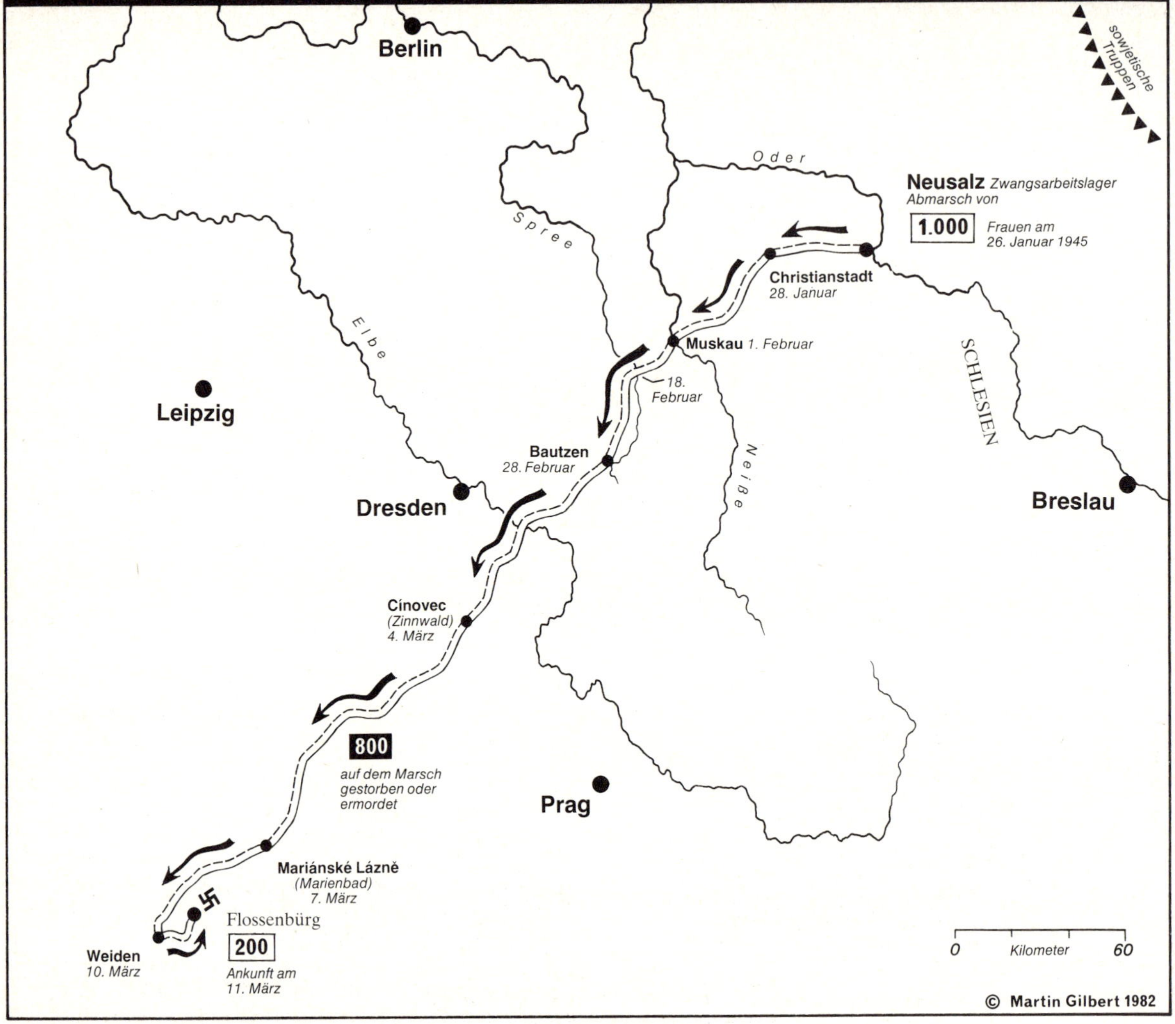
sowjetische Truppen
Berlin
Oder
Neusalz Zwangsarbeitslager Abmarsch von
1.000 Frauen am 26. Januar 1945
Spree
Christianstadt 28. Januar
Elbe
Muskau 1. Februar
18. Februar
SCHLESIEN
Leipzig
Neiße
Bautzen 28. Februar
Dresden
Breslau
Cínovec (Zinnwald) 4. März
800 auf dem Marsch gestorben oder ermordet
Prag
Mariánské Lázně (Marienbad) 7. März
Flossenbürg
200 Ankunft am 11. März
Weiden 10. März
0 Kilometer 60
© Martin Gilbert 1982

VOM TODESMARSCH ZUM TODESZUG

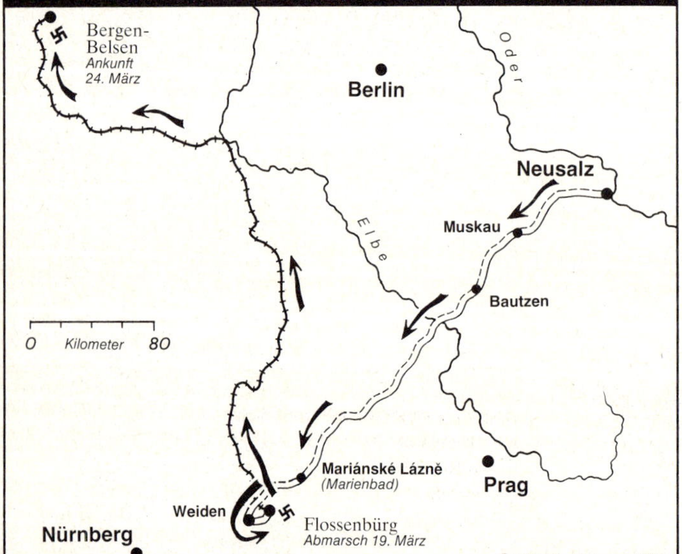
Bergen-Belsen Ankunft 24. März
Berlin
Oder
Neusalz
Muskau
Elbe
Bautzen
0 Kilometer 80
Mariánské Lázně (Marienbad)
Prag
Weiden
Flossenbürg Abmarsch 19. März
Nürnberg
© Martin Gilbert 1982

Ein Todesmarsch, der 42 Tage dauerte, setzte sich aus 1000 jüdischen Frauen zusammen, die als Zwangsarbeiterinnen in einem Lager in Neusalz untergebracht waren. Am 26. Januar 1945 wurde ihnen befohlen, das Lager zu verlassen und in südwestlicher Richtung zu marschieren – begleitet von Schlägen und Schüssen, die inzwischen zum Alltag von Todesmärschen gehörten. Als die Marschierenden Flossenbürg erreichten *(oben)*, waren bis auf 200 alle getötet worden. Acht Tage später wurden die Überlebenden erneut evakuiert, diesmal per Eisenbahn *(links)*, und bis der Zug Bergen-Belsen erreicht hatte, waren wieder einige von ihnen gestorben.

Am 18. Februar 1945, als die evakuierten Frauen von Neusalz gerade die Spree überquerten, wurden in ganz Deutschland mehr als 500 Juden, die bis dahin durch ihre Ehe mit Christen geschützt waren, festgenommen und nach Theresienstadt deportiert *(folgende Seite)*. Das Foto zeigt einige der vielen hundert Kinder, die nach Theresienstadt geschickt wurden.

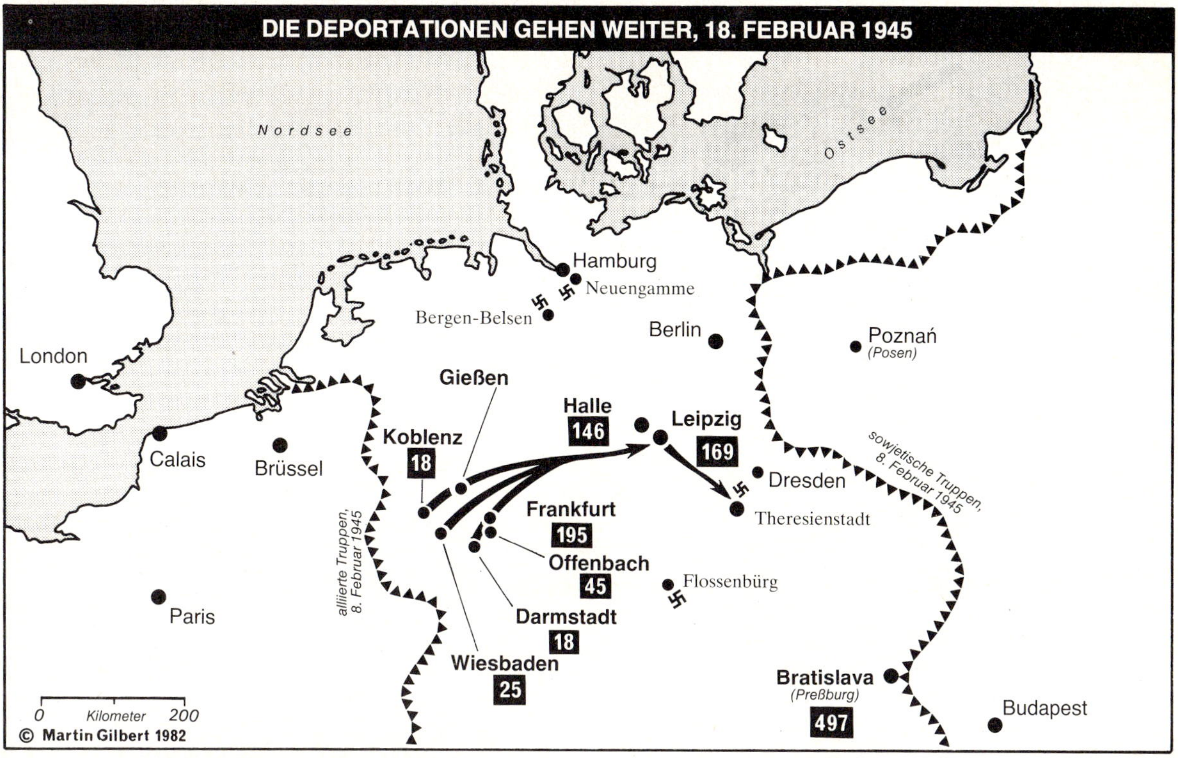
DIE DEPORTATIONEN GEHEN WEITER, 18. FEBRUAR 1945
Nordsee
Ostsee
Hamburg
Neuengamme
Bergen-Belsen
Berlin
Poznań
(Posen)
London
Gießen
Halle
146
Leipzig
169
Koblenz
18
Calais
Brüssel
Dresden
Theresienstadt
sowjetische Truppen, 8. Februar 1945
alliierte Truppen, 8. Februar 1945
Frankfurt
195
Offenbach
45
Flossenbürg
Paris
Darmstadt
18
Wiesbaden
25
Bratislava
(Preßburg)
497
Budapest
0 Kilometer 200
© Martin Gilbert 1982

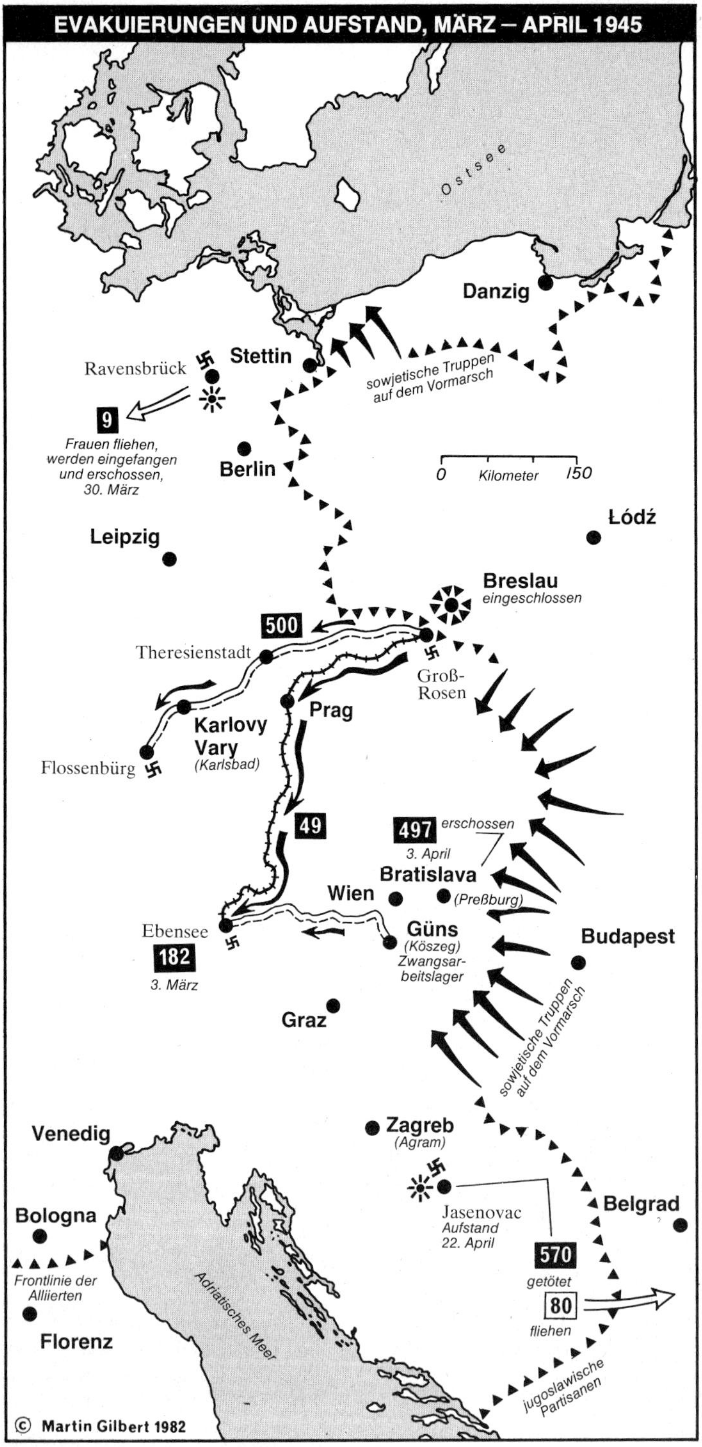
EVAKUIERUNGEN UND AUFSTAND, MÄRZ – APRIL 1945
Ostsee
Danzig
Stettin
Ravensbrück
sowjetische Truppen auf dem Vormarsch
9
Frauen fliehen, werden eingefangen und erschossen, 30. März
Berlin
0 Kilometer 150
Łódź
Leipzig
Breslau
eingeschlossen
500
Theresienstadt
Groß-Rosen
Prag
Karlovy Vary
(Karlsbad)
Flossenbürg
49
497
erschossen
3. April
Bratislava
Wien
(Preßburg)
Ebensee
182
3. März
Güns
(Köszeg)
Zwangsarbeitslager
Budapest
Graz
sowjetische Truppen auf dem Vormarsch
Venedig
Zagreb
(Agram)
Jasenovac
Aufstand
22. April
Belgrad
Bologna
570
getötet
80
fliehen
Frontlinie der Alliierten
Florenz
Adriatisches Meer
jugoslawische Partisanen
© Martin Gilbert 1982

Im März und April 1945 drang die sowjetische Armee tief ins Deutsche Reich vor. Aber das Bedürfnis, Juden zu töten und Juden als Zwangsarbeiter zu benutzen, bestimmte nach wie vor die Politik der Nazis. In Bratislava (Preßburg) ermordeten sie sämtliche 497 Mitglieder eines jüdischen Zwangsarbeitsbataillons, als die sowjetischen Truppen heranrückten *(oben)*.

Im Konzentrationslager Groß-Rosen wurde ein Marsch mit 3500 Gefangenen zunächst in westlicher und dann in südlicher Richtung – weg von den vorrückenden Russen – auf den Weg gebracht. Mehr als 500 der Marschierenden starben, als man sie durch die Trümmer von Dresden zum Konzentrationslager in Flossenbürg trieb. Weitere 2000 Juden wurden von Groß-Rosen per Zug evakuiert und nach Ebensee, einem der Nebenlager von Mauthausen, gebracht. Insgesamt starben 49 Menschen auf dem Transport und weitere 182 während der Desinfektions-Prozedur im Lager am Tage der Ankunft, dem 3. März 1945.

Als sich die Russen dem Zwangsarbeitslager in Güns (Kőszeg) näherten, wo innerhalb knapp eines Jahres auf Grund von Hunger, Krankheiten, Folter und Erschießungen 3000 Juden ums Leben gekommen waren, wurde dort ein weiterer Todesmarsch mit den 2000 Überlebenden des Lagers auf den Weg gebracht, der ebenfalls nach Ebensee führen sollte *(folgende Seite)*. Mehrere Wochen wurden die Marschierenden durch die hügelige und bergige Landschaft Österreichs geführt. Jeder der es nicht schaffte, am Beginn eines Marschtages auf die Füße zu kommen, wurde erschossen.

Bis zum Sommer 1944 hatte in Güns (Kőszeg) eine kleine jüdische Gemeinde bestehend aus 117 Menschen gelebt. Sie gehörten zu den allerletzten ungarischen Juden, die nach Auschwitz deportiert wurden, und zwar am 4. Juli 1944 *(S. 200)*, zwei Tage, bevor die Deportationen endeten. Nur 15 hatten überlebt. Unter den Toten war der Rabbi von Güns (Köszeg), Isaac Linksz.

Später im selben Jahr war in Güns (Kőszeg) ein Zwangsarbeitslager eingerichtet worden, das nun, im März 1945, seinerseits «liquidiert» wurde, wie es in der Nazi-Terminologie hieß.

In Ravensbrück, nördlich von Berlin, flohen neun Frauen – sie wurden aufgespürt und erschossen.

In den südlichsten Gebieten, die noch unter deutscher Herrschaft waren, lag das Konzentrationslager Jasenovac, wo von den ehemals 14000 Juden Bosniens nicht einmal mehr als 1000 am Leben waren.

Dort wagten am 22. April 1945 600 Gefangene – Juden wie Nichtjuden – einen Aufstand und griffen ihre Aufseher an. Die Aufseher verfügten über Maschinenpistolen und Granaten. Die Gefangenen hatten Messer, Stöcke und ihre bloßen Hände. Insgesamt wurden 520 Gefangene getötet: 80 konnten fliehen, 20 davon waren Juden.

Das Foto zeigt einen Gefangenen in Mauthausen, der beschlossen hatte, seinem Todeskampf ein Ende zu setzen, indem er gegen den elektrisch geladenen Zaun lief. Als immer mehr Juden und andere Gefangene nach Mauthausen und in dessen Nebenlager gebracht wurden, stieg die Zahl derer, die dort infolge von brutaler Behandlung und Hunger ums Leben kamen, sprunghaft an: In kaum mehr als vier Monaten starben in Mauthausen über 7000 Juden, 15000 Zigeuner und mehr als 4000 sowjetische Kriegsgefangene *(S. 232/233)*.

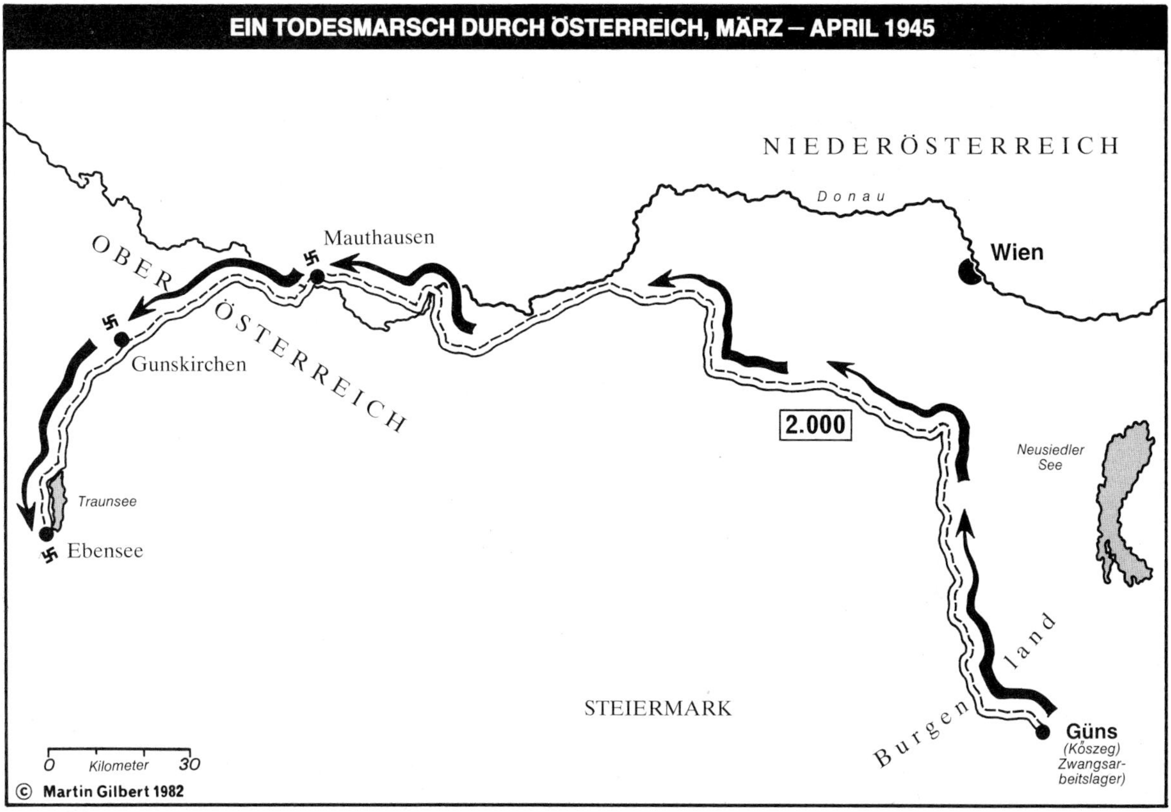
EIN TODESMARSCH DURCH ÖSTERREICH, MÄRZ – APRIL 1945
NIEDERÖSTERREICH
Donau
Wien
Mauthausen
OBERÖSTERREICH
Gunskirchen
Traunsee
Ebensee
2.000
Neusiedler See
STEIERMARK
Burgenland
Güns
(Kőszeg)
Zwangsarbeitslager)
0 Kilometer 30
© Martin Gilbert 1982

FÜNF EVAKUIERUNGEN, 1.–3. APRIL 1945
Nordsee
Ostsee
Hamburg
Neuengamme
Bergen-Belsen
Stettin
Sachsenhausen
Abfahrt
Anfang April
Berlin
sowjetische Truppen,
16. Februar – 15. April
britische Truppen,
1. April 1945
Oder
Nordhausen
Abfahrt am 3. April
Artern
Abfahrt
Anfang April
Kamenz
Dresden
Breslau
eingeschlossen
Neustadt
Ankunft am 22. April
Chemnitz
Teplice (Teplitz)
Litoměřice
(Leitmeritz)
Theresienstadt
amerikanische Truppen,
1. April 1945
Mainz
Sudeten
Prag
Heilbronn
42
Crailsheim
Kochendorf
Abfahrt am 1. April:
Polen, Tschechen, Franzosen,
Russen und Juden
Zöbingen
Ulm
Dachau
Hütten
47
Linz
Wels
Melk
Amstetten
Abmarsch
Anfang April
Gmunden
Ebensee
Ankunft am 18. April
Bodensee
Österreichische
Alpen
sowjetische
Truppen
0
Kilometer
160
SCHWEIZ
neutral

Von den ersten Apriltagen an war erkennbar, daß die Russen und die westlichen Alliierten ihren Vormarsch solange fortsetzen würden, bis sie sich irgendwo in der Mitte Deutschlands träfen. Doch Hitler hoffte immer noch, daß die deutschen Truppen in der Lage wären, in einer gebirgigen Gegend – sei es in den Sudeten, sei es in den österreichischen Alpen – durchzuhalten und von dort aus den Krieg fortzusetzen.

In dieser Phase waren es zwei unterschiedliche politische Aspekte, die die SS dazu veranlaßten, die Agonie der Todesmärsche noch weiter zu verlängern: zum einen der Wunsch zu verhindern, daß die Alliierten irgend jemanden befreiten, der Zeuge von Massenmorden geworden war, zum anderen der Wunsch, sich so lange wie möglich ein großes Heer von Zwangsarbeitern für all jene Probleme zu erhalten, denen eine zerschlagene Armee gegenüberstand: die Reparatur von Straßen und Eisenbahngleisen, der Bau von Bahndämmen, die Reparatur von Brücken, das Ausheben unterirdischer Bunker, aus denen heraus sich der Kampf auch weiterhin kontrollieren und dirigieren ließ, die Vorbereitung von Panzersperren, um den Vormarsch der Alliierten aufzuhalten, und nicht zuletzt die Unterstützung bei der unsagbar schwierigen Arbeit, zwei unterirdisch gelegene Festungen in den Bergen zu bauen.

All diese Gründe wurden jedoch überlagert von dem ewigen und stets gegenwärtigen, alles pervertierenden Wahn der Nazis, daß Juden keine menschlichen Wesen seien, daß man sie leiden lassen müsse und daß es nichts ausmachte, wenn sie starben, wie grauenvoll auch immer die Umstände sein mochten. Deshalb gab es auch weiterhin Todesmärsche und Todeszüge, ungeachtet des zunehmenden Chaos auf Straßen und Gleisen nach dem Zusammenbruch der West- wie der Ostfront. Die Karte auf der vorherigen Seite zeigt fünf solcher Evakuierungen; die Karte rechts zeigt drei weitere – alle fanden in weniger als einer Woche statt.

Aus dieser Zeit der schnellen Truppenbewegungen gibt es kaum schriftliche Unterlagen. Die Zahlen der Toten, die auf diesen Karten verzeichnet sind, geben nur einen Bruchteil der Gesamtzahl von Juden wieder, die in jenen vier Tagen infolge von Erschöpfung oder brutaler Behandlung starben.

Arbeitslager wie das in Ohrdruf waren erst wenige Monate zuvor in Betrieb genommen worden, um die Unterbringung von Zehntausenden jüdischer Zwangsarbeiter sicherzustellen, die im Osten evakuiert worden waren und nun eine unterirdische Armee-Kommandozentrale bauen sollten. Als jedoch amerikanische und britische Einheiten von Westen her näherrückten, wurden diese selben Juden erneut evakuiert. Zurück nach Osten zu gehen war unmöglich. Der Verkehr konnte sich nur noch in nördlicher oder südlicher Richtung bewegen. Und so wurden Tausende von Juden mit dem Zug nach Bergen-Belsen, Dachau, Litoměřice (Leitmeritz), Theresienstadt und Ebensee geschafft. In all diesen Lagern waren – in erster Linie auf Grund von Hunger und Typhus – die Bedingungen so entsetzlich, daß jeden Tag Hunderte von Menschen starben.

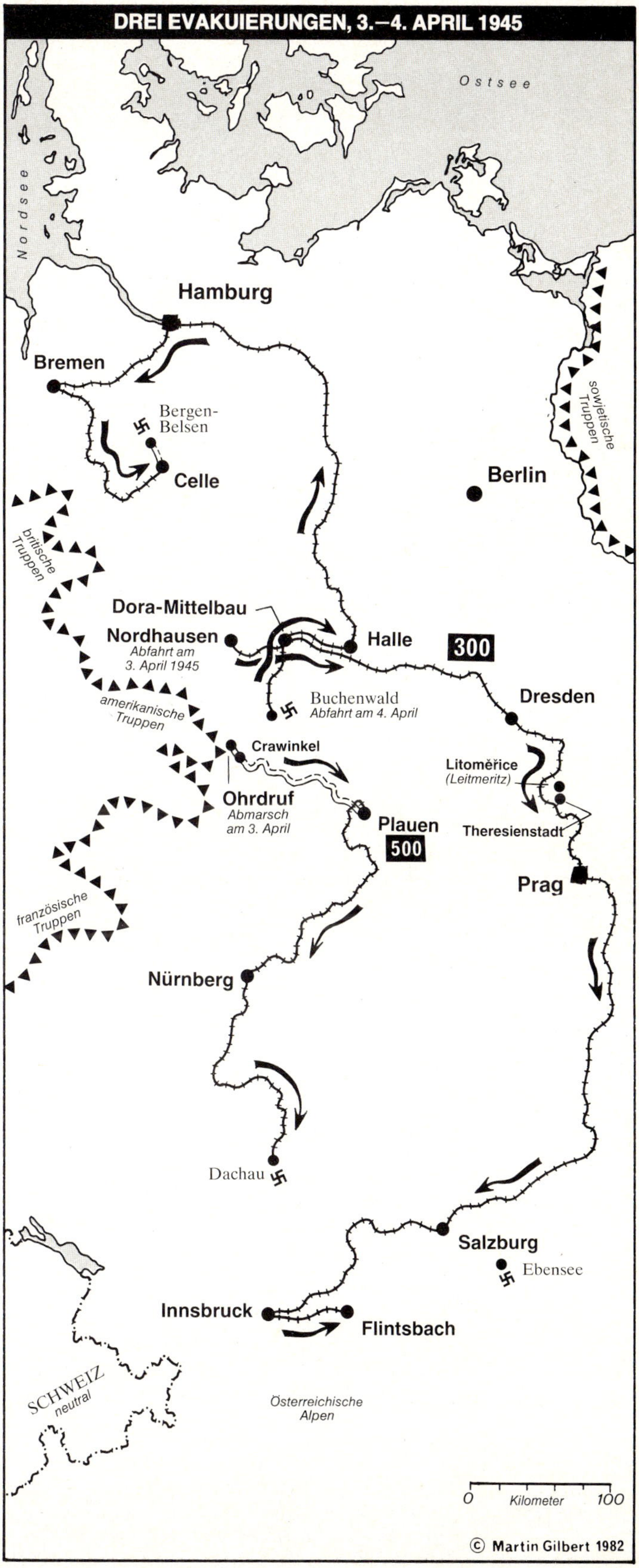
DREI EVAKUIERUNGEN, 3.–4. APRIL 1945
Ostsee
Nordsee
Hamburg
Bremen
Bergen-Belsen
Celle
Berlin
sowjetische Truppen
britische Truppen
Dora-Mittelbau
Nordhausen
Abfahrt am 3. April 1945
Halle
300
Buchenwald
Abfahrt am 4. April
Dresden
amerikanische Truppen
Crawinkel
Litoměřice
(Leitmeritz)
Ohrdruf
Abmarsch am 3. April
Plauen
500
Theresienstadt
Prag
französische Truppen
Nürnberg
Dachau
Salzburg
Ebensee
Innsbruck
Flintsbach
SCHWEIZ
neutral
Österreichische Alpen
0 Kilometer 100
© Martin Gilbert 1982

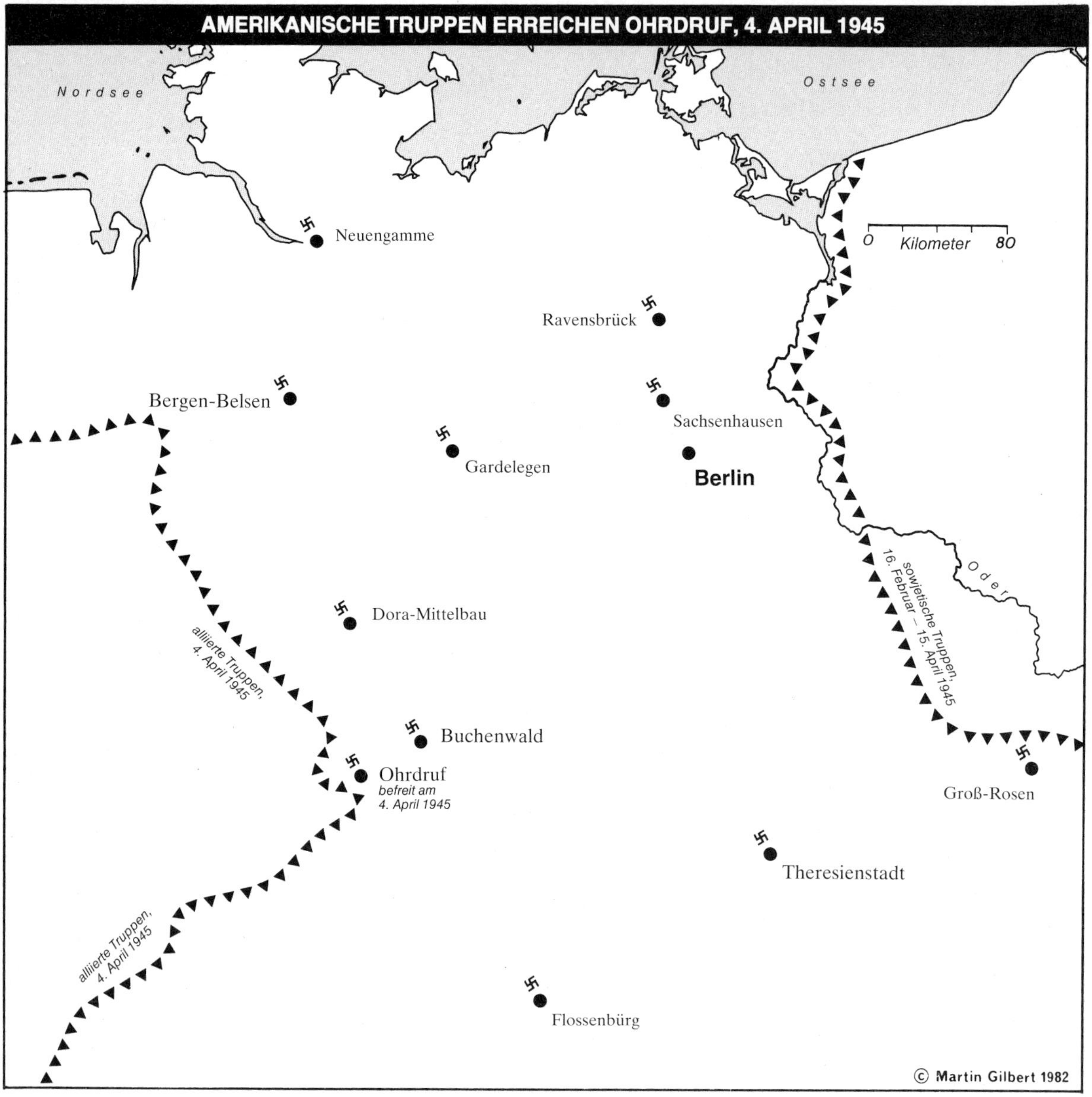
AMERIKANISCHE TRUPPEN ERREICHEN OHRDRUF, 4. APRIL 1945
Nordsee
Ostsee
Neuengamme
0 Kilometer 80
Ravensbrück
Bergen-Belsen
Sachsenhausen
Gardelegen
Berlin
Oder
sowjetische Truppen, 16. Februar – 15. April 1945
Dora-Mittelbau
alliierte Truppen, 4. April 1945
Buchenwald
Ohrdruf
befreit am 4. April 1945
Groß-Rosen
Theresienstadt
alliierte Truppen, 4. April 1945
Flossenbürg
© Martin Gilbert 1982

Am 4. April 1945 erreichten US-Truppen den Ort Ohrdruf *(oben)*, wo in den vorangegangenen drei Monaten 4000 Lagerinsassen gestorben oder ermordet worden waren und wo Hunderte am Vorabend des Eintreffens der Amerikaner erschossen wurden. Einige der Opfer waren Juden, andere waren polnische und russische Kriegsgefangene. Alle hatte man gezwungen, am Bau eines gewaltigen unterirdischen Radio- und Telefonzentrums mitzuwirken, das der deutschen Armee für den Fall eines Rückzuges aus Berlin als Hauptquartier dienen sollte.

Der Anblick der abgemagerten Leichname verursachte eine Welle der Abscheu, die sich bis nach England und in die Vereinigten Staaten ausbreitete. General Eisenhower, der das Lager besuchte, war so entsetzt, daß er Fotos der toten Gefangenen an Churchill schickte, der sofort veranlaßte, daß einige englische Parlamentarier das Lager besichtigten.

Am 8. April wurden alle jüdischen Insassen Buchenwalds, von denen viele erst drei Monate vorher, kommend aus Auschwitz oder Stutthof, im Lager eingetroffen waren, erneut in Marsch gesetzt – die nichtjüdischen Gefangenen blieben zurück, um die Ankunft der Amerikaner abzuwarten. Die Juden wurden zunächst nach Osten und dann nach Süden zum Konzentrationslager Flossenbürg geführt. Andere, aus Lagern in Aschersleben und Schönebeck, wurden zuerst nach Süden, dann nach Norden, dann wieder zurück nach Süden gebracht, anfangs zu Fuß und in Lastwagen, dann mit der Bahn – Endstation war Litoměřice (Leitmeritz). Eine dritte Gruppe wurde durch die Sudeten nach Theresienstadt geschickt – unterwegs wurden in dem Ort Buchov (Buchau) 60 Menschen ermordet.

VIER WEITERE EVAKUIERUNGEN, 8.–16. APRIL 1945

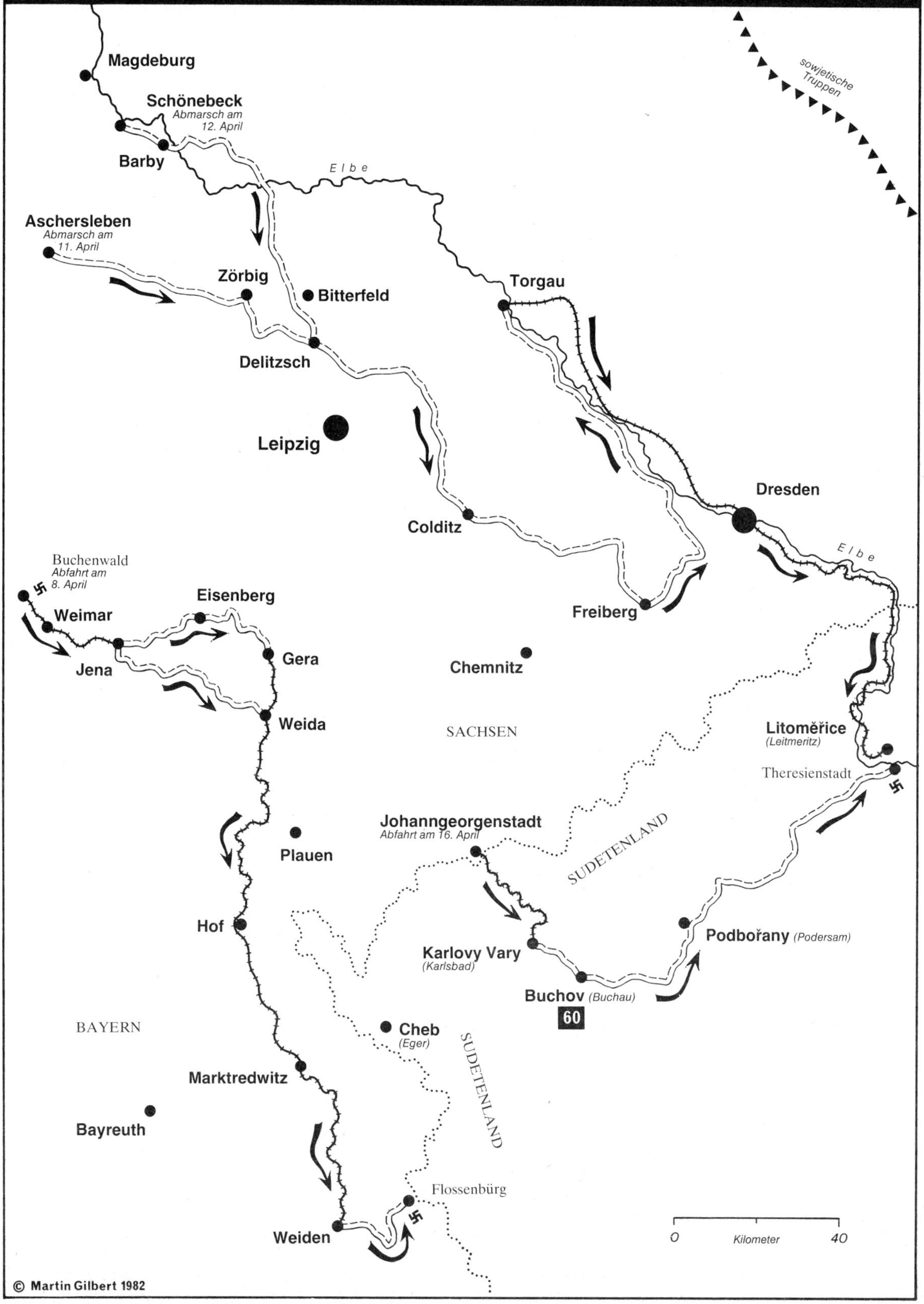
Magdeburg
Schönebeck
Abmarsch am 12. April
Barby
Elbe
sowjetische Truppen
Aschersleben
Abmarsch am 11. April
Zörbig
Bitterfeld
Torgau
Delitzsch
Leipzig
Dresden
Colditz
Elbe
Buchenwald
Abfahrt am 8. April
Weimar
Eisenberg
Freiberg
Gera
Jena
Chemnitz
Weida
SACHSEN
Litoměřice
(Leitmeritz)
Theresienstadt
Johanngeorgenstadt
Abfahrt am 16. April
Plauen
SUDETENLAND
Hof
Karlovy Vary
(Karlsbad)
Podbořany (Podersam)
Buchov (Buchau)
60
BAYERN
Cheb
(Eger)
SUDETENLAND
Marktredwitz
Bayreuth
Flossenbürg
Weiden
0 Kilometer 40

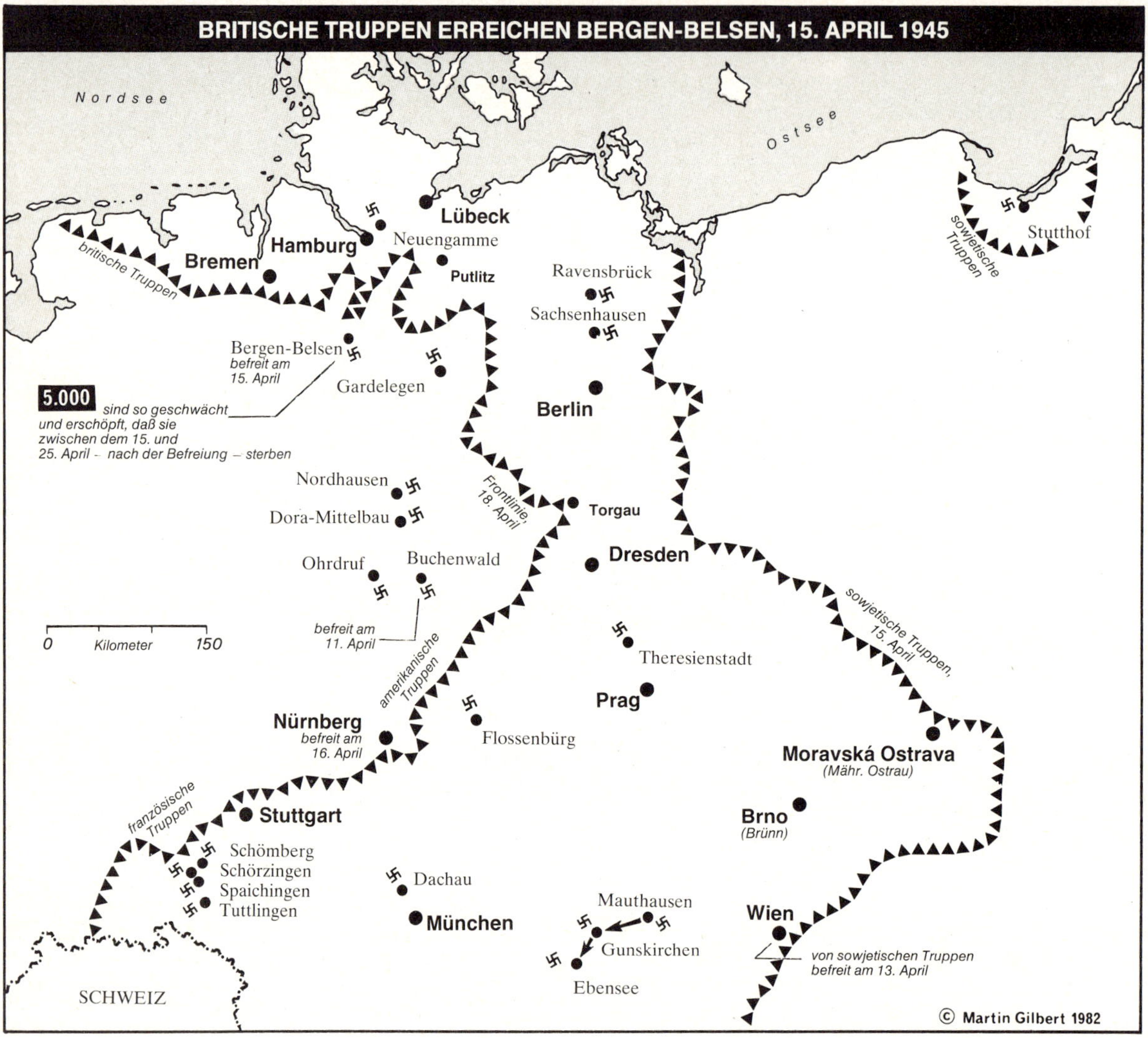
BRITISCHE TRUPPEN ERREICHEN BERGEN-BELSEN, 15. APRIL 1945
Nordsee
Ostsee
Lübeck
Hamburg
Neuengamme
Bremen
britische Truppen
Putlitz
Ravensbrück
Sachsenhausen
Stutthof
sowjetische Truppen
Bergen-Belsen
befreit am 15. April
Gardelegen
5.000 sind so geschwächt und erschöpft, daß sie zwischen dem 15. und 25. April – nach der Befreiung – sterben
Berlin
Nordhausen
Dora-Mittelbau
Frontlinie, 18. April
Torgau
Dresden
Ohrdruf
Buchenwald
befreit am 11. April
0 Kilometer 150
sowjetische Truppen, 15. April
Theresienstadt
amerikanische Truppen
Prag
Nürnberg
befreit am 16. April
Flossenbürg
Moravská Ostrava
(Mähr. Ostrau)
französische Truppen
Stuttgart
Brno
(Brünn)
Schömberg
Schörzingen
Spaichingen
Tuttlingen
Dachau
Mauthausen
München
Wien
Gunskirchen
von sowjetischen Truppen befreit am 13. April
Ebensee
SCHWEIZ
© Martin Gilbert 1982

Am 15. April 1945, elf Tage nachdem amerikanische Einheiten die Massengräber von Ohrdruf entdeckt hatten, kamen englische Truppen nach Belsen *(oben)*. Dort fanden die Engländer Anzeichen, die auf Massenmorde von noch weit größerem Umfang schließen ließen. Von den 10000 nicht begrabenen Opfern waren die meisten verhungert. Selbst nach der Befreiung starben jeden Tag 500 Insassen an Typhus oder infolge von Hunger – zu solchen Todesfällen kam es auch noch mehr als eine Woche nach der Befreiung.

Bis Ende April kursierten überall Fotos, Filme und Artikel über Belsen, die einen so gewaltigen Eindruck hinterließen, daß das Wort «Belsen» zum Synonym für «Unmenschlichkeit» wurde. Die englischen Soldaten, Männer, die im April 1945 mit den Grauen des Krieges hinreichend vertraut waren, wurden dennoch bei dem Anblick, der sich ihnen bot, von heftigerem Entsetzen gepackt, als sie es je für möglich gehalten hätten. «Vor dem Eintreffen der Engländer hatte es bereits fünf Tage lang weder etwas zu essen, noch Wasser zu trinken gegeben», hieß es in einem britischen Armeebericht. «Es fanden sich Anzeichen von Kannibalismus. Die Insassen hatten jegliche Selbstachtung verloren, man hatte sie moralisch zu Tieren erniedrigt. Ihre Kleider waren zerfetzt, auf ihren Körpern wimmelte es von Läusen, und sowohl innerhalb wie außerhalb der Baracken lag ein beinahe geschlossener Teppich von toten Leibern, menschlichen Exkrementen, Lumpen und Schmutz.»

Soldaten und Krankenschwestern machten sich daran, jene zu retten, die noch gerettet werden konnten. Aber selbst das Eintreffen von Lebensmitteln war für Hunderte der Insassen zuviel – sie starben infolge der «Reichhaltigkeit» der englischen Armeerationen: Milchpulver, Hafergrütze, Zucker, Salz und Fleisch in Dosen.

Am gleichen Tag, an dem die Engländer nach Belsen kamen, erreichten die amerikanischen Truppen

TODESMÄRSCHE VON RAVENSBRÜCK UND SACHSENHAUSEN, 19.–25. APRIL 1945

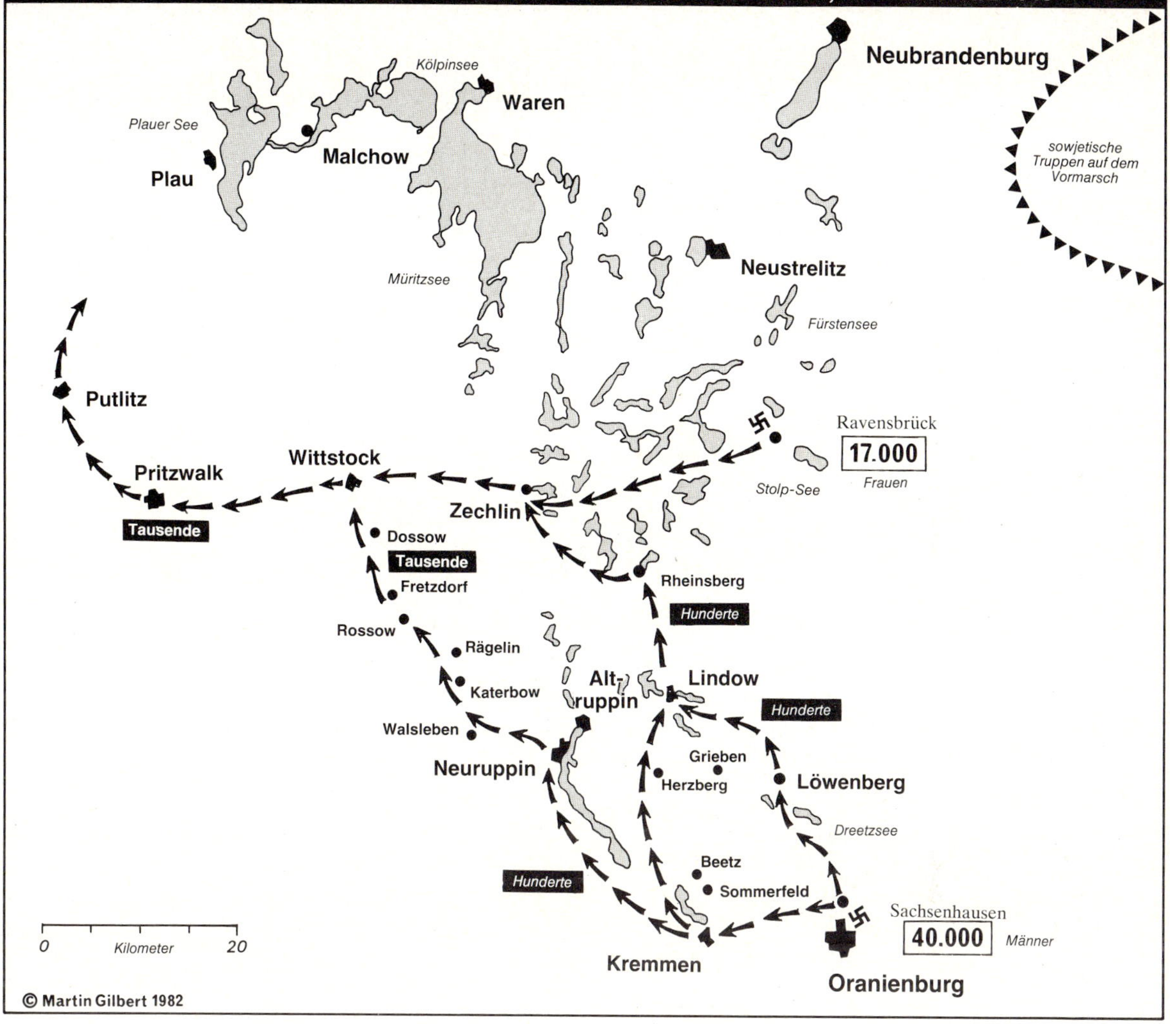
Kölpinsee
Waren
Plauer See
Malchow
Plau
Neubrandenburg
sowjetische Truppen auf dem Vormarsch
Müritzsee
Neustrelitz
Fürstensee
Putlitz
Ravensbrück
17.000
Frauen
Stolp-See
Wittstock
Pritzwalk
Tausende
Zechlin
Dossow
Tausende
Fretzdorf
Rheinsberg
Hunderte
Rossow
Rägelin
Alt-ruppin
Lindow
Katerbow
Hunderte
Walsleben
Neuruppin
Grieben
Herzberg
Löwenberg
Dreetzsee
Beetz
Sommerfeld
Hunderte
Sachsenhausen
40.000
Männer
Kremmen
Oranienburg
0
Kilometer
20
© Martin Gilbert 1982

ein weiteres Lager in Nordhausen, wo sie Hunderte von Zwangsarbeitern vorfanden – «in einem Zustand», wie das United States Signal Corps berichtete, «daß sie kaum noch als menschliche Wesen zu erkennen waren. Sie alle waren kaum mehr als bloße Skelette; die Toten lagen neben den Kranken und Sterbenden im selben Bett; Schmutz und menschliche Exkremente bedeckten den Boden. Es waren keinerlei Versuche unternommen worden, die Krankheiten und Gangräne zu behandeln, die sich unkontrolliert unter den Gefangenen ausbreiteten.»

Und die Amerikaner fanden noch ein weiteres Lager, Gardelegen, wo in einer riesigen offenen Grube noch die Holzstöße glimmten, auf denen die Körper der Toten verbrannt worden waren.

Da nunmehr die Alliierten über sämtliche Indizien verfügten, die sie brauchten, um Greueltaten der Nazis nachweisen zu können, waren weitere Evakuierungen im Grunde sinnlos. Nichtsdestoweniger wurden am 15. April 1945, während die westlichen Truppen und die sowjetische Armee einander immer näher kamen, von Ravensbrück und Sachsenhausen 17000 Frauen und 40000 Männer nach Westen in Marsch gesetzt *(oben)*. Ein Vertreter des Roten Kreuzes, der zufällig dabei war, als die Marschierenden von Ravensbrück aufbrachen, schrieb in seinem Bericht: «Als ich mich ihnen näherte, konnte ich erkennen, daß sie eingefallene Wangen, aufgeblähte Bäuche und geschwollene Fußgelenke hatten. Ihre Gesichter waren fahl. Mit einem Male erschien eine ganze Kolonne solcher hungernden Geschöpfe. In jeder Reihe gab es eine kranke Frau, die von ihren Mithäftlingen gestützt oder mitgeschleppt wurde. Eine junge SS-Aufseherin mit einem Polizeihund an der Leine führte die Kolonne; sie wurde gefolgt von zwei Mädchen, die die armen Frauen unaufhörlich mit Beschimpfungen überschütteten.» Angesichts der Anstrengungen des Marsches starben viele hundert vor Erschöpfung. Und abermals Hunderte wurden abseits des Weges erschossen. Der Marsch war abgesehen von den Qualen und dem Tod, den er brachte, ziemlich zwecklos. Denn die amerikanischen und russischen Truppen standen sich in Torgau, im Zentrum des Reiches, schon unmittelbar gegenüber – dort sollten sie sich am 25. April vereinigen.

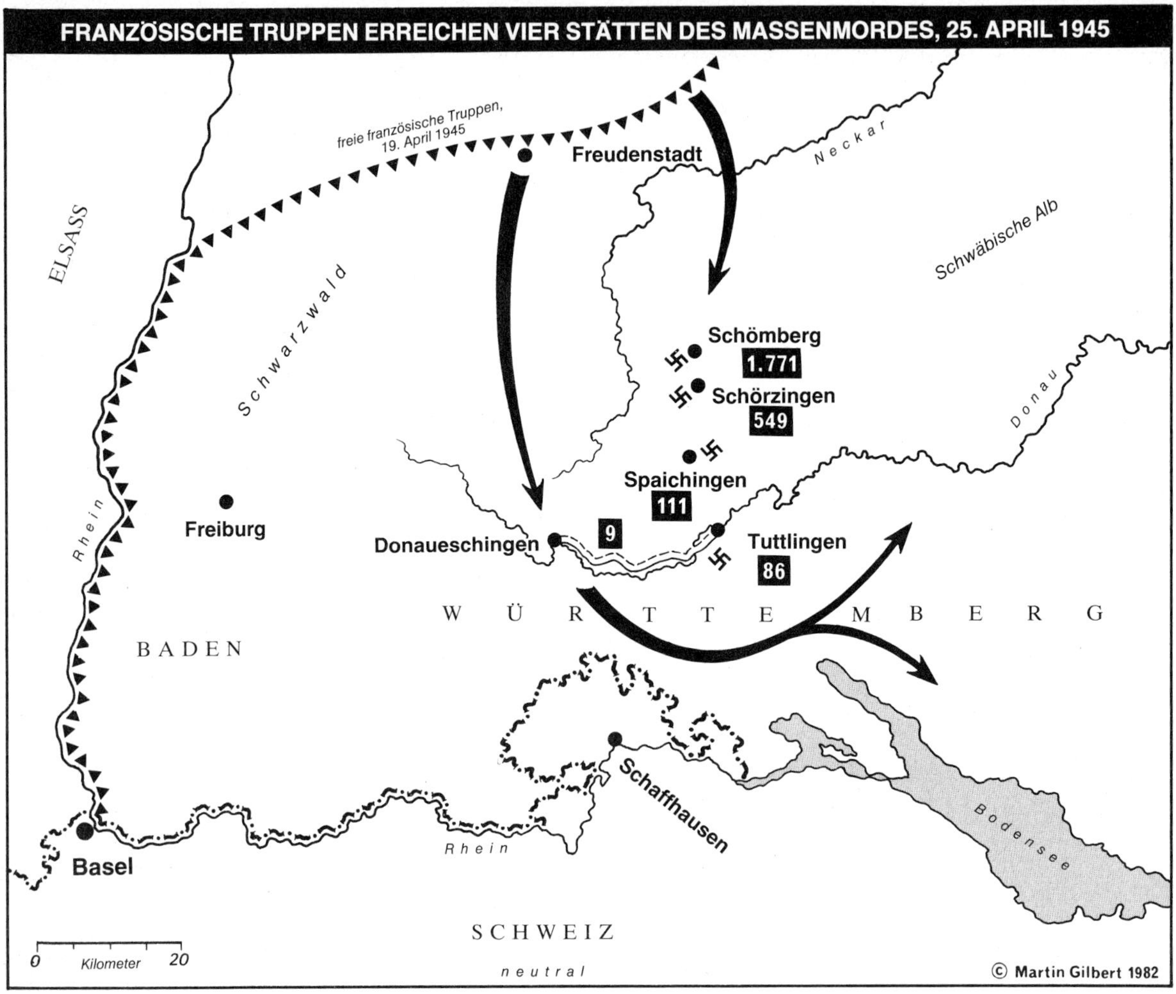
FRANZÖSISCHE TRUPPEN ERREICHEN VIER STÄTTEN DES MASSENMORDES, 25. APRIL 1945
freie französische Truppen, 19. April 1945
Freudenstadt
Neckar
Schwäbische Alb
ELSASS
Schwarzwald
Schömberg
1.771
Schörzingen
549
Donau
Spaichingen
111
Freiburg
Donaueschingen
9
Tuttlingen
86
Rhein
WÜRTTEMBERG
BADEN
Schaffhausen
Bodensee
Basel
Rhein
SCHWEIZ
neutral
0 Kilometer 20
© Martin Gilbert 1982

In Süddeutschland waren es die Franzosen, die auf Indizien für Massenmorde und für Tötungen in jüngster Zeit stießen. Trotz der wohligen Frühlingsdüfte in der Schwäbischen Alb und am Oberlauf der Donau war es der Geruch des Todes, der ihnen entgegenschlug.

In vier Ortschaften wurden Massengräber mit Juden gefunden, die vorher aus Lagern und Gettos im Osten deportiert worden waren. Mit der für die Gestapo typischen Sorgfalt waren Name, Alter und Geburtsort der Opfer registriert worden. Die Karte auf der folgenden Seite *(oben)* zeigt einige dieser Geburtsorte. Der 39jährige Peisach Rudnitzki war im fernen Święciany auf die Welt gekommen, wo im September 1941 fast 4000 Juden ermordet wurden; mehreren hundert war es jedoch gelungen, zu fliehen *(S. 77)*, unter ihnen sein eigener Neffe Yitzhak Rudnitzki, der den Krieg als Partisanenkämpfer bei der Roten Armee überlebte und später (als Yitzhak Arad) Leiter des Yad Washem – Gedenkstätte und Archiv des Holocaust in Jerusalem – werden sollte.

Der Zweite Weltkrieg war fast zu Ende. Doch noch hatte in keinem Winkel des schrumpfenden Reiches das Morden aufgehört: Am 25. April 1945, dem Tag, an dem die französischen Truppen Tuttlingen erreichten, wurden in Cuneo von der Gestapo sechs Juden festgenommen und erschossen *(folgende Seite, oben)*.

An anderer Stelle war es ein Tag von historischer Bedeutung: Bei Torgau vereinigten sich die russischen und amerikanischen Streitkräfte. Deutschland war in zwei Teile geteilt. Einen Tag später evakuierten die Deutschen die letzten Überlebenden von Stutthof und brachten sie auf dem Seeweg nach Lübeck *(folgende Seite, unten)*. Hunderte starben während der Reise. Vier Tage darauf – die Evakuierungsschiffe waren noch auf See – kamen sowjetische Truppen nach Ravensbrück. Allein in diesem einen Lager waren in gut zwei Jahren 92000 Juden und Nichtjuden, die meisten von ihnen Frauen und Kinder, ermordet worden. Doch als die sowjetischen Einheiten die «Todesmarsch»-Kolonnen einholten, waren mehrere tausend Menschen noch am Leben.

Am selben Tag, dem 30. April 1945, beging Adolf Hitler in Berlin Selbstmord.

DIE TOTEN VON TUTTLINGEN UND IHRE GEBURTSORTE IN EUROPA

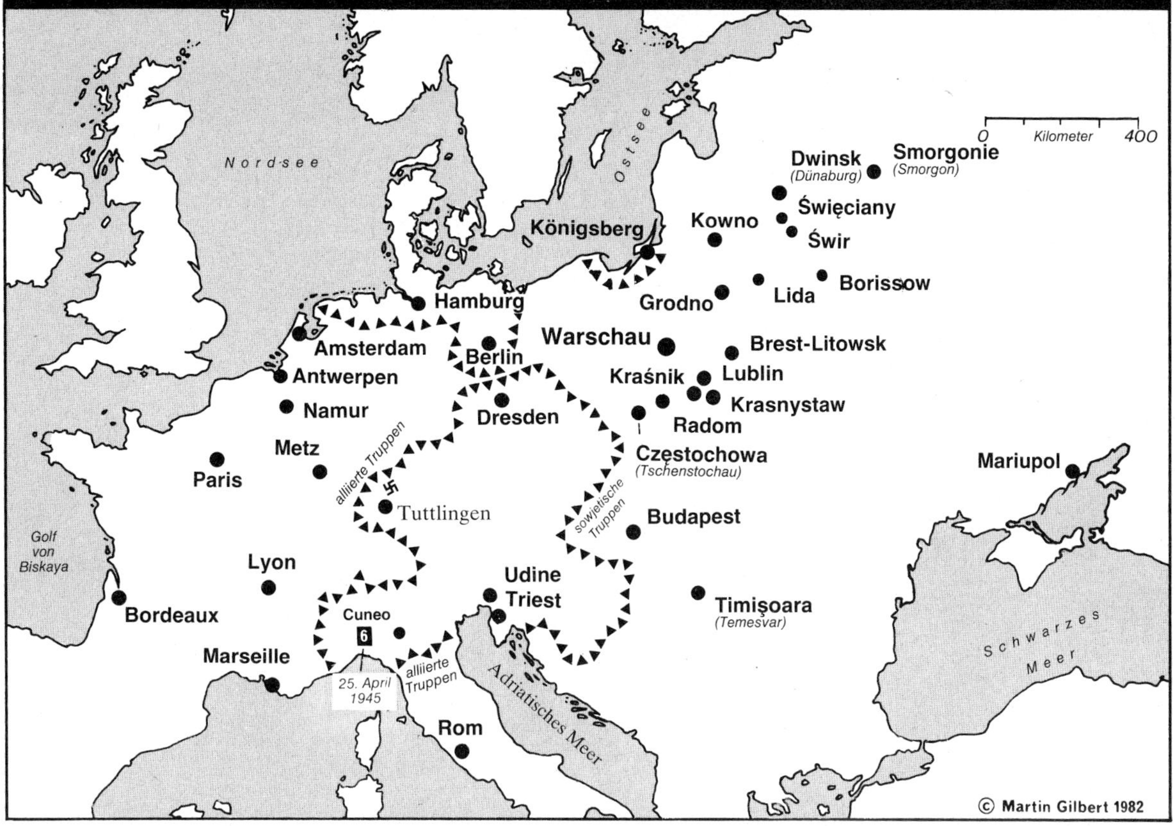
Nordsee
Ostsee
0 Kilometer 400
Dwinsk (Dünaburg)
Smorgonie (Smorgon)
Święciany
Świr
Kowno
Königsberg
Grodno
Lida
Borissow
Hamburg
Amsterdam
Berlin
Warschau
Brest-Litowsk
Antwerpen
Kraśnik
Lublin
Namur
Dresden
Krasnystaw
Radom
Metz
Częstochowa (Tschenstochau)
Mariupol
Paris
alliierte Truppen
sowjetische Truppen
Tuttlingen
Budapest
Golf von Biskaya
Lyon
Udine
Triest
Timişoara (Temesvar)
Bordeaux
Cuneo
6
Schwarzes Meer
Marseille
25. April 1945
alliierte Truppen
Adriatisches Meer
Rom
© Martin Gilbert 1982

DIE EVAKUIERUNG VON STUTTHOF AUF DEM SEEWEGE, 26. APRIL 1945

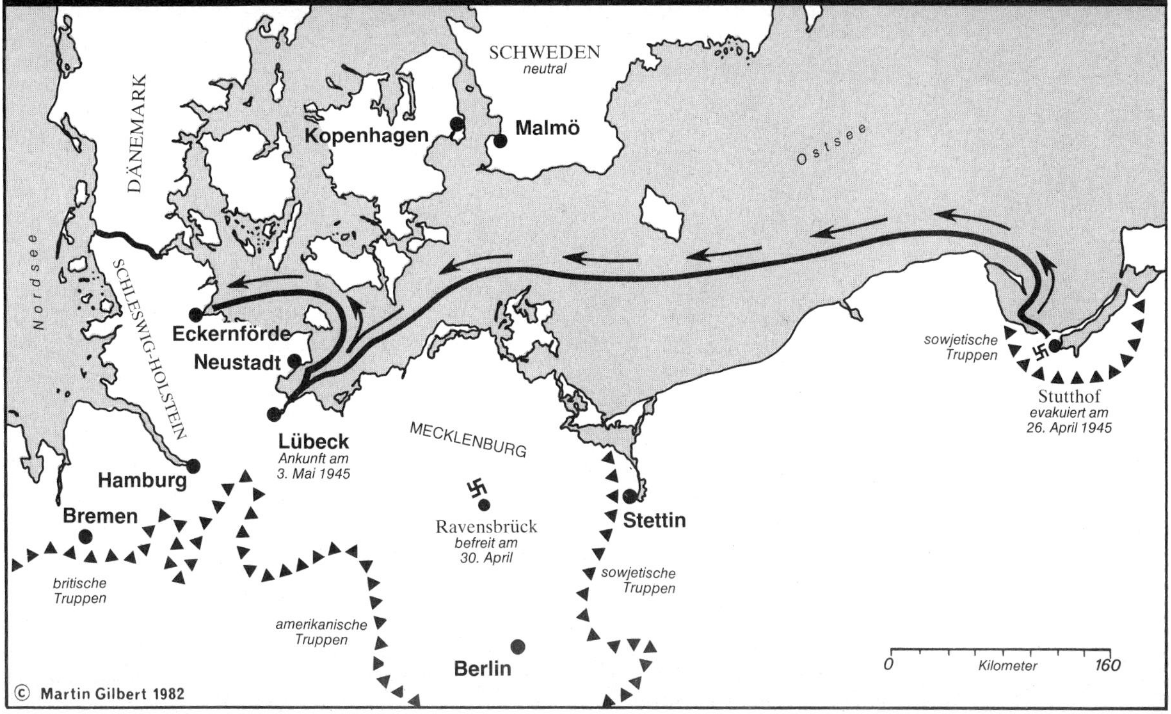
SCHWEDEN neutral
DÄNEMARK
Kopenhagen
Malmö
Ostsee
Nordsee
SCHLESWIG-HOLSTEIN
Eckernförde
Neustadt
sowjetische Truppen
Stutthof evakuiert am 26. April 1945
Lübeck Ankunft am 3. Mai 1945
MECKLENBURG
Hamburg
Bremen
Ravensbrück befreit am 30. April
Stettin
britische Truppen
sowjetische Truppen
amerikanische Truppen
Berlin
0 Kilometer 160
© Martin Gilbert 1982

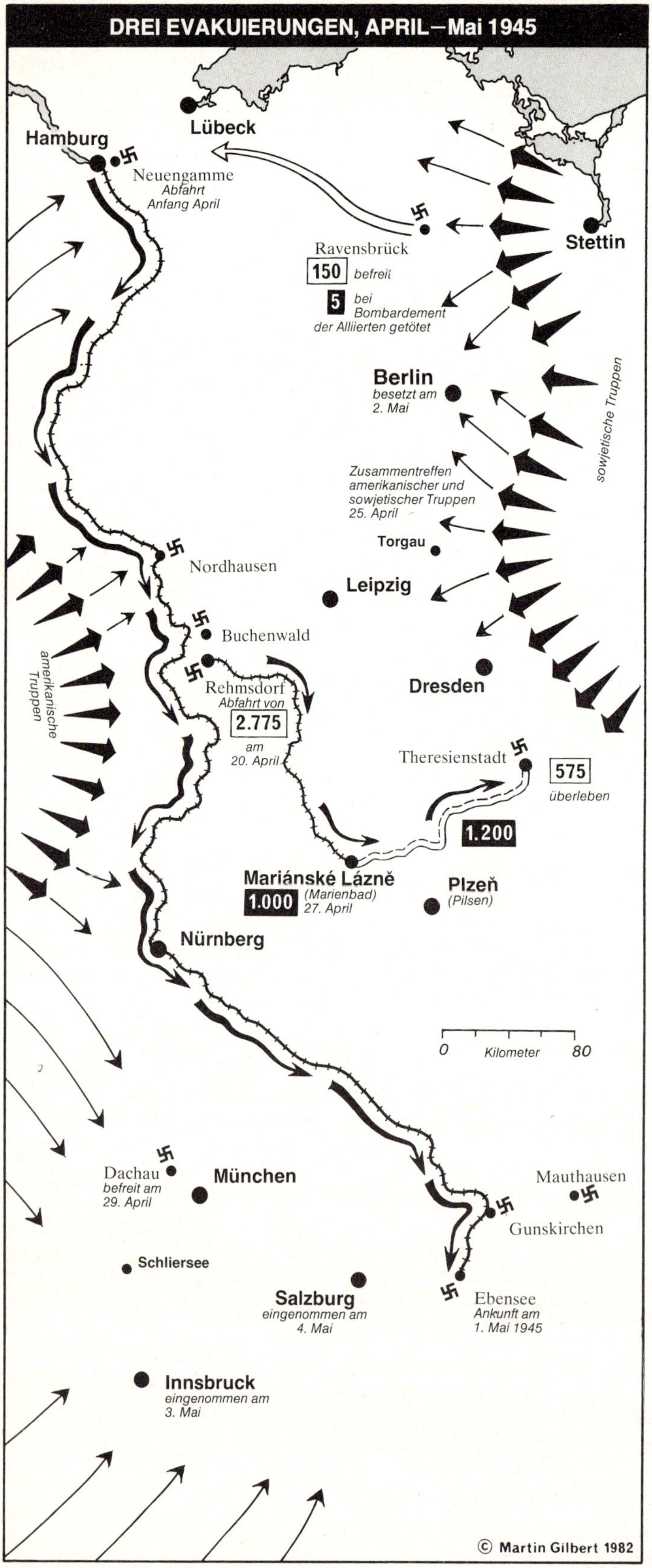
DREI EVAKUIERUNGEN, APRIL–Mai 1945
Hamburg
Lübeck
Neuengamme
Abfahrt
Anfang April
Ravensbrück
150
befreit
5
bei
Bombardement
der Alliierten getötet
Stettin
Berlin
besetzt am
2. Mai
sowjetische Truppen
Zusammentreffen
amerikanischer und
sowjetischer Truppen
25. April
Torgau
Nordhausen
Leipzig
Buchenwald
amerikanische Truppen
Rehmsdorf
Abfahrt von
2.775
am
20. April
Dresden
Theresienstadt
575
überleben
1.200
Mariánské Lázně
1.000
(Marienbad)
27. April
Plzeň
(Pilsen)
Nürnberg
0
Kilometer
80
Dachau
befreit am
29. April
München
Mauthausen
Gunskirchen
Schliersee
Salzburg
eingenommen am
4. Mai
Ebensee
Ankunft am
1. Mai 1945
Innsbruck
eingenommen am
3. Mai
© Martin Gilbert 1982

Kurz bevor amerikanische Truppen am 15. April Nordhausen befreiten, war ein letzter Zug mit Konzentrationslager-Insassen von Neuengamme aus südwärts auf eine lange und schwierige Reise durch die Kampfgebiete nach Ebensee geschickt worden.

Zu einem Zeitpunkt, da sich die deutsche Wehrmacht nur noch aus Leuten zusammensetzte, die früher nicht gut genug gewesen waren, um zu dienen, bestand das Wachpersonal in den Deportationszügen und Konzentrationslagern immer noch zum großen Teil aus der hervorragend ausgebildeten kriminellen Elite des totalitären Staates. Und sie blieben auch Mörder bis zum bitteren Ende: Am 27. April 1945 wurden auf einem Todesmarsch, der 2775 jüdische Zwangsarbeiter von Rehmsdorf – einem Nebenlager von Buchenwald – ostwärts bringen sollte, an der Bahnstation Mariánské Lázně (Marienbad) 1000 Marschierer mit Maschinenpistolen und Granaten getötet. Weitere 1200 wurden während des Weitermarsches in Richtung Osten nach Theresienstadt umgebracht, wo bei ihrer Ankunft abermals 500 ermordet wurden. Nur 75 der Teilnehmer an dem Marsch überlebten.

Am 28. April einigte sich das Rote Kreuz mit der SS über den Transport von 150 Jüdinnen von Ravensbrück nach Schweden – sie waren die ersten von 3500 jüdischen und 3500 nichtjüdischen Frauen, die in den letzten zehn Tagen des Krieges in Sicherheit gebracht wurden *(S. 236)*. Auf ihrem Weg durch Deutschland kamen fünf der Frauen bei einem Luftangriff der Alliierten ums Leben.

Am 29. April kamen amerikanische Einheiten nach Dachau. Die Bilder auf der folgenden Seite gehören zu den vielen tausend Fotos, die an jenem Tag und in der folgenden Woche aufgenommen wurden. Das obere Foto zeigt das Lager von einem der Wachtürme aus. Es ist zu erkennen, daß im Graben hinter dem Zaun und auf dem freien Stück zwischen Baracken und Graben immer noch Hunderte von Leichen liegen. Das untere Foto, aufgenommen von einem amerikanischen Soldaten, zeigt den Anblick, der sich den alliierten Truppen bot. Einige der Fotos, die nach der Befreiung von Dachau aufgenommen wurden, sind so furchtbar, daß sie bislang nirgendwo veröffentlicht wurden, und auch ich habe mich außerstande gesehen, sie hier abzudrucken.

Nach dem Krieg diente Dachau als Gefängnis für Nazi- und Kriegsverbrecher; im Rahmen einer Reihe von Kriegsverbrecherprozessen in der Stadt Dachau wurden 260 SS-Funktionäre zum Tode verurteilt. Die wichtigsten Kriegsverbrecher wurden 1945 und 1946 in Nürnberg vor Gericht gestellt.

Im letzten Kriegsjahr waren in Dachau mehr als 40000 Gefangene ums Leben gekommen, von denen 80 Prozent Juden waren. In Buchenwald, das amerikanische Einheiten zwei Wochen zuvor, am 1. April, befreit hatten, waren 56549 Menschen verhungert oder infolge von Krankheiten oder der bewußt sadistischen Behandlung durch Aufseher gestorben.

IN MAUTHAUSEN ERMORDETE JUDEN, JANUAR – MAI 1945

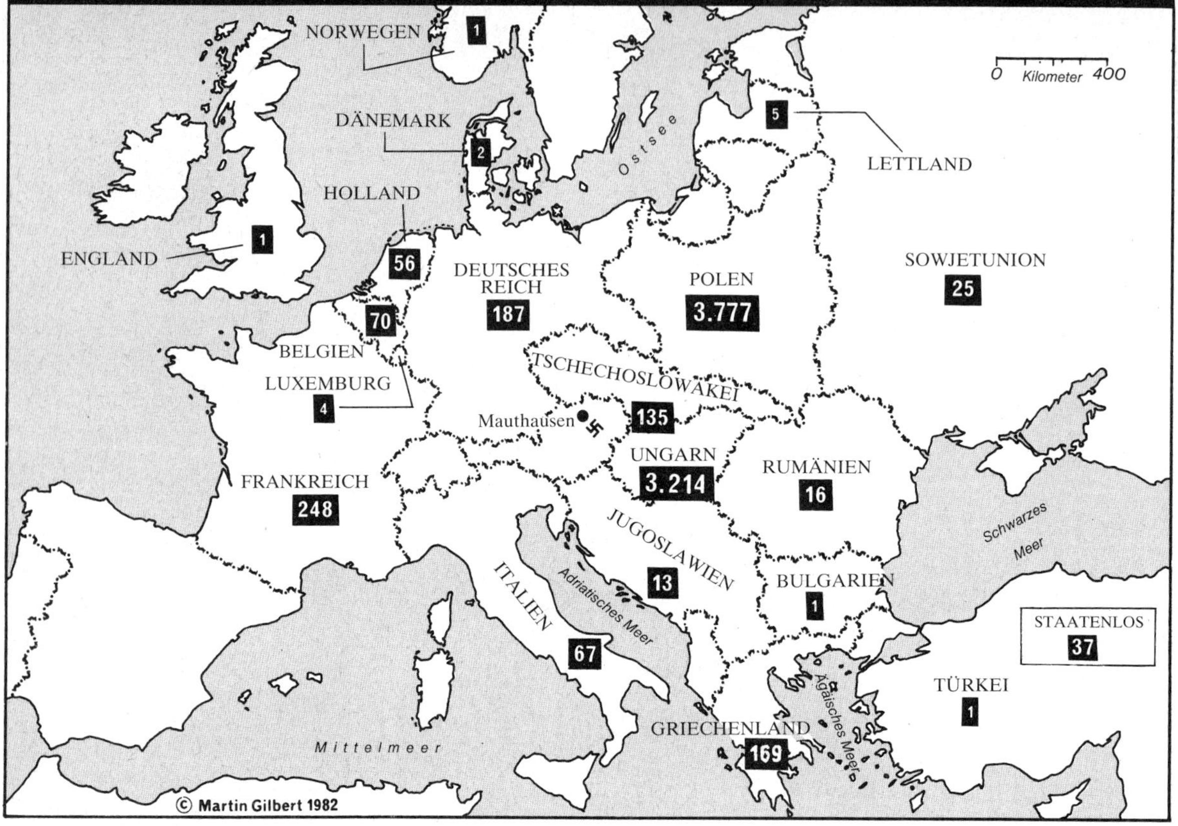
NORWEGEN
1
0 Kilometer 400
DÄNEMARK
2
Ostsee
5
LETTLAND
HOLLAND
ENGLAND
1
56
DEUTSCHES REICH
187
POLEN
3.777
SOWJETUNION
25
70
BELGIEN
LUXEMBURG
4
TSCHECHOSLOWAKEI
Mauthausen
135
UNGARN
3.214
RUMÄNIEN
16
FRANKREICH
248
Schwarzes Meer
JUGOSLAWIEN
13
BULGARIEN
1
ITALIEN
Adriatisches Meer
67
STAATENLOS
37
TÜRKEI
1
Ägäisches Meer
GRIECHENLAND
169
Mittelmeer
© Martin Gilbert 1982

FÜNFZEHNTAUSEND ZIGEUNER, ERMORDET IN MAUTHAUSEN, JANUAR – MAI 1945

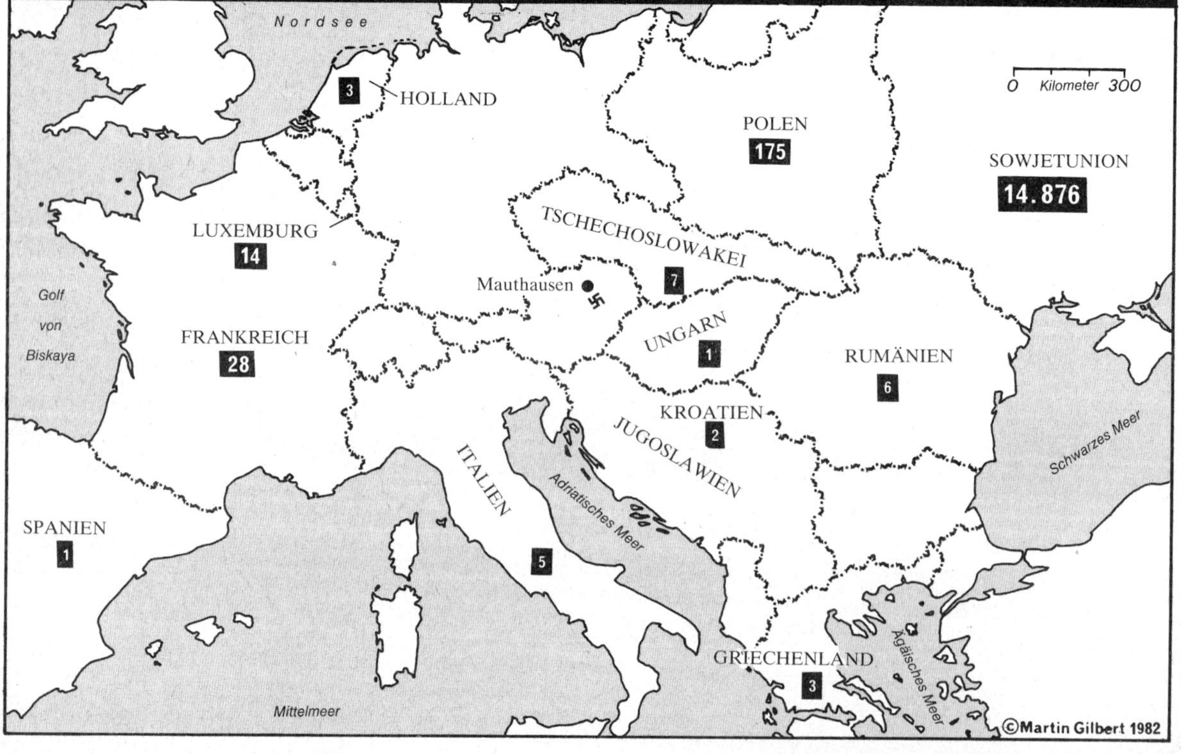
Nordsee
3
HOLLAND
0 Kilometer 300
POLEN
175
SOWJETUNION
14.876
TSCHECHOSLOWAKEI
LUXEMBURG
14
Mauthausen
7
Golf von Biskaya
UNGARN
1
FRANKREICH
28
RUMÄNIEN
6
KROATIEN
2
JUGOSLAWIEN
Schwarzes Meer
ITALIEN
Adriatisches Meer
SPANIEN
1
5
GRIECHENLAND
3
Ägäisches Meer
Mittelmeer
©Martin Gilbert 1982

ERMORDUNG VON HOMOSEXUELLEN, JANUAR – MAI 1945

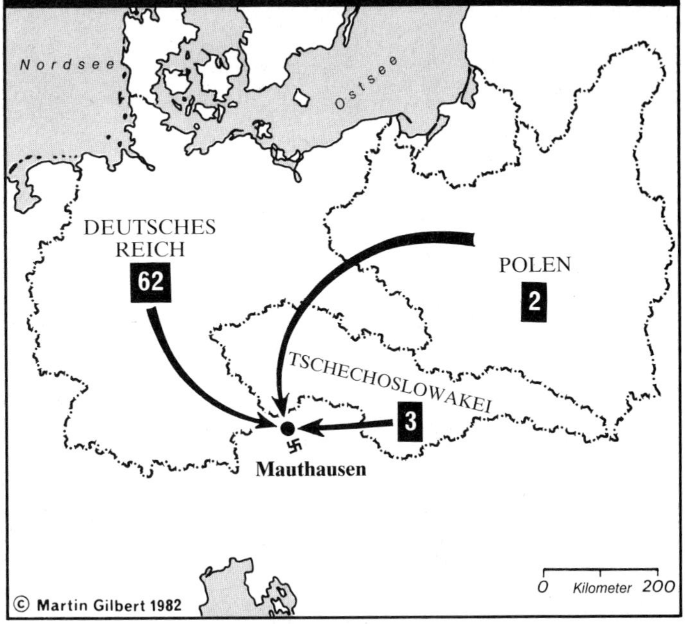
Nordsee
Ostsee
DEUTSCHES REICH
62
POLEN
2
TSCHECHOSLOWAKEI
3
Mauthausen
0 Kilometer 200
© Martin Gilbert 1982

ERMORDUNGEN VON ZEUGEN JEHOVAS

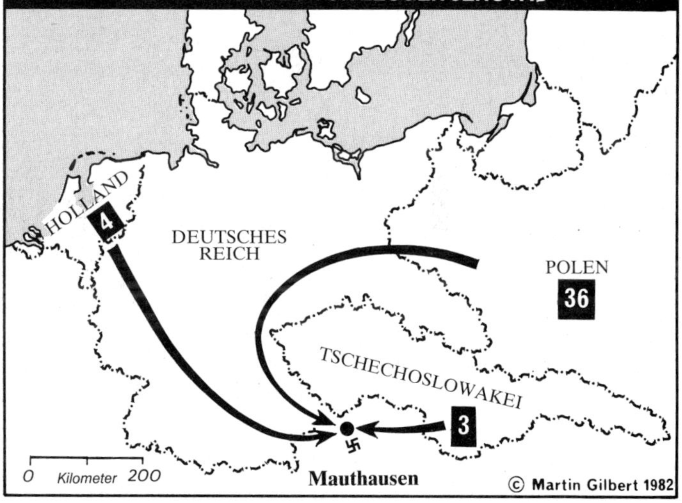
HOLLAND
4
DEUTSCHES REICH
POLEN
36
TSCHECHOSLOWAKEI
3
Mauthausen
0 Kilometer 200
© Martin Gilbert 1982

ERMORDUNG VON INTERNIERTEN UND KRIEGSGEFANGENEN

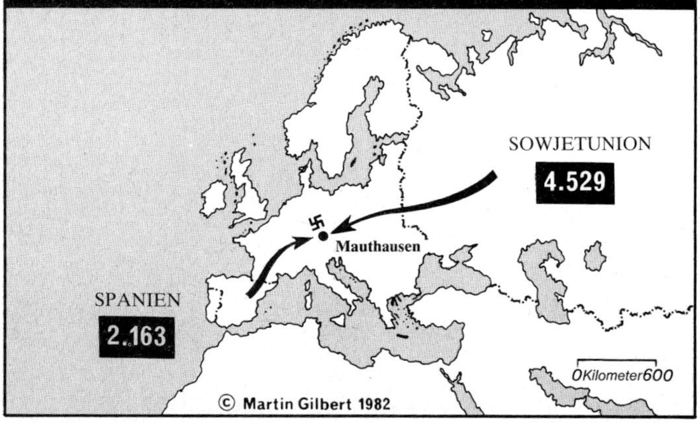
SOWJETUNION
4.529
Mauthausen
SPANIEN
2.163
0 Kilometer 600
© Martin Gilbert 1982

Das letzte Konzentrationslager, das von den Amerikanern befreit wurde, war Mauthausen mit seinen Nebenlagern in Gunskirchen und Ebensee *(S. 234/235)*. In kaum mehr als vier Monaten waren in Mauthausen über 30000 Menschen ermordet worden oder infolge von Hunger und Krankheiten gestorben. Juden und Zigeuner *(vorherige Seite)* bildeten die größte Gruppe der Opfer. Aber auch andere Gruppen waren von den Nazis für den grausamen Tod ausersehen: Homosexuelle, Zeugen Jehovas, sowjetische Kriegsgefangene sowie Zehntausende spanischer Republikaner. Diese Spanier waren im September 1939 in Frankreich interniert und 1940 von den Deutschen nach Mauthausen deportiert worden, wo sie in den dortigen Steinbrüchen systematisch «zu Tode gearbeitet» oder willkürlich erschossen wurden, bis im Januar 1945 nur noch 3000 von ihnen am Leben waren. Von diesen 3000 wurden in den letzten Monaten 2163 getötet *(rechts unten)*. Der Lagerkommandant von Mauthausen, Franz Ziereis, brüstete sich einmal, er habe seinem Sohn zum Geburtstag 50 Juden «als Schießscheiben» geschenkt.

Alle Insassen von Mauthausen – Juden, Zigeuner, Homosexuelle, Gefangene aus Glaubensgründen, Russen und Spanier – wurden auf die gleiche brutale Weise behandelt. Unter den Gefangenen im Lager war ein britischer Marineoffizier, Oberstleutnant Pat O'Leary, G. C. (Group Captain) und D. S. O. (Distinguished Service Order). Learys Biograph Vincent Brome beschreibt in dem Buch «The Way Back», das 1968 in London erschien, wie Leary sich an «die Gaswagen und den Anblick der Gefangenen gewöhnte, die dort eingeladen wurden und auf dem Weg nach Nirgendwo starben. Er sah, wie Männer getreten, gewürgt und zu Tode geprügelt wurden.»

In einem Fall erlebte Leary mit, was passierte, wenn ein Gefangener, dem es gelungen war zu fliehen, wieder eingefangen wurde; ein SS-Aufseher, so erinnerte sich Leary, «versetzte dem Mann einen gewaltigen Schlag gegen das Kinn. Der Gefangene hob im Reflex die Hand, um einen zweiten Schlag abzuwehren, und der Aufseher trat ihn brutal in den Magen. Als der Mann sich zusammenkrümmte, traf ihn ein weiterer eisenharter Schlag am Kinn. Er stürzte zu Boden. ‹Auf! Auf!› Der SS-Mann trat ihn, bis er wieder auf die Füße kam. Dann schlug er ihn abwechselnd aufs Kinn und trat ihn in den Magen, acht-, neun-, zehn-, elfmal, bis nach einem gewaltigen Tritt in die Magengrube Blut aus dem Mund des Mannes lief; er schrie und fiel zu Boden. Der Aufseher fuhr fort, ihn ins Gesicht, gegen den Kopf, in die Rippen und gegen die Beine zu treten. Die zuckende Masse lag schließlich vollkommen träge da, und schnell färbte sich das Pflaster rot von Blut.»

Das Verprügeln von Gefangenen war in Mauthausen an der Tagesordnung: Durch derartige Brutalitäten wurden allmonatlich Hunderte von Insassen ums Leben gebracht.

EIN LETZTER TODESMARSCH, 1.–5. MAI 1945

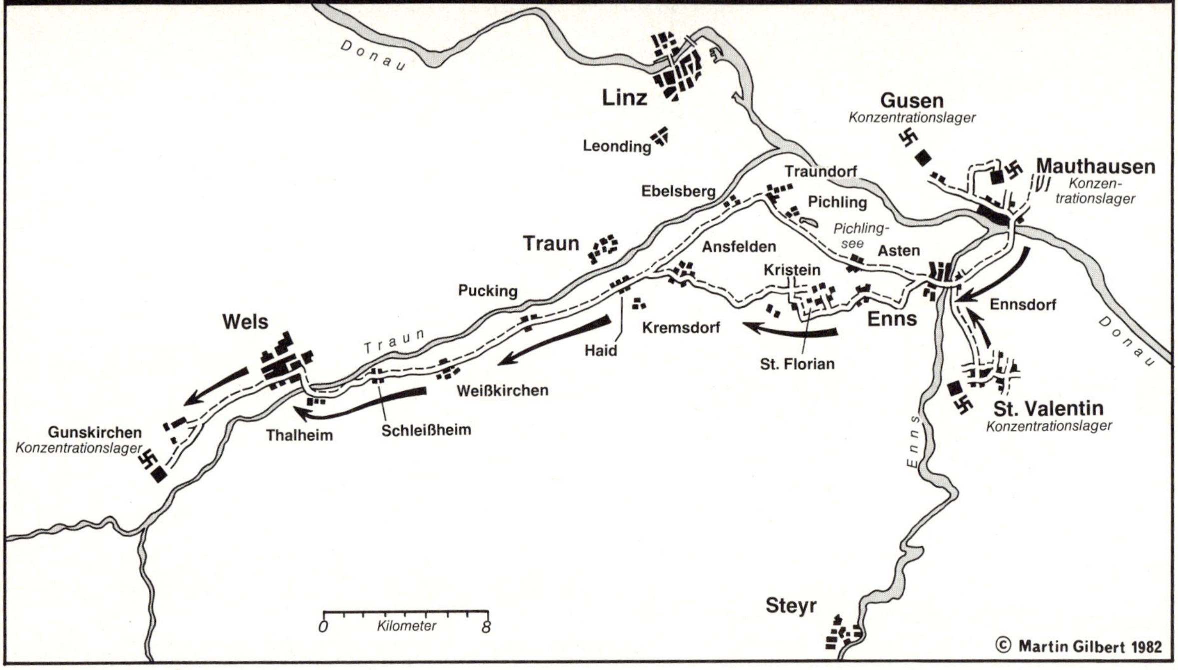
Donau
Linz
Gusen
Konzentrationslager
Leonding
Mauthausen
Konzen-
trationslager
Traundorf
Ebelsberg
Pichling
Pichling-
see
Traun
Ansfelden
Asten
Kristein
Pucking
Ennsdorf
Wels
Kremsdorf
Enns
Haid
Donau
Traun
St. Florian
Weißkirchen
St. Valentin
Konzentrationslager
Gunskirchen
Konzentrationslager
Thalheim
Schleißheim
Enns
Steyr
0 Kilometer 8
© Martin Gilbert 1982

DER TOD DES GEZA HAVAS, 5. MAI 1945

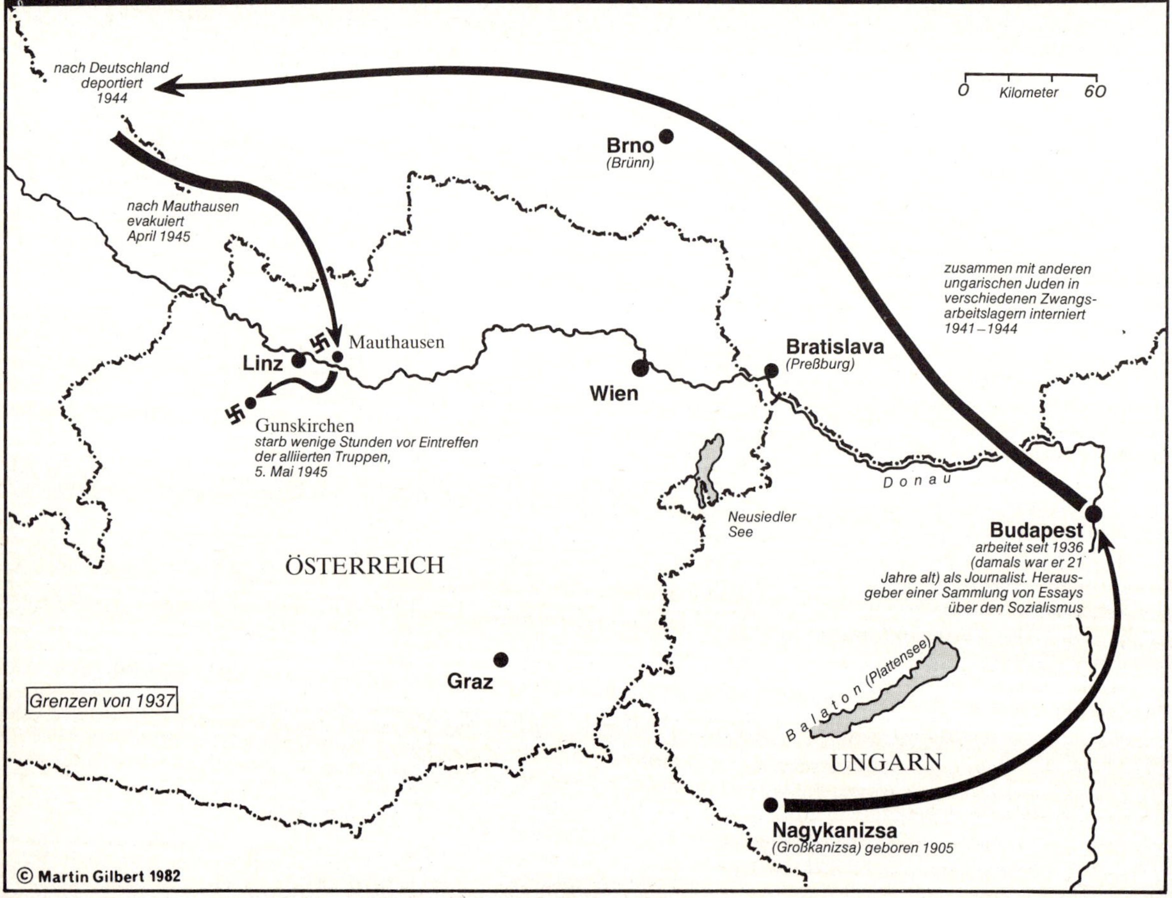
nach Deutschland
deportiert
1944
0 Kilometer 60
Brno
(Brünn)
nach Mauthausen
evakuiert
April 1945
zusammen mit anderen
ungarischen Juden in
verschiedenen Zwangs-
arbeitslagern interniert
1941–1944
Mauthausen
Linz
Bratislava
(Preßburg)
Wien
Gunskirchen
starb wenige Stunden vor Eintreffen
der alliierten Truppen,
5. Mai 1945
Donau
Neusiedler
See
Budapest
arbeitet seit 1936
(damals war er 21
Jahre alt) als Journalist. Heraus-
geber einer Sammlung von Essays
über den Sozialismus
ÖSTERREICH
Graz
Grenzen von 1937
Balaton (Plattensee)
UNGARN
Nagykanizsa
(Großkanizsa) geboren 1905
© Martin Gilbert 1982

Während sich die amerikanischen Truppen Mauthausen näherten, kam es am 1. Mai 1945 von Mauthausen selbst, von Gusen und von St. Valentin zu letzten Todesmärschen mit Ziel Gunskirchen *(vorherige Seite, oben)*. Hunderte der Marschierenden stürzten unterwegs aus reiner Erschöpfung zu Boden und verendeten im Schlamm.

Unter denen, die Gunskirchen lebend erreichten, war der ungarische Schriftsteller und Journalist Geza Havas. Er starb jedoch am 5. Mai, nur wenige Stunden vor dem Eintreffen der Amerikaner *(vorherige Seite, unten)*.

Hunger, Krankheit und Brutalität forderten bis zum Ende ihre Opfer. Von einem Transport, der aus 4000 ungarischen Juden bestand, die zunächst von Auschwitz nach Mauthausen gebracht worden waren und dann nach Gunskirchen und Ebensee marschieren mußten, waren am Tag der Befreiung noch 300 am Leben. Von 1000 polnischen, nichtjüdischen, zivilen Zwangsarbeitern, die im September 1944 von Warschau nach Ebensee gebracht worden waren, überlebten nur 100. Als sich die amerikanischen Truppen näherten, wurde in Ebensee allen 30000 Gefangenen befohlen, in einen Tunnel zu gehen, der mit Sprengstoff gefüllt war. Die Chronistin von Mauthausen, Evelyn Le Chêne, hat es folgendermaßen beschrieben: «Die Gefangenen weigerten sich, sie standen wie ein Mann. Die SS-Aufseher waren wie gelähmt und wußten nicht, was sie tun sollten. Ein Raunen ging durch die schwankende Menschenmasse. Zum erstenmal seit ihrer Festnahme sahen die Gefangenen, die noch nicht im Sterben lagen, eine winzige Möglichkeit, den Krieg doch noch zu überleben. Verständlicherweise wollten sie weder im Tunnel in die Luft gesprengt, noch, da sie sich weigerten, von den Maschinengewehren der SS niedergemäht werden. Aber sie wußten, daß in diesen letzten Tagen viele SS-Männer verschwunden und durch Volksdeutsche ersetzt worden waren. Nach einer kurzen Besprechung mit einigen seiner Untergebenen wurde auch dem Lagerkommandanten klar, daß sie sich sowohl weigern würden, die Leute in den Tunnel zu treiben, als auch, sie niederzuschießen. Der Krieg war fast vorbei, und sie dachten an die Zukunft, und – trotz des Blutes an ihren Händen – wollten sie im letzten Moment doch noch vermeiden, für den Mord an so vielen Menschen zur Rechenschaft gezogen zu werden. So kam es, daß die Gefangenen jenen Tag überlebten.»

Als die amerikanischen Truppen Mauthausen erreichten, fanden sie in einem riesigen Massengrab fast 10000 Leichen. Von den 110000 Überlebenden, von denen 28000 Juden waren, starben mehr als 3000 nach der Befreiung *(rechts)*. Einige starben, weil sie zu krank oder zu schwach waren, um wieder gesund gepflegt werden zu können, andere, weil sie das Lager verließen, ehe sie wieder ausreichend zu Kräften gekommen waren, um in ein normales Leben zurückzukehren.

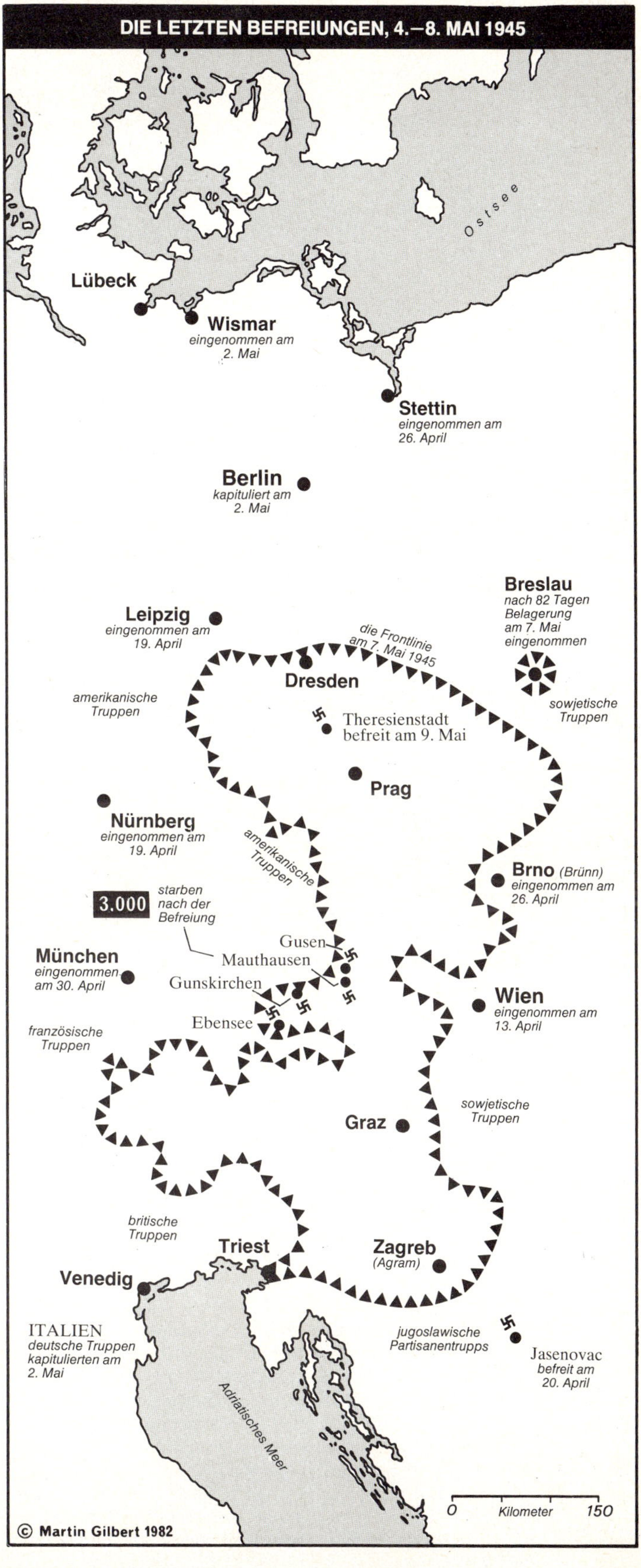
DIE LETZTEN BEFREIUNGEN, 4.–8. MAI 1945
Ostsee
Lübeck
Wismar
eingenommen am 2. Mai
Stettin
eingenommen am 26. April
Berlin
kapituliert am 2. Mai
Breslau
nach 82 Tagen Belagerung am 7. Mai eingenommen
Leipzig
eingenommen am 19. April
die Frontlinie am 7. Mai 1945
Dresden
amerikanische Truppen
sowjetische Truppen
Theresienstadt befreit am 9. Mai
Prag
Nürnberg
eingenommen am 19. April
amerikanische Truppen
Brno (Brünn)
eingenommen am 26. April
3.000
starben nach der Befreiung
Gusen
Mauthausen
Gunskirchen
München
eingenommen am 30. April
Wien
eingenommen am 13. April
französische Truppen
Ebensee
sowjetische Truppen
Graz
britische Truppen
Triest
Zagreb
(Agram)
Venedig
ITALIEN
deutsche Truppen kapitulierten am 2. Mai
jugoslawische Partisanentrupps
Jasenovac
befreit am 20. April
Adriatisches Meer
0
Kilometer
150
© Martin Gilbert 1982

WEIBLICHE ÜBERLEBENDE DER LAGER, DIE IN SCHWEDEN STARBEN, MAI – NOVEMBER 1945

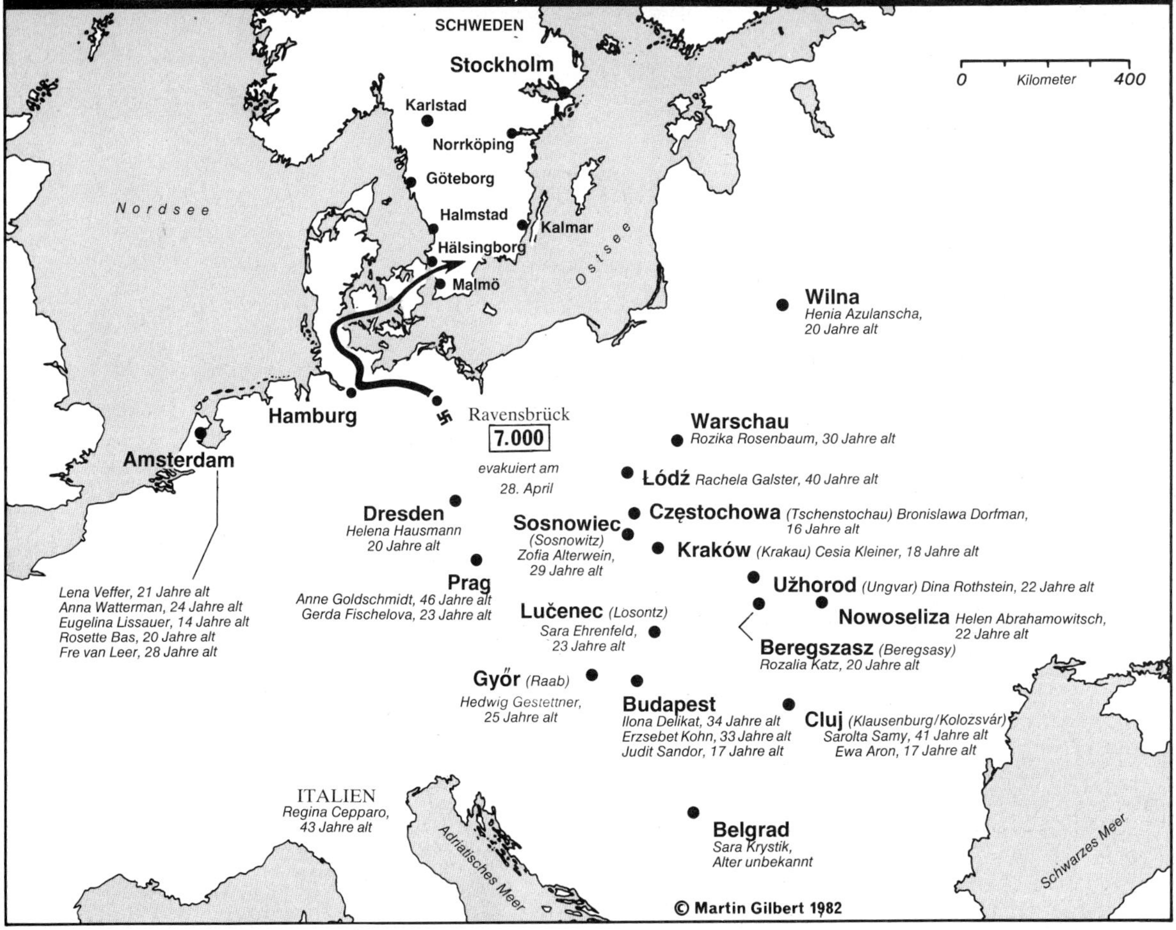
SCHWEDEN
Stockholm
0 Kilometer 400
Karlstad
Norrköping
Göteborg
Nordsee
Halmstad
Kalmar
Hälsingborg
Ostsee
Malmö
Wilna
Henia Azulanscha,
20 Jahre alt
Hamburg
Ravensbrück
7.000
evakuiert am
28. April
Warschau
Rozika Rosenbaum, 30 Jahre alt
Amsterdam
Łódź Rachela Galster, 40 Jahre alt
Dresden
Helena Hausmann
20 Jahre alt
Sosnowiec
(Sosnowitz)
Zofia Alterwein,
29 Jahre alt
Częstochowa (Tschenstochau) Bronislawa Dorfman,
16 Jahre alt
Kraków (Krakau) Cesia Kleiner, 18 Jahre alt
Prag
Anne Goldschmidt, 46 Jahre alt
Gerda Fischelova, 23 Jahre alt
Užhorod (Ungvar) Dina Rothstein, 22 Jahre alt
Lena Veffer, 21 Jahre alt
Anna Watterman, 24 Jahre alt
Eugelina Lissauer, 14 Jahre alt
Rosette Bas, 20 Jahre alt
Fre van Leer, 28 Jahre alt
Lučenec (Losontz)
Sara Ehrenfeld,
23 Jahre alt
Nowoseliza Helen Abrahamowitsch,
22 Jahre alt
Beregszasz (Beregsasy)
Rozalia Katz, 20 Jahre alt
Győr (Raab)
Hedwig Gestettner,
25 Jahre alt
Budapest
Ilona Delikat, 34 Jahre alt
Erzsebet Kohn, 33 Jahre alt
Judit Sandor, 17 Jahre alt
Cluj (Klausenburg/Kolozsvár)
Sarolta Samy, 41 Jahre alt
Ewa Aron, 17 Jahre alt
ITALIEN
Regina Cepparo,
43 Jahre alt
Adriatisches Meer
Belgrad
Sara Krystik,
Alter unbekannt
Schwarzes Meer
© Martin Gilbert 1982

Am 8. Mai 1945 nahmen die Alliierten die bedingungslose Kapitulation Deutschlands entgegen. Seit dem Einmarsch der Deutschen in Polen, der über fünf Jahre zurücklag, waren mehr als elf Millionen Zivilisten kaltblütig ermordet worden. Unter diesen elf Millionen waren sechs Millionen Juden *(S. 244)*.

Zu den Millionen nichtjüdischer Zivilisten, die bei Vergeltungsaktionen oder Massenexekutionen getötet wurden, gehörten Tschechen, Franzosen, Griechen, Italiener, Polen, Russen und Serben. Aber nur die Juden waren in jedem Gebiet, in jeder Großstadt, jeder Kleinstadt, jedem Dorf, jedem Marktflecken des von Deutschen beherrschten Europas systematisch aufgespürt worden, um getötet zu werden. Ziel der Nazis war es, sicherzustellen, daß kein einziger Jude überlebte, und unter die Definition «Jude» fiel jeder, der jüdische Eltern, einen jüdischen Elternteil oder auch nur einen einzigen jüdischen Großelternteil hatte.

Trotz der Zielstrebigkeit der Nazis und dank des plötzlichen Zusammenbruches der deutschen Truppen überlebten zwischen 250000 und 300000 Juden die Konzentrationslager und Todesmärsche. Doch der Sieg der Alliierten konnte das Leben von Zehntausenden dieser «Überlebenden» nicht mehr retten, die, wie in Dachau, Belsen und Ebensee, zu schwach und zu krank waren, um trotz aller Pflege und Sorge, die ihnen von seiten ihrer Befreier zuteil wurde, länger als ein paar Tage, Wochen oder Monate zu leben. Hinzu kam, was die Historikerin Evelyn Le Chêne beschrieb: «Viele starben aus reiner Freude. Sie hatten so lange mit Hoffnungen, Ängsten und unter erheblichen Nervenanspannungen gelebt, daß es einfach zu viel für sie war, als dieser Druck plötzlich von ihnen wich.»

Die Karte oben gibt Name, Alter und Geburtsort von 26 von insgesamt 3500 jüdischen Frauen wieder, die am 28. April 1945 auf Intervention des Roten Kreuzes hin aus Ravensbrück entlassen *(S. 230)* und

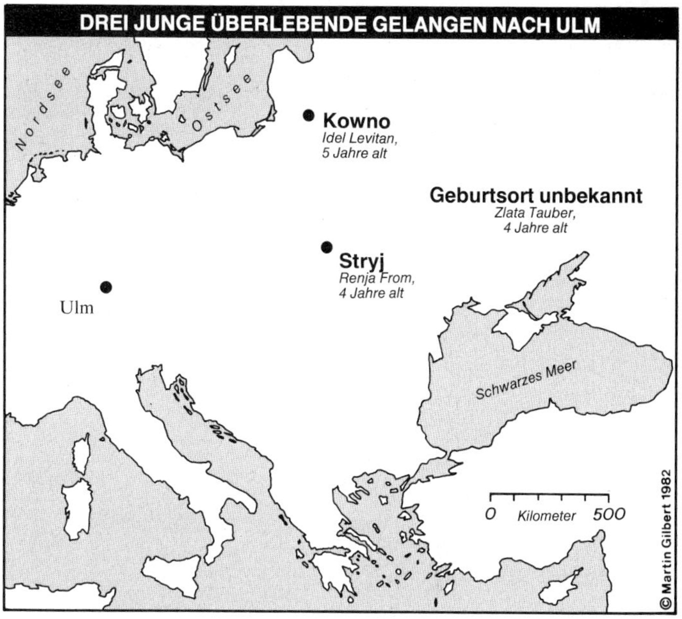
DREI JUNGE ÜBERLEBENDE GELANGEN NACH ULM
Nordsee
Ostsee
Kowno
Idel Levitan,
5 Jahre alt
Geburtsort unbekannt
Zlata Tauber,
4 Jahre alt
Stryj
Renja From,
4 Jahre alt
Ulm
Schwarzes Meer
0 Kilometer 500
© Martin Gilbert 1982

von dort nach Schweden geschickt worden waren, wo sie zwischen Mai und November 1945 in den hier verzeichneten schwedischen Städten starben. Die älteste war 46, die jüngste 14 Jahre alt. All diese Frauen wie auch 5000 Gefangene in Belsen *(S. 226)* und 3000 in Mauthausen *(S. 235)* starben nach der Befreiung. Andere gewannen mitten in dem Durcheinander und unter den Entbehrungen der unmittelbaren Nachkriegszeit allmählich ihre Kräfte zurück.

Unter den Überlebenden, die nach der Kapitulation der Deutschen 1945 Westdeutschland erreichten, waren mehrere hundert Kinder, die in ein Kinderheim in Ulm gebracht wurden *(oben)*. Dort wurde jedes Kind fotografiert, und alle Einzelheiten, an die sich die Kinder erinnern konnten, wurden aufgenommen. Drei dieser Kinder sind links abgebildet.

Über Idel Levitan *(oben)*, geboren in Litauen als Sohn von Micha und Mira Levitan, notierten seine Befrager: «Er war mit seinen Eltern im Getto von Kowno. Seine Eltern übergaben ihn an Christen. Eltern wurden getötet. Eine Tante holte ihn bei den Christen ab und brachte ihn nach Łódź, von wo aus er mit einem Sammeltransport ins Kinderheim nach Ulm kam.»

Über Renja From *(Mitte)*, geboren in Ostgalizien, notierten die Befrager: «Sie glaubt, daß sie bei Kriegsausbruch von ihrer Mutter an Polen übergeben wurde. Sie wußte damals, daß sie Jüdin war, aber die Christen, bei denen sie wohnte, verboten ihr, davon zu sprechen. Sie erfuhr, daß ihre Mutter von den Deutschen ermordet und in einen Graben geworfen worden sei. An ihren Vater erinnert sie sich nicht. Ein Bekannter ihrer Familie brachte sie nach Deutschland in das Kinderheim in Ulm.»

Über Zlata Tauber, geboren 1941, erfahren wir: «An ihre Eltern kann sie sich nicht erinnern, sie weiß lediglich, daß sie in Rußland gewesen ist. Ein Bruder lebt in Polen, aber er will wegen der Verfolgungen, die sie durchgemacht haben, kein Jude mehr sein. Aus diesem Grunde hat sie sich von ihm losgesagt.»

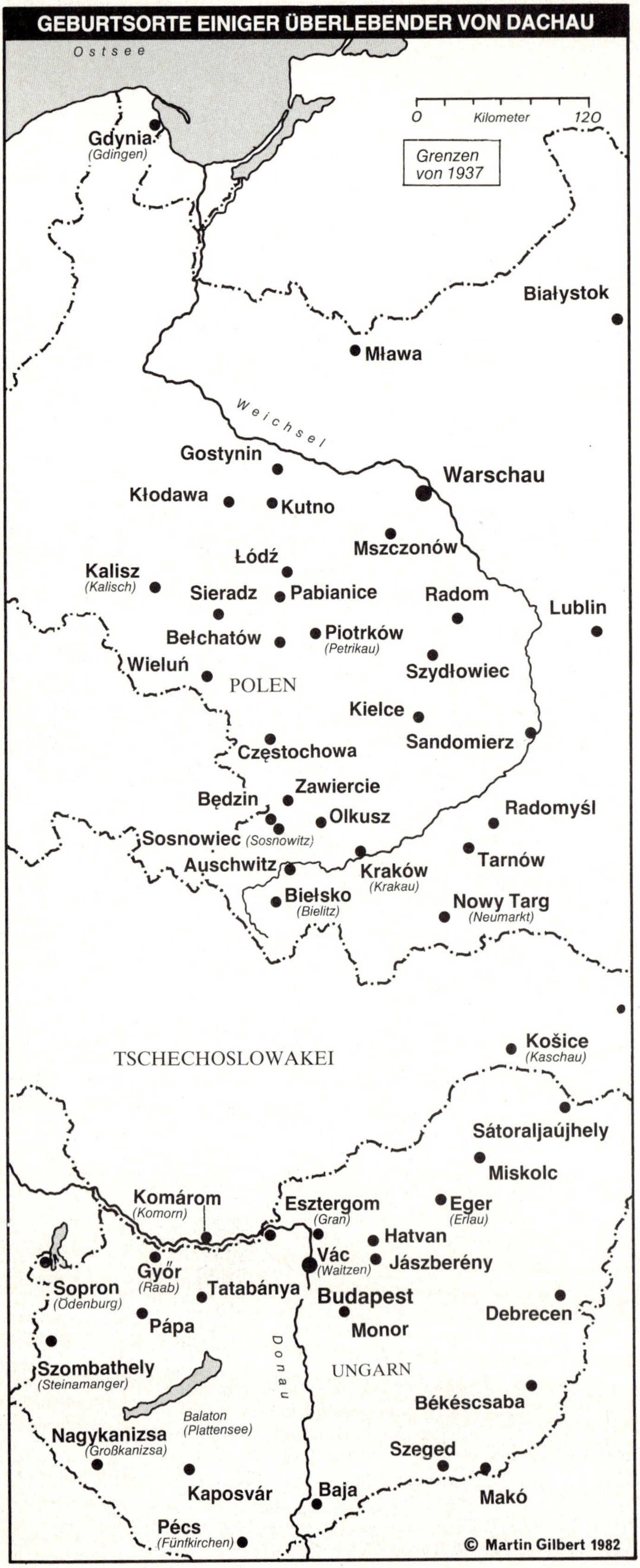
GEBURTSORTE EINIGER ÜBERLEBENDER VON DACHAU
Ostsee
0 Kilometer 120
Grenzen von 1937
Gdynia (Gdingen)
Białystok
Mława
Weichsel
Gostynin
Warschau
Kłodawa
Kutno
Mszczonów
Łódź
Kalisz (Kalisch)
Sieradz
Pabianice
Radom
Lublin
Bełchatów
Piotrków (Petrikau)
Wieluń
POLEN
Szydłowiec
Kielce
Częstochowa
Sandomierz
Będzin
Zawiercie
Olkusz
Radomyśl
Sosnowiec (Sosnowitz)
Auschwitz
Kraków (Krakau)
Tarnów
Bielsko (Bielitz)
Nowy Targ (Neumarkt)
TSCHECHOSLOWAKEI
Košice (Kaschau)
Sátoraljaújhely
Miskolc
Komárom (Komorn)
Esztergom (Gran)
Eger (Erlau)
Hatvan
Győr (Raab)
Vác (Waitzen)
Jászberény
Sopron (Ödenburg)
Tatabánya
Budapest
Debrecen
Pápa
Monor
Donau
Szombathely (Steinamanger)
UNGARN
Békéscsaba
Balaton (Plattensee)
Nagykanizsa (Großkanizsa)
Szeged
Kaposvár
Baja
Makó
Pécs (Fünfkirchen)
© Martin Gilbert 1982

WEITERE ÜBERLEBENDE VON DACHAU
Nordsee
Ostsee
Riga
Wilna
Oszmiana
Kowno
Rotterdam
Berlin
Warschau
Amsterdam
Łódź
Kiew
Przemyśl
Beregszasz (Beregsasy)
Wien
Dachau
Cluj (Klausenburg)
Budapest
0 Kilometer 500
Saloniki
Rom
Korfu
Rhodos
Mittelmeer
© Martin Gilbert 1982

Die Karte links zeigt die Geburtsorte eines Großteils jener Juden, die von den Amerikanern in Dachau befreit wurden. In der Karte oben sind einige weitere Geburtsorte verzeichnet. Zwar wurde die körperliche Gesundheit der meisten nach und nach wiederhergestellt, doch viele litten weiterhin unter seelischem Schmerz. «Wir haben den Eindruck», so erklärte Dr. Zalman Grinberg Ende des Jahres 1945 seinen Mitüberlebenden, «daß gegenwärtig die Menschheit nicht begreifen kann, was wir durchgemacht und was wir erlebt haben. Wir fürchten, daß wir auch in Zukunft nicht verstanden werden. Wir haben verlernt zu lachen, wir können nicht mehr weinen, wir begreifen bislang unsere Freiheit noch nicht, und alles das ist so, weil wir nach wie vor bei unseren toten Kameraden sind … Wir gehören in die Massengräber derer, die in Charkow, Lublin und Kowno erschossen worden sind. Wir gehören an die Seite jener Millionen, die in Auschwitz und Birkenau verbrannt worden sind. Wir gehören zu den Zehntausenden, die, gefoltert von Milliarden von Läusen, im Schlamm am Rande des Hungertodes lebten, Kälte und Verzweiflung als einzige Kameraden. Wir leben nicht. Wir sind tot!»

Das Foto wurde am Tag der Befreiung Dachaus aufgenommen und zeigt einige der Überlebenden von Todesmärschen und Evakuierungszügen *(S. 205, 208, 210/211 und 223)*.

Die Mehrzahl jener, die den Holocaust überlebten, suchten ein neues Leben außerhalb Europas. Die Karte auf der folgenden Seite gibt die ungefähre Anzahl derer wieder, die in die verschiedenen Zufluchtsländer auswanderten.

ÜBERLEBENDE DER LAGER VERLASSEN KONTINENTALEUROPA, 1945–1950

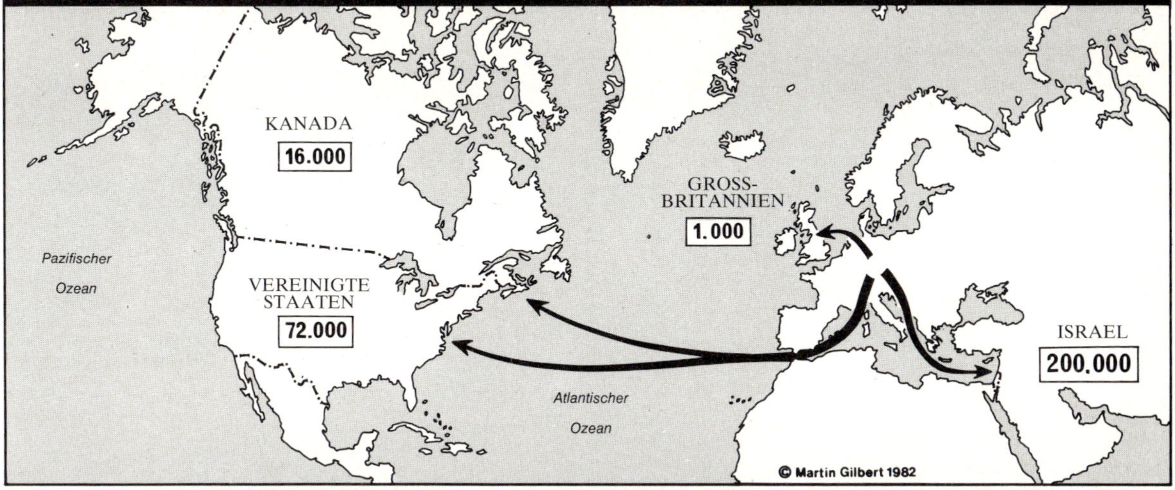
KANADA
16.000
Pazifischer Ozean
VEREINIGTE STAATEN
72.000
GROSS-BRITANNIEN
1.000
ISRAEL
200.000
Atlantischer Ozean
© Martin Gilbert 1982

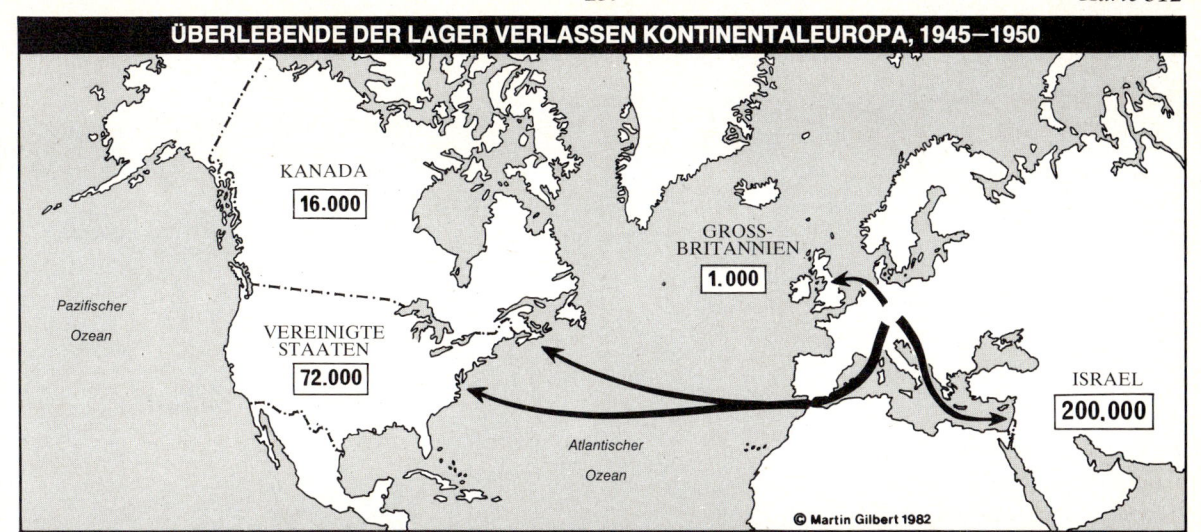

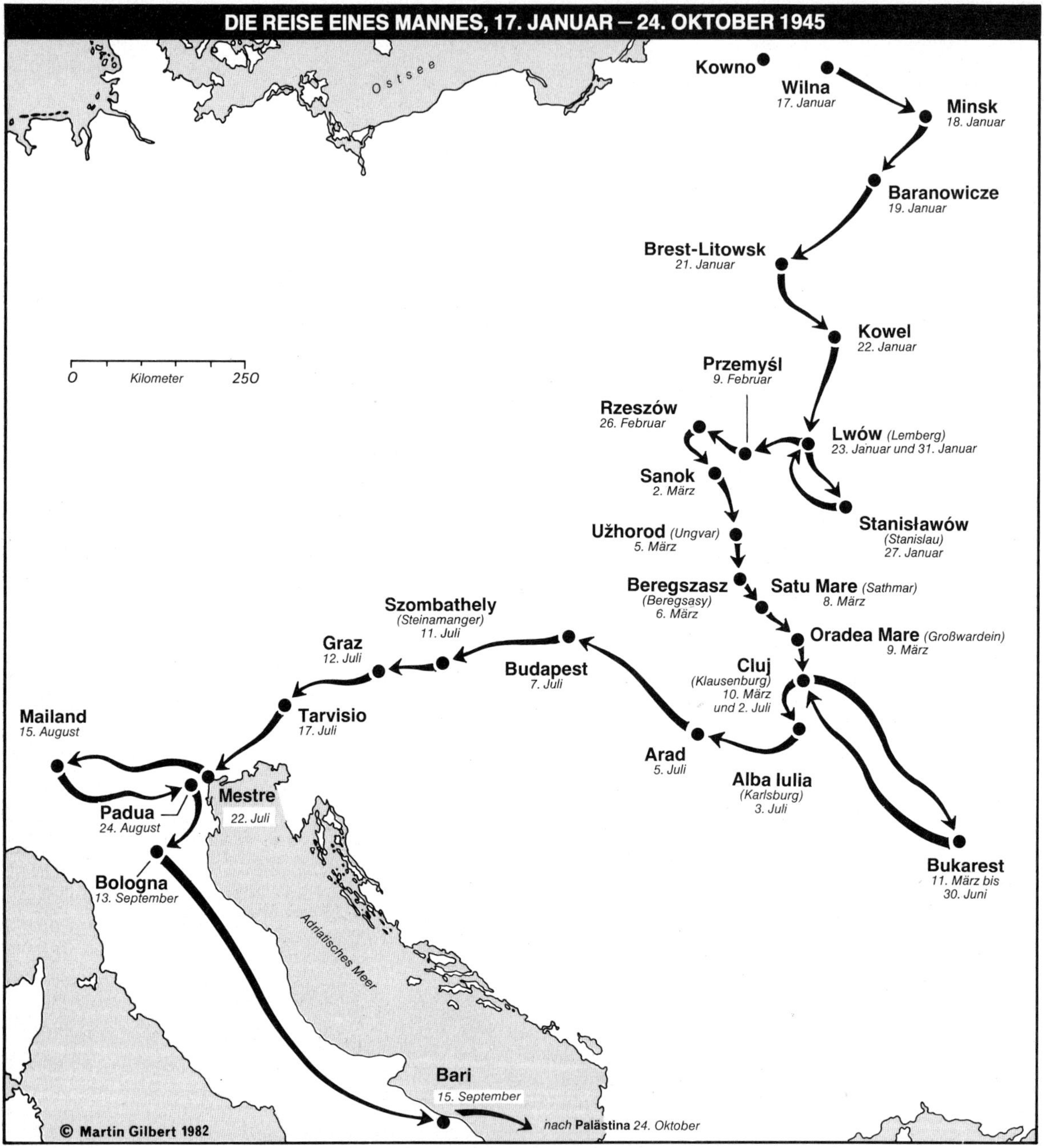
DIE REISE EINES MANNES, 17. JANUAR – 24. OKTOBER 1945
Ostsee
Kowno
Wilna
17. Januar
Minsk
18. Januar
Baranowicze
19. Januar
Brest-Litowsk
21. Januar
Kowel
22. Januar
Przemyśl
9. Februar
Rzeszów
26. Februar
Lwów (Lemberg)
23. Januar und 31. Januar
Sanok
2. März
Stanisławów
(Stanislau)
27. Januar
Užhorod (Ungvar)
5. März
Beregszasz
(Beregsasy)
6. März
Satu Mare (Sathmar)
8. März
Oradea Mare (Großwardein)
9. März
Cluj
(Klausenburg)
10. März
und 2. Juli
Szombathely
(Steinamanger)
11. Juli
Graz
12. Juli
Budapest
7. Juli
Tarvisio
17. Juli
Mailand
15. August
Arad
5. Juli
Alba Iulia
(Karlsburg)
3. Juli
Mestre
22. Juli
Padua
24. August
Bologna
13. September
Bukarest
11. März bis
30. Juni
Adriatisches Meer
Bari
15. September
nach Palästina 24. Oktober
0 Kilometer 250
© Martin Gilbert 1982

In den Jahren zwischen 1944 und 1948 verließen etwa 200000 Überlebende Europa, um nach Palästina zu gehen, das damals britisches Mandatsgebiet war. Es ist unvorstellbar, aber in Polen ging die Ermordung von Juden noch mehr als zwei Jahre nach der Kapitulation Deutschlands weiter *(folgende Seite)*.

Es waren diese antisemitischen Gewalttaten in Polen, die der «Bricha», der Flucht der Juden nach Palästina, den entscheidenden Auftrieb gaben. So verließen nach der Ermordung von zwei jungen Polen in Biala Podlaska alle 30 Überlebenden die Stadt. In Lublin wurde Leon Felhendler, einer der Führer des Aufstandes in Sobibór *(S. 173)*, ebenfalls getötet; in Lublin wurde weiterhin am 19. März 1946 Chaim Hirschmann, einer von nur zwei Überlebenden des Todeslagers in Bełżec, ermordet.

Die Flucht nach Palästina intensivierte sich weiter, als bei einem Pogrom in Kielce 41 Juden getötet wurden. Aber die eigentliche «Bricha» hatte mit der Befreiung der jeweiligen Gebiete begonnen. So machte sich Dov Levin, ein junger Jude aus Kowno, der bei den sowjetischen Partisanen gekämpft hatte, nach der Befreiung von Wilna auf eine zwar typische aber nichtsdestoweniger bemerkenswerte Reise *(oben)*. Der Krieg war zu Ende, als Levin sich gerade in Bukarest befand. Trotzdem setzte er seine Reise nach Palästina fort.

TÖTUNGEN IN DER NACHKRIEGSZEIT UND DIE FLUCHT DER ÜBERLEBENDEN, 1944–1948

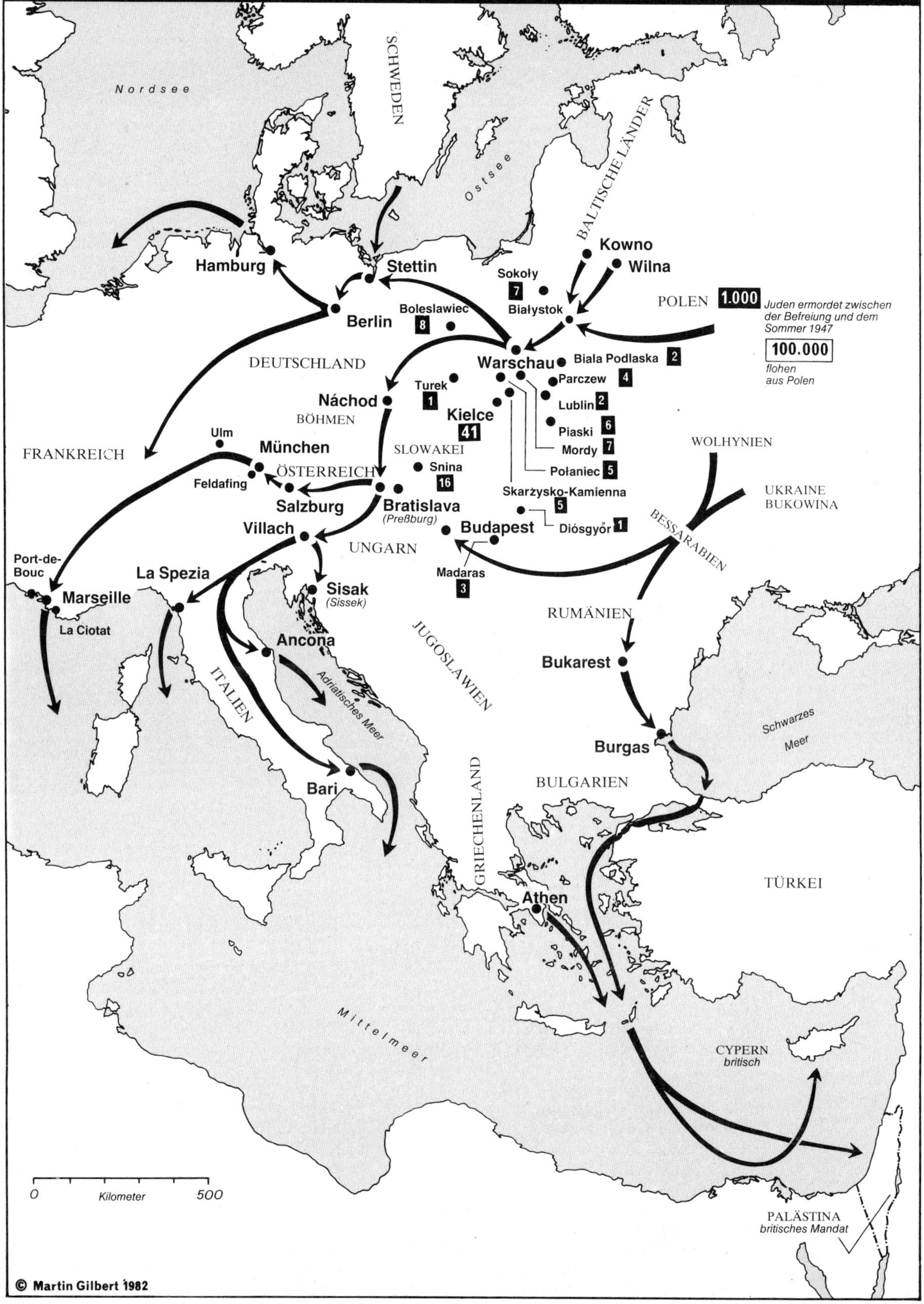
Nordsee
SCHWEDEN
Ostsee
BALTISCHE LÄNDER
Kowno
Wilna
Hamburg
Stettin
Sokoły
7
Białystok
POLEN
1.000
Juden ermordet zwischen der Befreiung und dem Sommer 1947
100.000
flohen aus Polen
Berlin
Boleslawiec
8
Warschau
Biala Podlaska
2
DEUTSCHLAND
Turek
1
Parczew
4
Náchod
Kielce
41
Lublin
2
BÖHMEN
Piaski
6
Ulm
Mordy
7
WOLHYNIEN
FRANKREICH
München
SLOWAKEI
Feldafing
ÖSTERREICH
Snina
16
Połaniec
5
Skarżysko-Kamienna
5
UKRAINE
BUKOWINA
Salzburg
Bratislava
(Preßburg)
Diósgyőr
1
Villach
Budapest
BESSARABIEN
UNGARN
Port-de-Bouc
La Spezia
Madaras
3
Marseille
Sisak
(Sissek)
La Ciotat
RUMÄNIEN
Ancona
JUGOSLAWIEN
Bukarest
ITALIEN
Adriatisches Meer
Burgas
Schwarzes Meer
Bari
GRIECHENLAND
BULGARIEN
TÜRKEI
Athen
Mittelmeer
CYPERN
britisch
0
Kilometer
500
PALÄSTINA
britisches Mandat

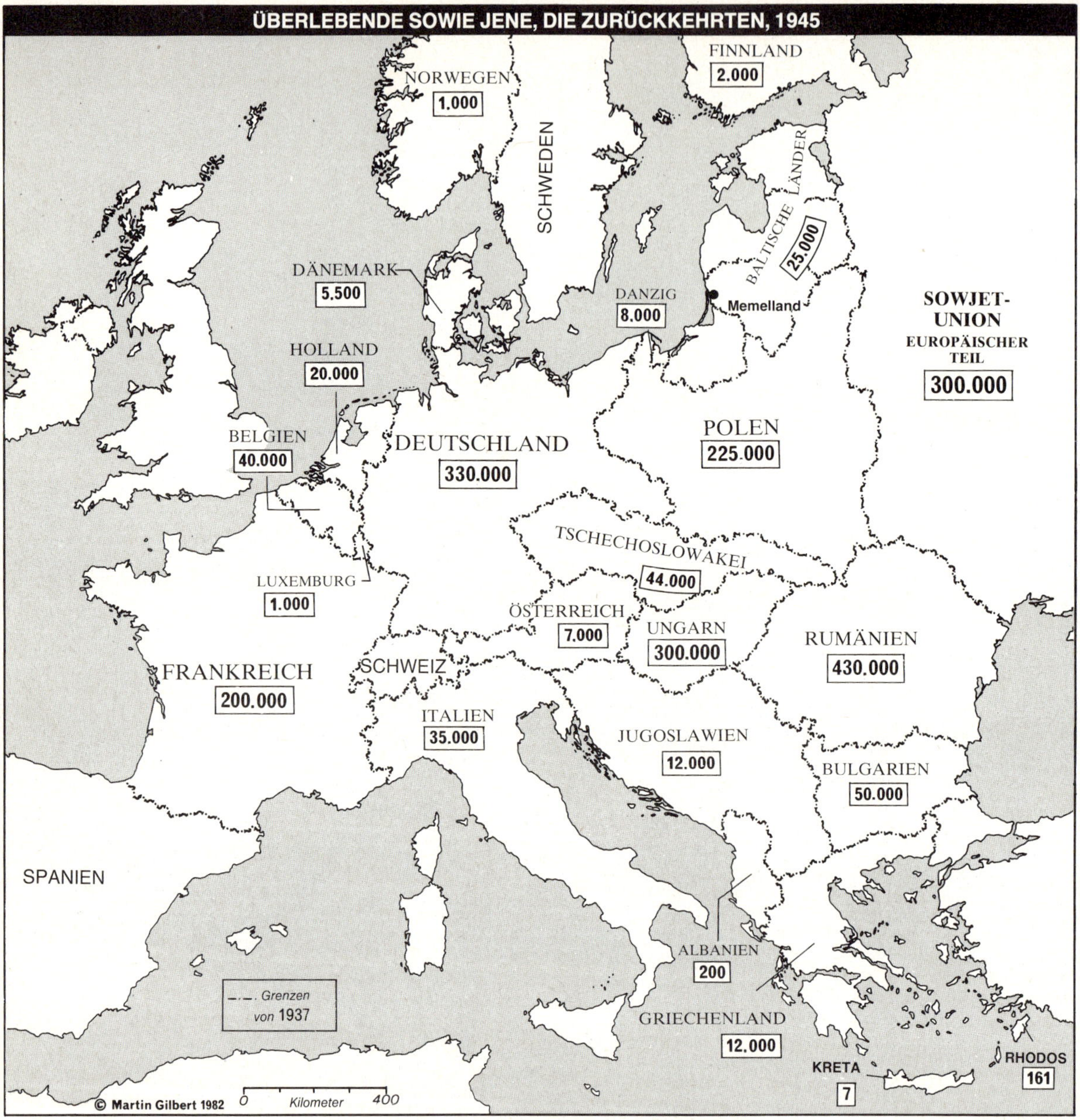
ÜBERLEBENDE SOWIE JENE, DIE ZURÜCKKEHRTEN, 1945
FINNLAND
2.000
NORWEGEN
1.000
SCHWEDEN
BALTISCHE LÄNDER
25.000
DÄNEMARK
5.500
DANZIG
8.000
Memelland
SOWJET-UNION
EUROPÄISCHER TEIL
300.000
HOLLAND
20.000
BELGIEN
40.000
DEUTSCHLAND
330.000
POLEN
225.000
TSCHECHOSLOWAKEI
44.000
LUXEMBURG
1.000
ÖSTERREICH
7.000
UNGARN
300.000
RUMÄNIEN
430.000
FRANKREICH
200.000
SCHWEIZ
ITALIEN
35.000
JUGOSLAWIEN
12.000
BULGARIEN
50.000
SPANIEN
ALBANIEN
200
GRIECHENLAND
12.000
Grenzen von 1937
KRETA
7
RHODOS
161
© Martin Gilbert 1982
0 Kilometer 400

Neben den 300000 Überlebenden der Konzentrationslager überlebten noch fast weitere anderthalb Millionen europäische Juden Hitlers Bemühungen, sie zu vernichten. Einige, zum Beispiel aus Deutschland, hatten glücklicherweise Europa schon vor Ausbruch des Krieges verlassen; andere, in Ungarn, wurden befreit, ehe die Pläne zu ihrer Vernichtung vollständig ausgeführt werden konnten; wieder andere, in Rumänien, wurden gerettet, weil ihre Regierung – bis dahin antijüdisch eingestellt – in Erwartung eines Sieges der Alliierten ihre Politik änderte. Die Juden Bulgariens rettete der Mut der bulgarischen Bevölkerung *(S. 153)*. Die Mehrzahl der polnischen Juden, die in der Karte oben genannt sind, überlebten, weil sie 1939 und 1940 im zentralasiatischen Teil der Sowjetunion Zuflucht fanden. Mehr als 20000 französische, belgische und holländische Juden waren in die Schweiz, nach Spanien und nach Portugal geflohen. Die Juden Dänemarks waren ins sichere Schweden geschmuggelt worden *(S. 166/167)*.

Überall, aber in erster Linie in Frankreich, Belgien, Holland und Italien, überlebten einige Juden, weil die Deutschen sich mehr Zeit nahmen, um sie zu deportieren, als ihnen letztendlich zur Verfügung stand: Die Alliierten landeten auf dem europäischen Festland, als die Deportationen noch nicht abgeschlossen waren. Andere Juden entgingen in ganz Europa der Deportation, weil sie Schutz bei einzelnen Nichtjuden fanden, die ihr eigenes Leben riskierten, um Juden zu retten.

Die Karte *(vorherige Seite)* zeigt, daß von den Juden, die im September 1939 in Europa lebten, im Mai 1945 noch mehr als 1600000 am Leben waren. Auf dem Foto ist einer dieser Überlebenden zu sehen – in Dachau, am Tag der Befreiung des Lagers, dem 29. April 1945.

DIE ZWISCHEN DEM 1. SEPTEMBER 1939 UND DEM 8. MAI 1945 ERMORDETEN JUDEN: EINE SCHÄTZUNG

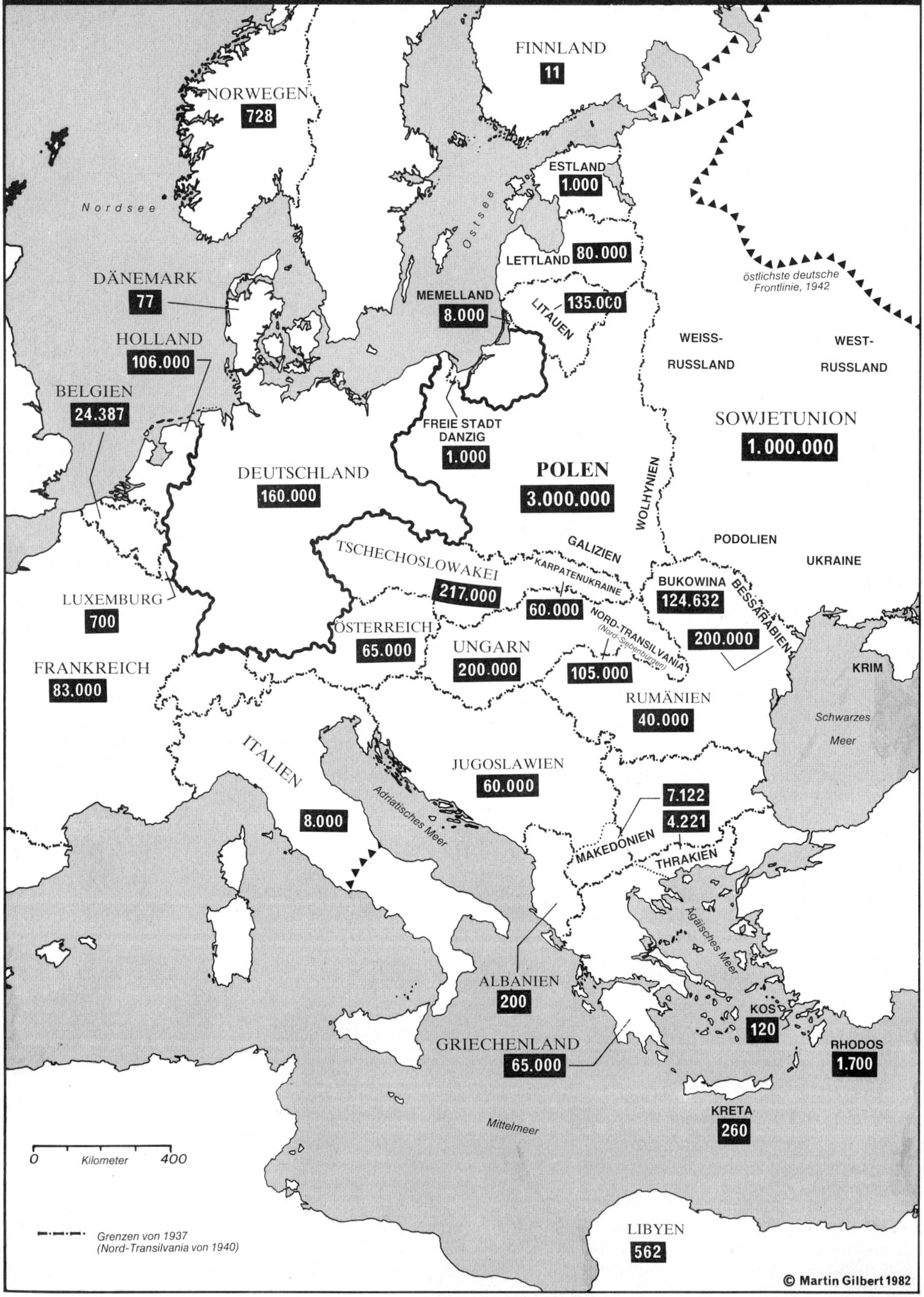

FINNLAND
11
NORWEGEN
728
Nordsee
ESTLAND
1.000
Ostsee
LETTLAND 80.000
östlichste deutsche Frontlinie, 1942
DÄNEMARK
77
MEMELLAND
8.000
135.000
LITAUEN
HOLLAND
106.000
WEISS-RUSSLAND
WEST-RUSSLAND
BELGIEN
24.387
FREIE STADT DANZIG
1.000
SOWJETUNION
1.000.000
DEUTSCHLAND
160.000
POLEN
3.000.000
WOLHYNIEN
GALIZIEN
PODOLIEN
UKRAINE
TSCHECHOSLOWAKEI
217.000
KARPATENUKRAINE
60.000
BUKOWINA
124.632
BESSARABIEN
200.000
LUXEMBURG
700
ÖSTERREICH
65.000
NORD-TRANSILVANIA (Nord-Siebenbürgen)
105.000
UNGARN
200.000
KRIM
FRANKREICH
83.000
RUMÄNIEN
40.000
Schwarzes Meer
ITALIEN
8.000
JUGOSLAWIEN
60.000
7.122
4.221
MAKEDONIEN
THRAKIEN
Adriatisches Meer
Ägäisches Meer
ALBANIEN
200
KOS
120
GRIECHENLAND
65.000
RHODOS
1.700
KRETA
260
Mittelmeer
0 Kilometer 400
Grenzen von 1937 (Nord-Transilvania von 1940)
LIBYEN
562
© Martin Gilbert 1982

KRIEGSGRAB
UNBEKANNTE ISRAELITEN

Nach neuesten Forschungsergebnissen gehen die genauesten Schätzungen davon aus, daß die Zahl der zwischen September 1939 und Mai 1945 getöteten Juden annähernd sechs Millionen betrug. Dies ist eine Minimalschätzung; die Toten, die auf der vorherigen Seite verzeichnet sind, ergeben insgesamt eine Zahl von etwas mehr als 5750000; Grundlage dieser Zahl sind einzelne Berichte von Land zu Land, von Region zu Region, die den Krieg überlebt haben. Diese Berichte sind in der anschließenden Bibliographie aufgeführt.

Eine solche Gesamtzahl kann jedoch niemals vollständig sein. Zum Beispiel töteten die Mordkommandos der Nazis im Herbst 1941 Tausende von Kleinkindern und Säuglingen, noch ehe deren Geburt für irgendwelche «statistischen» Zwecke registriert werden konnte. Außerdem wurden Tausende von Menschen, vor allem aus entlegenen polnischen Dörfern, in jene Deportationszüge, die aus größeren Ortschaften kamen, «zugeladen», ohne daß ihre Existenz oder ihr Schicksal an irgendeiner Stelle numerisch erfaßt worden wäre. Das einzige, was die historische Forschung in mehr als 35 Jahren über einige hundert jüdische Gemeinden herauszufinden in der Lage war, läßt sich in Sätze zusammenfassen wie «Das Schicksal dieser Gemeinde ist unbekannt». Und doch hatte diese Gemeinde, bestehend aus vielleicht 100, vielleicht sogar 1000 Juden, 1939 existiert und war 1945 vernichtet.

Noch heute trifft der Reisende in ganz Europa auf Gedenkstätten und Grabsteine für die Opfer. Steine markieren die Massengräber von Individuen, über die man niemals irgend etwas wissen wird: weder ihre Namen, noch ihre Geburtsorte, noch ihre tatsächliche Anzahl. Das Foto zeigt ein solches «Kriegsgrab» für «11 unbekannte» Juden, die Anfang des Jahres 1945 in Österreich getötet wurden.

Bibliographie

Ich habe mich in dieser Bibliographie auf jene Werke beschränkt, die ich zur Zusammenstellung des Materials für diesen Atlas persönlich herangezogen habe, und ich habe verschiedene Titel mit Verweisen auf die jeweiligen Karten versehen, für deren Erstellung sie von Bedeutung waren. Ich habe auch jene Quellen mit Verweisen versehen, die ergänzendes Material über Deportationen und andere Tatsachen enthalten, die in die Karten Eingang gefunden haben. Um jegliche Gefahr von Übertreibungen zu vermeiden, habe ich mich, wenn zwei Quellen widersprüchliche Angaben über die genaue Anzahl von Opfern zu irgendeinem bestimmten Zeitpunkt enthielten, stets für die niedrigere Zahl entschieden. Hinsichtlich des Massakers beispielsweise, das Mordkommandos der Nazis im November 1941 in Równe (Rowno) anrichteten (S. 81), sprechen deutsche zeitgenössische Quellen von mindestens 15000 Todesopfern, während eine jüngere jüdische Quelle Gründe angibt, warum die Zahl der Opfer sogar 22000 betragen haben könnte – ich habe die niedrigere Zahl übernommen.

Unveröffentlichte Quellen

Zu den unveröffentlichten Quellen, die Material für einzelne Karten enthielten, gehören folgende Augenzeugenberichte aus dem Archiv des Yad Washem in Jerusalem:

Die Deportationen von Deutschland nach Polen im Jahre 1938 (Karte 19), Zeugenbericht von Theodor Hatalgy, 03/3206;

das Arbeitslager von Hadjerat-M'Guil in der Sahara (Karte 59), Zeugenbericht von Avraham Alfassi, 03/963;

die Todeszüge von Iaşi (Jassy) (Karte 73), Zeugenbericht von Binyamin Rabinovitz, 03/897;

die Deportation von Norwegen nach Auschwitz (Karte 164), Zeugenbericht von Dr. L. Eitinger, einem deutschen Flüchtling, 01/255;

die Deportation von Korfu nach Auschwitz (Karte 250), Zeugenbericht von Eliahu Uschman, 03/3041;

die Deportation von Rhodos nach Auschwitz (Karte 261), Zeugenbericht von Hanna Zironi, 03/3171;

die Deportation von Juden aus Albanien nach Bergen-Belsen (Karte 230), Zeugenbericht von Yisrael Teitelbaum, 03/3252;

der Todesmarsch von Warschau nach Żychlin (Karte 269), Zeugenbericht von Henech Abramovitch, M I/E, 1605/1489;

der 42tägige Todesmarsch von Neusalz (Karte

285), Zeugenbericht von Alisa Besser, 03/3394;

das Todeslager Stutthof und Todesmärsche (Karte 298), Zeugenbericht von Pninna Sela, 03/ 638;

das Massaker von Palmnicken (Karte 284), Zeugenbericht von Celina Moskowitz, 03/1108;

die Rettung von Juden durch Oskar Schindler (Karte 284), 01/164;

die Ermordung von polnischen Juden nach dem Krieg (Karte 314), in Sokoły bei Białystok, Zeugenbericht von Icchak Szajder;

und in Skarżysko-Kamienna, M 11/B, 244 und M1/PZ; 10/632.

Für allgemeine Informationen über Stätten in Europa, über Deportationen, Zwangsarbeitslager, Widerstand, Flucht zu den Partisanen und Todesmärsche in jener Zeit habe ich zu Rate gezogen: Yehuda Bauer (Hg.), *Guide to Unpublished Materials of the Holocaust Period*, Bd. 3, Jerusalem 1975; Bd. 4, Jerusalem 1977; Bd. 5, Jerusalem 1979.

Für den Todesmarsch von Mauthausen nach Gunskirchen (Karte 305) habe ich wichtiges Material im Archiv des Yad Washem auf einem einzelnen Kartenblatt mit dem Titel «Weg des Todesmarsches Mauthausen–Gunskirchen» gefunden, O 15/23-1-4.

Material für viele der anderen Todesmärsche zwischen Juni 1944 und Mai 1945 (Karten 290, 291, 292 und 299) habe ich gefunden in: «Vol. 2 Death Marches (Marches de la Mort), Routes and Distances», herausgegeben am 28. Mai 1946 von der Intelligence Section des UNRRA Central Tracing Bureau.

Zur Lokalisierung von Stätten von Massenmorden, Aufständen und Zwangsarbeitslagern im östlichen Polen – heute westliches Weißrußland – (Karten 88, 98 und 216) hatte ich das Glück, Zugang zu haben zu der Doktorarbeit «The Jewish Underground in the Ghettos of Western Byelorussia during the Holocaust», dem Senat der Hebrew University von Jerusalem im Dezember 1977 vorgelegt von Dr. Shalom Cholawski.

Das Schicksal der Juden Bessarabiens (Karte 78) ist dargestellt in der Doktorarbeit «The Rumanian Jewry between 23. 8. 1944 and 31. 12. 1947», dem Senat der Hebrew University von Jerusalem im September 1979 vorgelegt von Dr. Jean Ancel.

Weitere Einzelheiten über die Zwangsarbeitslager in der Sahara (Karte 59) fand ich in dem Brief und den Dokumenten, die Dr. E. Schaefer am 16. April 1958 der Wiener Library in London übergab.

Von dem weiteren unveröffentlichten Material, auf das ich mich bezogen habe, wäre an dieser Stelle zu nennen:

«Treatment of Jews in Upper Silesia», 6. Mai 1938, Bericht von R. F. O'N Bashford, englischer Vizekonsul in Breslau, Exemplar in den Foreign Office Papers 371/21635 (Karte 8);

«Concentration, Work and Punishment Camps in the British Zone, I Germany, II Austria», Foreign Office Papers 371/57528 (Karte 278). – Aufgeführt sind jene Lager, von denen bekannt war, daß sie zwischen 1939 und 1945 in den Britischen Zonen Deutschlands und Österreichs existiert haben, ferner Hinweise auf Lage und Art des Lagers sowie auf die Zustände innerhalb der Lager;

«Jews in Nazi Europe, February 1933 to November 1941», Memorandum, vorgelegt vom Institute of Jewish Affairs anläßlich der am 23. November 1941 in Baltimore, Maryland, stattfindenden Inter-American Jewish Conference (Karten 43, 44 und 52) – enthält eine Liste mit 27 Städten und Dörfern, aus denen Juden in den vom Deutschen Reich besetzten Teil Polens vertrieben wurden, mit 19 Orten, wohin die Juden Krakaus vertrieben wurden, und mit 21 größeren und kleineren Städten, in denen Gettos eingerichtet worden waren, sowie Angaben über die Anzahl von Juden in jedem dieser Gettos;

«List of Persons Imprisoned in Terezin/Theresienstadt», Czechoslovak Relief Action, London, März 1945 (alphabetische Liste mit Name, Alter und letztem Wohnsitz);

«Tableaux Recapitulatif des Israelites et Tziganes deportés du camp de rassemblement de Malines vers les camps d'Extermination de Haute Silesie», Brüssel, 28. November 1977 (aufgeführt sind 25 Deportationen von Belgien nach Auschwitz mit Daten und weiteren Einzelheiten sowie vier Deportationen zu anderen Zielorten; ferner elf Fluchtversuche mit Daten);

«Overzicht van de uit Nederland Gedeporteerde Joden», Rijksinstituut voor Oorlogsdocumentatie (Niederländisches Staatsinstitut für Kriegsdokumentation), Amsterdam, o. J. (aufgeführt sind 68 Deportationen von Holland nach Auschwitz, 19 nach Sobibór, sieben nach Theresienstadt und acht nach Bergen-Belsen – mit Daten und Angaben über die Anzahl der Deportierten).

«German Extermination Camps – Auschwitz

and Birkenau», herausgegeben vom Executive Office of the President, War Refugee Board, Washington D. C., 26. November 1944 (enthält Berichte von vier Flüchtlingen aus Birkenau: Rudolf Vrba und Alfred Wetzler, 33 Seiten, und Czeslaw Mordowicz und Arnost Rosin, sechs Seiten).

Der Kommentar des Palestine High Commissioner anläßlich der «Struma»-Katastrophe (Karte 103) findet sich in seinem Telegramm Nr. 257, Most Secret, in den Colonial Office Papers, London, 733/446/76021.

Die Karte auf Seite 240 (Karte 313) basiert auf Angaben in dem Tagebuch von Dov Levin über seine Reise von Wilna nach Palästina sowie auf einem Brief, den er mir am 3. Juli 1980 schrieb.

Weitere Informationen, die in diesem Atlas Verwendung fanden, erhielt ich aus Gesprächen, die ich am 23. Dezember 1980 in Jerusalem führte mit:

Shmuel Krakowski über seine Erinnerungen an die Evakuierung von Dziedzice (Dziedzitz) (Karte 281) und an die Evakuierung von Rehmsdorf nach Theresienstadt (Karte 299);

Richter Moshe Bejski über seine Erinnerungen an die Schindler-Juden (Karte 284);

Hadassa Modlinger über seine Erinnerungen an die Evakuierung von Ravensbrück nach Schweden (Karte 299).

Weitere mündliche Zeugenberichte erhielt ich von:

Hugo Gryn über die Deportationen aus der Karpatenukraine (Karte 255) und den Todesmarsch von Lieberose (Karte 277), in einem Gespräch in London am 11. Januar 1979, und von

Leon Pommers über die Flucht von Juden mit der Transsibirischen Eisenbahn (Karte 69), in einem Gespräch in Jerusalem am 14. Mai 1979.

Auch danke ich Alexander Pechersky, dem Anführer des Aufstandes von Sobibór (Karte 222), für seinen Brief mit Erinnerungen, den er am 16. Dezember 1980 aus Rostow am Don an mich schrieb.

Das Material zweier Karten (Karten 310 und 311) basiert auf «Sharit Ha-Platah», 5 Bde., Dachau, 26. Juni 1945 (Namen, Geburtsorte und Geburtsdaten von Überlebenden der ehemaligen Konzentrationslager). Band 1, verbesserte Auflage, München 1946, behandelt Dachau; Band 2 Buchenwald und andere; Band 3 Bergen-Belsen, Salzwedel, Gardelegen und Theresienstadt; Band 4 Linz, Buchenwald (Kinder zwischen 16 und 17 Jahren), Dachau, Braunschweig, Mannheim, Mauthausen, Innsbruck, Celle und Regensburg; Band 5 Feldafing, Dachau, Allauch und andere.

Die Karte auf Seite 224 (Karte 292) basiert zum Teil auf «Atrocities and other conditions in Concentration Camps in Germany», Report of the Committee Request by Gen. Dwight D. Eisenhower through the Chief of Staff, Gen. George C. Marshall, to the Congress of the United States, 79th Congress, 1st Session, Document No. 40, Washington, 15. Mai 1945.

Veröffentlichte Dokumente

Zwei wichtige veröffentlichte Quellen hinsichtlich der Politik und der Praktiken des Dritten Reiches sind: *Trial of the Major War Criminals before the International Military Tribunal: Official Text*, 42 Bände, Nürnberg 1947–1949, und *Trial of War Criminals Before the Nuremberg Military Tribunals under Control Council Law No. 10*, 15 Bände, Washington D. C., 1949–1953.

Außerdem gibt es ein umfassendes Verzeichnis von mehr als 3000 jener Dokumente, die bei den Nürnberger Prozessen vorgelegt wurden: Jacob Robinson und Henry Sachs (Hg.), *The Holocaust. The Nuremberg Evidence, Part One: Documents*, Jerusalem 1976. Ich habe Einzelheiten für meine Karten aus vielen der Dokumente entnommen, die unter den Signaturen L, NG, NO, NOKW, PS, RF und D verzeichnet sind, und insbesondere den Dokumenten mit der Datierung:

26. Oktober 1938, Vertreibung polnischer Juden aus dem Deutschen Reich, NG 2014 (Karte 19);

8. November 1938, Bericht über die Vertreibung polnischer Juden aus dem Deutschen Reich, NG 2010 (Karte 19);

27. Februar 1940, Statistiken über die Vertreibungen im Gau Wartheland, NO 5348 (Karte 43);

29. Februar 1940, weiteres statistisches Material über Vertreibungen im Gau Wartheland, NO 5402 (Karte 43);

28. März 1940, Deportationen von Stettin und Schneidemühl in die Gegend von Lublin, NG 2490 (Karte 37);

31. Oktober 1940, Bericht über die Deportation von 6504 deutschen Juden in die Pyrenäen, NG 4934 (Karte 49);

3. Juli 1941, der Verbleib von nur noch 2000

Juden in Šiauliai (Schaulen/Schawli), NO 4537 (Karte 73);

7. Juli 1941, die Ermordung von 400 Juden in Riga, NO 2935 (Karte 73);

13. Juli 1941, die tägliche Erschießung von 500 Juden in Wilna, NO 2937 (Karte 73);

27. August 1941, die Ermordung von 11 000 ungarischen Juden in Kamenez-Podolskij, PS 197 (Karte 74);

27. August 1941, die Ermordung von 4000 Juden in Iaşi (Jassy), NG 4962 (Karte 74);

3. September 1941, die Erschießung von 300 Juden in Anajew, NOKW 1702 (Karte 86);

19. September 1941, Berichte über die Ermordung von 46692 Juden in Litauen in weniger als drei Monaten durch die Einsatzgruppe A, NO 3149 (Karte 87);

19. September 1941, die Ermordung von 1303 Juden in Berditschew, NO 3149 (Karte 86);

2. Oktober 1941, Bericht über die Ermordung von 33771 Juden in Babi Yar am 29. und 30. September 1941, NO 3137 (Karte 86);

11. Oktober 1941, die Erschießung von 449 Menschen in der Gegend von Belgrad innerhalb von drei Tagen, NOKW 497 (Karte 86);

13. Oktober 1941, der Tod von holländischen Juden in Mauthausen, NG 2710 (Karte 90);

15. Oktober 1941, Einsatzgruppe A, Berichte über die Ermordung von 125000 Juden und 5000 Nichtjuden, L 180;

24. Oktober 1941, die Deportation von 50000 Juden aus dem Reich nach Riga und Minsk, PS 3921 (Karte 92);

26. Oktober 1941, die Erschießung von Juden in Odessa, NO 3403 (Karte 86);

29. Oktober 1941, die Erschießung von 8000 Juden in Mariupol, NOKW 1529 (Karte 86);

1. Nobember 1941, die Ermordung von 7000 Juden in Borissow, NOKW 3146 (Karte 94);

3. November 1941, Einsatzgruppe C, Berichte über die Ermordung von 75000 Juden, NO 3157;

14. November 1941, Einsatzgruppe B, Berichte über die Ermordung von 45000 Juden, NO 2825;

19. November 1941, die Ermordung von 10000 Juden in Dnjepropetrowsk, NO 2832 (Karte 86);

25. November 1941, die Deportation von 1200 Insassen von Buchenwald nach Bernburg, NO 907 (Karte 94);

30. November 1941, die Ermordung von 14 Juden in Armyansk, NOKW 1532;

8. Dezember 1941, Bericht über die Ermordung von 15000 Juden in Równe (Rowno) im vorangegangenen Monat, NO 2827 (Karte 94);

12. Dezember 1941, «Erschießung an Ort und Stelle» als Lösungskonzept in Serbien, NG 3354 (Karte 96);

12. Dezember 1941, Einsatzgruppe D, Berichte über die Ermordung von 55000 Juden, NO 2828;

14. Dezember 1941, die Ermordung von 76 Juden in Karasubasar, NOKW 2029 (Karte 96);

Ende 1941 – Anfang 1942, der «Jaeger-Bericht» über die Ermordung von insgesamt 137346 Menschen in Litauen und Lettland durch die Einsatzgruppe A zwischen dem 4. Juli und dem 25. November 1941, aufgegliedert nach Männern, Frauen und Kindern, PS 2273;

1. Januar 1942, Ermordungen in Simferopol am Vortage, NOKW 2231;

14. Januar 1942, die Erklärung von Estland zum «judenreinen» Gebiet und die Ermordung von 26900 Juden in Riga, NO 3279 (Karte 98);

17. Januar 1942, die Erschießung von 22 jüdischen Partisanen in Eupatoria, NOKW 1524 (Karte 102);

20. Januar 1942, Protokoll der Wannsee-Konferenz, NG 2586 G (7) (Karten 99 und 100);

28. Februar 1942, Exekution von 36 Juden in Feodosija, NOKW 1862 (Karte 102);

8. April 1942, Ermordung von 91678 Juden auf der Krim, NO 3338 und NO 3359 (Karte 102);

1. Mai 1942, Exekution von 22 Juden in Feodosija, NOKW 1717 (Karte 102);

1. Mai 1942, Ausrottung im Gau Wartheland «macht Fortschritte», NO 246 (Karte 117);

30. Mai 1942, Dr. Clauberg gibt die Anregung zu medizinischen Versuchen in Auschwitz, NO 211 (Karte 122);

9. Juni 1942, Entsendung eines Gaswagens von Belgrad nach Riga, PS 501 (Karte 127);

30. Juni 1942, Bericht über 52000 bereits deportierte slowakische Juden, NG 4553 (Karte 126);

9. Juli 1942, Deportationen aus Belgien, NG 002 (Karte 134);

6. August 1942, Dr. Clauberg fordert eine zweite Sterilisations-Station für Auschwitz an, NO 210 (Karte 122);

11. August 1942, Proteste in Ungarn gegen antijüdische Maßnahmen, NG 1856 (Karte 238);

20. August 1942, Italiens Weigerung, kroatische Juden zu deportieren, NG 2368 (Karte 89);

27. August 1942, die Erschießung von 95000

Juden im Bezirk Baranowicze und die Flucht von 6000 Juden zu den Partisanen, NG 1315 (Karte 224);

3. September 1942, die bereits erfolgte Deportation von 27069 französischen Juden, RF 1227;

11. September 1942, Berichte über die bereits erfolgte Deportation von 17000 holländischen Juden, NG 2631;

18. September 1942, Juden erhalten im Großdeutschen Reich weder Fleisch noch Fleischprodukte oder Eier, NG 1651;

24. September 1942, Italien bleibt bei seiner Weigerung, kroatische Juden zu deportieren, NG 3165;

25. September 1942, die Deportation rumänischer Juden aus Frankreich, NG 1971 (Karte 155);

3. Oktober 1942, Bericht an das Justizministerium in Berlin über jüdische Widerstandsgruppen im Deutschen Reich, NG 683;

20. November 1942, Italien lehnt es ein drittes Mal ab, kroatische Juden zu deportieren, NG 2345;

6. Dezember 1942, Zwangsarbeit in Tunesien, NG 2099 und NG 3150 (Karte 188);

18. Februar 1943, Bericht über die Ermordung von 86632 Juden in Minsk, NO 3339 (Karte 193);

4. März 1943, die geplante Deportation von kroatischen Juden, NG 2348 (Karte 205);

16. Mai 1943, der Stroop-Bericht über die Zerstörung des Warschauer Gettos, PS 1061 (Karte 204);

7. Juni 1943, Dr. Clauberg meldet, daß in Auschwitz ein einziger Arzt mit Assistenten durchschnittlich 1000 Frauen täglich sterilisiert, NO 212 (Karte 206);

7. Juni 1943, projüdische Demonstrationen in Sofia, NG 2357 (Karte 197);

21. Juni 1943, Pläne für eine jüdische Skelettsammlung in Straßburg, NO 091 (Karte 208);

30. Juni 1943, Deportation von insgesamt 434329 Juden aus Galizien bis zum 27. Juni 1943, L 018 (Karte 206);

5. Juli 1943, vorangegangene Erschießung von sechs Juden in Iraklion, NOKW 2907 (Karte 208);

15. Juli 1943, Befehl zur Deportation von allen 800 noch in kroatischen Konzentrationslagern am Leben befindlichen Juden, NG 2413 (Karte 208);

4. Oktober 1943, Widerstand in Dänemark gegen die Deportation von Juden, NG 3920 (Karte 213);

17. Oktober 1943, Verhaftung von Juden in Rom, NO 315 (Karte 221);

2. November 1943, Verlegung von 73 Juden und 30 Jüdinnen von Auschwitz nach Natzweiler für eine jüdische Skelettsammlung, NO 086 (Karte 208);

6. April 1944, Verhaftung jüdischer Kinder in Kinderheimen und ihre Deportation nach Drancy, RF 1235;

14. April 1944, Bericht über die Deportation griechischer Juden zwischen dem 23. und dem 25. März 1944, NOKW 2520 (Karte 232);

23. April 1944, Beginn der Deportation ungarischer Juden am 15. Mai 1944, NG 2233 (Karte 240);

28. April 1944, Pläne zu Deportationen von Korfu, NOKW 1985 (Karte 250);

4. Mai 1944, Weiterführung der Pläne zu Gettoisierung und Deportation in der Karpatenukraine (200000 gettoisiert) und in Transilvania (Siebenbürgen) (110000 sollen gettoisiert werden), NG 2262 (Karte 240);

8. Juni 1944, Statistiken über Deportationen aus Ungarn, NG 5620 (Karte 241);

16. Juni 1944, Wiederaufnahme der Deportationen aus der Slowakei, NG 2261 (Karte 251);

3. Juli 1944, Deportationen von Rhodos, NOKW 1795 und NOKW 1802 (Karte 261);

10. September 1944, insgesamt 6000 jüdische Zwangsarbeiter in Bor, NOKW 981 (Karte 271);

15. Oktober 1944, Befehl zur Vernichtung der jüdischen Skelettsammlung in Straßburg, NO 807 (Karte 208);

27. Oktober 1944, Bericht über die Deportation von insgesamt 437402 Juden aus Ungarn, NG 5573 (Karte 260);

22. Januar 1945, Befehl zum Todesmarsch von Stutthof, NO 3796 (Karte 284);

25. Januar 1945, Zeitplan für den Todesmarsch von Stutthof, NO 3792 (Karte 284);

23. Mai 1945, Zeugenaussage von Franz Ziereis, Kommandant von Mauthausen, NO 1973 (Karte 300);

18. März 1945, eidesstattliche Erklärung von Baron van Lamsweerde über den Todesmarsch von Rehmsdorf nach Theresienstadt, D 924 (Karte 299);

6. Juni 1947, eidesstattliche Erklärung von Paul Blobel über die Vernichtung der Spuren von Massengräbern durch die Einheit 1005, NO 3829 (Karte 217);

23. Oktober 1947, Augenzeugenbericht über

den Einsatz von Gaswagen in Riga, NO 5511 (Karte 127).

Einzelne Kartenblätter

Unter den verwendeten historischen Atlanten und Karten waren mehrere einzelne Kartenblätter zu spezifischen Themen; dazu gehörten:

Jean Ancel, *Transnistria Inclusiv Provinciile Afectate De Deportari Masive*, Jerusalem o. J. (Lager und Todesmärsche in Transnistrien), Karten 78 und 80;

Dokumentačná Akcia, *Deportácia Židov zo Slovenska*, Bratislava (Preßburg), Juni 1948 (Deportationsrouten und Anzahl der Deportierten aus slowakischen Städten und Dörfern), Karten 126 und 128;

Herbert Froboess, *Deutschland 1945*, München o. J. (Lage von Konzentrationslagern und Nebenlagern im Großdeutschen Reich einschließlich der Nebenlager von Natzweiler und Mauthausen), Karte 278;

Dr. Gollert, *Die territoriale Verteilung der Juden in Warschau nach Polizeikommissariaten, Volkszählung vom 24. Februar 1940* (zeigt die prozentuale Verteilung von Juden in ganz Warschau vor den Vertreibungen ins Getto), Karte 55;

C. Jablonski, *Podzialy Administracyjne Wojewodztwa Lodzkeigo i Obszarow Przyleglych 1939–1945r.* Łódź 1972 (Grenzen der Verwaltungsbezirke in der Gegend um Łódź während des Krieges), Karte 42;

Edward Kossoy, *Judenvernichtung im Donauraum*, München o. J. (Deportationsrouten mit Daten und Zahlenangaben für Deportationen aus Österreich, der Slowakei, der Bukowina, der Karpatenukraine, Transilvania (Siebenbürgen), dem Banat, der Bácska (Batschka) und aus Serbien; Nebenkarte mit den Konzentrations-, Arbeits- und Internierungslagern in Italien);

Edward Kossoy, *Polen*, München o. J. (Konzentrationslager und Arbeitslager in ganz Polen; Nebenkarten von Frankreich, Transnistrien, Nordafrika, Oberschlesien und Warschau und Umgebung);

Edward Kossoy, *Polen und Baltikum am Ende des Zweiten Weltkrieges*, München o. J. (Todeslager, Zwangsarbeitslager, Deportationsrouten mit Daten und Zahlenangaben über Deportationen aus dem Generalgouvernement, den Baltischen Ländern, Oberschlesien, Danzig-Westpreußen, Ostpreußen und dem Gau Wartheland);

Völkerbund, *Territory of Saar Basin*, Maßstab 1 : 100 000, 3. Mai 1919 (die Karte diente als Anlage 2 des Versailler Vertrages), London 1919, Karte 7;

Militärgeographisches Institut in Wien, einzelne Kartenblätter von Westrußland (Grenzen von 1914), Neudruck Wien 1940, Maßstab 1 : 200 000;

Mitteleuropa in der ersten Hälfte des Jahres 1945, o. J. (Konzentrationslager und ihre Nebenlager, mit dem Frontverlauf am 1. April, 14. April und 6. Mai 1945 sowie den Daten der Befreiung der Lager), Karten 290 bis 294 und Karte 307;

Lieutenant Popescu, *Transnistria*, 1.43, Karten 78 und 80;

Zidovske Pracovne Tabory A Strediska Na Slovensku, Bratislava (Preßburg), 5. Juli 1943 (zeigt die Lage jüdischer Arbeitslager in der Slowakei), Karte 216.

Atlanten

Eine Reihe von Atlanten lieferten sowohl historische als auch geographische Informationen, die an anderer Stelle nicht zugänglich waren; dazu gehörten:

O. A. Beloglazova (Hg.), *Atlas S.S.S.R.*, Moskau 1954;

Wladyslaw Czaplinski und Tadeusz Ladogorski, *Atlas Historyczny Polski*, Warschau 1968;

Deutscher Generalatlas, 1 : 200 000, Stuttgart 1967–1968;

George Goodall (Hg.), *Philips' International Atlas*, 5. Aufl., Liverpool 1945 (Grenzen des vom Deutschen Reich besetzten Polen, Tafeln 53–54, der vom Deutschen Reich besetzten Tschechoslowakei, Tafeln 59–60 und des von Ungarn besetzten Transilvania [Siebenbürgen], Tafeln 63–64);

Dimitri Kosev u. a., *Atlas po Bulgarska Istoria*, Sofia 1963;

Janusz Lopatto (Hg.), *Samochodowy Atlas Polski 1 : 500 000,* Warschau 1979 (Straßenatlas von Polen mit 34 Faltkarten sowie Stadtplänen und einem Ortsregister);

Dr. Oswald Muris, *Hansa Weltatlas*, Leipzig

1943 (Grenzen innerhalb Europas vom September 1943 und Einteilung des Großdeutschen Reiches in VerwaltungsbeBzirke);

T. Dodson Stamps und Vincent J. Esposito, *A Military History of World War II: Atlas*, West Point 1953 (168 Karten über Feldzüge, darunter sieben Karten vom Polenfeldzug, fünf Karten über die Feldzüge auf dem Balkan, 22 Karten über den Krieg in Osteuropa, 26 Karten über den Krieg in Westeuropa, 15 Karten über den Krieg in Nordafrika und 16 Karten über die Operationen in Italien).

Bücher und Aufsätze

Es gibt mittlerweile fast 500 «Gedenkbücher» über die zerstörten jüdischen Gemeinden in Europa; davon sind fast 400 über Polen, 20 über Rumänien, 13 über Rußland, fünf über Litauen, vier über die Tschechoslowakei, vier über Deutschland, eins über Jugoslawien (Sombor), eins über Griechenland (Saloniki) und eins über Lettland. Ich habe versucht, diese Bücher für meine Arbeit so weit wie möglich heranzuziehen; einige von ihnen sind in der Bibliographie aufgeführt, und sie sind, bis zum Jahre 1973, umfassend verzeichnet in: David Bass, «Bibliographical List of Memorial Books Published in the years 1943–1972», in *Yad Vashem Studies*, IX, Jerusalem 1973, S. 273–321.

Das Bulletin des Instituts für jüdische Geschichte in Warschau, gegründet 1951, enthält zahlreiche wichtige Artikel über das Schicksal der polnischen Juden. Von besonderem Wert sind die Tabellen mit Deportationen aus Städten und Dörfern in ganz Polen, die von Tatiana Berenstein (Berensztyn), Danuta Dabrowska, Adam Rutkowski und Szymon Datner erstellt wurden und die ich unter den veröffentlichten Arbeiten dieser Bibliographie aufgeführt habe.

Die grundlegenden historischen Fakten über mehr als 1000 einzelne Gemeinden, die vom Holocaust verschlungen wurden, habe ich Cecil Roth (Verantwortl. Hg.), *Encyclopaedia Judaica*, Jerusalem 1972, 16 Bde., entnommen; das Werk enthält Material nach verschiedenen Ländern geordnet, wie auch einen separaten Abschnitt über den Holocaust, und jeder dieser Teile verfügt über eine eigene Bibliographie. Das Material über einzelne Gemeinden in diesen 16 Bänden wird wesentlich ergänzt durch das Yad Washem-Projekt *Pinkas Hakehillot Encyclopaedia of Jewish Communities*, von dem die folgenden sechs Bände bereits erschienen sind; sie enthalten detaillierte Informationen über das Leben und die Vernichtung von mehreren hundert der Gemeinden, die in diesem Atlas verzeichnet sind:

Rumania, Bd. 1, Jerusalem 1969;

Germany – Bavaria, Jerusalem 1972 (Karten 108 und 109);

Hungary, Jerusalem 1976;

Poland: the Communities of Lodz and its Region, Jerusalem 1976;

Poland: Eastern Galicia, Jerusalem 1980;

Rumania, Bd. 2, Jerusalem 1980.

Zu den weiteren veröffentlichten Arbeiten, die für die Vorbereitung dieses Atlasses von unschätzbarem Wert waren, gehörten:

Activité des Organisations Juives en France sous L'Occupation, Paris 1947.

S. Adler-Rudel, «The Evian Conference on the Refugee Question», in *Leo Baeck Institute Year Book*, XIII, 1968, S. 235–273.

Reuben Ainsztein, Auschwitz en France: *La Vérité sur le seul camp d'Extermination en France, Le Struthof*, Paris 1974 (über Natzweiler).

American Jewish Committee, *The Jews in Nazi Germany: A Handbook of Facts Regarding the Present Situation*, New York 1935 (Dokumente über antijüdische Maßnahmen und der Wortlaut jener Gesetze, von denen speziell die Juden betroffen waren).

Jacob Apenszlak und Moshe Polakiewicz, *Armed Resistance of the Jews in Poland*, New York 1944.

Yitzhak Arad, *Ghetto in Flames: the Struggle and Destruction of the Jews in Vilna in the Holocaust*, Jerusalem 1980 (führt sämtliche Mordaktionen in Wilna zwischen 1941 und 1944 auf).

Yitzhak Arad, *The Partisan*, New York 1979 (die Geschichte von Święciany, Wilna und den jüdischen Partisanenaktivitäten).

Schlomo Aronson, *Beginnings of the Gestapo System: the Bavarian model in 1933*, New Brunswick, New Jersey 1969.

Z. Asaria, *Zur Geschichte der Juden in Osnabrück*, Osnabrück 1969.

K. J. Ball-Kaduri, «Berlin is ‹Purged› of Jews: The Jews in Berlin in 1943», in *Yad Vashem Studies*, V, Jerusalem 1963, S. 271–316 (enthält Listen von elf Deportationen von Berlin nach Auschwitz zwischen dem 11. Januar und dem 12.

März 1943, und acht Deportationen nach Theresienstadt zwischen dem 12. Januar und dem 17. März 1943).

Yehuda Bauer, *Flight and Rescue: Bricha*, New York 1970 (Karte 314).

Yehuda Bauer, «Rescue Operations Through Vilna», in *Yad Vashem Studies*, IX, Jerusalem 1973, S. 215–223 (Karte 69).

Arieh L. Bauminger, *Roll of Honour*, 2. Aufl., Tel Aviv 1971 (die Rettung von Juden durch Nichtjuden).

Norman H. Baynes (Hg.), *Hitler's Speeches*, 2 Bde., London 1941.

Wladyslaw Bednarz, *Das Vernichtungslager zu Chelmno am Ner*, Warschau 1946.

Tatiana Berenstein, «Eksterminacja Zydow w Galicji 1941–1943», in *Biuletyn Zydowskiego Instytutu Historycznego*, Nr. 61, Warschau 1967 (zwölf statistische Tabellen über die Gettoisierung, Deportation und Vernichtung von 139 jüdischen Gemeinden in Ostgalizien zwischen 1941 und 1943).

Tatiana Berenstein, «Martyrologia, opór i zaglada ludnosci zydowskiej», in *Biuletyn Zydowskiego Instytutu Historycznego*, Nr. 21, S. 56–83, Warschau 1957 (zehn statistische Tabellen über Größe, Deportation und Vernichtung von jüdischen Gemeinden im Bezirk Lublin zwischen 1939 und 1944).

Adolf Berman, «The Fate of Jewish Children in the Warsaw Ghetto», in Yisrael Gutman und Livia Rothkirchen (Hg.), *The Catastrophe of European Jewry*, Jerusalem 1976, S. 400–421.

Blackbook of Localities whose Jewish Population was Exterminated by the Nazis, Yad Vashem, Martyrs' and Heroes' Remembrance Authority, Jerusalem 1965 (gibt Stadt für Stadt und Dorf für Dorf die Anzahl der Juden gemäß Volkszählungen aus der Zeit vor dem Krieg an: in Polen, Deutschland, Jugoslawien, Österreich, Ungarn, Rumänien, Griechenland, der Tschechoslowakei, Holland, Norwegen, Luxemburg, Estland, Lettland, Litauen und der Sowjetunion).

Nachman Blumenthal (Hg.), *Yitzkor Baranow: A Memorial to the Jewish Community of Baranow*, Jerusalem 1964.

Joseph Borkin, *The Crime and Punishment of I. G. Farben*, New York 1978 (dt.: Die unheilige Allianz der I. G. Farben, Frankfurt/New York 1979 – Zwangsarbeit in Auschwitz-Monowitz; als Grundlage dienten die Protokolle der Kriegsverbrecherprozesse in Nürnberg).

Randolph L. Braham, *The Destruction of Hungarian Jewry: A Documentary Account*, 2 Bde., New York 1963 (Dokumente über die Deportationspolitik der Deutschen, mit Faksimiles).

Randolph L. Braham, *The Politics of Genocide: the Holocaust in Hungary*, 2 Bde., New York 1981.

Randolph L. Braham, *Hungarian-Jewish Studies*, 3 Bde., New York 1966, 1969, 1973.

Randolph L. Braham, «The Kamanets Podolsk and Delvidek Massacres: Prelude to the Holocaust in Hungary», in *Yad Vashem Studies*, IX, Jerusalem 1973, S. 133–156.

B. Brilling (Hg.), *Westfalia Judaica*.

Zvie A. Brown und Dov Levin, *The Story of an Underground: the resistance of the Jews of Kovno (Lithuania) in the Second World War*, Jerusalem 1962.

T. Brustin-Berenstein, «Deportacje i Zaglada Skupisk Zydowskich w Dystrykcie Warszawskim», in *Biuletyn Zydowskiego Instytutu Historycznego*, Nr. 3, Warschau 1952 (elf statistische Tabellen über die Gettoisierung, Deportation und Vernichtung der Juden in Warschau und von jüdischen Gemeinden in der Umgebung von Warschau).

Tadeusz Bystrycki (Verantwortl. Hg.), *Skorowidz Miejscowsci Rzeczpospolitej Polskiej*, 4 Bde., Warschau und Przemyśl 1934 (gibt die Lage sämtlicher Städte und Dörfer in Polen während des Krieges wieder).

Frederick B. Chary, *The Bulgarian Jews and the Final Solution, 1940–1944,* Pittsburgh 1972 (Karte 197).

Marta Cohen (Hg. und Übersetzer), *Hanna Senesh: Her Life and Diary*, London 1971 (Karte 276).

Congrès Juif Mondial, Section de Roumanie, Commission d'Études, *Le Massacre des Juifs de Jassy*, Bukarest 1946 (Fotos und Dokumente über die Massaker in der Stadt und in den Zügen, Juni–Juli 1941) (Karte 73).

Danuta Czech, «Deportation und Vernichtung der griechischen Juden», in *Hefte von Auschwitz*, II, 1970 (aufgeführt sind 19 Deportationen von Saloniki nach Auschwitz zwischen dem 20. März und dem 18. August 1943 und zwei Deportationen am 11. April und am 30. Juni 1944 von Athen und Korfu nach Auschwitz).

Danuta Czech, «Kalendarium der Ereignisse im Konzentrationslager Auschwitz-Birkenau», in *Hefte von Auschwitz*, Nr. 2–9, Oświęcim 1959–

1964 (es werden sämtliche Deportationszüge aufgeführt, die zwischen März 1942 und November 1944 in Auschwitz eintrafen – mit Daten und dem Schicksal derer, die in den Zügen waren).

D. Dabrowska, «Zaglada Skupisk Zydowskich w ‹Kraju Warty› w okresie Okupacji Hitlerowskiej», in *Biuletyn Zydowskiego Instytutu Historycznego*, Nr. 13, Warschau 1955 (16 statistische Tabellen über Gettoisierung, Deportation und Vernichtung der Juden in Łódź und in anderen Städten und Dörfern im Gau Wartheland).

Szymon Datner, «Eksterminacja Zydow w Okregu Bialostockim», in *Biuletyn Zydowskiego Instytutu Historycznego*, Nr. 60, Warschau 1966 (8 statistische Tabellen über Gettoisierung, Deportation, Vernichtung der Juden in und im Bezirk Białystok), vergl. vor allem Karte 168.

Szymon Datner, *Las Sprawiedliwych* (Der Wald der Rechtschaffenen), Warschau 1968 (die Geschichte nichtjüdischer Polen, die Juden in Polen halfen).

Szymon Datner, *Walka i zaglada bialostockiego ghetta*, Łódź 1946 (der Aufstand im Getto von Białystok) (Karte 210).

Szymon Datner, *55 Dni (I. IX.–XV. X. 1939) Wehrmachtu w Polsce*, Warschau 1976 (Karte 29).

A. de Cocatrix, *The Number of Victims of the National Socialist Persecution*, International Tracing Service, Arolsen, 12. April 1977.

Louis de Jong, «The Netherlands and Auschwitz», in *Yad Vashem Studies*, VII, Jerusalem 1968, S. 39–55.

Lucjan Dobroszycki, «Restoring Jewish Life in Post-War Poland», in *Soviet Jewish Affairs*, Bd. 3, Nr. 2, London 1973 (Einzelheiten über die Ermordung von Juden durch Polen nach der Befreiung) (Karte 316).

Giuliana Donati, *Deportazione Degli Ebrei Dall' Italia*, Mailand, März 1975 (aufgeführt sind 14 Deportationen von Italien nach Auschwitz sowie weitere sieben Deportationen zwischen dem 16. September 1943 und dem 14. Dezember 1944, mit Informationen über das Schicksal der Deportierten).

Giuliana Donati, *Ebrei in Italia: Deportazione, Resistenza*, Florenz 1975.

S. M. Dubnow, *History of the Jews in Russia and Poland from the earliest times until the present day*, 3 Bde., Jewish Publication Society of America, Neudruck, Philadelphia 1946 (Karte 3).

Krzysztof Dunin-Wasowicz, «Zydowscy wiezniowie KL Stutthof», in *Biuletyn Zydowskiego Instytutu Historycznego*, Nr. 63, Warschau 1967 (aufgeführt sind 26 Deportationen von Juden nach Stutthof zwischen dem 29. Juni und dem 14. Oktober 1944 sowie 14 Deportationen von jüdischen Männern, Frauen und Kindern weg von Stutthof zwischen dem 21. Juli 1944 und dem 12. Dezember 1944).

Dr. Max Freiherr Du Prel, *Das Generalgouvernement*, Würzburg 1942 (Vorwort datiert Wien, 10. März 1942: eine 404 Seiten dicke deutsche Untersuchung über das Generalgouvernement, mit Karten und Fotos).

Georges Dunand, *Ne perdez pas leur trace!*, Neuchâtel 1951 (das Schicksal der Juden von Bratislava [Preßburg], dargestellt von einem Augenzeugen zwischen September und Dezember 1944).

Ralph Durand, *Guernsey under German Rule*, London 1946.

Stanislaw Duszak, *Majdanek*, Lublin 1980.

Helmut Eschwege, «Resistance of German Jews against the Nazi Regime», in *Leo Baeck Institute Year Book*, XV, 1970, S. 143–180.

Liliana Picciotto Fargion, *L'occupazione tedesca e gli ebrei di Romana: documenti e fatti*, Mailand 1979.

Benjamin B. Ferencz, *Less Than Slaves: Jewish Forced Labor and the Quest for Compensation*, Cambridge, Massachusetts, 1979.

M. R. D. Foot, *S. O. E. in France: An Account of the British Special Operations in France 1940–1944,* London 1966.

Josef Fraenkel (Hg.), *The Jews of Austria, Essays on their Life, History and Destruction*, London 1967.

Philip Friedman, *Roads to Extinction: Essays on the Holocaust*, New York und Philadelphia 1980 (enthält Aufsätze über die Vernichtung der Juden von Lwów (Lemberg), die Zigeuner und den jüdischen Widerstand).

Glówna Komisja Badania Zbrodni Hitlerowskich w Polsce, *Obozy hitlerowskie na ziemiach polskich 1939–1945: Informator encyklopedyczny*, Warschau 1979 (aufgeführt sind 5877 Arbeitslager, Gettos, Konzentrationslager und andere Stätten des Massenmordes und des Grauens; ferner findet sich eine umfassende Bibliographie zu jeder dieser Stätten).

Dr. Branko Gostl u. a. (Hg.), Federation of Jewish Communities in Yugoslavia, *Spomenica 1919–1969*, Belgrad 1969.

Günter Grass u. a., *Danzig 1939: Treasures of a*

Destroyed Community, New York 1980 (s. auch Günter Grass, Örtlich betäubt, Neuwied 1969).

Yisrael Gutman «The Genesis of Resistance in the Warsaw Ghetto», in *Yad Vashem Studies*, IX, Jerusalem 1973, S. 29–70.

Yisrael Gutman, *The Jews of Warsaw 1939–1943 Ghetto-Underground-Uprising*, Jerusalem 1977 (enthält Angaben über die in den Jahren 1941 und 1942 in Warschau monatlich Verhungerten).

Yisrael Gutman und Efraim Zuroff (Hg.), *Rescue Attemps During the Holocaust*, Jerusalem 1977 (Protokolle der zweiten Yad Vashem International Historical Conference in Jerusalem vom 8. bis zum 11. April 1974).

Gideon Hausner, *Justice in Jerusalem,* New York 1966 (der Eichmann-Prozeß – Darstellung und Auszüge aus der Beweisführung).

Heinz Heger, *The Men with the Pink Triangle*, London 1980 (dt.: *Die Männer mit dem Rosa Winkel*, Hamburg 1972 – die Erinnerungen eines Homosexuellen in Sachsenhausen und Flossenbürg; mit einer historischen Einführung von David Fernbach).

Celia S. Heller, *On the Edge of Destruction: Jews of Poland Between the Two World Wars*, New York 1977 (Karte 12).

I. Heller und Z. Vajda, *The Synagogues in Hungary*, New York 1968.

Raul Hilberg, *The Destruction of the European Jews*, Chicago 1961 (neue erweiterte Ausgabe, New York 1973).

Raul Hilberg (Hg.), *Documents of Destruction, Germany and Jewry 1933–1945*, London 1972.

Sir John Hope-Simpson, *The Refugee Problem: Report of a Survey*, London 1939.

International Committee of the Red Cross, *Documents relating to the work of the International Committee of the Red Cross for the benefit of civilian detainees in German Concentration Camps between 1939 and 1945*, Genf 1965 (enthält einen Augenzeugenbericht über die Evakuierungen von Ravensbrück und Sachsenhausen im April 1945) (Karte 295).

Jewish Black Book Committee, *The Black Book: the Nazi Crime Against the Jewish People*, New York 1946 (eine sowjetische Quelle über deutsche Kriegsverbrechen gegen Juden und andere).

Albert Kalme, *Total Terror: An Exposé of Genocide in the Baltics*, New York 1951.

Abraham I. Katsh (Hg. und Übersetzer), *The Warsaw Diary of Chaim A. Kaplan*, New York 1965.

Robert Katz, *Death in Rome*, London 1967 (dt.: Mord in Rom, München 1968 – das Massaker in den Ardeatina-Höhlen am 24. März 1944) (Karte 233).

Yitzhak Katznelson, *Vittel Diary (22. 5. 43–16. 9. 43)*, Kibbuz Lohamei Haghettaot (Israel) 1972 (Karte 231).

Donald Kenrick und Gratton Puxon, *The Destiny of Europe's Gypsies*, London 1972 (dt.: Sinti und Roma. Die Vernichtung eines Volkes im NS-Staat. Goettingen 1981) (Karte 182).

Joseph Kermish, «The Warsaw Ghetto Uprising in the Light of a hitherto Unpublished Official German Report», in *Yad Vashem Studies*, IX, Jerusalem 1973, S. 7–27.

Serge Klarsfeld, *Additif au Mémorial de la Déportation des Juifs de France*, Paris 1981.

Serge Klarsfeld, *Le Mémorial de la Déportation des Juifs de France*, Paris 1978 (aufgeführt sind die Daten jeder Deportation aus Frankreich und aller Exekutionen in Frankreich sowie die Namen sämtlicher Deportierten und der auf andere Weise Getöteten) (Vergl. vor allem Karten 51, 113, 114, 136, 148 bis 150, 155, 159, 169 bis 172, 243 bis 247, 253 und 263 bis 266).

David Knout, *Contribution à l'histoire de la Résistance Juive en France 1940–1944*, Paris 1947.

Edward Kossoy, *Handbuch zum Entschädigungsverfahren*, München 1958 (Einzelheiten über die Anzahl der Lager und über die Herkunft von Deportierten in Auschwitz, Dachau und andernorts; ein Verzeichnis jüdischer Namen in allen europäischen Sprachen sowie die Daten sämtlicher jüdischer Feiertage während des Krieges; ferner Informationen über Lager mit ausländischen Zwangsarbeitern, Reparationen und Auswandererschiffe nach Palästina).

Yehezkiel Korn, *Jewish Agricultural Settlement in the Crimea, 1922–1947*, Jerusalem 1973 (auf Hebräisch) (Karte 102).

Shmuel Krakowski, «The Fate of Jewish Prisoners of War in the September 1939 Campaign», in *Yad Vashem Studies*, XII, Jerusalem 1977 (Karten 32 und 35).

Shmuel Krakowski, *Jewish Armed Resistance in Poland 1942–1944*, Jerusalem 1977 (auf Hebräisch).

David Kranzler, *Japanese, Nazis and Jews: the Jewish Refugee Community of Shanghai, 1938–1945*, New York 1976 (Karte 16).

Kriegstagebuch des Oberkommandos der Wehrmacht, 4 Bde., Frankfurt am Main 1965 (Daten, an denen die deutschen Truppen Städte bzw. Gebiete einnahmen und wieder aufgeben mußten: Bd. 1, 1. August bis 31. Dezember 1941; Bd. 2, 1942; Bd. 3, 1943; Bd. 4, 1944–1945; herausgegeben von Hans-Adolf Jacobsen, Andreas Hillgruber, Walter Hubatsch und Percy Ernest Schramm).

Gedalia Lachman, «The Destruction of Skala», in Max Mermelstein-Weidenfeld (Vorsitzender des Herausgeber-Komitees), *Skala*, Tel Aviv 1978.

Isaac Landman (Hg.), *The Universal Jewish Encyclopedia*, 10 Bde., New York 1939 (enthält Einzelheiten über antijüdische Gewalttaten in Osteuropa in den dreißiger Jahren) (Karten 10 bis 12).

Jehuda-Gyula Lang, *A Pápai Zsidóság Emlékkönyve*, Tel Aviv 1973 (aufgeführt sind die Namen der Deportierten aus Pápa und Umgebung sowie Ortschaften in der Umgebung von Pápa) (Karte 258).

I. M. Lask (Hg.), *The Kalish Book*, Tel Aviv 1968 (Karten 44 und 54).

Evelyn Le Chêne, *Mauthausen: The History of a Death Camp*, London 1971 (Karten 300 bis 304).

Eugene Levai, *Black Book on the Martyrdom of Hungarian Jewry*, Zürich 1948.

Liberated Jews Arrived in Sweden in 1945, 2 Bde., Malmö 1946 (enthält eine Liste jüdischer Flüchtlinge, die 1945 in Schweden starben: Teil 1, Tschechoslowaken; Teil 2, Holländer; Teil 3, Ungarn; Teil 4, Italiener; Teil 5, Polen; Teil 6, Rumänen; Teil 7, Staatenlose, ehemals Deutsche; und Teil 8, Jugoslawen) (Karte 308).

Liste Alphabetique des Personnes, en majorité Israelites, Deportées Par Les Convois Partis du Camp de Rassemblement de Malines entre le 4 Aout 1942 et le 31 Juillet 1944, 3 Bde., Brüssel, 1. Juli 1954.

Dora Litani, «The Destruction of the Jews of Odessa in the Light of Rumanian Documents», in *Yad Vashem Studies*, VI, Jerusalem 1967, S. 135–154.

Czeslaw Madajczyk (Hg.), *Zamojszczyzna-Sonderlaboratorium SS*, 2 Bde., Warschau 1979 (Dokumente über die Vertreibung von und Massaker an Polen im Bezirk Zamość) (Karte 179).

Ber Mark, *Uprising in the Warsaw Ghetto*, New York 1975 (Karte 204).

Albert Menasche, *Birkenau (Auschwitz II), Memoirs of an eyewitness, how 72000 Greek Jews Perished*, New York 1947.

Sybil Milton (Übersetzer und Hg.), *The Stroop Report: The Jewish Quarter of Warsaw Is No More!*, Faksimile-Ausgabe, New York 1979 (Karte 204).

S. Moldawer, *The Road to Lublin*, New York 1940 (Karte 37).

Michael Molho, *In Memoriam: Hommage aux Victimes Juives des Nazis en Grèce*, Saloniki 1973 (enthält Angaben über die ermordeten griechischen Juden, gegliedert nach Gemeinden) (Karten 196 und 232).

Werner Nachman und Heinrich Freund, *Sie sind nicht vergessen*, Mannheim o. J. (die Deportation von Juden aus dem Saargebiet, aus Baden und der Pfalz nach Gurs im Oktober 1940) (Karten 49 und 50).

Donald L. Niewyk, *The Jews in Weimar Germany*, Baton Rouge, Louisiana 1980.

Albert Nirenstein, *A Tower from the Enemy: Contributions to a History of Jewish Resistance in Poland*, New York 1959.

Miriam Novitch, Le Passage des Barbares: *Contribution à l'Histoire de la Déportation et de la Résistance des Juifs Grècs,* Nice o. J.

Miriam Novitch (Hg.), *Sobibor: Martyrdom and Revolt, Documents and Testimonies*, New York 1980 (Karte 222).

Miklos Nyiszli, *Auschwitz: A Doctor's Eye-witness Account*, New York 1960.

Opinia, Warschau, 25. Juli 1946, S. 7 (aufgeführt sind die Opfer des Pogroms in Kielce).

Wila Orbach, «The Destruction of the Jews in the Nazi-Occupied Territories of the USSR», in *Soviet Jewish Affairs*, Bd. 6, Nr. 2, 1976 (aufgeführt sind Orte, an denen es jüdische Todesopfer gegeben hat).

Nissan Oren, «The Bulgarian Exception: a Reassessment of the Salvation of the Jewish Community», in *Yad Vashem Studies*, VII, Jerusalem 1968, S. 83–106 (Karte 197).

Papers Concerning the Treatment of German Nationals in Germany, Command Paper 6120 of 1939, Germany No. 2 of 1939, London 1939 (Behandlung deutscher Juden in deutschen Konzentrationslagern 1933–1939).

Edmond Paris, *Genocide in Satellite Croatia: A Record of Racial and Religious Persecution*, Chicago 1961.

Robert O. Paxton, *Vichy France: Old Guard*

and New Order, 1940–1944, London 1972.

Stanislaw Piotrowski, *Hans Frank's Diary*, Warschau 1961.

Republik Polen, Das Außenministerium, *The German Occupation of Poland, Extract of Note addressed to the Governments of the Allied and Neutral Powers on May 3, 1941*, London 1941.

Polnisches Informationsministerium, *The German New Order In Poland*, London 1942.

Walter Poller, *Medical Block, Buchenwald: the personal Testimony of Inmate 996, Block 36*, London 1961 (dt.: Arztschreiber in Buchenwald, Offenbach/Main 1960).

Bernard Postal und Samuel H. Abramson, *The Traveler's Guide to Jewish Landmarks of Europe*, New York 1971.

Werner Präg und Wolfgang Jacobmeyer (Hg.), *Das Diensttagebuch des deutschen Generalgouverneurs in Polen, 1939–1945*, Stuttgart 1975 (enthält die Reden Hans Franks vor seinen Untergebenen über die Beseitigung der Juden im Generalgouvernement).

Miklós Radnóti, *The Witness* (ausgewählte Gedichte, aus dem Ungarischen ins Englische übertragen von Thomas Orszag-Land), London 1977 (Karte 271).

Leyzer Ran (Hg.), *Jerusalem of Lithuania Illustrated and Documented*, 3 Bde., New York 1974 (die Geschichte der Juden von Wilna in Fotos).

Jacques Ravine, *La Résistance Organisée des Juifs en France 1940–1944*, Paris 1973.

Gerald Reitlinger, *The Final Solution: The Attempt to Exterminate the Jews of Europe 1939–1945*, London 1953.

Eugen Rosenfeldt, *Tuttlingen*, Tuttlingen 1947 (Karten 296 und 297).

Herbert Rosenkranz, *Verfolgung und Selbstbehauptung. Die Juden in Österreich 1938–1945*, Wien 1978 (Einzelheiten über sämtliche Emigrationen und Deportationen aus Österreich).

Ryszard Rosin (Hg.), *Zbrodnie Hitlerowskie w Lodzi i Województwie Lódzkim*, Łódź 1942 (Nazi-Verbrechen in Łódź und Umgebung).

Henryk Ross, *The Last Journey of the Jews of Lodz Litzmannstadt*, Tel Aviv 1950.

Livia Rothkirchen, *The Destruction of Slovak Jewry: A Documentary History*, Jerusalem 1961.

Royal Institute of International Affairs, *Chronology of the Second World War*, London 1947.

Yitskhok Rudaschewsky, *The Diary of the Wilna Ghetto, June 1941–April 1943*, Tel Aviv 1973 (Karte 202).

A. Rutkowski, «Zaglada Zydow w dystrykcie radomskim», *Biuletyn Zydowskiego Instytutu Historycznego*, Nr. 15, Warschau 1955 (13 statistische Tabellen über Gettoisierung, Deportation und Vernichtung im Bezirk Radom zwischen 1939 und 1945, einschließlich der Städte Radom und Kielce).

Ernst Schäfer (Hg.), *Ravensbrück*, Berlin 1960.

Rabbi Israel Schepansky, *Holocaust Calendar of Polish Jewry*, New York, Juli 1974 (auf Hebräisch).

Gertrude Schneider, *Journey Into Terror: Story of the Riga Ghetto*, New York 1979.

A. J. Sherman, *Island Refuge: Britain and Refugees from the Third Reich 1933–1939*, London 1973 (Karte 15).

Dušan Sindik (Hg.), *Secanja Jevreja na Logor Jasenovac*, Belgrad 1972 (Erinnerungen von Juden im Lager Jasenovac).

Derrick Sington, *Belsen Uncovered*, London 1946 (Karte 294).

Tadeusz Skutnik, *Stutthof: Informator historyczny*, Gdańsk 1979.

George H. Stein, *The Waffen SS, Hitler's Elite Guard at War 1939–1945*, London 1966.

Zosa Szajkowski, *Analytical Franco-Jewish Gazetteer 1939–1945*, New York 1966.

Zosa Szajkowski, *Jews, Wars and Communism*, 2 Bde., New York 1972 und 1974.

Zvi Szner (Hg.), *Extermination and Resistance: Historical Records and Source Material*, Bd. 1, Kibbuz Lohamei Haghettaot, Israel, 1958.

Arieh Tartakower und Kurt R. Grossmann, *The Jewish Refugee*, New York 1944 (Karten 15 und 16).

Totenbuch Theresienstadt, Wien 1971, Bd. 1, «Deportierte aus Österreich» (aufgeführt sind 50 Deportationen nach Theresienstadt zwischen dem 21. Juni 1942 und dem 15. April 1945 sowie 66 Deportationen weg von Theresienstadt – mit Teilnehmerzahlen und Zielorten – zwischen dem 9. Januar 1942 und dem 28. Oktober 1944).

Michael Tregenza, «Belzec Death Camp», in *The Wiener Library Bulletin*, 1977, Bd. XXX, S. 8–25.

Germaine Tillion, *Ravensbrück*, Garden City, New York, 1975.

Max Ungar (Druckerei), *Mauthausen 8. 8. 1939 – 5. 5. 1945*, Wien o. J.

Dr. A. Ungerer (Hg.), *Verzeichnis von Ghettos, Zwangsarbeitslagern und Konzentrationslagern*, München 1953 (aufgeführt sind die Daten der Einrichtung von Gettos in Polen sowie Vertreibungen, Arbeitslager und Konzentrationslager).

Zorach Warhaftig, *Uprooted: Jewish Refugees and Displaced Persons After Liberation*, New York, November 1946 (Karten 312 und 315).

Leon Weliczker Wells, *The Janowska Road*, New York 1963 (Karten 222 und 223).

Janusz Wieczorek (Hg.), *Scenes of Fighting and Martyrdom Guide: War Years in Poland, 1939–1945*, Warschau 1968 (aufgeführt sind sämtliche Städte und Stätten in Polen, an denen sich Mahnmale für Naziverbrechen befinden; Grenzen nach 1945).

Mary H. Williams (Hg.), *Chronology 1941–1945*, United States Army in World War II, Special Studies, Washington 1960.

Leni Yahil, *The Rescue of Danish Jewry*, Philadelphia 1969 (Karte 213).

The Yellow Spot, the outlawing of half a million human beings, London 1936 (Dokumente über antijüdische Maßnahmen im Deutschen Reich zwischen 1933 und 1935, mit einem Vorwort vom Bischof von Durham, datiert vom 12. Februar 1936) (Karte 6).

Yitzhak Zuckerman, «The Jewish Fighting Organisation – Z. O. B. – its Establishment and Activities», geschrieben in Warschau im März 1944, veröffentlicht in Yisrael Gutman und Livia Rothkirchen (Hg.), *The Catastrophe of European Jewry*, Jerusalem 1976, S. 518–548 (Karte 131).

Ergänzende Literaturhinweise:

Uwe Dietrich Adam, *Judenpolitik im Dritten Reich*, Königstein 1979.

H. G. Adler, *Der Kampf gegen die Endlösung der Judenfrage*, Bonn 1958.

H. G. Adler, *Theresienstadt 1941–1945*, 2. Auflage, Tübingen 1960.

H. G. Adler, Hermann Langbein, Ella Lingens-Reiner (Hg.), *Auschwitz – Zeugnisse und Berichte*, 2. Auflage, Köln – Frankfurt/Main 1979.

Auschwitz – *Geschichte und Wirklichkeit des Vernichtungslagers*, Reinbek 1980 (rororo 7330).

Aage Bertelsen, *Oktober 43*, München 1960. (Judenverfolgung in Dänemark 1943).

Bruno Blau, *Das Ausnahmerecht für die Juden in Deutschland 1933–1945*, 2. Auflage, Düsseldorf 1954.

Hans Buchheim, Martin Broszat, Hans-Adolf Jacobsen, Helmut Krausnick, *Anatomie des SS-Staates*, 2 Bände, 2. Auflage, München 1979.

Fritz Bringmann, *Kindermord am Bullenhuserdamm*, Frankfurt/Main 1978.

Martin Broszat (Hg.), *Kommandant in Auschwitz*, 4. Auflage, München 1978.

Ebbo Demant (Hg.), *Auschwitz – «Direkt von der Rampe weg ...»*, Reinbek 1979 (rororo 4438).

Max Domarus (Hg.), *Hitler, Reden und Proklamationen 1932–1945*, 4 Bände, Würzburg 1962.

Karl Dietrich Erdmann, *Deutschland unter der Herrschaft des Nationalsozialismus 1933–1939*, München 1980 (Gebhardt, Handbuch der deutschen Geschichte, Band 20).

Karl Dietrich Erdmann, *Der Zweite Weltkrieg*, München 1980 (Gebhardt, Handbuch der deutschen Geschichte, Band 21). In beiden Bänden sind umfassende Literaturhinweise enthalten.

Helmut Eschwege (Hg.), *Kennzeichen J. – Bilder, Dokumente, Berichte zur Geschichte der Verbrechen des Hitlerfaschismus an den deutschen Juden* 1933–1945, Frankfurt/Main 1979.

Harald Focke, Uwe Reimer (Hg.), *Alltag unterm Hakenkreuz*, Reinbek 1979 (rororo 4431).

Harald Focke, Uwe Reimer (Hg.), *Alltag der Entrechteten*, Reinbek 1980 (rororo 4625).

Peter Freimark, Wolfgang Kopitzsch, *Der 9./10. November 1938 in Deutschland*, Hamburg 1978 (Landeszentrale für politische Bildung).

Imanuel Geiss, *Die deutsche Politik im Generalgouvernement Polen 1939–1945*. Aus dem Diensttagebuch des Generalgouverneurs Hans Frank, in: Aus Politik und Zeitgeschichte, Beilage zur Wochenzeitung «Das Parlament», B 34/78, 26. August 1978, S. 14–33.

Max von der Grün, *Wie war das eigentlich? Kindheit und Jugend im Dritten Reich*, 2. Auflage,

Neuwied 1979.
Roman Hrabar, Zofia Tokarz, Jacek E. Wilczur, *Kinder im Krieg – Krieg gegen Kinder*, Reinbek 1981 (rororo 7422).
Gideon Hausner, *Die Vernichtung der Juden,* München 1979.
Helmut Heiber (Hg.), *Goebbels Reden*, 2 Bände, München 1978.
Karl Jaspers, *Die Schuldfrage*, München 1979.
Werner Jochmann (Hg.), *Monologe im Führer-Hauptquartier 1941–1944,* Hamburg 1980.
Werner Johe, *Neuengamme – Zur Geschichte der Konzentrationslager in Hamburg*, Hamburg 1981 (Landeszentrale für politische Bildung).
Robert Kempner, *SS im Kreuzverhör*, München 1964.
Wieslaw Kielar, *Anus Mundi. Fünf Jahre Auschwitz*, Frankfurt/Main 1979.
Kinder im KZ, herausgegeben von Dorothea Stanić, mit Zeichnungen der Kinder und Maler von Theresienstadt, Berlin (West) 1979.
Eugen Kogon, *Der SS-Staat*, 6. Auflage, München 1979.
Helmut Krausnick, *Judenverfolgung*, in: Hans Buchheim u. a., Anatomie des SS-Staates, Band 2, S. 235–366, München 1979. (Mit umfassenden Literaturverweisen in den Anmerkungen.)
Hermann Langbein, *Der Auschwitz-Prozeß*, 2 Bände, Frankfurt/Main 1965.
Hermann Langbein, *Menschen in Auschwitz*, Frankfurt/Main–Berlin–Wien 1980.
Bernhard Mark, *Der Aufstand im Warschauer Ghetto*, 3. Auflage, Berlin 1959.
Bernd Martin, Ernst Schulin (Hg.), *Die Juden als Minderheit in der Geschichte*, München 1981.
Peter Märthesheimer, Ivo Frenzel (Hg.), *Im Kreuzfeuer: Der Fernsehfilm Holocaust*, Frankfurt/Main 1979.
Anneliese Mannzmann (Hg.), *Judenfeindschaft in Altertum, Mittelalter und Neuzeit,* Königstein 1981.
Józef Marszalek, *Majdanek*, Reinbek 1982 (rororo 7494).
Hartmut Metzger, *Kristallnacht*, Stuttgart 1978.
Alexander Mitscherlich, Fred Mielke (Hg.), *Medizin ohne Menschlichkeit*, 3. Auflage der Neuausgabe, Frankfurt/Main 1979.
Klaus Moritz, Ernst Noam (Hg.), *Justiz und Judenverfolgung*, Band II, Wiesbaden 1978.
Ingrid Müller-Münch, *Die Frauen von Majdanek. Vom zerstörten Leben der Opfer und der Mörderinnen*. Reinbek 1982 (ro aktuell 4948).
Ernst Noam, Wolf-Arno Kropat (Hg.), *Justiz und Judenverfolgung,* Band I, Wiesbaden 1975. (Beide Bände behandeln Verfahren gegen jüdische Mitbürger im Gebiet des heutigen Bundeslandes Hessen und Verfahren wegen Straftaten gegen Juden nach der Kapitulation.)
Max Oppenheimer, Horst Stuckmann, Rudi Schneider, *Als die Synagogen brannten*, Frankfurt/Main 1978.
Henry Picker, *Hitlers Tischgespräche im Führerhauptquartier*, München 1979.
Leon Poliakov, Joseph Wulf, *Das Dritte Reich und die Juden*, Berlin 1955.
Gerald Reitlinger, *Die Endlösung*, 5. Auflage, Berlin 1979. (Eine umfassende und detaillierte Darstellung zur Judenverfolgung im Herrschaftsbereich des Nationalsozialismus mit entsprechenden Literatur- und Quellenverweisen.)
Adalbert Rückerl (Hg.), *NS-Vernichtungslager im Spiegel deutscher Strafprozesse*, München 1977.
Wolfgang Scheffler, *Judenverfolgung im Dritten Reich*, Berlin 1979.
Gerhard Schoenberner, *Der gelbe Stern*, München 1978.
Gerhard Schoenberner, *Wir haben es gesehen*, Wiesbaden 1981.
Günther Schwarberg, *Der SS-Arzt und die Kinder*, Hamburg 1979.
Leo Sievers, *Juden in Deutschland*, München 1978.
Studien zur Geschichte der Konzentrationslager, Stuttgart 1970.
Hans-Georg Stümke / Rudi Finkler, *Rosa Winkel, Rosa Listen. Homosexuelle und «Gesundes Volksempfinden» von Auschwitz bis heute*. Reinbek 1981 (ro aktuell 4827)
Arthur Suzmann, Denis Diamond, *Der Mord an sechs Millionen Juden*, in: Aus Politik und Zeitgeschichte, Beilage zur Wochenzeitung «Das Parlament», B 30/78, 29. Juli 1978, S. 4–21.
George Wellers, *Die Zahl der Opfer der «Endlösung» und der Korherr-Bericht*, in: Aus Politik und Zeitgeschichte, Beilage zur Wochenzeitung «Das Parlament», B 30/78, 29. Juli 1978, S. 22–39.
Tilman Zülch (Hg.), *In Auschwitz vergast, bis heute verfolgt. Zur Situation der Roma (Zigeuner) in Deutschland und Europa*. Reinbek 1979 (ro aktuell 4430)

Index

Zusammengestellt vom Autor; aufgeführt sind die wichtigsten Lager und Stätten von Massenmord.

Alderney (Kanalinseln)*:* Jüdische Opfer in Zwangsarbeitslager, S. 168

Atmicetka: Ermordung von 5000 Deportierten aus Bessarabien und der Bukowina, S. 87

Auschwitz (Oświęcim)*:* Schienenstränge nach, S. 2; Opfer, S. 10; Einrichtung eines Konzentrationslagers (Juni 1940), S. 46/47; Geburtsort (1875) einer nach Gurs deportierten Jüdin, S. 48; Deportation jüdischer Einwohner (März 1941), S. 57; erste Deportationen von Juden nach, S. 94–96; erste Vergasung jüdischer Deportierter (Mai 1942), S. 100; Deportationen nach und Vergasungen in (zunächst in Auschwitz, dann im Nebenlager Birkenau), von Theresienstadt, S. 101, 130, 143, 165, 174, 196; aus der Slowakei, S. 104; aus Frankreich, S. 104, 109, 111, 119, 133, 134, 146/147, 148, 154, 157, 160–162, 176, 178, 181, 182, 194, 201, 202/203; ebenfalls aus Frankreich, in Bulgarien gebürtige Juden, S. 121; in Rumänien gebürtige Juden, S. 125; in Nordafrika gebürtige Juden, S. 135; in Griechenland gebürtige Juden, S. 138; in der Schweiz gebürtige Juden, S. 144; in der Türkei gebürtige Juden, S. 177; aus Polen, S. 105, 112, 132, 140, 142, 143, 149, 161, 164, 171, 176, 181, 194, 200; aus Belgien, S. 109, 110, 119, 120/121, 129, 130, 143, 157, 162, 176, 201; aus Luxemburg, S. 109; aus Norwegen, S. 130, 133; von Buchenwald, S. 130; von Sachsenhausen, S. 130; aus dem Deutschen Reich, S. 148, 154, 160, 176; von Białystok, S. 149, 165; von Saloniki, S. 152, 154, 160–162; von Zagreb (Agram), S. 160; aus Mähren, S. 161, 170; aus Italien, S. 171–174, 176, 181, 194, 206; aus Jugoslawien, S. 179, 181; aus Griechenland, S. 181; aus Ungarn, S. 187, 194, 196–201, 208, 210; von Korfu, S. 193/194; von Rhodos und Kos, S. 201; aus dem Getto von Łódź, S. 206; Deportation von Zigeunern nach, S. 141; Zwangssterilisation, S. 107, 161; medizinische Experimente, S. 157; Zwangsarbeitslager (auch in Auschwitz III, bekannt unter dem Namen Monowitz oder «Buna»), S. 168; Evakuierungen (Juni 1944–Januar 1945), S. 194, 200, 206, 208, 210, 211, 214–217; Verlegung von jüdischen Insassen nach Warschau, S. 205; Widerstand (Oktober 1944), S. 210; Befreiung (Januar 1945), S. 217.

Babi Yar: Massaker (1941), S. 76, 141; Vernichtung der Spuren von Massenmorden, S. 169.

Balanowka: Konzentrationslager, S. 71.

Bar: Konzentrationslager, S. 71, 73; Massenmorde an Juden, S. 129; Vernichtung der Spuren von Massenmorden, S. 169.

Bełżec: S. 10; Zwangsarbeitslager, S. 47, 57, 108, 112–118, 122, 124/125, 128/129, 131/132, 136; Informationen über Massenmorde gelangen nach England (Mai 1942), S. 98; letzte Deportationen nach, S. 140; Gesamtzahl der Opfer gemäß Angaben der SS, S. 161; Deportation und

Aufstand eines Leichenverbrennungs-Kommandos, S. 161; Vernichtung der Spuren von Massenmorden, S. 169; Ermordung eines Überlebenden nach dem Krieg, S. 240.

Bergen-Belsen: Ermordung von Zigeunern, S. 141; Deportation jüdischer Insassen nach Auschwitz, S. 173; Deportation albanischer Juden nach, S. 179; Deportation holländischer Juden nach, S. 182; Deportation von Juden aus Budapest nach (Oktober 1944), S. 210; Evakuierung jüdischer Insassen von Auschwitz nach (November 1944), S. 211; weitere Evakuierungen nach (Januar 1945), S. 215; Evakuierungen jüdischer Frauen nach (März 1945), S. 218; weitere Evakuierungen nach (3. April 1945), S. 222, 223; Befreiung durch englische Truppen (15. April 1945), S. 226.

Bogdanowka: Ermordung von 48000 Juden aus Bessarabien und der Bukowina, S. 87.

Buchenwald: Konzentrationslager, S. 17, 25; Deportation von Juden nach, S. 28; Ermordung holländischer Juden, S. 79; Abtransport jüdischer Insassen für Vergasungs-Experimente, S. 80/81; Deportation jüdischer Insassen nach Auschwitz, S. 130; Ermordung von Zigeunern, S. 141; Deportation französischer Juden nach, S. 201; Deportation ungarischer Juden nach, S. 210; Evakuierung von Juden aus Piotrków (Petrikau) nach, S. 211; Evakuierung jüdischer Zwangsarbeiter nach, S. 213, 215, 217; Evakuierungen von, S. 223, 225; Befreiung, S. 226.

Chełmno: Deportation jüdischer Einwohner (1939), S. 41; erste Massenmorde an Juden durch Vergasung (1941), S. 82; Ermordung von Juden (1942–1943), S. 87, 89, 93, 97, 100, 108, 112, 113, 114, 126; Vergasung von Zigeunern, S. 141; Himmler ordnet die Vernichtung der Spuren von Massenmorden an (1943), S. 169; Aufstand (1945), S. 213.

Dachau: Konzentrationslager, S. 17, 19, 23, 25; Deportation von Juden nach, S. 28; Ermordung von Zigeunern, S. 141; Zwangsarbeitslager, S. 168; Deportation von Juden aus Šiauliai (Schawli) und Kowno nach (Juli 1944), S. 200; Evakuierung von Juden aus einem Zwangsarbeitslager in Warschau nach (August 1944), S. 205; Evakuierung jüdischer Insassen von Auschwitz nach (September 1944), S. 208; Deportation ungarischer Juden nach (Oktober 1944), S. 210; Evakuierung jüdischer Insassen von Stutthof nach (November 1944), S. 211; weitere Evakuierte treffen ein (April 1945), S. 222, 223; Befreiung, S. 230; Geburtsorte einiger Überlebender, S. 238.

Đakovo: Konzentrationslager, S. 78.

Damica: Konzentrationslager, S. 78.

Drancy (Frankreich): Internierungslager, S. 94; Deportationen von Insassen nach Auschwitz, S. 94, 104, 109, 111, 119, 127, 133, 134/135, 138, 144, 146/147, 148, 154, 157, 161, 162, 171, 173, 176, 181, 183, 189, 194, 201, 202/203; Opfer, S. 144; Deportationen von Insassen nach Majdanek, S. 154; Deportationen von Insassen nach Kowno und Tallin (Reval), S. 188; letzte Deportation von, S. 206.

Dumanowka: Ermordung von 18000 Deportierten aus Bessarabien und der Bukowina, S. 87.

Ebensee: Nebenlager von Mauthausen, S. 79; Evakuierung jüdischer Insassen von Auschwitz nach, S. 215; weitere Evakuierungen nach, S. 220, 221, 222, 223, 226, 230.

Edinita: Konzentrationslager, S. 71, 73.

Flossenbürg: Konzentrationslager, S. 17, 24, 25; Zwangsarbeitslager, S. 168; Evakuierung von Juden nach, S. 182, 211, 215; Todesmärsche nach, S. 218, 220, 225; US-Truppen am Vorabend der Befreiung, S. 226.

Groß-Rosen: Ermordung von Zigeunern, S. 141; Evakuierung von Juden nach, S. 182, 213, 215; Evakuierung jüdischer Insassen, S. 220.

Gunskirchen: Evakuierung jüdischer Zwangsarbeiter nach, S. 215, 221; Zwischenstation eines Evakuierungsmarsches jüdischer Zwangsarbeiter, S. 226; ein letzter Todesmarsch nach, S. 234; Befreiung, S. 235.

Gurs: Internierungslager und Deportationszentrum, S. 2, 48; Opfer (1940–1942), S. 48, 49; Internierung von Juden, S. 54, 86; Deportation jüdischer Insassen nach Auschwitz, S. 119, 154.

Jadovno: Konzentrationslager, S. 78.

Jasenovac: Zwei jüdische Einwohner (1931), S. 61; Konzentrationslager (1941–1945), S. 75, 78; Ermordung von Zigeunern, S. 141; eine Deportation jüdischer Insassen nach Auschwitz (1943), S. 162; Deportation von Juden aus dem Norden Dalmatiens nach (1944), S. 179, 181; Aufstand (1945), S. 220; Befreiung, S. 235.

Kaiserwald (Riga): Stätte von Massenmord, S. 104; Zwangsarbeitslager, S. 168; Vernichtung der Spuren von Massenmorden, S. 169; Evakuierungen, S. 209.

Kamenez-Podolskij: Massaker (1941), S. 68.

Klooga: Zwangsarbeitslager, S. 168; Vernichtung der Spuren von Massenmorden, S. 169; Deportation von Juden aus Wilna nach (September 1943), S. 171; Deportation von Juden aus Kowno nach (Oktober 1943), S. 173; letzte Massaker (September 1944), S. 208.

Kruscica: Konzentrationslager, S. 75.

Lagedi: Zwangsarbeitslager, Massaker (September 1944), S. 208.

La Risiera: Ermordung von Juden aus Triest, S. 172.

Les Milles: Internierungslager, S. 54; Deportation jüdischer Insassen nach Auschwitz, S. 109, 119, 154, 155.

Lieberose: Zwangsarbeitslager, S. 210; Todesmarsch von, S. 212.

Loborgrad: Konzentrationslager, S. 75, 78.

Majdanek: Tod eines Malers, S. 10; Deportation von Juden nach, S. 128; Ermordung von Juden, S. 136; Ermordung von Zigeunern, S. 141; Deportation von Juden aus Westeuropa nach (1943), S. 148, 154; Himmler ordnet die Vernichtung der Spuren von Massenmorden an, S. 169; «Erntedankfest»-Massaker (November 1943), S. 174; Evakuierung (März 1944), S. 182; Befreiung (Juli 1944), S. 200.

Mauthausen: Ermordung holländischer Juden, S. 79; Ermordung von Zigeunern, S. 141; Evakuierung jüdischer Insassen, S. 26; Ermordung von Juden und Zigeunern (Januar–Mai 1945), S. 232; Ermordung von Homosexuellen und anderen, S. 233; ein letzter Todesmarsch von, S. 234; Todesfälle nach der Befreiung, S. 235.

Mecheln (Malines, Belgien)*:* Internierungslager, S. 109/110; Deportationen von Insassen nach Auschwitz, S. 109/110, 119, 120, 129, 130, 143, 157, 162, 171, 176; letzte Deportation von Insassen nach Auschwitz (21. Juli 1944), S. 201.

Natzweiler: Ermordung von Zigeunern, S. 141; Vorbereitung von jüdischer «Skelettsammlung», S. 162; Zwangsarbeitslager, S. 168; Vernichtung der Spuren von Massenmorden, S. 169; Deportation von Juden nach, S. 182.

Neuengamme: Zwangsarbeitslager, S. 168; Evakuierung jüdischer Insassen von Auschwitz nach, S. 208; weitere Evakuierungen von Juden nach, S. 211, 215, 222; eine Evakuierung per Eisenbahn, S. 230.

Noé: Internierungslager, S. 48, 54, 109, 119.

Ohrdruf: Evakuierung jüdischer Zwangsarbeiter nach (Januar 1945), S. 215; eine Evakuierung von Insassen im letzten Moment (3. April 1945), S. 223; US-Truppen stoßen auf erste Anzeichen für Massenmorde (4. April 1945), S. 224.

Ponary: Stätte von Massenmord (außerhalb Wilnas), S. 69, 77, 81, 157, 163; Vernichtung der Spuren von Massenmorden, S. 169; letzte Ermordungen (Juli 1944), S. 200.

Ravensbrück: Ermordung von Zigeunern, S. 141; Zwangsarbeitslager, S. 168; Evakuierung jüdischer Frauen nach, S. 182, 211, 213, 215, 217; ein vergeblicher Fluchtversuch (März 1945), S. 220; Todesmärsche von (19.–25. April 1945), S. 227; Befreiung (30. April 1945), S. 229; Todesfälle unter ehemaligen Insassen nach der Befreiung, S. 236.

Récébédou: Internierungslager, S. 48, 54, 109.

Rehmsdorf: Evakuierung jüdischer Insassen von Auschwitz nach, S. 215; eine Evakuierung per Eisenbahn und zu Fuß von, S. 230.

Sachsenburg: Konzentrationslager, S. 17.

Sachsenhausen: Konzentrationslager, S. 17, 19, 25; Deportation von Juden nach (1938), S. 28; eine weitere Deportation nach (1939), S. 35; Deportation jüdischer Insassen nach Auschwitz, S. 130; Ermordung von Zigeunern, S. 141; Zwangsarbeitslager, S. 168; Todesmärsche nach, S. 212, 217; eine Evakuierung, S. 222; Todesmärsche von (April 1945), S. 227.

Sajmiste: Konzentrationslager, S. 59.

Sobibór: Standort für ein Todeslager (1942/1943), S. 90; Ermordung polnischer Juden, S. 96, 99, 105, 108, 112, 128, 131, 132, 156, 161; Juden fliehen, werden jedoch verraten, S. 140; Ermordung von Zigeunern, S. 141; Ermordung von Juden aus Westeuropa, S. 148, 154, 157, 160, 162; jüdischer Widerstand, S. 156, 161, 164, 171; Ermordung holländischer Juden, S. 157, 160, 162; Himmler ordnet die Vernichtung der Spuren von Massenmorden an, S. 169; Aufstand, S. 173.

Stara Gradiška (Altgradiska)*:* Konzentrationslager, S. 75, 78.

Straßhof: Deportation von Juden aus Budapest nach, S. 211.

Stutthof: Einrichtung eines Konzentrationslagers (1939), S. 34; Zwangsarbeitslager, S. 168; Vernichtung der Spuren von Massenmorden, S. 169; Deportation von Juden nach, S. 182; Deportation jüdischer Frauen von Auschwitz nach (Juni 1944), S. 194; dazugehörige Zwangsarbeitslager,

S. 195; Deportation von Juden aus Šiauliai (Schawli) und Kowno nach (Juli 1944), S. 200; Deportation von Juden aus Estland nach (August 1944), S. 206, 207; Deportation von Juden aus Lettland nach (September 1944), S. 208, 209; erste Evakuierung (November 1944), S. 211; sowjetische Truppen nähern sich, S. 215; Massenevakuierung und Todesmärsche von (Januar 1945), S. 217; von sowjetischen Truppen eingeschlossen, S. 226; letzte Evakuierung auf dem Seeweg (April 1945), S. 229.

Tasmajdan: Ermordung von Juden, S. 59.

Theresienstadt, Getto: Einrichtung (November 1941), S. 81; Deportation jüdischer Insassen nach Auschwitz (1942), S. 101, 130; Deportation von Juden aus Deutschland nach (1942), S. 104, 107, 109, 119; Deportation jüdischer Insassen nach Treblinka (1942), S. 129; Deportation jüdischer Insassen nach Auschwitz (1943), S. 143, 148, 165, 171, 174; Deportation dänischer Juden nach, S. 167, 173; Deportation holländischer Juden nach, S. 182; Deportation jüdischer Insassen nach Auschwitz (1944), S. 196, 200, 208, 210; Deportation deutscher Halbjuden nach (Februar 1945), S. 219; ein Todesmarsch nach (März 1945), S. 220; letzte Evakuierungen auf Straße und Schiene (April–Mai 1945), S. 222, 223, 225, 230; Befreiung, S. 235.

Treblinka: Der Tod des Janusz Korczak, S. 10; Flucht, S. 102, 162, 171; ein Todeslager wird vorbereitet, für Deportierte aus Warschau, S. 108/109; aus Warschau und anderen Gebieten Polens, S. 112, 114, 117, 122, 124, 126, 128/129, 131–133, 136, 139, 140–142, 148/149; aus Makedonien und Thrakien, S. 151; aus Saloniki, S. 154, 157; aus Białystok, S. 164; Widerstand, S. 115, 117, 142, 149, 162, 164, 171; Vernichtung der Spuren von Massenmorden, S. 169.

Tuttlingen: Französische Truppen nähern sich (16. April 1945), S. 226; Spuren von Massenmorden entdeckt (25. April 1945), S. 228; Geburtsorte einiger Opfer, S. 229.

«Unbekanntes Ziel»: Stätte von Massenmorden, S. 99, 106, 108, 110, 189.

Vertugen: Ermordung von 23000 Juden aus Bessarabien und der Bukowina, S. 87.

Westerbork (Holland): Internierungslager, S. 106; Deportation von Insassen nach Auschwitz, S. 107, 119, 130, 133, 140, 143, 148, 162, 164, 171, 173, 174, 176, 181, 183, 194; Deportation von Insassen nach Sobibór, S. 154, 157, 160, 161; Deportation von Insassen nach Theresienstadt, S. 183; letzte Deportation von Insassen nach Auschwitz (4. September 1944), S. 208.

Zemun: Konzentrationslager, S. 62; Ermordung von Juden, S. 83; Entsendung eines Gaswagens nach Riga, S. 104; Ermordung von Zigeunern, S. 141; Deportation von Juden aus Dalmatien nach, S. 171.

Zwangsarbeitslager: 1940, S. 39, 40, 47; in der Wüste Sahara, S. 54, 56; 1941, S. 57; in der Umgebung von Mauthausen, Österreich, S. 79; in der Slowakei, S. 80; in Cieszanów, S. 89; in Libyen, S. 97, 244; in Trawniki, S. 102, 168, 174; in Lyssaja Gora, S. 104; in Bogusze, S. 105, 165; in Pustków, S. 117, 168; in Lwów (Lemberg)-Janowska, S. 118, 174; in Skarżysko-Kamienna, S. 132, 139, 182, 213; in Kielbasin, S. 133, 165; in Sandomierz, S. 139, 142; in Kruszyna, S. 140; in Karczew, S. 140, 168; in Mińsk Mazowiecki, S. 140, 142; in Dworzec, S. 140, 168; in Łuck (Luzk), S. 140; in Chrzanów, S. 149; in Płaszów, S. 154, 168, 182, 206, 210; in Szebnie, S. 154, 158, 174; in Łeczna, S. 156; in Siedlce, S. 157; in Nowo Wilejka, S. 162, 168; in Miedzyrzec, S. 162, 168; in Kamionka Srumiłowa, S. 162; in Skałat, S. 162 168; in Częstochowa (Tschenstochau), S. 162; in Konin, S. 164; in Krychów, S. 164, 168, 174; in Sasów, S. 164, 168; in Lackie Wielkie, S. 164; in Jaktorów, S. 164; in Kaiserwald, S. 168, 209; in Koldyczewo, S. 168, 181; in Hancewicze, S. 168; in Poniatowa, S. 168, 174; in Borki, S. 168; in Fünfteichen, S. 168; auf Alderney (Kanalinseln), S. 168; in Sered, S. 168, 211, 213; in Nováky, S. 168; in Bor, S. 168, 206; in Ostrowiec, S. 182, 200; in Proyanowska, S. 188; in Stutthof, S. 194, 195, 229; in Königsberg, S. 194, 217; in Radom, S. 200; in Mielec, S. 206, 213; in ganz Estland, S. 207; in ganz Lettland, S. 209; in Lieberose, S. 211, 213; im Bezirk Łódź, S. 213; in der Umgebung von Auschwitz, S. 214; in Goleszów (Golleschau), S. 217; in Neusalz, S. 218; in Güns (Kőszeg), S. 220, 221.

Zwangsarbeitslager, Widerstand: in Dworzec, Kruszyna und Łuck (Luzk), S. 140; in Konin, S. 164; in Janowska, Krychów und Poniatowa, S. 174; in Koldyczewo, S. 181; in Ebensee, S. 235; beim Leichenverbrennungs-Kommando in Babi Yar, S. 171; in Ponary, S. 181; in Chełmno, S. 213.

Axel Eggebrecht

«Die elf zornigen alten Männer fordern zur Besinnung auf. Schon deshalb sollten sie beachtet werden.
Wir haben nicht zu viele politische Weise, von denen noch etwas zu lernen ist.» Das Parlament

Die zornigen alten Männer

Gedanken über Deutschland seit 1945.
Herausgegeben von Axel Eggebrecht.
Mit Beiträgen von Wolfgang Abendroth, Heinrich Albertz, Jean Améry, Wolf Graf von Baudissin, Heinrich Böll, Axel Eggebrecht, Bernt Engelmann, Walter Fabian, Ossip Flechtheim, Eugen Kogon, Fritz Sänger.
287 Seiten. Kart. und als Taschenbuch rororo 5007.

Der halbe Weg

Zwischenbilanz einer Epoche.
330 Seiten. Geb. und als Taschenbuch rororo 4813

Rowohlt

Hunger und Waffen

Da gibt es Weltkarten, die geographisch überhaupt nicht stimmen und doch auf fürchterliche Weise wahr sind: Indien, als größter Staat der Erde und die herkömmlicherweise dreimal so großen Vereinigten Staaten auf ein Drittel Indiens zusammengeschrumpft – das ist der Bevölkerungsatlas. Die Vereinigten Staaten, der größte Staat der Erde, zweieinhalb mal größer als ganz Afrika und Indien irgendwo winzig zusammengeschrumpft – das ist der Nahrungsatlas. Indien noch ein Stück abgemagert und wir, die Bundesrepublik fast so groß wie der Riese USA – das ist der Atlas der Handelsmacht.
Der lehrreiche Trick: Die Karten sind in graphischer Verzerrung dargestellt, die das geographische Verhältnis der Staaten zueinander beibehält, aber die Vorstellung vermittelt, wie unsere Erde aussähe, wenn die Länder so groß wären wie ihre Bevölkerung, ihre Nahrung, ihre Handelsmacht. Andere Karten behalten die üblichen geographischen Proportionen bei – hier helfen unterschiedliche Farben oder eingezeichnete Symbole der Erkenntnis auf die Sprünge.

Otto Köhler, WDR

Michael Kidron/Ronald Segal
Hunger und Waffen
Ein politischer Weltatlas
zu den Krisen der 80er Jahre
aktuell
rororo

4726 / DM 25,–

Inhalt

Einführung

Der aggressive Staat

1. Staaten: ihre Geographie
2. Staaten: ihre Ausbreitung
3. Staaten: ihre Bevölkerung
4. Staaten: ihr Vordringen in der Antarktis
5. Staaten: ihr Vordringen auf den Meeren
6. Staaten: ihr Vordringen am Himmel

Waffen und Staat

7. Ausländische Militärpräsenz
8. Militärausgaben
9. Der Atom-Club
10. Luftstreitmacht
11. Waffen und Profit
12. Staaten im Krieg in den 70er Jahren

Die Vorräte der Natur

13. Erze
14. Die Erz-Weltmächte
15. Energie
16. Erdöl
17. Atomkraft
18. Nahrung

Wirtschaft
19. Industrielle Macht
20. Technologische Macht
21. Abhängigkeit und Vielfalt
22. Handelsmacht
23. Nationaleinkommen
24. Die Schuldenlast des Südens
25. Geld- und Goldreserven

Regierungen
26. Das Einkommen des Staates
27. Der Staatsapparat
28. Militärregierungen
29. Rechenbücher und Rekruten
30. Kriegsdienst und Verweigerung
31. Strafender Staat
32. Flüchtlinge

Geist im Griff
33. Herrschaftssprachen
34. Herrschaftsreligionen

Geschäft
35. Öffentliches und privates Geld
36. Die Nationalität der Multinationalen
37. Inseln der Glückseligkeit

Arbeit
38. Arbeitsemigranten
39. Ausbeutung
40. Arbeitskraft
41. Weibliche Arbeitskraft
42. Macht der Arbeiter

Gesellschaft
43. Reiche Leute – Arme Leute
44. Unser täglich Brot
45. Gesundheit
46. Das Recht auf Bildung
47. Kommunikation
48. Löcher im sozialen Netz
49. Bedrohlich wachsende Städte
50. Slums
51. Gesetz und Unordnung
52. Zeitbombe Arbeitslosigkeit

Umwelt
53. Nestbeschmutzung
54. Die sterbende Erde

Krisenanzeichen
55. Industrieflaute
56. Die erste Inflationswelle, 1974
57. Unser täglich Geld
58. Der Kredit spielt verrückt
59. Das Gold spielt verrückt

Konflikte
60. Atomkraft nein danke
61. Nationalismus gegen Nationalstaat
62. Rußlands unvereinigte Republiken
63. »Mein Bauch gehört mir«
64. Studentenbewegung: 1968
65. Unruhige Städte: die 70er Jahre
66. Die aufgehende Erde

Die Staaten der Welt

Anmerkungen zu den Karten

Sachverzeichnis

Herausgegeben von Freimut Duve

aktuell rororo

Nationalsozialismus
Alltag und Terror

Als die Nazis die Kommunisten holten,
habe ich geschwiegen;
ich war ja kein Kommunist.
Als sie die Sozialdemokraten einsperrten,
habe ich geschwiegen;
ich war ja kein Sozialdemokrat.
Als sie die Katholiken holten,
habe ich nicht protestiert;
ich war ja kein Katholik.
Als sie mich holten, gab es keinen mehr,
der protestieren konnte.

Martin Niemöller

Aus der Reihe

rororo aktuell

Alltag 1933
Vor 50 Jahren kam Hitler an die Macht
(Arbeitstitel/5118)

Demant, Ebbo (Hg.)
Auschwitz – «Direkt von der Rampe weg . . .»
Kaduk – Erber – Klehr: Drei Täter geben zu Protokoll
(4438)

Focke, Harald/Reimer, Uwe
Alltag unterm Hakenkreuz
Wie die Nazis das Leben der Deutschen veränderten. Ein aufklärendes Lesebuch
(4431)

Alltag der Entrechteten
Wie die Nazis mit ihren Gegnern umgingen (Alltag unterm Hakenkreuz, Band 2)
(4625)

Gilbert, Martin
Endlösung
Die Vertreibung und Vernichtung der Juden – Ein Atlas
(Großformat / 5031)

Kühnl, Reinhard
Formen bürgerlicher Herrschaft
Liberalismus – Faschismus
(1342)

Formen bürgerlicher Herrschaft II
Der bürgerliche Staat der Gegenwart
(1536)

Texte zur Faschismusdiskussion I
Positionen und Kontroversen
(1824)

Faschismustheorien
Texte zur Faschismusdiskussion 2. Ein Leitfaden
(4354)

Kühnl, Reinhard (Hg.)
Geschichte und Ideologie
Kritische Analyse bundesdeutscher Geschichtsbücher
(1656)

Leiser, Erwin
«Deutschland, erwache!»
Propaganda im Film des Dritten Reiches
(783)

Meyer, Alwin / Rabe, Karl-Klaus
Phantomdemokraten oder Die alltägliche Gegenwart der Vergangenheit
35 bundesdeutsche Reaktionen. Ein Lesebuch
(4344)

Müller-Münch, Ingrid
Die Frauen von Majdanek
Vom zerstörten Leben der Opfer und der Mörderinnen
(4948)

5 Millionen Deutsche: «Wir sollten wieder einen Führer haben . . .»
SINUS-Studie über rechtsextremistische Einstellungen bei den Deutschen
(4929)

Stümke, Hans-Georg / Finkler, Rudi
Rosa Winkel, Rosa Listen
Homosexuelle und «Gesundes Volksempfinden» von Auschwitz bis heute
(4827)

Zadek, Walter (Hg.)
Sie flohen vor dem Hakenkreuz
Selbstzeugnisse der Emigranten. Ein Lesebuch für Deutsche
(4836)

Nationalsozialismus
Alltag und Terror

Zülch, Tilman (Hg.)
In Auschwitz vergast, bis heute verfolgt
Zur Situation der Roma (Zigeuner) in Deutschland und Europa
(4430)

Aus der Reihe

rotfuchs rororo

Horst Bürger
Warum warst du in der Hitler-Jugend?
Vier Fragen an meinen Vater (ab 13 Jahre)
(194)

Ilse Koehn
Mischling zweiten Grades
Kindheit in der Nazizeit
(226)

Doris Orgel
Der Teufel in Wien
Roman (ab 11 Jahre)
(296)

Martin Selber
Geheimkurier A
(ab 11 Jahre)
(123)

Wolfgang Kirchner
Wir durften nichts davon wissen!
Ein Jugendroman (ab 12 Jahre)
(140)

Dietrich Seiffert
Einer war Kisselbach
Ein Jugendroman (ab 13 Jahre)
(255)

Aus der Reihe

sachbuch rororo

Dieter Galinski / Ulrich Herbert / Ulla Lachauer (Hg.)
Nazis und Nachbarn
Schüler erforschen den Alltag im Nationalsozialismus
(7648)

Jugendlexikon Nationalsozialismus
Begriffe aus der Zeit der Gewaltherrschaft 1933–1945
(6288)

Auschwitz
Geschichte und Wirklichkeit des Vernichtungslagers
(7330)

Johannes Beck / Heiner Boehncke / Werner Heinz / Gerhard Vinnai (Hg.)
Terror und Hoffnung in Deutschland 1933–1945
Leben im Faschismus
(7381)

Jósef Maszszalék
Majdanek
Geschichte und Wirklichkeit des Vernichtungslagers
(7494)

Aus der Reihe

panther rororo

Michel de Castillo
Elegie der Nacht
Eine Jugend in Straflagern
(4482)

Alexander Goeb
Er war sechzehn, als man ihn hängte
Das kurze Leben des Widerstandskämpfers Bartholomäus Schink
(4768)

rororo aktuell

Herausgegeben von Freimut Duve im Rowohlt Taschenbuch Verlag

Liberalität

«Fremde sind Leute die später gekommen sind als wir: in unser Haus, in unseren Betrieb, in unsere Straße, unsere Stadt, unser Land. Die Fremden sind frech: die einen wollen nicht so leben wie wir. Beides ist natürlich widerlich. Alle erheben dabei Ansprüche auf Arbeit, auf Wohnungen und so weiter, als wären sie normale Einheimische. Manche wollen unsere Töchter heiraten, und manche wollen sie sogar nicht heiraten, was noch schlimmer ist. Fremdsein ist ein Verbrechen, das man nie wieder gutmachen kann.»
Gabriel Laub, tschechischer Asylant

Albertz, Heinrich / Böll, Heinrich / Gollwitzer, Helmut u. a.
«Pfarrer, die dem Terror dienen?»
Bischof Scharf und der Kirchenstreit 1974
Eine Dokumentation
(1885)

Amnesty International
Die Todesstrafe
(4535)

Die Anti-Terror-Debatten im Parlament
Protokolle 1974–1978
(4347)

Bölsche, Jochen
Der Weg in den Überwachungsstaat
Mit neuen Dokumenten und Stellungnahmen von Gerhart Baum u. a.
(4534)

Brandt, Peter / Ammon, Herbert (Hg.)
Die Linke und die nationale Frage
Dokumente zur deutschen Einheit seit 1945
(4740)

Däubler, Wolfgang / Küsel, Gudrun (Hg.)
Verfassungsgericht und Politik
Kritische Beiträge zu problematischen Urteilen
(4439)

Duve, Freimut/Böll, Heinrich/Staeck, Klaus (Hg.)
Briefe zur Verteidigung der Republik
(4191)

Briefe zur Verteidigung der bürgerlichen Freiheit
(4353)

Kämpfen für die Sanfte Republik
(4630)

Zuviel Pazifismus?
(4846)

Verantwortlich für Polen?
(5017)

Fekete, Erika
Benachteiligt
Meine Arbeit mit ausländischen Kindern
(Arbeitstitel/5029)

Glaser, Hermann (Hg.)
Die Nürnberger Massenverhaftung
Dokumente und Analysen
(4854)